Minidicionário Prático

Inglês – Português
Português – Inglês

Marilda
11/04/09.

Editor: **Raul Maia**
Supervisão Editorial: **Ana Claudia Vargas**
Produção Editorial: **Departamento Editorial DCL**
Revisão: **Bruna Baldini de Miranda**
Catia Pietro da Silva
Capa: **Clayton Barros Torres**
Composição: **Casa Editorial Maluhy & Co.**
Produção Gráfica: **Roze Pedroso**

Dados Internacionais de Catalogação na Publicação (CIP)
(Câmara Brasileira do Livro, SP, Brasil)

Minidicionário prático: inglês-português, português-inglês. – São Paulo: DCL, 2008.

ISBN 85-368-0205-7 (antigo)
ISBN 978-85-368-0205-3 (novo)

1. Inglês – Dicionários – Português.
2. Português – Dicionários – Inglês.

CDD-423.69
06-6857 -469.32

Índice para catálogo sistemático

1. Inglês : Dicionários : Português	423.69
2. Inglês-português : Dicionários	423.69
3. Português : Dicionários : Ingles	469.32
4. Português-inglês : Dicionários	469.32

2ª reimpressão – Novembro – 2008

DIFUSÃO CULTURAL DO LIVRO

© DCL – Difusão Cultural do Livro Ltda.
Rua Manoel Pinto de Carvalho, 80 – Bairro do Limão
CEP: 02712-120 – São Paulo/SP
www.editoradcl.com.br
dcl@editoradcl.com.br

Abreviaturas Usadas Neste Dicionário

A

ABREV = abreviatura
adj = adjetivo
adv = advérbio
AER = aeronáutica
AGRIC = agricultura
ALQ = alquimia
ANAT = anatomia
ARQ = arqueologia
ARQT = arquitetura
ART = arte
ASTR = astronomia
ASTRL = astrologia
AUT = automobilismo

B

BÍBL = Bíblia
BIOL = biologia
BOT = botânica
BR = Brasil

C

CAN = Canadá
CIN = cinema
COM = comércio
conj = conjunção
CONT = contabilidade
contr = contração

E

ECON = economia
ELET = eletricidade
ELETR = eletrônica
ENGL = Inglaterra
ESOT = esotérico
ESP = esporte
EXOT = exotérico

F

FAM = familiar
FIG = figurativo
FIL = filosófico
FIN = finanças
FÍS = física
FON = fonética
FOT = fotografia
FUT = futebol

G

GEOL = geologia
GEOM = geometria
GEO = geografia
GÍR = gíria
GRAM = gramática

H

HIST = história

I

IND = indústria
indef = indefinido
INTERJ = interjeição

J

JORN = jornalismo
JUR = jurídico

L

LAT = latin

M

MAT = matemática
MEC = mecânica
MED = medicina
MET = metalurgia
MIL = militar
MIN = mineralogia
MIT = mitologia
MÚS = música

N

NÁUT = náutica
NUM = numeral

P

past = passado
pp = particípio passado
pl = plural
POES = poesia
POL = política
POP = popular
prep = preposição
pron = pronome
PSIC = psicologia

Q

QUÍM = química

R

RÁD = rádio
RELIG = religião

S

s = substantivo

T

TEATR = teatro
TIP = tipografia
TV = televisão

U

USA = Estados Unidos

V

v = verbo
VETER = veterinária

Z

ZOO = zoologia

Minidicionário Prático

Inglês – Português

a A

A (êi) *s* primeira letra do alfabeto Português e do alfabeto Inglês; MÚS cifra da nota lá; *art indef* um (a); uns; umas; *prep* a; em; no (a); para; sobre; por.
A.back (abéc) *adv* atrás; detrás.
A.ban.don (abén.dân) *v* abandonar.
A.base (abêis) *v* abater; aviltar; desonrar.
A.base.ment (abêis.ment) *s* aviltação.
A.bash (abé.xe) *v* embaraçar; humilhar.
A.bash.ment (abéxe.ment) *s* vergonha.
A.bate (abêit) *v* abater; reduzir.
A.bate.ment (abêit.ment) *s* abatimento.
A.bat.toir (ébétuar) *s* matadouro.
Ab.bre.vi.ate (ébri.viêit) *v* abreviar; encurtar.
Ab.bre.vi.a.tion (ébriviêi.xân) *s* resumo; abreviação.
Ab.di.ca.tion (ébdiquêi.xân) *s* abdicação.
Ab.duct (ébdâct) *v* abduzir; raptar.
Ab.duc.tion (ébdâc.xân) *s* sequestro; abdução.
A.bed (abéd) *adv* acamado; deitado.
Ab.er.ra.tion (ébârêi.xân) *s* aberração.
A.bet (abét) *v* encorajar; apoiar.
A.bet.ment (abét.ment) *s* assistência.
A.bey.ance (abêi.ans) *s* suspensão; pendência.
Ab.hor (éb.hór) *v* detestar; odiar; rejeitar.
A.bide (abáid) *v* habitar; permanecer; *past and pp* abode.
A.bil.i.ty (abi.liti) *s* capacidade; habilidade.
Ab.ject (abdjéct) *v* rejeitar; desprezar.
Ab.jure (ébdjur) *v* abjurar; repudiar.
A.blaze (ablêis) *adj* ardente.
A.ble (êi.bol) *adj* apto; capaz.
A.bloom (ablum) *adj* florescente; florido; *adv* floridamente.
Ab.lu.tion (ablu.xân) *s* ablução; purificação.
Ab.ne.gate (éb.niguêit) *v* rejeitar; abnegar.
Ab.ne.ga.tion (ébniguêi.xân) *s* abnegação.
Ab.nor.mal.i.ty (ébnórma.liti) *s* anomalia; anormalidade.
A.bol.ish (abó.lixe) *v* abolir; anular; derrubar.
Ab.o.li.tion (éboli.xân) *s* abolição; anulação.
A.bom.i.na.ble (abó.minêibol) *adj* abominável; repugnante.
A.bom.i.nate (abó.minêit) *v* abominar; odiar.
A.bom.i.na.tion (abóminêi.xân) *s* abominação; repulsão.
A.bort (abórt) *v* abortar; fracassar; malograr.
A.bound (abáund) *v* abundar; exceder.
A.bound.ing (abáun.din) *adj* abundante; exuberante.
A.bout (abaut) *prep* acerca de; a respeito de; sobre; *adv* em torno de; por volta de.
A.bove (abâv) *s* céu; o ápice; o alto; *adj* mencionado; referido; *adv* acima; supra; *prep* além de; em cima.
A.bove.board (abâv.bôrd) *adj* franco; leal; sincero; *adv* às claras.
A.breast (abrést) *adv* de frente; lado a lado; par a par.
A.bridge (abríd.j) *v* abreviar; resumir.
A.bridge.ment (abridj.ment) *s* resumo; sumário; redução.
A.bridg.ment (abridj.ment) *examine* ⇒ Abridgement.
A.broad (abród) *s* países estrangeiros; *adv* externo.
Ab.ro.ga.ble (éb.roguêibol) *adj* ab-rogável.
Ab.rupt (a.brâpt) *adj* abrupto; brusco; áspero.
Ab.rup.tion (abrâp.xân) *s* interrupção; quebra.
Ab.rupt.ly (abrâpt.li) *adv* abruptamente; bruscamente.
Ab.scond (ebsquénd) *v* enconder-se; fugir.
Ab.sent (éb.cênt) *v* ausentar-se; faltar; *adj* ausente.
Ab.sen.tee (ébcênti) *s* desertor.
Ab.so.lute (éb.solut) *adj* absoluto; inteiro.
Ab.so.lute.ly (éb.solutli) *adv* absolutamente.
Ab.so.lu.tion (ebsolu.xân) *s* absolvição.
Ab.so.lu.tism (éb.solutism) *s* absolutismo; despotismo (governo com poder ilimitado).
Ab.solv.a.ble (ebsól.vêibol) *adj* perdoável.
Ab.solve (ebsólv) *v* absolver; perdoar.
Ab.sorb (absórb) *v* absorver; embeber.
Ab.stain (abstêin) *v* abster-se; privar-se.
Ab.sten.tion (ebstên.xân) *s* abstenção.
Ab.sti.nence (ebs.tinêns) *s* abstinência.
Ab.stract (ebstréct) *v* abstrair; resumir.
Ab.strac.tion (ebstréc.xân) *s* abstração.
Ab.surd (absârd) *s* absurdo; ridículo.
Ab.surd.i.ty (absâr.diti) *s* absurdo.
A.buse (abiuz) *s* abuso; injúria; insulto; *v* abusar.

A.but (abât) *v* limitar; confinar.
A.but.ment (abât.ment) *s* junção; limite.
A.byss (abis) *s* abismo; precipício.
Ac.a.dem.ic (écadé.mic) *adj* acadêmico.
Ac.cede (écsid) *v* assentir.
Ac.cel.er.ate (écsé.larêit) *v* acelerar.
Ac.cel.er.a.tion (écsélarêi.xân) *s* aceleração.
Ac.cent (éc.cênt) *s* sotaque; acento; *v* acentuar.
Ac.cen.tu.ate (écsên.tiuêit) *v* acentuar; salientar.
Ac.cen.tu.a.tion (écsêntiêi.xân) *s* acentuação.
Ac.cept (acsépt) *v* aceitar; receber; concordar.
Ac.cept.a.ble (acsép.têibol) *adj* aceitável; agradável.
Ac.cess (éc.sés) *s* entrada; acesso; admissão.
Ac.ces.si.bil.i.ty (éc.séssibiliti) *s* acessibilidade.
Ac.ces.so.ry (écsé.sôri) *adj* acessório.
Ac.ci.dent (éc.sident) *s* acidente.
Ac.ci.den.tal.ly (éccidén.tâli) *adv* casualmente.
Ac.claim (aclêim) *s* aplauso; *v* aclamar; saudar.
Ac.cli.mate (aclái.mêit) *v* aclimatar.
Ac.cli.ma.tize (aclái.mêtaiz) *v* aclimatar.
Ac.cliv.i.tous (acli.vitâs) *adj* aclive; íngreme.
Ac.cliv.i.ty (acli.viti) *s* aclive; rampa.
Ac.cli.vous (aclái.vâs) *adj* aclive.
Ac.com.pa.ni.ment (acam.pâniment) *s* acompanhamento.
Ac.com.pa.ny (acam.pâni) *v* acompanhar.
Ac.com.plish (acam.plixe) *v* cumprir; executar.
Ac.com.plished (acam.plixit) *adj* acabado; executado.
Ac.com.plish.ment (acam.plixement) *s* consecução; êxito; realização.
Ac.cord (acórd) *v* acordar; concordar.
Ac.cord.ance (acór.dans) *s* acordo; concordância.
Ac.cord.ing (acór.din) *adj* de acordo; de conformidade; *adv* segundo; conforme.
Ac.cord.ing.ly (acórding.li) *adv* consequentemente.
Ac.cor.di.on (acór.diân) *s* acordeão.
Ac.cost (acóst) *v* abordar; aproximar.
Ac.cou.cheuse (écuxês) *s* parteira.
Ac.count (acáunt) *s* conta; cálculo; *v* calcular; contabilizar.
Ac.count.ing (acaun.tin) *s* COM contabilidade.
Ac.cou.ter (acu.târ) *v* armar; equipar; vestir.
Ac.cou.tre *examine* ⇒ **Accouter**.
Ac.cred.it (acré.dit) *v* autorizar; endossar.
Ac.crue (acru.) *s* aumento; *v* aumentar; acrescentar.
Ac.cum.bent (acam.bênt) *adj* inclinado; reclinado.
Ac.cu.mu.late (âquiu.miulêit) *v* acumular; aumentar.
Ac.cu.mu.la.tor (âquiu.miulêitâr) *s* acumulador; bateria.
Ac.cu.ra.cy (e.quiurâssi) *s* apuração; exatidão.
Ac.curs.ed (acar.sid) *adj* amaldiçoado.
Ac.curst (acarst) *examine* ⇒ **Accursed**.
Ac.cu.sa.tion (équiuzêi.xân) *s* acusação; denúncia.
Ac.cuse (âquiuz) *v* acusar; denunciar.
Ac.cus.tom (acas.tâm) *v* acostumar.
Ac.cus.tomed (acas.tâmd) *adj* acostumado.
Ace (êis) *s* ás (carta de baralho); o melhor; o líder.
A.cerb (âssârb) *adj* acerbo; amargo; acre.
Ac.er.bate (é.sârbêit) *v* acerbar; azedar.
Ac.er.vate (âssâr.vit) *adj* amontoado.
Ache (êic) *s* dor; *v* doer; padecer.
A.chiev.a.ble (âtxi.vêibol) *adj* executável; realizável.
A.chieve (âtxiv) *v* atingir; completar.
A.chieve.ment (âtxiv.ment) *s* execução; resultado; realização.
Ach.ing (êi.quin) *adj* dolorido; magoado.
Ac.id (é.sid) *s* ácido.
Ac.knowl.edge (acnó.lidj) *v* admitir; agradecer; confessar.
Ac.knowl.edge.ment (acnó.lidjment) *s* confirmação; confissão; reconhecimento.
Ac.knowl.edg.ment *examine* ⇒ **Acknowledgement**.
Ac.me (éc.mi) *s* acme; ápice.
Ac.ne (éc.ni) *s* acne; espinha.
Ac.o.lyte (é.coláit) *s* acólito; sacristão.
A.cous.tic (acus.tic) *adj* acústico.
Ac.quaint (aqüêint) *v* avisar; comunicar; informar.
Ac.quain.tance (aqüêin.tâns) *s* conhecimento; entendimento; habilidade.
Ac.quain.tance.ship (aqüêin.tânsxip) *s* amizade; conhecimento.
Ac.quest (aqüést) *s* aquisição; compra.
Ac.qui.esce (éqüiés) *v* aquiescer; consentir.
Ac.qui.es.cence (éqüié.cêns) *s* anuência; condescendência; concordância.
Ac.quire (aqüáiâr) *v* adquirir; contrair (hábito).
Ac.quire.ment (aqüáiâr.ment) *s* aquisição; saber; talento.
Ac.quit (acuit) *v* desobrigar; quitar; absolver.
A.cre (êi.câr) *s* GEOL campo.
Ac.ro.bat (é.crobét) *s* acrobata; atleta.
A.cross (acrós) *adj* cruzado; *prep* através de; por.
Act (éct) *s* ato; ação, lei; número (artístico); *v* atuar; agir.
Act.ing (éc.tin) *s* ação; TEATR arte de representar; encenação; *adj* representável.
Ac.tion (éc.xân) *s* execução; ação; operação.
Ac.tive (éc.tiv) *s* COM o ativo.
Ac.tiv.i.ty (écti.viti) *s* atividade; presteza.
Ac.tor (éc.târ) *s* ator; autor.
Ac.tu.al.i.ty (éctiué.liti) *s* atualidade.
Ac.tu.al.ly (éc.tiuâli) *adv* de fato; na verdade; realmente.
Ac.tu.a.ry (éc.tiuâri) *s* atuário; escrivão.
A.cu.i.ty (âquiu.iti) *s* acuidade; argúcia; sutileza.
A.cu.men (âquiu.men) *s* esperteza; sagacidade.
A.cute (âquiut) *adj* agudo; aguçado; pontiagudo.
Ad (éd) *s* anúncio; propaganda; ABREV **Advertisement**.
Ad.age (e.didj) *s* adágio; provérbio; refrão.
Ad.am (â.dâm) *s* BÍBL Adão.
A.dapt (âdépt) *v* adaptar; harmonizar.
A.dapt.a.bil.i.ty (âdéptâbi.liti) *s* adaptabilidade.

Ad.ap.ta.tion (âdéptêi.xân) *s* adaptação; ajuste.
Add (éd) *v* acrescentar; juntar; somar.
Ad.der (é.dâr) *s* serpente; cobra.
Add.i.ble (é.dibol) *adj* acrescentável.
Ad.dict (âdict) *s* adicto (acostumado); pessoa viciada; *v* dedicar; entregar-se; tornar-se escravo de um vício.
Ad.dict.ed (âdic.tid) *adj* devotado; viciado.
Ad.dic.tion (âdic.xân) *s* inclinação; apego; tendência.
Ad.di.tion (âdi.xân) *s* adição; aumento; anexo de um edifício.
Ad.dle (édol) *s* sedimento; *v* apodrecer; gorar; confundir.
Ad.dress (âdrés) *s* discurso (dirigido a alguém); endereço; palestra; dedicatória; *v* dirigir-se a alguém.
Ad.dress.ee (âdréssi) *s* destinatário.
A.dept (âdépt) *s* conhecedor; iniciado; *adj* adepto.
Ad.e.qua.cy (é.dicuâssi) *s* aptidão; adequação.
Ad.e.quate (é.di.cuit) *adj* adequado; suficiente.
Ad.e.quate.ness (é.dicuâtnés) *examine* ⇒ Adequacy.
Ad.he.sive (éd.hi.siv) *adj* adesivo.
Ad.hib.it (éd.hi.bit) *v* admitir; anexar; juntar.
Ad.it (é.dit) *s* acesso; entrada; passagem.
Ad.ja.cen.cy (âdjêi.sênsi) *s* adjacência; nas imediações.
Ad.ja.cent (âdjêi.cênt) *adj* adjacente; contíguo; próximo.
Ad.jec.tive (é.djéctiv) *s* adjetivo.
Ad.join (âdjóin) *v* juntar; unir; ligar.
Ad.journ (âdjârn) *v* adiar; transferir.
Ad.journ.ment (âdjârn.ment) *s* adiamento; prorrogação; suspensão.
Ad.judge (âdjâd.j) *v* julgar; sentenciar.
Ad.ju.di.cate (âdju.dicquêit) *v* adjudicar; julgar.
Ad.ju.di.ca.tion (âdjudiquêi.xân) *s* adjudicação; sentença; julgamento.
Ad.junct (é.djânct) *s* adjunto; anexo; auxiliar.
Ad.ju.ra.tion (édjurêi.xân) *s* juramento; súplica.
Ad.jure (âdjur) *v* adjurar; esconjurar; intimar.
Ad.just (âdjâst) *v* acomodar; regularizar; regular.
Ad.just.a.ble (âdjâs.tbôl) *adj* ajustável; adaptável.
Ad.just.ment (adjâst.ment) *s* ajustamento; montagem; normalização.
Ad.ju.tant (á.djutânt) *s* ajudante; auxiliar.
Ad.ju.vant (á.djuvânt) *adj* ajudante.
Ad.min.is.ter (âdmi.nistâr) *v* administrar; dirigir; fornecer; conduzir; ajudar.
Ad.min.is.tra.tion (âdministrêi.xân) *s* administração; governo; aplicação.
Ad.mi.ra.bly (éd.mirâbli) *adv* admiravelmente.
Ad.mi.ral (éd.miral) *s* almirante.
Ad.mi.ra.tion (édmirêi.xân) *s* admiração; contemplação.
Ad.mire (édmáir) *v* admirar; apreciar; respeitar; amar.
Ad.mis.si.ble (âdmi.sibol) *adj* admissível; aceitável.
Ad.mis.sion (âdmi.xân) *s* admissão; entrada; aceitação.
Ad.mit (âdmit) *v* admitir; aceitar; ingressar.
Ad.mit.tance (âdmi.tâns) *s* admissão; entrada; recepção.
Ad.mit.ted.ly (âd.mi.tidli) *adv* admitidamente.
Ad.mon.ish (âdmó.nixe) *v* admoestar; advertir; prevenir.
A.do (âdu) *s* alarido; algazarra; alvoroço; dificuldade.
A.do.be (édôu.bi) *s* argila; tijolo cru.
Ad.o.les.cence (édolé.cêns) *s* adolescência; juventude.
Ad.o.les.cent (édolé.cênt) *adj* adolescente.
A.dopt (âdópt) *v* adotar; assumir; aceitar.
A.dop.tion (âdóp.xân) *s* adoção; reconhecimento.
A.dor.a.ble (âdóu.rêibol) *adj* adorável; belo; apreciável.
Ad.o.ra.tion (édorêi.xân) *s* adoração.
A.dore (âdôur) *v* adorar; gostar; estimar.
A.dorn (âdórn) *v* adornar; embelezar.
A.down (âdáun) *adv* para baixo; *prep* ao longo de.
A.drift (âdrift) *adj* à deriva; sem direção; *adv* à toa.
Ad.u.late (é.diulêit) *v* adular; lisonjear.
A.dult (adâlt) *adj* adulto; crescido.
A.dul.ter.ate (adâl.târêit) *v* adulterar; corromper.
A.dul.ter.ess (adâl.tares) *s* adúltera.
A.dul.ter.ous (adâl.tarâs) *adj* adúltero; falso.
A.dul.ter.y (adâl.tari) *s* adultério.
Ad.vance (âdvéns) *s* avanço; aumento; elevação; **must we pay in Advance?:** temos que pagar antecipadamente?; *v* avançar; progredir.
Ad.van.tage (édvân.tidj) *s* lucro; proveito; vantagem; *v* auxiliar; ajudar.
Ad.van.ta.geous (édvântêi.djâs) *adj* vantajoso; útil; favorável.
Ad.vent (éd.vênt) *s* advento; vinda.
Ad.ven.ture (âdvén.txâr) *s* aventura; ousadia; *v* aventurar-se; arriscar.
Ad.verb (éd.vârb) *s* GRAM advérbio.
Ad.ver.sa.ry (éd.vârsâri) *s* adversário; inimigo.
Ad.verse (éd.vârs) *adj* adverso; contrário.
Ad.ver.si.ty (âdvâr.siti) *s* adversidade; infortúnio.
Ad.vert (édvârt) *s* anúncio; propaganda; *v* advertir; observar.
Ad.ver.tise (éd.vârtáis) *v* anunciar; advertir.
Ad.ver.tise.ment (édvârtâiz.ment) *s* anúncio; propaganda; publicidade.
Ad.ver.tis.ing (éd.vârtáizin) *s* propaganda; publicidade.
Ad.ver.tize (éd.vârtáis) *also* ⇒ **Advertise.**
Ad.vice (édváis) *s* conselho; opinião; sugestão; *v* aconselhar; avisar.
Ad.vis.a.bil.i.ty (âdváizâbi.liti) *s* recomendação; prudência.
Ad.vis.a.ble (âdvái.zêibol) *adj* prudente; aconselhável; recomendado.
Ad.vise (âdváiz) *v* avisar; aconselhar.

Ad.vi.so.ry (âdvái.zâri) *adj* prudente.
Ad.vo.ca.cy (éd.vocâssi) *s* advocacia; defesa.
Ad.vo.cate (éd.vocquêit) *s* advogado; defensor; *v* advogar.
Ad.vow.ee (édváui) *s* patrono; padroeiro.
A.er.o.plane (êi.âroplêin) *s* aeroplano; avião.
A.far (âfár) *adv* à distância; ao longe; distanciado.
Af.fa.bil.i.ty (éfâbi.liti) *s* amabilidade; afabilidade.
Af.fa.ble (é.fêibol) *adj* afável; amável.
Af.fair (âfér) *s* assunto; namoro; negócio.
Af.fect (âféct) *s* afeto; sentimento; *v* afetar; comover.
Af.fect.ed.ly (âféc.tidli) *adv* afetadamente; fingidamente.
Af.fec.tion (âféc.xân) *s* afeição; doença.
Af.fec.tion.ate (âféc.xânit) *adj* afeiçoado; afetuoso; carinhoso.
Af.fec.tion.ate.ly (âféc.xânitli) *adv* afetuosamente; carinhosamente.
Af.fec.tive (âféc.tiv) *adj* afetivo; terno.
Af.fi.ance (âfái.ans) *s* fé; *v* prometer em casamento ou noivado.
Af.fi.da.vit (âfi.dêivit) *s* garantia; declaração oficial ou depoimento volutário.
Af.fil.i.ate (âfi.liêit) *v* adotar; afiliar; associar.
Af.fin.i.ty (âfi.niti) *s* afinidade; parentesco; semelhança.
Af.firm (âfârm) *v* afirmar; firmar; ratificar.
Af.fir.ma.tion (âfârmêi.xân) *s* afirmação; ratificação.
Af.fla.tion (âflêi.xân) *s* bafejo; inspiração; sopro.
Af.flict (âflict) *v* afligir; angustiar.
Af.flic.tive (âflic.tiv) *adj* aflitivo.
Af.flic.tive.ly (âflic.tivli) *adj* aflitivamente.
Af.flux (é.flâccs) *s* afluxo; afluência.
Af.ford (âfórd) *v* conceder; dispor; fornecer; produzir.
Af.fran.chise (éfrén.txáis) *v* conceder; franquear; libertar.
Af.fray (âfrêi) *s* distúrbio; tumulto; rixa; *v* amendrontar; alarmar.
Af.front (âfrânt) *s* afronta; insulto; ofensa; *v* afrontar; ofender.
A.field (âfild) *adv* em campo; para o campo.
A.fire (âfáir) *adj* em fogo; incendiado.
A.flame (âflêim) *adj* em chamas; flamejante; chamejante.
A.float (âflôut) *adj* flutuante; *adv* à tona; flutuante.
A.foot (âfut) *adv* a pé; andando; em marcha progredindo.
A.fore.said (âfôur.séd) *adj* citado anteriormente; supracitado.
A.fore.thought (âfour.thót) *s* premeditação; *adj* presumido; premeditado.
A.fore.time (âfôur.táim) *adv* anteriomente; antigamente.
A.foul (âfául) *adj* confuso; embaraçado; *adv* confusamente.
A.fraid (âfrêid) *adj* assustado; medroso; amedrontado.
A.fresh (âfré.xe) *adv* de novo; novamente.
Aft (éft) *adv* NÁUT à ré; à popa; atrás.
Af.ter (áf.târ) *s* POP ânus; nádegas; *adj* subsequente; posterior; NÁUT de ré; de popa; *prep* após; *adv* depois; em seguida; atrás; detrás; *conj* depois que.
Af.ter.care (áf.târ.quér) *s* tratamento de convalescência.
Af.ter.most (áf.târmôust) *adj* o último; o derradeiro.
Af.ter.noon (âftârnun) *s* o período da tarde; tarde.
Af.ter.ward (áf.târ.uârd) *adv* em seguida; depois.
Af.ter.wards *examine* ⇒ **Afterward.**
A.gain (âguêin) *adv* de novo; novamente.
A.gainst (âguêinst) *prep* contra; contrário; em oposição.
Ag.ate (é.gât) *s* ágata (pedra semipreciosa).
Age (êidj) *s* era; época; idade; velhice; *v* amadurecer.
A.gen.da (âdjén.da) *s* agenda; diário.
Ag.glom.er.ate (âgló.marêit) *v* aglomerar; amontoar.
Ag.glom.er.a.tion (âglómarêi.xân) *s* aglomeração; ajuntamento.
Ag.glu.ti.nate (âglu.tinêit) *v* aglutinar; ligar; *adj* aglutinado; ligado.
Ag.glu.ti.na.tion (âglutinêi.xân) *s* aglutinação.
Ag.gran.dize (é.grândáis) *v* engrandecer; exaltar; aumentar; exagerar.
Ag.gra.vate (é.grâvêit) *v* agravar; piorar.
Ag.gra.vat.ing (égrâvei.tin) *adj* agravante; exasperador; irritante.
Ag.gra.va.tion (égrâvei.xân) *s* agravação; POP provocação.
Ag.gre.gate (é.griguêit) *s* agregação; *v* agregar; *adj* agregado.
Ag.gress (âgrés) *v* agredir.
Ag.gres.sion (âgré.xân) *s* agressão; ataque.
Ag.gres.sive (âgré.siv) *adj* agressivo; ofensivo; ativo.
Ag.grieve (âgriv) *v* afligir; molestar; lesar.
A.ghast (âguést) *adj* espantado; perplexo.
Ag.ile (é.djil) *adj* ágil; ligeiro; rápido.
A.gil.i.ty (âdji.liti) *s* agilidade; presteza.
Ag.ile.ness *examine* ⇒ **Agility.**
Ag.ing (êidjin) *s* envelhecimento.
Ag.i.o (é.djio) *s* ágio; acréscimo.
Ag.i.o.tage (é.djiotidj) *s* agiotagem.
Ag.i.tate (é.djitêit) *v* agitar; excitar; discutir; perturbar.
Ag.i.ta.tion (édjitêi.xân) *s* agitação; pertubação.
A.glow (âglô.u) *adj* ardente; extasiado; incandescente; excitado; *adv* abrasadamente.
Ag.nail (ég.néil) *s* unheiro.
Ag.nate (ég.nêit) *adj* similar; aparentado.
Ag.na.tion (égnêi.xân) *s* agnação; consanguinidade paterna.
Ag.no.men (égnôu.men) *s* sobrenome; apelido.
A.go (âgôu) *adj* passado; *adv* faz tempo; tempos atrás.
A.gog (âgóg) *adj* esperançoso; ansioso; *adv* ansiosamente; impacientemente.

Ag.o.nize (é.gonáis) *v* agoniar; agonizar.
Ag.o.ny (é.goni) *s* agonia; angústia.
A.gou.ti (âgu.ti) *s* aguti; cutia (roedor).
A.gou.ty *s examine* ⇒ **Agouti.**
A.grafe (âgré.f) *s* gancho; colchete; broche.
A.graffe *s examine* ⇒ **Agrafe.**
A.gree (âgrii) *v* admitir; convir a; ceder; concordar.
A.gree.a.ble (âgri.êibol) *adj* agradável.
A.greed (âgrid) *adj* concorde; de acordo; concordante.
A.gree.ment (âgri.ment) *s* entendimento.
Ag.ri.cul.ture (égricâl.tiur) *s* agricultura.
A.gron.o.my (âgró.nomist) *s* agronomia; agricultura.
A.ground (âgráund) *adj* imobilizado; *adv* imobilizadamente.
A.gue (êi.guiu) *s* calafrio.
A.gu.ish (á.guixe) *adj* tendendo a ficar febril.
A.head (â.héd) *adv* à frente; em frente; na dianteira.
A.heap (â.hip) *adv* amontoadamente.
Aid (êid) *s* assistência; auxílio; ajuda; MIL ajudante; auxiliar; *v* auxiliar; abrigar; socorrer.
Aid.ance (êid) *s* ajuda; assistência.
A.i.d.s (êidz) *s* MED iniciais de Acquired Imunological Deficiency Syndrome.
Ail (êil) *v* afligir; angustiar; estar doente.
Ail.ment (êil.ment) *s* doença; incômodo.
Aim (êim) *s* mira; pontaria; objetivo; *v* apontar; mirar; pretender; visar.
Air (ér) *s* ar; atmosfera; aparência; MÚS área; *v* arejar; publicar; divulgar; *adj* aéreo.
Air.craft (ér.créft) *s* avião; aeronave.
Air.drome (ér.drôum) *s* aeroporto.
Air.i.ly (é.rili) *adv* alegremente; airosamente.
Air.i.ness (é.rinés) *s* suavidade; leviandade.
Air.line (ér.láin) *adj* direto; em linha reta.
Air.plane (ér.plêin) *s* aeroplano; *examine* ⇒ Aeroplane.
Air.port (ér.pôurt) *s* aeroporto.
Air.tight (ér.táit) *adj* hermético.
Air.way (ér.uêi) *s* rota, via aérea.
Air.y (é.ri) *adj* arejado; aéreo; etéreo.
Aisle (á.il) *s* ala; nave; corredor entre bancos.
A.kim.bo (aquim.bôu) *adv* com as mãos apoiadas nos quadris.
A.kin (aquin) *adj* aparentado; consanguíneo; semelhante.
A.larm (âlárm) *s* alarma; alarme; susto; *v* alarmar; assustar.
Al.be.it (ólbi.it) *conj* embora; entretanto; não obstante.
Al.co.hol (él.co.hól) *s* álcool; bebida alcoólica.
Al.co.hol.ic (élco.hó.lic) *adj* alcoólico; alcoólatra; que contém álcool.
Al.co.hol.ize (él.co.holáis) *v* alcoolizar; embebedar.
Al.cove (él.côuv) *s* alcova; quarto; nicho.
Al.der.man (ól.dârmaen) *s* USA magistrado; o que é eleito; vereador.
Ale (êil) *s* bebida com malte; cerveja inglesa.
A.le.a.to.ry (êiliâtôu.ri) *adj* ao acaso; casual; aleatório.
Alee (âli) *adv* NÁUT para sotavento, sobre sotavento.
A.lem.bic (âlém.bic) *s* alambique.
A.lert (âlârt) *s* MIL alarma; sinal de alerta; *adj* alerta.
Al.gid (él.djid) *adj* álgido; frio; gelado.
A.li.as (êi.liés) *adv* aliás; de outra maneira.
Al.i.ble (é.libol) *adj* nutriente.
A.lien (êi.liên) *s* estrangeiro; forasteiro; *adj* alienígena; alheio.
A.lien.a.ble (êi.lienêibol) *adj* alienável.
A.lien.ate (êi.lienêit) *v* alienar; afastar; desviar.
A.lien.a.tion (êilienêi.xân) *s* PSIC alienação; demência; loucura.
A.light (âláit) *v* descer; desmontar; pular; AER pousar; **alight upon:** deparar; *adj* brilhante; iluminado; *adv* em chamas.
A.lign (âláin) *v* alinhar; associar-se.
A.lign.ment (âláin.ment) *s* alinhamento.
A.like (âláic) *adj* igual; análogo; *adv* igualmente.
Al.i.men.ta.tion (élimentêi.xân) *s* alimentação; substância.
Al.i.mo.ny (é.limôuni) *s* mesada; pensão alimentícia.
A.live (âláiv) *adj* animado; vivo; TV ao vivo (transmissão de eventos).
All (ól) *s* tudo; totalidade; universo; *adj* inteiro; todo (s); toda (s); inteiro; máximo; tudo quanto; só; apenas; *pron* tudo; todos; todas; *adv* completamente; inteiramente.
Al.lay (âlêi) *v* acalmar; aliviar; suavizar.
Al.le.ga.tion (éliguêi.xân) *s* alegação.
Al.lege (âlé.dj) *v* alegar; afirmar; declarar.
Al.leg.ed.ly (âlé.djêdli) *adv* supostamente.
Al.le.gor.ic (éligó.ric) *adj* alegórico.
Al.le.go.rize (é.ligoráis) *v* alegorizar.
Al.le.go.ry (é.ligôuri) *s* alegoria, exposição de pensamento de modo figurado.
Al.ler.gic (âlâr.djic) *adj* alérgico.
Al.ler.gy (é.lârdji) *s* alergia.
Al.le.vi.ate (âli.viêit) *v* aliviar; acalmar.
Al.ley (é.li) *s* alameda; beco; rua (estreita); viela.
All Fools' Day (ól-fuls.dêi) *s* dia em que brincadeiras e piadas são usualmente feitas.
All-Hallows (ól-hé.lôus) *s* Todos os Santos (1° de novembro); *examine* ⇒ **All Sant's Day.**
Al.li.ance (âlái.ans) *s* aliança; sociedade.
Al.li.ga.tor (é.liguêitâr) *s* aligátor (réptil).
Al.li.sion (âli.jân) *s* choque; colisão.
Al.lo.cate (é.locquêit) *v* colocar; fixar.
Al.lo.cu.tion (éloquiu.xân) *s* alocução; oratória.
Al.lot (âlót) *v* conceder; lotear; repartir.
Al.lot.ment (âlót.ment) *s* partilha; divisão.
Al.low (âlá.u) *v* aprovar; permitir; deduzir; POP manter, acreditar, pretender.
Al.low.ance (âláu.ans) *v* dar pensão.
All right (ólrait) *adv* satisfatoriamente; corretamente.
All-Saints' Day (óls-cents.dêi) *s* Todos os Santos (1° de novembro).

All-Souls' Day (óls-sôuls.dêi) *s* Dia das Almas; Dia de Finados (2 de novembro).
Al.lude (âliud) *v* insinuar; aludir.
Al.lure (âliur) *s* encantamento; fascinação; *v* seduzir.
Al.lure.ment (âlíur.ment) *s* ardil; sedução.
Al.lu.sion (âliu.djân) *s* alusão; comentário.
Al.lu.sive (âliu.siv) *adj* alusivo.
Al.ly (âlái) *v* aliar; ligar; associar.
Al.might.i.ness (ólmái.tinés) *s* onipotência; onisciência; onipresença.
Al.might.y (ólmái.ti) *adj* Todo Poderoso.
Al.mond (á.mând) *s* amêndoa; amendoeira.
Al.most (ól.môust) *adv* quase.
Alms (áms) *s* esmola; caridade.
Alms.house (áms.háus) *s* asilo.
A.loft (âlóft) *adv* acima; em cima; em suspenso.
A.lone (âlôun) *adj* separado; solitário; só; *adv* unicamente; apenas.
A.long (âlón) *adv* adiante; comigo; juntamente; **to get Along with:** dar-se bem com; *prep* ao longo de.
A.long.side (âlón.sáid) *adv* ao lado; junto; *prep* ao longo de; ao lado de.
A.loof (âluf) *adj* reservado; indiferente; afastado; *adv* à distância; à parte; longe.
A.loud (âláud) *adv* audivelmente; em voz alta.
Al.read.y (ólré.di) *adv* agora; já; pronto; anteriormente; presentemente.
Al.right (ól.rait) *examine* ⇒ **All right.**
Al.so (ól.sôu) *adv* além disso; do mesmo modo; também; igualmente; *conj* senão.
Al.tar (ól.târ) *s* altar; **Altar Bread:** hóstia.
Al.ter.a.ble (ól.târêibol) *adj* alterável; variável; modificável.
Al.ter.cate (ól.târcquêit) *v* indispor; disputar.
Al.ter.ca.tion (óltârquêi.xân) *s* altercação; discussão; disputa.
Al.ter.nate (ól.târnêit) *s* substituto; *v* alternar; suceder; *adj* alternado.
Al.though (ól.dhôu) *conj* embora; não obstante; no entanto; todavia.
Al.to.geth.er (óltugué.dhâr) *s* todo; conjunto; *adv* juntamente; completamente.
Al.tru.ism (él.truism) *s* altruísmo.
Al.tru.ist (él.truist) *s* altruísta.
A.lum.nus (élâm.nas) *s* formando de colégio ou universidade; bacharel; aluno.
Al.ways (ól.uêis) *adv* permanentemente; continuamente; repetidamente; sempre.
A. M. (êi.ém) ABREV **Ante Meridiem** (antes do meio dia).
A.main (âmêin) *adv* intensificadamente; veementemente; rapidamente.
A.mass (âmés) *v* acumular; juntar; ajuntar.
A.maze (âmêiz) *s* assombro; *v* assustar; embaraçar.
A.maze.ment (âmêiz.ment) *s* espanto; pasmo; admiração.
A.maz.ing (âmêi.zin) *adj* surpreendente; espantoso; estupendo.
Am.bi.ent (ém.bient) *adj* ambiente; recinto.
Am.bi.gu.i.ty (ém.bigüiti) *s* ambiguidade.
Am.big.u.ous (émbi.güâs) *adj* ambíguo.
Am.bit (ém.bit) *s* amplitude; âmbito.
Am.bi.tion (émbi.xân) *v* ambicionar; almejar.
Am.bi.tious (émbi.xâs) *adj* ambicioso.
Am.bo (ém.bôu) *s* púlpito.
Am.bry (ém.bri) *s* guarda-louça; abertura (nicho) para pôr objetos sagrados, santos, etc.
Am.bu.lance (ém.biulâns) *s* ambulância.
Am.bu.lant (ém.biulânt) *adj* ambulante.
Am.bu.late (ém.biulêit) *v* andar por; mover-se de um lugar para outro.
Am.bu.la.to.ry (émbiu.latôuri) *adj* ambulatório; móvel; ambulante.
Am.bus.cade (ém.bâscquêid) *v* cair em tocaia, ficar emboscado.
Am.bush *examine* ⇒ **Ambuscade.**
Am.bush.ment (ém.bâxement) *s* cilada; armadilha.
A.me.lio.rate (âmi.liorêit) *v* enriquecer; aperfeiçoar-se.
A.me.lio.ra.tion (âmiliorêi.xân) *s* aperfeiçoamento; melhora.
A.men (êi.men) *s* aprovação; *adv* amém.
A.me.na.bil.i.ty (âminâbi.liti) *s* subordinação; responsabilidade.
A.me.na.ble (âmi.nêibol) *adj* ameno; agradável; submisso.
A.mend (âménd) *v* corrigir; emendar; aperfeiçoar.
A.mend.a.ble (âmén.dêibol) *adj* corrigível; melhorável.
A.mend.ment (âménd.ment) *s* emenda; melhoramento.
A.mends (âmén.ds) *s* compensação; indenização.
A.men.i.ty (âmi.niti) *s* amenidade; ternura.
A.merce (âmârs) *v* autuar; castigar; multar.
A.merce.ment (âmârs.ment) *s* multa; punição; taxa.
A.mer.i.can (âmé.rican) *s* USA Americano.
A.mi.a.bil.i.ty (êimiâbi.liti) *s* afabilidade; amabilidade.
A.mi.a.ble (êi.miêibol) *adj* agradável; amável.
Am.i.ca.bil.i.ty (émicâbi.liti) *s* afeto; amizade; afeição.
A.mid (âmid) *prep* cercado por; entre; no centro de.
Amidst (âmi.dst) *examine* ⇒ **Amid.**
A.miss (âmis) *adj* errôneo; importuno; incômodo; defeituoso; *adv* erroneamente; fora de lugar; em falta.
Am.i.ty (é.miti) *s* amizade; cordialidade; fraternidade.
Am.mu.ni.tion (émiuni.xân) *s* bala (de chumbo); munição; *v* municiar.
A.mok (âmác) *adv* furiosamente; como um louco.
A.mong (amân) *prep* em meio de; entre; incluso; no meio.
A.mongst (amânst) *examine* ⇒ **Among.**
Am.o.rous.ly (é.morâsli) *adv* amorosamente; ternamente.

Am.or.tize (amór.táis) *v* amortizar (pagar em parcelas periódicas).
A.mount (amâunt) *s* importância; montante; *v* custar.
Am.per.sand (em.pârsénd) *s* símbolo de **and** ⇒ (&).
Am.ple (ém.pol) *adj* amplo; vasto; espaçoso.
Am.ple.ness (ém.polnés) *s* amplitude.
Am.pli.a.tion (émpliêi.xân) *s* ampliação.
Am.pli.fi.ca.tion (émplifiquêi.xân) *s* aumento; amplificação; extensão.
Am.pli.fy (ém.plifái) *v* ampliar; amplificar.
Am.pli.tude (ém.plitiud) *s* amplitude; riqueza.
Am.ply (ém.pli) *adv* abundantemente; largamente.
Am.pu.tate (ém.piutêit) *v* amputar.
A.muck (amác) *examine* ⇒ **Amok.**
Am.u.let (é.miulit) *s* amuleto; talismã.
A.muse (âmiuz) *v* divertir; distrair; entreter.
A.muse.ment (âmiuz.ment) *s* distração; diversão; entretenimento.
A.mus.ing (âmiu.zin) *adj* divertido; festivo.
An (ân) *art* um (a).
An.a.dem (é.nâdem) *s* grinalda; coroa de flores.
A.nal (éi.nâl) *adj* anal; do ânus.
Analgize (énâldjáiz) *v* MED anestesiar.
A.nal.o.gous (ané.logâs) *adj* análogo; igual; semelhante.
A.nal.o.gy (ané.lodji) *s* analogia; semelhança.
A.nal.y.sis (éne.lissis) *s* análise; decomposição química; exame.
An.a.lyt.ics (énali.ticcs) *s* FIL analítica, a arte de decompor o pensamento em suas partes.
An.a.lyze (é.naláis) *v* analisar; investigar.
An.ar.chy (é.nârcqui) *s* anarquia; indisciplina.
An.a.tom.ic (énató.mic) *adj* anatômico.
A.nat.o.mize (ené.tómáis) *v* anatomizar.
An.ces.tor (én.cêstâr) *s* ancestral; antepassado.
An.ces.tral (én.cêstral) *adj* ancestral.
An.ces.try (én.cistri) *s* genealogia; descendência; linhagem.
An.chor.age (én.câridj) *s* ancoradouro; amparo.
An.cient (êin.xânt) *s* ancião; patriarca; o que viveu na antiguidade; *adj* antigo; idoso; velho.
An.cil.la.ry (ên.siléri) *adj* subordinado; submisso.
An.con (én.cón) *s* base; cotovelo (novo nome ⇒ cúbito).
And (ând) *conj* de modo que; e; assim como; além disso; mas; contudo; **and so on:** etc. (**et caetera**); e assim por diante.
And.i.ron (én.dáiârn) *s* chaminé; lareira; suporte para lenha de lareira.
An.ec.dote (é.necdôut) *s* anedota (piadas).
A.new (âni.u) *adv* de novo; novamente; uma vez mais.
An.ger (éngâr) *s* ódio; raiva; cólera; ira; *v* enlouquecer.
An.gle (én.gol) *s* ângulo (ponto de vista); *v* angular; pescar (com anzol).
An.gle.worm (én.gl-uârm) *s* minhoca.
An.gli.can (én.glican) *adj* Anglicano.
An.gli.can.ism (én.glicanizm) *s* Anglicanismo (religião oficial da Inglaterra).
An.gli.cism (én.glissism) *s* GRAM Anglicismo.
An.gri.ly (én.grili) *adv* furiosamente.
An.gri.ness (én.grinés) *s* cólera; ira; raiva.
An.gry (én.gri) *adj* furioso; irritado; indignado; dolorido (ferido); **to get Angry:** zangar-se.
An.guish (én.güixe) *s* aflição; angústia; *v* angustiar.
An.i.mal (é.nimâl) *adj* animal.
An.i.mal.ize (é.nimâláis) *v* animalizar.
An.i.mate (é.nimêit) *v* animar; encorajar; *adj* animado.
An.i.mat.ed (é.nimêitid) *examine* ⇒ **Animate.**
An.i.ma.tion (énimêi.xân) *s* animação; brilho; CIN movimentação de desenhos.
An.i.mos.i.ty (énimó.ziti) *s* animosidade; aversão.
An.ise (é.nis) *s* anis; erva-doce.
An.kle (én.col) *s* tornozelo.
An.klet (én.clit) *s* meia soquete (curta); protetor; tornozeleira.
An.nex (ânécs) *v* anexar; juntar.
An.nex.a.tion (énecsêi.xân) *s* anexação.
An.ni.ver.sa.ry (énivâr.sâri) *s* aniversário.
An.no.tate (é.nôutêit) *v* anotar; pôr notas.
An.no.ta.tion (énôutêi.xân) *s* anotação; comentário; observação.
An.nounce (ânáuns) *v* anunciar; publicar; apresentar (um orador, um hóspede).
An.nounce.ment (ânáuns.ment) *s* aviso; anúncio; publicidade.
An.noy (ânói) *v* aborrecer; importunar.
An.noy.ance (ânói.ans) *s* aborrecimento; incômodo; importunação.
An.noy.er (anó.iâr) *s* importuno.
An.noy.ing (anói.in) *adj* inoportuno; aborrecido; irritante.
An.nu.i.ty (âniu.iti) *s* anuidade; anualidade.
An.nul (ânal) *v* anular; cancelar; invalidar.
An.nu.late (é.niulêit) *adj* anelado.
An.nu.la.tion (éniulêi.xân) *s* aneladura.
An.nul.ment (anâl.ment) *s* anulação; rescisão.
An.nun.ci.ate (anân.xiêit) *v* avisar; anunciar; publicar.
A.noint (anóint) *v* dar extrema unção; ungir; untar.
A.noint.ment (anóint.ment) *s* unção; aplicação.
A.nom.a.ly (anó.mâli) *s* anomalia; defeito.
An.o.nym (é.nonim) *s* escritor ou pessoa anônima; pseudônimo.
An.o.nym.i.ty (é.nonimiti) *s* anonimato.
An.oth.er (anâ.dhâr) *adj* outro (a); um (uma) outro (a); *pron* um outro; uma outra; qualquer um; qualquer uma.
An.swer (én.sâr) *s* réplica; resposta; *v* responder; retrucar; atender; obedecer.
An.tag.o.nism (enté.gonizm) *s* antagonismo; oposição; rivalidade.

An.tag.o.nist (enté.gonist) *s* antagonista; rival; oponente.
An.tag.o.nize (enté.gonáis) *v* disputar; competir; ser antagônico.
Ant-Eater (ént.itâr) *s* zoo tamanduá.
An.te.cede (éntissid) *v* anteceder; preceder.
An.te.ce.dent (éntissi.dânt) *adj* antecedente; anterior.
An.te.ces.sor (éntissé.sâr) *s* antepassado.
An.te.lope (éntiloup) *s* antílope (animal).
An.te.room (énti.rum) *s* antessala.
An.them (én.them) *s* hino.
An.thrax (én.thrécs) *s* carbúnculo; furúnculo.
An.tic (én.tic) *adj* esquisito; bizarro.
An.tic.i.pate (énti.cipêit) *v* anteceder; antecipar; prever; prevenir.
An.tic.i.pa.tion (éntissipêi.xân) *s* antecipação; previsão; prevenção.
An.tip.a.thy (enti.pâthi) *s* antipatia; rejeição.
An.ti.quate (én.ticcuêit) *v* tornar velho.
An.tique (éntic) *s* antiguidade; objeto de arte antiga; *adj* antiquado; clássico.
An.tiq.ui.ty (énti.cuiti) *s* antiguidade; os antigos.
Anti-slavery (entislêi.vâri) *adj* antiescravista.
Ant.ler (én.tlâr) *s* chifre ramificado de animal (cervo, etc.).
An.to.nym (én.tônim) *s* GRAM antônimo.
A.nus (éi.nâs) *s* ânus.
An.vil (én.vil) *s* bigorna.
Anx.i.e.ty (éngzá.êiti) *s* ansiedade; ânsia; angústia.
Anx.ious (énc.xâs) *adj* ansioso; angustiado.
Anx.ious.ly (énc.xâsli) *adv* ansiosamente; impacientemente.
An.y (é.ni) *adj* algum (a); qualquer; quaisquer; nenhum (a); *pron* algum (as); qualquer um (a); algum (a); seja qual for; *adv* de qualquer modo, grau, etc.
An.y.bod.y (éni.bóri) *pron* alguém; qualquer um.
An.y.how (éni.háu) *adv* casualmente; de qualquer maneira; seja como for.
An.y.one (éni.uân) *pron* qualquer pessoa; qualquer um.
An.y.thing (é.nithin) *pron* alguma coisa; algo; qualquer coisa; *adv* de qualquer forma; de todo jeito.
An.y.way (éni.uêi) *adv* de qualquer modo; em todo caso; apesar de tudo.
An.y.where (éni.uér) *adv* em qualquer lugar ou parte; em nenhuma parte ou lugar.
An.y.wise (éni.uáis) *adv* de qualquer forma; de algum modo; de alguma maneira.
A.pace (apêis) *adv* rapidamente; com o passo rápido.
A.part (âpárt) *adv* separadamente.
A.part.ment (âpárt.ment) *s* apartamento; aposento.
Ape (êip) *s* mico; macaco bugio; *v* arremedar; imitar.
A.peak (âpic) *adv* em posição vertical como âncora.
A.pe.ri.ent (âpi.rient) *s* laxante; purgante; *adj* laxativo.
Ap.er.ture (é.pârtiuâr) *s* abertura; fenda.
Ap.er.y (êi.pâri) *s* o ato de imitar.
A.pex (êi.pecs) *s* alto; ápice; cume; *pl* **Apexes.**
A.pi.a.ry (êi.piâri) *s* apiário; colmeia.
A.piece (âpis) *adv* cada um; por cabeça.
Ap.ish (êi.pixe) *adj* arremedador; imitador.
A.plomb (âplóm) *s* confiança; calma; compostura.
Ap.od (é.pód) *adj* ápode, que não tem pés.
Ap.o.gee (é.pódji) *s* apogeu, o mais alto ponto.
A.pol.o.gize (apó.lodjáis) *v* defender-se; desculpar-se.
A.pol.o.gy (apó.lodji) *s* apologia; defesa; desculpa.
Ap.os.tol.ic (épostó.lic) *adj* apostólico.
A.pos.tro.phe (após.trofi) *s* apóstrofo (').
A.pos.tro.phize (após.trofáis) *v* apostrofar, colocar sinal gráfico (').
A.poth.e.ca.ry (apó.thiquéri) *s* boticário; farmacêutico.
Ap.o.thegm (apó.thém) *s* máxima; adágio.
Ap.pal (apól) *v* atemorizar; espantar.
Ap.pall (apól) *v examine* ⇒ **Appal.**
Ap.palled (apó.lid) *adj* chocado; perplexo.
Ap.pal.ling (apó.lin) *adj* apavorante; espantoso.
Ap.par.el (apé.râl) *s* vestes; vestuário; traje; *v* ornar; trajar; vestir.
Ap.par.ent (apé.rant) *adj* aparente; evidente.
Ap.par.ent.ly (apé.rântli) *adv* aparentemente; obviamente.
Ap.pa.ri.tion (épâri.xân) *s* aparição; visão; imagem.
Ap.peal (âpil) *s* atração; simpatia; encanto; *v* JUR apelar; recorrer.
Ap.pear (âpir) *v* aparecer; apresentar-se.
Ap.pear.ance (âpi.arâns) *s* lançamento (de livro); publicação; aparência; aparição.
Ap.pease (âpis) *v* apaziguar; acalmar; favorecer.
Ap.pease.ment (âpis.ment) *s* apaziguamento; pacificação.
Ap.pel.late (apé.lêit) *adj* apelatório.
Ap.pend (apénd) *v* anexar; fixar; juntar.
Ap.pen.dage (apén.didj) *s* apêndice; acessório; membro; anexo.
Ap.pen.dant (apén.dânt) *s* apêndice; apenso.
Ap.pen.dent (apén.dânt) *s examine* ⇒ **Appendant.**
Ap.pen.dix (apén.dics) *s* acessório; anexo; saliência; ANAT apêndice.
Ap.per.tain (épârtêin) *v* pertencer; relacionar-se.
Ap.pe.tence (é.pitâns) *s* apetite; desejo; apetência.
Ap.pe.ten.cy (é.pitânci) *s examine* ⇒ **Appetence.**
Ap.pe.tite (é.pitáit) *s* apetite; ância.
Ap.pe.tiz.er (é.pitáizâr) *s* aperitivo.
Ap.plaud (aplód) *v* aplaudir; elogiar.
Ap.plause (aplóz) *s* aplauso; aclamação.
Ap.ple (épol) *s* maçã.
Ap.pli.ance (aplái.ans) *s* instrumento; invento.
Ap.plied (apláid) *adj* aplicado; empregado.
Ap.ply (apláii) *v* aplicar; empregar; recorrer.
Ap.point (apóint) *v* apontar; decretar.

Ap.point.ee (apóinti) *s* pessoa designada para algum cargo.
Ap.point.ment (apóint.ment) *s* decreto; cargo; indicação; encontro; entrevista.
Ap.por.tion (apór.xân) *v* dividir; partilhar; ratear.
Ap.pose (apôuz) *v* aplicar; juntar; apor; pôr.
Ap.po.site (é.pozit) *adj* próprio; apto; apropriado.
Ap.prais.al (aprêi.zâl) *s* apreciação; avaliação; exame.
Ap.praise (aprêiz) *v* apreciar; estimar; fixar.
Ap.praise.ment (aprêiz.ment) *s* avaliação; taxação.
Ap.pre.ci.ate (âpri.xiêit) *v* apreciar; admirar; calcular.
Ap.pre.ci.a.tion (âprixiêi.xân) *s* apreciação; admiração; simpatia.
Ap.pre.hend (épri.hénd) *v* apreender; recear; temer.
Ap.pre.hen.si.ble (épri.hén.cibol) *adj* apreensível; concebível; perceptível.
Ap.pre.hen.sive (épri.hén.civ) *adj* apreensivo; inteligente.
Ap.prise (apráis) *v* avisar; prevenir; avaliar; informar.
Ap.prize (apráis) *v examine* ⇒ **Apprise.**
Ap.proach (aprôu.txi) *s* aproximação; modo; jeito; abordagem; *v* rodear; aproximar.
Ap.pro.bate (é.probêit) *v* aprovar; autenticar.
Ap.pro.ba.tion (éprobêi.xân) *s* aceitação; aprovação; consentimento.
Ap.prov.al (âpru.vâl) *s* aprovação; adesão; acordo.
Ap.prove (âpruv) *v* aprovar; apoiar sancionar.
Ap.prox.i.mate (apróc.simêit) *v* aproximar; acercar; *adj* perto; aproximado.
Ap.prox.i.mate.ly (apróc.simêitli) *adv* aproximadamente.
Ap.prox.i.ma.tive (apróc.simâtiv) *adj* aproximativo.
Ap.pur.te.nance (apâr.tinâns) *s* pertences.
Ap.pur.te.nant (apâr.tinânt) *adj* pertinente; pertencente.
A.pri.cot (ei.pricôut) *s* damasco (fruta).
A.pril (êi.pril) *s* abril (4° mês do ano).
Apt (épt) *adj* apto; próprio; inteligente.
Ap.ti.tude (ép.titud) *s* aptidão; talento; tendência.
A.qua.ri.um (écuêi.riâm) *s* aquário; museu aquático.
A.quat.ic (acué.tic) *adj* aquático.
Ar.ab (é.râb) *adj* árabe.
Ar.a.bic (é.râbic) *adj* língua árabe; arábico.
Ar.a.ble (é.rêibol) *adj* arável; cultivável.
Ar.a.ma.ic (éramêi.ic) *adj* aramaico.
Ar.bi.ter (ár.bitâr) *s* árbitro; juiz; mediador.
Ar.bit.ra.ment (ârbi.trâment) *s* arbitragem; julgamento; arbítrio.
Ar.bi.tra.ry (ár.bitrâri) *adj* arbitrário.
Ar.bi.trate (ár.bitrêit) *v* arbitrar; julgar.
Arc (árc) *v* ELET formar um arco voltaico.
Ar.cade (arquêid) *s* arco; abóbada; *v* arquear; abobodar.
Arch (ár.txi) *s* abóbada; arco; peito do pé; *v* arquear; abobadar; *adj* astuto; eminente; mor.
Ar.cha.ic (arcquêi.ic) *adj* arcaico; antigo.
Ar.cha.ize (ár.cquêiáis) *v* tornar antigo; tornar arcaico.
Arch.bish.op (ártxibi.xâp) *s* arcebispo; prelado.
Arch.er (ár.txâr) *s* arqueiro.
Ar.chi.pel.a.go (árcquipé.lâgôu) *s* arquipélago.
Ar.chi.tect (arcquitéct) *s* arquiteto; artífice; construtor.
Ar.chi.tec.ture (arcquitéc.tiur) *s* arquitetura; edifício; estrutura.
Ar.chive (ár.cáiv) *s* arquivo; depósito de papéis.
Arch.way (artxi.uêi) *s* abóbada; arcada; passagem.
Ar.den.cy (ár.denci) *s* ância; ardor; calor.
Ar.dent (ár.dent) *adj* ardente; fogoso.
Ar.dor (ár.dâr) *s* ardor; grande entusiasmo; fervor.
Ar.dour (ár.dâr) *s examine* ⇒ **Ardor.**
Ar.du.ous (ár.diuâs) *adj* árduo; penoso; difícil.
A.re.a (êi.riâ) *s* área; região; superfície.
Ar.gent (ár.djênt) *adj* argênteo; prateado.
Ar.gen.te.ous (árdjen.tiâs) *adj* argênteo.
Ar.gil (ár.djil) *s* argila, barro de oleiro.
Ar.got (ár.gôu) *s* gíria; calão.
Ar.gu.a.ble (ár.guiu.êibol) *adj* arguível.
Ar.gue (ár.guiu) *v* arguir; debater; discutir.
Ar.gu.ment (ár.guiument) *s* argumento.
Ar.gute (árguiut) *adj* arguto; perspicaz.
Ar.id (é.rid) *adj* árido; seco; áspero; rústico.
A.right (á.rait) *adv* acertadamente; bem.
A.rise (âráis) *v* aparecer; elevar-se; levantarse; surgir; *past* **Arose** *and pp* **Arisen.**
A.rith.me.tic (ârith.métic) *s* aritmética.
Arm (árm) *s* braço; membro dianteiro (animais); *v* armar; munir.
Ar.ma.dil.lo (armâdi.lôu) *s* tatu (mamífero).
Ar.ma.ment (ár.mâment) *s* armamento.
Arm.chair (árm.txér) *s* poltrona.
Arm.hole (árm.hôul) *s* axila; cava (de manga); sovaco.
Arm.let (árm.lét) *s* bracelete; braço de rio ou mar.
Ar.mor (ár.mâr) *s* armadura; couraça; escafandro; blindagem; *v* blindar.
Ar.morer (ár.marâr) *s* armeiro.
Ar.mo.ry (ár.môuri) *s* arsenal; fábrica de armas.
Ar.mour (ár.mâr) *v examine* ⇒ **Armor.**
Arm.pit (árm.pit) *s* axila; sovaco.
Arms (ármz) *s* armas; brasões.
Ar.my (ár.mi) *s* exército; tropa; multidão.
A.ro.ma (arôu.mâ) *s* aroma; perfume.
A.round (âraund) *adv* ao derredor; acerca; em torno; circularmente; *prep* em torno de; junto de; ao redor de.
A.rous.al (aráu.zâl) *s* excitação.
A.rouse (aráuz) *v* acordar; animar; despertar; levantar.
A.row (arô.u) *adv* em linha; em fila.
Ar.raign (arêin) *v* JUR denunciar; processar.
Ar.range (arêin.dj) *v* arrumar; dispor; arranjar.
Ar.range.ment (arêindj.ment) *s* arranjo; acomodação; disposição.

Ar.ray (arêi) *s* ordem; série; *v* colocar em ordem; enfeitar.
Ar.rear (ari.âr) *s* atrasos; dívidas; débitos.
Ar.rest (arést) *s* captura; prisão; embargo; *v* apreender; arrestar; prender.
Ar.rest.er (arést) *s* embargador.
Ar.ri.val (arái.vâl) *s* chegada; vinda; recém-nascido.
Ar.rive (aráiv) *v* chegar; surgir; vir.
Ar.ro.gance (é.rogâns) *s* arrogância; presunção; orgulho.
Ar.ro.gan.cy (é.rogânci) *s examine* ⇒ **Arrogance.**
Ar.ro.gate (é.roguêit) *v* arrogar; apropriar; exigir ou reclamar sem direitos.
Ar.ro.ga.tion (éroguêi.xân) *s* arrogância; insolência; apropriação.
Ar.row (é.rôu) *s* flexa; ponta; seta.
Ar.son (ár.sân) *s* incêndio provocado; ateamento criminoso de fogo.
Art (árt) *s* arte; habilidade; ofício.
Art.ful.ness (árt.fulnés) *s* astúcia; destreza; habilidade.
Ar.ti.choke (ár.tixôuc) *s* alcachofra.
Ar.ti.cle (ár.ticol) *s* artigo; coisa; matéria; objeto; artigo (de jornal, etc.); parágrafo; mercadoria; GRAM artigo; *v* articular; contratar.
Ar.tic.u.late (árti.cquiulêit) *v* articular; unir; ligar; enunciar; *adj* articulado.
Ar.tic.u.la.tion (articquiulêi.xân) *s* articulação; junta, articulação.
Ar.ti.fice (ár.tifis) *s* artifício; estratégia.
Art.ist (ár.tist) *s* artista.
Ar.tiste (ártist) *s* profissional de dança, canto, etc.
Art.less (árt.lés) *adj* sem arte; inábil.
As (éz) *adv* igualmente; assim como; tão; tanto como; tanto quanto; como por exemplo; *conj* como; pois que; porquanto; *prep* como.
As.cend (assénd) *v* ascender; subir.
As.cen.dance (assén.dâns) *s* ascendência; predomínio.
As.cen.dan.cy (assén.dânci) *examine* ⇒ Ascendance.
As.cen.dence (assén.dânci) *examine* ⇒ Ascendancy.
As.cen.dant (assén.dânt) *adj* ascendente; superior; predominante; antepassado.
As.cen.den.cy (assén.dânci) *examine* ⇒ Ascendance.
As.cen.dent (assén.dânt) *examine* ⇒ **Ascendant.**
As.cen.sion (assén.xân) *s* ascensão; subida.
As.cer.tain (éssartêin) *v* averiguar; determinar; indagar.
A.scribe (ascráib) *v* atribuir; conceder; referir.
Ash (éxe) *s* cinza; restos mortais; cor de cinza.
A.shamed (axêimd) *adj* envergonhado; tímido; confuso; irritado.
Ash.en (é.xên) *adj* cinzento; pálido.
A.shore (axôur) *adv* em terra; na praia.
Ash.y (é.xi) *adj* cinzento; de cinzas; pálido.
A.side (assáid) *adv* ao lado; à parte; salvo.
As.i.nin.i.ty (écini.niti) *s* estupidez; grosseria.
Ask (ásc) *v* perguntar; pedir; interrogar; solicitar; to Ask for: perguntar por, pedir.
Ask.ing (és.quin) *s* pergunta; proclamas (de casamento).
A.slant (aslént) *adv* enviesadamente; diagonalmente.
A.sleep (âs.lip) *adj* adormecido; dormente; inativo; inerte; *adv* entorpecidamente.
A.slope (aslôu.p) *adv* obliquamente; em declive.
Asp (ésp) *s* áspide; cobra; víbora.
As.pect (és.péct) *s* ar; aparência; semblante.
As.per.i.ty (âspé.riti) *s* aspereza; rudeza.
As.perse (aspârs) *v* aspergir; caluniar.
As.per.sion (aspâr.xân) *s* calúnia; aspersão.
As.pic (és.pic) *s* alfazema; áspide; víbora.
As.pi.rate (ás.pirêit) *v* absorver; sugar; chupar.
As.pi.ra.tion (éspirêi.xân) *s* aspiração; anseio; elevada ambição.
As.pire (aspái.âr) *v* aspirar; elevar-se.
A.squint (âscuint) *adj* inclinado; oblíquo; *adv* lateralmente.
Ass (ás) *s* asno; burro; jumento; POP nádegas; estúpido.
As.sail (assê.il) *v* assaltar; agredir; criticar.
As.sail.ant (assêi.lânt) *s* assaltante; *adj* assaltante; hostil.
As.sail.er (assêi.lâr) *s examine* ⇒ **Assailant.**
As.sault (assólt) *s* assalto; agressão; *v* agredir; investir; violar.
As.say (assêi) *s* demonstração; prova; análise; *v* ensaiar; analisar; provar.
As.say.er (assêi.âr) *s* examinador.
As.sem.ble (assém.bol) *v* reunir; montar.
As.sem.bly (assém.bli) *s* assembleia; montagem; reunião.
As.sem.bly.man (assém.blimên) *s* congressista; vereador; deputado.
As.sent (assént) *s* aceitação; anuência; *v* assentir; admitir; reconhecer; *v* asseverar; defender.
As.sess (assés) *v* avaliar; taxar; tributar.
As.sess.ment (assés.ment) *s* tributação; taxa.
As.set (é.sit) *s* domínio; posse; bem.
As.sev.er.ate (assé.varêit) *v* assegurar; asseverar; afirmar.
As.si.du.i.ty (écidiu.iti) *s* esforços; aplicação.
As.sign (assáin) *v* citar; transferir; selecionar.
As.sign.ee (écini) *s* concessionário; síndico.
As.sim.il.a.ble (assi.milêibol) *adj* assimilável.
As.sim.i.late (assi.milêit) *v* absorver; digerir; igualar.
As.sist (âssist) *v* assistir; auxiliar; ajudar.
As.size (âssáiz) *s* um padrão de peso, medida, ou preço; julgamento; ENGL tribunal (júri).
As.so.ci.ate (assôu.xiit) *s* colega; parceiro; *v* ligar; associar; *adj* aliado; sócio.
As.so.ci.a.tion (assôuxiêi.xân) *s* associação; confederação; confraternidade.
As.so.nance (é.sonâns) *s* assonância; concordância.

As.sort (assórt) *v* classificar; harmonizar; arranjar.
As.sort.ment (assórt.ment) *s* agrupamento; coleção.
As.suage (assuêi.dj) *v* acalmar; facilitar.
As.sume (âssium) *v* assumir; presumir; supor.
As.sump.tion (assâmp.xân) *s* presunção; RELIG Assunção, festa católica.
As.sump.tive (assâmp.tiv) *adj* suposto; orgulhoso.
As.sur.ance (âxu.râns) *s* certeza; seguro de vida.
As.sure (âxur) *v* assegurar; garantir; animar.
As.ter.isk (és.târisc) *s* sinal; asterisco ⇒ (*).
A.stern (astârn) *adv* NÁUT à ré; à popa; atrás.
A.ston.ish (astó.nixe) *v* espantar; embasbacar; supreender.
A.ston.ish.ing (astó.nixin) *adj* espantoso; surpreendente; assombroso.
A.ston.ish.ment (astó.nixement) *s* espanto; assombro; surpresa.
A.stound (astáund) *v* aterrorizar; assombrar.
A.stray (astrêi) *adj* extraviado; perdido.
As.trict (astri.ct) *v* constranger; restringir.
As.tric.tion (âstric.xân) *s* adstrição; prisão de ventre; constipação.
As.tute (âstiut) *adj* astuto; perspicaz; sagaz.
As.tute.ness (âstiut.nés) *s* astúcia.
A.sun.der (assân.dâr) *adv* à distância; separadamente.
At (ét) *prep* a (as); até; em; junto; na; nos; perto; sobre; através; a fim de.
A.thirst (athârst) *adj* sedento; ansioso; sequioso.
Ath.lete (étlit) *s* atleta; esportista.
Ath.let.ics (etlé.ticcs) *s* atletismo; atlética.
A.thwart (athuórt) *adv* transversalmente; em cruz; de lado a lado; *prep* através.
A.tilt (âtilt) *adj* envergado; inclinado; *adv* inclinadamente.
At.oll (âtol) *s* atol; recife de coral.
At.om (étâm) *s* átomo; partícula.
At.om.y (é.tomi) *s* átomo; partícula.
A.tone (atôun) *v* aplacar; compensar; expiar.
A.ton.ic (ató.nic) *adj* GRAM átono; surdo.
At.o.ny (é.tóni) *s* atonicidade; sem acento.
A.top (atóp) *prep* em cima; no alto de; sobre; no topo; *adv* no topo; no cimo; no alto.
A.troc.i.ty (atróciti) *s* atrocidade.
At.tach (até.txe) *v* atar; anexar; penhorar; ligar.
At.tach.ment (até.txement) *s* anexação; fixação.
At.tack (atéc) *s* ataque; agressão; acesso; acusação; *v* atacar; investir; ferir.
At.tain (atêin) *v* atingir; conseguir; obter.
At.tain.ment (atêin.ment) *s* aquisição; consecução; obtenção.
At.tempt (atémpt) *s* ensaio; ataque; *v* atentar; ensaiar.
At.tend (aténd) *v* atender; assistir (encontro, reunião); acudir; dedicar; frequentar (escola).
At.ten.tion (atén.xân) *s* atenção; cuidado; observação.
At.ten.u.ate (até.niuêit) *v* atenuar; diluir; emagrecer; *adj* atenuado; amenizado.
At.test (atést) *s* atestação; atestado; *v* atestar; certificar; declarar.
At.tire (atá.ir) *s* adorno; vestimenta; vestido; *v* adornar.
At.tor.ney (atâr.ni) *s* procurador; advogado; representante.
At.tor.ney.ship (atâr.nixip) *s* procuradoria.
At.tract (atréct) *v* atrair; conquistar.
At.trac.tion (atréc.xân) *s* atração.
At.trib.ute (âtri.buit) *v* atribuir; imputar.
At.tune (âtiun) *v* afinar; concordar; sintonizar (rádio); corresponder.
Au.burn (ó.bârn) *adj* avermelhado; ruivo.
Auc.tion (óc.xân) *v* leiloar.
Au.da.cious (odêi.xâs) *adj* audacioso.
Au.di.ence (ó.diens) *s* audiência; auditório; entrevista; público.
Au.di.tion (ódi.xân) *s* audição; ensaio.
Au.di.tor (ó.ditâr) *s* auditor (contador); ouvinte (de aula).
Au.di.to.ry (ó.ditôuri) *s* auditório; audiência; *adj* auditivo.
Au.ger (ó.gâr) *s* broca; pua; verruma.
Aught (ót) *s* algo; parte de um todo; zero; *adv* absolutamente.
Aug.ment (ógment) *v* aumentar.
Au.gust (ó.gâst) *s* agosto (8° mês do ano); *adj* augusto; majestoso.
Aunt (ánt) *s* tia.
Au.re.ate (ó.riit) *adj* áureo; resplandecente.
Au.re.ous (ó.riâs) *adj* áureo; dourado.
Aus.pi.cious (óspi.xâs) *adj* auspicioso; próspero; afortunado.
Aus.tere (óstir) *adj* austero; severo.
Aus.ter.i.ty (osté.riti) *s* austeridade; rigorosidade; severidade.
Au.then.ti.cate (óthen.ticquêit) *v* autenticar; legitimar; legalizar.
Au.thor (ó.thâr) *s* autor; escritor.
Au.thor.i.ty (óthor.iti) *s* autoridade; autorização; poder.
Au.thor.i.za.tion (ótharizêi.xân) *s* autorização.
Au.thor.ize (ó.tharáis) *v* autorizar; justificar; legitimar.
Au.to.graph (ó.togréf) *v* autografar; assinar.
Au.tog.ra.phy (óto.grâfi) *s* autógrafo; autografia.
Au.to.mat.ic (otomé.tic) *adj* automático.
Au.to.mo.bile (ó.tomobil) *s* automóvel; carro.
Au.ton.o.my (óto.nomi) *s* autonomia; alcance.
Au.tumn (ótâm) *s* outono.
Aux.il.ia.ry (ógzi.liâri) *s* auxiliar; verbo auxiliar; *adj* ajudante.
A.vail (avéil) *s* benefício; vantagem; *v* aproveitar-se; servir; ajudar.
Av.a.lanche (é.vâlantxe) *s* avalanche.
Av.a.rice (é.vâris) *s* avareza; mesquinhez.

Av.a.ri.cious (evâri.xâs) *adj* avaro; mesquinho.
A.vaunt (âvont) *interj* fora!
A.venge (âvendj) *v* castigar; punir; vingar.
Av.e.nue (éviniu) *s* avenida; alameda; rua.
Av.er.age (é.vâreidj) *s* média; rateio; *v* calcular a média; *adj* médio; mediano.
A.verse (avârs) *adj* adverso; contrário.
A.vert (avârt) *v* afastar; impedir; evitar.
A.vi.a.ry (êi.viâri) *s* aviário, viveiro de aves.
Av.id (évid) *adj* ávido; ansioso; aflito.
A.vid.i.ty (âviditi) *s* avidez; cobiça.
Av.o.ca.do (évocá.dôu) *s* abacate; abacateiro.
A.void (avóid) *v* evitar; fugir; anular.
A.void.ance (avói.dâns) *s* anulação; fuga.
A.vouch (aváu.txe) *v* asseverar; garantir; afirmar.
A.vow (aváu) *v* afirmar; confessar; justificar.
A.vow.al (aváu.âl) *s* confissão.
A.vul.sion (avâl.xân) *s* extirpação; separação.
A.wait (auêit) *v* aguardar; esperar.
A.wake (auêic) *v* acordar; reavivar; *past* **Awoke** *and pp* **Awaked** *or* **Awoken**.
A.wak.en (auêi.quen) *v* animar; despertar.
A.ward (auórd) *s* decisão; prêmio; sentença; *v* decidir; julgar; conceder.
A.ward.er (auór.dâr) *s* árbitro; juiz.
A.ware (auér) *adj* ciente; consciente.
A.wash (auóxe) *adj* inundado; *adv* à flor d'água; à superfície.
A.way (auêi) *adv* à distância; longe; ao longe.
Awe (ó) *s* medo; pavor; temor; *v* amedrontar; inspirar.
A.weigh (auêi) *adv* em suspenso.
Aw.ful (ó.ful) *adj* medonho; terrível; feio.
Aw.ful.ness (ó.ful.nés) *s* maldade.
A.while (ahuá.il) *adv* momentaneamente; um pouco.
Awk.ward (ó.ccuârd) *adj* desajeitado; desagradável.
Awk.ward.ly (ó.ccuârdli) *adv* desajeitadamente; desastradamente.
Awl (ól) *s* agulha; furador.
Awn (ón) *s* barba de espiga.
Awn.ing (ó.nin) *s* lona; toldo; abrigo.
A.wry (ârái) *adj* torcido; torto; *adv* obliquamente.
Ax (écs) *s* machado; machadinha.
Axe (écs) *examine* ⇒ **Ax**.
Ax.il.la (écsi.lâ) *s* sovaco; axila.
Ax.le (écsl) *s* eixo; veio.
Ax.man (écs.mân) *s* lenhador.

bB

B (bi) *s* segunda letra do alfabeto Português e do alfabeto Inglês.

Bab.ble (bé.bol) *v* balbuciar; tagarelar.

Babe (bêib) *s* bebê; nenê.

Ba.by (bêi.bi) *s* criancinha; diminuitivo carinhoso.

Bach.e.lor (bé.txalâr) *s* bacharel; celibatário; solteirão.

Back (béc) *s* costas; dorso; FUT jogador de defesa; *v* apoiar (financeira, moral ou fisicamente); montar (cavalo); recuar; *adj* posterior; traseiro; **Back away:** afastar-se; recuar; **Back up:** apoiar; recuar; **to get Back:** recuperar.

Back.bite (béc.bit) *v* caluniar; maldizer.

Back.bone (béc.bôun) *s* espinha dorsal; coluna.

Back.er (bêi.câr) *s* arrimo; financiador; patrocinador.

Back.ground (béc.gráun) *s* fundo musical; plano de fundo; experiência.

Back.hand (béc.hen) *s* dorso da mão.

Back.side (béc.sáid) *s* parte traseira; nádegas; bunda.

Back.slide (béc.sláid) *v* desviar-se; voltar aos antigos hábitos.

Back.stage (béc.stêidj) *s* TEATR bastidores (de palco).

Back.ward (béc.uârd) *adj* atrasado; tímido; retrógado; *adv* para trás.

Back.wards (béc.uârds) *examine* ⇒ **Backward.**

Back.yard (béc.iârd) *s* pátio; quintal; terreno de fundo.

Ba.con (bêi.cân) *s* toucinho; POP prêmio.

Bad (béd) *s* mau; ruim; imoral; *adj* mau; nada bom.

Badge (bádj) *s* distintivo policial; insígnia; fita de uniforme; condecoração; *v* condecorar com distintivo.

Badg.er (béd.jâr) *s* texugo (mamífero); *v* preocupar-se ou perseguir com insistência; fatigar; POP regatear (preço).

Bad.ly (béd.li) *adv* gravemente; mal; maldosamente.

Baf.fle (béfol) *v* enganar; frustrar.

Bag (bég) *s* bolsa; saco; sacola; GÍR **Bag him:** leve-o em cana, prá cadeia; *v* ensacar; colocar em bolsa.

Bag.gage (bé.guidj) *s* mala; bagagem; POP mulher jovem atrevida ou teimosa ou de má reputação.

Bag.gy (bé.gui) *adj* inchado; mal ajustado; solto.

Bag.man (bég.mân) *s* caixeiro (vendedor) viajante; MÚS tocador de bumbo.

Bag.pipe (bég.páip) *s* gaita de foles.

Bait (bêit) *s* engôdo; isca; *v* engodar.

Bake (bêic) *v* assar.

Baker (bêi.câr) *s* padeiro.

Bak.er.y (bêi.câri) *s* padaria.

Bald (bóld) *adj* calvo; deserto; **Bald-head:** careca.

Bal.dric (ból.dric) *s* cinturão sobre o ombro e cruzado sobre o peito.

Bald.y (bóld.li) *adv* grosseiramente.

Bale (bêil) *v* empacotar; enfardar.

Balk (bóc) *v* empacar; frustrar; impedir.

Ball (ból) *s* bola; esfera; globo; baile noturno; *v* fazer bolas; fazer novelos.

Bal.lad (bé.lâd) *s* balada; canção; poema.

Bal.last (bé.lâst) *s* cascalho; lastro.

Bal.loon (bâlun) *s* balão; aeróstato.

Bal.lot (bê.lât) *s* cédula; voto com bolas brancas ou pretas; voto.

Ball.room (ból.rum) *s* salão de bailes.

Bam.boo (bémbu) *s* bambu (planta).

Bam.boo.zle (bémbu.zol) *v* enganar; iludir.

Ban (bén) *s* JUR édito (de interdição, de casamento, etc.); *v* banir; excomungar.

Band (bénd) *s* atadura; banda; faixa; venda; RÁD faixa de frequência sonora; **musical Band:** banda de música; *v* ligar; unir.

Band.age (bén.didj) *s* atadura; faixa; AUT cobertura (lona da câmara de ar dos pneus).

Band.mas.ter (bénd.mâstâr) *s* MÚS maestro.

Band.stand (béndstand) *s* coreto.

Bane (bêin) *s* veneno; qualquer coisa que provoque destruição, ruína, morte); ANAT osso.

Bang (béng) *s* barulho; pancada; ruído; *v* bater; golpear; *adv* ruidosamente.

Ban.gle (bén.gol) *s* bracelete.

Ban.ish (bé.nixe) *v* banir; deportar; expulsar.

Ban.is.ter (bé.nistâr) *s* balaustrada; corrimão.

Bank (bénc) *s* banco; banca; barragem; *v* aterrar; depositar dinheiro em banco.

Bank.rupt (bénc.râpt) *adj* falido; quebrado financeiramente; *v* falir; quebra financeira, quebra fraudulenta.
Ban.ner (bé.nâr) *s* bandeira; estandarte; pendão; faixa.
Ban.ter (bén.târ) *s* sarcasmo; gracejo; *v* gracejar; zombar.
Bar (bár) *s* barra; bar; barragem; tranca; sala de espera; classe dos advogados; ordem; *v* fechar; trancar.
Barb (bárb) *s* ponta de anzol; barba.
Barbecue (bár.bê.quiu) *s* churrasco.
Barbed (bár.bid) *adj* farpado.
Bar.ber (bár.bâr) *s* barbeiro; *v* barbear.
Bare (bér) *v* descobrir; despir.
Bare-faced (bér.fêist) *adj* descarado; audacioso.
Bare.foot (bér.fut) *adj* com o pé nu; descalço.
Bare.ly (bér.li) *adv* apenas; nuamente.
Bar.gee (bárdji) *s* barqueiro.
Barge.man (bárdji.men) *examine* ⇒ **Bargee**.
Bark (bárc) *s* cortiça; casca de árvore; latido; *v* latir; ladrar; curtir.
Bar.ley (bár.li) *s* cevada.
Barm (bárm) *s* espuma de malte; levedura; levedo.
Bar.man (bár.mân) *s* dono de bar ou aquele que serve em um bar.
Barn (bárn) *s* celeiro; cocheira; estábulo.
Bar.na.cle (bár.nâcol) percevejo; peixe-concha marítimo.
Bar.on (bé.rân) *s* barão.
Bar.rack (bé.râc) *s* barracas; caserna; quartel.
Bar.rage (bé.râdj) *s* barragem.
Bar.rel (bé.râl) *s* barril; barrica; cano de pistola.
Bar.ri.er (bé.riâr) *s* barreira; barragem; vala; BR posto fiscal de fronteira.
Bar.ris.ter (bé.ristâr) *s* advogado.
Base (bêis) *s* base; base militar ou naval; quartel-general; **Base-born:** plebeu; *adj* básico.
Base.board (bêis.bôurd) *s* rodapé.
Base.less (bêis.lés) *adj* infundado; sem base.
Base.man (bêis.mân) *s* ESP jogador de basebol.
Base.ment (bêis.ment) *s* porão; subsolo.
Base.ness (bêis.nés) *s* baixeza; vileza; MÚS tom grave.
Bash (béxe) *v* envergonhar-se.
Bash.ful (béxe.ful) *adj* envergonhado; acanhado; tímido.
Ba.sic (bêi.sic) *adj* básico; essencial; fundamental.
Bas.ket (bás.quit) *s* cesto; cesta.
Bas.ket.ball (bás.quit.ból) *s* jogo de bola ao cesto; basquete; basquetebol.
Bass (bêis) *s* MÚS baixo; som grave.
Bas.tard (bés.târd) *s* bastardo (filho ilegítimo); *adj* bastardo; ilegítimo.
Bat (bét) *s* taco (beisebol; críquete; etc.); ZOO morcêgo.
Batch (bétxe) *s* carga; fornada; grupo.
Bate (bêit) *s* contenda; debate; discussão; *v* abater; diminuir; deduzir; reduzir.
Bath (béth) *s* banho; *v* banhar-se.
Bathe (bêidh) *v* tomar banho; banhar-se.
Bath.er (bêi.dhâr) *s* banhista.
Bath.room (béthrum) *s* banheiro; ENGL **Toilet**.
Bat.en (bétn) *s* ripa; sarrafo; tábua.
Bath.tub (béthtâb) *s* banheira.
Bat.ter (bé.târ) *s* soco; murro; *v* bater; destruir; socar.
Bat.ter.y (bé.târi) *s* bateria; pilha.
Bat.tle (bétol) *s* batalha; combate; luta; *v* batalhar; combater; lutar.
Bat.ty (béti) *adj* POP louco; maluco.
Baw.bee (bó.bii) *s* metade de um penny; *also* Baubee.
Bawd.y (bó.di) *adj* imoral; obsceno.
Bawl (ból) *v* berrar; gritar.
Bay (bêi) *s* baia; louro (tempero).
Bay.o.net (bêi.onit) *s* baioneta; *v* atacar (com baioneta); ferir.
Be (bi) *v* custar; existir;estar; ficar; dever; ser.
Beach (bitxe) *s* costa; praia; *v* desembarcar na praia.
Bead (bid) *v* adornar (com contas).
Bea.dle (bidol) *s* bedel; servidor escolar.
Bea.gle (bigol) *s* raça de cão; detetive.
Beak (bic) *s* bico (de ave); cabo; promotório.
Beam (bim) *s* feixe de luz; trave; viga-mestra; *v* emitir raios; mostrar-se alegre.
Bean (bin) *s* fava; feijão; vagem; **baked Bean tin:** lata de feijão preparado; USA GÍR **Beans:** grana (dinheiro).
Bear (bér) *s* urso; **teddy Bear:** ursinho (de brinquedo); *v* aguentar; sustentar; *past* **Bore** *or* Bare and *pp* **Borne** *or* **Born**.
Beard (bârd) *s* barba; cavanhaque; *v* desafiar.
Beast (bist) *s* besta (fera); pessoa irascível.
Beast.ly (bis.tli) *adj* bestial; brutal.
Beat (bit) *v* bater; derrotar; espancar; tocar (tambor); vibrar; GÍR **Beat it!:** cai fora! fora!; *past* **Beat** *and pp* **Beaten**.
Beat.en (bitn) *adj* batido; conquistado; abatido; atingido.
Beat.ing (bi.tin) *s* batimento; derrota; surra.
Beau (bôu) *s* galã; galanteador.
Beau.ti.ful (bíu.tifúl) *adj* belo; bonito; formoso; linda.
Beau.ti.fy (biu.tifái) *v* aformosear; embelezar.
Beau.ty (bíu.ti) *s* beleza; beldade; formosura.
Bea.ver (bi.vâr) *s* castor; pele de castor.
Be.calm (bic.áum) *v* acalmar; tornar calmo.
Be.cause (bi.cóz) *conj* porque; por causa de; **Because of:** devido a; *adv* pela razão de.
Beck (béc) *s* aceno; arroio; regato; sinal.
Beck.on (bé.cân) *v* acenar; chamar.
Be.come (bic.âm) *v* convir; tornar-se.
Bed (béd) *s* cama; camada; fundo; leito; *v* assentar; **Bed-table:** criado mudo.
Be.daz.zle (bidézl) *v* confundir; deslumbrar; ofuscar.

Bed.bug (béd.bâg) *s* percevejo.
Be.dev.il (bidévol) *v* atormentar; estragar; frustrar.
Bed.lam (béd.lâm) *s* confusão; tumulto.
Bed.mak.er (béd.mâiquer) *s* criado de quartos; arrumadeira.
Bed.pan (béd.pân) *s* aquecedor de cama; comadre.
Be.drag.gle (bidrégol) *v* enlamear.
Bed.room (béd.rum) *s* quarto de dormir.
Bed.time (béd.táim) *s* hora de dormir.
Bee (bii) *s* abelha.
Beef (bif) *s* boi para corte; carne bovina.
Bee.hive (bi.háiv) *s* colmeia; cortiço.
Beer (bir) *s* cerveja.
Beer.y (bi.ri) *adj* feito de cerveja; relativo a cerveja.
Beet (bit) *s* açúcar de beterraba; beterraba.
Bee.tle (bitol) *adj* besouro; escaravelho.
Be.fall (bifól) *v* acontecer; suceder; sobrevir.
Be.fit (bifit) *v* convir; ir bem; ser próprio.
Be.fore (bifôur) *prep* antes; em frente; *conj* antes que; *adv* anteriormente.
Be.fore.hand (bifôur.hénd) *adv* previamente; antecipadamente.
Be.fore.time (bifôur.táim) *adv* antigamente; anteriormente.
Beg (bég) *v* pedir; rogar; suplicar.
Beg.gar (bé.gâr) *s* mendigo; pedinte; *v* reduzir à miséria.
Be.gin (biguin) *v* começar; iniciar.
Be.gin.ning (bigui.nin) *s* começo; origem; princípio.
Be.gird (bi.gârd) *v* bloquear; cercar; cingir.
Be.gone (bigón) *interj* Saia! Fora daqui! Rua!
Be.guile (bigá.il) *v* divertir; enganar; seduzir.
Be.half (bi.háf) *s* favor; obséquio.
Be.have (bi.hêiv) *v* comportar-se; proceder.
Be.ha.vior (bi.hêiviur) *s* comportamento.
Be.head (bi.héd) *v* decapitar (cortar o pescoço a); degolar.
Be.hind (bi.háind) *prep* atrás de; após; inferior; *adv* atrás; atrasado; detrás.
Be.hold (bi.hôuld) *v* contemplar; observar; ver.
Be.hoof (bi.huf) *s* benefício; proveito.
Be.hoove (bi.huv) *v* competir; dever; ser necessário.
Be.hove (bi.houv) *examine* ⇒ **Behoove**.
Be.ing (bi.in) *s* criatura; ente; ser; indivíduo.
Be.lay (bilêi) *v* amarrar; ESP prender-se numa corda por segurança.
Belch (béltxe) *s* arrôto; vômito; *v* arrotar; vomitar.
Be.lie (bi.lái) *v* contradizer; contrariar; desmentir.
Be.lief (bilif) *s* crença; confiança; fé.
Be.lieve (biliv) *v* acreditar; crer; confiar.
Be.like (biláic) *adv* possivelmente.
Bell (bél) *s* campainha; sino; sineta; *v* tocar sino.
Bel.ly (bé.li) *s* barriga; ventre; **Belly button:** umbigo.
Be.long (bilón) *v* pertencer; ser de.
Be.lov.ed (bilâ.vid) *adj* amado; querido.
Be.low (bilôu) *prep* abaixo de; debaixo; por baixo; *adv* abaixo; por baixo.
Belt (bélt) *s* cinto; correia; faixa; *v* bater; cingir.
Bench (béntxe) *s* banco; tribuna; JUR tribunal.
Bench.er (bén.txar) *s* juiz; vereador.
Bend (bénd) *s* curva; curvatura; nó; *v* curvar; dobrar; *past and pp* Bent.
Be.neath (bini.th) *adv* abaixo; debaixo.
Ben.e.fit (bé.nifit) *s* benefício; favor; proveito; *v* ajudar.
Be.nev.o.lent (biné.volent) *adj* benevolente; benígno; bondoso.
Be.nign (bináin) *adj* afável; benígno; bom.
Bent (bént) *s* curvatura; propensão; tendência; *adj* curvo; inclinado; torto.
Be.rate (birêit) *v* advertir com severidade; repreender.
Be.reave (biriv) *v* despojar; desolar; privar.
Ber.ry (bé.ri) *s* baga; grão; qualquer fruta pequena; POP dinheiro.
Berth (bârth) *s* ancoradouro; beliche; leito; *v* ancorar; atracar; providenciar alojamento (camas).
Be.seech (bissi.txe) *v* implorar; rogar; suplicar.
Be.seem (bissim) *v* convir; enquadrar-se.
Be.side (bissáid) *prep* ao lado de; junto de; *adv* à mão; perto.
Be.sides (bissáidz) *prep* além de; *adv* além disso; demais a mais; demais; também.
Be.smear (bismir) *v* emporcalhar; sujar.
Be.smirch (bismâr.txe) *v* manchar; sujar.
Be.som (bi.zâm) *s* vassoura.
Best (bést) *s* o melhor; *adj* o melhor (superlativo de Good); *adv* da melhor forma (superlativo de **Well**).
Be.stir (bistâr) *v* ativar; mexer-se; movimentar-se.
Be.stow (bistôu) *v* conceder; dar; outorgar.
Be.stride (bistráid) *v* cavalgar; montar; subir; *past* **Bestrode** *and pp* **Bestriden**.
Bet (bét) *s* aposta; *v* apostar.
Be.take (bitêic) *v* aplicar-se; dedicar-se; empregar-se; *past* **Betook** *and pp* **Betaken**.
Beth.el (be.thél) *s* capela; santuário.
Be.think (bithinc) *v* considerar; pensar; refletir; *past* **Bethought** *and pp* **Bethought**.
Be.tide (bitáid) *v* acontecer; ocorrer; suceder.
Be.tray (bitrêi) *v* atraiçoar; denunciar.
Be.tray.al (bitrêi.âl) *s* denúncia; traição.
Be.tray.er (bitrêi.âr) *s* denunciante; traidor.
Be.troth (bitró.th) *v* prometer em casamento.
Bet.ter (bé.târ) *s* melhoria; jogador; *v* melhorar; progredir; *adj* melhor; superior.
Be.tween (bituin) *adv* entre; no meio (de objetos); *prep* entre; no meio (de objetos).
Bev.er.age (bé.vâridj) *s* beberagem.
Bev.y (bé.vi) *s* grupo (de pássaros); bando.
Be.wail (biuêil) *v* lamentar; lastimar; sentir.
Be.ware (biuér) *v* acautelar-se; precaver; tomar cuidado.
Be.wil.der (biuil.dâr) *v* confundir; desviar.
Be.witch (biui.txe) *v* enfeitiçar; encantar.
Be.yond (bi.iónd) *prep* além de; mais longe do que; *adv* além; do outro lado.

Bi.as (bái.âs) *s* propensão; tendência; preferência; *v* influenciar; influir; predispor.
Bib (bib) *s* babador; *v* beber.
Bi.ble (báibol) *s* Bíblia, conjunto de Livros Sagrados.
Bick.er (bi.câr) *s* altercação; disputa.
Bi.cy.cle (bái.sicol) *s* bicicleta.
Bi.cy.cler (bái.siclâr) *s* ciclista.
Bi.cy.clist (bái.siclist) *examine* ⇒ **Bicycler**.
Bid (bid) *s* concorrência; oferta; *v* lançar; leiloar; oferecer; *past* **Bid, Bade** *or* **Bad** *and pp* **Bidden** *or* **Bid**.
Bid.der (bi.dâr) *s* licitante; leiloante.
Bide (báid) *v* esperar; ficar; permanecer.
Bier (bir) *s* ataúde; carreta fúnebre; féretro; cerveja.
Big (big) *adj* grande; gordo; volumoso; **Big shot:** chefão.
Bight (báit) *s* angra; enseada; golfo; laçada.
Big.ot (bi.gât) *s* beato; carola; fanático.
Big.ot.ry (bi.gâtri) *s* beatice; fanatismo.
Big.wig (big.uig) *s* POP figurão; mandachuva.
Bike (báic) *s* bicicleta; formigueiro; FIG multidão.
Bile (báil) *s* bile; bílis; mau humor.
Bilk (bilc) *v* defraudar; enganar; lograr.
Bill (bil) *s* conta; fatura; lista; letra de câmbio.
Bill.board (bil.bôurd) *s* quadro onde se afixa cartazes.
Bil.liards (bi.liârds) *s* ESP bilhar.
Bil.lion (bi.liân) *s* bilhão; USA mil milhões.
Bil.low (bi.lôui) *s* onda grande; vaga.
Bil.ly (bi.li) *s* cassetete de policial.
Bil.ly.cock (bi.licóc) *s* chapéu coco.
Bimbo (báim.bôu) *s* POP bonitinha mas ordinária (loira burra).
Bin (bin) *s* caixa; caixote; cofre; *v* armazenar bebidas na adega.
Bi.na.ry (bái.nâri) *adj* MAT binário.
Bind (báind) *s* atadura; faixa; *v* atar; aglutinar; segurar; unir.
Bind.er (báin.dâr) *s* atador; encadernador; enfeixador de trigo.
Bin.go (bingôu) *s* festa; farra; jogo coletivo (sorteio).
Birch (bârtxeh) *s* bétala; vidoeiro; *v* açoitar.
Bird (bârd) *s* ave; pássaro; GÍR cara; sujeito.
Bird.call (bârd.cól) *s* assobio, canto de pássaro; chamariz.
Bird.lime (bârd.láim) *s* visco; produto para capturar pássaros.
Birth (bârth) *s* começo; nascimento; origem.
Birth.day (bârth.dêi) *s* aniversário de nascimento.
Birth.place (bârth.plêis) *s* cidade natal.
Birth.right (bârth.ráit) *s* direito de primogenitura (do filho mais velho).
Bis.cuit (bis.quit) *s* biscoito; bolacha; fatia de bolo.
Bish.op (bi.xâp) *s* bispo.
Bis.sex.tile (bicécs.til) *adj* bissexto, ano em que o mês de fevereiro tem 29 dias.
Bit (bit) *s* dentada; pedaço; porção; **a little Bit:** um pouquinho; um pouco; *v* refrear; reprimir; limitar.
Bitch (bitxe) *s* cadela; fêmea dos caninos; GÍR mulher de vida fácil; mulher maldosa.
Bite (báit) *s* bocado (alimento); *v* cortar; picar; morder; roer.
Bit.ter (bi.târ) *adj* amargo; penoso.
Blab (bléb) *v* tagarelar; revelar segredo.
Blab.ber (blé.bâr) *s* falador; indiscreto; tagarela.
Black (blé.c) *s* cor negra; negro; **Black jack:** jogo de cartas (vinte e um); *v* enegrecer; *adj* escuro; negro.
Black.a.moor (blé.câmur) *s* negro (homem ou mulher).
Black.ball (bléc.ból) *s* contrário; voto contra (com bola preta); rejeição de membro; *v* rejeitar; votar contra (com bola preta); excluir.
Black.ber.ry (bléc.béri) *s* amora (fruta).
Black.board (bléc.bôurd) *s* lousa; quadro negro.
Black.ing (blé.quin) *s* engraxadela; graxa.
Black.ish (blé.quixe) *adj* escuro.
Black.lash (bléc.léxi) *s* movimento contra.
Black.leg (bléc.lég) *s* traidor (fura greve); jogador profissional.
Black.mail (bléc.mêil) *s* chantagem; *v* praticar chantagem.
Black.out (bléc.áut) *s* escuridão total.
Blad.der (blé.dâr) *s* ampola; bexiga; vesícula.
Blade (blêid) *s* fôlha cortante; fôlha; lâmina.
Blain (blêin) *s* ferida; pústula.
Blame (blêim) *s* censura; reprovação; repreensão; *v* censurar; culpar.
Bland (blénd) *adj* afável; brando; meigo; macio; suave.
Blank (blénc) *adj* branco; **Blank page:** folha em branco; *v* anular; cancelar; amaldiçoar.
Blan.ket (blén.quit) *s* cobertor; coberta; manta; *v* cobrir com manta; cobertor.
Blare (blér) *s* bramido; estrondo; rugido; *v* berrar.
Blast (blást) *s* explosão; golpe de vento; pé de vento; rajada de vento; *v* dinamitar; destruir; explodir.
Blat (blét) *v* balir (imitar cordeiro ou ovelha).
Blaze (blêiz) *s* brilho; chama; fogo; labareda; *v* brilhar; luzir; queimar; proclamar.
Blaz.er (blêi.zâr) *s* dia claro; jaqueta (roupa esportiva); luminoso.
Blaz.ing (blêi.zin) *adj* chamejante; em chamas; flamejante.
Blear (blir) *adj* lacrimejante; rameloso; turvo.
Bleat (blit) *s* balido (grito de ovelha); *v* balir; balar; falar de forma lamuriante.
Bleb (bléb) *s* ampola; bolha; bexiga; reservatório.
Bleed (blid) *v* sangrar; extorquir dinheiro.
Blem.ish (blé.mixe) *v* corromper; viciar.
Blench (bléntxe) *v* esquivar-se; retirar-se; retroceder.
Blend (blénd) *s* combinação; fusão; mistura; *v* combinar; misturar.
Bless (blés) *v* abençoar; benzer.
Bless.ing (blé.sin) *s* benção; benefício; graça.
Blight (bláit) *s* ferrugem; *v* mirrar (plantas); queimar.

Blind (bláind) *s* capa; veneziana; estore; *adj* cego; escondido; oculto; *v* cegar; encobrir; esconder.
Blind.ly (bláind.li) *adv* às cegas; cegamente.
Blindman's-buff (bláind.mêns.bâf) *s* brincadeira de cabra-cega.
Blink (blinc) *s* clarão repentino e passageiro; *v* piscar; pestanejar; vacilar.
Bliss (blis) *s* alegria; bem-estar; harmonia.
Bliss.ful (blis.ful) *adj* bem-aventurado; feliz.
Blis.ter (blis.târ) *s* bolha; ampola.
Bliz.zard (bli.zârd) *s* tempestade de neve.
Bloat (blôut) *v* defumar; inchar; inflar.
Bloat.ed (blôu.tid) *adj* defumado; inchado.
Block (blóc) *s* bloco; quadra; cubos (brinquedo); grupo; quarteirão; *v* bloquear; impedir; obstruir.
Block.buster (blóc.bâster) *s* bomba de grande potência.
Block.head (blóc.héd) *s* cabeça dura; *adj* ignorante.
Block.ish (bló.quixe) *adj* estúpido; imbecil.
Blond (blónd) *adj* louro; loiro.
Blonde (blónd) *examine* ⇒ **Blond**.
Blood (blâd) *s* parentesco; raça; seiva; suco.
Blood.ed (blâ.did) *adj* de puro sangue.
Blood.hound (blâd.háund) *s* cão de caça; sabujo.
Blood.shed (blâd.xéd) *s* chacina; matança.
Blood.sucker (blâd.sâ.câr) *s* sanguessuga.
Bloom (blum) *s* florescência; *v* florir; florescer.
Blos.som (bló.sâm) *s* flor de árvore; *v* desabrochar; florir.
Blot (blót) *s* borrão; mancha; nódoa; rasura; *v* borrar; manchar.
Blot.ter (bló.târ) *s* livro de registros.
Blouse (bláuz) *s* blusa.
Blow (blôu) *s* murro; pancada; sopro; ventania; *v* soprar; ventar; *past* **Blew** *and pp* **Blown**.
Blow.er (blôuâr) *s* assoprador; ventoinha; ventilador.
Blow.out (blôu.áut) *s* explosão.
Blow.pipe (blôu.páip) *s* tubo.
Blub.ber (blâ.bâr) *s* choramingo; gordura; *v* choramingar.
Blue (blu) *s* azul; tristeza; *adj* azul; triste; *v* azular; **to feel Blue:** estar deprimido.
Blue.berry (blu.béri) *s* mirtilo (fruta).
Blues (bluz) *s* MÚS canção triste escrita em tom menor.
Bluff (blâf) *s* blefe; ilusão; lôgro; *v* blefar; enganar; iludir; *adj* franco; rude.
Blun.der (blân.dâr) *s* asneira; disparate; erro crasso; tolice; *v* cometer erro grosseiro.
Blun.der.er (blân.dârâr) *s* desajeitado.
Blunt (blânt) *adj* abrupto; brusco; duro; embotado; sem corte; *v* adormecer; enervar; embotar.
Blur (blâr) *s* borrão; desdouro; falta de clareza; mancha.
Blurt (blârt) *v* revelar.
Blush (blâxe) *s* rubor; vermelhidão; *v* corar; ruborizar-se; *adj* róseo; rubro.
Board (bôurd) *s* diretoria; mesa; prancha; quadro; *v* abordar; dar pensão; hospedar.
Board.er (bôur.dâr) *s* hóspede; pensionista.
Boar.ish (bó.rixe) *adj* brutal; cruel; imundo; sensual.
Boast (bôust) *s* jactância; vanglória; *v* gabar-se; ostentar; vangloriar-se.
Boat (bôut) *s* barco; bote; embarcação; *v* navegar; remar.
Bob (bób) *s* boia de pesca; fio de prumo; feixe; **Bob-wig:** peruca de cachos; *v* bater de leve; balouçar-se.
Bob.by (bó.bi) *s* ENGL POP policial; tira.
Bode (bôud) *v* pressagiar.
Bod.kin (bód.quin) *s* alfinete de cabelo; furador.
Bod.y (bó.di) *s* corpo; cadáver; esqueleto.
Bog (bóg) *v* atolar-se; enlamear-se.
Bog.gy (bó.gui) *adj* lamacento; pantanoso.
Bo.gy (bó.gui) *s* fantasma; espectro; visão.
Boil (bóil) *s* ebulição; fervura; furúnculo; *v* aferventar; cozinhar; excitar-se; enervar-se; ferver.
Boil.ing (bói.lin) *s* ebulição; fervura; *adj* escaldante; fervente.
Bold (bôuld) *adj* arrojado; destemido; valente.
Bole (bôul) *s* haste de árvore; tronco.
Boll (bôul) *s* cápsula; casulo; invólucro.
Bol.ster (bôuls.târ) *v* apoiar; sustentar.
Bolt (bôult) *s* flecha; grampo; ferrolho; parafuso; *v* aferrolhar; trancar; fugir.
Bomb (bóm) *s* bomba; explosivo; granada; *v* bombardear.
Bomb.er (bóm.bâr) *s* AER avião de bombardeio; bombardeador.
Bomb.shell (bómm.xél) *s* granada.
Bond (bónd) *s* obrigação moral; título (de dívida); união; vale; contrato; fiança; *v* ligar; unir; caucionar; hipotecar.
Bond.age (bón.didj) *s* cativeiro; escravidão; sujeição.
Bond.maid (bónd.mêid) *s* serva.
Bonds.man (bónds.mân) *s* escravo; fiador; caucionário.
Bone (bôun) *s* espinha de peixe; osso.
Bone.head (bôun.héd) *s* estúpido; tolo.
Bon.net (bó.nit) *s* boina; boné; capô de automóvel.
Bon.nie (bóni) *examine* ⇒ **Bonny**.
Bon.ny (bóni) *adj* alegre; belo; bonito.
Bon.ny.clab.ber (bóni.clébâr) *s* coalhada; leite coalhado.
Boob (bub) *s* POP estúpido; palerma; tolo.
Boo.by (bu.bi) *s* GÍR pateta; tolo.
Boo.dle (budol) *s* POP dinheiro para suborno.
Book (buc) *s* álbum; bloco; caderno; compêndio; livro.
Book.case (buc.cquêis) *s* estante para livros.
Book.ing (bu.quin) *s* reserva de passagens; registro de inscrições.
Book.keep.er (buc.qui.pâr) *s* COM contador; guarda-livro.
Book.let (buc.lit) *s* fascículo; opúsculo; livreto.

Book.mak.er (buc.mêi.câr) *s* agenciador de apostas.
Book.man (buc.mân) *s* livreiro; erudito; POP vendedor de livro.
Book.shop (buc.xóp) *s* livraria.
Book.store (buc.stór) *s* USA livraria.
Book.worm (buc.uârm) *s* cupim; traça; leitor assíduo.
Boom (bum) *s* explosão; estouro; estrondo; *v* fazer grande barulho; prosperar; estrondar.
Boor (bur) *s* camponês.
Boost (bust) *s* apoio; ajuda; alta (de preços); elogio; impulso; *v* apoiar; elevar; suspender.
Boot (but) *s* bota; botina; chute.
Boot.black (but.bléc) *s* engraxate; *also* **Shoeblack**.
Booth (buth) *s* cabine de telefone; tabernáculo; tenda.
Boot.jack (but.djéc) *s* calçadeira; descalçadeira.
Boot.leg (but.lég) *s* contrabando.
Boots (buts) *s* engraxate de hotel.
Boo.ty (bu.ti) *s* despojo; espólio; presa; saque.
Bore (bór) *s* buraco; perfuração; pessoa inoportuna; *v* enfadar; fazer buraco.
Bore.dom (bôur.dâm) *s* aborrecimento; maçada; tédio.
Bor.er (bôu.râr) *s* broca; furador; sonda.
Bor.ing (bôu.ring) *adj* enfadonho; maçante; maçador; perfurante.
Born (bórn) *v* gerar; nascer; *adj* gerado; nascido.
Bor.ough (bô.rôu) *s* burgo; município; vila.
Bor.row (bó.rôu) *v* emprestar; tomar emprestado.
Bosh (bóxe) *s* POP asneira; tolice.
Bo.som (bu.zâm) *s* peito; seio; *v* esconder (no seio); abraçar; *adj* íntimo; secreto.
Boss (bós) *s* chefe; patrão; maçaneta; cravo; ornamento pendente; massa de pedra ígnea; *v* comandar; mandar; *adj* em relevo.
Bot (bót) *s* berne (larva).
Botch (bótxe) *v* remendar.
Both (bôuth) *adj* ambos; os dois; um e outro; *pron* ambos; os dois; um e outro; *adv* assim como; tanto como; ao mesmo tempo; *conj* assim como; tanto como.
Both.er (bó.dhâr) *s* aborrecimento; incômodo; moléstia; *v* aborrecer; enfadar.
Bot.tle (bótol) *s* frasco; garrafa; vasilhame; **Bottle Opener:** abridor de garrafa; *v* engarrafar; enfrascar.
Bot.tle.neck (bótol.néc) *s* gargalo; garganta.
Bot.tom (bó.tâm) *s* base; leito de rio; nádegas; traseiro; *v* aprofundar; alicerçar; basear-se; embasar; firmar; *adj* fundo; inferior; último.
Bounce (báuns) *s* estalo; exagero; mola; salto; POP demissão; *v* pular; saltar.
Bound (báund) *s* fronteira; fim; limite; certo; *v* dermarcar; limitar; *adj* atado; ligado; certo.
Bound.a.ry (báun.dâri) *s* divisa; limite.
Bour.geois (bur.djuá) *adj* burguês, que é proveniente do burgo.
Bourn (bôurn) *s* arroio; limite; regato.
Bourne (bôurn) *examine* ⇒ **Bourn.**
Bourse (bârs) *s* bolsa de valores, de títulos.
Bouse (báus) *v* alar; içar.
Bout (báut) *s* ataque (de doença); acesso; turno; vez.
Bow (báu) *s* arco; curva; laço de gravata; arcoíris; NÁUT proa; MÚS arco de instrumento.
Bow.el (báu.âl) *s* intestino; tripa.
Bowl (bôul) *s* bacia; boliche; taça; tijela; *v* atirar; deslizar; fazer rolar.
Bow-leg (bôu.lég) *s* perna torta.
Bow-legged (bôu.légd) *adj* de pernas tortas.
Bowl.er (bôu.lâr) *s* chapéu coco; *also* **Derby**.
Box (bócs) *s* caixa; caixote; camarote; estojo; *v* boxear; encaixotar; lutar.
Box.er (bóc.sâr) *s* boxeador; pugilista.
Boy (bói) *s* garoto; menino.
Boy.friend (bói.friénd) *s* amiguinho; namorado; amante.
Boy.hood (bói.hud) *s* infância.
Boy.ish (bói.ixe) *adj* infantil; pueril.
Bra (brah) *s* POP sutiã **(Brassière)**
Brace (brêis) *s* braçadeira; cinta; escora; gancho; ligadura; suporte; *v* atar; engatar; ligar.
Brace.let (brêis.lét) *s* bracelete; pulseira; POP algema.
Brack.en (bré.cân) *s* BOT samambaia.
Brack.et (bré.quit) *s* braçadeira; chave; colchete; *v* colocar entre parênteses.
Brad (bréd) *s* prego sem cabeça; ponta.
Brag (braeg) *s* basófia; jactância; *v* gabar-se; vangloriar-se.
Brag.gart (bré.gârt) *adj* fanfarrão; ostentador.
Braid (brêid) *s* galão; trança; *v* entrelaçar; trançar.
Brain (brêin) *s* cérebro; inteligência.
Brain.storm (brêin.estorm) *s* POP distúrbio mental.
Braise (brêis) *v* assar; guisar; refogar.
Brake (brêic) *s* AUT freio; *v* frear.
Bran (braen) *s* farelo.
Branch (bréntxe) *s* galho (de árvore); ramo; *v* ramificar-se; **Brand** (brénd) *s* espada; ferrete (instrumento com que se marca o gado).
Bran.dy (brên.di) *s* aguardente; conhaque.
Brass (brás) *s* arame; cobre; latão; MÚS instrumento de metal; POP dinheiro.
Bras.sy (brá.si) *adj* de latão; descarado; impudente.
Brat (brét) *s* avental; moleque.
Brave (brêiv) *v* desafiar; *adj* bravo; corajoso; valente.
Brav.er.y (brêi.vâri) *s* audácia; bravura; coragem.
Brawl (bról) *s* alvoroço; briga; disputa; *v* altercar; brigar.
Brawn (brón) *s* carne de porco; força muscular; músculo.
Bray (brêi) *v* moer; triturar; zurrar.
Braze (brêiz) *v* bronzear; soldar.
Bra.zen (brêizn) *adj* bronzeado; de latão.
Bra.zil.i.an (brâsi.liân) *adj* brasileiro.
Bra.zil.wood (brâzil.uud) *s* pau-brasil (árvore).
Bread (bréd) *s* pão.

Breadth (brédth) *s* amplitude; extensão; liberalidade; largueza de visão.
Break (brêic) *s* falha; interrupção; quebra; *v* despedaçar; quebrar; romper; **Break in:** arrombar.
Break-down (brêic.dáun) *s* colapso; esgotamento; ruína.
Break.fast (brêic.fâst) *s* desjejum; *v* quebrar o jejum.
Break.neck (brêic.néc) *adj* perigoso; .
Breast (brést) *s* peito; seio; *v* atacar pela frente; enfrentar.
Breath (bréth) *s* fôlego; hálito; respiração.
Breathe (bridj) *v* descansar; exalar; respirar; soprar; viver.
Breech (britxe) *s* culatra; nádegas; traseiro.
Breech.es (bri.txiz) *s* calções; POP calças.
Breed (brid) *s* raça; geração; ninhada; *v* criar; educar.
Breeze (briz) *s* aragem; agitação; brisa.
Breth.ren (bré.dhren) *s* irmãos de fraternidade.
Brew (bru) *s* bebida fermentada; cerveja; *v* fermentar; misturar; tramar.
Briar (brái.âr) *adj* matagal roseira; *also* **Brier**.
Bribe (bráib) *s* propina; suborno; subornar.
Brib.er.y (brái.bâri) *s* suborno.
Brick (bric) *s* bom sujeito; ladrilho; tijolo.
Bri.dal (brái.dâl) *s* noivado; núpcias; *adj* nupcial.
Bride (bráid) *s* noiva (recém-casada).
Bride.groom (bráid.grum) *s* noivo (recém-casado).
Brides.maid (brái.dzmêid) *s* dama de honra.
Bridge (bridj) *s* jogo de cartas; ponte; aparelho dentário.
Bri.dle (bráidol) *s* freio; rédea (de cavalo); amarra; antigo instrumento de tortura; *v* conter; refrear.
Brief (brif) *s* compêndio; instrução; resumo; *v* abreviar; resumir; *adj* breve; conciso.
Brief.case (brif.quêiz) *s* maleta; pasta.
Brief.ly (brif.li) *adv* concisamente; resumidamente.
Brier (brái.âr) *examine* ⇒ **Briar**.
Bri.gade (bri.guêid) *s* brigada (corpo militar).
Bright (bráit) *adj* brilhante; luminoso.
Bright.en (bráitn) *v* alegrar; iluminar; polir.
Brim (brim) *s* aba; beira; borda; *v* encher até as bordas.
Brin.dle (brindól) *adj* malhado.
Brine (bráin) *s* água do mar; lágrima (poesia) salmoura.
Bring (brin) *v* conduzir; produzir; trazer.
Brink (brinc) *s* beira; borda; margem (rio, mar, etc.); orla.
Brin.y (brái.ni) *adj* salgado; salobre.
Brisk (brisc) *adj* ativo; esperto; vigoroso; *v* animar.
Bris.ket (brisquét) *s* carne de peito de animal para comer.
Bris.tle (bris.tol) *s* cerda; pelo; *v* eriçar os pelos.
Bri.tan.nic (brité.nic) *adj* Britânico
Brit.ish (bri.tixe) *s* o povo Inglês; *adj* Britânico.
Brit.tle (brit.tol) *adj* frágil.
Broach (brôutxe) *s* broca; espêto; furador; *v* abrir; espetar; tornar público.
Broad (bród) *adj* amplo; claro; principal.
Broad.cast (bród.quést) *s* ação de semear; programa (rádio); radiodifusão.
Broad.en (bródn) *v* alargar; ampliar.
Broad.ly (bró.dli) *adv* amplamente.
Broad.sheet (bród.xit) *s* jornal.
Bro.cade (broquêid) *s* brocado (tecido).
Brock (bróc) *s* texugo (mamífero).
Brogue (brôug) *s* sotaque, dialeto (Irlandês).
Broil (bróil) *s* algazarra; motim; rixa; tumulto; *v* assar; discutir; tostar.
Broke (brôuc) *adj* falido; quebrado; sem dinheiro.
Bro.ker (brôu.câr) *s* corretor de títulos.
Bronze (brónz) *s* bronze.
Brooch (brôutxe) *s* alfinete de lapela; broche.
Brood (brud) *s* geração; ninhada; prole; raça; *v* chocar; meditar; refletir.
Brook (bruc) *s* arroio; córrego; regato; *v* digerir; suportar; tolerar.
Brook.let (bruc.lit) *s* córrego; regato.
Broom (brum) *s* planta ornamental; vassoura; *v* varrer.
Broth (bróth) *s* caldo; sopa.
Broth.el (bró.thel) *s* bordel; casa de prostituição.
Broth.er (brâ.dâr) *s* amigo; irmão; **Brother-in-law:** cunhado.
Brotherhood (brâ.dhâr.hud) *s* fraternidade; confraria; irmandade.
Brow (bráu) *s* sobrancelha; testa.
Brown (braún) *adj* castanho; marrom; moreno; *v* acastanhar; tostar.
Browse (bráuz) *v* folhear; pastar; navegar.
Browser (bráuzâr) *s* navegador; folheador.
Bruise (bruz) *s* contusão; escoriação; mancha (roxa); nódoa (negra); *v* contundir; machucar; pisar.
Brume (brum) *s* bruma; névoa.
Brum.ma.gem (brâ.mâdjâm) *s* bijuteria; *adj* falso.
Brunt (brânt) *s* choque; colisão; peso.
Brush (brâxe) *s* broxa; escova (de cabelo); pincel; *v* escovar; pintar com pincel.
Bub (bâb) *s* USA menino; rapaz.
Bub.ble (bâbol) *s* ampola; bolha (de sabão); bola (de sabão); logro; murmúrio; quimera; **Bubble gum:** goma de mascar; *v* borbulhar.
Buc.ca.neer (bâcânir) *s* bucaneiro; pirata.
Buck (bâc) *s* bode; gamo; veado; POP Dólar.
Buck.et (bâ.quit) *s* balde; tina; *v* baldear; cavalgar.
Buck.hound (bâc.háund) *s* cão caçador.
Buck.le (bâcol) *s* broche de cabelo; fivela; *v* afivelar; prender.
Buck.ler (bâc.lâr) *v* defender; escudar; proteger.
Buck.skin (bâc.squin) *s* camurça; pele de anta.
Bud (bâd) *s* botão (flor); broto; *v* brotar; emitir; germinar.
Bud.dy (bâdi) *s* amigo; irmão.

Budge (bâdj) *s* pele de cordeiro; *v* agitar-se; mover-se; mexer; *adj* cerimonioso; pomposo.
Budg.et (bâ.djit) *s* mochila; orçamento; saco.
Buff (bâf) *s* couro de búfalo; disco para polir (de couro); *v* polir.
Buff.er (bâ.fâr) *s* para-choque; *inf* memória que fica armazenada temporariamente.
Buf.fet (bâ.fit) *s* bofetada; tapa; armário de louças; espécie de restaurante; *v* bater; esmurrar; sacudir.
Buf.foon (bâfun) *s* bôbo; bufão; palhaço.
Bug (bâg) *s* percevejo; micróbio.
Bug.ger (bâ.gâr) *s* sodomita (que faz cópula anal); pederastia; velhaco.
Bug.gy (bâgi) *s* carro de duas rodas; carrinho para criança.
Bu.gle (bâgol) *s* corneta; clarim; trompa.
Build (bild) *s* contrução; prédio; *v* construir; edificar.
Bulk (bâlc) *s* grandeza; massa; volume.
Bulky (bâl.qui) *adj* imenso; grande; volumoso.
Bull (bul) *s* bula (papal); contradição; disparate; touro.
Bull.dog (bul.dóg) *s* buldogue (cão de fila).
Bul.let (bu.lit) *s* bala; projétil.
Bull.fight (bul.fáit) *s* tourada.
Bul.ly (bu.li) *s* brigão; capanga; valentão; *v* maltratar; intimidar; ameaçar; *adj* brutal; insolente.
Bul.wark (bul.uârc) *s* baluarte; muralha.
Bum (bâm) *s* POP vagabundo; GÍR bunda; *v* embriagar-se; vagabundear; *adj* inferior; péssimo.
Bump (bâmp) *s* choque; solavanco; galo (na cabeça); inchaço; pancada; para-choque; *v* bater; contundir; ferir.
Bump.kin (bâmp.quin) *s* caipira; jeca; rústico.
Bun (bân) *s* biscoito; bolo; carrapicho (de cabelo); rabo de coelho.
Bunch (bântxe) *s* cacho; molho (punhado); *v* agrupar; enfeixar; reunir.
Bund (bând) *s* aterro; dique.
Bung (bâng) *s* rolha; tampão; *v* arrolhar; tamponar.
Bun.ion (bâ.niân) *s* calo; joanete.
Bunk (bânc) *s* beliche; estrado de dormir.
Bun.ny (bân.ni) *s* coelho; esquilo.
Buoy (bói) *s* boia; salva-vidas; *v* boiar.
Bur.den (bârdn) *s* carga; fardo; peso; *v* carregar; dificultar.
Bur.geon (bâr.djân) *s* broto; botão; *v* rebentar.
Bur.glar (bâr.glâr) *s* ladrão; arrombador; assaltante.
Bur.glar.ize (bâr.glâráiz) *v* arrombar; roubar.
Bur.gle (bârgol) *v* roubar.
Bur.i.al (bé.riâl) *s* enterro; funeral.
Bur.ly (bâr.li) *adj* forte; robusto; volumoso.
Burn (bârn) *s* fogo; queimadura; *v* carbonizar; incendiar; queimar.
Burn.er (bâr.nâr) *s* bico de gás.
Bur.nish (bâr.nixe) *v* luzir; lustrar; polir.
Burr (bâr) *s* broca de dentista; halo (em torno do sol ou lua); rebarba de metal; som gutural.
Bur.row (bâ.rôu) *s* cova; esconderijo; toca; *v* cavar; escavar; fazer cova.
Burse (bârs) *s* bolsa.
Burst (bârst) *s* explosão; estouro; fenda; racha; *v* arrebentar; brotar; explodir.
Bur.y (bé.ri) *v* esconder; enterrar; ocultar.
Bus (bâs) *s* ônibus; **Bus stop:** parada (ponto) de ônibus.
Bush (bu.xi) *s* arbusto; moita; mata; *v* copar; plantar arbustos; tornar espesso.
Bush.el (bu.xél) *s* alqueire, medida de capacidade.
Bus.i.ness (biz.nés) *s* comércio; negócio.
Bust (bâst) *s* busto; peito; seio.
Bus.tle (bâsol) *s* animação; alvoroço; afobação; *v* apressar-se; agitar-se; mexer-se.
Bus.y (bi.zi) *adj* atarefado; ativo; ocupado; *v* empregar; ocupar-se de.
Bus.y.bod.y (bizi.bódi) *s* bisbilhoteiro; intrometido.
But (bât) *s* obstáculo; objeção; *adv* apenas; meramente; somente; *conj* a não ser que; contudo; exceto; todavia, mas; *prep* com exceção.
Butch.er (bu.txar) *s* açougueiro; carniceiro; *v* abater.
Butch.er.y (bu.txari) *s* açougueiro; carnificina; matadouro.
But.ler (bâ.tlâr) *s* mordomo.
Butt (bât) *s* alvo; coronha; extremidade grossa; *v* ajustar; dar cabeçadas; ligar.
But.ter (bâ.târ) *s* manteiga.
But.ter.fly (bâ.târflái) *s* borboleta.
But.ter.y (bâ.târi) *s* adega; despensa; *adj* amanteigado.
But.tock (bâ.tâc) *s* anca; bunda; nádega.
But.ton (batân) *s* abotuadura; botão; broche de lapela.
Bux.om (bâc.sâm) *adj* jovial; de seios grandes.
Buy (baí) *s* aquisição; compra; *v* adquirir; comprar.
Buzz (bâz) *s* murmúrio; zumbido; zunido; *v* cochichar.
Buzz.er (bâ.zâr) *s* cigarra; sereia; sinal de telefone.
By (bái) *prep* a; de; em; perto; por; sobre; **By all means:** por todos os meios; *adv* a; de; em; perto de; por.
Bye (bái) *s* coisa de menor importância; gol em certos esportes; *adj* secundário.
Bye-bye! (bái-bái) *interj* Adeus!; Até logo.
By.gone (bái.gón) *s* o passado; *adj* antigo; fora de moda.
By-name (bái.nêim) *s* apelido; pseudônimo.
By-pass (bái.pas) *s* atalho; caminho; passagem secreta; *also* **Bypass**; *v* contornar.
Byre (báir) *s* estábulo.
By.word (bái.uârd) *s* provérbio; adágio; máxima.

C

C (ci) *s* terceira letra do alfabeto Português e do alfabeto Inglês.
Cab (québ) *s* cabina; táxi; carruagem.
Cab.bage (qué.bidj) *s* couve; repolho.
Cab.in (qué.bin) *s* cabana; cabina; camarote.
Cab.i.net (qué.binét) *s* gabinete; armário; cômoda; escritório; *adj* confidencial.
Ca.ble (quêiból) *s* cabo (fio); cabograma; *v* amarrar; cabografar.
Cache (cáxe) *s* esconderijo para provisões, equipamentos, etc.; *v* esconder.
Ca.chet (caxê) *s* chancela; selo; marca; cunho; rubrica.
Cad (cád) *s* pessoa inculta ou grosseira; canalha; motorista de ônibus.
Cad.die (cá.di) *s* mensageiro; portador.
Cad.dy (cá.di) *s* lata ou caixa pequena para chá.
Cadge (quédj) *v* mascatear; mendigar; esmolar; pedir.
Ca.du.ci.ty (câdiu.citi) *s* caducidade; decrepitude.
Cage (quêidj) *s* gaiola; prisão; cadeia; jaula; *v* engaiolar.
Ca.jole (câdjôul) *v* acariciar; lisonjear.
Cake (quêic) *s* bolo; GÍR assíduo frequentador de festas e reuniões.
Ca.lam.i.tous (câlé.mitâs) *adj* calamitoso; desastrado.
Ca.lam.i.ty (câlé.miti) *s* calamidade.
Cal.dron (cól.drân) *s* caldeirão.
Calf (cáf) *s* novilha; músculos abaixo do joelho.
Cal.i.ber (qué.libâr) *s* calibre; capacidade.
Cal.i.bre (qué.libâr) *examine* ⇒ **Caliber.**
Call (cól) *v* chamar; anunciar; apelar; convidar.
Cal.lous (qué.lâs) *adj* caloso; endurecido; insensível.
Cal.o.rie (qué.lori) *s* caloria (unidade de energia fornecida pelos alimentos).
Cal.o.ry (qué.lori) *s examine* ⇒ **Calorie.**
Cal.um.ny (qué.lâmni) *s* calúnia; difamação; maledicência.
Cam.ber (quém.bâr) *s* curvatura; caimento; arqueamento; *v* arquear; abaular.
Cam.bric (quém.bric) *s* cambraia (tecido de algodão ou linho).
Cam.el (qué.mel) *s* camelo.
Ca.mel.o.pard (câmé.lopárd) *s* girafa, mamífero ruminante.
Cam.er.a (qué.marâ) *s* câmara; objetiva.
Cam.i.sole (qué.missôul) *s* camisola; vestes de dormir.
Cam.ou.flage (qué.mufládj) *v* camuflar; disfarçar; mascarar.
Camp (quémp) *s* campo; acampamento; *v* acampar; alojar.
Cam.pus (quém.pâs) *s* pátio de uma universidade ou escola.
Can (quén) *s* lata; vasilha; tambor; caneca; lata de refrigerante; lata de alimento; *v* poder; *past and pp* **Could.**
Ca.nal (cânél) *s* canal; *examine* ⇒ **Channel**; *v* canalizar.
Can.al.ize (qué.nâláiz) *v* canalizar.
Ca.na.ry (câna.ri) *s* canário (pássaro).
Can.cer (quén.sâr) *s* MED câncer, nome comum dos tumores malignos.
Can.did (quén.did) *adj* cândido; sincero; franco; leal.
Can.died (quén.did) *adj* confeito; coberto de açúcar.
Can.dle (quéndol) *s* vela.
Can.dle.stick (quéndol.stic) *s* castiçal; candelabro.
Can.dle.wick (quéndol.uic) *s* pavio de vela.
Can.dor (quén.dâr) *s* imparcialidade; ingenuidade.
Can.dour (quén.dâr) *examine* **Candor.**
Can.dy (quén.di) *s* açúcar (diversos); bombom; bala; doce.
Cane (quêin) *s* bengala; cana; palhinha.
Ca.noe (cánu) *s* canoa; bote.
Can.on (qué.nân) *s* cânone; decreto; padrão; membro de Igreja; escrito original.
Can.on.ize (qué.nânáiz) *v* canonizar; glorificar; consagrar como santo.
Cant (quént) *s* canto; calão; fala hipócrita; *v* falar com hipocrisia.
Can't (cânt) *v* forma contraída de **Cannot.**
Can.teen (quéntin) *s* cantina; cantil; vasilhame de acampamento.
Can.vas (quén.vâs) *s* canvas, tecido forte e pesado para diversos fins; tenda; vela de barco.
Can.vass (quén.vâs) *v* discutir; debater; intrigar.

Can.yon (qué.niân) *s* desfiladeiro; vale profundo.
Cap (caep) *s* boné; gorro; tampa; chapéu; extremidade; *v* cobrir; coroar; vencer; ganhar.
Ca.pa.bil.i.ty (quêipâbi.liti) *s* capacidade; aptidão; competência.
Ca.pac.i.ty (câpé.citi) *s* capacidade; âmbito; espaço.
Cape (quêip) *s* capa; manto; GEO cabo.
Cap.i.tal (qué.pitâl) *s* capital; cabedal; letra maiúscula; *adj* capital; principal; primordial.
Ca.pit.u.late (câpi.tiulêit) *v* capitular; render-se.
Ca.pit.u.la.tion (câpitiulêi.xân) *s* capitulação; rendição; deposição de armas.
Ca.pri.cious (câpri.xâs) *adj* caprichoso; bizarro.
Cap.tain (qué.ptin) *s* capitão.
Cap.tion (quép.xân) *s* legenda; título; rubrica.
Cap.ti.vate (qué.ptivêit) *v* cativar; fascinar; encantar.
Cap.ture (qué. ptxâr) *s* captura; prisão; *v* capturar; aprisionar.
Car (cár) *s* carro; veículo; automóvel; trem.
Car.a.bine (qué.râbáin) *s* carabina (arma de fogo).
Card (cárd) *s* cartão postal; carta de baralho; cardápio; convite; ficha; *v* cartear; fixar; endereçar um cartão.
Card.board (cárd.bórd) *s* papelão; *also* **Pasteboard**.
Care (quér) *s* cuidado; preocupação; atenção; *v* cuidar; ter ou mostrar cuidado; importar-se.
Ca.reer (cârir) *s* carreira; profissão; ofício; modo de vida; *v* galopar.
Care.free (câr.fri) *adj* despreocupado.
Care.ful (quér.ful) *adj* cuidadoso; exato.
Care.ful.ly (quér.fuli) *adv* cuidadosamente; cautelosamente.
Ca.ress (cârés) *v* acariciar; afagar; mimar.
Car.go (cár.gôu) *s* carga; carregamento; frete.
Car.il.lon (câri.liân) *s* carrilhão; grandes sinos de torre de igreja.
Cark.ing (cár.quin) *adj* pesaroso; pungente; opressivo.
Car.mine (cár.min) *s* carmim, cor avermelhada.
Car.nage (cár.nidj) *s* carnificina; matança.
Car.nal (cár.nâl) *adj* carnal; sensual; lascivo.
Car.na.tion (cár.nêixan) *s* cravo (flor).
Car.ni.val (cár.nivâl) *s* Carnaval; parque de diversões.
Car.ol (qué.râl) *s* gorjeio; canto de natal; *v* cantar; enunciar uma canção como um pássaro.
Car.ol.er (qué.râlâr) *s* cantor; gorjeador.
Car.ol.ler (qué.râlâr) *examine* ⇒ **Caroler**.
Carp (cárp) *s* carpa; *v* criticar; admoestar; censurar.
Car.pen.ter (cár.pintâr) *s* carpinteiro.
Car.pen.try (cár.pintri) *s* carpintaria; obra de carpinteiro.
Car.pet (cár.pit) *s* carpete; alfombra; tapete.
Car.riage (qué.ridj) *s* carruagem; carro; veículo; carrinho de bebê.
Car.ri.er (qué.riâr) *s* portador; carregador.
Car.ri.on (qué.riân) *s* carniça; carne podre; cadáver em putrefação.
Car.rot (qué.rât) *s* cenoura.
Car.rot.y (qué.râti) *adj* ruivo; da cor da cenoura.
Car.ry (qué.ri) *s* a extenção, o alcance de um projétil, de uma bala de revólver; *v* carregar; levar; conduzir.
Cart (cárt) *s* carroça; pequeno carro para carga; carreta; carruagem; AUT carrinho de corrida; *v* transportar em uma carroça.
Cart.age (cár.tidj) *s* carreto; frete; carretagem.
Car.tel (cár.tél) *s* ECON cartel, monopólio de mercado.
Cart.er (cárt.târ) *s* carroceiro; carteiro; carreteiro.
Car.ton (cár.tân) *s* caixa de papelão; papelão.
Car.toon (cártun) *s* caricatura; desenho; esboço.
Car.touche (cârtu.xe) *s* cartucho; cartucheira.
Car.tridge (cár.tridj) *s* cartucho; canudo.
Carve (cárv) *v* esculpir; trinchar; entalhar; gravar; cinzelar.
Cas.cade (quésquêid) *s* cascata; queda d'água.
Case (quêis) *s* caso; baú; caixa; estojo; mala.
Case.ment (quêis.mânt) *s* armação de janela; batente.
Ca.sern (cázârn) *s* quartel; caserna.
Ca.serne (cázârn) *examine* ⇒ **Casern**.
Cash (quêxe) *s* pagamento à vista; dinheiro em caixa (na mão); *v* converter em dinheiro.
Cash.ier (quéxir) *s* caixa de banco; pagador; *v* demitir; despedir; licenciar.
Cash.mere (quéxe.mir) *s* casimira.
Cask (cásc) *s* barril; pipa; casco; capacete.
Cas.ket (cás.quit) *s* escrínio; pequeno cofre para joias; ataúde; caixão fúnebre.
Cas.si.mere (qué.sâmir) *examine* ⇒ **Cashmere**.
Cas.sock (qué.sâc) *s* batina; sotaina; balandrau.
Cast (cást) *s* golpe; lance; *v* lançar; atirar; fundir.
Cas.ti.gate (qués.tiguêit) *v* punir; castigar; corrigir.
Cas.tle (câstól) *s* castelo; fortaleza; cidadela; ESP torre (xadrez).
Cas.tle (câstól) *v* encastelar.
Cas.tor (cás.târ) *s* castor; pele de castor.
Cas.u.al (qué.djuâl) *adj* casual; fortuito; acidental.
Cas.u.al.ly (qué.djuâli) *adv* casualmente; despreocupadamente; incidentalmente.
Cat (quét) *s* gato; (leão, leopardo, onça, tigre, etc.); chicote; POP mulher dada a escândalos (também prostituta).
Cat.a.log (qué.tâlóg) *s* catálogo; anuário de universidade; *v* catalogar; classificar.
Ca.tarrh (câtár) *s* catarro.
Catch (quétxe) *s* engate; prendedor; garra; batente; *v* colher; pilhar; agarrar; pegar; prender; apanhar; *past and pp* **Caught**.
Catch.up (quét.xâp) *s* molho de tomate temperado.
Cat.er.pil.lar (qué.târpilâr) *s* lagarta.
Cat.gut (quét.gât) *s* MED categute, corda ou linha de tripa usada em cirurgia.
Ca.the.dral (câthi.drâl) *s* catedral; sé.
Cath.o.lic (qué.thólic) *s* Católico (da religião católica).
Ca.thol.i.cism (câthó.lissizm) *s* Catolicismo.
Cat.like (quét.láic) *adj* felino; semelhante ao gato.

Cat.nap (quét.nâp) *s* soneca.
Cat.sup (quét.sâp) *examine* ⇒ **Catchup** *or* **Ketchup.**
Cat.tle (quétol) *s* gado; rebanho.
Cau.dle (códol) *s* gemada quente preparada com vinho, açúcar, pão, etc.
Caul.dron (cót) *s* caldeirão.
Cau.li.flow.er (có.li.fláu.âr) *s* couve-flor.
Caus.al (có.zâl) *adj* causal; causativo.
Cause (cóz) *s* causa; motivo; razão; *v* causar; ocasionar; acarretar; compelir.
Cau.tion (có.txân) *s* cautela; prevenção; aviso; *v* prevenir; avisar.
Cau.tious.ly (có.xâsli) *adv* cautelosamente.
Cav.al.cade (quévâlquêid) *s* cavalgada.
Cav.a.lier (quévâlir) *s* cavaleiro; *adj* jovial; nobre.
Cave (quêiv) *s* caverna; cova; buraco; *v* escavar; cavar.
Cav.ern (qué.vârn) *s* caverna; cavidade; *v* escavar.
Cav.i.ar (qué.viâr) *s* caviar; ovas de esturjão.
Cav.i.ty (qué.viti) *s* cavidade; buraco.
Caw (có) *v* gralhar; gritar.
Cease (cis) *v* cessar; parar; extinguir; extinguir-se; terminar.
Ce.dar (ci.dâr) *s* cedro (árvore comum no Líbano).
Cede (cid) *v* ceder; conceder; outorgar; renunciar.
Ceil (cil) *v* forrar; estucar (construção).
Ceil.ing (ci.lin) *s* teto; forro.
Cel.e.brate (cé.librêit) *v* celebrar; festejar; exaltar.
Cel.e.bra.tion (célibrêi.xân) *s* comemoração; celebração.
Ce.leb.ri.ty (cilé.briti) *s* celebridade; fama.
Ce.ler.i.ty (cilé.riti) *s* celeridade; rapidez; velocidade.
Cel.er.y (cé.lâri) *s* aipo; salsão.
Ce.les.tial (cilés.txâl) *adj* celestial; divino; angelical.
Cel.i.ba.cy (cé.libâssi) *s* celibato, estado de pessoa não casada.
Cel.i.bate (cé.libêit) *s* celibatário; solteiro; *adj* celibatário.
Cell (sél) *s* pilha; acumulador; célula; cela; cela de prisão.
Cel.lar (sé.lâr) *s* buraco; adega; celeiro; *v* armazenar em adega.
Cel.lu.lar (sé.liulâr) *adj* celular; celuloso.
Celt (quélt) *s* peça pré-histórica semelhante ao machado (de pedra ou bronze).
Celt.ic (sél.tic) *s* Céltico, a língua dos antigos Celtas.
Ce.ment (cimént) *v* cimentar; tornar firme; consolidar.
Cem.e.ter.y (cé.mitéri) *s* cemitério; campo-santo.
Cense (séns) *v* incensar; perfumar com incenso.
Cen.ser (sén.sâr) *s* turíbulo; incensório.
Cen.sor.ship (sén.sârxip) *s* censura; atividade de censor.
Cen.sure (sén.xâr) *s* censura; crítica; admoestação; *v* censurar; repreender.
Cen.sus (sén.sâs) *s* censo; recenseamento.
Cent (sént) *s* centésimo; centavo.
Cen.ter (sén.târ) *s* centro; meio; *v* centralizar; focalizar.
Cen.tral (sén.trâl) *adj* central; principal.
Cen.tral.ize (sén.trâláiz) *v* centralizar; concentrar.
Cen.tre (sén.tri) *examine* ⇒ **Center.**
Cen.tu.ry (sén.tiuri) *s* século; centenário; centúria.
Cere (cir) *v* encerar; cobrir de cera; lacrar.
Ce.re.al (ci.riâl) *s* cereal; que produz farinha; mingau.
Cer.e.bral (sé.ribral) *adj* cerebral; mental.
Cer.e.bra.tion (séribrêi.xân) *s* cerebração, função cerebral.
Cere.ment (cir.ment) *s* sudário; mortalha.
Cer.e.mo.ni.al (sérimôu.niâl) *s* cerimonial; ritual.
Cer.e.mo.ni.ous (sérimôu.niâs) *adj* cerimonioso.
Cer.e.mo.ny (sé.rimôuni) *s* cerimônia; etiqueta.
Ce.rise (sâriz) *s* cereja (fruta); *adj* cereja (cor).
Cer.tain (sâr.ten) *s* número indeterminado; *adj* certo; seguro; positivo; fixo.
Cer.tain.ly (sâr.tenli) *adv* certamente; sem dúvida; verdadeiramente.
Cer.tif.i.cate (sârti.fiquêit) *s* certificado; certidão; atestado; laudo; *v* atestar; certificar.
Cer.ti.fy (sâr.tifái) *v* certificar; atestar; assegurar.
Cer.vix (sâr.vics) *s* MED nuca.
Cess (sés) *s* imposto; tributo; taxa; *v* tributar.
Ces.sa.tion (séssêi.xân) *s* cessação; pausa; parada.
Chafe (txêif) *v* aquecer por atrito; irritar-se; esfolar.
Chaff (txéf) *s* brincadeira; farelo; debulho; *v* caçoar; brincar.
Chaf.fer (txé.fâr) *v* pechinchar; comprar; regatear.
Chain (txêin) *s* corrente; cadeia; algema; *v* escravizar; sujeitar.
Chair (txér) *s* cadeira; cátedra; cadeira presidencial; cadeira elétrica; *v* instalar na presidência; dar posse a.
Chair.man (txér.mân) *s* presidente de assembleia, comissão, etc.
Chair.man.ship (txér.mânxip) *s* presidência de uma reunião ou assembleia.
Chal.ice (txé.lis) *s* cálice; taça; copa; BOT cálice de flor.
Chalk (txóc) *s* giz; *v* desenhar com giz; debitar.
Chal.lenge (txé.lindj) *s* desafio; provocação; *v* desafiar.
Chal.leng.er (txé.lendjâr) *s* desafiador.
Cham.ber (txêim.bâr) *s* câmara; espaço; compartimento.
Cham.ber.lain (txêim.bârlin) *s* mordomo; tesoureiro municipal; camareiro.
Cha.me.le.on (câmi.liân) *s* camaleão; FIG viracasaca.
Champ (txémp) *v* mascar; mastigar; morder.
Cham.pagne (xémpêin) *s* champanha.
Cham.paign (txém.pêin) *s* campina; *adj* plano; raso; descoberto.
Cham.pi.gnon (txémpi.niân) *s* cogumelo.
Cham.pi.on (txém.piân) *s* campeão; vencedor; *adj* vitorioso; campeão.

Cham.pi.on.ship (txém.piânxip) *s* campeonato; defesa de uma causa.

Chance (txéns) *s* acaso; casualidade; oportunidade; sorte; risco; perigo; *v* arriscar; arriscar-se; aventurar-se; ocorrer; acontecer; *adj* casual; fortuito.

Chan.cel.or (txén.célâr) *s* ministro; chanceler.

Chan.cel.ry (txén.sâri) *s* chancelaria.

Chan.cer.y (txén.sâri) *s* tribunal de justiça; tribunal especial.

Chan.de.lier (xéndilir) *s* candelabro; lustre; lampadário.

Change (txêindj) *s* troca; câmbio; mudança; permuta; moeda miúda (troco); *v* mudar; trocar; cambiar.

Chan.nel (txé.nél) *s* canal; calha; conduto; *v* canalizar.

Chan.son (xén.sân) *s* canção.

Chant (txént) *s* cântico; melodia; Cantochão (Canto Gregoriano); *v* cantar.

Chap (txép) *s* sulco; greta; fenda; MED mandíbulas; maxilas; *v* sulcar; gretar; fender; rachar.

Chap.book (txép.buc) *s* novela popular; livreto de baladas; folheto.

Chape (txêip) *s* fivela; gancho.

Chap.el (txé.pél) *s* capela.

Chap-fallen (txépfó.lân) *adj* consternado; desanimado.

Chap.i.ter (txé.ptâr) *s* ARQT capitel de um pilar; remate de coluna.

Chap.lain (txép.lin) *s* capelão.

Chap.man (txép.mân) *s* vendedor ambulante; mascate.

Chap.ter (txép.târ) *s* capítulo; carta capitular.

Char (txár) *s* biscate; trabalho extra; *v* torrar; tostar; trabalhar em jornal; fazer biscates.

Char.ac.ter.ize (qué.râctârais) *v* caracterizar; gravar; individualizar.

Char.ac.ter.less (quérâctârless) *adj* sem caráter; desavergonhado.

Cha.rade (xâ.rêid) *s* charada; enigma.

Char.coal (xâ.cul) *s* carvão.

Charge (txárdj) *s* carga; despesa; ataque; assalto; brasão; fardo; *v* cobrar; acusar.

Charg.er (txár.djâr) *s* cavalo de batalha; travessa (para carne).

Char.i.ta.ble (txé.ritâból) *adj* caridoso; generoso; misericordioso.

Char.i.ty (txé.riti) *s* caridade; esmola; casa de misericórdia; beneficência.

Char.la.tan (xár.latân) *adj* charlatão.

Charm (txárm) *s* encanto; sedução; atrativo; berloque; *v* encantar; seduzir; cativar.

Char.nel (txár.nel) *s* cemitério; capela.

Chart (txárt) *s* diagrama; mapa; gráfico; *v* traçar um mapa ou roteiro.

Char.ter (txár.târ) *v* fretar; patentear; diplomar.

Chase (txêis) *s* moldura; caça; presa; caçada; *v* caçar; perseguir; gravar em relevo.

Chas.er (txéi.sâr) *s* o que executa trabalhos em relevo; perseguidor; caçador.

Chasm (quézm) *s* abismo; precipício; divergência de opinião.

Chas.sis (xa.si) *s* ELET base de rádio; MEC sustentação mecânica dos automóveis.

Chast.en (txêisn) *v* castigar; corrigir; depurar.

Chas.tise (txéstáiz) *v* castigar; açoitar.

Chas.ti.ty (txés.titi) *s* castidade; continência; pureza.

Chat (txét) *s* conversa; prosa; palestra; *v* conversar.

Chat.ter (txé.târ) *s* conversa fiada; tagarelice.

Chat.ter.box (txé.târbócs) *s* tagarela; falaz; palrador; GÍR metralhadora.

Chat.ty (txé.ti) *adj* loquaz; falador.

Cheap (txip) *adj* barato.

Cheap.en (txi.pen) *v* baratear; desacreditar.

Cheap.ly (txip.li) *adv* facilmente.

Cheat (txit) *s* fraude; engano; enganador; trapaceiro; *v* enganar; burlar; iludir; colar (copiar num exame).

Cheat.er (txi.târ) *s* trapaceiro; embusteiro.

Check (txéc) *s* cheque; conta; nota; *v* conferir; deter; verificar; deixar; repetir.

Check.er (txé.câr) *v* enxadrezar; matizar.

Check.er.board (txé.cârbôurd) *s* tabuleiro para jogo de damas ou xadrez.

Check-up (txécâp) *s* exame médico geral.

Cheek (txic) *s* face; parte lateral; focinho; bochecha.

Cheek.y (txi.qui) *adj* bochechudo; descarado; insolente.

Cheep (txip) *v* piar; pipilar; gorjear; chilrear.

Cheer (txir) *s* aclamação; alegria; animação; provisão; *v* animar; aplaudir; alegrar.

Cheer.ful (txir.ful) *adj* alegre; festivo; jovial; animado.

Cheer.i.ly (txi.rili) *adv* alegremente; animadamente.

Cheer.i.o (txi.riw) *s* tchau; adeus.

Cheer.y (txi.ri) *adj* alegre; jovial; vivo.

Cheese (txiz) *s* queijo.

Chef (txif) *s* cozinheiro; chefe.

Che.mise (ximiz) *s* camisa feminina.

Chem.ist (qué.mist) *s* químico; droguista; farmacêutico.

Cheque ((txéc) *s* conta; *same as* **Check**.

Cher.ish (txé.rixe) *v* apreciar; nutrir; acariciar; abrigar.

Cher.ry (txé.ri) *s* cereja; cerejeira; *adj* cor de cereja.

Chess (txés) *s* jogo de xadrez.

Chest (txést) *s* peito (nu); tórax; arca; baú.

Chest.nut (txés.nât) *s* castanha; cavalo; anedota; *adj* castanho; alazão.

Chew (txu) *s* mastigação; tabaco de mascar; *v* mastigar; mascar; meditar.

Chew.ing (txu.in) *adj* de mascar.

Chic (xic) *s* elegante; *adj* chique; elegante.

Chi.cane (xiquêin) *s* tramoia; enredo; chicana; zombaria; *v* enganar; chicanar; lograr.

Chick (txic) *s* pinto; pintinho.

Chick.en (txi.cin) *s* frango; criança; galinha; rapaz.

Chic.o.ry (txi.cori) *s* chicória; crespa.
Chide (txáid) *v* repreender; recriminar; censurar; ralhar com; *past* **Chid** *and pp* **Chidden** *or* **Chiding**.
Chief (txif) *s* chefe; principal; gerente; comandante; *adj* supremo; primeiro; principal.
Chief.ly (txif.li) *adv* principalmente; sobretudo.
Chigoe (txi.gôu) *s* bicho-do-pé.
Chil.blain (txil.blêin) *s* frieira.
Child (txáild) *s* criança; filho; filha.
Child.hood (txáild.hud) *s* infância; condição de criança.
Chil.dren (txil.dren) *s* crianças.
Chill (txil) *s* frio; calafrio; arrepio; resfriamento; *v* esfriar; endurecer a frio; *adj* gelado; descortês.
Chill.y (txi.li) *adj* friorento; fresco; frio; indiferente.
Chim.ney (txim.ni) *s* chaminé; FIG cartola.
Chin (txin) *s* queixo.
Chinch (txintxe) *s* percevejo.
Chin.cough (txin.cóf) *s* MED coqueluche; tosse comprida.
Chine (txáin) *s* MED coluna vertebral; espinhaço.
Chink (txinc) *s* racha; rachadura; fenda.
Chintz (txints) *s* chita; chitão.
Chip (txip) *s* cavaco; apara; fragmento; limalha; lasca (madeira, pedra); *v* cortar em pedaços; lascar; *s* batata frita.
Chirp (txârp) *s* gorjeio; canto do grilo; canto da cigarra; estampa de tecidos; *v* gorjear; chilrear.
Chir.rup (txi.râp) *s* gorjeio; trinado; *v* aplaudir; estimular.
Chis.el (txizol) *s* cinzel; buril; formão; *v* cinzelar; esculpir.
Chit (txit) *s* pirralho; criança; fedelho; penhor.
Chit-chat (txit.txét) *s* tagarelice; conversa fiada.
Chock (txóc) *s* calço; cunha; escora; *v* prender com calço; calçar; *adv* à cunha.
Choc.o.late (txó.colit) *s* chocolate.
Choice (txóis) *s* escolha; preferência; variedade; *adj* escolhido.
Choke (txôuc) *s* sufocação; obstrução; *v* sufocar; enganar (numa brincadeira).
Chol.er.ic (colé.ric) *adj* colérico; irascível; zangado.
Choose (txuz) *v* escolher; preferir; *past* **Chose** *and pp* **Chosen**.
Chop (txóp) *s* fatia; posta; costeleta; mandíbula; **Chop house:** restaurante que prepara costelas; *v* retalhar; cortar; picar; permutar.
Chop.per (txó.pâr) *s* faca afiada; cutelo; porteiro de teatro ou estação ferroviária.
Chop.sticks (txóp.stics) *s pl* palitos que substituem o garfo.
Chord (córd) *s* MÚS corda; acorde; harmonia.
Cho.rus (có.râs) *s* MÚS refrão; coro; estribilho.
Christ (cráist) *s* Cristo.
Chris.ten (crisnn) *v* batizar; batizar-se.
Chris.tian (cris.txân) *adj* Cristão, adepto do Cristianismo.
Christ.mas (cris.mâs) *s* natal.
Chron.i.cle (cró.nicol) *s* crônica.
Chro.nom.e.ter (cronó.mitâr) *s* cronômetro; relógio de precisão.
Chub.by (txâ.bi) *adj* gorducho; roliço; bochechudo.
Chuck (txâc) *s* carícia; pancadinha; empurrão; *v* afagar; dar palmadas de leve em; jogar; atirar; cacarejar.
Chuck.le (txâcól) *v* sorrir; rir entre os dentes (disfarçadamente).
Chum (txâm) *s* amigo íntimo.
Chunk (txânc) *s* pedaço grande; tronco; bloco.
Church (txârtxe) *s* igreja; templo.
Chute (xut) *s* cano inclinado; escoadouro; cachoeira.
Ci.gar (ci.gâr) *s* charuto.
Cig.a.ret (cigârét) *s* cigarro.
Cig.a.rette (cigârét) *examine* ⇒ **Cigaret**.
Cinc.ture (cinc.txâr) *s* cinta; cinto; cinturão; cintura; cerca; muro; *v* cercar; cingir.
Cin.e.ma (ci.nimâ) *s* cinema.
Ci.pher (sái.fâr) *s* cifra; zero; *v* cifrar; calcular; computar.
Cir.cle (sârcol) *s* círculo; órbita; circunferência; *v* cercar; cingir; andar em círculos.
Cir.clet (sâr.clit) *s* aro; argola; anel.
Cir.cuit (sâr.quit) *s* circuito; giro; volta; âmbito; perímetro.
Cir.cu.late (sâr.quiulêit) *v* circular; trafegar; pôr em circulação.
Cir.cum.flex (sârcam.flécs) *s* acento circunflexo; *adj* circunflexo.
Cir.cum.scribe (sâr.câmscráib) *v* circunscrever; limitar; confinar.
Cir.cum.spect (sâr.câmspéct) *adj* circunspecto; prudente; discreto; grave.
Cir.cum.stance (sâr.câmsténs) *s* circunstância; particularidade; motivo.
Cir.cum.stan.tial (sârcâmstén.xâl) *adj* acidental; circunstancial; casual.
Cir.cus (sâr.câs) *s* circo; praça; arena.
Cis.tern (cis.târn) *s* cisterna; poço de água.
Cite (sáit) *v* citar; intimar; mencionar; alegar.
Cit.i.zen (ci.tizn) *s* cidadão; munícipe.
Cit.i.zen.ess (ci.tiznés) *s* cidadã.
Cit.ron (ci.trân) *s* cidra.
Cit.y (ci.ti) *s* cidade; *adj* municipal; citadino.
Civ.i.li.za.tion (civilizêi.xân) *s* civilização; cultura.
Civ.i.lize (ci.viláiz) *v* civilizar; educar; refinar.
Civ.ism (ci.vizm) *s* civismo; patriotismo.
Clab.ber (clé.bâr) *s* coalhada; *v* coalhar.
Clack (cléc) *s* tagarelice; estalo; ruído; som repetido; POP língua; *v* tagarelar.
Claim (clêim) *s* alegação; direito; reclamação; reivindicação; exigência; *v* reclamar; alegar; requerer.
Clam (clém) *s* molusco; marisco; espécie de mexilhão; *v* aderir; grudar; mariscar.
Clam.ant (clé.mânt) *adj* clamante; chamada por socorro.

Clam.ber (clém.bâr) *v* escalar com dificuldade; trepar.
Clam.my (clé.mi) *adj* viscoso; pegajoso; úmido e frio.
Clam.or.ous (clé.marâs) *adj* clamoroso; ruidoso; vociferante.
Clamp (clémp) *s* gancho; braçadeira; colchete; presilha; pregador; *v* prender com grampo; agarrar; dar passos pesados; empilhar.
Clan (clén) *s* clã; tribo; grei; raça; casta.
Clap (clép) *s* palmada; estalo; palmas; aplauso; *v* aplaudir; estalar; bater palmas.
Clap.board (clép.bôurd) *s* tábua; ripa de madeira.
Clar.i.fy (clé.rifái) *v* clarificar; elucidar; purificar; aclarar.
Clar.i.net (clérinét) *s* clarineta.
Clar.i.ty (clé.riti) *s* claridade; brilho; lucidez; clareza.
Clash (cléxe) *s* choque; oposição; conflito; estrondo; discordância; *v* chocar-se; ressoar; entrar em conflito.
Clasp (clésp) *s* broche; colchete; fecho; fivela; pregador; abraço; *v* afivelar; abraçar; apertar.
Class (clés) *s* classe; grupo; série; posição social; aula; curso; categoria; *v* classificar; ordenar; coordenar; *adj* relativo a classe.
Clas.si.fy (clé.sifái) *v* coordenar; classificar; agrupar.
Class.mate (clés.mêit) *s* colega de classe.
Class.room (clés.rum) *s* sala de aula; classe.
Class.y (clé.si) *adj* de classe; distinto; elegante; alinhado.
Clause (clóz) *s* cláusula; condição; artigo de contrato.
Claw (cló) *s* garra; unha; pata; pinça; *v* arranhar; dilacerar.
Clay (clêi) *s* argila; barro; lodo; terra; FIG barrar.
Clean (clin) *v* limpar; assear; arrumar; arrumar-se; *adj* claro; nítido; limpo; puro; inocente; honesto; liso; regular; simétrico; hábil.
Clear (clir) *v* limpar; aclarar; esclarecer; desembaraçar; retirar; evacuar; lucrar; *adj* claro; limpo; puro.
Cleave (cliv) *v* fender; rachar; abrir caminho; manter-se fiel; apegar-se; *past* **Cleft** *or* **Clove** *and pp* **Cleft** *or* **Cloven**.
Cleav.er (cli.vâr) *s* rachador; machadinha de açougueiro.
Clef (cléf) *s* MÚS clave.
Cleft (cléft) *s* racha; fenda; rachadura; *adj* rachado.
Clem.en.cy (clé.mensi) *s* clemência; compaixão.
Clem.ent (clé.mênt) *adj* clemente.
Clench (cléntxe) *s* garra; pinça; tenaz; *v* agarrar; prender; cerrar; apertar.
Cler.gy (clâr.dji) *s* clero.
Clerk (clârc) *s* escrevente; copista; sacristão; balconista; caixeiro.
Clev.er (clê.vâr) *adj* hábil; esperto; ligeiro; destro.
Clew (clu) *s* indício; vestígio; pista; rastro; indicação; NÁUT punho de vela.
Cliff (clif) *s* penhasco; despenhadeiro; rochedo íngreme.
Cli.mate (clái.mit) *s* clima.
Cli.mat.ic (cláimé.tic) *adj* climático, relativo ao clima.
Cli.mat.i.cal (cláimé.ticâl) *examine* ⇒ **Climatic**.
Climb (cláim) *s* ascensão; escalada; *v* subir; escalar.
Clime (cláim) *s* região; clima; tema (poesia).
Clinch (clintxe) *s* rebite; aperto; agarramento; luta corpo a corpo; argumento decisivo; *v* segurar; fixar com rebite; ratificar.
Cling (clin) *v* aderir; agarrar-se; apegar; apegar-se; *past or pp* **Clung**.
Clink (clinc) *s* tinido; tamarela; traqueta; som; *v* tinir; tilintar; ressoar; ritmar; retinir.
Clip (clip) *s* tosquia; corte; corte de cabelo; prendedor; *v* aparar; podar; cercear.
Clip.per (cli.pâr) *s* tosquiador; cortador; tesoura.
Cloak (clôuc) *s* capa; capote; disfarce; *v* encapotar; encapar; encobrir; dissimular.
Cloak.room (clôuc.rum) *s* vestiário
Clock (clóc) *s* relógio; medidor.
Clod (clód) *s* torrão de terra; solo; pateta.
Clois.ter (clóis.târ) *s* claustro; mosteiro; convento; *v* enclaustrar; enclausurar.
Close (clôuz) *s* fim; término; conclusão; briga; espaço fechado; fecho de carta; *v* fechar; obstruir a passagem; encerrar; concluir; *adj* fechado; reservado; preso; abafado; econômico; secreto; próximo; *adv* perto.
Close.ly (clôus.li) *adv* de perto; intimamente; secretamente; atentamente.
Clos.et (cló.zit) *s* quartinho; cubículo; gabinete; *v* receber em recinto fechado para conferência secreta; *adj* secreto.
Clo.sure (clôu.jâr) *s* encerramento; conclusão; cerca.
Clot (clót) *s* coágulo; grumo; coalho; *v* coagular.
Cloth (clóth) *s* pano; tecido; toalha de mesa; tecido.
Clothe (clôuth) *v* vestir; trajar; revestir.
Clothes (clôu.thz) *s* roupa; traje; vestuário.
Clothes.line (clôuthz.láin) *s* varal; arame de secar roupa.
Clothes.pin (clôu.thz.pin) *s* prendedor de roupa.
Cloth.ing (clôu.thin) *s* vestuário; roupa; coberta.
Cloud (cláud) *s* nuvem; névoa; bruma; multidão; grande número; FIG desgosto; *v* nublar; anuviar.
Cloud.burst (cláud.bârst) *s* aguaceiro; chuva pesada.
Cloud.y (cláu.di) *adj* nebuloso; nublado; triste.
Clout (cláut) *s* tacha de sapato; remendo; trapo; GÍR tapa; bofetão; murro; cascudo; *v* remendar; esmurrar; guarnecer de tachão.
Clove (clôuv) *s* dente de alho; bulbo; cravo-da-índia.
Clo.ver (clôu.vâr) *s* trevo.
Clown (cláun) *s* palhaço.
Clown.er.y (cláu.nâri) *s* palhaçada.
Cloy (clói) *v* saciar; fartar; saturar; FIG enjoar.
Club (clâb) *s* cacete; porrete; clava; maça; clube; grêmio; sociedade; naipe de paus; *v* dar cacetadas em.
Club.foot (clâb.fut) *s* de pé torto.

Cluck (clâc) *s* cacarejo de galinha.
Clue (clu) *s* ideia; dica; indício.
Clump (clâmp) *s* moita; arvoredo; bloco; torrão; massa sem forma; *v* agrupar; amontoar; plantar em grupos.
Clum.sy (clâm.zi) *adj* desajeitado; rústico.
Clus.ter (clâs.târ) *s* grupo; conglomerado; cacho; ramalhete; bando; enxame; assembleia; *v* agrupar; amontoar; apinhar-se; agarrar.
Clutch (clâtxe) *s* garra; aperto; dose; ninhada; embreagem; *v* agarrar; embrenhar.
Clut.ter (clâ.târ) *s* confusão; balbúrdia; desordem; tumulto; algazarra; *v* misturar; lançar-se à desordem.
Coach (côutxe) *s* coche; carruagem; carro; vagão; automóvel sedã; ônibus; treinador; *v* instruir; ensinar.
Coal (côul) *s* carvão de pedra; hulha; tição; brasa; *v* encarvoar; reduzir a carvão.
Co.a.lesce (cou.âlés) *v* coalescer; fundir-se.
Co.a.li.tion (couâli.xân) *s* coalizão; coligação; união.
Coast (côust) *s* costa; litoral; praia; *v* costear.
Coat (côut) *s* sobretudo; *v* aplicar uma camada; vestir; cobrir.
Coax (côucs) *v* lisonja; adular; bajular.
Cob (cób) *s* espiga de milho; golpe; aranha; bloco.
Cob.ble (coból) *s* pedra (usada em pavimentação); seixo; *v* remendar; consertar sapato; calçar com pedras.
Cob.web (cób.uéb) *s* teia de aranha; FIG sofisma; trama; argumento sutil.
Cock (cóc) *s* galo; frango; macho de qualquer ave; cão (de arma); torneira; válvula; aba (de chapéu); cata-vento; *v* engatilhar (arma); levantar-se; erguer; empinar; piscar o olho.
Cock-eyed (cóc.áid) *adj* vesgo; estrábico.
Cock.ney (cóc.ni) *s* londrino; dialeto londrino.
Cock.pit (cóc.pit) *s* rinha (lugar para briga de galos).
Cock.roach (cóc.rôutxe) *s* barata.
Cock.tail (cóc.têil) *s* coquetel; salada de frutas; bebidas com várias misturas.
Co.coa (côu.co) *s* cacau; chocolate em pó.
Co.co.nut (côu.conât) *s* coco.
Cod (cód) *s* bacalhau; folheto; bolsa; vagem; tolo.
Code (côud) *s* código; cifra; código secreto.
Cod.fish (cód.fixe) *s* bacalhau.
Codg.er (có.djâr) *s* POP homem velho excêntrico; sujeito.
Cod.i.fi.ca.tion (códifiquêi.xân) *s* codificação.
Cod.i.fy (có.difái) *v* codificar; sistematizar.
Co.ef.fi.cient (côufi.xânt) *s* coeficiente.
Co.er.cion (couâr.xân) *s* coerção; coação; pressão.
Co.ex.ist (côu.égsizt) *v* coexistir.
Co.ex.is.tence (côu.égzis.tens) *s* coexistência.
Cof.fee (có.fi) *s* café.
Cof.fer (có.fâr) *s* cofre; caixa; arca; baú.
Cof.fin (có.fin) *s* esquife; ataúde.
Cog (cóg) *s* dente de engrenagem; trapaça com dado viciado; embarcação de pesca; *v* fraudar; chumbar dado de jogo; viciar.
Cog.i.tate (có.dijitêit) *v* cogitar em; planejar; meditar.
Cog.ni.tion (cógni.xân) *s* cognição; percepção; noção; conhecimento.
Cog.ni.zance (cóg.nizâns) *s* aviso; informação; jurisdição.
Cog.nize (cóg.náiz) *v* conhecer; perceber; cientificar-se.
Cog.no.men (cógnôu.men) *s* cognome; apelido; alcunha.
Co.her.ence (côu.hi.rêns) *s* coerência; conexão; adesão; aderência; coesão.
Co.her.en.cy (côu.hi.rênsi) *examine* ⇒ **Coherence**.
Coif.feur (cuá.fâr) *s* cabeleireiro.
Coif.fure (cuáfiur) *s* penteado; toucado.
Coign (cóin) *s* esquina; canto; ângulo.
Coil (cóil) *s* espiral; bobina; *v* enrolar; enovelar; serpear.
Coin (cóin) *s* moeda; dinheiro (em moedas); esquina; cunha; chaveta; *v* cunhar; inventar; forjar.
Co.in.cide (côuinsáid) *v* coincidir; concordar; harmonizar; combinar.
Co.in.ci.dence (côu.in.sidêns) *s* coincidência; correspondência.
Coin.er (cói.nâr) *s* cunhador; moedeiro falso.
Coke (côuc) *s* coque; POP coca-cola; *v* transformar em coque.
Col (cól) *s* desfiladeiro; passagem entre montanhas.
Col.an.der (câ.landâr) *s* coador; peneira.
Cold (côuld) *s* frio; resfriado; *adj* frio; gelado.
Cold.ly (côul.dli) *adv* friamente; insensivelmente.
Cole (côul) *s* couve.
Col.lab.o.rate (colé.barêit) *v* colaborar.
Col.lapse (colé.ps) *s* colapso; ruína; queda; falência; desmaio; *v* provocar colapso; arruinar; desabar; ruir.
Col.lar (có.lâr) *s* colarinho; gola; colar; gargantilha; coleira; GÍR apoderar-se de.
Col.late (cólêit) *v* conferir; confrontar; cotejar.
Col.la.tion (cólêi.xân) *s* colação.
Col.league (có.lig) *s* colega; camarada; companheiro; *v* coligar-se.
Col.league.ship (có.ligxip) *s* coleguismo.
Col.lect (cólect) *s* coleta; *v* colecionar; cobrar; recolher.
Col.lect.a.ble (coléc.tâból) *adj* colecionável; coletável.
Col.lec.tion (coléc.xân) *s* coleta de dinheiro; coleção.
Col.lege (có.lidj) *s* colégio; faculdade.
Col.le.gi.an (cóli.djiân) *s* estudante; membro de uma congregação; colegial.
Col.lide (cóláid) *v* colidir; chocar-se; conflitar; discordar.
Col.lie (cóli) *s* cão pastor.

Col.lier (có.liâr) *s* mineiro; carvoeiro; tripulante (barco carvoeiro).
Col.li.mate (có.limêit) *v* colimar; objetivar.
Col.li.sion (cóli.jân) *s* colisão; choque; aproximação.
Col.lop (có.lâp) *s* posta; pedaço de carne.
Col.lu.sion (cóliu.jân) *s* conluio; trama; conspiração.

Col.lu.sive (cóliu.siv) *adj* conspiratório.
Col.ly (có.li) *s* fuligem.
Co.logne (colôun) *s* água-de-colônia.
Co.lon (có.lân) *s* cólon; GRAM dois pontos.
Co.lo.ni.al (colôu.niâl) *adj* colonial; antigo.
Col.o.ni.za.tion (cólonizêi.xân) *s* colonização.
Col.o.nize (có.lonáiz) *v* colonizar.
Col.o.niz.er (có.lonáizâr) *s* colonizador; que vota em mais de um distrito eleitoral.
Col.or (câ.lâr) *s* cor; dissimulação; pretexto; disfarce; aparência; *also* **Colour**; *v* colorir; pintar; disfarçar.
Col.or.a.ble (câ.lârabol) *adj* tingível; aceitável; aparente; falso.
Col.ored (câ.lârd) *adj* colorido; de cor; negro.
Col.our (câ.lâr) *examine* ⇒ **Color**.
Colt (côult) *s* potro; pessoa alegre; *v* pular; saltar.
Col.um.nist (có.lâminist) *s* colunista (comentarista de jornal).
Comb (côum) *s* pente; rastelo; crista de ave; favo de mel; *v* pentear; cardar a lã; pesquisar; buscar.
Com.bat (cóm.bât) *s* combate; luta; *v* opor-se; combater.
Com.bat.ant (cóm.bâtânt) *adj* combatente.
Com.bus.ti.ble (câmbâs.tiból) *s* combustível; *adj* combustível; inflamável; irritável.
Come (câm) *v* vir; chegar; aparecer; acontecer; nascer; *past* **Came** *and pp* **Come**.
Come-back (câm.béc) *s* GÍR resposta; réplica; reeleição.
Co.me.di.an (câmi.diân) *s* comediante; farsante.
Co.me.di.enne (câmidién) *examine* ⇒ **Comedian**.
Com.e.dy (có.midi) *s* comédia; farsa.
Co.mes.ti.ble (comés.tiból) *adj* comestível.
Com.fit (cám.fit) *s* confeito; doce; fruta cristalizada.
Com.fort (câm.fârt) *s* conforto; consolo; alívio; acolchoado; *v* confortar; aliviar.
Com.fort.a.ble (câm.fârtâból) *adj* confortável; consolador; cômodo; satisfatório.
Com.fort.er (câm.fartâr) *s* confortador; consolador; manta de lã; cachecol.
Com.ing (câ.min) *s* chegada; vinda; advento; *adj* vindouro; futuro.
Com.ma (có.ma) *s* GRAM vírgula; **inverted Comma:** aspas.
Com.mand (coménd) *s* comando; autoridade; controle; domínio; conhecimento; *v* governar; mandar.
Com.man.dant (comândént) *s* comandante militar.
Com.mand.ment (coménd.ment) *s* mandamento; ordem; preceito.
Com.mem.o.rate (comé.morêit) *v* comemorar; celebrar; honrar a memória de.
Com.mem.o.ra.tion (comémorêi.xân) *s* comemoração.
Com.mence (coméns) *v* começar; principiar; colar grau; doutorar-se.
Com.mence.ment (coméns.ment) *s* começo; origem; entrega de diplomas.
Com.mend (câménd) *v* recomendar; elogiar; louvar; confiar; incumbir; encomendar.
Com.men.su.ra.ble (câmen.xarâbol) *adj* comensurável; adaptado; recomendável.
Com.men.su.rate (câmén.xâreit) *adj* comensurável; proporcionado.
Com.ment (có.ment) *s* comentário; explicação; reflexão; crítica; anotação; *v* comentar; censurar; anotar.
Com.men.ta.ry (có.mentéri) *s* comentário; crítica; ilustração.
Com.mer.cial.ize (comâr.xâláiz) *v* comercializar.
Com.mi.na.tion (cóminêi.xân) *s* cominação; ameaça; denúncia.
Com.min.gle (cómingol) *v* misturar-se; misturar.
Com.mis.er.ate (cómi.zârêit) *v* compadecer-se; apiedar-se.
Com.mis.sa.ry (có.misséri) *s* comissário.
Com.mit (cómit) *v* cometer; comprometer-se; empenhar; praticar; confiar; entregar.
Com.mit.ment (cómit.ment) *s* compromisso; cometimento; JUR mandado de prisão.
Com.mit.tee (cómi.ti) *s* comitê; comissão; delegação.
Com.mode (cómôud) *s* cômoda; lavatório.
Com.mod.i.ty (comó.diti) *s* mercadoria; artigo; bens móveis.
Com.mon (có.mân) *s* terra comum; propriedade geral; passagem pública; *adj* comum; vulgar; popular; geral.
Com.mon.ly (có.mânli) *adv* comumente; geralmente; vulgarmente.
Com.mon.place (có.mân.plêis) *s* lugar comum; trivialidade; banalidade; *adj* comum.
Com.mons (có.mânz) *s* plebe; povo; alimento.
Commotion (câmôu.xân) *s* perturbação; comoção; motim; revolta; tumulto.
Com.move (câmuv) *s* comover; agitar; perturbar.
Com.mune (câmiun) *s* conversa íntima; comuna; comunidade; *v* discorrer; comungar.
Com.mu.ni.ca.ble (câmiu.nicâból) *adj* comunicável; contagioso.
Com.mu.ni.cate (câmiu.niquêit) *v* comunicar-se; comunicar; avisar; receber a Comunhão.
Com.mu.ni.ca.tion (câmiuniquêi.xân) *s* comunicação; participação; ligação.
Com.peer (cómpir) *s* companheiro; par; igual.
Com.pel (compél) *v* compelir; obrigar; coagir; extorquir.
Com.pend (com.pénd) *s* compêndio; súmula; síntese.

Com.pen.sate (cóm.pensêit) *v* compensar; indenizar.
Com.pete (cómpit) *v* competir; disputar; rivalizar.
Com.pe.tence (cóm.pitens) *s* competência; capacidade.
Com.pe.ti.tion (cómpiti.xân) *s* competição; concorrência; concurso; confronto.
Com.pile (compáil) *v* compilar; colher.
Com.pla.cence (complêi.sens) *s* complacência; contentamento; prazer.
Com.pla.cen.cy (complêi.sensi) *examine* ⇒ Complacence.
Com.plain (complêin) *v* queixar-se; lamentar-se; reclamar.
Com.plain.er (complêi.nâr) *s* queixoso; reclamante.
Com.plaint (complêint) *s* queixa; reclamação; lamúria.
Com.plai.sant (complêi.zânt) *adj* complacente; afável; cortês.
Com.ple.ment (com.pliment) *s* complemento; apêndice; consumação; remate.
Com.plete (cómplit) *v* completar; concluir; acabar.
Com.plete.ly (cómplit.li) *adv* completamente; inteiramente; perfeitamente.
Com.pli.ance (compláí.âns) *s* condescendência; submissão; aquiescência.
Com.pli.an.cy (compláí.ânsi) *examine* ⇒ Compliance.
Com.pli.cate (cómp.liquêit) *v* complicar.
Com.plic.i.ty (compli.citi) *s* cumplicidade.
Com.pli.ment (cóm.pliment) *s* cumprimento; atenção; elogio; *v* saudar; cumprimentar; presentear.
Com.ply (compláí) *v* aceder; aquiescer; consentir; ceder.
Com.port (compôurt) *v* comportar-se; conduzir-se; condizer; concordar.
Com.port.ment (compôurt.ment) *s* comportamento; conduta; aparência.
Com.pose (compôuz) *v* compor; constituir; arranjar; ajustar.
Com.pos.ite (compó.zit) *s* composto; misto.
Com.po.si.tion (cómpozi.xân) *s* composição; tema; acordo; ajuste.
Com.pound (compáund) *v* compor; misturar.
Com.pre.hend (cómpri.hénd) *v* conter; compreender.
Com.prise (compráiz) *v* abranger; encerrar; incluir; conter.
Com.pro.mise (cóm.promáiz) *s* compromisso; conciliação; concessão; *v* comprometer; transigir; conciliar.
Com.pul.sion (compâl.xân) *s* compulsão; constrangimento; coação; obrigação.
Com.pul.sive (compâl.siv) *adj* compulsivo; compulsório.
Com.pute (cómpiu.târ) *v* computar; calcular.
Com.put.er (cómpiu.târ) *s* computador; calculista; máquina de calcular.
Com.rade (cóm.réd) *s* companheiro; colega; membro.
Con (cón) *s* voto contrário; objeção; *v* decorar; aprender de cor; examinar.
Co.na.tion (conêi.xân) *s* FIL volição; desejo.
Con.cave (cón.quêiv) *s* côncavo; concavidade.
Con.ceal (cónsil) *v* ocultar; dissimular; disfarçar.
Con.cede (consid) *v* conceder; outorgar; admitir; permitir.
Con.ceit (consit) *s* conceito; vaidade; presunção.
Con.ceive (consiv) *v* conceber; gerar; imaginar; compreender; ficar grávida; pensar; exprimir; crer.
Con.cen.trate (cón.sentrêit) *v* concentrar; intensificar.
Con.cept (cón.sépt) *s* conceito; ideia; noção.
Con.cern (consârn) *s* interesse; relação; ligação; ansiedade; participação; negócio; *v* concernir; dizer respeito; inquietar; concertar.
Conch (cónc) *s* concha; pavilhão auricular; caramujo.
Con.cil.i.ate (consi.liêit) *v* conciliar; acalmar.
Con.cise (consáis) *adj* conciso; sucinto; lacônico.
Con.ci.sion (consi.jân) *s* corte; concisão.
Con.clude (conclud) *v* concluir; deduzir; terminar; acabar.
Con.com.i.tance (concó.mitâns) *s* concomitância; coexistência; coincidência.
Con.com.i.tan.cy (concó.mitânsi) *examine* ⇒ Concomitance.
Con.com.i.tant (concó.mitânt) *s* companheiro; ação simultânea; *adj* concomitante.
Con.cord (cón.córd) *s* acordo; tratado; concórdia; paz.
Con.cor.dat (concór.dét) *s* acordo; concordata.
Con.cu.bi.nage (cónquiu.binidj) *s* concubinagem; concubinato.
Con.cu.bine (cón.quiubâin) *s* concubina; amante.
Con.cur (concâr) *v* cooperar; coincidir; concorrer; combinar.
Con.cur.rence (concâ.rens) *s* concorrência; concurso; acordo; coincidência.
Con.cuss (concâs) *v* concutir; sacudir; abalar; constranger; forçar.
Con.demn (condémn) *v* condenar; reprovar; sentenciar.
Con.de.scend (cóndissénd) *v* assentir; condescender; dignar-se; transigir.
Con.dign (condáin) *adj* condigno; merecido; justo.
Con.di.ment (cón.diment) *s* condimento; tempero; adubo; *v* condimentar.
Con.di.tion (condi.xân) *s* condição; estipulação; estado; *v* estipular; condicionar.
Con.done (coundôun) *v* perdoar; justificar.
Con.duce (condius) *v* conduzir; guiar; levar.
Con.duct (cóndâct) *s* direção; gerência; escolta; administração; para-raios; *v* conduzir; reger; guiar.
Con.duit (cón.duit) *s* conduto; canal; aqueduto.

Cone (côun) *s* cone; copinho para sorvetes.
Co.ney (côu.ni) *examine* ⇒ **Cony.**
Con.fab.u.late (confé.biulêit) *v* confabular.
Con.fect (confect) *v* fazer doces; pôr em conserva; confeitar.
Con.fer (confâr) *v* conferir; conceder; conferenciar.
Con.fess (confés) *v* confessar; admitir.
Con.fide (confáid) *v* confiar; fiar-se; entregar-se.
Con.fi.dence (cón.fidens) *s* confiança; segredo; confidência.
Con.fi.dent (cón.fident) *adj* confiante.
Con.fig.ur.a.tion (configuiurêi.xân) *s* configuração; contorno; forma.
Con.fine (côn.fáin) *s* confim; limite; fronteira; *v* limitar; internar; restringir; encarcerar.
Con.firm (cânfârm) *v* confirmar; assegurar; sancionar.
Con.fis.cate (cón.fisquêit) *v* confiscar; apreender; embargar.
Con.fla.gra.tion (cónflâgrêi.xân) *s* conflagração.
Con.flict (conflict) *s* conflito; combate; discordância; *v* colidir; lutar; discordar.
Con.flu.ent (cón.fluênt) *s* confluente; afluente; tributário.
Con.form (confórm) *v* conformar; ajustar; adaptar.
Con.found (confáund) *v* confundir; destruir; perturbar.
Con.front (confrânt) *v* confrontar; defrontar; arrostar.
Con.fuse (confiuz) *v* confundir; misturar; embaraçar.
Con.geal (condjil) *v* congelar; gelar-se; coagular; cristalizar-se.
Con.ge.ner (cóndji.nâr) *s* congênere; semelhante.
Con.ge.nial (condji.niâl) *adj* análogo; agradável.
Con.gest (cóndjést) *v* acumular; amontoar; congestionar.
Con.ges.tion (condjést.xân) *s* acúmulo; congestionamento; MED congestão.
Con.ges.tive (condjés.tiv) *adj* congestivo.
Con.glom.er.ate (congló.mârêit) *s* conglomerado; aglomerado; congregado; *v* conglomerar; amontoar.
Con.grats (congré.ts) *s* parabéns (forma abreviada de Congratulation).
Con.grat.u.late (congré.tiulêit) *v* congratular; felicitar; regozijar-se.
Con.grat.u.la.tion (congrétiulêi.xân) *s* congratulação; felicitação; parabéns.
Con.gre.gant (cón.grigânt) *s* congregante; congregado.
Con.gre.gate (cón.griguêit) *v* congregar; reunir; convocar; juntar.
Con.gress (cón.grés) *s* congresso; parlamento.
Con.gru.ence (cón.gruéns) *s* congruência; concordância; harmonia.
Con.gru.ent (cón.gruént) *adj* congruente; conveniente; adequado.
Con.gru.i.ty (cóngru.iti) *s* congruência; conveniência; conformidade.
Con.jec.ture (condjéc.tiur) *s* conjetura; suposição; hipótese; *v* conjeturar; supor.
Con.join (condjóin) *v* unir; associar; ligar-se; reunir.
Con.joint (condjóint) *adj* conjunto; unido; ligado.
Con.ju.gal (cón.djugâl) *adj* conjugal; matrimonial.
Con.ju.gate (cón.djuguêit) *s* conjugado; *v* conjugar; unir em matrimônio; *adj* conjugado; unido; emparelhado.
Con.junct (condjânct) *adj* conjunto; unido; ligado.
Con.junc.tion (condjânc.xân) *s* conjunção; associação; reunião; liga.
Con.jure (cân.djâr) *v* conjurar; evocar; encantar; suplicar; implorar.
Conk (cónc) *s* POP a cabeça; ENGL o nariz; *v* golpear sobre a cabeça.
Con.nect (conéct) *v* ligar; coordenar; associar; encadear.
Con.nec.tion (conéc.xân) *s* conexão; ligação; parentesco; amizade; seita religiosa.
Con.nex.ion (conéc.xân) *examine* ⇒ **Connection.**
Con.ni.vance (conái.vâns) *s* conivência; cumplicidade; conluio.
Con.nive (conáiv) *v* tolerar faltas; mancomunar.
Con.no.ta.tion (cónotêi.xân) *s* conotação.
Con.note (cónôut) *v* conotar; implicar; significar; envolver.
Con.quer (cón.câr) *v* conquistar; sair vitorioso; subjugar; refrear; sujeitar.
Con.quest (cón.cuist) *s* conquista; vitória.
Con.science (cón.xêns) *s* consciência; escrúpulo; retidão; probidade.
Con.scious (cón.xâs) *adj* consciente; ciente; deliberado; cônscio; intencional.
Con.script (cóns.cript) *s* recruta; conscrito; *v* recrutar.
Con.scrip.tion (conscrip.xân) *s* conscrição; alistamento; recenseamento militar.
Con.se.crate (cón.sicrêit) *v* consagrar; canonizar; devotar; destinar; dedicar; *adj* consagrado.
Con.sent (consént) *s* consentimento; anuência; permissão; aquiescência; *v* consentir; anuir.
Con.se.quence (con.sicuéns) *s* consequência; dedução; efeito; importância.
Con.serve (con.sêrv) *v* guardar em conserva.
Con.sid.er (con.sidêr) *v* considerar; refletir; pensar.
Con.sign (con.sain) *v* consignar; confiar; considerar.
Con.so.la.tion (consolêi.xân) *s* consolação; consolo; alívio; lenitivo.
Con.sole (consôul) *s* consolo; base de computador; *v* consolar; confortar.
Con.sol.i.date (consó.lidêit) *v* unir; consolidar; firmar-se; solidificar-se.
Con.so.nant (cón.sonânt) *s* GRAM consoante; *adj* consonante; conforme.
Con.sort (cón.sórt) *s* consorte; cônjuge; sócio; *v* associar; unir; concordar; juntar.

Con.spir.a.cy (conspi.râssi) *s* conspiração; trama; intriga; conjuração.
Con.spire (conspáir) *v* conspirar; tramar; maquinar.
Con.sta.ble (câns.tâból) *s* policial; condestável; guarda; mordomo.
Con.stan.cy (cóns.tânsi) *s* constância; estabilidade; perseverança; fidelidade.
Con.stel.la.tion (cónstâlêi.xân) *s* constelação; reunião; grupo.
Con.ster.nate (cóns.tânêit) *v* consternar.
Con.sti.tute (cóns.titiut) *v* constituir; estabelecer; fixar; organizar.
Con.sti.tu.tion (cónstitiu.xân) *s* constituição; complexão; nomeação; estatuto.
Con.sti.tu.tive (cónsti.tiutiv) *adj* constitutivo; essencial; construtivo.
Con.strain (constrêin) *v* constranger; forçar; obrigar.
Con.strict (constrict) *v* constringir; reprimir; apertar; cingir.
Con.struct (constrâct) *v* construir; edificar; planejar.
Con.strue (constru) *v* construir.
Con.sult (consâlt) *v* consultar; deliberar; aconselhar-se; conferenciar.
Con.sult.a.tive (consâl.tâtiv) *adj* consultativo; deliberativo.
Con.sume (consium) *v* consumir; preocupar; despender.
Con.sum.mate (cón.sâmit) *v* consumar; acabar.
Con.tact (cón.têct) *s* contacto; ligação; *v* contactar; contatar; comunicar-se.
Con.tain (contêin) *v* conter; abranger; refrear; reprimir.
Con.temn (cóntêmn) *v* desprezar; menosprezar.
Con.tem.ner (contém.nâr) *s* desprezador; desdenhador; menosprezador.
Con.tem.nor (contém.nâr) *s examine* ⇒ Contemner.
Con.tem.plate (cón.têmplêit) *v* contemplar; projetar; tencionar; meditar.
Con.tem.pla.tion (cóntemplêi.xân) *s* contemplação; medição; projeto.
Con.tem.pla.tive (contém.plâtiv) *adj* contemplativo; meditativo.
Con.tem.po.ra.ne.ous (contêmporêi.niâs) *adj* contemporâneo; coevo.
Con.tem.po.rize (contém.poráiz) *v* contemporizar.
Con.tempt (contémpt) *s* desprezo; desdém; escárnio.
Con.tend (conténd) *v* contender; combater; sustentar; argumentar.
Con.tent (cón.tent) *s* contentamento; satisfação; índice; extensão; *v* contentar; satisfazer; combater; competir; disputar; *adj* contente.
Con.test (contést) *s* debate; luta; competição; *v* disputar; concorrer; contestar; abater.
Con.text (cón.técst) *s* contexto; contextura.
Con.tex.ture (contécs.txâr) *s* contextura; tecido; pano.
Con.ti.gu.i.ty (contigüi.ti) *s* contiguidade; proximidade; vizinhança.
Con.tig.u.ous (contigu.âs) *adj* adjacente; próximo.
Con.ti.nence (cón.tinéns) *s* continência; castidade; pureza; abstinência.
Con.ti.nent (con.tinént) *s* continente; *adj* continente; puro; moderado.
Con.tin.u.a.tion (continiuêi.xân) *s* continuação; prosseguimento; sequência.
Con.tin.ue (conti.niu) *v* continuar; prosseguir; permanecer; durar; adiar.
Con.tort (contórt) *v* contorcer; torcer.
Con.tour (cón.tur) *v* contornar.
Con.tra.band.ist (cóntrâbên.dist) *s* contrabandista.
Con.tra.bass (cón.trâbêis) *s* MÚS contrabaixo.
Con.tract (cón.tréct) *s* contrato; ajuste; pacto; acordo.
Con.tract (cón.tréct) *v* contratar; contrair; adquirir.
Con.tra.dict (cóntrâdict) *v* opor-se; contradizer; contestar; desmentir.
Con.trap.tion (contrép.xân) *s* geringonça; invento.
Con.tra.ri.e.ty (contrârái.âti) *s* contrariedade; contradição; oposição.
Con.tra.ri.wise (cón.trâruaiz) *adv* contrariamente.
Con.tra.ry (cón.trâri) *s* contrário; contradição; inverso; *adj* contrário; adverso.
Con.tra.vene (cón.trâvin) *v* opor-se a; transgredir; infringir.
Con.trib.ute (contri.biut) *v* contribuir; concorrer; cooperar; colaborar; doar.
Con.trite (cón.tráit) *adj* contrito; arrependido; penitente.
Con.trive (contráiv) *v* projetar; imaginar.
Con.trol (contrôul) *v* controlar; fiscalizar; governar; dirigir; reprimir.
Con.trol.ler (contrôu.lâr) *s* controlador; superintendente; inspetor.
Con.tro.ver.sy (cón.trovârsi) *s* controvérsia; polêmica.
Con.tro.vert (cón.trovárt) *v* controverter; contestar; contradizer; debater; impugnar.
Con.tu.ma.cy (cón.tiumâssi) *s* contumácia; obstinação; desobediência.
Con.tu.sion (contiu.jân) *s* contusão.
Co.nun.drum (conán.drâm) *s* adivinha; adivinhação; enigma; charada; adivinhação.
Con.va.les.cence (cónvâlé.sêns) *s* convalescença.
Con.vene (convin) *v* reunir; convocar; citar.
Con.ve.nience (convi.niêns) *s* conveniência; comodidade; conforto.
Con.vent (cón.vênt) *s* convento; mosteiro; claustro.
Con.ven.tion (convén.xân) *s* convenção; convênio; etiqueta; formalidades.
Con.ver.sant (cón.vârsânt) *adj* versado; experimentado; conhecedor; familiar; íntimo.
Con.ver.sa.tion (cónvârsêi.xân) *s* conversação; palestra; colóquio.
Con.verse (cón.vârs) *s* conversa; palestra.

Con.verse.ly (cón.vârsli) *adv* inversamente; reciprocamente; mutuamente.
Con.ver.sion (convâr.xân) *s* conversão; transformação; transposição.
Con.vert (convârt) *v* converter.
Con.vey (convêi) *v* transportar; levar; conduzir; trazer.
Con.vey.ance (convêi.âns) *s* transferência; traspasse; transporte.
Con.vict (convict) *s* réu convicto; condenado; *v* condenar.
Con.vince (convins) *v* convencer; persuadir; incitar.
Con.vo.ca.tion (cónvoquêi.xân) *s* convocação; chamada; sínodo.
Con.voke (convôuc) *v* convocar.
Con.volve (convólv) *v* enrolar; envolver; embrulhar.
Con.voy (convói) *s* comboio; *v* escoltar; proteger.
Con.vulse (convâls) *v* convulsionar; agitar; excitar.
Con.vul.sion (convâl.xân) *s* abalo; convulsão; comoção; distúrbio.
Con.vul.sive (convâl.siv) *adj* convulsivo; espasmódico.
Co.ny (côu.ni) *s* coelho; *also* **Coney**.
Cook (cuc) *s* cozinheiro; *v* cozinhar; cozer; falsificar.
Cook.er (cu.câr) *s* fogão.
Cook.er.y (cu.câri) *s* culinária; cozinha.
Cook.ey (cu.qui) *examine* ⇒ **Cooky**.
Cook.ie (cu.qui) *examine* ⇒ **Cooky**.
Cook.y (cu.qui) *s* bolinho; biscoito.
Cool (cul) *s* frescura; frescor; lugar fresco; *v* esfriar; refrigerar; acalmar; *adj* frio; fresco; insensível; audacioso.
Cool.er (cu.lâr) *s* refrigerador; refrigerante (bebida); GÍR prisão (geladeira).
Cool.ly (cu.li) *adv* friamente; calmamente.
Coop.er (cu.pâr) *v* embarrilar; tanoar; consertar barris.
Co.op.er.ate (coó.pârêit) *v* cooperar; coadjuvar; colaborar; contribuir.
Coot (cut) *s* corvo marinho; ave aquática; POP tolo.
Cop (cóp) *s* (abreviatura de **Copper**) cimo; ápice; topo; crista; POP policial; *v* apanhar; furtar; surrupiar.
Cope (côup) *s* abóbada; cúpula; telhado; *v* contender; lutar; cobrir; combater.
Cop.i.er (có.piâr) *s* imitador; copista.
Co.pi.ous (côu.piâs) *adj* copioso; abundante; rico; nutritivo.
Cop.per (có.pâr) *s* cobre; POP policial; *v* revestir de cobre; cobrir.
Cop.u.late (có.piulêit) *v* copular; coabitar; unir; juntar; ligar.
Cop.y (có.pi) *s* cópia; reprodução; imitação; manuscrito; exemplar (livro); *v* copiar; transcrever; imitar.
Cop.y.right (có.piráit) *s* direito de cópia; *v* adquirir uma propriedade literária; ter reserva autoral.
Co.quet (coquét) *v* namorar; galantear.
Co.quett (coquét) *s* mulher que flerta; *also* **Coquet**.
Co.quet.tish (coqué.tixe) *adj* namorador; galanteador.
Cord (córd) *s* corda; cordão; cordel; tendão; nervo; veludo; *v* encordoar; atar com corda.
Core (côur) *s* coração; âmago; centro; núcleo; alma; *v* extrair o núcleo; esvaziar.
Cork (córc) *s* cortiça (também rolha); *v* arrolhar.
Corks.crew (córc.scru) *s* saca-rolhas.
Corn (córn) *s* semente; trigo; calo; POP qualquer coisa, banal ou trivial; POP trocado (dinheiro); milho; **pop Corn:** pipoca; *v* salgar; conservar em salmoura; granular; plantar milho em.
Cor.ner (cór.nâr) *s* canto; ângulo; esquina; *v* encurralar.
Cor.ner.stone (córn.stôun) *s* pedra angular; base; fundamento.
Cor.ol.la.ry (coró.lâri) *s* corolário; conclusão; inferência; resultado.
Co.ro.na (corôu.nâ) *s* coroa; halo; auréola.
Cor.o.ner (có.ronâr) *s* magistrado (criminal); médico legista.
Cor.po.ra.tion (cór.porâxion) *s* grêmio; corporação.
Corps (côur) *s* corpo; associação de pessoas; corpo de exército.
Corpse (côurps) *s* cadáver; defunto.
Cor.rect (coréct) *v* corrigir; castigar; repreender; remediar; *adj* correto; justo; perfeito; exato; esmerado.
Cor.re.late (corilêit) *v* correlacionar.
Cor.re.spond (corispónd) *v* condizer; corresponder; escrever.
Cor.re.spon.dence (corispón.dêns) *s* correspondência; harmonia; acordo.
Cor.rob.o.rate (coró.borêit) *v* corroborar; ratificar; confirmar.
Cor.rode (corôud) *v* corroer; desgastar; consumir.
Cor.rupt (corâpt) *v* corromper; estragar; viciar; depravar; subornar; *adj* corrupto; estrado; poluído.
Cor.sage (cór.sidj) *s* corpete; ramalhete.
Cor.set (cór.sit) *s* espartilho; colete.
Cos.met.ic (cósmé.tic) *s* cosmético; *adj* cosmético.
Cost (cóst) *s* preço; custo; despesa; gasto; perda; *v* valer; custar; acarretar; *past and pp* **Cost**.
Cos.ter.mon.ger (cós.târ.mân.gâr) *s* verdureiro ambulante; fruteiro.
Cost.ly (cóst.li) *adj* esplêndido; caro; dispendioso.
Cos.tume (cós.tium) *s* vestuário; traje típico; vestido.
Cot (cót) *s* casinha; choupana; catre; beliche; alpendre.
Cot.tage (có.tidj) *s* casa de campo; cabana; choupana.
Cot.ton (cótan) *s* algodão; algodoeiro; *v* harmonizar-se; afeiçoar-se; concordar; *adj* feito de algodão.
Couch (cáutxe) *s* canapé; sofa; leito; *v* acamar; deitar-se; agachar.
Couch.ant (cáu.txânt) *adj* agachado.

Cough (cóf) *s* tosse; *v* tossir.
Coun.cil (cáun.sil) *s* assembleia; concílio.
Coun.sel (cáun.sél) *s* conselho; parecer; consulta; advogado; *v* aconselhar; consultar.
Count (cáunt) *s* conta; total; estimativa; cômputo; atenção; *v* contar; ter em conta; enumerar; somar.
Coun.te.nance (cáun.tinâs) *s* fisionomia; rosto; aspecto; proteção; apoio; *v* aprovar; sancionar; proteger; apoiar.
Count.er (cáun.târ) *s* contador; calculador; caixa registradora; balcão; *v* rebater; contra-atacar; opor-se; contrariar.
Coun.ter.act (cáun.târ.éct) *v* contrariar; impedir; frustrar; anular.
Coun.ter.at.tack (cáun.târ.é.téc) *s* contra-ataque; *v* contra-atacar.
Coun.ter.feit (cáun.târfit) *s* falsificação; dissimulação; impostor; *v* falsificar.
Coun.ter.foil (cáun.târfóil) *s* talão; canhoto.
Coun.ter.sign (cáun.târsáin) *s* senha; contrassenha; rubrica; *v* autenticar; rubricar; subscrever.
Count.ess (cáun.tis) *s* condessa.
Count.less (cáunt.lés) *adj* inúmero; incontável; inumerável.
Coun.try (cân.tri) *s* país; nação; campo; região; pátria; *adj* do campo; rústico.
Coun.try.side (cân.tri.sáid) *s* campo; região rural.
Coun.ty (cáun.ti) *s* condado; comarca; conselho; distrito.
Coup.le (câpol) *s* casal; par; parelha; *v* ligar; juntar-se.
Cour.age (câ.ridj) *s* coragem; ânimo; bravura.
Cou.ra.geous (cârêi.djâs) *adj* corajoso; bravo; valente.
Course (côurs) *s* curso; corrida; rota; conduta; *v* correr; galopar; seguir uma direção.
Cours.er (côur.sâr) *s* caçador; corcel.
Court (côurt) *s* corte; paço; residência real; galanteios; tribunal; quadra de tênis; *v* cortejar; namorar; provocar; solicitar.
Cour.te.ous (cârt.tiâs) *adj* cortês; amável; polido.
Cour.te.sy (câr.tissi) *s* cortesia; reverência; cumprimento; polidez.
Court-room (cârt.rum) *s* sala de tribunal.
Court-ship (cârt.xip) *s* corte; namoro; galanteio.
Court.yard (cârt.iárd) *s* pátio.
Cous.in (câzn) *s* primo; prima.
Cove (côuv) *s* angra coberta; enseada; recanto; recesso abrigado; *v* abobadar.
Cov.e.nant (có.vinânt) *s* escrita de contrato; convenção; pacto; *v* contratar; ajustar; pactuar; estipular.
Cov.er (câ.vâr) *s* fachada; capa de livro; véu; disfarce; talher; *v* cobrir.
Cov.er.age (câ.vâridj) *s* cobertura (apólice); alcance.
Cov.et (câ.vit) *v* cobiçar; ambicionar; aspirar.
Cov.ey (câ.vi) *s* bando de pássaros; ninhada; grupo.
Cow (cáu) *s* vaca; fêmea de diversos animais.
Cow.ard (cáu.ârd) *adj* covarde; poltrão; medroso.
Cow.boy (cáu.bói) *s* vaqueiro.
Cow.er (cáu.âr) *v* agachar-se; encolher-se; tremer.
Cowl (cául) *s* capuz de frade; hábito (de frade); chapéu de chaminé; capota de motor; *v* cobrir com capuz.
Coy (cói) *adj* acanhado; modesto; tímido.
Coz.en (câzn) *v* enganar; lograr; defraudar.
Crab (créb) *s* caranguejo; ASTR Câncer; GÍR rabugento.
Crack (créc) *s* fenda; rachadura; louco; estrondo; *v* fender; estalar; rachar; gabar-se; enlouquecer; *adj* bom.
Crack.er (cré.câr) *s* bolacha; biscoito; fogos de artifício.
Crack.le (crécol) *v* estalar; crepitar.
Crack.nel (crécnel) *s* biscoito duro; bolacha.
Cra.dle (crêidol) *s* berço; terra natal; infância; *v* embalar; pôr no berço; ceifar.
Craft (cráft) *s* arte; artesanato; ofício; manha; habilidade; destreza; embarcação; avião.
Crafts.man (cráf.tsmân) *s* artífice; mecânico; artesão.
Craft.y (cráf.ti) *adj* ladino; astuto; hábil.
Crag (crég) *s* despenhadeiro; abismo; penhasco íngreme.
Crag.gy (cré.gui) *adj* escabroso; escarpado.
Crake (crêic) *s* som da codorniz.
Cram (crém) *s* abarrotamento; saciedade; *v* abarrotar; atulhar; encher; estudo de última hora.
Cramp (crémp) *s* grampo; gancho; cãibra; obstáculo; *v* apertar; constranger; enganar.
Crane (crêin) *s* garça; guindaste; *v* guindar; suspender; içar.
Crank (crénc) *s* manivela; volta; pessoa esquisita; frase satírica; *v* apertar com torniquete; girar; manivelar; *adj* fraco; abalado.
Cran.ny (cré.ni) *s* fenda; rachadura.
Crape (crêip) *s* crepe; *v* encrespar.
Crash (créxe) *s* estrépito; barulho; falência; *v* estalar; estrondear; despedaçar-se.
Cra.sis (crêi.sis) *s* crase.
Crass (crés) *adj* crasso; grosseiro; estúpido.
Crate (crêit) *s* engradado; caixote; cesto; *v* pôr em cestos.
Crat.er (crêi.târ) *s* cratera de vulcão.
Crave (crêiv) *v* rogar; suplicar; ambicionar.
Cra.ven (crêivn) *s* covarde; poltrão; *adj* medroso.
Craw.fish (cró.fixe) *s* caranguejo de rio; camarão de água doce.
Crawl (cról) *v* arrastar-se; insinuar-se; rastejar.
Cray.fish (crêi.fixe) *examine* ⇒ **Crawfish**.
Cray.on (crêi.ân) *s* pastel; lápis de desenho (de cor).
Craze (crêiz) *s* loucura; demência; paixão; capricho; ranhuras em louças; *v* enlouquecer; quebrar.
Cra.zy (crêi.zi) *adj* louco; demente.
Creak (cric) *s* som áspero; chiado; *v* ranger; chiar.
Cream (crim) *s* creme; nata; cor de creme; pomada.
Crease (cris) *s* prega; dobra; ruga.

Cre.ate (criêit) *v* criar.
Cre.a.tion (criêi.xân) *s* criação; ato de criar; produção.
Cre.a.tive (criêi.tiv) *adj* criativo; produtivo; criador.
Cre.a.tor (criei.târ) *s* criador.
Crea.ture (cri.txâr) *s* criatura; ser; animal doméstico; ente.
Cre.dence (cri.dâns) *s* crédito; crença; fé; credencial.
Cred.i.ble (cré.diból) *adj* crível; acreditável; verossímil.
Cred.it (cré.dit) *s* crédito; confiança; reputação; fé; honra; *v* crer; acreditar.
Cre.do (cri.dôu) *s* credo; símbolo dos apóstolos; profissão de fé.
Cred.u.lous (cré.diulâs) *adj* crédulo; ingênuo; cândido.
Cred.u.lous.ly (cré.diulâsli) *adv* credulamente; ingenuamente.
Creed (crid) *s* credo; crença.
Creek (cric) *s* angra; riacho; baía; porto; enseada.
Creel (cril) *s* cesto de pescador; MEC grade; estante.
Creep (crip) *v* arrastar-se; humilhar-se; engatinhar; arrepiar-se; *past and pp* **Crept**.
Cre.mate (crimêit) *v* cremar; incinerar.
Cre.pus.cule (cré.pâsquil) *s* crepúsculo; *also* Crepuscle.
Cres.cent (cré.sânt) *s* objeto em forma de meia-lua; *adj* semilunar; crescente.
Cress (crés) *s* agrião.
Crest (crést) *s* crista de galo; crina; penacho; *v* coroar.
Crest.fall.en (crést.fólân) *adj* desanimado; abatido; pesaroso; triste.
Crew (cru) *s* tripulação (navio); multidão; bando.
Crew.el (cru.âl) *s* lã para bordar.
Crib (crib) *s* manjedoura; presépio; curral; berço com grades de segurança; *v* roubar; furtar; plagiar.
Crib.bage (cri.bidj) *s* jogo de cartas.
Crib.bing (cri.bin) *s* ato de plagiar.
Crick (cric) *s* cãibra muscular; torcicolo; *v* produzir cãibra em.
Crick.et (cri.quit) *s* críquete (jogo); grilo; banquinho de três pés.
Crime (cráim) *s* crime; delito.
Crimp (crimp) *s* encrespado; ondulação; plissagem; recrutador de serviço militar; *v* encrespar; frisar; enrugar; torcer; preguear; *adj* frágil.
Crimp.er (crim.pâr) *s* frisador; ferro de frisar cabelo.
Cringe (crindj) *v* adular; bajular.
Crin.ger (crin.djâr) *s* adulação; adulador; servilismo; baixeza.
Crin.kle (crincol) *v* serpear; ondear; enrugar; fazer rodeios.
Crip.ple (cripol) *s* coxo; estropiado; inválido; aleijado; *v* aleijar; estropiar; coxear.
Cri.sis (crái.sis) *s* crise; momento decisivo.
Crisp (crisp) *v* encaracolar; encrespar; *adj* crespo.
Criss-cross (cris.crós) *s* desenho de linhas cruzadas; *adj* riscado em linhas cruzadas; FIG rabugento; *adv* em forma de cruz.
Cri.te.ri.on (cráiti.riân) *s* critério; norma; padrão.
Crit.ic (cri.tic) *s* crítico; censor; perito; crítica; *adj* crítico; severo; decisivo.
Crit.i.cize (cri.tissáiz) *v* criticar; censurar.
Cri.tique (critic) *s* crítica; arte de criticar.
Croak.y (crôu.qui) *adj* rouco; coaxante.
Crock (cróc) *s* pote; jarro; caco de louça; fuligem da chaminé; *v* enferrujar; machucar.
Crock.et (cró.quit) *s* espécie de ornamento usado em cornijas; dosséis.
Croc.o.dile (cró.codáil) *s* crocodilo.
Croft (cróft) *s* quintal; quinta pequena; terreno cercado.
Crone (crôun) *s* ovelha ranhosa; mulher idosa e encarquilhada; ovelha negra.
Cro.ny (crôu.ni) *s* camarada; companheiro; amigo.
Crook (cruc) *s* gancho; cajado de pastor; trapaça; ladrão; embuste; artifício; *v* curvar; perverter; torcer.
Crook.ed (cru.quid) *adj* curvo; torto; torcido.
Croon (crun) *s* canto monótono; *v* cantarolar; cantar monotonamente.
Croon.er (cru.nâr) *s* cantor de orquestra.
Crop (crop) *s* colheita; ceifa; coleção; cabelo curto; papo de aves; *v* colher frutos; ceifar; cortar; aflorar; surgir.
Crop.per (cró.pâr) *s* grão de colheita; cultivador; raça de pombos; cortador; GÍR queda violenta.
Cross (crós) *s* cruz; aflição; atravessar; revés; cruzamento; cruzeiro; *v* cruzar; *adj* atravessado; transversal; em cruz; oposto; infeliz.
Crossbred (cróss.bréd) *s* mestiço; cruzado; *adj* cruzado; híbrido.
Cross.breed (cróss.brid) *v* cruzar; cruzar raças.
Cross-eye (cróss.ái) *s* estrabismo.
Cross-eyed (crós.áid) *adj* vesgo; estrábico.
Cross.ly (crós.li) *adv* de mau-humor.
Cross.ness (crós.nés) *s* mau-humor; má disposição.
Cross.patch (crós.pétxe) *s* resmungão; rabugento.
Cross.road (crós.rôud) *s* encruzilhada; atalho; intersecção.
Cross.wise (crós.uáiz) *adv* de través; ao contrário.
Cross-word (crós.uârd) *s* palavra cruzada.
Crotch (crótxe) *s* forquilha; bifurcação.
Crotch.et (crót.xit) *s* fantasia; excentricidade; gancho.
Crouch (cráutxe) *v* abaixar-se; humilhar-se; bajular; agachar.
Crow (crôu) *s* corvo; gralha.
Crowd (cráud) *s* multidão; turba; ajuntamento; companhia; *v* amontoar; ajuntar; encher.
Crown (cráun) *s* coroa; grinalda; soberania; prêmio; *v* coroar; premiar.
Crown.piece (cráun.pis) *s* parte superior dos objetos.

Cru.cial (cru.xiâl) *adj* em forma de cruz; crucial; decisivo.
Cru.ci.fix (cru.cifics) *s* crucifixo.
Cru.ci.fy (cru.cifái) *v* crucificar; atormentar; afligir; mortificar.
Crude (crud) *adj* cru; bruto; verde; imaturo; indigesto.
Cru.di.ty (cru.diti) *s* crueza; dureza.
Cru.el (cru.âl) *adj* cruel; desumano; selvagem; aflitivo.
Cru.el.ty (cru.âlti) *s* crueldade; ferocidade; desumanidade.
Cruise (cruz) *s* cruzeiro; passeios marítimos; travessia; *v* cruzar o mar; andar a esmo.
Crumb (crâm) *s* miolo de pão; migalha (de bolo, de pão, etc.); *v* esmigalhar; triturar; fracionar.
Crum.ble (crâmmól) *s* matéria em decomposição; *v* esmigalhar; fracionar; espedaçar.
Crumb.y (crâ.mi) *adj* mole; brando; cheio de migalhas; GÍR piolhento.
Crum.pet (crâm.pit) *s* bolo doce; bolinho; GÍR cabeça.
Crum.ple (crâmpol) *v* amarrotar; vincar.
Crunch (crântxe) *s* mastigação ruidosa; *v* trincar; mascar; pisar; esmagar.
Crup.per (crâ.pâr) *s* rabo do arreio do cavalo; garupa; ancas de cavalo; *v* pôr rabicho na sela do cavalo.
Cru.sade (cruseîd) *s* cruzada; cruzado; *v* tomar parte numa cruzada.
Crush (crâxe) *s* torvelinho; colisão; aperto; multidão; *v* esmagar (com os pés para fazer vinho).
Crush.er (crâ.xâr) *s* esmagador; compressor; opressor.
Crust (crâst) *s* crosta; casca (de bolo, etc.); borra de vinho; MED casca de ferida; FIG atrevimento; *v* encodear; encrostar.
Crus.ta.ceous (crâstêi.xiâs) *adj* crustáceo; coberto de crosta.
Crutch (crâtxe) *s* muleta; aleijado; apoio; descanso; *v* apoiar; forquilhar.
Crux (crâcs) *s* cruz; embaraço; dificuldade.
Cry (crái) *s* grito; brado; clamor; choro; lamentação; *v* gritar; chorar; rogar.
Crypt (cript) *s* cripta.
Cryp.tic (crip.tic) *adj* oculto; secreto; escondido.
Cryp.ti.cal (crip.ticâl) *examine* ⇒ **Cryptic**.
Cub (câb) *s* filhote (de diversos animais); rapaz grosso; fedelho; repórter novato.
Cube (quiub) *s* MAT cubo; *v* cubar; elevar ao cubo.
Cu.bi.cle (quiu.bicól) *s* cubículo, compartimento pequeno.
Cu.bit (quiu.bit) *s* cúbito.
Cuck.oo (quiu.cu) *s* cuco, o canto do cuco (pássaro); GÍR maluco; doido.
Cu.cum.ber (quiu.câmbâr) *s* pepino; pepineiro.
Cud (câd) *s* alimento que os ruminantes têm no primeiro estômago; FIG refletir; ponderar; meditar.
Cud.dle (câdol) *s* afago; carinho; abraço; carícia; *v* apertar-se; afagar; embalar.
Cudg.el (câ.djâl) *s* bastão; cacete; pau; *v* bater; espancar; surrar.
Cuff (câf) *s* punho de manga; bainha de calça; bofetada; sopapo; murro; algema; *v* esbofetear; socar; esmurrar.
Cui.sine (cuizin) *s* cozinha; alimento.
Cull (câl) *v* escolher; selecionar; eleger.
Culm (câlm) *s* colmo; caule das gramíneas; pó de carvão; carvão de pedra.
Cul.mi.nate (câl.minêit) *v* culminar; atingir um fim; alcançar.
Cul.pa.bil.i.ty (câlpâbi.liti) *s* culpabilidade.
Cul.prit (câl.prit) *s* réu; ré; acusado; ofensor.
Cult (câlt) *s* culto religioso; admiração; homenagem.
Cul.ture (câl.txâr) *s* cultura; refinamento; ilustração; educação; *v* cultivar; criar; desenvolver.
Cul.ver (câl.var) *s* pombo; pomba.
Cum.ber (câm.bâr) *s* impedimento; embaraço; estorvo; *v* embaraçar; impedir; estorvar; incomodar.
Cum.ber.some (câm.bârsâm) *adj* incômodo; enfadonho.
Cun.ning (câ.nin) *s* destreza; astúcia; ardil; habilidade.
Cup (câp) *s* xícara; chávena; copo; taça; xicarada; bebida embriagante; *v* dar de beber.
Cup.board (câp.bôurd) *s* armário de cozinha.
Cu.pid (quiu.pid) *s* cupido.
Cu.pid.i.ty (quiupi.diti) *s* cupidez; avareza; cobiça.
Cur (câr) *s* cão vira-lata; malandro; patife.
Cur.a.bil.i.ty (quiurâbi.liti) *s* curabilidade.
Cur.a.ble (quiu.râból) *adj* curável.
Cu.ra.tor.ship (quiurêi.târxip) *s* curadoria; curatela.
Curb (cârb) *s* o meio-fio.
Curb.stone (cârb.stôun) *s* guia de pedra; meio-fio de calçada; *also* **Curb**.
Curd (cârd) *s* coalho; coágulo; requeijão; coalhada; *v* coalhar.
Cur.dle (cârdol) *v* coalhar; coagular.
Cure (quiur) *s* cura; tratamento; remédio; *v* curar; tratar de uma pessoa; salgar.
Cur.few (câr.fiu) *s* toque de recolher.
Cu.ri.os.i.ty (quiurió.siti) *s* curiosidade; objeto raro.
Cu.ri.ous.ly (quiu.riâsli) *adv* curiosamente.
Curl (cârl) *s* anel; caracol; friso; ondulação; *v* encaracolar; enrolar; ondear.
Curl.ing (câr.lin) *s* ondulação.
Curl.y (cârl) *adj* encaracolado; ondulado.
Cur.mudg.eon (cârmâd.jân) *s* avarento; sovina.
Cur.rant (câ.rânt) *s* groselha.
Cur.ren.cy (câ.rânsi) *s* circulação; curso; voga; COM moeda corrente.
Cur.rent (câ.rânt) *s* marcha; corrente; *adj* corrente (de rio); comum; vulgar.
Curse (cârs) *s* praga; maldição; imprecação; calamidade; excomunhão; *v* amaldiçoar; maldizer; blasfemar.

Curs.ed (câr.sid) *adj* maldito; detestável; miserável; mau.
Cur.sive (câr.siv) *adj* cursivo.
Cur.so.ry (câr.sâri) *adj* apressado; precipitado.
Curt (cârt) *adj* curto; cortado; breve; rude.
Cur.tail (câr.têil) *v* encurtar; reduzir; aparar.

Cur.tain (cârtn) *s* cortina; cortinado; abrigo.
Cur.vate (câr.vêit) *adj* curvado; arqueado.
Cur.va.ture (câr.vâtxâr) *s* curvatura; arqueamento.
Curve (cârv) *s* curva; flexão; volta; *v* curvar; dobrar; *adj* curvado; curvo.
Cush.ion (câ.xân) *s* almofada; para-choque; coxim; tabela de bilhar; *v* proteger com almofadas.
Cusp (câsp) *s* ponta; cúspide.
Cuss (câs) *s* POP maldição; pessoa sem valor.
Cuss.ed (câ.sid) *adj* amaldiçoado; maldito.
Cus.tard (câs.târd) *s* pudim.
Cus.to.dy (câs.todi) *s* custódia; prisão; escolta; defesa.
Cus.tom (câs.tâm) *s* costume; hábito; freguesia; clientela.
Cus.tom.er (câs.tâmâr) *s* freguês; cliente.
Cus.tom.house (câs.tâm.háus) *s* alfândega.
Cut (cât) *s* corte; ferida; golpe; modo; atalho; canal; ELET **Cut-out:** interruptor; *v* cortar; talhar; rachar; ferir; chicotear; ofender; GÍR cabular (faltar às aulas); **to Cut in:** ultrapassar (carros); **to Cut out:** recortar; *past and pp* **Cut**; *adj* cortado.
Cute (quiut) *adj* agudo; fino; inteligente; atrativo; bonito; delicado; GÍR gracinha.
Cute.ly (quiu.tli) *adv* engenhosamente.
Cute.ness (quiu.tnés) *s* agudeza; perspicácia; esperteza; encanto; atração.
Cu.ti.cle (quiu.ticól) *s* cutícula; película.
Cut.let (cât.lit) *s* costeleta; posta de carne.
Cut.purse (cât.pârs) *s* batedor de carteiras.
Cut-rate (cât.reit) *adj* barateiro.
Cut.ter (câ.târ) *s* cortador; talhador; máquina de cortar; peça cortante; trenó.
Cut.ting (câ.tin) *s* corte; incisão; talhe; *adj* cortante; áspero; sarcástico.
Cy.cle (sáicól) *s* ciclo; época; bicicleta; *v* perpassar por ciclos; andar de bicicleta.
Cy.cling (sái.clin) *s* passeio de bicicleta; cíclico.
Cy.clist (sál.clist) *s* ciclista.
Cy.clone (sái.clôun) *s* ciclone.
Cyg.net (cig.nit) *s* cisne.
Cym.bal (cim.bâl) *s* MÚS prato metálico.
Cyn.ic (ci.nic) *s* cínico; sarcástico.
Cyn.i.cal (ci.nicâl) *adj* cínico; cético; descrente.
Cyn.i.cal.ly (ci.nicâli) *adv* cinicamente.
Cyn.i.cism (ci.nissizm) *s* cinismo; sarcasmo.
Cy.press (sái.pris) *s* cipreste.
Cyp.ri.an (ci.priân) *adj* Cipriota.
Cyst (cist) *s* MED quisto; cisto; bolsa.
Czar (zár) *s* czar; tzar.
Czech (txéc) *s* Tcheco.

dD

D (di) *s* a quarta letra do alfabeto Inglês e do alfabeto Português.
Dab (déb) *s* palmadinha; toque; pessoa astuta; *v* bater suavemente; salpicar.
Dab.ber (dê.bâr) *s* escova; brocha.
Dab.ble (débol) *v* salpicar; borrifar.
Dab.ster (débs.târ) *s* perito; ladino.
Dad (dé.di) *s* papai.
Dad.dy (dé.di) *s* papai.
Daf.fy (dáfi) *adj* POP tonto; zonzo; aloucado
Daft (dáft) *adj* louco; imbecil; tolo; idiota.
Dag.ger (dé.gâr) *s* punhal; adaga (arma branca).
Dag.gle (dég.ol) *v* enlamear; sujar; tornar-se úmido e enlameado.
Dai.ly (dêi.li) *adv* diariamente; cotidianamente.
Dain.ty (dêin.ti) *adj* delicado; delicioso.
Dair.y (dêi.ri) *s* leiteria; queijaria.
Da.is (dê.is) *s* plataforma; palanque; estrado.
Dai.sy (dêi.zi) *s* margarida; bem-me-quer.
Dale (dêil) *s* pequeno vale.
Dal.li.ance (dé.liâns) *s* adiamento; carícia; divertimento; demora.
Dal.ly (dé.li) *v* perder tempo; divertir-se; acariciar.
Dal.ton.ism (dólt.nism) *s* daltonismo.
Dam (dém) *s* represa; barragem; dique; açude; *v* represar; conter; tapar.
Dam.age (dé.midj) *s* dano; prejuízo; avaria; perda; *v* prejudicar; arruinar-se.
Dame (déim) *s* senhora; dama; ama; POP tia..
Damn (dém) *s* maldição; praga; *v* condenar.
Damned (démd) *adj* maldito; condenado; amaldiçoado.
Dam.ni.fy (dém.nifái) *v* danificar; deteriorar; prejudicar.
Damp (démp) *s* umidade; névoa; neblina; desânimo; depressão; *v* umedecer; desencorajar; enfraquecer; desanimar; *adj* úmido; desanimado; triste.
Damp.en (démpên) *v* desanimar.
Dam.sel (dém.zél) *s* senhorita; moça.
Dance (dâns) *s* dança; baile; *v* dançar; bailar; pular; brincar.
Danc.er (dén.sâr) *s* dançarino (a); bailarino.
Dan.der (dén.dâr) *s* passo vagaroso; ira; *v* andar vagarosamente.
Dan.dle (déndol) *v* acariciar; embalar.
Dane (dêin) *s* Dinamarquês.
Dan.ger (dêin.djâr) *s* perigo; risco.
Dan.ger.ous (dêin.djârâs) *adj* perigoso; arriscado.
Dan.ish (dêi.nixe) *s* Dinamarquês (idioma); *adj* Dinamarquês.
Dank (dénc) *s* úmido.
Dap.per (de.pâr) *adj* vivo; esmerado; veloz.
Dare (dér) *v* ousar; atrever-se; desafiar; afrontar; ter coragem; *past* **Dared** *and pp* **Durst**.
Dare.dev.il (dér.dévil) *adj* audaz; ousado; atrevido.
Dar.ing.ly (dé.rinli) *adv* atrevidamente.
Dark (dárc) *s* escuridão; ignorância; mistério; *adj* escuro; moreno; melancólico.
Dark.en (dár.cân) *v* escurecer; ofuscar; nublar; cegar.
Dark.ness (dárc.nés) *s* escuridão; ignorância.
Darling (dár.lin) *adj* querido; amado.
Darn (dárn) *s* cerzidura; cerzido; maldição; *v* remendar.
Dart (dárt) *s* dardo; flecha; seta; *v* lançar-se; arremessar setas; precipitar-se.
Dash (déxe) *s* colisão; choque; arremetida; hífen; traço; *v* quebrar; bater; arremessar; colidir; atirar.
Dash.board (déxe.bórd) *s* para-lama.
Dash.er (dé.xâr) *s* batedeira (de leite, nata).
Date (dêit) *s* data; encontro; época; tâmara; encontro; namorado; *v* datar; namorar; marcar encontro.
Daub (dób) *v* borrar; emplastar; untar.
Daugh.ter (dó.târ) *s* filha; **Daughter-in-law:** nora.
Daunt (dónt) *v* atemorizar; assustar; intimidar.
Daw (dó) *s* gralha; FIG simplório; humilde.
Dawd.le (dódol) *v* desperdiçar tempo; vadiar.
Dawn (dón) *s* alvorada; origem; aurora; *v* amanhecer; alvorecer.
Day (dêi) *s* dia.
Day.break (dêi.brêic) *s* alvorada; aurora; dia de folga.
Daze (dêiz) *s* torpor; ofuscação; *v* ofuscar; deslumbrar; aturdir; entorpecer; pasmar.
Daz.zle (dêzol) *v* deslumbrar; maravilhar; extasiar; ofuscar.

Dead (déd) *s* morto; inanimado; inerte; sem vida.
Dead.en (déden) *v* amortecer; enfraquecer; paralisar.
Dead.line (déd lain) *s* prazo final.
Dead.ly (déd.li) *adj* mortal; fatal; funesto; terrível; *adv* muito; muitíssimo; mortalmente.
Deaf (déf) *adj* surdo; insensível.
Deaf.en (défen) *v* ensurdecer; atordoar; aturdir.
Deal (dil) *v* negociar; repartir; *past and pp* **Dealt**.
Deal.er (di.lâr) *s* COM negociante; distribuidor.
Dean (din) *s* reitor; deão; vale.
Dear (dir) *adj* amado; querido; estimado; caro; *adv* dispendioso; caro.
Dear.ly (dirli) *adv* carinhosamente; ternamente; muito caro.
Death (déth) *s* morte; óbito.
De.bar (dibár) *v* excluir; privar de.
De.base (dibêis) *v* humilhar; aviltar; falsificar.
De.base.ment (dibêis.ment) *s* humilhação; degradação; adulteração.
De.bate (dibêit) *v* debater; discutir; disputar.
De.bauch (dibó.txe) *s* deboche; orgia; libertinagem; imoralidade; *v* prostituir; viciar.
De.bauch.er.y (dibó.txâri) *s* deboche; depravação; libertinagem.
De.bauch.ment (dibó.txement) *s* sedução.
De.bil.i.tate (dibi.litêit) *v* debilitar; enfraquecer.
De.bil.i.ty (dibi.liti) *s* debilidade; fraqueza.
Deb.it (dé.bit) *v* debitar.
Deb.o.nair (debânér) *adj* cortês; afável.
De.bouch (debu.xe) *v* desembocar; desfilar militarmente.
De.bris (dé.bri) *s* escombros; fragmentos.
Debt (dét) *s* dívida; débito; obrigação; dever.
De.bunk (dibânc) *v* GÍR desmascarar.
Debut (deibju) *s* estreia.
Deb.u.tant (deibjutânt) *s* debutante; estreante; principiante.
Dec.ade (dé.câd) *s* década.
De.ca.dence (dé.câdâns) *s* decadência; queda.
Dec.a.log (dé.câlóg) *s* decálogo; os dez mandamentos da lei de Deus.
De.camp (diquém.p) *v* descampar.
De.cant (diquént) *v* decantar; clarificar líquidos.
De.can.ta.tion (diquéntêi.xân) *s* decantação; clarificação de líquidos.
De.cay (diquêi) *s* decadência; deterioração; ruína; cárie; *v* decair; arruinar; declinar.
De.cease (dissis) *s* morte; óbito; falecimento; *v* morrer; falecer; perecer.
De.ceit (dissit) *s* engano; fraude; impostura.
De.ceit.ful (dissit.ful) *adj* ilusório; falso; fraudulento; mentiroso.
De.ceive (dissiv) *v* enganar; iludir; fraudar; decepcionar.
De.cen.cy (di.censi) *s* decência; decoro; pudor; recato.
De.cent (di.cent) *adj* decente; respeitável; apropriado.
De.cen.tral.ize (dissén.trâláiz) *v* descentralizar.
De.cep.tion (dissép.xân) *s* decepção; engano; dolo; fraude.
De.cep.tive (dissép.tiv) *adj* enganoso; ilusório; mentiroso.
De.cide (dissáid) *v* decidir; solucionar; julgar; resolver.
Dec.i.mate (dé.cimêit) *v* dizimar.
De.ci.pher (dissái.fâr) *v* decifrar; interpretar.
De.ci.sion (dissi.jân) *s* decisão; arbítrio; acordo; juízo.
De.ci.sive (dissái.siv) *adj* decisivo; terminante; peremptório.
Deck (déc) *s* convés (navio); coberta de navio; baralho; *v* ataviar; ornar; assear.
De.claim (diclêim) *v* declamar; recitar.
Dec.la.ra.tion (déclârêi.xân) *s* declaração; exposição; asserção; confissão.
De.clare (diclér) *v* declarar; explicar; afirmar.
De.cline (dicláin) *s* declínio; decadência.
De.cline (dicláin) *v* declinar; pender; recuar; escusar; negar.
De.coct (dicóct) *v* cozer.
De.code (dicôud) *v* traduzir um código.
De.col.late (dicó.lêit) *v* degolar; decapitar.
De.com.pose (dicómpôuz) *v* decompor; decompor-se; analisar; corromper-se.
De.com.pound (dicómpáund) *v* decompor.
Dé.cor (dicór) *s* cenário; decoração.
Dec.o.rate (dé.corêit) *v* decorar; enfeitar.
Dec.o.rous (dé.corâs) *adj* decoroso; decente.
De.coy (dicói) *v* enganar; seduzir; atrair; engodar.
De.crease (di.cris) *s* decréscimo; diminuição; decrescimento; *v* decrescer.
De.cree (dicri) *v* decretar; ordenar; mandar.
De.cry (dicrái) *v* censurar com aspereza; desacreditar.
De.cum.bent (dicâm.bént) *adj* deitado; rasteiro.
De.cus.sate (dicâssêit) *adj* transversal; *v* interceptar; cortar em ângulo agudo.
Ded.i.cate (dé.diquêit) *adj* dedicado; consagrado; *v* dedicar; consagrar; devotar.
De.duce (didius) *v* deduzir; inferir; induzir; derivar; concluir.
De.duct (didâct) *v* subtrair; descontar; abater; deduzir.
Deem (dim) *v* julgar; estimar; supor; considerar.
Deep (dip) *s* fundo; abismo; profundeza; intensidade; *adj* profundo; fundo; perspicaz; intenso; escuro; secreto.
Deep.en (di.pân) *v* afundar; escurecer; cavar; agravar.
Deep.ly (dip.li) *adv* profundamente.
Deer (dir) *s* cervo; veado; gamo; corça.
De.face (difêis) *v* desfigurar; borrar; mutilar.
De.fal.cate (difél.quêit) *v* desfalcar; deduzir; diminuir.
De.fame (difêim) *v* difamar; desacreditar; desonrar.
De.fault (difólt) *v* violar; condenar à revelia.

De.feat (difit) *s* derrota; frustração; revés; revogação; *v* derrotar; destroçar; invalidar.
Def.e.cate (dé.fiquêit) *v* defecar; evacuar.
De.fect (diféct) *s* defeito; imperfeição; deficiência.
De.fence (diféns) *s* defesa; amparo; auxílio; proteção.
De.fend (difénd) *v* defender; proteger; amparar; auxiliar.
De.fer (difâr) *v* adiar; prorrogar; postergar.
Def.er.ence (dé.ferêns) *s* deferência; respeito; honra.
De.fi.ance (difái.âns) *s* desafio; despeito; desobediência; oposição.
De.fi.er (difái.âr) *s* desafiador; desafiante; provocador.
De.file (difáil) *v* sujar; contaminar; viciar; profanar.
De.fine (difáin) *v* limitar; definir; decidir; fixar; determinar.
Def.i.nite.ly (défini.tli) *adv* decididamente; determinadamente; sem falta.
Def.i.ni.tion (défini.xân) *s* definição; determinação; decisão.
Def.la.grate (dé.flâgrêit) *v* deflagrar; incendiar; arder.
De.fraud (difród) *v* trapacear; frustrar; defraudar.
De.fray (difrêi) *v* custear; pagar; fazer as despesas de.
De.frost (difróst) *v* descongelar.
Deft (déft) *adj* esperto; destro; apto; ágil.
De.fy (difái) *v* desafiar; provocar; desdenhar; desprezar.
De.gen.er.ate (didji.nârêit) *v* degenerar; perder as qualidades primitivas.
De.grade (digrêid) *v* degradar; rebaixar; depor; aviltar.
De.gree (digri) *s* grau; medida; ordem; estágio; classe; diploma; degrau.
De.i.fi.ca.tion (difiquêi.xân) *s* deificação.
De.i.fy (di.ifái) *v* deificar; endeusar.
Deign (dêin) *v* condescender; dignar-se; permitir.
De.ism (di.izm) *s* RELIG Deísmo.
De.i.ty (di.iti) *s* divindade; deidade.
De.ject (didjéct) *v* abater; afligir; desanimar.
De.jec.tion (didjéc.xân) *s* abatimento; tristeza; desalento.
De.late (dil.eit) *v* delatar.
De.lay (dilêi) *v* retardar; demorar; impedir.
De.lete (dilit) *v* apagar; riscar.
De.le.tion (dili.xân) *s* ato de riscar; anulação.
De.lib.er.ate (dili.bârêit) *adj* acautelado; ponderado; prudente.
De.lib.er.ate (dili.bârêit) *v* deliberar; ponderar; examinar.
Del.i.ca.cy (dé.licâssi) *s* delicadeza; guloseima; polidez.
Del.i.cate (dé.liquéit) *adj* delicado; atencioso; cortês.
Del.i.ca.tes.sen (délicâté.sen) *s* comércio (loja) de guloseimas; mercearia de produtos finos.
De.li.cious (dili.xâus) *adj* delicioso; gostoso; saboroso.
De.light (diláit) *s* delícia; prazer; gozo.
De.light (diláit) *v* deleitar; ter prazer; alegrar; encantar.
De.lin.e.ate (dili.niêit) *v* delinear; descrever; esboçar.
De.lin.quent (dilin.qüent) *adj* delinquente; faltoso.
De.liv.er (dili.vâr) *v* entregar; pronunciar; comunicar.
De.liv.er.y (dili.vâri) *s* entrega; parto; livramento; expedição.
De.lude (diliud) *v* enganar; iludir; alucinar.
Del.uge (dé.liudj) *s* dilúvio; inundação; *v* inundar; alagar.
De.lu.sion (diliu.jân) *s* desilusão; embuste; fraude; engano.
De.mand (diménd) *s* demora; exigência; demanda; *v* exigir; reclamar; necessitar.
De.mar.ca.tion (dimárquêi.xân) *s* demarcação.
De.mean (dimin) *v* aviltar; rebaixar-se; diminuir-se.
De.ment (dimént) *v* enlouquecer.
De.mer.it (dimé.rit) *s* demérito; falta de mérito; nota baixa.
Dem.i.god (dé.migód) *s* semideus; herói.
De.mise (dimáiz) *s* morte; falecimento; sucessão da coroa; transferência de propriedade; *v* legar; ceder.
De.mit (dimit) *v* demitir; renunciar; abdicar.
De.moc.ra.cy (dimó.crâssi) *s* democracia.
De.mol.ish (dimó.lixe) *v* demolir; destruir; arrastar.
De.mon (di.mân) *s* demônio.
Dem.on.strate (dé.mânstrêit) *v* demonstrar; provar.
De.mor.al.ize (démorâláiz) *v* desmoralizar.
De.mot.ic (dimó.tic) *adj* demótico.
De.mount (dimáunt) *v* desmontar.
De.mur (dimâr) *v* hesitar; pôr dúvidas.
Den (dén) *s* toca; covil; recanto; esconderijo.
Dene (din) *s* morro; pequeno monte de areia perto do mar; *also* **Dune**.
Den.gue (dén.gui) *s* uma doença epidêmica que procova febre infecciosa.
De.ni.al (dinái.âl) *s* negação; negativa; recusa.
Den.im (di.nim) *s* brim; sarja.
Den.i.zen (dé.nizân) *s* estrangeiro naturalizado; cidadão.
De.nom.i.nate (dinó.minêit) *adj* determinado; definido.
De.note (dinôut) *v* denotar; significar; indicar.
De.nounce (dináuns) *v* denunciar; delatar; acusar.
Dense (déns) *adj* denso; espesso.
Dent (dént) *s* cavidade; entalhe; saliência; *v* entalhar; fazer dentes em instrumentos; amassar (automóvel em uma batida).
Den.tist (dén.tist) *s* dentista.
Den.ture (dén.txâr) *s* dentadura.
De.ny (dinái) *v* negar; renegar; recusar.
De.part (dipárt) *v* partir; ir embora; sair; morrer.
De.part.ment (dipárt.ment) *s* departamento; ministério.
De.par.ture (dipár.txâr) *s* partida; saída; retirada.
De.pend (dipénd) *v* depender; contar com; pender.

De.pict (dipict) *v* pintar; descrever; representar.
De.pic.tion (dipic.xân) *s* retrato; pintura.
Dep.i.late (dé.pilêit) *v* depilar.
Dep.i.la.tion (dépilêi.xân) *s* depilação.
De.plete (diplit) *v* esgotar; exaurir; sangrar.
De.plor.a.ble (dipló.râbol) *adj* deplorável; lastimável; lamentável.
De.plore (diplór) *v* lamentar; deplorar.
De.ploy (diplói) *v* desenrolar-se; estender; desdobrar-se.
De.port (dipórt) *v* deportar; transportar; exilar; desterrar.
De.port.ee (dipórti.) *s* exilado; deportado.
De.pose (dipôuz) *v* depor; testificar; atestar.
De.pot (dé.pôu) *s* armazém; depósito.
De.prave (diprêiv) *v* depravar; viciar; corromper.
Dep.re.cate (dé.priquêit) *v* deprecar; pedir; implorar.
De.pre.ci.ate (dipri.xiêit) *v* depreciar.
Dep.re.date (dé.pridêit) *v* depredar; saquear; pilhar.
De.press (diprés) *v* deprimir; diminuir; humilhar.
De.prive (dipráiv) *v* privar de; despojar.
Depth (dépth) *s* profundidade; abismo; meio da noite.
Dep.u.rate (dé.piurêit) *v* depurar; limpar.
Dep.u.ty (dé.piuti) *s* deputado; delegado; agente.
Der.by (dár.bi) *s* ESP dérbi (corrida de cavalo, de automóvel etc.).
Der.e.lict (dé.rilict) *adj* abandonado; desleixado.
De.ride (diraid) *v* zombar; ridicularizar.
De.ri.sion (diri.jân) *s* menosprezo; escárnio.
Der.i.va.tion (dérivêi.xân) *s* derivação; descendência.
De.rive (diraiv) *v* derivar; derivar-se; deduzir.
Der.o.gate (dé.roguêit) *v* derrogar; desacreditar; anular; revogar.
Der.o.ga.tion (déroguêi.xân) *s* derrogação; anulação.
Des.cant (dés.quént) *v* discorrer; dissertar; discutir; cantar.
De.scend (dissénd) *v* descer; descender; proceder.
De.scen.dant (dissén.dânt) *s* descendência.
De.scen.dent (dissén.dént) *adj* descendente.
De.scribe (discráib) *v* descrever; narrar.
De.scrip.tion (discrip.xân) *s* descrição; narração.
De.scry (discrái) *v* descobrir; averiguar.
Des.e.crate (dé.sicrêit) *v* profanar.
De.sert (dizârt) *s* merecimento; ermo; *v* desertar; abandonar.
De.ser.tion (dézâr.xân) *s* deserção; fuga.
De.serve (dizârv) *v* merecer.
Des.ic.cate (dé.siquêit) *v* dessecar; secar.
De.sid.er.ate (dizi.dârêit) *v* desejar.
De.sign (dizáin) *s* projeto; desenho; desígnio; *v* projetar; desenhar; traçar.
Des.ig.nate (dé.zinêit) *v* destinar; designar; indicar; nomear.
De.sire (dizáir) *s* desejo; ânsia; anelo; paixão; *v* desejar; pedir; aspirar.
De.sir.ous (dizái.râs) *adj* desejoso.
De.sist (dizist) *v* desistir; renunciar.
Desk (désc) *s* escrivaninha; carteira; púlpito.
Des.o.late (dé.solêit) *adj* desolado; triste; infeliz; solitário; *v* saquear; despovoar.
De.spair (dispér) *s* desespero; desesperança; *v* desesperar; desesperar-se.
Des.per.ate (dés.pârit) *adj* desesperado; furioso; precipitado.
Des.per.ate.ly (dés.pâritli) *adv* desesperadamente; furiosamente; excessivamente.
Des.pi.ca.ble (dés.picâbol) *adj* vil; desprezível; baixo.
De.spise (dispáiz) *v* desprezar; menosprezar; desdenhar.
De.spite (dispáit) *s* despeito; desdém; *v* humilhar; vexar; menosprezar; *prep* apesar de; não obstante; todavia.
De.spoil (dispó.il) *v* privar de; despojar.
Des.pot (dés.pót) *s* déspota; tirano.
Des.sert (dizârt) *s* sobremesa.
Des.tine (dés.tin) *v* destinar; dedicar; determinar.
Des.ti.ny (dés.tini) *s* destino; sorte; sina; fado.
Des.ti.tute (dés.tituit) *adj* destituído; necessitado; desamparado.
De.stroy (distrói) *v* destruir; rasgar; aniquilar.
De.tach (dité.xe) *v* separar; desligar; desunir; destacar.
De.tach.a.ble (dité.xâbol) *adj* destacável; separável.
De.tail (di.têil) *s* detalhe; particularidade; pormenor; *v* detalhar; pormenorizar.
De.tain (ditêin) *v* deter; reter; retardar.
De.tain.ment (ditêin.ment) *s* detenção; demora.
De.tect (ditéct) *v* descobrir; identificar; revelar.
De.tec.tion (ditéc.xân) *s* descoberta; revelação; descobrimento.
De.tec.tive (ditéc.tiv) *s* detetive; investigador.
De.tent (ditént) *s* alavanca.
De.ten.tion (ditén.xân) *s* detenção; custódia; retenção.
De.ter (ditâr) *v* desviar; intimidar; atemorizar; dissuadir.
De.te.ri.o.rate (diti.riorêit) *v* deteriorar; estragar; estragar-se.
De.test (ditést) *v* detestar; odiar; aborrecer.
De.test.a.ble (ditést.tâbol) *adj* detestável.
Det.o.nate (dé.tonêit) *v* detonar; explodir.
De.tour (dit.ur) *s* volta; desvio; rodeio; *v* desviar-se.
De.tract (ditréct) *v* diminuir; caluniar; depreciar; difamar.
De.tri.tion (ditri.xân) *s* atrito; desgaste.
Deuce (dius) *s* duque; dois (cartas, dados; etc.).
Deu.ter.on.o.my (diutâró.nomi) *s* BÍBL Deuteronômio.
De.val.u.ate (divé.liuêit) *v* desvalorizar.

De.vel.op (divé.lop) *v* desenvolver; evoluir; revelar fotografias.
De.vel.op.ment (divé.lopment) *s* progresso; desenvolvimento; crescimento; FOT revelação.
De.vest (divést) *v* despir; tirar a roupa; privar.
De.vi.ate (di.viêit) *v* desviar-se; afastar-se; divergir.
De.vi.a.tion (diviêi.xân) *s* desvio; divergência; erro.
De.vice (diváis) *s* aparelho; dispositivo; projeto.
Dev.il (dévol) *s* diabo; demônio; *v* condimentar fortemente; importunar.
De.vi.ous (di.viâs) *adj* divergente; tortuoso; afastado.
De.vise (diváiz) *s* legado; *v* imaginar; projetar; criar; tramar.
De.void (divóid) *adj* destituído de; desprovido de; livre.
De.volve (divólv) *v* transferir; entregar; transmitir.
De.vote (divôut) *v* devotar; dedicar; dedicar-se.
De.vour (divôur) *v* devorar; consumir.
De.vout (divôut) *adj* devoto; reverente.
Dew (diu) *s* orvalho; garoa; sereno.
Dexter (décs.târ) *adj* destro; hábil; favorável.
Di.al (dái.âl) *s* mostrador (de relógio, rádio, bússola, disco de aparelhos, etc.).
Di.a.lect (dái.âléct) *s* dialeto.
Di.a.log (dái.âlóg) *s* diálogo; *v* dialogar; conversar; *also* **Dialogue**.
Di.a.mond (dái.âmând) *s* diamante.
Di.a.pa.son (dáiâpêi.sân) *s* MÚS diapasão, instrumento de sopro (também eletrônico).
Di.a.per (dái.âpár) *s* fralda; cueiro; guardanapo; arabesco.
Di.a.phragm (dái.âfrém) *s* ANAT diafragma.
Di.a.ry (dái.âri) *s* diário; jornal; relação daquilo que sucede dia a dia.
Dice (dáis) *s* sorteio; *pl* dados; *v* jogar dados.
Dick (dic) *s* apelido de **Richard**; POP detetive; GÍR pênis.
Dic.tate (dic.têit) *v* ditar; impor; ordenar; mandar.
Dic.tion (dic.xân) *s* dicção; expressão; linguagem.
Dic.tion.a.ry (dic.xânéri) *s* dicionário.
Did.dle (did.ol) *v* trapacear; hesitar; lograr; *also* **Daddle**.
Die (dái) *s* furador; dado (jogo); *pl* **Dice**; *v* cunhar; estampar; morrer.
Diet (dái.et) *s* dieta; comida; assembleia.
Dif.fer.ence (di.fâréns) *s* diferença; distinção; controvérsia.
Dif.fer.ent (di.fârént) *adj* diferente; desigual.
Dif.fi.cult (di.ficâlt) *adj* difícil; árduo.
Dif.fi.cul.ty (di.ficâlti) *s* dificuldade; oposição; obstáculo.
Dif.fi.dence (di.fidéns) *s* timidez; modéstia; desconfiança; suspeita.
Dif.fuse (difiuz) *adj* difuso; espalhado; estendido; *v* difundir; espalhar; propagar; derramar.
Dig (dig) *s* escavação; empurrão; escárnio; estudante aplicado; GÍR cutucada; *v* escavar; cavar; averiguar; *past and pp* **Dug** *or* **Digged**.
Di.gest (didjést) *s* digesto; compilação; *v* digerir; elaborar.
Di.ges.tion (didjést.xân) *s* digestão; exame; supuração.
Dig.ger (di.gâr) *s* cavador; cavoqueiro; escavador.
Dight (dáit) *v* adornar.
Dig.it (di.djit) *s* dígito (diz-se dos números de um a dez); algarismo; dedo.
Dig.i.tal (di.djitâl) *adj* digital.
Dig.ni.fy (dig.nifái) *v* dignificar; exaltar; honrar.
Dig.ni.ta.ry (dig.nitâri) *s* dignitário.
Dig.ni.ty (dig.niti) *s* dignidade; honradez; nobreza.
Di.gres.sion (digré.xân) *s* divagação; digressão; desvio; afastamento.
Dike (dáic) *s* dique; represa; leito (de rio); *v* represar.
Di.lap.i.date (dilé.pidêit) *v* dilapidar; arruinar; dissipar; destruir.
Dil.i.gent (di.lidjéns) *adj* aplicado; ativo.
Di.lute (diliut) *v* diluir; dissolver.
Dim (dim) *v* ofuscar; obscurecer; *adj* escuro.
Dime (dáim) *s* dez centavos.
Di.min.ish (dimi.nixe) *v* diminuir; minorar; debilitar.
Di.min.u.tive (dimi.niutiv) *adj* diminutivo; diminuto; minúsculo.
Dim.is.so.ry (di.missôuri) *adj* demissório; de despedida.
Dim.ly (dim.li) *adv* obscuramente.
Dim.ple (dimpol) *s* covinha nas faces; pequenas ondulações.
Din (din) *s* estrondo; barulho; ruído contínuo; *v* atordoar; aturdir; ensurdecer.
Dine (dáin) *v* oferecer jantar; jantar.
Dingy (din.dji) *adj* manchado; sujo; escuro.
Dining-room (dái.nin.rum) *s* sala de jantar.
Din.ner (di.nâr) *s* jantar; banquete.
Dint (dint) *s* golpe; pancada; poder.
Dip (dip) *s* mergulho; imersão; *v* imergir; mergulhar; submergir.
Diph.the.ri.a (difthi.riâ) *s* MED difteria.
Di.plo.ma (diplôu.mâ) *s* diploma.
Di.plo.ma.cy (diplôu.mâssi) *s* diplomacia; prudência.
Dip.per (di.pâr) *s* mergulhador; colher.
Dire (dáir) *adj* horrendo; medonho; fatal; extremo.
Di.rect (diréct) *v* dirigir; indicar; governar; endereçar.
Di.rec.tion (diréc.xân) *s* direção; curso; administração.
Di.rec.to.ry (diréc.tôuri) *s* diretório; lista telefônica; catálogo; almanaque.
Dire.ful (dáir.ful) *adj* horrível; funesto; terrível.
Dirge (dâr.dj) *s* canto fúnebre.
Dirk (dârc) *s* punhal escocês; adaga; *v* apunhalar.
Dirt (dârt) *s* sujeira; lama; terra; imundície.
Dirt.y (dâr.ti) *adj* sujo; porco; indecente.
Dis.a.buse (dissâbiuz) *v* desenganar; desiludir.

Dis.ac.cus.tom (dissécâs.tâm) *v* desacostumar; desabituar.
Dis.ad.van.tage (dissédvén.tidj) *v* prejudicar.
Dis.af.fect (disséféct) *v* indispor; descontentar.
Dis.af.firm (disséfârm) *v* negar; anular; invalidar.
Dis.a.gree (dissâgri) *v* discordar; altercar; divergir.
Dis.a.gree.ment (dissâgri.ment) *s* discordância; divergência; desacordo.
Dis.al.low (disséláu) *v* desaprovar; rejeitar.
Dis.al.low.ance (dissélâu.âns) *s* desaprovação; negação; proibição.
Dis.ap.pear (dissépir) *v* desaparecer.
Dis.ap.pear.ance (dissépi.râns) *s* desaparecimento.
Dis.ap.point (dissépóint) *v* desapontar; malograr.
Dis.ap.point.ment (dissépóint.ment) *s* decepção; desapontamento.
Dis.ap.prov.al (dissépru.vâl) *v* desaprovação; reprimenda.
Dis.ap.prove (disséepruv) *v* desaprovar; rejeitar; censurar.
Dis.arm (dissârm) *v* desarmar; serenar; acalmar.
Dis.ar.ma.ment (dissâr.mâment) *s* desarmamento.
Dis.ar.range (dissérén.dj) *v* desarranjar; desordenar; perturbar.
Dis.ar.ray (dissérêi) *s* confusão; desalinho; desordem; *v* desordenar; desbaratar.
Dis.as.trous (dizés.trâs) *adj* desastroso; malogrado; calamitoso.
Dis.a.vow (dissâváu) *v* negar; repudiar; condenar.
Dis.band (disbénd) *v* licenciar; dispersar; debandar.
Dis.burse (disbârs) *v* desembolsar; gastar; despender.
Dis.card (discárd) *v* descartar; livrar-se.
Dis.cern (dizârn) *v* discernir; reconhecer; julgar.
Dis.cern.ment (dizârn.ment) *s* discernimento; critério; juízo.
Dis.charge (distxár.dj) *s* despedida; descarga; demissão; *v* pagar; demitir; absolver.
Dis.ci.ple (dissáip.ol) *s* discípulo; apóstolo.
Dis.ci.pline (di.siplin) *v* disciplinar; ensinar; educar.
Dis.claim (disclêim) *v* renegar; desaprovar; renunciar.
Dis.close (disclôuz) *v* descobrir; revelar; divulgar.
Dis.clo.sure (disclôu.jâr) *s* declaração; revelação; publicação.
Dis.col.or (discâ.lâr) *v* descorar; descolorar; desbotar.
Dis.com.fit (discâm.fit) *v* derrotar; confundir; desconsertar.
Dis.com.fort (discâm.fârt) *v* afligir; desconfortar; incomodar.
Dis.com.pose (discómpôuz) *v* perturbar; desordenar.
Dis.con.cert (discónsârt) *v* desapontar; desconcertar; envergonhar.
Dis.con.nect (discónéct) *v* separar; romper; desligar.
Dis.con.tent (discóntént) *s* descontentamento; *v* descontentar.
Dis.cord (discórd) *s* discórdia; discordância; *v* discordar; desafinar.
Dis.cor.dance (discór.dâns) *s* discordância.
Dis.count (discáunt) *v* descontar; deduzir; diminuir.
Dis.coun.te.nance (discáun.tinâns) *v* desaprovar; desfavorecer; desanimar.
Dis.count.er (discáun.târ) *s* aquele que desconta.
Dis.cour.age (discâ.ridj) *v* desanimar; opor; obstruir; desencorajar.
Dis.course (discôurs) *v* discursar; conversar; falar.
Dis.cour.te.ous (discâr.tiâs) *adj* mal-educado; descortês; grosseiro.
Dis.cov.er (discâ.vâr) *v* descobrir; inventar; revelar.
Dis.cred.it (discré.dit) *s* descrédito; desconfiança; desonra; infâmia; *v* desacreditar; desconfiar; desmoralizar.
Dis.creet (discrit) *adj* discreto; prudente.
Dis.crete (discrit) *adj* discreto; distinto; descontínuo.
Dis.cre.tion (discré.xân) *s* discrição; cautela; prudência.
Dis.crim.i.nate (discri.minêit) *adj* distinto; diferenciado; separado; *v* discriminar.
Dis.crown (discráun) *v* destronar.
Dis.cuss (discâs) *v* discutir; debater.
Dis.dain (disdêin) *s* desdém; desprezo; repugnância; *v* desdenhar; desprezar.
Dis.ease (diziz) *s* doença; enfermidade.
Dis.em.bark (dissembárc) *v* desembarcar; descarregar.
Dis.en.chant (dissentxént) *v* desencantar; desiludir.
Dis.en.gage (dissenguêi.dj) *v* desocupar; soltar; desunir.
Dis.en.tan.gle.ment (dissenténgol.ment) *s* desembaraço; livramento.
Dis.en.thral (dissenthról) *v* libertar; livrar.
Dis.en.thrall (dissenthról) *examine* ⇒ **Disenthral.**
Dis.fig.ure (disfi.guiur) *v* desfigurar; deformar.
Dis.for.est (disfó.rest) *v* desflorestar.
Dis.fur.nish (disfâr.nixe) *v* desmobilizar; desprover.
Dis.gorge (disgór.dj) *v* vomitar; expelir; restituir.
Dis.grace (disgrêis) *v* desfavorecer; desgraçar; desonrar.
Dis.grace.ful (disgrêis.ful) *adj* vergonhoso.
Dis.guise (disgáiz) *s* disfarce; dissimulação; *v* disfarçar; dissimular; ocultar.
Dis.gust (disgâst) *s* desgosto; repugnância; *v* repugnar; desgostar; entendiar.
Dish (dixe) *s* prato; comida; travessa; louça.
Dis.hon.es.ty (dissó.nésti) *s* desonestidade; deslealdade.
Dis.hon.or (dissó.nâr) *v* desonrar.
Dis.hon.our (dissó.nâr) *examine* ⇒ **Dishonor.**
Dis.hon.or.a.ble (dissó.norâbol) *adj* desonroso; indecoroso.
Dish.wash.er (dixe.uásher) *s* máquina de lavar louça.
Dish.wa.ter (dixe.uáter) *s* a água com que se lava a louça.

Dis.il.lu.sion (dissiliu.jân) *v* desiludir; desenganar; desencantar.
Dis.in.fect (dissinféct) *v* desinfetar.
Dis.in.gen.u.ous (dissinjé.niuâs) *adj* falso; dissimulado; fingido.
Dis.in.her.it (dissin.hé.rit) *v* deserdar.
Dis.in.te.grate (dissin.tigrêit) *v* desintegrar; decompor; desagregar.
Dis.in.ter.est (dissin.târést) *s* desinteresse; indiferença; desprendimento.
Dis.in.ter.ment (dissin.târment) *s* exumação.
Dis.ject (disdjéct) *v* dispensar.
Dis.joint (disdjóin) *v* deslocar; desunir.
Dis.junct (disdjânct) *adj* desunido; separado.
Disk (disc) *s* disco.
Dis.like (disláic) *s* aversão; antipatia; *v* detestar.
Dis.lo.cate (dis.loquêit) *v* deslocar.
Dis.lodge (disló.dj) *v* desalojar; mudar-se.
Dis.mal (diz.mâl) *adj* sombrio; triste; desanimador.
Dis.mal.ness (diz.mâlnés) *s* melancolia; tristeza.
Dis.man.tle.ment (disméntol.ment) *s* desmantelamento.
Dis.may (dismêi) *s* desânimo; espanto; assombro; *v* desanimar; espantar.
Dis.miss (dismis) *v* dispensar; demitir; rejeitar.
Dis.mis.sal (dismi.sâl) *s* demissão; destituição; exoneração.
Dis.mount (dismáun) *s* desmontagem; *v* desmontar; desarmar; descer.
Dis.na.ture (disné.txâr) *v* desnaturalizar.
Dis.o.be.di.ence (dissobi.diâns) *s* desobediência; rebeldia.
Dis.o.bey (dissobêi) *v* desobedecer.
Dis.o.blige (dissobláі.dj) *v* desobrigar; desagradar; incomodar.
Dis.or.der (dissór.dâr) *s* desordem; barulho; confusão; *v* desordenar; adoecer; inquietar.
Dis.or.der.ly (dissór.dârli) *adj* desordenado; turbulento; confuso; *adv* desordenadamente; tumultuosamente.
Dis.or.gan.ize (dissór.gânáiz) *v* desorganizar; desordenar.
Dis.own (dissôun) *v* rejeitar; renegar; renunciar.
Dis.par.age (dispé.ridj) *v* deprimir; depreciar; aviltar.
Dis.pa.rate (dis.pârit) *adj* desigual; diferente; discordante.
Dis.par.i.ty (dispé.rit) *s* disparidade; diferença; desigualdade.
Dis.part (dispárt) *v* dividir; separar.
Dis.pas.sion (dispé.xân) *s* imparcialidade; indiferença.
Dis.pas.sion.ate (dispé.xânit) *adj* impassível; desapaixonado.
Dis.pas.sion.ate.ly (dispé.xânitli) *adv* desapaixonadamente; imparcialmente.
Dis.patch (dispé.txe) *s* despacho; agilidade; *v* despachar; expedir.
Dis.pel (dispél) *v* dissipar; expelir; enviar; expedir
Dis.pen.sa.to.ry (dispén.sâtôuri) *s* MED formulário de produtos medicinais.
Dis.pense (dispéns) *v* dispensar; conceder; distribuir; MED receitar.
Dis.perse (dispârs) *v* dispersar; espalhar.
Dis.per.sive (dispâr.siv) *adj* dispersivo.
Dis.place (displêis) *v* deslocar; desarranjar; retirar; demitir.
Dis.place.ment (displêis.ment) *s* deslocação; deslocamento; remoção.
Dis.play (displêi) *s* mostra; aparato; apresentação; exposição; *v* exibir; expor; mostrar.
Dis.please (displiz) *v* desagradar; magoar; ofender.
Dis.plea.sure (displé.jâr) *s* desprazer; desgosto; desagrado.
Dis.port (dispórt) *s* divertimento; diversão; passatempo; *v* divertir; recrear; brincar.
Dis.po.sal (dispôu.zâl) *s* disposição; venda; ordem.
Dis.pose (dispôuz) *v* dispor; vender; pôr em ordem; preparar.
Dis.praise (disprêiz) *s* censura; reprovação; *v* censurar; reprovar.
Dis.proof (dispruf) *s* refutação; contestação.
Dis.prove (dispruv) *v* desaprovar; refutar.
Dis.pu.tant (dis.piutânt) *s* disputante; competidor; contendor; *adj* disputante; disputável.
Dis.pute (dispiut) *s* disputa; discussão; controvérsia; *v* disputar; discutir; contestar.
Dis.qual.i.fy (discuó.lifái) *v* desqualificar; inabilitar; incapacitar.
Dis.qui.et (discuái.ét) *adj* inquieto; desassossegado; *v* inquietar; perturbar; incomodar.
Dis.re.gard (disrigárd) *s* descuido; negligência; desconsideração; *v* desdenhar; negligenciar; desprezar.
Dis.rel.ish (disré.lixe) *v* repugnar.
Dis.re.pair (disripér) *s* dilapidação.
Dis.rep.u.ta.ble (disripiu.tâbol) *adj* desonroso; infamante; desacreditado.
Dis.re.pute (disripiut) *s* desonra; descrédito.
Dis.re.spect (disripéct) *v* desrespeitar; desconsiderar.
Dis.robe (disrôub) *v* despir-se.
Dis.root (disrut.) *v* desarraigar.
Dis.rupt (disrâpt) *v* romper; rebentar; despedaçar.
Dis.rup.tion (disrâp.xân) *s* rompimento; ruptura; dilaceração.
Dis.sat.is.fy (dissé.tisfái) *v* descontentar; desagradar; desgostar.
Dis.sect (disséct) *v* dissecar; retalhar; anatomizar.
Dis.sem.ble (dissémbol) *v* dissimular; disfarçar; fingir; mascarar.
Dis.sem.i.nate (dissé.minêit) *v* disseminar; divulgar.
Dis.sen.sion (dissén.xân) *s* dissensão; divergência; contenda.
Dis.sent (dissént) *s* dissensão; discórdia; *v* discordar; divergir; diferir.
Dis.sent.er (dissén.târ) *s* dissidente.

Dis.sen.tient (dissén.txiânt) *examine* ⇒ **Dissenter.**
Dis.ser.tate (dissâr.teit) *v* dissertar.
Dis.sev.er (dissé.vâr) *v* dividir; desunir; partir.
Dis.si.dence (di.sidéns) *s* dissidência; divergência; desarmonia.
Dis.si.dent (di.sidént) *s* dissidente; *adj* dissidente.
Dis.sim.u.late (dissi.miulêit) *v* dissimular; fingir.
Dis.si.pate (di.sipêit) *v* dissipar; dispersar.
Dis.si.pa.tion (dissipêi.xân) *s* dissipação; diversão.
Dis.so.lute (di.soliut) *adj* dissoluto; devasso; imoral.
Dis.so.lute.ness (di.soliutnés) *s* libertinagem; dissolução.
Dis.so.lu.tion (dissoliu.xân) *s* dissolução; desintegração; decomposição.
Dis.solve (dizólv) *v* dissolver; derreter.
Dis.so.nance (di.sonâns) *s* dissonância; desacordo; desavença.
Dis.so.nan.cy (di.sonânsi) *examine* ⇒ **Dissonance.**
Dis.suade (dissuêid) *v* dissuadir.
Dis.taff (dis.téf) *s* roca de fiar; fuso.
Dis.tance (dis.tâns) *s* distância; intervalo; afastamento; reserva.
Dis.tant (dis.tânt) *adj* distante; afastado.
Dis.tend (disténd) *v* distender; dilatar; inflar.
Dis.ten.sion (distén.xân) *s* distensão; dilatação.
Dis.tent (distént) *adj* distendido; dilatado.
Dis.til (distil) *v* destilar; purificar.
Dis.tinct (distinct) *adj* distinto; diferente.
Dis.tin.guish (distin.guixe) *v* distinguir; salientar.
Dis.tort (distórt) *v* deturpar; falsificar; distorcer.
Dis.tor.tion (distór.xân) *s* distorção; deformidade; torcedura.
Dis.tract (distréct) *v* distrair; perturbar.
Dis.train (distrêin) *v* embargar; sequestrar.
Dis.trait (distrêit) *adj* distraído.
Dis.tress (distrés) *s* aflição; angústia; pobreza; *v* afligir.
Dis.trib.ute (distri.biut) *v* distribuir; classificar; repartir.
Dis.tri.bu.tion (distribiu.xân) *s* distribuição; partilha; arranjo.
Dis.trict (dis.trict) *s* distrito; região; bairro.
Dis.trust (distrâst) *s* desconfiança; suspeita; receio; *v* desconfiar; temer; recear.
Dis.trust.ful (distrâst.ful) *adj* desconfiado; receoso; suspeitoso.
Dis.turb (distârb) *v* perturbar; incomodar.
Dis.tur.bance (distâr.bâns) *s* perturbação; distúrbio; motim.
Ditch (ditxe) *s* rego; fosso; vala; trincheira; *v* abrir fossos; atirar num fosso; POP rejeitar; abandonar; descarrilar.
Dith.er (di.thâr) *v* arrepiar; estremecer.
Dit.to (di.tôu) *s* dito; idem; o mesmo; *adv* igualmente.
Dit.ty (di.ti) *s* canção; cantiga; balada.
Di.va.gate (dái.vâguêit) *v* divagar.
Di.van (divén) *s* divã; sofá.
Dive (dáiv) *s* mergulho; submersão; casa noturna; bar (de péssima reputação); *v* mergulhar; ocultar.
Di.verge (divâr.dj) *v* divergir; discordar.
Di.ver.gence (divâr.djéns) *s* divergência; desacordo.
Di.ver.gen.cy (divâr.djénsi) *examine* ⇒ **Divergence.**
Di.ver.gent (divâr.djént) *adj* divergente; contrário.
Di.vers (dái.vârs) *adj* diversos; vários; alguns.
Di.verse (divârs) *adj* diverso; diferente; distinto.
Di.ver.si.fy (divâr.sifái) *v* diversificar; diferenciar; variar.
Di.ver.sion (divâr.xân) *s* diversão; desvio; divertimento.
Di.vert (divârt) *v* divertir; distrair; desviar.
Di.vest (divést) *v* despir; esbulhar; privar.
Di.vest.i.ture (divés.titxâr) *s* despimento; despojo.
Di.vide (diváid) *v* dividir; repartir.
Di.vine (diváin) *s* clérigo; teólogo; sacerdote; *v* adivinhar; prognosticar.
Div.ing (daivin) *s* mergulho; mergulhador.
Di.vin.i.ty (divi.niti) *s* divindade.
Di.vi.sion (divi.jân) *s* divisão; separação.
Di.vorce (divôurs) *s* divórcio; *v* divorciar; separar.
Di.vor.cee (divôur.si) *adj* divorciado (a).
Di.vulge (divâl.dj) *v* divulgar; publicar; espalhar.
Diz.en (dáizn) *v* ornar; enfeitar; ataviar.
Diz.zy (di.zi) *adj* atordoado; tonto; *v* atordoar; aturdir.
Do (du) *v* fazer; agir; executar; bastar; servir; enganar; *past* **Did** *and pp* **Done.**
Do.a.ble (du.âbol) *adj* capaz de ser feito.
Doc.ile (dó.sil) *adj* dócil; obediente; brando.
Dock (dóc) *s* doca; dique; estaleiro; banco; rabo; rabicho; *v* ancorar; cortar; encurtar; abreviar.
Dock.et (dó.quét) *v* resumir; rotular; etiquetar.
Doc.trine (dóc.trin) *s* doutrina; ensino.
Doc.u.ment (dó.quiumént) *v* documentar.
Dod.der (dó.dâr) *v* tremer; titubear.
Dodge (dó.dj) *v* esquivar-se; evitar; enganar.
Doe (dôu) *s* corça; fêmea de diversos animais.
Doff (dof) *v* tirar o chapéu em saudação; remover; despir.
Dog (dâg) *s* cão; cachorro.
Dog.ger.y (dó.gâri) *s* espelunca.
Dog.ma (dóg.mâ) *s* dogma.
Dog.mat.i.cal.ly (dógmé.ticâli) *adv* dogmaticamente.
Doi.ly (dói.li) *s* guardanapo.
Doit (dóit) *s* bagatela.
Dole (dôul) *s* dádiva; esmola; aflição; *v* distribuir ou repartir algo com os pobres.
Dole.ful (dôul.ful) *adj* doloroso; triste.
Doll (dól) *s* boneca.
Dol.lar (dó.lâr) *s* dólar, moeda americana e de outros países.
Doll.ish (dó.lixe) *adj* afetado; melindroso.
Dol.ly (dó.li) *s* boneca; carrinho.
Dol.men (dól.men) *s* dólmen.

Do.lor (dôu.lâr) *s* dor; angústia.
Do.lour (dôu.lâr) *examine* ⇒ **Dolor**.
Dol.phin (dól.fin) *s* golfinho.
Dolt (dólt) *s* tolo; pateta; imbecil.
Do.main (domêin) *s* domínio; império.
Dome (dôum) *s* cúpula; abóbada.
Do.mes.tic (domés.tic) *s* servo; criado; *adj* doméstico.
Dom.i.nant (dó.minânt) *s* dominante; domínio.
Dom.i.nate (dó.minêit) *v* dominar; controlar; governar arbitrariamente.
Dom.i.neer (dóminir) *v* dominar; oprimir.
Do.min.ion (domi.niân) *s* domínio; propriedade; posse.
Dom.i.no (dó.minôu) *s* dominó.
Do.nate (dôu.nêit) *v* doar; contribuir; dar.
Done (dân) *adj* feito; acabado; logrado.
Don.key (dón.qui) *s* burro; asno; imbecil; ignorante.
Doo.dle (dudol) *adj* pateta; tolo; rabisco.
Doom (dum) *s* perdição; condenação; destino; *v* condenar; julgar; determinar.
Door (dór) *s* porta.
Dope (dôup) *s* verniz; lubrificante; GÍR narcótico; informação confidencial; *v* viciar; dopar.
Dork.face (dór.fêis) *adj* idiota; cara de bobo.
Dor.man.cy (dór.mânsi) *s* dormência.
Dos.sal (dó.sâl) *s* dossel.
Dot (dót) *s* ponto; vírgula; pingo; mancha; *v* pontilhar; colocar pingos; pôr vírgulas.
Do.tage (dôu.tidj) *s* imbecilidade; demência.
Do.ta.tion (dotêi.xân) *s* dotação, renda.
Dote (dôut) *v* amar intensamente; caducar; desvairar.
Dot.er (dôu.târ) *s* apaixonado.
Dot.ty (dó.ti) *adj* estúpido; maluco; alucinado.
Doub.le (dâbol) *s* dobro; duplo; cópia; *adj* dobrado; duplo; falso; *v* dobrar; duplicar.
Doub.let (dâ.blét) *s* par; parelha.
Doubt (dáut) *s* dúvida; suspeita; incerteza; *v* duvidar; suspeitar; hesitar.
Doubt.less (dáut.lés) *adv* indubitavelmente.
Douche (duxe) *s* ducha; tomar duchas.
Dough (dôu) *s* massa (de pão, etc.); pasta; POP dinheiro.
Dough.boy (dôu.bói) *s* soldado de infantaria.
Dough.foot (dôu.fut) *same as* **Doughboy**.
Dough.ty (dáu.ti) *adj* valente; bravo.
Dour (dur) *adj* severo; obstinado; árido.
Douse (dáus) *v* extinguir; apagar; recolher.
Dove (dâv) *s* pombo.
Dow.a.ger (dáu.âdjâr) *s* viúva abastada; GÍR viúva de idade avançada.
Dow.dy (dáu.di) *s* mulher desalinhada; *adj* desleixado; sujo.
Dow.el (dáu.él) *s* prego; tarugo; cavilha.
Down (dáun) *s* penugem; penas; duna; *adj* descendente; abatido; *v* derrubar; vencer; derrotar; *adv* em baixo; para baixo; debaixo; abaixo; *prep* em baixo; para baixo.
Down.fall (dáun.fól) *s* aguaceiro; nevada.
Down.stairs (dáun.stérz) *adv* para baixo; escada abaixo.
Down-town (dáun.taun) *adj* centro da cidade.
Down.ward (dáun.uârd) *adj* descendente; inclinado.
Down.wards (dáun.uârds) *adv* para baixo.
Down.y (dáu.ni) *adj* felpudo; peludo; suave.
Dow.ry (dáu.ri) *s* dote; doação; dom.
Doze (dóz) *s* soneca; cochilo.
Doze (dóz) *v* cochilar.
Doz.en (dâzn) *s* dúzia.
Doz.er (dó.zâr) *s* indolente; preguiçoso.
Do.zy (dó.zi) *adj* sonolento; adormecido.
Drab (dréb) *adj* pardo; monótono.
Draft (dréft) *s* corrente de ar; aspiração; projeto; esboço; recrutamento; COM ordem de pagamento; *v* esboçar.
Drag (drég) *s* draga; carruagem; carreta; *v* arrastar; dragar.
Drag.on.fly (dré.gânn.flai) *s* libélula.
Drain (drêin) *s* dreno; cano de esgoto; ralo; *v* dragar; drenar; secar.
Dram.a.tise (drá.mâtáiz) *v* dramatizar; *also* **Dramatize**.
Drape (dréip) *v* enroupar.
Drap.er (drêi.pâr) *s* vendedor de fazendas (tecidos).
Drap.er.y (drêi.pâri) *s* fabricação ou venda de tecidos.
Draught (dréft) *s* corrente de ar; tração; gole; desenho.
Draw (dró) *s* tração; empate; desenho; *v* puxar; aspirar; desenhar; redigir; sacar; arrastar; mover-se; *past* **Drew** *and pp* **Drawn**.
Draw.back (dró.béc) *s* fracasso; prejuízo; COM desconto; reembolso.
Draw.ee (drói) *s* COM sacado.
Drawl (dról) *s* balbuciação; gaguejo; *v* gaguejar.
Dray (drêi) *s* carreta.
Dread (dréd) *s* medo; temor; horror; *v* recear; temer.
Dream (drim) *s* sonho; ilusão; imaginação; *v* sonhar; imaginar; fantasiar; *past and pp* **Dreamt** *or* **Dreamed**.
Drear.y (dri.ri) *adj* triste; funesto.
Dredge (drédj) *s* draga; rede; *v* dragar; escavar.
Dregs (drégs) *s* sedimento; escória; resto.
Drench (dréntxe) *s* VETER remédio de animais; algo que encharca; *v* ensopar.
Dress (drés) *s* roupa; traje; vestuário; enfeite; *v* vestir-se; ornar; preparar; *adj* vestuário.
Drib.ble (dribol) *s* baba; saliva; gota; *v* babar; gotejar.
Dri.er (drái.âr) *s* secante; enxugador.
Drift (drift) *s* violência; impulso; vento; *v* amontoar; impelir; cavar túneis.
Drill (dril) *s* arado; perfurador; pua; *v* furar; perfurar; treinar em exercícios militares; disciplinar.
Drink (drinc) *s* bebida (alcoólica ou não); *v* beber; embriagar-se; *past* **Drank** *and pp* **Drunk**.
Drink.a.ble (drin.câbol) *adj* potável.

Drip (drip) *s* gota; goteira; *v* pingar; gotejar.
Drive (dráiv) *s* passeio; rua; avenida; impulso; urgência; *v* dirigir (autos); forçar; guiar; conduzir; levar; *past* **Drove** *and pp* **Driven.**
Driv.el (drivol) *v* dizer tolices; desperdiçar.
Driv.er (drái.var) *s* motorista; condutor; maquinista de trem; talhadeira.
Driz.zle (drizol) *s* chuvisco; garoa; *v* garoar; chuviscar.

Droll (drôul) *adj* cômico; engraçado; chulo.
Droll.er.y (drôu.lâri) *s* palhaçada; graça.
Drone (drôun) *s* zangão; sussurro; vadio; *v* zumbir; vadiar; sussurrar.
Drool (drul) *s* saliva; baba; POP conversa mole; *v* salivar; babar.
Droop (drup) *s* inclinação; descaimento; *v* enfraquecer; desfalecer; curvar.
Drop (dróp) *s* pingo; gota; pendente; pingente; *v* derrubar; cair; denunciar.
Drop.per (dró.pâr) *s* conta-gotas.
Dross (drós) *s* impureza; escória; sedimento.
Dross.y (dró.si) *adj* impuro.
Drought (dráut) *s* secura; aridez; estiagem; *also* Drouth.
Drought.y (dráu.ti) *adj* seco; árido.
Drown (dráun) *v* afogar; inundar; afogar-se; abafar (voz ou som).
Drowse (dráus) *v* adormecer; cochilar.
Drow.sy (dráu.zi) *adj* sonolento; lento.
Drub (drâb) *v* bater; surrar; espancar; sacudir.
Drudge (drâdj) *v* labutar; trabalhar intensamente.
Drudg.er.y (drâd.jâri) *s* trabalho intenso; trabalho penoso; lida.
Drug (drâg) *s* remédio; droga; entorpecente; *v* medicar; receitar; narcotizar.
Drug.store (drâg.stôur) *s* farmácia; drogaria.
Dru.id (dru.id) *s* Drúida.
Drum (drâm) *s* tambor; bumbo; MED tímpano; *v* tocar tambor.
Drunk (drânc) *s* bebedeira; ébrio; bêbado; *adj* embriagado; ébrio.
Drunk.en (drân.cân) *adj* ébrio; embriagado.
Dry (drái) *adj* seco; árido; *v* secar; enxugar; desaguar.
Du.al (diu.âl) *adj* dual, referente a dois.
Dub (dâb) *v* substituir a trilha sonora de um filme; dar apelido a alguém.
Du.bi.e.ty (diubái.âti) *s* incerteza; dúvida; dubiedade.
Du.bi.ous (diu.biâs) *adj* duvidoso; dúbio; indeciso.
Duch.y (dâ.xii) *s* ducado.
Duck (dâc) *s* pato; marreco; mergulho; brim; lona; POP um cara; um sujeito; *v* mergulhar; reverenciar.
Duct (dâct) *s* conduto; tubo; canal.
Duc.til.i.ty (dâcti.liti) *s* maleabilidade; flexibilidade; docilidade.
Dud (dâd) *s* impostor; pedante.
Dudg.eon (dâ.djân) *s* mágoa; mau humor; raiva.
Due (diu) *s* dívida; impostos; direitos; *adj* devido; vencido; adequado; *adv* exatamente; diretamente.
Du.el (diu.él) *s* duelo; *v* duelar.
Duff (dâf) *s* ordinário; inferior.
Dug (dâg) *s* teta; bico de peito.
Duke (diuc) *s* duque.
Dul.cet (dâl.sit) *adj* doce; agradável.
Dull (dâl) *adj* estúpido; vagaroso; monótono; cego (sem corte).
Dull (dâl) *v* amortecer; entorpecer; ofuscar.
Dull.ness (dâl.nés) *s* estupidez.
Dul.ly (dá.li) *adv* estupidamente; pesadamente.
Du.ly (diu.li) *adv* pontualmente.
Dumb (dâm) *adj* mudo; elevador de pratos.
Dumb.found (dâmm.faund) *v* embaraçar; confundir; emudecer.
Dum.my (dâ.mi) *s* manequim; bobo; ESP *morto* (do baralho); TIP boneco (amostra); *adj* silencioso; falso; postiço.
Dump (dâmp) *v* derramar; depositar; esvaziar; descarregar.
Dump.y (dâm.pi) *adj* troncudo.
Dun (dân) *s* cobrança com muita pressão junto ao devedor; *v* cobrar com muita pressão; importunar; *adj* pardo.
Dunce (dâns) *s* lerdo; tolo; ignorante.
Dun.der.head (dân.dâr.héd) *s* imbecil; tolo.
Dune (diun) *s* duna.
Dung (dân) *s* esterco; estrume; adubo; *adj* sórdido; vil.
Dunk (dânc) *v* molhar; embeber.
Dupe (diup) *s* ingênuo; pateta; tolo; *v* ludibriar; enganar; lograr.
Du.plic.i.ty (diupli.siti) *s* duplicidade.
Du.ra.bil.i.ty (diurâbi.liti) *s* durabilidade.
Du.ra.ble (diu.râbol) *adj* duradouro; durável.
Du.ra.tion (diurêi.xân) *s* permanência; duração.
Dur.ing (diu.rin) *prep* durante; enquanto.
Dusk (dâsc) *s* poente; crepúsculo; *adj* sombrio; obscuro; *v* obscurecer; escurecer.
Dusk.y (dâs.qui) *adj* escuro; sombrio.
Dust (dâst) *s* pó; poeira; restos mortais; *v* limpar; espanar; varrer.
Dust.er (dás.târ) *s* espanador.
Dust.y (dâs.ti) *adj* empoeirado.
Dutch (dâtxe) *adj* Holandês.
Du.ti.ful (diu.tiful) *adj* obediente.
Du.ty (diu.ti) *s* obrigação; dever; tributo.
Dwarf (duórf) *s* anão.
Dwell (duél) *v* morar; habitar; permanecer; *past and pp* **Dwelt** *or* **Dwelled.**
Dwell.ing (dué.lin) *s* moradia; residência.
Dwin.dle (duindol) *v* diminuir; decair.
Dye (dái) *s* tinta; corante; tintura; *v* colorir.
Dy.er (dái.âr) *s* tintureiro.
Dye.stuff (dái.stâf) *s* corante.
Dy.nam.ic (dáiné.mic) *s* dinâmico.
Dy.na.mite (dái.nâmáit) *s* dinamite; *v* dinamitar.
Dy.na.mo (dái.nâmôu) *s* dínamo.
Dys.en.ter.y (di.sentéri) *s* disenteria.

eE

E (i) *s* quinta letra do alfabeto Português e do alfabeto Inglês.
Each (itsh) *adj* cada; *pron* cada um; cada qual.
Ea.ger.ly (i.gârli) *adv* avidamente; impetuosamente; ansiosamente.
Ea.gle (igol) *s* águia.
Ea.glet (i.glit) *s* águia (pequena).
Ear (ir) *s* orelha (ouvido); audição; espiga de cereal; asa de jarro; *v* espigar.
Earl (ârl) *s* conde.
Ear.li.ness (âr.linés) *s* precocidade; antecipação; madrugada.
Ear.ly (âr.li) *adj* precoce, adiantado; temporão; matinal; relativo ao começo; *adv* cedo, no começo.
Earn (ârn) *v* ganhar; conseguir; obter pelo trabalho; merecer.
Ear.nest (âr.nist) *adj* zeloso; apaixonado; sério; importante.
Ear.nest.ness (âr.nistnés) *s* zelo; fervor; cuidado.
Ear.ning (âr.nin) *s* salário.
Earth (ârth) *s* terra; chão; mundo; o planeta; Earth-worm: minhoca; *v* enterrar.
Earth.en.ware (ârt.thenn.uér) *s* cerâmica; louça de barro.
Earth.ly (ârth.li) *adj* terreno; mundano; terrestre; carnal.
Earth.quake (ârth.cuêic) *s* terremoto.
Earth.ward (ârth.uârd) *adv* em direção ao solo; em direção à terra.
Earth.y (ârthi) *adj* terreno; térreo; da terra.
Ease (iz) *s* repouso; tranquilidade; sossego; comodidade; bem-estar; desembaraço; alívio; *v* aliviar; facilitar.
Ea.sel (izol) *s* cavalete (de pintor).
Ease.ment (iz.ment) *s* alívio; assistência; conforto; vantagem; desagravo.
Eas.i.ly (i.zili) *adv* facilmente.
East (i.zi) *s* oriente; leste; nascente.
East.er (is.târ) *s* Páscoa.
Eas.y (i.zi) *adj* fácil; tranquilo; livre; feliz; plano.
Eat (it) *v* comer; mastigar; consumir; roer; nutrir-se; **to Eat supper:** jantar; *past* **Ate** *and pp* **Eaten**.
Eaves (ivs) *s* cornija; goteira; calha; beiral.
Ebb (éb) *s* maré baixa; vazante; refluxo; ruína; decadência; *v* refluir (a maré); decair; arruinar-se.
Eb.on.ics (i.bânics) *s* o Inglês dos jovens negros.
Eb.o.ny (é.boni) *s* ébano.
E.bri.e.ty (ibrái.iti) *s* embriaguez.
E.bul.lience (ibâ.liens) *s* ebulição; fervura; entusiasmo.
Ec.cen.tric (écsén.tric) *adj* excêntrico; extravagante; exótico; original.
Ec.cle.si.as.tes (écliziés.tis) *s* RELIG Eclesiastes.
Ec.cle.si.as.tic (écliziés.tic) *adj* eclesiástico; padre.
Ech.o (é.côu) *s* eco; *v* ecoar; ressoar; retumbar.
E.clipse (icli.ps) *s* obscuridade; sombra; *v* eclipsar; apagar; nublar; obscurecer.
E.clip.tic (iclip.tic) *s* eclíptica.
E.col.o.gy (icó.lodji) *s* ecologia.
Ec.o.nom.ic (iconó.mic) *adj* econômico; regrado; moderado; poupado.
E.con.o.mist (icó.nomist) *s* economista.
E.con.o.mize (icó.nomáiz) *v* economizar; poupar.
Ec.sta.sy (écst.tâssi) *s* êxtase; enlevo; arrebatamento.
Ec.to.plasm (éc.toplésm) *s* ectoplasma.
Ec.u.men.ic (éciumé.nic) *adj* ecumênico; universal; geral.
E.da.cious (idêi.xâs) *adj* voraz; devorador; glutão; ávido.
Ed.dy (é.di) *s* remoinho; ressaca; turbilhão; refluxo; *v* remoinhar.
E.den (i.den) *s* éden; paraíso.
Edge (édj) *s* fio; gume; borda; beira; ponta; extremidade; corte; orla; margem.
Edge.ways (édj.uêiz) *adv* lateralmente; de soslaio; do lado do gume.
Edg.y (é.dji) *adj* cortante; anguloso; irascível; nervoso; irritável.
Ed.i.ble (é.dibol) *s* comestível.
E.dict (i.dict) *s* édito; edital; decreto.
Ed.i.fice (é.difis) *s* edifício; casa; prédio.
Ed.i.fy (é.difái) *v* edificar; construir; instruir.
E.dile (i.dáil) *s* edil; vereador.
Ed.it (é.dit) *v* editar; publicar.
Ed.i.tor (é.ditâr) *s* editor; redator de uma publicação.
Ed.i.to.ri.al (éditôu.riâl) *adj* editorial.

Ed.i.tor.ship (é.ditârxip) *s* cargo e função de editor.
Ed.u.ca.ble (é.diucâbol) *adj* educável.
Ed.u.cate (é.diuquêit) *v* educar; criar; instruir; ensinar.
Ed.u.ca.tion (édiuquêi.xân) *s* educação; cultura.
Ed.u.ca.tive (é.diuquêitiv) *adj* educativo.
E.duce (idius) *v* deduzir; extrair; evocar; tirar.
E.duct (idâct) *s* produto; resultado.
Eel (il) *s* enguia.
Ee.ri.ness (i.rinés) *s* timidez; melancolia; pavor.
Ee.ry (i.ri) *adj* estranho; tímido; assustador.
Ef.fa.ble (é.fâbol) *adj* que ou o que pode ser dito; explicável.
Ef.face (efêis) *v* borrar; riscar; apagar.
Ef.fect (eféct) *s* efeito; ação; resultado; *v* efetuar; realizar; cumprir; consumar.
Ef.fec.tive (eféc.tiv) *adj* eficaz; eficiente.
Ef.fec.tu.ate (eféc.tiuêit) *v* efetuar; realizar.
Ef.fem.i.nate (efé.minêit) *v* efeminar.
Ef.fer.vesce (éfârvês) *v* efervescer; espumar; fermentar.
Ef.fer.ves.cent (éfârvé.sent) *adj* efervescente; espumoso.
Ef.fete (efit) *adj* impotente; estéril; cansado.
Ef.fi.ca.cious (éfiquêi.xâs) *adj* eficaz; forte; poderoso; salutar.
Ef.fi.ca.cy (éfiqué.citi) *s* eficácia, eficiência; energia.
Ef.fi.cien.cy (éf.xensi) *s* eficiência; eficácia; força; ação.
Ef.fi.cient (éfi.xent) *adj* eficiente; capaz; produtivo.
Ef.fi.gy (é.fidji) *s* efígie, imagem.
Ef.flo.resce (éflorés) *v* florescer; eflorescer.
Ef.flu.ence (é.fluens) *s* emanação; eflúvio; emissão.
Ef.flux (é.flâcs) *s* eflúvio; exalação; fluxo; derrame.
Ef.fort (é.fârt) *s* esforço; empenho.
Ef.fort.less (é.fârtlés) *adj* sem esforço.
Ef.front.er.y (efrân.târi) *s* descaramento; arrogância.
Ef.fulge (efâl.dj) *v* brilhar; efulgir; refulgir.
Ef.fuse (efiuz) *v* difundir; entornar; emanar; *adj* espalhado; derramado.
Ef.fu.sion (efiu.jân) *s* efusão; expansão; derramamento.
Eft (éft) *s* salamandra; lagartixa.
E. G. (i.dgi) *s* por exemplo, ABREV de **Exempli Gratia** (Latim).
Egg (ég) *s* ovo; óvulo; larva (bicho-da-seda); *v* misturar ou cobrir com ovos.
Egg.plant (ég.plâent) *s* berinjela; ENGL **Aubergine**.
E.go.ism (é.gôuizm) *s* egoísmo.
E.go.is.tic (égôuis.tic) *adj* egoístico.
E.go.tism (é.gôutizm) *s* egotismo; egoísmo.
E.gre.gious (igri.djâs) *adj* egrégio; ilustre.
E.gress (i.grés) *s* egressão; partida; saída.
E.gret (é.gret) *s* garça; pluma; penacho.
E.gyp.tian (idjip.xân) *adj* Egípcio.
Ei.der (ái.dâr) *s* ganso marinho; pato marinho.
Ei.do.lon (áidôu.lón) *s* espectro; fantasma.
Eight (êit) *adj* oito.
Eight.een (êitin) *adj* dezoito.
Eight.eenth (êitin.th) *adj* décimo-oitavo.
Eight.y (êi.ti) *adj* oitenta.
Ei.ther (i.dhâr) *adj* um de dois; um ou outro; ambos; qualquer; *pron* um ou outro; ambos; qualquer dos dois; *conj* ou; ora; também não.
E.jac.u.late (idjé.quiulêit) *v* ejacular; proferir.
E.ject (idjéct) *v* expelir; expulsar; evacuar.
E.jec.tion (idjéc.xân) *s* expulsão; exclusão; evacuação.
E.jec.tor (idjéc.târ) *s* ejetor; expulsor.
Eke (ic) *v* alongar; obter; suplementar; *adv* também; além do mais.
E.lab.o.rate (ilé.borêit) *v* elaborar; melhorar; trabalhar com esmero.
E.lab.o.rate.ly (ilé.boritli) *adv* primorosamente.
E.lapse (ilé.ps) *v* passar; decorrer; transcorrer.
E.las.tic (ilés.tic) *s* elástico; *adj* elástico.
E.las.tic.i.ty (élâsti.citi) *s* elasticidade.
E.late (ilêit) *v* exaltar; excitar; entusiasmar; glorificar; tornar vaidoso; *adj* exaltado; altivo.
E.la.tion (ilêi.xân) *s* exaltação; soberba; elevação.
El.bow (él.bôu) *s* o cúbito (o cotovelo); ângulo; braço; volta; canto; esquina; *v* cubitar (acotovelar).
Eld (éld) *s* antiguidade; velhice.
El.der (él.dâr) *s* primogênito; ancião; antepassado; o mais velho da mesma família; *adj* mais velho; mais antigo.
E.lect (iléct) *s* eleito; escolhido; preferido; *v* votar; eleger; nomear; escolher; preferir; *adj* eleito; escolhido.
E.lec.tion (iléc.xân) *s* eleição; votação; escolha.
E.lec.tive.ness (iléc.tivnés) *s* eletividade; elegibilidade.
E.lec.tor (iléc.târ) *s* eleitor; votante.
E.lec.to.rate (iléc.târit) *s* eleitorado.
E.lec.tric (ilé.tric) *adj* elétrico.
E.lec.tric.i.ty (iléctri.citi) *s* eletricidade.
E.lec.tri.fy (iléc.trifái) *v* eletrificar; eletrizar.
E.lec.tro.cute (iléc.troquiut) *v* eletrocutar.
El.e.gance (é.ligâns) *s* elegância; graça.
El.e.gant (é.ligânt) *adj* elegante; distinto.
El.e.gize (é.lidjáiz) *v* escrever elegias.
El.e.gy (é.lidji) *s* elegia.
El.e.ment (é.limént) *s* elemento; célula; átomo.
El.e.men.ta.ry (élimén.târi) *adj* elementar.
El.e.phant (é.lifânt) *s* elefante.
El.e.vate (é.livêit) *v* elevar; erguer; exaltar; alçar.
El.e.va.tor (é.livêitâr) *s* elevador; ENGL **Lift**.
E.lev.en (ilévn) *adj* onze.
E.lev.enth (ilévn.th) *adj* undécimo.
Elf (élf) *s* duende; gnomo.
Elf.ish (él.fixe) *adj* de duendes; relativo aos Elfos.
E.lic.i.ta.tion (ilissitêi.xân) *s* instigação; dedução; indução.
E.lide (iláid) *v* elidir; suprimir; refutar.
El.i.gi.bil.i.ty (élidjibi.liti) *s* elegibilidade.
El.i.gi.ble (é.lidjibol) *adj* elegível; preferível.

E.lim.i.nate (ili.minêit) *v* eliminar; suprimir; expulsar; banir; abstrair.
Elk (élc) *s* alce, espécie de animal mamífero.
Ell (él) *s* antiga medida de comprimento.
El.lip.sis (eli.psis) *s* GRAM elipse.
Elm (élm) *s* olmo; olmeiro.
El.o.cu.tion (éloquiu.xân) *s* elocução; declamação; expressão.
E.lon.gate (ilón.guêit) *v* alongar; alongar-se.
E.lope (ilôup) *v* evadir-se; escapar.
El.o.quence (é.locuéns) *s* eloquência.
El.o.quent (é.locuént) *adj* eloquente.
Else (éls) *adj* outro; adicional; *adv* além de.
Else.where (éls.huér) *adv* em outra parte; noutra parte.
E.lu.ci.date (iliu.sidêit) *v* elucidar; comentar; ilustrar.
E.lude (iliud) *v* iludir; fugir; enganar; evitar.
E.lu.sion (iliu.jân) *s* ilusão; engano; artifício.
E.lu.sive (ilu.siv) *adj* ilusório; enganador; esquivo.
E.lu.so.ry (iliu.sôuri) *adj* ilusório; ardiloso; fraudulento.
E.ma.ci.ate (imêi.xiêit) *v* emagrecer; murchar; extenuar.
E.ma.ci.a.tion (imêixiêi.xân) *s* emagrecimento.
Em.a.nate (é.mânêit) *v* emanar; exaltar; provir; proceder.
Em.a.na.tion (émânêi.xân) *s* emanação; proveniência.
E.man.ci.pate (imén.sipêit) *v* emancipar; libertar; livrar.
E.man.ci.pa.tion (iménsipêi.xân) *s* emancipação; alforria; libertação.
Em.balm (imbám) *v* embalsamar; conservar.
Em.balm.er (imbá.mâr) *s* embalsamador.
Em.balm.ment (imbám.ment) *s* embalsamamento.
Em.bank (imbénc) *v* represar; aterrar.
Em.bank.ment (imbenc.ment) *s* represa; dique; aterro.
Em.bar.go (embár.gôu) *s* embargo.
Em.bark (imbárc) *v* embarcar; arriscar-se.
Em.bar.ka.tion (embárquêi.xân) *s* embarque; embarcamento.
Em.bar.rass (embé.râs) *v* embaraçar; perturbar; estorvar; embaraçar-se.
Em.bar.rass.ment (embé.râsment) *s* embaraço; obstáculo; empecilho.
Em.bas.sy (em.bâssi) *s* embaixada.
Em.bay (embêi) *v* ancorar.
Em.bed (imbéd) *v* embutir; entalhar; encaixar.
Em.bel.lish (embé.líxe) *v* embelezar; enfeitar; adornar.
Em.ber (em.bâr) *s* brasa; tição aceso.
Em.bez.zle (embézol) *v* apropriar-se; usurpar; desviar.
Em.bit.ter (embi.târ) *v* amargar; azedar; amargurar.
Em.bit.ter.ment (embi.târment) *s* ato de tornar amargo.
Em.bla.zon (emblêizn) *v* adornar; ornar; celebrar.
Em.blem (ém.blém) *s* emblema; símbolo; insígnia; distintivo.
Em.bod.i.ment (embó.diment) *s* resumo; incorporação; agrupamento.
Em.bod.y (embó.di) *v* incorporar; juntar; corporificar.
Em.bold.en (émbôuldn) *v* animar; encorajar; estimular.
Em.bo.som (embu.zân) *v* pôr no seio; ocultar; esconder.
Em.boss (embós) *v* gravar; incrustrar; entalhar.
Em.boss.ment (embóss.ment) *s* relevo.
Em.bou.chure (embuxur) *s* bocal de um instrumento.
Em.bow.el (embáu.él) *v* desentranhar; encerrar; enterrar.
Em.bow.er (embáu.âr) *v* cobrir com folhagens; abrigar.
Em.brace (embrêis) *s* abraço; amplexo; *v* abraçar; abranger; abarcar; aceitar.
Em.bro.cate (ém.broquêit) *v* fomentar; MED, aplicar linimentos.
Em.bro.ca.tion (embroquêi.xân) *s* linimento; fomentação.
Em.broi.der (embrói.dâr) *v* bordar; enfeitar; esmaltar.
Em.broil (embróil) *v* embrulhar (no sentido de confundir; intrigar; embaraçar).
Em.bry.o (ém.briôu) *s* embrião; feto.
E.mend (iménd) *v* emendar; corrigir; retificar.
E.mend.a.ble (imén.dâbol) *adj* emendável; reparável; retificável; corrigível.
E.men.da.tion (iméndêi.xân) *s* emenda; correção.
Em.er.ald (é.marâld) *s* esmeralda; cor de esmeralda.
E.merge (imâr.dj) *v* emergir; surgir; elevar; aparecer; sair.
E.mer.gence (imâr.djéns) *s* emergência; aparição; emersão.
E.mer.gen.cy (imâr.djén.si) *s* emergência; acontecimento; conjuntura.
Em.er.y (é.mâri) *s* esmeril.
E.met.ic (imé.tic) *s* vomitório, produto medicinal que provoca vómito; *adj* emético.
Em.i.grant (é.migrént) *adj* emigrante; refugiado.
Em.i.grate (é.migrêit) *v* emigrar.
Em.i.nence (é.minéns) *s* elevação; altura; grandeza.
Em.i.nent (é.minént) *adj* eminente; ilustre; supremo.
Em.is.sa.ry (é.missâri) *s* emissário; mensageiro; espião; canal de esgoto (cano); *adj* enviado.
E.mis.sive (imi.siv) *adj* emissivo.
Emit (imit) *v* emitir; lançar; desprender; despedir.
Em.met (é.mit) *s* formiga.
E.mol.li.ent (imó.lient) *adj* emoliente.
E.mol.u.ment (imó.liument) *s* lucro; emolumento.
E.mo.tion (imôu.xân) *s* emoção; alvoroço; sensação.
E.mo.tion.al (imôu.xânâl) *adj* emocional; sentimental; impressionante.

E.mo.tive (imôu.tiv) *adj* emotivo; impressionável.
Em.pan.el (impé.nel) *v* inscrever um jurado.
Em.pha.sis (ém.fâssis) *s* ênfase; energia; realce; força.
Em.pha.size (ém.fâssáiz) *v* acentuar; salientar; carregar; dar ênfase; realçar.
Em.pire (ém.páir) *s* império.
Em.pir.ic (émpi.ric) *s* aquele que usa de métodos experimentais como fonte importante de conhecimento; *adj* empírico.
Em.ploy (emplói) *s* emprego; ocupação; negócio; ofício; cargo; *v* empregar; ocupar.
Em.ploy.a.ble (emplói.âbol) *adj* empregável.
Em.ploy.ee (emplóii) *s* empregado.
Em.ploy.er (emplói.âr) *s* empregador; patrão.
Em.ploy.ment (emplói.ment) *s* uso; emprego; função.
Emp.ti.ness (émp.tinés) *s* vazio; vácuo; nulidade.
Emp.ty (émp.ti) *v* esvaziar; despejar; *adj* vazio; oco; fútil; vão; inútil; nulo.
E.mu (imiu) *s* ema; avestruz australiano.
Em.u.late (é.miulêit) *v* emular; igualar; imitar.
Em.u.la.tion (émiulêi.xân) *s* emulação; estímulo; concorrência; rivalidade.
E.mul.sion (imâl.xân) *s* MED emulsão.
E.mul.sive (imâl.siv) *adj* emulsivo; de que se pode extrair óleo.
En.a.ble (enêibol) *v* habilitar; capacitar; possibilitar.
En.act (enéct) *v* estabelecer; decretar; executar.
En.am.el (ené.mel) *s* esmalte; adorno; *v* esmaltar.
En.am.or (ené.mâr) *v* enamorar; cativar; encantar.
En.am.ored (ené.mârd) *adj* enamorado; encantado.
En.cage (enquêi.dj) *v* engaiolar; enjaular; encarcerar.
En.camp (enquémp) *v* acampar.
En.case (enquêis) *v* encaixotar; encaixar; envolver.
En.cave (enquêiv) *v* esconder; encavernar.
En.ceinte (ânsént) *adj* prenhe; grávida.
En.chain (antxêin) *v* encadear; algemar; acorrentar.
En.chant (entxént) *v* encantar; seduzir; enfeitiçar.
En.chant.ment (entxént.ment) *s* magia; encantamento.
En.chant.ress (entxén.trés) *s* feiticeira.
En.chase (entxêis) *v* encaixar; incrustar; embutir.
En.cir.cle (ensârcol) *v* cercar; abraçar; envolver; rodear.
En.clasp (enclésp) *v* abrochar; conter; abarcar; abraçar.
En.close (enclôuz) *v* incluir; fechar; rodear; anexar.
En.clos.er (enclôu.zâr) *s* muro; valado; o que cerca.
En.clo.sure (inclôu.jur) *s* cercado; inclusão; recinto fechado; valado.
En.core (âncôur) *s* TEATR repetição; bis; *v* repetir; bisar.
En.count.er (encáun.târ) *v* encontrar; opor-se; atacar.
En.cour.age (encâ.ridj) *v* animar; fomentar; encorajar.
En.croach (encrôu.txe) *v* invadir; imiscuir-se; transgredir.
En.crust (encrâst) *v* entalhar; incrustar; embutir.
En.cum.ber (encâm.bâr) *v* estorvar; atrapalhar; embaraçar; onerar; endividar.
En.cyc.lic (ensi.clic) *s* Encíclica.
En.cy.clo.pe.di.a (ensáiclopi.diá) *s* enciclopédia.
En.cy.clo.pe.dic (ensáiclopi.dic) *adj* enciclopédico.
End (énd) *s* fim; termo; extremidade; alvo; resultado; *v* acabar; expirar; concluir; terminar.
En.dan.ger (endén.djâr) *v* comprometer; correr perigo; expor; arriscar; pôr em perigo.
En.dear (endir) *v* encarecer; apreciar; estimar.
En.dear.ment (endir.ment) *s* meiguice; afeto; ternura.
En.deav.or (endé.vâr) *v* esforçar-se; diligenciar; envidar esforços.
En.dive (en.div) *s* endívia; escarola; chicória.
End.most (énd.môust) *adj* o mais afastado.
En.dorse (indórs) *v* endossar; abonar; rubricar; autenticar.
En.forced (enfôurst) *adj* forçado; violentado.
En.fran.chise (enfrén.txáiz) *v* franquear; liberar; emancipar; conceder direitos civis.
En.gage (enguêi.dj) *v* empenhar; ocupar; comprometer-se; alistar; contratar; ficar noivo.
En.gage.ment (enguêi.djment) *s* ajuste; compromisso; noivado; contrato; MIL batalha.
En.gine (en.djin) *s* máquina; motor; locomotiva; engenho; força; ardil.
En.gi.neer (Endjinir) *s* engenheiro; mecânico.
En.gi.neer (endjinir) *v* executar; dirigir a execução de.
En.gland.er (in.glândâr) *s* inglês.
En.glish (in.glixe) *s* os Ingleses; a língua Inglesa; *v* inglesar; verter para o Inglês; *adj* inglês.
En.glish.man (ing.lixemên) *s* Inglês.
En.glut (englât) *v* engolir; saciar.
En.gorge (engór.dji) *v* devorar; engolir; abarrotar.
En.graft (engréft) *v* gravar; imprimir; enxertar.
En.grain (engrêin) *v* tingir de escarlate.
En.grave (engrêi.v) *v* gravar; burilar; entalhar; cinzelar.
En.gross (engrós) *v* engrossar; passar a limpo; absorver.
En.gulf (engâlf) *v* engolfar; afundar; imergir; tragar; abismar.
En.hance (en.héns) *v* aumentar; elevar; melhorar.
E.nig.ma (inig.mâ) *s* enigma; mistério.
En.join (endjóin) *v* prescrever; ordenar; intimidar; impor; encarregar; proibir; *v* gozar de.
En.joy.ment (endjói.ment) *s* gozo; prazer; divertimento.
En.kin.dle (enquindol) *v* acender; inflamar; atear.
En.lace (enlêis) *v* enlaçar; entrelaçar.
En.large (enlár.dj) *v* aumentar; alargar; ampliar; engrandecer; dilatar.
En.larg.er (enlár.djâr) *s* ampliador.

En.light.en (enláiten) *v* esclarecer; informar; instruir.
En.light.en.ment (enláiten.ment) *s* cultura; ilustração; iluminação.
En.link (enlinc) *v* ligar; acorrentar.
En.list (enlist) *v* alistar-se; recrutar; inscrever; atrair.
En.list.ment (enláitn.ment) *s* alistamento; recrutamento.
En.liv.en (enláiven) *v* animar; alentar; avivar; excitar.
En.mesh (enmé.xe) *v* emaranhar; confundir.
En.mity (é.miti) *s* inimizade; repugnância; antipatia.
En.nui (aniúi) *s* tédio; enfado; fastio; aborrecimento.
E.nor.mi.ty (inór.miti) *s* enormidade; demasia; excesso.
E.nor.mous (inór.mâs) *adj* enorme; nefando; excessivo; cruel; atroz; perverso.
E.nough (inâf) *adj* suficiente; necessário; *adv* suficientemente; bastante.
E.nounce (ináuns) *v* enunciar; declarar; exprimir.
En.quire (incuái.âr) *v* inquirir; perguntar; informar-se.
En.quir.y (incuái.âri) *s* indagação; exame; sindicância.
En.rage (enrrêi.dj) *v* enraivecer; enfurecer; irritar.
En.rap.ture (enrrép.tiur) *v* extasiar; arrebatar.
En.rich (enri.txe) *v* enriquecer; adornar; fertilizar.
En.rol (anrrôul) *v* registrar; catalogar; inscrever.
En.rol.ment (enrrôul.ment) *s* registro; inscrição; matrícula; alistamento.
En.root (enrrut) *v* enraizar.
Ens (enz) *s* ente; ser; tudo o que existe.
En.sconce (encóns) *v* cobrir; encobrir; ocultar; envolver.
En.sem.ble (ansámbol) *s* conjunto; grupo; totalidade.
En.shroud (enxeráud) *v* amortalhar; cobrir; encobrir.
En.sign (én.sáin) *s* insígnia, emblema, distintivo.
En.sign.cy (en.sáinsi) *s* porta-bandeira.
En.slave (enslêi.v) *v* escravizar; subjugar; avassalar.
En.snare (ensnér) *v* enganar; enlaçar; enredar.
En.sue (ensiu) *v* seguir-se; resultar; advir, sobrevir.
En.sure (enxur) *v* segurar; pôr no seguro.
En.tail (entêil) *s* vínculo; herança; *v* implicar; envolver.
En.tan.gle (enténgol) *v* envolver; arrastar; embaraçar.
En.tan.gle.ment (enténgol.ment) *s* enredo; embaraço; confusão.
En.ter (én.târ) *v* entrar; lançar; ingressar; registrar.
En.ter.ing (én.târin) *s* entrada; admissão.
En.ter.prise (én.târpráiz) *s* empresa.
En.ter.tain (entârtêin) *v* entreter; divertir; manter.
En.ter.tain.ment (entârtêin.ment) *s* entretenimento; recepção.
En.thral (enthról) *v* dominar; sujeitar; escravizar.
En.thral.ment (enthról.ment) *s* domínio, cativeiro; escravidão; submissão.
En.throne (enthrôun) *v* entronizar, elevar ao trono.
En.thuse (enthiuz) *v* entusiasmar; entusiasmar-se; encorajar.
En.thu.si.asm (enthiu.ziézm) *s* entusiasmo; fervor.
En.tice (entáis) *v* incitar; tentar; corromper; seduzir.
En.tire (entái.âr) *adj* inteiro; todo; fiel; íntegro.
En.ti.tle (entáitol.) *v* intitular; dar direito a; ter direito a.
En.ti.ty (én.titi) *s* entidade; ser; ente.
En.tomb (entum) *v* enterrar; sepultar.
En.tomb.ment (entum.ment) *s* funeral; sepultamento; enterro.
En.tou.rage (anturáj) *s* meio ambiente; companhia; roda.
En.trails (ént.rêils) *s* entranhas; tripas; intestinos.
En.trance (entréns) *s* entrada; ingresso; vestíbulo; entrada alfandegária; *v* fascinar; extasiar; encantar.
En.trant (én.trânt) *adj* noviço; principiante.
En.trap (entrép) *v* surpreender; apanhar no laço.
En.treat (entrit) *v* rogar; implorar; pedir; solicitar.
En.treat.y (entri.ti) *s* súplica; pedido; rogo; solicitação.
En.trench (entrén.txe) *v* entrincheirar; transpassar; invadir; penetrar.
En.tre.pôt (antrâpôu) *s* entreposto; empório.
En.trust (entrâst) *v* incumbir; depositar; encarregar.
En.twine (entuáin) *v* enlaçar; enroscar; entrelaçar.
En.twist (entuist) *v* torcer; rodear; cercar; *also* Intwist.
E.nu.mer.ate (iniu.mâreit) *v* enumerar; detalhar; pormenorizar; especificar.
E.nun.ci.ate (inân.siêit) *v* pronunciar; enunciar; expor.
En.ure (iniur) *v* entrar em operação; estar disponível.
En.vel.op (envé.lâp) *v* envolver; cobrir; ocultar.
En.vel.ope (in.vilôup) *s* envoltório; sobrecarta; invólucro.
En.venom (envé.nâm) *v* envenenar; irritar; perverter.
En.vi.a.ble (én.viâbol) *adj* invejável; cobiçável.
En.vi.ous (én.viâs) *adj* invejoso; malicioso; cobiçoso.
En.vi.ron (envái.rân) *v* cercar; rodear; sitiar.
En.vi.ron.ment (envái.rânment) *s* meio ambiente.
En.vi.rons (envái.râns) *s* arredores; arrabaldes; cercanias.
En.vis.age (envi.zidj) *v* contemplar; fitar; refletir.
En.voy (én.vói) *s* enviado; emissário; embaixador.
En.vy (én.vi) *s* inveja; cobiça; rivalidade; ciúme; *v* invejar.
En.wrap (en.rép) *v* envolver; arrebatar; enrolar; embrulhar.
En.wreathe (enri.dh) *v* engrinaldar, enfeitar com grinaldas.
E.phem.er.on (ifé.mâras) *adj* efêmero.
Eph.od (é.fód) *s* veste sacerdotal judaica.
Ep.ic (é.pic) *s* poema épico; epopeia; *adj* épico.
Ep.i.cene (é.pissin) *adj* GRAM epiceno, que é comum de dois gêneros.
Ep.i.dem.ic (épidé.mic) *adj* epidêmico; contagioso.

Ep.i.der.mic (épidâr.mic) *adj* epidérmico (relativo a pele).
Ep.i.der.mis (épidâr.mis) *s* epiderme.
Ep.i.graph (é.pigréf) *s* epígrafe; inscrição; epitáfio.
Ep.i.lep.sy (é.pilépssi) *s* MED epilepsia.
Ep.i.logue (é.pilóg) *s* epílogo; conclusão.
E.piph.a.ny (ipi.fâni) *s* epifania.
E.pis.co.pate (ipis.copit) *s* episcopado; bispado.
Ep.i.sode (é.pisôud) *s* episódio; ocorrência.
E.pis.tle (ipisol) *s* epístola; carta; missiva.
Ep.i.taph (é.pitéf) *s* epitáfio (elogio fúnebre).
Ep.i.thet (é.pithét) *s* epíteto; cognome.
E.pit.o.me (ipi.tomi) *s* resumo; epítome; compêndio.
E.pit.o.mize (ipi.tomáiz) *v* resumir; abreviar; sintetizar.
Ep.och (é.pâc) *s* época; era.
Ep.o.pee (épopi) *s* epopeia.
Eq.ua.bil.i.ty (icuâbi.liti) *s* equabilidade; igualdade; uniformidade.
Eq.ua.ble (é.cuâbol) *adj* igual; uniforme.
Eq.ua.bly (i.cuâbli) *adv* igualmente; uniformemente.
E.qual (i.cuâl) *s* igual; par; *v* igualar; nivelar-se; *adj* igual; semelhante; uniforme.
E.qual.ize (i.cuâláiz) *v* igualar; uniformizar.
E.qual.ly (i.cuâli) *adv* igualmente; uniformemente; imparcialmente.
E.quan.i.mous (icuâ.nimâs) *adj* moderado; equânime.
E.quate (i.cueit) *v* igualar; uniformizar; tornar equivalente.
E.qua.tion (icuêi.xân) *s* equação.
Eq.uer.ry (é.cuâri) *s* escudeiro; camarista; cavalariço.
E.ques.tri.an (icués.triân) *adj* equestre.
E.qui.lat.er.al (icuilé.târâl) *adj* equilateral, que tem lados iguais.
E.qui.li.brate (icuilái.brêit) *v* equilibrar.
E.quil.i.brist (icui.librist) *s* equilibrista.
E.quine (i.cuáin) *adj* cavalar; hípico; equino.
E.qui.noc.tial (icuinóc.xâl) *s* linha do equinócio.
E.qui.nox (i.cuinócs) *s* ASTR Equinócio.
E.quip (icuip) *v* equipar; abastecer; aparelhar.
Eq.ui.page (é.cuipidj) *s* equipagem; equipamento; comitiva; tripulação.
E.quip.ment (icuip.ment) *s* equipamento; armamento; arreios.
E.qui.poise (i.cuipóis) *s* equilíbrio; contrapeso.
Eq.ui.ta.ble (é.cuitâbol) *adj* equitativo.
Eq.ui.ta.tion (écuitêi.xân) *s* equitação; competição a cavalo.
Eq.ui.ty (é.cuiti) *s* equidade; justiça; retidão.
E.quiv.o.cate (icui.voquêit) *v* sofismar; equivocar-se; mentir.
Eq.ui.voke (é.cuivôuc) *s* equívoco; trocadilho; sofisma.
E.ra (i.râ) *s* era; período; época; idade.
E.ra.di.ate (irrâ.diêit) *v* irradiar.
E.rad.i.ca.ble (irrâ.dicâbol) *adj* erradicável; extirpável; arrancável.
E.rad.i.cate (irrâ.diquêit) *v* erradicar; extirpar; desarraigar; arrancar; suprimir.
E.ras.a.ble (irrêi.sâbol) *adj* delével; deletável.
E.rase (irrêis) *v* apagar; raspar; destruir; deletar.
E.ras.er (irrêi.sâr) *s* raspador; apagador; raspadeira.
E.ra.sion (irrêi.jân) *s* rasura; raspadura.
Ere (ér) *prep* antes de; antes que.
E.rect (iréct) *v* erigir; erguer; edificar; construir.
E.rec.tile (iréc.táil ou iréc.til) *adj* erétil, que pode obter ereção.
E.rect.ness (iréct.nés) *s* ereção; postura a prumo.
Er.go (âr.gôu) *adv* logo; portanto; por conseguinte.
E.rode (irôud) *v* roer; comer; corroer.
E.rot.ic (iró.tic) *adj* erótico; lascivo; libidinoso; sensual.
Err (âr) *v* errar; enganar-se; pecar.
Er.rand (é.rând) *s* recado; mensagem; diligência.
Er.rant (é.rânt) *adj* errante; nômade; vagabundo.
Er.rant.ry (é.rântri) *s* vida nômade; vida errante.
Er.rat.ic (iré.tic) *adj* errático; irregular.
Er.ro.ne.ous (irôu.niâs) *adj* errôneo; irregular; errado.
Er.ror (é.râr) *s* erro; falta; equívoco; engano.
Erst (ârst) *adv* outrora; antes; em outro tempo.
Er.u.bes.cence (érubé.sensi) *s* vermelhidão; enrubescimento; avermelhamento.
Er.u.bes.cent (érubé.sent) *adj* ruborizado; corado.
E.ruc.tate (irâc.têit) *v* arrotar.
Er.u.dite (é.riudáit) *adj* erudito; culto; instruído; sábio.
E.ru.gi.nous (irâ.djinâs) *adj* eruginoso; enferrujado.
E.rupt (irâpt) *v* emergir; irromper; sair com força.
E.rup.tive (irâp.tiv) *adj* eruptivo.
Es.ca.lade (éscâlêid) *s* escalada; *v* escalar.
Es.ca.pade (és.câpêid) *s* escapada; fuga; descuido; erro; travessura.
Es.cape (isquêip) *s* evasão; escapamento; fugida; fuga; *v* escapar; escoar; evitar; iludir; fugir; evadir-se.
Es.cape.ment (isquêip.ment) *s* escapamento; escape.
Es.carp (iscârp) *v* escarpar.
Es.carp.ment (iscár.pment) *s* escarpa; rampa escarpada.
Es.cha.tol.o.gy (éscâtó.lodji) *s* RELIG Escatologia.
Es.cheat (éstxit) *v* confiscar; reverter ao estado.
Es.chew (éstxu) *v* evitar; renunciar a; fugir de.
Es.cort (escórt) *s* escolta; comboio; acompanhamento; proteção; *v* escoltar.
E.soph.a.gus (issó.fâgâs) *s* MED esôfago.
Es.o.ter.ic (éssoté.ric) *adj* esotérico; confidencial.
Es.pe.cial (espé.xâl) *adj* especial; particular; notável.
Es.pe.cial.ly (espé.xâli) *adv* especialmente; particularmente.
Es.pe.ran.to (espérán.tôu) *s* Esperanto.
Es.pi.al (espái.âl) *s* espionagem; descoberta.
Es.pi.o.nage (és.pionidj) *s* espionagem.
Es.pou.sal (espáu.zâl) *s* esponsais; defesa de uma causa.

Es.pouse (espáus) *v* abraçar; desposar; defender; casar.
Es.prit (espri) *s* espírito; graça.
Es.py (ispái) *v* avistar; espionar; espiar.
Es.quire (és.cuáir) *s* escudeiro; título de cortesia (Ilmo. Sr.).
Es.say (éssêi) *s* ensaio literário; tentativa; esforço; prova; experiência; *v* ensaiar; tentar; provar; experimentar.
Es.sence (é.sens) *s* essência; perfume; substância.
Es.tab.lish (esté.blixe) *v* estabelecer; criar; fixar.
Es.tab.lish.ment (esté.blixement) *s* lei; fundação; estabelecimento.
Es.tate (istêit) *s* estado; condição; bens; classe; posição.
Es.teem (estim) *s* estima; apreço; *v* avaliar; considerar.
Es.ti.mate (és.timit) *s* avaliação; opinião; orçamento; cômputo; crédito; verba; *v* avaliar; calcular; estimar.
Es.top (istóp) *v* JUR impedir; proibir; embargar.
Es.top.page (estó.pidj) *s* JUR embargo; impedimento.
Es.trange (éstren.dj) *v* alienar; separar.
Es.trange.ment (éstrendj.ment) *s* aversão.
Es.tu.a.ry (és.txuéri) *s* estuário; esteiro.
Etch (étxe) *v* gravar; delinear; traçar.
E.ter.nal (itâr.nâl) *adj* eterno; perpétuo; imortal; perene.
E.ter.ni.ty (itâr.niti) *s* eternidade.
E.ter.nize (itâr.náiz) *v* imortalizar; eternizar; perpetuar.
E.ther (ithâr) *s* QUIM éter.
Eth.ics (é.thics) *s* FIL ética.
Eth.nic (éth.nic) *adj* étnico (concernente ao povo, à raça).
Eth.nog.ra.phy (éthnó.grâfi) *s* etnografia.
Eth.nol.o.gy (éthnó.lodji) *s* etnologia.
Eu.ca.lyp.tus (iucâlip.tâs) *s* eucalipto.
Eu.cha.rist (iu.cârist) *s* Eucaristia.
Eu.cha.ris.tic (iucâris.tic) *adj* Eucarístico.
Eu.gen.ics (iudjé.nics) *s* eugenia.
Eu.lo.gize (iu.lodjáiz) *v* elogiar; louvar.
Eu.lo.gy (iu.lodji) *s* elogio; louvor; encômio.
Eu.nuch (iu.nâc) *s* eunuco, escravo (castrado) que vigiava os haréns.
Eu.phe.mize (iu.fimáiz) *v* FON suavizar pelo uso do Eufemismo.
Eu.phon.ic (iufó.nic) *adj* eufônico (que tem som agradável, melodioso).
Eu.ro.pe.an (iuropi.ân) *adj* europeu.
E.vac.u.ate (evé.quiuêit) *v* evacuar; anular; esvaziar.
E.vade (evêid) *v* escapar; evitar; fugir; evadir-se.
E.vad.er (evêi.dâr) *s* foragido; fugitivo.
E.val.u.ate (evé.liuéit) *v* avaliar; calcular.
Ev.a.nesce (évânés) *v* desaparecer; desmaiar.
Ev.a.nes.cence (evâne.ssens) *s* esvaecimento; desaparecimento; dissipação.
E.van.gel (evén.djel) *s* RELIG Evangelho (Boa Nova).
Ev.an.gel.ic (ivendjé.lic) *s* Evangélico; *adj* Evangélico.
Ev.an.gel.i.cal (ivendjé.licâl) *examine* ⇒ Evangelic.
E.van.gel.ize (ivén.djiláiz) *v* evangelizar; apostolar; converter ao Cristianismo.
E.van.ish (evé.nixe) *v* desvanecer-se; desaparecer.
E.vap.o.rate (evé.porêit) *v* evaporar-se; dissipar; desaparecer.
E.va.sion (evêi.jân) *s* evasão; desculpa; evasiva.
E.va.sive (ivêi.siv) *adj* evasivo; ilusório.
Eve (iv) *s* véspera.
E.ven (ivn) *v* igualar; aplainar; nivelar; uniformizar; emparelhar; equilibrar; *adj* plano; igual; semelhante; *adv* igualmente; até mesmo; até.
Eve.ning (iv.nin) *s* o anoitecer; noite; tarde; o crepúsculo; *adj* vespertino.
E.ven.ly (i.venli) *adv* plenamente; uniformemente; imparcialmente.
E.vent (ivént) *s* acontecimento; êxito; eventualidade.
E.ven.tide (ivn.táid) *s* o anoitecer; o crepúsculo.
E.ven.tu.al.i.ty (ivéntxué.liti) *s* eventualidade.
E.ven.tu.al.ly (i.véntxuéli) *adv* consequentemente; finalmente.
E.ven.tu.ate (ivén.tiuêit) *v* acontecer.
E.ven.tu.a.tion (ivéntiuêi.xân) *s* resultado; consequência.
Ev.er (é.vâr) *adv* sempre; já; algum dia; eternamente.
Ev.er.last.ing (évârlás.tin) *adj* eterno; perpétuo; durável; perdurável; imortal.
Ev.er.more (évâr.môur) *adv* para sempre; eternamente.
E.ver.sion (evâr.xân) *s* aversão; ruína; transtorno.
E.vert (ivârt) *v* subverter; destruir; revirar.
Eve.ry (é.vri) *adj* cada; cada um; todo; todos; toda; todas.
Eve.ry.bod.y (é.vribódi) *pron* toda a gente; todo mundo.
Eve.ry.day (évridei) *adj* diário; usual; cotidiano; comum.
Eve.ry.one (é.vriuân) *pron* cada um; todos; cada qual.
Eve.ry.thing (é.vrithin) *pron* tudo.
Eve.ry.where (é.vri.huêr) *adv* em toda parte; por toda parte; em qualquer lugar.
E.vict (evict) *v* desapossar; desalojar; usurpar; excluir.
Ev.i.dence (é.videns) *s* evidência; prova; declaração; testemunho; depoimento; *v* provar; atestar; testemunhar; evidenciar; justificar.
Ev.i.dent (é.vidént) *adj* notório; claro; óbvio; patente.
Ev.i.dent.ly (évidén.tli) *adv* evidentemente; inegavelmente; obviamente.
E.vil (ivol) *adj* mau; perverso; prejudicial.
E.vil.ly (i.vli) *adv* mal.
E.vil.ness (ivol.nés) *s* perversidade; maldade.
E.vince (evins) *v* provar; mostrar; revelar; manifestar.
Ev.i.ta.ble (é.vitâbol) *adj* evitável.

Ev.o.ca.tion (évoquei.xân) *s* evocação; apelação; intimação.
E.voke (i.vouc) *v* evocar; citar; avocar.
Ev.o.lu.tion (évoliu.xân) *s* evolução; sequência; desenvolvimento; crescimento.
E.volve (evól.v) *v* desenrolar-se; abrir-se; desprender-se.
E.vul.sion (evâl.xân) *s* evulsão; extração; arrancamento.
Ewe (iu) *s* ovelha.

Ew.er (iu.âr) *s* bilha; jarro.
Ex.ac.er.bate (égza.sârbêit) *v* exacerbar; exasperar; irritar; agravar.
Ex.ac.er.ba.tion (égzasârbêi.xân) *s* exacerbação; irritação; provocação.
Ex.act (égzáct) *v* exigir pagamento total; obrigar; impor; requerer; extorquir; *adj* exato.
Ex.ac.tion (égzé.xân) *s* extorsão; exigência; cobrança.
Ex.act.ly (égzéc.tli) *adv* exatamente; precisamente; justamente.
Ex.ag.ger.ate (egzé.djârêit) *v* exagerar; exaltar; magnificar; ampliar; engrandecer.
Ex.ag.ger.a.tive (égzé.djârâtiv) *adj* em que há exagero; exagerado.
Ex.alt (égzólt) *v* exaltar; louvar; elevar; enaltecer.
Ex.al.ta.tion (égzóltêi.xân) *s* exaltação; glorificação; engrandecimento.
Ex.am (egzam) *s* POP exame.
Ex.am.i.na.tion (égzéminêi.xân) *s* exame; inquérito; pesquisa; investigação; análise.
Ex.am.ine (égzé.min) *v* analisar; examinar; interrogar.
Ex.am.i.nee (égzémini) *s* examinando.
Ex.am.in.er (égzé.minâr) *s* examinador; analisador; investigador; analista.
Ex.am.ple (égzémpol) *s* exemplo; cópia; modelo; amostra; *v* exemplificar.
Ex.as.per.ate (égzés.pârêit) *v* exasperar; exasperar-se; irritar; agravar; exacerbar.
Ex.ca.vate (écs.câvêit) *v* escavar; cavar; tornar oco.
Ex.ceed (écsid) *v* exceder; sobrepujar; sobressair.
Ex.ceed.ing (écsi.din) *adj* excedente; excessivo.
Ex.cel (écsél) *v* exceder; sobrepujar; superar; avantajar.
Ex.cel.lence (éc.seléns) *s* excelência; eminência.
Ex.cel.lent (éc.selént) *adj* excelente; primoroso; ótimo.
Ex.cept (écsépt) *v* excetuar; opor-se; excluir; isentar; omitir; recusar; *prep* exceto; afora; *conj* a menos que; salvo; a não ser que.
Ex.cep.tion (écsép.xân) *s* exceção; recusa; exclusão.
Ex.cerpt (écsârpt) *s* excerto; extrato; transcrição; seleção; resumo; *v* escolher.
Ex.cess (écsés) *s* excesso; transgressão; demasia.
Ex.ces.sive (écsé.siv) *adj* excessivo; demasiado; imoderado; redundante.
Ex.change (écstxén.dj) *s* troca; ágio; permuta; câmbio; *v* permutar; trocar.
Ex.change.a.bil.i.ty (écstxéndjâbi.liti) *s* permutabilidade.
Ex.cheq.uer (écstshé.câr) *s* erário; fundos; tesouro público.
Ex.cise (écsáiz) *v* cortar; extirpar; taxar.
Ex.ci.sion (écsi.jân) *s* excisão; corte; destruição.
Ex.cit.a.bil.i.ty (écsáitâbi.liti) *s* excitabilidade.
Ex.cit.a.ble (écsái.tâbol) *adj* excitável.
Ex.ci.tant (écsi.tânt) *s* estimulante; excitante; *adj* excitante.
Ex.cite (écsáit) *v* excitar; provocar; estimular; incitar.
Ex.cit.ing (écsái.tin) *adj* excitante; emocionante; estimulante.
Ex.claim (écsclêim) *v* exclamar; gritar; bradar.
Ex.cla.ma.tion (écsclâmêi.xân) *s* exclamação.
Ex.clude (écsclud) *v* excluir; excetuar; rejeitar; afastar.
Ex.clu.sion (écsclu.jân) *s* exclusão; expulsão; repulsa.
Ex.clu.sive (écsclu.siv) *adj* exclusivo; seleto; restrito.
Ex.com.mu.ni.cate (écscómiu.niquêit) *v* excomungar; anatematizar.
Ex.cre.ment (écs.crimént) *s* excremento; resíduos fecais.
Ex.cres.cence (écscré.sens) *s* demasia; excrescência; saliência; superfluidade.
Ex.crete (écscrit) *v* excretar; evacuar.
Ex.cre.tion (écscri.xân) *s* excreção; evacuação.
Ex.cru.ci.ate (écscru.xiêit) *v* torturar; excruciar; afligir.
Ex.cul.pate (écscâl.peit) *v* desculpar; perdoar; justificar.
Ex.cur.rent (écscâ.rént) *adj* que corre para fora.
Ex.cur.sion (écscâr.xân) *s* excursão; passeio; romaria.
Ex.cus.a.ble (écsquiu.zâbol) *adj* escusável; justificável; desculpável.
Ex.cuse (écsciuz) *s* escusa; apologia; desculpa; *v* escusar; isentar; desculpar.
Ex.e.crate (éc.sicrêit) *v* execrar; detestar; abominar.
Ex.e.cra.tion (écsicrêi.xân) *s* execração.
Ex.e.cute (éc.siquiut) *v* executar; cumprir; realizar; justiçar; matar; efetuar.
Ex.ec.u.tive (éczé.quiutiv) *adj* executivo; funcionário categorizado.
Ex.em.plar (égzém.plâr) *s* exemplar; cópia; modelo.
Ex.em.pla.ry (ég.zemplâri) *adj* exemplar; modelar.
Ex.em.pli.fy (égzém.plifái) *v* declarar; exemplificar; autenticar; ilustrar; transladar.
Ex.empt (égzémpt) *v* isentar; dispensar; eximir; desobrigar; *adj* livre; isento; desobrigado.
Ex.emp.tion (égzémp.xân) *s* isenção; dispensa; imunidade; privilégio.
Ex.er.cise (éc.sârsáiz) *s* ensaio; função; prática; uso; atividade; exercício (físico); manobra militar; exercício; *v* exercitar; exercer; praticar.
Ex.ert (égzârt) *v* exercer; apurar-se; pôr em ação.

Ex.fo.li.ate (écsfôu.liêit) *v* esfoliar; descascar; desfolhar.
Ex.ha.lant (écs.hêi.lânt) *s* exalante; exalador.
Ex.ha.la.tion (écs.hâlêi.xân) *s* vapor; exalação; emanação.
Ex.hale (écs.hêil) *v* exalar; dissipar-se; soltar; emitir.
Ex.haust (ég.zost) *v* esgotar; exaurir; debilitar.
Ex.haust.ing (égzós.tin) *adj* extenuante; exaustivo; fatigante.
Ex.haus.tion (égzóst.xân) *s* exaustão; esvaziamento; esgotamento.
Ex.haus.tive (égzós.tiv) *adj* exaustivo.
Ex.hib.it (égz.bit) *s* exposição; *show*; JUR documento; escritura; *v* exibir; patentear; mostrar.
Ex.hib.i.tive (égzbi.tiv) *adj* que se pode exibir; representativo.
Ex.hil.a.rant (égzi.lârânt) *adj* hilariante; divertido.
Ex.hil.a.rate (égzi.lârêit) *v* regozijar; alegrar; recrear.
Ex.hil.a.ra.tion (égzilârêi.xân) *s* alegria; jovialidade; animação; hilaridade; regozijo.
Ex.hort (égzórt) *v* exortar; aconselhar; incitar; animar.
Ex.hu.ma.tion (écs.hiumêi.xân) *s* exumação; desenterramento.
Ex.hume (écs.hium) *v* exumar; desenterrar.
Ex.i.gence (éc.sidjéns) *s* apuro; aperto; exigência; urgência; emergência.
Ex.i.gen.cy (éc.sidjénsi) *s also* **Exigence**.
Ex.i.gi.ble (écsi.djibol) *adj* exigente; premente.
Ex.i.gu.i.ty (éziguiu.iti) *s* exiguidade; pequenez; carência; escassez.
Ex.ig.u.ous (égzi.guiuâs) *adj* exíguo; escasso; estreito.
Ex.ile (éc.sáil) *s* exílio; desterro; expatriação; *v* exilar.
Ex.ist (égzist) *v* existir; subsistir; viver.
Ex.is.tence (egzis.téns) *s* existência; ser; vida; ente.
Ex.is.tent (égzis.tént) *adj* existente.
Ex.it (éc.sit) *s* saída; partida; morte; *v* sair.
Exodus (éc.sodâs) *s* êxodo.
Ex.on.er.ate (égzó.nârêit) *v* isentar; exonerar; absolver.
Ex.or.bi.tan.cy (égzór.bitânsi) *examine* ⇒ **Exorbitance**.
Ex.or.bi.tant (égzór.bitânt) *adj* exorbitante; excessivo; demasiado; exagerado.
Ex.or.cise (éc.sórsáiz) *v* exorcizar; esconjurar.
Ex.or.cism (éc.sórcizm) *s* exorcismo; esconjuro.
Ex.or.di.um (égzór.diâm) *s* exórdio, introdução a um discurso; preâmbulo.
Ex.o.ter.ic (écsoté.ric) *adj* exotérico; comum; vulgar.
Ex.o.ter.i.cal (écsoté.ricâl) *examine* ⇒ **Exoteric**.
Ex.ot.ic (écsó.tic) *adj* exótico; estranho; incomum.
Ex.pand (écspénd) *v* expandir; dilatar; difundir.
Ex.panse (écspéns) *s* expansão; dilatação; extensão.
Ex.pa.tri.ate (écspêi.triêit) *v* expatriar-se; exilar; banir.
Ex.pect (écspé.ct) *v* contar com; supor; esperar.
Ex.pe.di.ence (écspi.diéns) *s* aptidão; expediência; conveniência; vantagem.
Ex.pe.di.en.cy (écspi.diénsi) *examine* ⇒ **Expedience**.
Ex.pe.di.ent (écspi.diént) *s* expediente; meio; *adj* útil; apto; oportuno.
Ex.pe.di.tion (écspidi.xân) *s* expedição; despacho; diligência; pressa.
Ex.pel (écspél) *v* expelir; excluir; banir; expulsar.
Ex.pend (écspénd) *v* despender; gastar; empregar.
Ex.pense (écspéns) *s* despesa; dispêndio; gasto.
Ex.pe.ri.ence (écspi.riéns) *s* experiência; prova; perícia; prática; tentativa; ensaio; *v* provar; experimentar.
Ex.per.i.ment (écspé.rimént) *v* ensaiar; experimentar.
Ex.per.i.men.ta.tion (écspériméntêi.xân) *s* tentativa; prova; ensaio.
Ex.pert (écspârt) *s* perito; técnico; especialista; *adj* perito; destro; técnico.
Ex.pert.ly (écspâr.tli) *adv* habilmente.
Ex.pi.a.ble (écs.piâbol) *adj* expiável.
Ex.pi.ate (écs.piêit) *v* expiar; pagar.
Ex.pi.a.to.ry (écs.piâtôuri) *adj* expiatório.
Ex.pire (écspáir) *v* expirar; exalar; cessar; morrer.
Ex.pir.ing (écspái.rin) *adj* expirante; moribundo.
Ex.pi.ry (écspái.ri) *s* expiração; fim.
Ex.plain (écsplêin) *v* explanar; explicar; esclarecer.
Ex.pla.na.tion (écsplânêi.xân) *s* explanação; explicação; exposição.
Ex.pli.cate (écs.pliquêit) *v* explicar; esclarecer; interpretar.
Ex.pli.ca.tion (écspliquêi.xân) *s* explicação; exposição; esclarecimento.
Ex.plic.it (écspli.sit) *adj* explícito; claro; formal.
Ex.plode (écsplôud) *v* explodir; expelir; expulsar.
Ex.ploit (écsplóit) *s* façanha; proeza; *v* pormenorizar; explorar; aproveitar-se.
Ex.plo.ra.tion (écsplorêi.xân) *s* exploração; pesquisa; investigação.
Ex.plore (écsplór) *v* explorar; sondar; pesquisar; investigar.
Ex.plor.er (écspló.râr) *s* explorador; pesquisador.
Ex.plo.sion (écsplôu.jân) *s* explosão; estouro; detonação.
Ex.plo.sive (écsplôu.siv) *s* explosivo; *adj* explosivo.
Ex.po.nent (écspôu.nént) *s* expoente; expositor; intérprete.
Ex.po.nen.tial (écspôunén.xâl) *adj* MAT exponencial.
Ex.port (écspórt) *s* exportação; *v* exportar.
Ex.port.er (écspór.târ) *s* exportador.
Ex.pose (écspôuz) *v* expor; confundir.
Ex.po.sure (écspôu.jur) *s* exposição; orientação; escândalo; revelação.
Ex.pound (écspáund) *v* expor; explicar; interpretar.
Ex.press (écsprés) *s* expresso; carta; mensagem; mensageiro; correio; *v* exprimir; declarar; expressar; manifestar.

Ex.pres.sive (écspré.siv) *adj* expressivo; significativo.
Ex.pro.pri.ate (écsprôu.priêit) *v* alienar; expropriar; desapropriar.
Ex.pul.sion (écspâl.xân) *s* expulsão.
Ex.pur.gate (écs.pârguêit) *v* expurgar; emendar; limpar.
Ex.qui.site (écs.cuizit) *adj* primoroso; excessivo; delicado; raro; refinado; agudo.
Ex.qui.site.ly (écs.cuizitli) *adv* primorosamente; perfeitamente.
Ex.qui.site.ness (écs.cuizitnés) *s* primor; perfeição; excelência.
Ex.tem.po.ra.ne.ous (écstémporêui.niâs) *adj* extemporâneo; inesperado; repentino.
Ex.tem.po.ra.ry (écstém.porâri) *examine* ⇒ Extemporaneous.
Ex.tem.po.re (écstém.pôuri) *adj* improvisado; *adv* de repente; de improviso.
Ex.tem.po.rize (écstém.poráiz) *v* improvisar.
Ex.tend (écsténd) *v* estender; prolongar; prorrogar; dilatar; JUR embargar; penhorar; prender.
Ex.ten.si.ble (écstén.sibol) *adj* extensível.
Ex.ten.sive (écstén.siv) *adj* extenso; amplo.
Ex.tent (écstént) *s* extensão; alcance; grau; JUR embargo; sequestro; execução.
Ex.ten.u.ate (écsté.niuêit) *v* atenuar; minorar; diminuir.
Ex.ten.u.a.tive (écsté.niuâtiv) *adj* atenuativo; atenuante; paliativo.
Ex.ter.mi.na.ble (écstâr.minâbol) *adj* exterminável; destrutível.
Ex.ter.mi.nate (écstâr.minêit) *v* arruinar; exterminar; destruir; extirpar.
Ex.ter.mi.na.to.ry (écstâr.minâtôuri) *adj* exterminatório; eliminatório.
Ex.ter.nal.ly (écstâr.nali) *adv* exteriormente.
Ex.tinc.tion (écstinc.xân) *s* extinção; abolição; apagamento.
Ex.tin.guish (écstin.guixe) *v* extinguir; aniquilar; destruir.
Ex.tin.guish.ment (écstin.güixement) *s* extinção; abolição; supressão.
Ex.tir.pate (écs.târpêit) *v* extirpar; arrancar; arruinar.
Ex.tol (écstól) *v* exaltar; louvar; glorificar; gabar.
Ex.tort (écstórt) *v* extorquir; tirar a força; arrebatar.
Ex.tor.tion (écstór.xân) *s* extorsão; opressão; violência.
Ex.tor.tion.ate (écstór.xânit) *adj* injusto; ilegal; opressivo; violento.
Ex.tra (écs.trâ) *s* o excesso; *adj* extra; extraordinário.
Ex.tract (écstréct) *s* extrato; fragmento; resumo; *v* extrair; extirpar.
Ex.tra.di.tion (écstrâdi.xân) *s* extradição.
Ex.traor.di.na.ry (écstrór.dinéri) *adj* extraordinário; especial; raro.
Ex.trav.a.gance (écstré.vâgâns) *s* extravagância; loucura.
Ex.trav.a.gant (écstré.vâgânt) *adj* extravagante; singular; irregular; exorbitante.
Ex.trav.a.sate (écstré.vâssêit) *v* extravasar.
Ex.treme (écs.trim) *s* extremo; fim; extremidade; termo; excesso; *adj* extremo.
Ex.trem.ism (écstri.mizm) *s* extremismo; radicalismo.
Ex.trem.i.ty (écstré.miti) *s* extremidade; fim; rigor.
Ex.tri.ca.ble (écs.tricábol) *adj* desembaraçável; deslindável.
Ex.tri.cate (écs.triquêit) *v* destrinçar; desenredar; esclarecer.
Ex.tro.vert (écs.trovârt) *s* extrovertido; *also* Extravert.
Ex.trude (écstrud) *v* expulsar; enxotar; banir; depor.
Ex.tru.sion (écstru.jân) *s* extrusão; exclusão; banimento.
Ex.u.ber.ance (écsiu.bârâns) *s* excesso; exuberância.
Ex.u.ber.ant (écsiu.bârânt) *adj* exuberante; superabundante; excessivo.
Ex.u.ber.ate (écsiu.bârêit) *v* exuberar.
Ex.u.da.tion (écsiudêi.xân) *s* exsudação; transpiração.
Ex.ude (écsiud) *v* exsudar; transpirar.
Ex.ult (égzâlt) *v* exultar; regozijar-se.
Ex.ul.ta.tion (égzâltêi.xân) *s* júbilo; exultação; alegria.
Eye (ai) *s* olho; vista; olhar; visão; aparência; respeito; perspicácia; *v* avistar; olhar.
Eye.ball (éi.ból) *s* globo ocular.
Eye.brow (ái.bráu) *s* sobrancelha.
Eye.glass.es (ái.glâsses) *s* óculos.
Eye.lash (ái.lexe) *s* cílio; pestana.
Eye.let (ái.lit) *s* ilhó.
Eye.lid (ai.lid) *s* pálpebra.
Eye.sight (ái.sáit) *s* visão; vista.
Eye.wit.ness (áit.nis) *s* testemunha ocular.

f F

F (éf) *s* sexta letra do alfabeto Português e do alfabeto Inglês.
Fa (fá) *s* MÚS nota fá.
Fa.ble (fêibol) *s* fábula; mito; conto; mentira; *v* fingir.
Fab.ric (fé.bric) *s* tecido; pano; trama; construção.
Face (fêis) *s* ar; aspecto; aparência; cara; face; lado; rosto; *v* afrontar; arrostar.
Fac.er (fé.sâr) *s* POP bofetada; tapa.
Fac.et (fé.set) *v* facetar.
Fa.ce.tious (fâssi.xâs) *adj* alegre; divertido; jovial.
Fa.cial (fêi.xâl) *adj* facial.
Fa.cil.i.tate (fâssi.litêit) *v* facilitar; tornar fácil; simplificar.
Fac.ing (fêi.sin) *s* adorno; paramento; cobertura.
Fact (féct) *s* fato; ação; caso; feito; culpa.
Fac.tious (fécti.xâs) *adj* faccioso; desleal; reacionário.
Fac.ti.tious (fécti.xâs) *adj* factício, produzido ou imitado pela arte; artificial.
Fac.tor.age (féc.toridj) *s* COM comissão; corretagem.
Fac.tor.ize (féc.toráiz) *v* fatorar; decompor em fatores.
Fac.tor.ship (féc.târxip) *s* conjunto de fatores.
Fac.to.ry (féc.tori) *s* fábrica; manufatura.
Fac.ul.ty (fé.câlti) *s* aptidão; faculdade; poder; talento.
Fad (féd) *s* moda; mania; novidade; GÍR onda.
Fade (fêid) *v* murchar; descorar; desaparecer; desbotar.
Fag.got (fé.gât) *s* feixe; molho; *also* **Fagot**.
Fail (fêil) *s* falta; *v* faltar; fracassar; decair; falhar.
Fail.ure (fêi.liur) *s* falência; quebra; fracasso.
Fain (fêin) *adj* resignado; bem disposto; contente; *adv* de bom grado.
Faint (fêint) *s* desmaio; síncope; *v* enfraquecer.
Faint.ness (fêint.nés) *s* fragilidade; languidez; timidez.
Fair (fér) *s* feira; mercado; quermesse; *adj* claro; puro; leal; louro; apropriado; justo; *adv* imparcialmente.
Fair.y (fé.ri) *s* fada; duende; *adj* referente às fadas.
Faith (fêith) *s* crença; confiança; fé.
Faith.ful (fêi.thful) *adj* fiel; devotado; exato; leal.
Faith.ful.ly (fêi.thfuli) *adv* firmemente; devotadamente.
Fame (fêim) *v* afamar.
Fa.mil.iar (fâmi.liâr) *s* amigo íntimo; *adj* familiar; caseiro.
Fa.mil.iar.ize (fâmi.liâráiz) *v* familiarizar; habituar; acostumar.
Fam.i.ly (fé.mili) *s* família; classe; linhagem.
Fam.ine (fé.min) *s* fome; carência de víveres; penúria.
Fam.ish (fé.mixe) *v* esfomear; morrer de fome.
Fa.mous (fêi.mâs) *adj* famoso; célebre; ilustre; notável.
Fan (fén) *s* ventilador; leque; admirador; *v* ventilar; soprar; joeirar; abanar; excitar.
Fan.ci.ful (fén.ciful) *adj* fantasioso; imaginoso; quimérico.
Fan.ci.ful.ness (fén.cifulnés) *s* fantasia; capricho.
Fan.cy (fén.ci) *s* imaginação; fantasia; capricho; imagem; *v* imaginar; fantasiar; apaixonar-se.
Fan.fa.ron (fén.fârôn) *s* fanfarrão; alardeador; impostor.
Fang (fén) *s* garra; unha; dente; presa.
Fan.tail (fén.têil) *s* cauda em leque.
Fan.tasm (fén.tézm) *s* fantasma.
Fan.tas.tic (féntés.tic) *adj* fantástico; maravilhoso.
Far (fâr) *adj* distante; remoto; afastado; longínquo; *adv* distante; longe.
Farce (fárs) *s* farsa; burla.
Fare (fér) *s* frete; preço; tarifa; provisão; *v* passar bem ou mal.
Fare.well (fér.uél) *s* adeus; despedida.
Farm (fárm) *s* fazenda; estância; rancho; *v* cultivar terras; arrendar terras.
Far.ri.er (fé.riâr) *s* ferrador; veterinário.
Fart (fârt) *v* peidar.
Far.ther (fár.dhâr) *adv* mais longe; além de.
Far.ther.most (fár.dhâr.môust) *adj* o mais distante.
Far.thest (fár.dhést) *adv* o mais distante; o mais longe.
Far.thing (fár.dhin) *s* a quarta parte do **penny** (moeda).

Fas.ci.cle (fé.cicol) *s* fascículo; folheto (opúsculo publicado); pequeno feixe.
Fas.ci.nate (fé.cinêit) *v* fascinar; seduzir.
Fas.cine (féssin) *s* faxina; feixe de ramos.
Fas.cism (fáxiz.m) *s* Fascismo.
Fash (féxe) *s* incômodo; aborrecimento; cuidado; *v* incomodar; aborrecer.
Fash.ion (fé.xiân) *s* moda; modo; estilo; costume; escol; alta sociedade; *v* amoldar; adaptar; conformar; idear.
Fast (fést) *s* jejum; abstinência; NÁUT amarra; cabo; *v* jejuar; fixar; *adj* firme; seguro; leal; rápido; veloz; *adv* solidamente; rapidamente; firmemente.

Fast.en (féstn) *v* atar; fechar; parafusar.
Fas.tid.i.ous (fésti.diâs) *adj* manhoso; dengoso; melindroso.
Fast.ness (fést.nés) *s* firmeza; solidez; ligação; velocidade.
Fat (fét) *s* gordura; banha; manteiga; toucinho; *adj* gordo; obeso; oleoso; próspero; rico; FIG néscio; estúpido.
Fa.tal (fêi.tâl) *adj* fatal; funesto; mortal.
Fa.tal.i.ty (fêté.liti) *s* fatalidade; destino; desgraça.
Fate (fêit) *s* fado; destino; sorte; *v* destinar; condenar.
Fate.ful (fêit.ful) *adj* fatal; funesto; fatídico.
Fa.ther (fâ.dhâr) *s* pai; chefe espiritual; patriarca; padre; *v* adotar; atribuir a; **Father-in-law:** sogro.
Fa.ther.hood (fâdhâr.hud) *s* autoridade paterna; paternidade.
Fa.ther.less (fâ.dhârlés) *adj* órfão; sem pai.
Fath.om (fé.dhâm) *s* sonda; profundidade; *v* sondar; penetrar; aprofundar.
Fa.tigue (fâtig) *s* fadiga; cansaço; *v* fatigar.
Fat.ness (fét.nés) *s* obesidade; gordura.
Fat.ten (fétn) *v* engordar; nutrir; cevar.
Fat.ty (fé.ti) *adj* gorduroso; oleoso; gordo.
Fa.tu.i.ty (fâtiu.iti) *s* fatuidade, estupidez.
Fat.u.ous (fé.tiuâs) *adj* fátuo; pretensioso; tolo; vaidoso.
Fat.u.ous.ness (fé.tiuâsnés) *s* fatuidade; tolice; imbecilidade.
Fau.ces (fó.siz) *s* fauce, goela.
Fau.cet (fó.set) *s* torneira.
Faugh (fó) *interj* fora!
Fault (fólt) *s* falta; culpa; erro; carência; escassez; defeito.
Fault.less (fólt.lés) *adj* sem falhas; sem falta; perfeito.
Fault.y (fól.ti) *adj* defeituoso; imperfeito; errôneo; culpável.
Faun (fón) *s* fauno (divindade dos antigos romanos).
Fau.na (fó.nâ) *s* fauna.
Fa.vor (fêi.vâr) *s* favor; auxílio; obséquio; *v* favorecer; socorrer; proteger; assistir.
Fa.vor.a.ble (fêi.vârâbol) *adj* favorável; propício.
Fa.vor.a.ble.ness (fêi.vârâbolnés) *s* bondade; benignidade; benevolência.
Fa.vor.er (fêi.vârâr) *s* favorecedor; protetor.
Fa.vor.ite (fêi.vârit) *adj* favo[illegible]to; predileto; querido; protegido; *also* ⇒ **Favourit**[illegible]
Fa.vor.it.ism (fêi.vâritizm) *s* fav[illegible]tismo; parcialidade.
Fawn (fón) *s* carinho; afago; filhote [illegible]eado ou de corço; *v* acariciar; bajular.
Fay (fêi) *s* fada; duende.
Fe.al.ty (fi.âlti) *s* fidelidade; lealdade.
Fear (fiâr) *s* medo; temor; pavor; *v* recear; te[illegible]
Fear.ful (fiâr.ful) *adj* apavorante; de meter me[illegible]
Fear.some (fiâr.sóum) *adj* espantoso; medroso; tímido.
Fea.si.bil.i.ty (fizibi.liti) *s* possibilidade; praticabilidade.
Feast (fist) *s* festa; festim; banquete; *v* banquetear; festejar.
Feat (fit) *s* feito; ação; proeza.
Feath.er (fé.dhâr) *v* emplumar; armar de penas.
Feath.er.brain (fé.dhârbrêin) *s* tolo; imbecil.
Feath.er.y (fé.dhâri) *adj* armado de penas.
Fea.ture (fi.txur) *s* característica; qualidade notável; qualquer parte da face humana; *v* retratar; caracterizar.
Fe.bric.i.ty (febri.citi) *s* estado febril.
Feb.ru.a.ry (fé.bruâri) *s* fevereiro (2° mês do ano).
Fe.cund (fé.când) *adj* fecundo; prolífico; fértil.
Fe.cun.date (fé.cândêit) *v* fecundar; fertilizar.
Fed.er.a.tion (fedârêi.xân) *s* liga; aliança; confederação.
Fee (fi) *s* honorários; taxa; mensalidades; *v* pagar; gratificar; assalariar.
Fee.ble (fibol) *adj* debilitado; fraco; lânguido.
Fee.bly (fi.bli) *adv* debilmente.
Feed (fid) *s* alimento; ração; sustento; MEC abastecimento (de motor, de máquinas); *v* alimentar; nutrir; comer; *past and pp* **Fed.**
Feed.er (fi.dâr) *s* o que alimenta; mamadeira; afluente (rio); condutor elétrico.
Feel (fil) *s* tato; percepção; *v* sentir; perceber; compreender; conceber; *past and pp* **Felt.**
Feel.ing (fi.lin) *adj* sensível; terno; compassivo; comovedor.
Feign (fêin) *v* fingir; dissimular; imaginar; inventar.
Feint (fêint) *s* fingimento; dissimulação; simulação; *v* dissimular; simular; fingir.
Fe.lic.i.tate (feli.sitêit) *v* felicitar; congratular; saudar.
Fe.lic.i.tous (feli.sitâs) *adj* feliz; venturoso; bem-aventurado.
Fe.lic.i.ty (feli.citi) *s* felicidade; graça; ventura.
Fe.line (fi.láin) *adj* felino (relativo ou semelhante a gato).
Fell (fél) *s* cabelo; pelo; couro; *v* abater; derrubar; cortar; *adj* ferino; cruel; bárbaro.
Fel.low (fé.lôu) *s* companheiro; camarada; sócio; sujeito; indivíduo; GÍR cara (pessoa); *v* irmanar; aliar; igualar; associar.

Fel.low.ship (fé.lôuxip) *s* sociedade; bolsa (escolar); associação; confraternidade; *v* admitir ingresso.
Fel.ly (fé.li) *adv* ferozmente; cruelmente.
Fel.on (fé.lân) *adj* malvado; criminoso; perverso.
Fel.o.ny (fé.loni) *s* felonia; crime capital; traição; covardia.
Felt (félt) *s* feltro.
Fen (fén) *s* pântano; charco.
Fence (féns) *s* cerca; trincheira; barreira; defesa; jogo de esgrima; grade (de ferro); *v* cercar; fechar; discutir.
Fenc.er (fén.sâr) *s* esgrimista.
Fend (fénd) *v* desviar; defender; defender-se.
Fe.ni.an.ism (fi.niênism) *s* movimento político e revolucionário Irlandês; pertencente à sociedade Irlandesa.
Fen.ny (fé.ni) *adj* pantanoso.
Feoff (féf) *s* feudo; *also* **Fief**.
Feoff.ee (fé.fi) *s* feudatário.
Feoff.er (fé.fâr) *s* senhor feudal; *same as* **Feoffor**.
Fern (fârn) *s* feto (planta); samambaia.
Fern.er.y (fâr.nâri) *s* fetal (onde se criam fetos); estufa (para samambaias).
Fe.ro.cious (ferôu.xâs) *adj* feroz; perverso; voraz.
Fe.roc.i.ty (feró.citi) *s* ferocidade; crueldade.
Fer.rule (fé.ril) *s* virola; ponteira (de ferro); ponteira.
Fer.ry (fé.ri) *s* balsa; travessia em balsa; pontão; *v* transportar (por balsa ou por barco).
Fer.ry.boat (féri.bôut) *s* balsa; barca.
Fer.tile (fâr.til) *adj* fértil; fecundo; abundante.
Fer.ven.cy (fâr.venci) *s* fervor; zelo.
Fer.vent (fâr.vent) *adj* ardente; fervoroso; veemente.
Fer.vid.ly (fâr.vidli) *adv* ardentemente.
Fes.ter (fés.târ) *s* ferida; tumor; úlcera; *v* ulcerar; inflamar; supurar.
Fes.ti.val (fés.tivâl) *adj* festival.
Fes.tive (fés.tiv) *adj* alegre; festivo; solene.
Fetch (fétxe) *s* estratagema; estratégia; ardil; *v* trazer; alcançar, conseguir (um preço); pegar; seguir; conduzir; POP fascinar.
Fet.id (fé.tid) *adj* fétido.
Fe.tish (fi.tixe) *s* fetiche; ídolo.
Fe.tish.ism (fi.tixizm) *s* PSIC fetichismo.
Fet.ter (fe.târ) *v* acorrentar; algemar.
Fet.tle (fétol) *v* ajustar; alisar; aplainar.
Feud (fiud) *s* feudo; rixa; disputa.
Feu.dal.ism (fiu.dâlizm) *s* feudalismo.
Fe.ver (fi.vâr) *s* febre; calor; animação.
Fe.ver.ish (fi.vârixe) *adj* febril; exaltado; inconstante.
Few (fiu) *s* poucos; poucas; *adj* poucos; poucas.
Fez (féz) *s* fez (gorro).
Fi.an.cé (fiân.sê) *s* noivo.
Fi.an.cée (fiân.sê) *s* noiva.
Fi.at (fái.et) *s* ordem; decreto.
Fib (fib) *s* mentira; trapaça; conto; *v* mentir; trapacear.
Fib.ber (fi.bâr) *s* mentiroso.
Fi.ber (fái.bâr) *s* fibra; essência; natureza; *also* **Fibre**.
Fick.le (ficol) *adj* inconstante; volúvel.
Fid.dle (fidol) *s* violino; rabeca; *v* tocar rabeca; tocar violino.
Fid.dler (fid.lâr) *s* violinista.
Fidg.et (fid.jét) *s* inquietação; agitação; *v* inquietar; mexer; agitar-se.
Field (fild) *s* campo; campo de batalha; campina; ESP campo de jogos (caça, etc); *v* ESP postura para apanhar a bola.
Fiend (find) *s* espírito do mal; satã; diabo; demônio.
Fiend.ish.ly (fin.dixeli) *adv* diabolicamente.
Fierce (firs) *adj* feroz; selvagem; bárbaro; impetuoso.
Fier.y (fái.ri) *adj* ígneo; fogoso; ardente; apaixonado; violento.
Fife (fáif) *s* pífano; pífaro (flauta).
Fif.er (fái.fâr) *s* pifanista.
Fif.teen (fiftin) *s* quinze; *adj* quinze.
Fif.teenth (fiftin.th) *adj* décimo-quinto.
Fifth (fif.th) *s* a quinta parte; cinco (do mês); *adj* quinto.
Fif.ties (fif.tiis) *s* designativo dos anos cinquenta.
Fif.ty (fif.ti) *s* o número cinquenta; *adj* cinquenta.
Fig (fig) *s* figueira; figo; ninharia; *v* POP vestir; enfeitar.
Fight (fáit) *s* luta; combate; *v* lutar; combater; guerrear; pugnar; defender-se; *past and pp* **Fought**.
Fight.er (fái.târ) *s* brigão; lutador; batalhador.
Fig.ur.a.ble (fi.guiurâbol) *adj* figurável.
Fig.ur.a.tion (figuiurêi.xân) *s* figuração; figura; configuração.
Fig.ure (fi.guiur) *s* figura; imagem; tipo; número; cifra; *v* figurar; delinear; calcular.
Fil.bert (fil.bârt) *s* avelã.
Filch (fil.txe) *v* tirar; furtar, roubar.
Filch.er (fil.txâr) *s* larápio; gatuno; ladrão.
File (fáil) *s* arquivo; fila; *v* arquivar; polir; afiar com lima; aguçar; desfilar como soldado.
Fil.i.bus.ter (fi.libâstâr) *s* corsário; pirata; falador (com o propósito de ganhar tempo para obstruir os trabalhos legislativos); *v* a ação de falar muito.
Fill (fil) *s* suficiência; fartura; suprimento; *v* cumprir; saciar; abastecer; acumular; desempenhar; obturar os dentes.
Fil.let (fi.lét) *s* fita; atadura; moldura.
Fil.ly (fi.li) *s* potranca; égua; FAM moça alegre e graciosa.
Film (film) *s* filme; fita; membrana; pele fina; filamento delicado; *v* filmar; cobrir com membrana.
Fil.ter (fil.târ) *v* filtrar; purificar; coar.
Filth.i.ness (fil.thinés) *s* sujidade; porcaria; impureza.
Filth.y (fil.thi) *adj* imundo; sujo; corrompido; obsceno.
Fin (fin) *s* barbatana; debrum.
Fi.nal.i.ty (fáiné.liti) *s* finalidade; fim; tendência.
Fi.nance (finéns) *s* finança; fundos; rendas; *v* financiar; administrar negócios.
Finch (fintxe) *s* pássaro (canário, etc.).

Find (fáin) *s* achado; descoberta; *v* achar; descobrir; verificar; decidir; suprir; *past and pp* **Found**.
Fine (fáin) *s* multa; *v* multar; purificar; clarificar; *adj* fino; ótimo; delicado; puro; refinado; *adv* excelentemente; muito bom.
Fine.ness (fáin.nés) *s* sutileza; astúcia.
Fi.nesse (finés) *s* astúcia; artifício; diplomacia.
Fin.ger (fin.gâr) *s* dedo (da mão); *v* tocar; furtar; dedilhar.
Fin.ish (fi.nixe) *s* fim; termo; conclusão; *v* acabar; cessar; completar; aperfeiçoar.
Fi.nite (fái.náit) *adj* finito; limitado.
Fi.nite.ness (fái.náitnés) *s* limitação; restrição.
Fiord (fiórd) *s* fiorde.
Fir (fâr) *s* pinheiro; abeto; pinho.
Fire (fâiâr) *s* fogo; chama; incêndio; *v* incendiar; inflamar; detonar; animar; iluminar; GÍR demitir.
Fire.ball (fáiâr.ból) *s* meteoro; MIL granada.
Fire.man (fáire.men) *s* bombeiro; foguista.
Fire.place (fáiâr.plêis) *s* lareira; fogão.
Fire sale (fáire.sêil) *s* liquidação (venda).
Fire.wood (fáiâr.uud) *s* lenha.
Fire.works (fáiâr.uârc) *s* fogos de artifício.
Fir.kin (fâr.quin) *s* barril.
Firm (fârm) *s* firma; empresa; *adj* firme; fixo; inflexível; duro.
Fir.ma.ment (fâr.mâmént) *s* céu; firmamento.
Firmly (fârmli) *adv* firmemente.
First (fârst) *s* o primeiro; o primitivo; o principal; *adj* primeiro; primitivo; principal; original; *adv* primeiramente; preferivelmente.
Firth (fârth) *s* braço de mar; estuário.
Fish (fixe) *s* peixe; pescado; reforço; *v* pescar; procurar; obter.
Fish.er.man (fi.xârmân) *s* pescador; barco de pesca.
Fish.er.y (fi.xâri) *s* pesca; pescaria.
Fish.y (fi.xi) *adj* FAM suspeito.
Fis.sile (fi.sil) *adj* fendível; separável.
Fis.sion (fi.xân) *s* separação; divisão; divisão celular.
Fis.sure (fi.xur) *s* fenda; racha; abertura; fissura.
Fist (fist) *s* punho; mão cerrada.
Fit (fit) *s* desmaio; acidente; ataque; capricho; *v* equipar; habilitar; encaixar; adequar-se; adaptar; amoldar; *adj* próprio; justo; conveniente; capaz; digno; idôneo.
Fitch (fitxe) *s* doninha (animal mamífero); escova (feita com o pelo da doninha).
Fit.ful (fit.ful) *adj* espasmódico; agitado; caprichoso.
Five (fáiv) *adj* cinco.
Five.fold (fáiv.fôuld) *adj* quíntuplo.
Fiv.er (fái.vâr) *s* cinco dólares ou cinco libras (cédula); POP papel moeda.
Fives (fái.vz) *s* jogo de bola; GÍR os cinco dedos da mão.
Fix (fics) *s* embaraço; apuro; dilema; *v* fixar; consertar.
Fix.a.ble (fic.sâbol) *adj* fixável; adaptável.
Fix.a.tion (ficsêi.xân) *s* fixação; firmeza; estabilidade.
Fix.er (fi.cser) *s* fixador.
Fix.i.ty (fic.citi) *s* fixidez; estabilidade.
Fix.ture (fics.txur) *s* móvel fixo; peça fixa.
Fizz (fiz) *s* efervescência; assobio; *v* efervescer; assobiar.
Fiz.zle (fizol) *s* assobio; fiasco; malogro; *v* assobiar; ser mal sucedido.
Flab.ber.gast (flé.bârguést) *v* espantar; pasmar; surpreender.
Flag (flég) *s* bandeira; pendão; estandarte; lousa; laje; *v* afrouxar; derrear; pender; abater-se; enfraquecer.
Flag.el.late (flé.djelêit) *v* flagelar; açoitar.
Flag.gy (flé.gui) *adj* frouxo; flexível.
Flag.on (flé.gon) *s* garrafa de mesa (com asa).
Flake (flêic) *s* floco; escama; lâmina; fagulha; andaime; cravo almiscarado; *v* fazer flocos; laminar-se; lascar.
Flam (flém) *s* mentira; embuste; capricho.
Flame (flêim) *s* chama; fogo; brilho; paixão; POP namorada; *v* chamejar; lançar chamas; arder.
Flam.y (flêi.mi) *adj* inflamado; chamejante; brilhante.
Flange (fléndj) *s* orla; guia; fita; arandela.
Flank (flénc) *v* flanquear.
Flan.nel (flénol) *s* flanela (de lã).
Flap (flép) *s* aba; borda; fralda; extremidade; bofetada; *v* agitar; bater asas; açoitar.
Flare (flér) *s* brilho; chama; acesso de cólera; *v* cintilar; zangar-se; brilhar; inclinar-se; jactar-se.
Flash (fléxe) *s* relâmpago; lampejo; lâmpada (para fotos); inspiração; *v* relampejar; brilhar; acender.
Flash.back (fléxe.béc) *s* retrospecto; rememoração.
Flash.light (fléxe.láit) *s* holofote; lanterna elétrica (de mão); ENGL **Electric Torch**.
Flask (flésc) *s* frasco; redoma; garrafa.
Flas.ket (flés.quet) *s* frasco; cesto (para roupa).
Flat (flét) *s* plano; planície; palma da mão; barco (com fundo chato); apartamento; *v* alisar; aplanar; *adj* plano; liso; chato; MÚS som não harmônico; bemol.
Flat.ten (flétn) *v* aplainar; achatar; enfraquecer.
Flat.ter (flé.târ) *v* lisonjear; elogiar; adular.
Flat.ter.y (flé.târi) *s* lisonja; bajulação; adulação.
Flaunt (flónt) *s* gala; atavios; impertinência; ostentação; *v* ostentar; pavonear; alardear.
Flaut.ist (fló.tist) *s* flautista.
Fla.vor (flêi.vâr) *s* sabor; gosto; aroma; *v* temperar; aromatizar; adubar; condimentar.
Fla.vor.ing (flêi.vârin) *s* essência; condimento.
Fla.vour (flêi.vâr) *examine* ⇒ **Flavor**.
Fla.vour.ing (flêi.vârin) *examine* ⇒ **Flavoring**.
Fla.vor.ous (flêi.vârâs) *adj* saboroso; esquisito.
Fla.vour.ous (flêi.vârâs) *examine* ⇒ **Flavorous**.
Flaw (fló) *s* fenda; racha; defeito; confusão; mancha; perturbação de espírito; *v* fender; violar.
Flax (flécs) *s* linho.
Flay (flêi) *v* esfolar; pelar.
Flea (fli) *s* pulga.

Fleck (fléc) *s* pinta; mancha; nódoa; *v* salpicar; manchar.
Fledge (flédj) *v* cobrir de penas.
Flee (fli) *v* fugir; escapar; evitar; *past and pp* **Fled**.
Fleece (flis) *s* lã de carneiro (velo); *v* tosquiar; GÍR despojar.
Fleeced (flisst) *adj* coberto de lã.
Fleec.y (fli.ci) *adj* lanzudo; análogo à lã.
Fleer (flir) *s* fugitivo.
Fleet (flit) *s* esquadra; armada; enseada; *adj* rápido.
Flem.ish (flé.mixe) *adj* flamengo; de flandres.
Flesh (fléxe) *s* carne; *v* descarnar.
Flex (flécs) *s* fio flexível; *v* dobrar; vergar; tornar curvo.
Flex.i.ble (fléc.sibol) *adj* flexível.
Flick (flic) *s* chicotada; pancada rápida; *v* chicotear; sacudir.
Flick.er.ing (fli.cârin) *adj* vacilante; hesitante.
Fli.er (flái.âr) *s* voador; aviador; ave.
Flight (fláit) *s* voo; velocidade; bando; lanço de escada; elevação de pensamento; migração.
Flight.y (flái.ti) *adj* inconstante; leviano; volátil.
Flim-flam (flim.flém) *s* POP fantasia; capricho; estratégia.
Flim.sy (flim.zi) *adj* débil; fraco; frívolo.
Flin.ders (flin.dârs) *s* fragmentos; lascas; estilhaços.
Fling (flin) *s* arremesso; coice; salto; tiro; zombaria; *v* arrojar; lançar; atirar; *past* **Flang** *and pp* **Flung**.
Flint.i.ness (flint.nés) *s* dureza; insensibilidade; crueldade.
Flint.y (flin.ti) *adj* duro; cruel; endurecido; silicoso.
Flip (flip) *s* sacudidela; bebida composta (aguardente, cerveja e açúcar); *v* tocar levemente; atirar para o ar.
Flip.per (fli.pâr) *s* membro de animais (aquáticos); barbatana; GÍR mão.
Flirt (flârt) *s* flerte (namoro ligeiro); *v* flertar; namoricar; agitar; escarnecer.
Flit (flit) *v* o bater de asas; voar; mudar de endereço; emigrar; acalmar.
Flit.ter (fli.târ) *s* trapo; farrapo; emigrante.
Fly.er (flái.âr) *examine* ⇒ **Flier**.
Float (flôut) *s* flutuador; jangada; boia de pescador; salva-vidas; *v* flutuar; boiar; nadar; ser instável.
Float.a.ble (flôu.tâbol) *adj* flutuável.
Floc.cu.lent (fló.quiulênt) *adj* análogo a flocos de lã; flocado.
Flock (flóc) *s* floco; multidão; *v* acorrer em multidão; congregar-se; estofar com lã.
Floe (flôu) *s* gelo que flutua.
Flog (flóg) *v* fustigar; chicotear; bater.
Flood (flâd) *s* inundação; cheia; fluxo; hemorragia do útero; *v* inundar; alargar.
Flood.ing (flâ.din) *s* hemorragia uterina; inundação.
Floor (flór) *s* chão; pavimento; andar; solo; recinto (congresso ou parlamento); *v* assoalhar; pavimentar; aterrar.
Flop (flóp) *s* fracasso; malogro; *v* bater; sacudir (asas).
Flo.ret (flôu.ret) *s* BOT florzinha; florete; floco de seda.
Flor.in (fló.rin) *s* florim, unidade monetária da Holanda.
Floss (flós) *s* penugem; cabelo de milho.
Floss.y (fló.ci) *adj* seda; macio; sedoso; peludo; leve.
Flounce (fláuns) *s* franja; orla; mergulho; *v* debater-se; mergulhar; arremessar-se; prover de franjas.
Flour (flá.ur) *s* farinha; *v* moer; enfarinhar; pisar.
Flour.ish (flâ.rixe) *s* força; alegria; vigor; enfeite; *v* enfeitar; florear; embelezar.
Flout (fláut) *s* mofa; censura; troça; insulto; zombaria; *v* escarnecer; zombar; troçar; burlar.
Flow (flôu) *s* fluxo; corrente; enchente; abundância; multidão; *v* fluir; correr; escoar-se; proceder.
Flow.er (fláu.âr) *s* flor; a melhor parte de alguma coisa; figura de retórica; enfeite; beleza; *v* enfeitar; florir; florescer.
Flu (fluu) *s* POP gripe (influenza); *same as* **Flue**.
Flu.en.cy (flu.enci) *s* fluência; eloquência; abundância.
Flu.ent (flu.ent) *adj* fluente; eloquente; volúvel.
Fluff (flâf) *s* lanugem; penugem; pó; explosão; *v* espalhar; cobrir com penugem.
Flu.id (fluid) *s* fluído; gás; *adj* fluído; gás.
Fluke (fluc) *s* ponta de arpão; ponta de flecha; golpe de sorte.
Flum.mer.y (flâ.mâri) *s* manjar branco; ninharia; lisonja.
Flump (flâmp) *s* barulho; *v* atirar-se ao chão.
Flunk (flânc) *v* ser reprovado (em prova).
Flunk.ey (flân.qui) *examine* ⇒ **Flunky**.
Flunk.y (flân.qui) *s* lacaio.
Flu.o.res.cence (fluoré.sens) *s* fluorescência.
Flu.o.res.cent (fluoré.sent) *adj* fluorescente.
Flur.ry (flâ.ri) *s* agitação do ar; nevada muito forte e inesperada; *v* confundir.
Flush (flâxe) *s* robustez; vigor; rubor; *v* corar; orgulhar-se; exaltar; lavar; animar; excitar.
Flush.ing (flâ.xin) *s* inundação; rubor; transbordamento.
Flute (flut) *s* flauta; estria; *v* estriar; tocar flauta.
Flut.ist (flu.tist) *s* flautista.
Flut.ter (flâ.târ) *s* confusão; agitação; aposta a dinheiro; sobressalto.
Flux (flâcs) *s* fluxo; curso; QUÍM dissolvente; MED disenteria; corrimento.
Flux.ion (flâc.xân) *s* fluxo; MAT cálculo diferencial.
Fly (flái) *s* mosca; coisa sem significância; cabriolé; percurso de um projétil; *v* voar; viajar de avião; fugir; correr; precipitar; rebentar; *past* **Flew** *and pp* **Flown**.
Fly.ing (flá.in) *s* voo; aviação.
Foal (fôul) *s* potro; *v* dar cria (égua).
Fo.cal.ize (fôu.câláiz) *v* focalizar; focar; enfocar.

Fo.cus (fôu.câs) *s* foco; *v* focalizar; focar; enfocar.
Fod.der (fó.dâr) *s* forragem; *v* dar forragem a.
Foe (fôu) *s* inimigo; adversário; perseguidor.
Foe.man (fôu.mân) *s* inimigo; adversário.
Fog (fóg) *s* nevoeiro; neblina; *v* enevoar-se; nublar; obscurecer.
Fo.gey (fóg) *examine* ⇒ **Fogy**.
Fog.gi.ness (fó.guinés) *s* nebulosidade; cerração.
Fog.gy (fó.gui) *adj* enevoado; velado; cerrado.
Fo.gy (fôu.gui) *s* obscurantista; pessoa antiquada (conservador).
Foil (fóil) *s* derrota; revés; chapa de metal; pista; rastro de animal; *v* derrotar; frustrar; despistar; fracassar; anular.

Foist (fóist) *v* fraudar.
Fold (fôuld) *s* dobra; prega; envoltório; *v* dobrar; guardar.
Fold.ing (fôul.din) *s* prega; dobra.
Fo.li.o (fôu.lio) *s* fólio; página.
Folk (fôuc) *s* povo; raça; nação; gente.
Fol.low (fó.lôu) *v* seguir; resultar; perseguir.
Fol.low.ing (fó.lôuin) *s* séquito; carreira; profissão; acompanhamento.
Fol.ly (fó.li) *s* tolice; disparate; insensatez.
Fo.ment (fomént) *v* fomentar; provocar; excitar.
Fo.men.ta.tion (fomentêi.xân) *s* fomentação; instigação; incitamento.
Fond (fónd) *adj* amigo; afeiçoado; favorito; amante.
Fon.dle (fóndol) *v* acariciar; afagar; acarinhar.
Fond.ness (fónd.nés) *s* afeto; carinho; afeição; ternura.
Food (fud) *s* comida; alimento; pasto.
Fool (ful) *s* tolo; palhaço; imbecil; *v* zombar de; enganar; divertir-se.
Fool.ish (fu.lixe) *adj* néscio; tolo; imbecil; tonto.
Foot (fut) *s* pé; base; sopé; rodapé; MIL infantaria; *pl* **Feet**; *v* pisar; andar; dançar; percorrer; GÍR pagar uma conta.
Foot.ball (fut.ból) *s* futebol.
Foot.er (fu.târ) *s* pedestre; pessoa que anda a pé.
Foot.ing (fu.tin) *s* pé; base; posição; piso.
Foots (futs) *s* sedimentos; fezes; borra.
Foot.step (fut.stép) *s* pegada.
Foot.wear (fut.uér) *s* calçado.
Foo.zle (fuzol) *s* pessoa estúpida.
Fop (fóp) *s* almofadinha; janota.
For (fór) *prep* para; por; por causa de; durante; em lugar de; quanto a; *conj* porque; pois.
For.age (fó.ridj) *s* forragem.
For.as.much as (fórâsmâ.txe ás) *conj* pois que; considerando que; visto que.
For.ay (fó.rêi) *s* saque; pilhagem; *v* saquear.
For.bear (fórbér) *v* abster-se de; deixar de; reprimir-se; *past* **Forbore** *and pp* **Forborne**.
For.bid (fórbid) *v* proibir; vedar; reprimir; interditar; *past* **Forbade** *or* **Forbad** *and pp* **Forbid** *or* **Forbidden**.
Force (fôurs) *s* força; vigor; energia; causa; eficácia; queda d'água; MIL força; tropas; *v* forçar; obrigar; arrombar; violentar; insistir.
Force.ful (fôurss.full) *adj* potente; vigoroso; poderoso.
For.ci.ble (fôur.sibol) *adj* forte; poderoso; potente.
Ford (fórd) *s* vau; passagem; *v* vadear (atravessar rios, etc).
Fore (fôur) *s* NÁUT proa; *adj* anterior; dianteiro; *adv* anteriormente; adiante.
Fore.arm (fôur.árm) *s* antebraço.
Fore.bode (fôur.bôud) *v* prognosticar; vaticinar; pressagiar.
Fore.bod.er (fôur.bôudâr) *s* adivinhador; vaticinador.
Fore.cast (fôurquést) *s* previsão; plano; projeto; prognóstico; *v* vaticinar; profetizar; prever.
Fore.date (fôur.dêit) *v* antedatar.
Fore.doom (fôurdu.m) *s* destino; fado; *v* predestinar.
Fore.fa.ther (fôur.fadhâr) *s pl* antepassados; ascendentes.
Fore.fin.ger (fôur.fingâr) *s* dedo indicador; índice.
Fore.foot (fôur.fut) *s* pata dianteira animal.
Fore.front (fôur.frânt) *s* dianteira; fachada.
Fore.go (fôur.gôu) *v* privar-se de; renunciar; anteceder; *past* **Forewent** *and pp* **Foregone**.
Fore.hand (four.hénd) *s* quarto dianteiro do cavalo; *adj* prematuro; temporão.
Fore.head (fôur.héd) *s* fronte; testa; altivez.
For.eign (fó.rin) *adj* estrangeiro; alheio.
For.eign.er (fó.rinâr) *s* estrangeiro; estranho; forasteiro.
Fore.know (fôurnôu) *v* prever; adivinhar; conhecer antecipadamente; *past* **Foreknew** *and pp* **Foreknown**.
Fore.leg (fôur.lég) *s* perna dianteira.
Fore.lock (fôur.lóc) *s* topete.
Fore.man (fôur.maen) *s* capataz; feitor.
Fore.most (fôur.môust) *adj* primeiro; dianteiro; supracitado; avançado.
Fore.name (fôur.nêim) *s* prenome; nome de batismo.
Fore.noon (fôur.nun) *s* a manhã.
Fore.run (fôur.rân) *v* adiantar-se a; anunciar; preceder; prevenir; *past* **Foreran** *and pp* **Forerun**.
Fore.see (fôursi) *v* prever; antecipar; *past* **Foresaw** *and pp* **Foreseen**.
Fore.shad.ow (fôurxé.dôu) *v* predizer; simbolizar; prefigurar.
Fore.show (fôure.xôu) *v* mostrar antecipadamente; predizer; vaticinar.
Fore.sight (fôur.sáit) *s* previsão; perspicácia; mira de arma.
Fore.skin (fôur.squin) *s* prepúcio.
For.est (fó.rest) *s* floresta; selva; mata.
Fore.stall (fôurstâl) *v* antecipar; prevenir; monopolizar.
For.est.ry (fó.restri) *s* silvicultura.

Fore.taste (fôur.têist) *s* antegozo; *v* prelibar; antegozar.
Fore.tell (fôurtél) *v* predizer; anunciar; antecipar; vaticinar; *past and pp* **Foretold**.
Fore.thought (fôur.thót) *s* previdência; antecipação; previsão.
Fore.to.ken (fôurtôucn) *s* advertência antecipada; *v* prognosticar; prever; anunciar.
For.ev.er (fóré.vâr) *adv* para sempre.
For.ev.er.more (fóré.vârmór) *adv* para todo o sempre.
Fore.word (fôur.uârd) *s* prefácio; preâmbulo; introdução.
Forge (fórdj) *s* forja; fornalha; oficina; *v* forjar; moldar.
For.ger.y (fór.djâri) *s* falsificação; falsidade.
For.get (fórguét) *v* esquecer; desprezar; *past* **Forgot** *and pp* **Forgotten**.
For.get.ful (fórguét.ful) *adj* esquecido; descuidado; negligente.
For.give (fórguiv) *v* perdoar; absolver; desculpar; *past* **Forgave** *and pp* **Forgiven**.
For.giv.ing (fórgui.vin) *adj* generoso; indulgente; clemente.
Fork (fórc) *s* garfo; forquilha; bifurcação; confluência de um rio; *v* bifurcar.
Form (fórm) *s* forma; figura; ordem; molde; padrão; condição física; condição mental; *v* formar; fazer; criar.
Form.er (fór.mâr) *s* autor; matriz; molde.
For.mer *adj* anterior; antigo; precedente.
For.mer.ly (fór.mârli) *adv* antigamente; outrora.
For.mi.ca.ry (fór.miquéri) *s* formigueiro.
For.mi.da.ble (fór.midâbol) *adj* tremendo; pavoroso; horrível.
For.mu.la (fór.miulâ) *s* fórmula; modelo.
For.mu.la.ry (fór.miuléri) *adj* formal.
For.mu.late (fór.miulêit) *v* formular.
For.ni.cate (fór.niquêit) *v* fornicar (coito).
For.ni.ca.tion (fórniquêi.xân) *s* fornicação.
For.sake (fórsêic) *v* abandonar; deixar; desertar; separar-se; *past* **Forsook** *and pp* **Forsaken** *or* **Forsook**.
For.sak.ing (fórsêi.quin) *s* abandono; desamparo; apostasia.
For.sooth (fórsu.th) *adv* certamente; deveras; sem dúvida; com efeito.
For.swear (fórsuér) *v* abjurar; renegar (mesmo jurando); *past* **Forswore** *and pp* **Forsworn**.
Fort (fórt) *s* forte; fortificação.
Forth (fôurth) *adv* adiante; diante; à vista.
Forth.com.ing (fôurth.câmin) *adj* próximo; futuro; vindouro.
Forth.with (fôurth.uith) *adv* em seguida; imediatamente.
For.ties (fór.ties) *s* os anos quarenta.
For.ti.eth (fór.tieth) *adj* quadragésimo.
For.ti.fy (fór.tifái) *v* fortificar; corroborar; fortalecer.
For.ti.tude (fór.tituid) *s* fortaleza; força de ânimo; coragem; vigor.
For.tress (fór.trés) *s* fortaleza.
For.tu.i.tous (fórtiu.itâs) *adj* fortuito; casual; eventual; ocasional.
For.tu.nate (fór.txunit) *adj* afortunado; ditoso; venturoso.
For.tu.nate.ly (fór.txunitl) *adv* felizmente; afortunadamente.
For.tune (fór.txun) *s* fortuna; sorte; bom êxito; destino.
Fo.rum (fôu.râm) *s* foro; fórum.
For.ward (fór.uârd) *v* aviar; enviar; transmitir; expedir; apressar; ativar; *adj* adiantado; precoce; pronto; prematuro; predisposto; *adv* para a frente; avante.
For.ward.ness (fór.uârdnés) *s* adiantamento; presunção; audácia.
Foss (fós) *s* fosso; vala profunda.
Fosse (fós) *examine* ⇒ **Foss**.
Fos.sil (fó.sil) *adj* fóssil; antiquado.
Fos.ter (fós.târ) *v* criar; nutrir; animar.
Foul (fául) *s* ferrugem; má fortuna; mau tempo; golpe ilícito; violação de regras; *v* colidir; abalroar; desonrar; poluir; *adj* sujo; desleal.
Foul.ly (fáu.li) *adv* vergonhosamente.
Foul.ness (fául.nés) *s* impureza; torpeza; imundície.
Found (fáund) *v* instituir; fundar; fundir.
Foun.der (fáun.dâr) *v* soçobrar; arruinar; ir a pique; fracassar.
Fount (fáunt) *s* fonte; TIP fonte (tipos).
Foun.tain (fáun.ten) *s* fonte; causa; origem; nascente.
Four (fôur) *s* quatro; *adj* quatro.
Four.fold (fôur.fôuld) *adj* quádruplo.
Four.score (fôur.scór) *adj* oitenta; octogenário.
Four.teen (fôurtin) *adj* catorze; quatorze.
Four.teenth (fôurtin.th) *adj* décimo-quarto.
Fourth (fôur.th) *s* a quarta parte.
Fourth.ly (fôur.thli) *adv* em quarto lugar.
Fowl (fául) *s* ave; galinha; galo; *v* caçar aves.
Fox (fócs) *s* raposa; *v* lograr; enganar; ludibriar.
Fox.i.ness (fóc.sinés) *s* ardil; astúcia; velhacaria; acidez.
Fox.y (fóc.si) *adj* velhaco; azedo; descolorado.
Foy.er (fói.âr) *s* local de espera; vestíbulo.
Frac.tious (fréc.xâs) *adj* bulhento; rabugento; perverso; brigão.
Frac.ture (fréc.txur) *s* fratura; ruptura; quebra.
Frac.ture (fréc.txur) *v* fraturar; quebrar.
Frag.ile (fré.djil) *adj* frágil; débil; fraco.
Fragil.i.ty (frédji.liti) *s* fragilidade; fraqueza; debilidade.
Frag.ment (frég.ment) *s* fragmento; lasca; estilhaço.
Fra.grance (frêi.grâns) *s* fragrância; aroma; perfume.
Fra.gran.cy (frêi.grânci) *examine* ⇒ **Fragrance**.
Fra.grant (frêi.grânt) *adj* fragrante; aromático; perfumado.

Frail (frêil) *s* cesto; canastra; *adj* frágil; quebradiço; débil.
Frame (frêim) *s* estrutura; esqueleto; caixilho; *v* forjar; enquadrar; compor.
Frame.work (frêim.uârc) *s* armação; vigamento; estrutura.
Fran.chise (frén.txáiz) *s* franquia; privilégio; cidadania.
Fran.gi.ble (frén.djibol) *adj* frágil; quebradiço; fraco.
Frank (frénc) *v* franquear; despachar (franqueado); *adj* franco; liberal; sincero; ingênuo.
Fran.tic (frén.tic) *adj* frenético; colérico; furioso.
Frap (frép) *v* reforçar as amarras (de um barco).

Fra.ter.ni.ty (frâtâr.niti) *s* fraternidade; irmandade.
Frat.er.nize (fré.târnáiz) *v* fraternizar; confraternizar.
Fraud (fród) *s* fraude; engano; logro; impostor.
Fray (frêi) *s* rixa; combate; briga; desgaste (em pano, corda, etc); *v* desgastar; atemorizar; esfregar.
Fraz.zle (frézol) *s* farrapo; *v* desgastar.
Freak (fric) *s* capricho; extravagância; monstruosidade.
Freak.ish (fri.quixe) *adj* caprichoso; esdrúxulo; excêntrico.
Freck.le (frécol) *s* sarda; *v* tornar-se sardento.
Free (fri) *adj* livre; independente; franco; gratuito; *v* libertar; livrar; resgatar; isentar; *adv* gratuitamente.
Free.dom (fri.dâm) *s* liberdade.
Free.ly (fri.li) *adv* livremente; gratuitamente.
Free.ma.son (fri.mêisn) *s* Maçom.
Free.ma.son.ry (fri.mêisnri) *s* Maçonaria.
Free-will (fri.uil) *s* livre-arbítrio.
Freeze (friz) *v* gelar; congelar; *past* **Froze** *and pp* **Frozen**.
Freight (frêit) *s* carga; frete de navio; *v* carregar.
French (frén.txe) *adj* francês.
French.man (frén.txemân) *s* francês.
Fre.quence (fri.quéns) *s* frequência; assiduidade.
Fre.quent (fri.quént) *v* frequentar; visitar constantemente; *adj* frequente.
Fre.quen.ta.tive (friquén.tâtiv) *adj* frequentativo.
Fresh (fréxe) *s* inundação; nascente; reservatório de água potável; *adj* fresco; recém-chegado; atrevido.
Fresh.en (fréxen) *v* refrescar-se; avivar-se.
Fresh.ness (fréxe.nés) *s* frescura; viço; formosura.
Fret (frét) *s* fricção; desgaste; irritação; relevo; *v* esfregar; irritar; agitar-se.
Fret.ful (frét.ful) *adj* impertinente; aborrecido; incômodo; irritável; zangado.
Fret.ting (fré.tin) *adj* impertinente; cáustico.
Fret.work (frét.uârc) *s* ARQT gregas (ornato composto de linhas entrelaçadas).
Fri.a.bil.i.ty (fráiâbi.liti) *s* friabilidade (quebradiço).
Fri.a.ble (frái.âbol) *adj* friável; frágil; quebradiço.
Fri.ar (frái.âr) *s* frade; frei; monge.
Fri.a.ry (frái.âri) *adj* monástico.
Frib.ble (fribol) *s* ninharia; pessoa fútil; brincalhão; *v* divertir; brincar; vacilar; zombar.
Fri.day (frái.dêi) *s* sexta-feira.
Friend (frénd) *s* amigo; amiga; companheiro; camarada.
Friend.less (frénd.lés) *adj* abandonado; desamparado; sem amigos.
Friend.ly (frénd.li) *adj* amigável; camarada; simpático; favorável; *adv* amigavelmente; amistosamente.
Friend.ship (frénd.xip) *s* amizade; socorro.
Frieze (friz) *s* friso; tecido (frisado).
Frig.ate (fri.guit) *s* NÁUT fragata.
Fright (fráit) *s* espanto; medo; temor; *v* assustar; atemorizar.
Fright.en (fráitn) *v* assustar; espantar; alarmar.
Fright.en.ing (fráit.in) *adj* amedrontador; aterrador.
Fright.ful (fráit.ful) *adj* espantoso; medonho, terrível.
Fright.ful.ness (fráit.fulnés) *s* horror; espanto; medo.
Frig.id (fri.djid) *adj* frio; glacial; indiferente; insensível.
Frip.per.y (fri.pâr) *s* roupa velha; trapos.
Frisk (frisc) *s* pulo; salto; *v* saltar; pular; brincar.
Frisk.y (fris.qui) *adj* alegre; folgazão; travesso.
Frit.ter (fri.târ) *s* fritura; retalho; fragmento; *v* picar; desperdiçar.
Friv.ol (fri.vâl) *v* proceder frivolamente; esbanjar.
Fri.vol.i.ty (frivó.liti) *s* frivolidade; ninharia.
Frizz (friz) *s* cacho; anel; ondulação de cabelo; *v* frisar; encrespar.
Fro (frôu) *adv* ABREV de **From**; para trás.
Frock (fróc) *s* vestido; avental; roupão; roupa de operário.
Frog (fróg) *s* rã; alça; inflamação das tonsilas (amígdalas).
Frol.ic (fró.lic) *s* brincadeira; divertimento; travessura; *v* pular; folgar; brincar; traquinar; *adj* alegre; brincalhão.
From (fróm) *prep* de (origem); desde; a partir de; por causa de; conforme.
Front (frânt) *v* afrontar; encarar; fazer frente; *adj* dianteiro; precedente.
Front.age (frân.tidj) *s* fachada; vitrina.
Fron.tier (frón.tir) *s* fronteira; *adj* fronteiro; limítrofe.
Fron.tis.piece (frón.tispis) *s* frontispício; fachada.
Frost (fróst) *s* geada; frio; gelo; fracasso; *v* gear; congelar-se.
Frost.work (fróst.uârc) *s* desenho no vidro (feito pela neve).
Frost.y (frós.ti) *adj* congelado; gelado; indiferente.
Froth (fróth) *s* espuma; frivolidade; ostentação.
Froth.y (fró.ti) *adj* espumoso; fútil; frívolo.
Fro.ward (frôu.uârd) *adj* desobediente; insolente.
Frown (fráun) *s* franzimento das sobrancelhas; carranca; *v* franzir as sobrancelhas.
Fruit (frut) *s* fruto; fruta; produto; *v* frutificar.

Fruit.y (fru.ti) *adj* análogo a uma fruta.
Frump (frâmp) *s* velha rabugenta; mofa.
Frump.ish (frâm.pixe) *adj* rabugento; antiquado.
Frus.trate (frâs.trêit) *v* frustrar; malograr; inutilizar.
Fry (frái) *s* fritada; desova de peixes; *v* fritar; fermentar.
Fud.dle (fádol) *v* POP embriagar; confundir.
Fudge (fâdj) *s* embuste; conto; loquacidade; *v* inventar histórias.
Fu.el (fiu.él) *s* combustível; lenha; *v* abastecer de combustível.
Fu.gi.tive (fiu.djitiv) *adj* fugitivo; fugaz.
Fugue (fiug) *s* ato ou efeito de fugir; MÚS fuga.
Ful.fil (fulfil) *v* cumprir; preencher; executar; acumular.
Ful.fill (fulfil) *examine* ⇒ **Fulfil.**
Ful.gent (fâl.djent) *adj* fulgente; esplêndido; brilhante.
Full (ful) *s* máximo; totalidade; **at Full speed:** à toda velocidade; *v* engrossar; *adj* cheio; amplo; largo; completo; perfeito; saciado; grávida; **Full name:** nome completo; *adv* inteiramente.
Ful.ly (fu.li) *adv* inteiramente; plenamente.
Ful.mi.nate (fál.minêit) *v* fulminar; excomungar; explodir.
Ful.some (fâl.sâm) *adj* nojento; repugnante; grosseiro.
Fum.ble (fâmbol) *v* tatear; apalpar; agir sem destino.
Fum.bler (fâm.blâr) *s* pessoa desastrada.
Fun (fân) *s* divertimento; brincadeira; chiste; graça; *v* brincar; gracejar.
Func.tion (fânc.xân) *s* função; faculdade; festa; cerimônia religiosa; mister; *v* funcionar.
Fund (fând) *s* fundo; capital; riqueza; fundos públicos; *v* empregar capital.
Fun.da.ment (fân.dâmént) *s* fundamento; base.
Fun.da.men.tal.ly (fândâmén.tâli) *adv* fundamentalmente; essencialmente.
Fu.ni.cle (fiu.nicol) *s* ANAT funículo (pequena corda); cordão umbelical.
Funk (fânc) *s* POP medo; embaraço; pulsilânime; *v* tremer ou fugir de medo.
Fun.nel (fânol) *s* funil; tubo afunilado; chaminé; túnel.
Fun.ny (fâ.ni) *adj* engraçado.
Fur (fâr) *s* peles para adornos; pelo; *v* forrar de peles; cobrir-se de peles.
Fu.ri.ous (fiu.riâs) *adj* furioso; raivoso; violento.
Fur.nace (fâr.nis) *s* fornalha; crematório; forno.
Fur.nish (fâr.nixe) *v* fornecer; mobiliar; prover; equipar.
Fur.ni.ture (fâr.nitxur) *s* mobília; arreios; equipagem.
Fur.row (fâ.rôu) *s* sulco; estria; ruga; *v* sulcar; entalhar; arar; enrugar.
Fur.ther (fâr.dhâr) *v* adiantar; promover; facilitar; favorecer; *adj* ulterior; mais; adicional; além; *adv* ulterior; mais.
Fur.ther.ance (fâr.dhârâns) *s* adiantamento; auxílio; apoio; ajuda.
Fur.ther.more (fâr.dhârmór) *adv* além disso; outrossim.
Fur.ther.most (fâr.dhármôust) *adj* o mais afastado.
Fur.thest (fâr.dhést) *adj* o mais distante; o mais remoto; extremo; *adv* o mais distante; o mais remoto.
Fur.tive (fâr.tiv) *adj* furtivo; dissimulado; oculto; secreto.
Fu.ry (fiu.ri) *s* fúria; furor; paixão; frenesi.
Fuse (fiuz) *s* fusível; rastilho; estopim; *v* fundir; derreter-se.
Fu.sil (fiu.zil) *s* fuzil (arma de guerra).
Fuss (fâs) *s* estrondo; barulho; inquietação; *v* agitar; inquietar-se.
Fuss.y (fâ.ci) *adj* estrondoso; barulhento; inquieto; afetado.
Fus.ti.gate (fâs.tiguêit) *v* fustigar; açoitar; chicotear.
Fu.tile (fiu.til) *adj* fútil; frívolo; vão; inútil.
Fu.ture (fiu.txur) *s* futuro; porvir; *adj* futuro; vindouro.
Fuze (fiuz) *s* espoleta; estopim.
Fuzz (fâz) *s* penugem; poeira; *v* cobrir de cotão.
Fuzz.ball (fâz.ball) *s* POP policial babaca.

g G

G (dji) *s* sétima letra do alfabeto Português e do alfabeto Inglês.
Gab (guéb) *v* tagarelar; mexericar; mentir.
Gab.ble (guébol) *v* tagarelar; mexericar; palrar; *s* cumeeira (parte mais elevada); espigão; empena.
Ga.by (guêi.bi) *s* POP tolo; bobo; simplório.
Gad (guéd) *s* cunha; ferrão; ponta de aço; estilete; Deus, variante utilizada em juramentos; *v* vaguear; errar.
Gad.der (guédâr) *s* desocupado; vagabundo.
Gadg.et (gué.djét) *s* dispositivo (de máquina); máquina esquisita; invento.
Gaff (guéf) *s* gancho de ferro; arpão; *v* arpoar.
Gag (guég) *s* mordaça; engasgo; logro; TEAT caco (improvisação do ator); *v* amordaçar; enjoar; ter náuseas.
Gage (guêidj) *s* penhor; caução; desafio; afronta; *v* penhorar; caucionar.
Gag.man (guég.mên) *s* TEATR humorista; cômico.
Gai.e.ty (guêi.ti) *s* alegria; prazer; jovialidade; satisfação.
Gai.ly (gêi.li) *adv* alegremente.
Gain (guêin) *v* ganhar; melhorar; lucrar; enriquecer.
Gain.say (guêinsêi) *v* contradizer; negar; disputar.
Gait (guêit) *s* modo de andar (marcha); passo; andar (velocidade); *v* adestrar na marcha (no cavalgar).
Gai.ter (guêi.târ) *s* botina; polaina.
Gale (guêil) *s* rajada; ventania; tufão; tormenta; divertimento (ruidoso, barulhento).
Gall (gól) *s* fel; bílis; ódio; amargura; excrescência; escoriação; atrevimento; *v* esfolar.
Gal.lant (guélént) *v* galantear; cortejar.
Gallic (gué.lic) *adj* Gaulês.
Gal.li.cize (gué.lissáiz) *v* afrancesar.
Gal.li.pot (gué.lipót) *s* vaso de farmácia; GÍR farmacêutico.
Gal.lop (gué.lâp) *v* galopar.
Gal.lo.way (gué.lôuêi) *s* raça de cavalo de Galloway.
Ga.loot (guélut) *s* pessoa sem jeito (desajeitada); recruta.
Ga.losh (gâló.xe) *s* galocha.
Gam.bit (guém.bit) *s* ESP gambito, no xadrez.
Gam.ble (glémbol) *s* jogo de azar; loteria; *v* jogar por dinheiro (jogo de azar).
Gam.bling (guém.blin) *s* jogo de azar; vício (no jogar).
Gam.bol (guém.bâl) *v* traquinar; dar cambalhotas; dar saltos.
Game (guêim) *s* jogo; competição; brincadeira; divertimento; caça; partida; *v* jogar; *adj* destemido; corajoso; valente.
Gamp (guémp) *s* POP guarda-sol ou guardachuva de grande porte.
Gam.ut (gué.mât) *s* MÚS gama; escala.
Gan.der (guén.dâr) *s* ganso.
Gang (guén) *s* bando; turma; quadrilha; multidão; *v* atacar em grupo; andar em grupo.
Gap (guép) *s* brecha; lacuna; hiato; intervalo.
Gape (guêip) *s* bocejo; abertura; fenda; *v* bocejar; ficar boquiaberto.
Ga.rage (gârádj) *v* pôr o auto na garagem.
Garb (gárb) *s* garbo; aparência; aspecto; ar; *v* vestir.
Gar.bage (gár.bidj) *s* refugo; lixo.
Gar.ble (gárbol) *v* mutilar; truncar; perverter.
Gar.den (gárdn) *s* jardim; quintal; horta.
Gar.den.er (gárd.nâr) *s* jardineiro.
Gar.gle (gárgol) *v* gargarejar.
Gar.lic (gár.lic) *s* alho.
Gar.ment (gár.ment) *s* vestuário; traje; vestido.
Gar.ner (gár.nâr) *v* armazenar (cereais, etc.).
Gar.net (gar.nt) *s* granada.
Gar.nish (gár.nixe) *s* adorno; enfeite; JUR notificação judicial; *v* guarnecer; enfeitar.
Gar.ret (gué.rét) *s* sótão; água-furtada.
Gar.rote (gué.rout) *s* garrote; *v* estrangular (para roubo); garrotear.
Garth (gárth) *s* pátio; jardim.
Gas (gués) *s* gás; gasolina; POP tolice; conversa fiada; *v* tratamento por gás; envenenar pelo gás.
Gash (guéxe) *s* cutilada; corte profundo (talho); *v* cutilar (ferir gravemente); golpear.
Gasp (guésp) *s* respiração ofegante; suspiro; *v* ofegar; respirar com dificuldade.
Gasp.er (guésp.âr) *s* POP cigarro.

Gas.sy (gué.si) *adj* gasoso; vaidoso; convencido.
Gate (guêit) *s* portão; bilheteria; entrada; pórtico; garganta.
Gate.way (guêit.uêi) *s* passagem; porta; caminho.
Gath.er (guéi.dhâr) *v* apanhar; colher; reunir; deduzir; aprender.
Gaud (gód) *s* bugiganga; enfeite; adorno; ornamento.
Gaud.y (gó.di) *adj* pomposo; bizarro.
Gauge (guêidj) *s* calibre; diâmetro; bitola; calado (de navio); manômetro; *also* **Gage**; *v* medir; aferir; calibrar.
Gaunt (gónt) *adj* magro; descarnado; frágil.
Gaunt.ness (gónt.nés) *s* magreza; fragilidade; fraqueza.
Gauze (góz) *s* gaze; tecido vaporoso.
Gay (guêi) *adj* alegre; enfeitado; bem humorado; GÍR pederasta (homossexual).
Gaze (guêiz) *s* contemplação; *v* encarar; apreciar; fitar.
Gear (gui.êr) *s* equipamento; engrenagem; adorno; roupa; utensílio doméstico; *v* engrenar; montar; armar.
Gear.ing (guiê.rin) *s* engrenagem; transmissão de movimento; encaixe.
Gee (dji) *s* o som da letra **G**; *interj* Jesus!; nossa!; ora!
Geld (guéld) *v* castrar; capar; mutilar.
Gel.id (djé.lid) *adj* gélido; gelado.
Gem (djém) *s* gema; pedra preciosa; gomo; botão; *v* adornar com pedras preciosas; cravejar.
Gem.i.ni (djé.minái) *s* gêmeos (irmãos do mesmo parto); ASTR gêmeos.
Gen.der (djén.dâr) *s* gênero.
Gen.er.al (djé.nârâl) *s* generalidade; RELIG o geral; MIL general; *adj* geral; usual; comum; universal.
Gen.er.al.i.ty (djénâré.liti) *s* generalidade; maioria; MIL o corpo de generais.
Gen.er.a.lize (djé.nârâláiz) *v* generalizar; tornar comum.
Gen.er.ate (djé.nârêit) *v* gerar; produzir.
Gen.er.a.tion (djénârêi.xân) *s* geração; produção; descendência; posteridade.
Gen.er.os.i.ty (djénâró.siti) *s* liberalidade; generosidade.
Gen.e.sis (djé.nissis) *s* gênese; geração; origem.
Ge.nie (djini) *s* gênio.
Ge.nius (dji.niâs) *s* gênio; talento; divindade; entidade etérea (sobrenatural).
Gen.tile (djén.táil) *s* gentio; não judeu; *adj* gentio; idólatra; pagão.
Gen.til.i.ty (djénti.liti) *s* delicadeza; urbanidade; nobreza.
Gen.tle (djéntol) *adj* brando; dócil; tranquilo; gentil.
Gen.tle.folk (djéntl.fôuc) *s* pessoa da alta sociedade.
Gen.tle.man (djéntl.mân) *s* cavalheiro; senhor.
Gen.tle.man.ly (djéntl.mânli) *adj* fidalgo; gentil; cavalheiresco; cortês.
Gen.tly (djén.tli) *adv* suavemente; brandamente; aprazivelmente.
Germ (djârm) *s* germe; embrião; semente; origem.
Ger.man (djâr.mân) *s* alemão (língua alemã).
Ger.mi.nate (djâr.minêit) *v* germinar; nascer; florescer; brotar.
Ges.ta.tion (djéstêi.xân) *s* gestação; gravidez.
Ges.tic.u.late (djésti.quiulêit) *v* gesticular.
Ges.ture (djés.txur) *s* gesto; aceno; postura.
Get (guét) *v* acertar; adquirir; arranjar; atingir; buscar; comprender; comprar; conseguir; decorar; ganhar; levar; pegar; receber; tomar; trazer; vencer; **Get lost!:** GÍR sai fora!; **to Get along:** progredir, avançar; **to Get ahead:** fazer progressos; **to Get at:** ir para; chegar a; **to Get away:** ir-se; partir; **to Get back:** voltar; recuperar; **to Get better:** melhorar; **to Get forward:** adiantar-se; **to Get in:** entrar; **to Get into:** entrar; vestir; **to Get married:** casar-se; **to Get off:** desfazer; livrar-se; **to Get off!:** ponha-se fora!; **To Get out:** sair; tirar; **Get out!:** ponha-se fora!; **to Get over:** vencer obstáculos; **to Get ready:** aprontar-se; **to Get to:** chegar a; **to Get under:** passar sob; **to Get up:** subir; montar; *past* **Got** *and pp* **Gotten**.
Gew-gaw (djiu.gó) *s* ninharia; bagatela.
Ghast.ly (gués.tli) *adj* pálido; macabro; medonho; lívido.
Gher.kin (gâr.quin) *s* pepino de conserva.
Ghost (gôust) *s* fantasma; espírito.
Ghost.ly (gôus.tli) *adj* espiritual; espectral.
Gib (djib) *s* grampo; chaveta.
Gib.ber (dji.bâr) *v* algaraviar (falar como um árabe); falar confusamente.
Gib.ber.ish (gui.bârixe) *s* falar de maneira incompreensível (sem nexo).
Gib.bet (dji.bet) *s* forca; patíbulo; *v* enforcar.
Gib.bous (gui.bâs) *adj* corcunda; corcovado.
Gibe (djáib) *s* sarcasmo; escárnio; troça; *v* zombar; ralhar com; troçar.
Gid.di.ness (gui.dinés) *s* vertigem; inconstância; atordoamento; desvario.
Gid.dy (gui.di) *adj* inconstante; volúvel.
Gift (guift) *s* doação; dádiva; oferta; dom; presente; **gift of gab:** lábia; *v* presentear; doar; dotar.
Gig (guig) *s* cabriolé; arpão; GÍR performance.
Gig.gle (guigol) *s* riso hipócrita (amarelo).
Gild (guild) *s* corporação; confraria; grêmio; *v* dourar; enfeitar; iluminar; *past and pp* **Gilded** *or* **Gilt**.
Gild.er (guil.dâr) *s* dourador.
Gill (djil) *s* guelra de peixe; barranco; vale profundo; pelanca debaixo do queixo (carne).
Gilt (guilt) *s* material para douração; GÍR dinheiro.
Gim.mick (guim.ic) *s* plano inteligente, mas não muito honesto (truque).
Gin.ger (djin.djâr) *s* gengibre.
Gin.ger Ale (djin.djâr.êil) *s* cerveja de gengibre.
Gin.ger Beer (djin.djârbir) *examine* ⇒ **Ginger Ale**.
Gin.ger.ly (djin.djârli) *adv* cautelosamente; cuidadosamente.

Gip.sy (dji.psi) *s* Cigano; língua dos Ciganos; mulher matreira (esperta).
Gi.raffe (djiréf) *s* girafa.
Gird (gârd) *v* ligar; cingir; envolver; *past and pp* **Girded** *or* **Girt**.
Gir.dle (gârdol) *s* cinto; cinturão; circunferência; zona; *v* cingir; circundar.
Girl (gârl) *s* moça; menina; aluna.
Girl.hood (gârl.hud) *s* adolescência feminina.
Girl.ish (gâr.lixe) *adj* próprio de moça.
Gi.ta.no (dji.tânou) *examine* ⇒ **Gipsy**.
Give (guiv) *v* apresentar; abandonar; ceder; dar; desistir; oferecer; pronunciar; **to Give off:** desistir; cessar; arrojar; cometer; **to Give out:** publicar; ceder; fingir; **to Give up:** desistir; abandonar; *past* **Gave** *and pp* **Given**.

Giv.en (guivn) *adj* dado; inclinado; concedido.
Glad (gléd) *adj* feliz; satisfeito; alegre; contente.
Glad.den (glédn) *v* alegrar; animar; contentar; encorajar; alegrar-se.
Glade (glêid) *s* clareira; atalho; caminho.
Glad.ly (glé.dli) *adv* prazenteiramente; de bom grado.
Glad.ness (gléd.nés) *s* alegria; satisfação; prazer.
Glad.some (gléd.sâm) *adj* alegre; jubiloso; contente.
Glair (glér) *s* clara de ovo.
Glam.or (glé.mâr) *s* feitiço; encanto; bruxaria; magia.
Glam.or.ous (glé.mârâs) *adj* encantador; fascinante.
Glance (gléns) *s* clarão; olhar; olhadela; *v* lançar um olhar; cintilar; luzir; brilhar.
Glare (glér) *s* brilho; claridade; olhar penetrante; *v* brilhar; cintilar; deslumbrar.
Glass (glés) *s* copo; taça; vidro; espelho; binóculo; ampulheta; *v* espelhar; refletir; *adj* de vidro.
Glass.y (glé.si) *adj* transparente; cristalino; vítrio.
Glau.cous (gló.câs) *adj* glauco; verde-azulado (marinho).
Glaze (glêi.z) *v* vidrar; envidraçar; polir; lustrar.
Glaz.er (glêi.zâr) *s* vidraceiro; vidreiro; esmeril (que corta vidro).
Gleam (glim) *s* fulgor; brilho; clarão; *v* luzir; radiar; cintilar; resplandecer.
Glee (gli) *s* regozijo; alegria; canção.
Glee.ful (gli.ful) *adj* alegre; jovial.
Glee.ful.ness (gli.fulnés) *s* alegria; prazer.
Glen (glén) *s* vale.
Glib (glib) *adj* fluente; escorregadio; volúvel.
Glide (gláid) *s* escorregadela; deslize; AER planeio; *v* escorregar; escoar; resvalar.
Glim.mer (gli.mâr) *v* brilhar (fraco).
Glimpse (glimps) *v* entrever; luzir por intervalos; relancear; vislumbrar.
Glint (glint) *s* brilho; fulgor; *v* refletir; luzir; cintilar.
Glit.ter (gli.târ) *v* brilhar; cintilar; reluzir.
Gloam (glôum) *s* crepúsculo; entardecer; *v* obscurecer.
Gloat (glôut) *v* sentir-se bem com o mal alheio; olhar fixamente.
Gloom (glum) *s* obscuridade; melancolia; tristeza; *v* escurecer; entristecer.
Gloom.i.ness (glu.minés) *s* obscuridade; melancolia; tristeza.
Gloom.y (glu.mi) *adj* obscuro; tenebroso; triste.
Glo.ri.fy (glôu.rifái) *v* glorificar; exaltar; celebrar.
Glo.ri.ous (glôu.riâs) *adj* glorioso; belo; admirável.
Glo.ry (glôu.ri) *v* jactar-se; ufanar.
Gloss (glós) *s* lustro; brilho; verniz; polimento; *v* lustrar; polir; comentar; explicar; insinuar.
Glos.sa.ry (glôu.sâri) *s* glossário.
Glove (glâv) *s* luva.
Glow (glôu) *v* animar-se; inflamar-se; sentir calor.
Gloze (glôuz) *v* lisonjear; acariciar; glosar; cintilar.
Glue (glu) *s* cola; grude; visco; *v* colar; grudar.
Glut (glát) *s* fartura; excesso; *v* comer avidamente; devorar.
Gnarl (nârl) *v* resmungar; grunhir.
Gnash (néxe) *v* ranger os dentes.
Gnat (nét) *s* bagatela; ninharia; mosquito.
Gnaw (nó) *v* roer; mortificar; morder.
Gneiss (náis) *s* gnaisse (rocha).
Gnome (nôum) *s* gnomo; diabrete; máxima; aforismo.
Go (gôu) *s* moda; vez; pacto; oportunidade; *v* andar; assentar; decair; ficar bem; **to Go abroad:** sair; **to Go along:** prosseguir; **to Go back:** voltar; **to Go by:** passar; **to Go down:** descer; **to Go into:** entrar; **to Go up:** subir; levantar-se; *past* **Went** *and pp* **Gone**.
Goad (gôud) *s* aguilhão; ferrão; *v* aguilhoar; FIG estimular.
Goal (gôal) *s* meta; objetivo; fim; intento.
Goal.keep.er (gôulqui.pâr) *s* ESP goleiro.
Goat (gôut) *s* cabra; bode.
Goat.ee (gôut.ii) *s* cavanhaque.
Gob (gób) *s* pedaço; porção; bocado; escombros; marinheiro.
Gob.let (gó.blit) *s* taça; copo (com talo e pé).
God (gód) *s* Deus.
God.child (gód.txáild) *s* afilhado; afilhada.
God.daugh.ter (gód.dó.târ) *s* afilhada.
God.fa.ther (gód.fá.dhâr) *s* padrinho.
Godforsaken (gód.fár-seiquen) *s* miserável; desgraçado.
God.like (gód.láic) *adj* divino; divinal.
God.moth.er (gód.mó.dhâr) *s* madrinha.
God.parent (gód.pé.rent) *s* padrinho; madrinha.
Gof.fer (gó.fâr) *s* franzido; frisado; *v* frisar; encrespar; estampar.
Gog.gle (gógol) *v* arregalar os olhos.
Go.ing (gôuin) *s* ida; saída.
Goi.ter (gói.târ) *s* caxumba; papeira; bócio.
Gold (gôuld) *s* ouro; dinheiro; riqueza; cor do ouro.
Gold.en (gôuldn) *adj* dourado; áureo; precioso; excelente; feliz.
Golf (gólf) *s* ESP golfe (jogo com bola e taco).
Golf.er (gól.fâr) *s* jogador de golfe; golfista.

Gol.li.wog (gól.liuóg) *s* espantalho; boneca-bruxa.
Go.losh (goló.xe) *examine* ⇒ **Galosh**.
Gong (gón) *s* gongo (sino).
Good (gud) *s* proveito; vantagem; utilidade; *adj* bom; excelente; virtuoso; útil; *adv* bem.
Good-bye (gud.bái) *s* até logo.
Good.ish (gu.dich) *adj* regular; não tão bom.
Good.ly (gu.dli) *adj* belo; elegante; virtuoso; considerável; respeitável.
Good.man (gud.mân) *s* amo; marido.
Good.ness (gud.nés) *s* virtude; bondade.
Goods (gudz) *s* mercadorias; artigos; bens.
Good.wife (gud.uáif) *s* dona de casa; ama.
Good.will (gud.wil) *s* boa vontade; caridade; benevolência; COM fundo comercial.
Good.y (gu.di) *s* bonachão; ingênuo; bobalhão; bombom; empregada de estudante (arrumadeira).
Goose (gus) *s* ganso; ferro de alfaiate; bobo.
Goose.ber.ry (gus.béri) *s* groselha.
Gorge (górdj) *s* desfiladeiro; garganta; goela; *v* engolir; saciar; fartar.
Gor.geous (gór.djâs) *adj* beleza; grandioso; bonitona; lindeza.
Go.ry (gôu.ri) *adj* ensanguentado.
Gosh (góxe) *interj* credo!
Gos.pel (gós.pél) *s* evangelho; credo; *v* evangelizar.
Gos.sa.mer (gó.sâmâr) *s* fio; teia de aranha.
Gos.sip (gó.sip) *s* conversação; prosa; bisbilhoteiro; tagarela; mexerico; *v* palrar; mexericar; tagarelar.
Gotcha (gót.cha) *interj* peguei você! (**I have Got you!**).
Goth (góth) *s* godo (povo germânico, dos séculos III e V d.C.).
Goth.ic (gó.thic) *adj* gótico.
Gouge (gáudj) *s* ranhura; goiva (espécie de formão); logro; *v* enganar, lograr.
Gov.ern (gâ.vârn) *v* governar; reger; dominar; administrar.
Gov.ern.ess (gâ.vârnés) *s* aia; governanta; instrutora.
Gov.er.nor.ship (gâ.vârnârxip) *s* governo.
Gown (gáun) *s* bata; toga; batina; *v* vestir-se (toga, túnica).
Graal (grâ.él) *s* gral.
Grab (gréb) *s* garra; grampo; agarramento; *v* segurar; pegar; agarrar.
Grab.ble (grébol) *v* tatear; apalpar; apanhar.
Grace (grêis) *s* graça; garbo; favor; mercê; cortesia; COM dia de tolerância (dia da graça); *v* favorecer; auxiliar; enfeitar; ajudar.
Grace.ful (grêis.ful) *adj* elegante; gracioso; delicado.
Grace.ful.ness (grêis.fulnés) *s* graça; elegância; delicadeza.
Gra.cious (grêi.xâs) *adj* bondoso; benigno; amável.
Grack.le (grécol) *s* melro (pássaro).
Gra.da.tion (grâdêi.xân) *s* gradação; classificação; classe; ordem; série.
Grade (grêid) *s* grau; dignidade; nota escolar; classe; *v* graduar; classificar; nivelar; cruzar animais (raças).
Gra.di.ent (grêi.dient) *s* declive; rampa; grau (aumento ou diminuição); parafuso.
Grad.u.al (gré.djuâl) *adj* gradual.
Grad.u.ate (gré.djuêit) *s* bacharel; diplomado; *v* graduar; regular; conferir grau a; diplomar; *adj* graduado.
Graft (gréft) *s* enxerto; suborno; *v* enxertar; inserir.
Graft.er (gréf.târ) *s* enxertador; subornador.
Grail (grêil) *s* cálice; taça; graal; almofariz.
Grain (grêin) *s* grão; semente; granulação; *v* granular; cristalizar.
Grain.er (grêi.nâr) *s* grão; semente; o que imita os veios da madeira (em pintura).
Gram (grém) *s* grão-de-bico; o grama (peso).
Gram.mar (grém.mâr) *s* gramática.
Gramme (grém) *examine* ⇒ **Gram**.
Gran.a.ry (gré.nâri) *s* celeiro para grãos.
Grand (grénd) *adj* grande; majestoso; grandioso; nobre; sublime; digno; POP nota de mil dólares.
Grand.child (grénd.txáild) *s* neto.
Grand.daugh.ter (grén.dó.târ) *s* neta.
Gran.dee (grén.di) *s* magnata.
Grand.fa.ther (grénd.fâ.dhâr) *s* avô.
Gran.dil.o.quence (gréndi.locuéns) *s* grandiloquência (estilo muito elevado).
Gran.di.os.i.ty (gréndió.siti) *s* grandiosidade.
Grand.ma (grén.má) *s* GÍR vovó.
Grand.ma.ma (grén.má) *examine* ⇒ **Grandma**.
Grand.moth.er (grénd.mâ.dhâr) *s* avó.
Grand.ness (grén.dnés) *s* pompa; grandeza; fausto.
Grand.pa (grénd.pá) *s* vovô.
Grand.par.ent (grénd.párent) *s* antepassado (avô ou avó).
Grand.son (grén.dsân) *s* neto.
Grange (gréndj) *s* granja; herdade; associação de lavradores.
Gran.ny (grén.ni) *s* tratamento carinhoso de **Grandmother** ⇒ avó; vovó.
Grant (grént) *s* concessão; outorga; donativo; mercê; privilégio; *v* conceder; admitir; outorgar.
Grant.ee (grénti) *s* concessionário; cessionário; donatário; outorgado.
Grape (grêip) *s* uva; parreira.
Grap.nel (grép.nél) *s* NÁUT âncora; arpão de ferrar navios.
Grap.ple (grépol) *s* luta; combate; *v* agarrar; prender.
Grasp (grésp) *s* ação de agarrar; mão; punho; *v* agarrar; segurar; compreender; usurpar.
Grasp.ing (grés.pin) *adj* avaro; ávido.
Grass (grés) *s* erva; relva; grama; pasto.
Grass.hop.per (gréss.hópâr) *s* gafanhoto.
Grate (grêit) *s* grade; grelha de fogão; *v* raspar; irritar; ofender.
Grate.ful (grêit.ful) *adj* grato; agradecido; agradável.

Grat.i.fy (gré.tifái) *v* satisfazer; agradar; contentar; gratificar; recompensar.
Grat.i.tude (gré.tituid) *s* reconhecimento; gratidão.
Gra.tu.i.ty (grâtiu.iti) *s* presente; gorjeta; gratificação.
Grave (grêiv) *s* sepultura; fossa; tumba; acento grave; MÚS tom baixo, grave; *v* gravar; sepultar; enterrar; *past* **Graved** *and pp* **Graven**; *adj* grave; sério; importante; sisudo.
Grav.er (grêi.vâr) *s* buril; cinzel escultor; gravador.
Grave.yard (grêiv.iárd) *s* cemitério.
Grav.id (gré.vid) *adj* mulher grávida; prenhe.
Grav.ing (grêi.vin) *s* gravação; gravura; impressão.
Gray.ish (grêi.ixe) *adj* acinzentado; cinzento; pardo.
Gray.ness (grêi.nés) *s* cor cinza; cor parda.

Graze (grêis) *s* pasto; *v* apascentar; roçar; pastar.
Graz.ing (grêiz.in) *s* pastagem.
Grease (gris) *s* gordura animal; graxa; lubrificante; *v* engraxar; engordar; untar.
Greas.y (gri.si) *adj* gorduroso; oleoso; obsceno; escorregadio; sujo.
Great (grêit) *adj* grande; ótimo; notável; sublime; *interj* grande!; ótimo.
Great.ness (grêit.nés) *s* grandeza; grandiosidade; magnitude; poder; majestade.
Gre.cian (gri.xân) *examine* ⇒ **Greek.**
Greed (grid) *s* voracidade; sovinice; ambição desmedida; avareza.
Greed.i.ness (grid.nés) *examine* ⇒ **Greed.**
Greed.y (gri.di) *adj* avarento; ganancioso; voraz; guloso; insaciável.
Greek (gric) *adj* Grego.
Green (grin) *s* verde; verdura; prado; *v* pintar de verde; *adj* verde; fresco; recente; novo; tolo; viscoso; moço.
Green.er.y (gri.nâri) *s* horta; verdura.
Green.gage (grin.guêidj) *s* ameixa.
Green.ish (gri.nixe) *adj* esverdeado.
Green.ness (grin.nés) *s* inexperiência; novidade; verdura; frescura.
Green.room (grin.rum) *s* camarim.
Green.sward (grin.suórd) *s* gramado; relva.
Greet (grit) *v* saudar; felicitar; cumprimentar.
Gre.go.ri.an (gregôu.riân) *adj* Gregoriano.
Grey (grêi) *s* a cor cinza.
Grid (grid) *s* grade paralela (barras); grelha.
Grid.dle (gridol) *s* forma para assar tortas.
Gride (grâid) *v* cortar; raspar.
Grid.i.ron (grid.airân) *s* campo de futebol; ENGL **Football Field.**
Grief (grif) *s* pesar; dor; tristeza; aflição.
Griev.ance (gri.vans) *s* agravo; lesão; ofensa; injúria.
Grieve (griv) *v* entristecer; afrontar; afligir; lamentar; afligir-se.
Griev.er (gri.vâr) *s* o que aflige; ofensor.
Griev.ous (gri.vas) *adj* grave; penoso; aflitivo; doloroso.
Grig (grig) *s* grilo; enguia; anão; homem divertido.
Grill (gril) *s* grelha; assado (em grelha); *v* frigir na grelha; grelhar; FIG torturar; atormentar.
Grille (gril) *s* grade de ferro; tela de ferro (para portão, portas e janelas); AUT grade de radiador.
Grim (grim) *adj* feio; carrancudo; medonho; bárbaro.
Gri.mace (grimêi.s) *s* careta; carranca; *v* fazer caretas.
Grime (gráim) *v* sujar; emporcalhar.
Grim.i.ness (grái.minés) *s* imundície; sujeira; porcaria.
Grim.ness (grim.nés) *s* horror; espanto.
Grim.y (grái.mi) *adj* sujo; porco; imundo.
Grin (grin) *v* fazer caretas; arreganhar os dentes.
Grind (gráind) *v* moer; reduzir a pó; amolar facas; oprimir; polir; ranger os dentes; GÍR estudar intensamente; *past and pp* **Ground.**
Grip (grip) *s* aperto de mão; beliscão; presa; garra; espasmo; punho do remo; *v* agarrar; segurar.
Gripe (gráip) *s* opressão; sujeição; cólica; aperto; agarramento; mau humor; *v* agarrar; apertar; segurar; afligir; oprimir.
Grippe (grip) *s* MED gripe; influenza.
Gris.li.ness (griz.linés) *s* terror; pânico.
Gris.ly (griz.li) *adj* terrível; medonho; espantoso.
Gris.tle (grisol) *s* cartilagem; tendões.
Gris.tly (gri.sli) *adj* cartilaginoso.
Grit (grit) *s* areia; saibro; *v* ranger.
Grit.ty (gri.ti) *adj* saibroso; arenoso; bravo; corajoso.
Griz.zle (grizol) *adj* matiz cinzento; pardo.
Griz.zly (griz.li) *adj* cinzento; grisalho.
Groan (grôun) *s* gemido; suspiro; berro; *v* gemer; suspirar; rugir.
Groat (grôut) *s* moeda inglesa (antiga); quantia insignificante.
Gro.cer (grôu.sâr) *s* merceeiro; vendeiro; armazém.
Gro.cer.y (grôu.sâri) *s* empório; armazém (alimentos).
Grog.gi.ness (gró.guinés) *s* embriaguez; bebedeira.
Groin (gróin) *s* ANAT virília; ARQT ala; aresta.
Groom (grum) *s* tratador de animais; cavalariço; noivo no dia do casamento.
Grooms.man (grummz.mân) *s* padrinho de casamento.
Groove (gruv) *s* encaixe; entalhe; estria; sulco; *v* sulcar; entalhar; estriar.
Grope (grôup) *v* tatear; andar às apalpadelas.
Gross (grôus) *adj* grosso; espesso; rude; grosseiro; crasso; total; bruto.
Gross.ly (grôus.li) *adv* grosseiramente; excessivamente; totalmente.
Gross.ness (grôus.nés) *s* grosseria; densidade; grossura; espessura.
Ground (gráund) *s* terra; solo; terreno; base; motivo; causa; bens (de raiz); fezes; *v* fixar; estabelecer.
Group (grup) *s* grupo; *v* agrupar; reunir.
Grouse (gráus) *s* galo silvestre; faisão; *v* lamentar-se.
Grout (gráut) *s* argamassa; resíduo; farinha grosseira; *v* encher de reboco; cimentar.

Grout.y (gráu.ti) *adj* turvo; intratável; arisco; árido.
Grove (grôuv) *s* bosque; alameda.
Grov.el (gróvl) *v* arrastar-se; engatinhar.
Grow (grôu) *v* crescer; cultivar; plantar; tornar-se; progredir; enraizar-se; *past* **Grew** *and pp* **Grown**.
Grow.ing (grôu.in) *s* crescimento; cultura; vegetação.
Growl (grául) *s* grunhido; resmungo; *v* resmungar; bramir; grunhir.
Grown (grôun) *adj* crescido; desenvolvido.
Growth (grôuth) *s* crescimento; desenvolvimento; cheia de maré; melhoria; produção.
Grub (grâb) *s* larva; verne; POP comida; *v* roçar; cavar; capinar; POP comer.
Grudge (grâdj) *s* rancor; ódio; inveja; ressentimento; *v* invejar; mostrar má vontade.
Gru.el (gru.el) *s* papa de farinha.
Grue.some (gru.sâm) *adj* horrível; pavoroso.
Gruff (gráf) *adj* áspero; rude; carrancudo; grosseiro.
Gruff.ness (grâf.nés) *s* grosseria; aspereza.
Grum.ble (grámbol) *v* resmungar; murmurar; queixar-se.
Grum.bling (grâm.blin) *s* murmuração; queixume.
Grump.y (grâm.pi) *adj* rabugento; queixoso; ríspido.
Grunt (grânt) *s* grunhido; gemido; *v* grunhir; resmungar; rosnar; gemer.
Guar.an.tee (guérânti) *v* garantir; responsabilizar-se.
Guard (gárd) *s* guarda; vigilante; sentinela; condutor de trem; *v* guardar; proteger; defender.
Guard.ed (gár.did) *adj* cauteloso; prudente.
Guard.i.an.ship (gár.diânxip) *s* tutela; tutoria; proteção; curadoria.
Gua.va (gu.êive) *s* goiaba.
Gudg.eon (gâ.djân) *s* isca; tolo; *v* enganar; lograr.
Guess (gués) *s* suposição; palpite; adivinhação; *v* avaliar; guiar; supor; achar.
Guess.er (gué.sâr) *s* conjeturador; adivinho; adivinhador.
Guess.work (gués.uârc) *s* suposição; adivinhação; conjetura.
Guest (guést) *s* conviva; hóspede; convidado; visita.
Guf.faw (gâfo) *s* gargalhada; *v* gargalhar.
Gui.dance (gâi.déns) *s* guia; direção; governo.
Guide (gáid) *s* guia; padrão; norma; modelo; *v* guiar; governar; dirigir; arranjar.
Guild (guild) *s* guilda; corporação; associação.
Guil.der (guil.dâr) *s* florim, moeda da Holanda.
Guile (gáil) *s* engano; fraude; logro; artifício.
Guile.ful (gáil.ful) *adj* astucioso; enganador; malicioso; insidioso.
Guile.less (gáil.lés) *adj* ingênuo; sincero.
Guilt (guilt) *s* culpa; crime; pecado.
Guilt.i.ness (guil.tinés) *s* culpabilidade; criminalidade.
Guilt.less (guilt.lés) *adj* inocente.
Guilt.less.ness (guilt.lésnés) *s* inocência.
Guilt.y (guil.ti) *adj* culpado; perverso; réu; criminoso.
Guin.ea (gui.ni) *s* guinéu, antiga moeda de ouro Inglesa (21 xêlins).
Guise (gáiz) *s* modo; pretexto; maneira; aparência.
Gulch (gâltxe) *s* ravina (torrente de água); garganta.
Gulf (gâlf) *s* golfo; abismo.
Gull (gâl) *s* gaivota; logro; engano; *v* lograr; enganar; fraudar.
Gul.let (gu.lét) *s* garganta; esôfago; encanamento subterrâneo; canal.
Gul.ly (gâ.li) *s* fosso; ravina; vala.
Gulp (gâlp) *s* trago; gole; *v* tragar (de um gole); engolir com avidez.
Gum (gâm) *s* goma; grude; gengiva; galochas; goma de mascar; *v* grudar; colar; engomar.
Gun (gân) *s* arma de fogo; pistola; rajada; *v* atirar (arma de fogo).
Gun.pow.der (gân.páu.dâr) *s* pólvora.
Gur.gle (gârgol) *s* golfada; *v* gorgulhar; borbulhar; borbotar.
Gush (gâxe) *s* jorro; entusiasmo; efusão; *v* brotar; esguichar; jorrar; emocionar.
Gust (gâst) *s* pé-de-vento; paixão; rajada; gosto; sabor.
Gus.ta.tion (gâstêi.xân) *s* ato de provar; gustação.
Gus.ta.tive (gâstêitiv) *adj* gustativo.
Gus.ta.to.ry (gâs.tâtôuri) *examine* ⇒ **Gustative**.
Gust.i.ness (gâs.tinés) *s* caráter; estado tempestuoso; borrascoso.
Gust.y (gâs.ti) *adj* tempestuoso; violento; borrascoso.
Gut (gât) *s* tripa; *pl* bofes; *v* esvaziar.
Gut.ter (gâ.târ) *s* calha; goteira; canal; *v* instalar calhas; instalar canos.
Guy (gái) *s* cabo; corda; fuga; corrente; FIG pessoa ridícula; GÍR cara; camarada; sujeito; indivíduo; *v* prender (com cabo); zombar ridicularizar.
Guz.zle (gâzl) *v* beber (em excesso); comer (em excesso); embriagar-se.
Guz.zler (gâ.zlâr) *s* ébrio; beberrão.
Gyp (djip) *s* criado (da universidade de cambridge); vigarista; *v* trapacear; roubar; enganar.
Gyp.sum (djip.sâm) *s* gesso.
Gyp.sy (dji.psi) *s* cigano; *also* **Gipsy**.
Gy.rate (djái.rit) *adj* circular; *v* girar; circular.
Gyration (djáirêi.xân) *s* giro; rotação; volta.
Gyre (djáir) *s* giro; volta.
Gyve (djái.vz) *s pl* cadeias; grilhões; algemas; corrente; *v* encadear; algemar; acorrentar.

hH

H (êitxe) *s* oitava letra do alfabeto Português e do alfabeto Inglês.

Ha (há) *interj* ah!

Ha.bil.i.tate (hâbi.litêit) *v* habilitar; equipar.

Hab.it (hé.bit) *s* hábito (roupa); hábito; costume.

Ha.bit.u.ate (hâbi.tAxuêit) *v* habituar; habituarse; acostumar.

Hab.i.tude (hé.bitiud) *s* hábito; uso; familiaridade; trato; costume.

Hack (héc) *s* talho; corte; cavalo de corrida; *v* cortar; despedaçar; entalhar; montar cavalo; tossir.

Hacker (hécâr) *s* pessoa muito habilitada em informática.

Hack.ney (héc.ni) *v* esvaziar através de uso ininterrupto; conduzir em um vagão.

Hag (hég) *s* feiticeira; velha feia.

Hag.gard (hé.gârd) *adj* pálido; desfigurado; angustiado; fatogado.

Hag.gle (hégol) *v* regatear; pechinchar; despedaçar.

Hail (hêil) *s* saraiva; grito; granizo; saudação; *v* saudar.

Hair (hér) *s* cabelo; crina; fibra; filamento.

Hair.brush (hér.brâxe) *s* escova (de cabelo).

Hair.cut (hér.cât) *s* corte (de cabelo).

Hair.less (hé.rlis) *s* calvo; careca; pelado.

Hair.pin (hér.pin) *s* grampo (de cabelo).

Hair.y (hé.ri) *adj* cabeludo; felpudo; peludo.

Hake (héic) *s* peixe (igual ao bacalhau).

Hale (hêil) *adj* robusto; forte; são; *v* alar; puxar com força.

Half (háf) *adv* meio; quase.

Half.way (háf.uêi) *adj* incompleto; *adv* na metade do caminho; parcialmente.

Hall (hól) *s* salão; corredor; vestíbulo; entrada.

Hall.mark (hól.márc) *s* marca; carimbo (ouro ou prata).

Hal.lo (hêi.lôu) *interj* olá! Alô!

Hal.low (hél.lôu) *v* santificar; consagrar; reverenciar.

Hal.low.e.en (hélôw.in) *s* véspera do Dia de Todos os Santos; Dia das Bruxas.

Hal.low.mass (hél.lôumâs) *s* Dia de Todos os Santos.

Halo (hêi.lóu) *s* halo; auréola; *v* aureolar.

Halt (hólt) *s* parada; pausa; estacionamento; *v* mancar.

Hal.ter (hól.târ) *v* encabrestar; amarrar (com uma corda).

Ham (hém) *s* aldeia; presunto; curva (da perna); GÍR canastrão; rádio-amador.

Ham.let (hém.lét) *s* aldeola; aldeia; lugarejo.

Ham.mer (hé.mâr) *s* martelo; malho; percursor; cão (arma de fogo); *v* martelar.

Ham.mock (hém.mâc) *s* rede.

Ham.per (hém.pâr) *v* impedir; pôr (em cestos); estorvar; embaraçar.

Hand (hénd) *s* mão; mão (vez de jogar); mão de obra; pata dianteira; *v* dar; guiar; transmitir; passar; conduzir; ajudar.

Hand.bag (hénd.bég) *s* mala de mão; bolsa.

Hand.ball (hénd.ból) *s* ESP jogo de bola.

Hand.book (hénd.buc) *s* manual; guia; caderneta.

Hand.cuff (hénd.câf) *s pl* algemas; *v* algemar; dominar.

Hand.ful (hénd.ful) *s* mão-cheia; porção.

Hand.i.cap (hén.diquép) *v* pôr embaraço.

Hand.i.craft (hén.dicréft) *s* ofício; trabalho manual; mão-de-obra.

Hand.ker.chief (hén.cârtxif) *s* lenço.

Han.dle (héndol) *s* punho; maçaneta; manivela; *v* manejar; manipular.

Hand.maiden (hénd.meiden) *s* criada.

Hand.out (hénd.óut) *s* folheto (para publicidade); nota (para a imprensa).

Hand.sel (hénd.sél) *s* presente comemorativo (casamento, Ano Novo, Natal); *v* estrear; presentear.

Hand.some (hén.sâm) *adj* belo; bonito; elegante; simpático.

Hand.work (hénd.uôrc) *s* trabalho manual.

Hand.writ.ing (hénd.raiting) *s* escrita; letra; caligrafia.

Hang (hén) *s* ladeira; caimento (de vestido, roupa, etc.); Propensão; *v* enforcar; pendurar; prender; depender; esperar; *past and pp* **Hunged** *or* **Hung**.

Han.gar (hân.gâr) *s* hangar; galpão.

Han.ger (hén.nâr) *s* carrasco; cabide; cartaz.

Hang.man (hénn.mân) *s* carrasco (que enforca).
Hank (hénc) *s* novelo de linha; laço; poder.
Han.ker (hén.câr) *v* ansiar; almejar.
Hap (hép) *s* sorte; acidente; acaso; *v* acontecer; ocorrer (forma antiga).
Hap.haz.ard (hép.zard) *adj* casual; fortuito; *adv* casualmente.
Hap.less (hép.lés) *adj* infeliz; sem sorte.
Hap.ly (hé.pli) *adv* por acaso; casualmente.
Hap.pen (hépn) *v* acontecer; ocorrer; suceder.
Hap.pen.ing (hép.nin) *s* ocorrência; acontecimento; sucesso.
Hap.pi.ly (hé.pili) *adv* felizmente.
Hap.pi.ness (hé.pinés) *s* felicidade; prazer; graça.
Hap.py (hé.pi) *adj* feliz; alegre; hábil; afortunado; próspero.
Har.ass (hé.râs) *v* fustigar; cansar; aborrecer.
Har.bor (hâr.bâr) *s* porto; asilo; alojamento; ancoradouro; *v* abrigar; alojar; refugiar-se.
Har.bour (hâr.bâr) *examine* ⇒ **Harbor**.
Hard (hárd) *adj* sólido; difícil; duro; rude; *adv* diligentemente; duramente; firmemente.
Hard.en (hârdn) *v* insensibilizar; endurecer; temperar (aço, ferro, etc.); enrijecer.
Har.di.ness (hár.dinés) *s* coragem; vigor; ânimo; valor.
Hard.ly (hár.dli) *adv* raramente; duramente.
Hard.ship (hárd.xip) *s* fadiga; trabalho.
Hard.ware (hárd.uér) *s* ferramenta; quinquilharia; ferragem.
Har.dy (hár.di) *s* cinzel; talhadeira; *adj* forte; robusto; vigoroso; intrépido; ousado.
Hare (hér) *s* lebre; *v* correr rapidamente.
Har.i.cot (hé.ricôu) *s* semente de feijão branco.
Hark (hárc) *v* escutar atentamente.
Har.lot (hár.lât) *s* meretriz; rameira.
Harm (hárm) *s* prejuízo; dano; ofensa; *v* prejudicar; causar dano; ofender.
Harm.less (hárm.lés) *adj* inocente; inofensivo; ileso.
Har.mo.nize (hár.monáiz) *v* conciliar; harmonizar; pôr-se de acordo.
Har.mo.ny (hár.moni) *s* MÚS harmonia; concórdia; concordância.
Harp (hárp) *s* harpa; ASTR Lira (Constelação); *v* tocar harpa.
Har.poon (hárpun) *v* arpoar.
Harp.si.chord (hár.piscórd) *s* MÚS cravo.
Har.py (hár.pi) *s* harpia (ave); chantagista.
Har.ry (hé.ri) *v* assolar; oprimir; destruir.
Harsh (hárxe) *adj* áspero; rigoroso; forte.
Harsh.en (hár.xen) *v* tornar áspero; tornar cruel.
Hart (hárt) *s* veado.
Har.vest (hár.vést) *s* colheita; ceifa; sega; *v* ceifar; fazer a colheita.
Hash (héxe) *s* picado; *v* picar; retalhar.
Hasp (hésp) *s* broche; anel de cadeado; *v* fechar com cadeado.
Haste (hêist) *s* prontidão; presteza; precipitação; diligência; urgência; *v* apressar.
Hast.i.ly (hêis.tli) *adv* às pressas; apressadamente; aceleradamente.
Hast.y (hêis.ti) *adj* apressado; vivo; precipitado.
Hat (hét) *s* chapéu.
Hatch (hétxe) *v* chocar (ovos); incubar.
Hatch.et (hét.xit) *s* machadinha.
Hatch.ment (hé.txement) *s* armas; brasões.
Hate (hêit) *s* ódio; aversão; *v* odiar; abominar.
Hate.ful (hêit.ful) *adj* detestável; reprovável; odioso.
Hat.er (hêi.târ) *s* inimigo; abominador.
Haugh.ti.ness (hó.tinés) *s* altivez; orgulho; arrogância.
Haugh.ty (hó.ti) *adj* orgulhoso; soberbo; insolente.
Haul (hól) *s* puxão; arrasto; arranco; *v* puxar; rebocar.
Haulm (hóm) *s* caule; colmo.
Haunch (hántxe) *s* anca; quadril.
Haunt (hánt) *s* retiro; abrigo; *v* assombrar.
Haut.boy (hôu.bói) *s* MÚS oboé.
Have (hév) *v* ter; tomar (bebida); dever; aceitar; possuir; querer; ter de; *past and pp* **Had**.
Ha.ven (hêivn) *s* porto; refúgio; asilo; abrigo.
Hav.er.sack (hé.vârséc) *s* mochila; bornal.
Hav.oc (hé.vâc) *s* destruição; ruína; estrago; *v* arruinar; destruir; devastar; destroçar.
Haw (hó) *s* cerca; enxadão; cercado; *v* gaguejar; rir largamente.
Hawk (hóc) *s* falcão (ave); pigarro; *v* pigarrear (limpar a garganta); caçar com falcão; mascatear.
Hawk.weed (hó.cuíd) *s* chicória.
Haw.ser (hó.zâr) *s* espia; cabo; amarra.
Hay (hêi) *v* fazer feno; armar laços.
Hay.seed (hêi.sid) *s* POP caipira; matuto.
Haz.ard (hé.zârd) *s* azar; risco; perigo; acaso; *v* arriscar; aventurar-se; correr o risco.
Haz.ard.ous (hé.zârdâs) *adj* arriscado; perigoso; incerto.
Haze (hêi.z) *s* nevoeiro; mormaço; neblina; obscuridade; perturbação mental; *v* atemorizar; espantar; nublar.
Ha.zel (hêizol) *s* aveleira; *adj* castanho (cor); castanha (noz).
Ha.zy (hêi.zi) *adj* confuso; nebuloso.
He (hi) *s* homem; símbolo químico do hélio; *adj* animal macho; **He-goat:** um bode; *pron* ele.
Head (héd) *s* cabeça; chefe; cabeçalho; nascente (rio); cara (de moeda); *v* guiar; governar; chefiar; *adj* principal.
Head.ache (hé.dêic) *s* dor de cabeça; enxaqueca.
Head.dress (hé.dres) *s* penteado; toucado.
Head.er (hé.dâr) *s* cabeça; chefe.
Head.line (héd.lain) *s* título de jornal; manchete; cabeçalho.
Head.long (héd.long) *adj* rápido; precipitado; temerário; repentino; *adv* precipitadamente; impetuosamente.

Head.phone (héd.fôn) *s* fone de ouvido (aparelho de som).
Head.stone (héd.stoun) *s* pedra fundamental; pedra angular; pedra tumular.
Head.strong (héd.stron) *adj* teimoso; cabeçudo; indomável.
Head.work (héd.wêrc) *s* trabalho mental; título.
Head.y (hé.di) *adj* violento; forte; temerário; embriagante.
Heal (hil) *v* curar; sarar; cicatrizar; remediar.
Heal.a.ble (hi.lâbol) *adj* curável; sanável.
Heal.er (hi.lâr) *s* médico.
Health (hélth) *s* saúde; sanidade; sinceridade.
Health.ful (hélth.ful) *adj* salubre
Health.y (hél.thi) *adj* são; sadio; saudável.
Heap (hip) *s* monte; pilha; acúmulo; aglomeração (de pessoas); *v* amontoar; aglomerar; cumular; empilhar.

Hear (hip) *v* ouvir; escutar; examinar; *past and pp* Heard.
Hear.ing (hi.rin) *s* audição; audiência; averiguação.
Hear.say (hir.sêi) *s* boato; rumor; voz.
Hearse (hârs) *s* carro fúnebre; ataúde.
Heart (hárt) *s* coração; peito; interior; centro; coragem; ânimo; sensibilidade; alma.
Heart.en (hártân) *v* animar; estimular.
Heart.i.ly (hár.tili) *adv* sinceramente; cordialmente.
Heart.i.ness (hár.tinés) *s* sinceridade; cordialidade.
Heart.y (hár.ti) *adj* cordial; franco; sincero; robusto.
Heat (hit) *s* calor; aquecimento; cólera; *v* aquecer; esquentar; animar-se; agitar.
Heat.er (hi.târ) *s* aquecedor; estufa.
Heath (hi.th) *s* mata; terreno baldio.
Heave (hiv) *s* elevação; náusea; suspiro; *v* levantar (com grande esforço); suspender; lançar; *past and pp* Hove.
Heav.en (hévn) *s* céu; firmamento; RELIG o Céu.
Heav.en.li.ness (hévn.linés) *s* excelência suprema.
Heav.en.ly (hévn.li) *adj* celestial; divino; *adv* divinamente.
Heav.i.ness (hé.vinés) *s* peso; mágoa.
Heav.y (hé.vi) *adj* pesado; oneroso; carregado; denso; maciço; triste; árduo.
Heav.y.weight (hé.vi.uêit) *s* ESP peso-pesado.
He.bra.ic (hibrêic) *adj* Hebraico.
He.bra.i.cal (hibrêi.câl) *examine* ⇒ **Hebraic.**
He.brew (hi.bru) *s* Hebreu; Judeu; *adj* Hebreu; Hebráico.
Heck.le (hécol) *v* interpelar; apartear; importunar.
Hedge (hédj) *s* cerca viva; proteger; tapume; obstáculo.
Hedge.row (hédj.rôu) *s* planta que forma cerca, muro.
Heed (hid) *s* cautela; cuidado; consideração; atenção; *v* prestar atenção a.
Heed.ful (hid.ful) *adj* cuidadoso; precavido; atento; cauteloso.
Heel (hil) *s* calcanhar; tacão; salto; *v* colocar salto ou tacão em; NÁUT inclinar.
Heft.y (héfti) *adj* POP substancioso; pesado; violento.
He.gi.ra (hé.djirâ) *s* Hégira.
Heif.er (hé.fâr) *s* novilha; vitela.
Height (háit) *s* altura; excelência; altitude; elevação; eminência.
Height.en (háitn) *v* elevar; erguer; levantar; realçar; alçar.
Heir (ér) *s* herdeiro; sucessor.
Heir.dom (ér.dâm) *s* herança.
Hell (hél) *s* inferno.
Hel.lo (hâllow) *interj* alô!
Helm (hélm) *s* leme; governo; timão; direção; *v* dirigir; governar; conduzir; guiar.
Hel.met (hél.mit) *s* elmo; capacete.
Help (hélp) *s* ajuda; socorro; auxílio; remédio; recurso; ajudante; *v* ajudar; auxiliar; socorrer.
Help.ful (hélp.ful) *adj* proveitoso; útil; prestativo.
Help.mate (hélp.mêit) *s* ajudante; companheiro (cônjuge).
Hem (hém) *s* bainha; debrum; orla; pigarro; *v* debruar; embainhar; tossir; pigarrear.
Hem.lock (hémm.lóc) *s* cicuta, (planta venenosa).
Hemp (hémp) *s* cânhamo (árvore).
Hemp.en (hém.pem) *adj* cânhamo.
Hen (hén) *s* galinha; fêmea (de aves).
Hence (héns) *adv* daqui; daí; desde que.
Hence.forth (héns.fôurth) *adv* daqui em diante; para o futuro; de hoje em diante.
Hence.forward (héns.fór.uârd) *examine* ⇒ Henceforth.
Hen.ner.y (hén.nâri) *s* galinheiro.
Her (hâr) *pron* seu; seus; sua; suas; dela; lhe; a ela.
Her.ald (hé.râld) *s* o que anuncia; arauto; mensageiro; *v* anunciar; proclamar; apresentar; introduzir.
Her.ald.ry (hé.râldri) *s* heráldica (ciência dos brasões); genealogia.
Herb (hârb) *s* erva; planta; legume.
Herb.age (hâr.bidj) *s* pastagem; pasto.
Herd (hârd) *s* bando; multidão; grei; rebanho; manada; *v* andar em bandos.
Here (hir) *adv* aqui; neste lugar; cá.
Here.af.ter (hir.áftâr) *adv* doravante; para o futuro.
Here.by (hir.bái) *adv* pela presente; por este meio; não longe daqui.
He.red.i.ta.bil.i.ty (hiréditâbi.liti) *s* hereditariedade.
He.red.i.ta.ry (hiré.ditâri) *adj* hereditário.
Here.in (hi.rin) *adv* aqui dentro; nisto.
Here.of (hir.óf) *adv* disto; a respeito disto; daqui; como resultado disto.
Here.on (hir.ón) *adv* sobre isto; a respeito disto; para isso.
Here.to (hir.tu) *adv* até agora; a este lugar; a esse fim.
Here.up.on (hir.âpón) *adv* por causa disto.
Here.with (hir.uith) *adv* com isto; junto, incluso.

Her.i.ta.ble (hé.ritâbol) *adj* que pode ser recebido por herança.
Her.i.tage (hé.ritidj) *s* tradição; herança.
Her.mit.age (hâr.mitidj) *s* ermida; eremitério.
He.ro (hi.rôu) *s* herói.
Her.o.ism (hé.roizm) *s* heroísmo.
Her.on (hé.rân) *s* garça (ave).
Hers (hârz) *pron* seu (s); sua (as); dela.
Her.self (hârsélf) *pron* ela mesma; ela própria.
Hes.i.tance (hé.zitâns) *s* hesitação; indecisão; vacilação.
Hes.i.tan.cy (hé.zitânsi) *examine* ⇒ **Hesitance.**
Hes.i.ta.tion (hézitêi.xân) *examine* ⇒ **Hesitance.**
Hew (hiu) *v* cortar; talhar; picar; desbastar; *past* **hewed** *and pp* **Hewn.**
Hew.er (hiu.âr) *s* talhador; lenhador.
Hey (hêi) *interj* olá! êh!
Hi (hái) *interj* olá! oi!
Hi.a.tus (háitêi.tâs) *s* hiato; brecha; fenda.
Hi.ber.nate (hái.bârnêit) *v* hibernar.
Hic.cup (hi.câp) *s* soluço.
Hide (háid) *s* couro; pele; *v* esconder; ocultar; *past* **Hid** *and pp* **Hid** *or* **Hidden.**
Hide.bound (háid.báund) *adj* intratável.
Hid.e.ous (hi.diâs) *adj* abominável; horrível; feio.
Hid.ing (hái.din) *s* encobrimento; esconderijo; surra; sova.
Hie (hái) *v* ativar; apressar-se.
Hig.gle (higol) *v* regatear; pechinchar.
Hig.gler (hi.glâr) *s* regateador; pechinchador.
High (hái) *adj* alto; grande; supremo; *adv* altamente; arrogantemente.
High.land.er (hái.léndâr) *s* terra montanhosa; montanhês da Escócia (norte).
High.ness (hái.nés) *s* elevação; altura; grandeza; sublimidade; alteza.
High.way (hái.uéi) *s* estrada (de rodagem); rodovia.
Hike (háic) *s* caminhada; *v* excursionar.
Hi.la.ri.ous (háilêi.riâs) *adj* hilariante.
Hi.lar.i.ty (hilé.riti) *s* hilaridade; jovialidade; alegria.
Hill (hil) *s* colina; encosta; monte; *v* amontoar; acumular.
Hill.ock (hi.lâc) *s* colina.
Hill.y (hi.li) *adj* acidentado; montanhoso.
Hilt (hilt) *s* punho; guarda; copos (de espada); cabo.
Him (him) *pron* o; lhe; ele.
Him.self (himsélf) *pron* ele mesmo; ele próprio; se.
Hind (háind) *s* camponês; corça; *adj* posterior; traseiro.
Hinder (háin.dâr) *v* embaraçar; impedir; obstruir; retardar.
Hinge (hindj) *s* dobradiça; ponto principal; macho e fêmea do leme; *v* depender de; curvar.
Hint (hint) *s* insinuação; sugestão; advertência; *v* sugerir; insinuar; dar a entender; aludir; advertir.
Hip (hip) *s* anca; quadril; cadeiras; *v* entristecer; produzir melancolia.
Hire (háir) *s* aluguel; salário; ordenado; *v* alugar; assalariar; subornar; contratar (empregado).
Hired (háir.ed) *adj* de aluguel; mercenário; assalariado; alugado.
His (hiz) *pron* seu; sua; seus; suas; dele.
Hiss (his) *s* assobio; silvo; apupo; *v* assobiar; silvar; vaiar.
Hist (híst) *interj* silêncio; psiu!
His.to.ry (his.tori) *s* história.
Hit (hit) *s* golpe; pancada; acerto; *v* ferir; bater; chocar-se; acertar; alcançar.
Hitch (hitxe) *s* nó; laço; parada; obstáculo; dificuldade; problema; *v* sacudir; enganchar; atrelar.
Hitch-Hiker (hitxe.háiquer) *s* carona.
Hith.er (hi.târ) *adj* aquém de; até aqui; para cá; para aqui; *adv* aquém de; até aqui; para cá; para aqui.
Hith.er.to (hi.dhârtu) *adv* até agora; até aqui.
Hit.ter (hi.târ) *s* o que bate; o que fere.
Hive (háiv) *s* colmeia; enxame; *v* enxamear.
Hives (háivz) *s* MED urticária.
Ho (hôu) *interj* olá, alô!
Hoar (hôur) *adj* alvo; grisalho; bolorento.
Hoard (hôurd) *v* amontoar; acumular; entesourar.
Hoarse (hôurs) *adj* discordante; rouco.
Hoar.y (hôu.ri) *adj* esbranquiçado; branco; encanecido; velho.
Hoax (hôucs) *s* mistificação; logro; burla; engano; *v* mistificar; lograr; fraudar.
Hob (hób) *s* projeção da lareira (lateral).
Hob.ble (hobol) *v* mancar; embaraçar; estorvar.
Hob.by (hó.bi) *s* passatempo; ocupação; cavalinho de pau.
Hob.nail (hób.nêil) *s* cravo de ferradura; prego; tachão.
Hob.nob (hób.nób) *v* brindar à saúde.
Hock (hóc) *s* jarrete; vinho (do Reno); *v* penhorar; GÍR pôr no prego.
Hock.ey (hó.qui) *s* ESP hóquei.
Ho.cus-Po.cus (hôu.câs.pôu.câs) *s* farsa; prestidigitador; tolice; *v* mistificar; engodar; aturdir.
Hoe (hôu) *s* enxada; máquina para cavar; *v* cavar; capinar.
Hog (hóg) *s* porco; capado.
Hog.gish (hó.guixe) *adj* porco; imundo; sujo.
Hoist (hóist) *s* guindaste; guincho; elevador; *v* levantar; guindar; içar; alçar.
Hold (hôuld) *s* apresamento; posse; prisão; *v* segurar; durar; conter; ocupar; *past and pp* **Held.**
Hold-All (hôul.dól) *s* mochila; saco de viagem.
Hole (hôul) *s* buraco; cavidade; cova; antro; caverna; *v* cavar; esburacar.
Hol.i.day (hó.lidêi) *s* Dia Santo; feriado; dia de festa.
Hol.land.er (hó.lândâr) *adj* Holandês.
Hol.low (hó.lôu) *s* cavidade; vale; buraco; concavidade; antro; caverna; *v* perfurar; cavar; escavar; esvaziar; *adj* oco; enganador.
Hol.ster (hôuls.târ) *s* coldre; portarrevólver.

Ho.ly (hôu.li) *adj* santo; sagrado; piedoso.
Hom.age (hó.midj) *s* homenagem; honraria; deferência.
Home (hôum) *s* lar; casa; pátria; família; residência; *adj* doméstico; caseiro; natal.
Home.work (hôum.uôrc) *s* tarefa de casa.
Hom.i.cide (hó.missáid) *s* homicídio; assassinato.
Hom.i.ly (hó.mili) *s* Homília, Sermão.
Hone (hôun) *s* pedra de amolar (afiar); *v* afiar; amolar; lamentar-se; afligir-se.
Hon.est (ó.nist) *adj* probo; sincero; franco; íntegro.
Hon.est.ly (ó.nistli) *adv* honestamente; honradamente.
Hon.es.ty (ó.nisti) *s* honradez; probidade; pureza.
Hon.ey (hâ.ni) *s* mel; doçura; GÍR querido; querida; meu bem; *v* adoçar; falar com carinho; cobrir de mel; tornar doce.
Hon.ey.bee (hâ.nibi) *s* abelha.
Hon.ey.moon (hâ.nimun) *s* lua de mel.
Hon.or (ó.nâr) *s* honra; honestidade; fama; dignidade; ornamento; senhoria; *v* honrar; homenagear; glorificar; COM pagar uma letra no dia do vencimento.
Hon.our (ó.nâr) *examine* ⇒ **Honor**.
Hood (hud) *s* touca; capuz; dobra; prega ornamental; chapéu; capa de chaminé; AUT capota de carro (capô); *v* encapuzar.
Hood.man.blind (hud.mân.bláind) *s* cabra-cega.
Hood.wink (hud.uinc) *v* vendar os olhos; lograr; enganar.
Hoof (huf) *s* casco de diversos mamíferos; *v* andar a pé.
Hook (huc) *s* gancho; anzol; engodo; *v* enganchar; dependurar; furtar; **Hook up:** juntar.
Hoop (hup) *s* arco; círculo; anel; colar; *v* guinchar.
Hoot (hut) *v* gritar; apupar; vaiar.
Hop (hóp) *s* salto; pulo; baile; BOT lúpulo; *v* andar aos pulos; saltitar.
Hope (hôup) *s* esperança; confiança; expectativa; *v* esperar; ter confiança.
Hope.ful (hôup.ful) *adj* esperançoso; esperançado.
Hop.per (hó.pâr) *s* saltador; recipiente que possui saída na base para descarga.
Horde (hôurd) *s* horda; bando; clã.
Ho.ri.zon (horáizn) *s* horizonte.
Horn (hórn) *s* chifre; corno; antena de inseto; protuberância óssea; MÚS corneta.
Horn.y (hór.ni) *adj* córneo; caloso.
Hor.ri.ble (hó.ribol) *adj* horrível; espantoso; atroz.
Hor.rid (hó.rid) *adj* horrível.
Hor.ri.fy (hó.rifái) *v* horrorizar.
Horse (hórs) *s* cavalo; cavalaria.
Horse.shoe (hórsixu) *s* ferradura.
Hose (hôuz) *s* meias; mangueira; calções; *v* puxar água.
Hos.pice (hós.pis) *s* hospício.
Host (hôust) *s* hoste; exército; bando; hóspede; hospedeiro; Hóstia (o corpo de Cristo); *v* hospedar; receber a bordo; sediar.
Hos.tage (hós.tidj) *s* refém; garantia.
Hos.tel (hós.tel) *s* hospedaria; estalagem; residência (para estudante).
Hos.tel.ry (hós.telri) *examine* ⇒ **Hostel**.
Hos.tile (hós.til) *adj* hostil; inimigo.
Hos.til.i.ty (hósti.liti) *s* hostilidade; inimizade.
Hot (hót) *adj* quente; ardente; violento.
Hot.ness (hót.nés) *s* calor; furor; ardor; veemência.
Hot.spur (hót.spâr) *adj* violento; temerário.
Hound (háund) *s* cão de caça; sabujo; FIG pessoa vil.
Hour (áuâr) *s* hora; tempo; ocasião.
Hour.ly (áuâr.li) *adj* breve; recente; feito a cada hora.
House (háus) *s* casa; residência; habitação; lar; casa de espetáculos ou comercial; *v* residir; hospedar; alojar; morar.
House.hold (háus.hôuld) *s* família; lar; governo da casa.
House.wife (háus.uáif) *s* dona da casa; estojo de costura.
Hov.el (hó.vel) *s* choça; barraca; cabana; *v* abrigar-se (choça).
Hov.er (hó.ver) *v* hesitar; pairar.
How (háu) *adv* como; quão; de que modo; quanto.
How.be.it (háubi.it) *adv* não obstante; seja como for.
How.ev.er (háu.évâr) *adv* como quer que seja; *conj* ainda que; todavia; contudo.
Howl (hául) *s* uivo; rugido; alarido; *v* uivar; latir.
How.so.ev.er (háusoé.vâr) *adv* como quer que; de qualquer forma.
Hoy (hói) *s* batelão; tipo de barco ou barcaça; *interj* olá!
Hoy.den (hóidn) *s* moça atrevida.
Hub (háb) *s* cubo da roda; centro; eixo.
Hub.bub (hâ.hâb) *s* algazarra; grito; confusão.
Huck.le (hâcol) *s* corcunda; corcova; saliência.
Hud.dle (hâdol) *s* confusão; tumulto; *v* confundir; juntar às pressas; atropelar-se.
Hue (hiu.) *s* cor; matiz; tinta; tez.
Huff (hâf) *s* bazófia; acesso de arrogância; *v* insultar; ofender.
Huff.y (hâ.fi) *adj* insolente; fanfarrão.
Hug (hâg) *s* abraço apertado; *v* abraçar.
Huge (hiudj) *adj* enorme; colossal; tremendo.
Huge.ness (hiudj.nés) *s* vastidão; enormidade.
Hull (hâl) *s* casca (de fruta); vagem; NÁUT casco (de barco); *v* descascar; flutuar.
Hul.la.ba.loo (hâlâbâlu) *s* algazarra; tumulto.
Hum (hium) *v* sussurrar; zunir.
Hu.man (hiu.mân) *adj* humano.
Hu.man.ise (hiu.mânaiz) *v* humanizar.
Hu.man.ism (hiu.mânizm) *s* humanismo.
Hu.man.i.ty (hiumé.niti) *s* humanidade.
Hu.man.ize (hiu.mânáiz) *examine* ⇒ **Humanise**.
Hu.man.kind (hiu.mâncáind) *s* o gênero humano; a humanidade.

Hum.ble (hâmbol) *v* humilhar; deprimir.
Hum.ble.ness (hâmbl.nés) *s* humildade; nascimento humilde.
Hum.bug (hâm.bâg) *s* engano; embuste; *v* lograr; enganar; mistificar.
Hu.mid (hiu.mid) *adj* úmido.
Hu.mid.i.ty (hiumi.diti) *s* umidade.
Hum.ming-Bird (hâm.minn.bârd) *s* beija-flor; colibri (pássaro).
Hum.mock (hâm.mâc) *s* montículo; colina.
Hu.mor (hiu.mâr) *s* humor; índole; disposição; capricho; *v* agradar; brincar; satisfazer.
Hu.mor.ist (hiu.mârist) *s* humorista.
Hu.mor.ous (hiu.mârâs) *adj* engraçado.
Hu.mour (hiu.mâr) *examine* ⇒ **Humor**.
Hump (hâmp) *s* corcunda; corcova; *v* curvar; esforçar-se; corcovar; dobrar-se.
Hump.back (hâmp.béc) *s* corcunda.
Hunch (hânth) *s* corcova; corcunda; cotovelada; *v* acotovelar; tornar-se corcunda.
Hunch.back (hântsh.baec) *examine* ⇒ **Humpback**.
Hun.dred (hân.dred) *adj* cem.
Hun.ger (hân.gâr) *s* fome; *v* ter fome; ansiar.
Hun.gry (hân.gri) *adj* esfomeado; faminto; estéril.
Hunk (hânc) *s* POP pedaço grande; naco.
Hunks (hânks) *s* avarento; avaro.
Hunt (hânt) *s* caça; matilha; *v* caçar; perseguir; buscar.
Hunt.er (hân.târ) *s* caçador; cão (de caça); cavalo (de caça).
Hur.dle (hârdol) *v* fazer cerca de bambu; fechar (com cancelas); fechar (cercas de vime).
Hur.dy.gur.dy (hâr.di.gâr.di) *s* realejo.
Hurl (hârl) *s* arremesso; estrondo; confusão; tumulto; *v* arremessar; mover-se; atirar.
Hur.rah (hurrá) *interj* viva!
Hur.ri.cane (hâ.riquêin) *s* furacão; ciclone; tempestade.
Hur.ry (hâ.ri) *s* pressa; tumulto; *v* apressar-se; acelerar.
Hurt (hârt) *s* mal; prejuízo; dano; *v* magoar; ferir; prejudicar; estragar; *past and pp* **Hurt**; *adj* magoado; ofendido; prejudicado.
Hurt.ful (hârt.ful) *adj* prejudicial; nocivo.
Hurt.ing (hâr.tin) *s* dor.
Hurtle (hârtol) *v* chocar-se; arremessar-se com violência.
Hus.band (hâz.bând) *s* marido; esposo; *v* economizar; poupar.
Hush (hâxe) *s* silêncio; *v* sossegar; acalmar.
Husk (hâsc) *s* casca; folheto; vagem; *v* descascar; debulhar.
Husk.i.ness (hâs.quinés) *s* rouquidão; aspereza sonora.
Husk.y (hâs.qui) *adj* rouco; áspero; enérgico.
Hus.sy (hâ.zi) *s* mulher fútil (leviana).
Hus.tle (hâstol) *v* empurrar; atropelar; acotovelar-se; POP andar (com pressa).
Hus.tler (hâs.lâr) *s* pessoa enérgica.
Hut (hât) *s* cabana; choupana; barraca; *v* alojar (numa barraca).
Hy.a.line (hái.âlin) *adj* cristalino; transparente; vítreo.
Hy.e.na (hái.nâ) *s* hiena (mamífero).
Hy.gien.ic (hái.djienic) *adj* higiênico.
Hymn (him) *s* hino; *v* celebrar, cantar hinos.
Hy.phen (hái.fen) *s* traço de união; hífen.
Hyp.no.tism (hip.notizm) *s* hipnotismo.
Hyp.no.tize (hip.notáiz) *v* hipnotizar.
Hy.poc.ri.sy (hipó.crissi) *s* hipocrisia.
Hy.poth.e.cate (háipó.thiquêit) *v* hipotecar.
Hy.poth.e.ca.tion (háipóthiquêi.xân) *s* hipoteca.
Hy.poth.e.sis (háipó.thissis) *s* hipótese.
Hy.po.thet.ic (háipóthé.tic) *adj* hipotético; imaginário.
Hy.po.thet.i.cal (háipóthé.ticâl) *examine* ⇒ **Hypothetic**.
Hys.ter.ics (histé.rics) *s* ataque de histeria.

i I

I (ái) *s* nona letra do alfabeto Português e do alfabeto Inglês.
Ice (áis) *s* gelo; sorvete; POP diamante; *v* gelar; cobrir com gelo; cobrir com açúcar cristalizado.
Ice.berg (áis.bârg) *s* grande pedra de gelo flutuante.
Iced (áist) *adj* congelado; coberto de açúcar.
I.ci.cle (ái.sicol) *s* caramelo (de neve); massa de gelo (pendente).
Ic.ing (ái.sin) *s* cobertura de bolo com açúcar; cobertura de gelo.
Ic.tus (ic.tâs) *s* MED choque; pulsação (artéria); acento tônico.
I.cy (ái.si) *adj* gélido; frio; indiferente.
I.de.a (áidi.â) *s* ideia; pensamento; opinião.
I.de.al (áidi.âl) *adj* ideal; mental; perfeito; imaginário.
I.de.al.ize (áidi.âláiz) *v* idealizar.
I.den.ti.fi.ca.tion (áidéntifiquêi.xân) *s* identificação; reconhecimento.
I.den.ti.fi.er (áidén.tifáiâr) *s* identificador.
I.den.ti.fy (áidén.tifái) *v* distinguir; identificar.
Id.i.o.cy (i.diossi) *s* idiotismo; estupidez; imbecilidade.
Id.i.om (i.diâm) *s* idioma; língua; linguagem.
Id.i.ot (i.diât) *adj* idiota; imbecil; estúpido.
I.dle (áidol) *adj* desocupado; ocioso; frívolo; *v* vadiar.
I.dle.ness (ái.dolnés) *s* indolência; ociosidade.
I.dol.a.try (áidó.lâtri) *s* idolatria.
I.dol.ize (ái.doláiz) *v* idolatrar; venerar.
I.dyll (ái.dil) *s* idílio.
If (if) *conj* se, ainda que; suposto que; embora.
Ig.ne.ous (i.gniâs) *adj* ígneo, incandescente.
Ig.nite (ignáit) *v* acender o fogo; inflamar.
Ig.ni.tion (igni.xân) *s* ignição; inflamação.
Ig.no.bil.i.ty (ignôubi.liti) *s* baixeza; ignobilidade.
Ig.no.ble (ignôubol) *adj* ignóbil; vil.
Ig.no.min.i.ous (ignomi.niâs) *adj* ignominioso; vil; infame.
Ig.no.min.y (ig.nomini) *s* ignomínia; infâmia; desonra.
Ig.no.rance (ig.norâns) *s* ignorância, falta de conhecimento.
Ig.nore (ignôur) *v* ignorar; rejeitar; desprezar.
Ill (il) *s* mal; malícia; maldade; *adj* doente; mau; ruim; maléfico; *adv* mal; maldosamente; dificilmente.
Il.le.gal (ili.gâl) *adj* ilegal; ilícito.
Il.leg.i.ble (ilé.djbol) *adj* ilegível.
Il.lic.it (ili.sit) *examine* ⇒ **Illegal**.
Il.lim.it.a.ble (ili.mitâbol) *adj* ilimitado; infinito.
Ill.ness (il.nés) *s* doença; moléstia.
Il.lume (ilium) *v* iluminar; ilustrar; esclarecer; inspirar.
Il.lu.mi.nate (iliu.minêit) *examine* ⇒ **Illume**.
Il.lu.mine (iliu.min) *examine* ⇒ **Illume**.
Il.lu.sion (iliu.jân) *s* ilusão; quimera; engano; decepção.
Il.lu.sion.ist (iliu.jânist) *s* ilusionista; prestidigitador.
Il.lu.sive (iliu.siv) *adj* falso; enganoso; ilusório.
Il.lus.trate (i.lâstrêit) *v* ilustrar; explicar; explanar; demonstrar; elucidar.
Il.lus.tra.tion (ilâstrêi.xân) *s* ilustração; explicação; celebridade; gravura.
Im.age (i.midj) *s* imagem; retrato; estátua; ídolo; *v* imaginar.
Im.ag.i.na.ry (imé.djinâri) *adj* imaginário; quimérico.
Im.ag.i.na.tion (imédjinêui.xân) *s* ideia; concepção; imaginação; fantasia.
Im.ag.ine (imé.djin) *v* imaginar; imaginar-se; conceber.
Im.bibe (imbáib) *v* embeber; chupar; absorver; ensopar.
Im.bue (imbiu) *v* imbuir; embeber; tingir.
Im.i.ta.ble (imi.tâbol) *adj* imitável.
Im.i.tate (i.mitêit) *v* imitar; copiar; falsificar.
Im.mac.u.late (imé.quiulit) *adj* puro; imaculado.
Im.ma.nent (ímenent) *adj* inerente; imanente.
Im.me.di.ate.ly (imi.diêtli) *adv* em seguida; imediatamente; diretamente.
Im.men.si.ty (imén.siti) *s* imensidade; infinidade.
Im.merge (imâr.ge) *v* imergir; submergir; mergulhar.
Im.merse (imârs) *examine* ⇒ **Immerge**.
Im.mer.sion (imâr.xân) *s* imersão.
Im.mi.nence (i.minéns) *s* iminência.
Im.mi.nent (i.minuént) *adj* iminente.

Im.mod.er.ate (imó.dârit) *adj* imoderado; excessivo; exagerado.
Im.mod.est (imó.dést) *adj* imodesto.
Im.mod.es.ty (imó.desti) *s* imodéstia; indecência; desonestidade.
Im.mo.late (i.molêit) *v* imolar; sacrificar.
Im.mo.ral.i.ty (imoré.liti) *s* imoralidade; depravação; desonestidade.
Im.mor.tal (imór.tâl) *adj* imortal; perene.
Im.mor.tal.i.ty (imórté.liti) *s* imortalidade.
Immortalize (imór.tâláiz) *v* imortalizar.
Im.mu.ni.ty (imiu.niti) *s* imunidade; isenção.
Im.mure (i.miur) *v* emparedar; murar; encarcerar.
Im.mure.ment (i.miurêmênt) *s* encarceramento; prisão.
Im.mu.ta.bil.i.ty (imiutâbi.liti) *s* imutabilidade; firmeza; inalterabilidade.
Im.mu.ta.ble (imiu.tâbol) *adj* imutável; invariável; inalterável.
Im.pact (impéct) *s* impacto; choque; colisão; *v* embutir; comprimir.
Im.pair (impér) *v* piorar; diminuir; prejudicar.
Im.pair.ment (impér.ment) *s* dano; prejuízo; enfraquecimento.
Im.part (impárt) *v* dar; conceder; comunicar.
Im.par.ti.al.i.ty (impárxâ.liti) *s* imparcialidade.
Im.pass.a.ble (impé.sâbol) *adj* impraticável; insuperável; intransitável.
Im.pas.sive (impé.siv) *adj* impassível; insensível; apático.
Im.pa.tient (impêi.xânt) *adj* impaciente.
Im.peach (impi.txe) *v* impugnar; acusar; atacar.
Im.peach.ment (impi.txement) *s* impugnação; impedimento; obstáculo.
Im.pec.ca.bil.i.ty (impecâ.biliti) *s* impecabilidade.
Im.pede (impid) *v* impedir; estorvar; entravar.
Im.ped.i.ment (impé.diment) *s* impedimento; estorvo; embaraço.
Im.pel (impél) *v* impelir; empurrar; instigar.
Im.pend (impénd) *v* estar iminente; ameaçar.
Im.per.fect (impâr.féct) *adj* imperfeito; defeituoso; incorreto.
Im.pe.ri.ous (impi.riâs) *adj* urgente; imperioso; déspota; arrogante.
Im.per.ish.a.ble (impé.rixâbol) *adj* imperecível; imortal.
Im.per.me.a.ble (impâr.miâbol) *adj* impermeável.
Im.per.ti.nence (impâr.tinâns) *s* impertinência; inoportunidade.
Im.per.ti.nent (impâr.tinént) *adj* impertinente; insolente; atrevido.
Im.per.turb.a.ble (impârtâr.bâbol) *adj* imperturbável; sereno.
Im.per.vi.ous (impâr.viâs) *adj* impenetrável; inacessível; impermeável.
Im.pet.u.ous (impé.tiuâs) *adj* impetuoso; violento.
Im.pe.tus (im.pitâs) *s* ímpeto; impulso.
Im.pi.e.ty (impái.iti) *s* impiedade; irreverência.
Im.pi.ous (im.piâs) *adj* herege; ímpio.
Imp.ish (im.pixe) *adj* travesso; ladino; endiabrado.
Imp.ish.ness (im.pixenés) *s* diabrura; travessura.
Im.pla.ca.ble (implêi.câbol) *adj* inexorável; implacável.
Im.ple.ment (im.plimént) *s* instrumento; ferramenta; acessório.
Im.plic.it (impli.cit) *adj* tácito; implícito; complicado.
Im.plore (implôur) *v* implorar; rogar.
Im.ply (impláі) *v* implicar; significar; fazer supor; incluir.
Im.po.lite (impoláit) *adj* incivil; rude.
Im.po.lite.ness (impolát.nés) *s* incivilidade; grosseria; descortesia.
Im.port (im.pôrt) *s* tendência; importância; significação; COM importação.
Im.port (im.pôrt) *v* significar; envolver; COM importar.
Im.por.tance (impôur.tâns) *s* importância; consequência; consideração.
Im.por.tu.nate (impór.tiunêit) *adj* inoportuno; importuno.
Im.por.tune (impór.tiun) *v* importunar; enfadar; molestar.
Im.pose (impôuz) *v* impor; intimar; impingir.
Im.pos.ing (impôu.zin) *adj* grandioso; majestoso; imponente.
Im.pos.si.bil.i.ty (impâssibi.liti) *s* impossibilidade.
Im.pos.si.ble (impó.sibol) *adj* impossível; irrealizável; impraticável.
Im.pound (impáund) *v* encurralar; aprisionar.
Im.pov.er.ish (impó.vârixe) *v* empobrecer.
Im.pov.er.ish.ment (impó.vârixement) *s* empobrecimento.
Im.pre.cate (im.priquêit) *v* imprecar; amaldiçoar.
Im.pre.ca.tion (impriquêi.xân) *s* imprecação; maldição.
Im.pregn (imprin) *v* fecundar.
Im.preg.na.ble (impréɡ.nábol) *adj* impregnável; fecundável.
Im.preg.nate (impré.gnêit) *v* fecundar; emprenhar; impregnar.
Im.press (imprés) *s* timbre; impressão; cunho; *v* estampar; gravar; impressionar.
Im.press.i.ble (impré.sibol) *adj* impressionável.
Im.pres.sion.a.ble (impré.xânâbol) *adj* impressionável.
Im.print (im.print) *s* impressão; marca; nome do editor (em publicação); *v* imprimir; marcar.
Im.pris.on (imprizn) *v* aprisionar; encarcerar.
Im.pris.on.ment (imprizn.ment) *s* encarceramento; prisão.
Im.prob.a.ble (impró.bâbol) *adj* improvável.
Im.prove (impruv) *v* melhorar; aperfeiçoar; progredir.
Im.prove.ment (impruv.ment) *s* melhoramento; melhora; progresso.
Im.pugn (impiun) *v* impugnar;.contestar; atacar.

Im.pulse (im.pâls) *s* impulso; incentivo.

Im.pul.sion (impâl.xân) *s* impulso; ímpeto.

Im.pu.ni.ty (impiu.niti) *s* impunidade.

Im.pure (ímpiur) *adj* impuro; sórdido; contaminado.

Im.pu.ri.ty (impiu.riti) *s* impureza.

Im.put.a.ble (impiu.tâbol) *adj* imputável.

Im.pute (impiut) *v* imputar; atribuir.

In (in) *prep* em; de; por; para; *adv* dentro; em casa; **In** spades: muito, prá caramba.

In.a.bil.i.ty (inâbi.liti) *s* inabilidade; incapacidade.

In.ac.ces.si.ble (inécsé.sibol) *adj* inacessível.

In.a.lien.a.ble (inêi.lienâbol) *adj* inalienável.

In.ane (inêin) *s* vazio; vácuo; *adj* fútil; ôco; vão.

In.a.ni.tion (inâni.xân) *s* inanição; fraqueza.

In.an.i.ty (iné.niti) *s* inanidade; nulidade.

In.au.gu.rate (inó.guiurêit) *v* inaugurar; empossar; iniciar.

In.born (in.bórn) *adj* inato; congênito.

In.breathe (inbri.dh) *v* inspirar.

In.bred (in.bréd) *examine* ⇒ **Inborn.**

In.breed (inbrid) *v* produzir; criar; gerar; *past and pp* **Inbred.**

In.ca.pac.i.ty (incâpé.siti) *s* incapacidade; inabilidade.

In.car.cer.ate (incár.sârêit) *v* encarcerar; aprisionar.

In.car.na.tion (incárnêi.xân) *s* encarnação.

In.cense (in.séns) *s* incenso; *v* provocar; incensar.

In.cept (insépt) *v* começar; iniciar.

In.cep.tion (insép.xân) *s* começo; princípio.

In.cep.tive (insép.tiv) *adj* incipiente; inicial.

In.cest (in.sést) *s* incesto.

Inch (intxe) *s* polegada (2,54 cm).

In.cin.er.ate (insi.nârêit) *v* incinerar.

In.cin.er.a.tion (insinârêi.xân) *s* incineração.

In.cip.i.ence (insi.piéns) *s* incipiência; começo; princípio.

In.cise (insáiz) *v* cortar; talhar; incidir.

In.ci.sion (insi.jân) *s* incisão; corte; talho.

In.ci.ta.tion (insitêi.xân) *s* incitamento; estímulo.

In.cite (insáit) *v* incitar; instigar; estimular.

In.cite.ment (insáit.ment) *s* incitamento; estímulo.

In.clin.a.ble (incláì.nâbol) *adj* inclinável.

In.cli.na.tion (inclinêi.xân) *s* inclinação; reverência; declive.

In.cline (incláin) *s* declive; inclinação; *v* inclinar; pender.

In.close (inclôu.z) *v* incluir; encerrar; *also* **Enclose.**

In.clo.sure (inclôu.jur) *s* cercado; conteúdo.

In.clude (includ) *v* incluir; conter; abranger.

In.co.her.ence (inco.hi.réns) *s* incoerência.

In.come (in.câm) *s* ingresso; renda; receita.

In.com.ing (in.câmin) *s* entrada; renda; *adj* entrante.

In.com.pa.ra.ble (incóm.pârâbol) *adj* sem par; sem igual; incomparável.

In.com.pat.i.bil.i.ty (incómpétibi.liti) *s* incompatibilidade.

In.com.ple.tion (incómpli.xân) *s* falta; imperfeição.

In.com.pre.hen.si.ble (incómpri.hén.sibol) *adj* incompreensível.

In.com.pre.hen.sion (incómprihén.xân) *s* incompreensão.

In.con.ceiv.a.ble (incónsi.vâbol) *adj* inconcebível; incrível; inacreditável.

In.con.gru.i.ty (incóngru.iti) *s* incongruência; impropriedade.

In.con.se.quence (incón.sicuéns) *s* inconsequência; contraditório.

In.con.sis.ten.cy (inconsis.ténsi) *s* inconsistência; inconstância.

In.con.sis.tent (inconsis.tént) *adj* inconsistente; inconstante.

In.con.stan.cy (incóns.tânsi) *s* inconstância.

In.cor.po.rate (incór.porêit) *v* incorporar; associar; *adj* incorporado; incluído.

In.cor.po.ra.tion (incórporêi.xân) *s* incorporação; agrupamento; inclusão.

In.cor.ri.gi.ble (incó.ridjibol) *adj* incorrigível; reincidente.

In.cor.rupt (incârâ.pt) *adj* incorrupto; puro.

In.cor.rupt.i.bil.i.ty (incórâptibi.liti) *s* incorruptibilidade; retidão.

In.crease (incris) *s* aumento; incremento; *v* intensificar; acrescer; aumentar.

In.cred.i.bil.i.ty (incrédibi.liti) *s* incredibilidade.

In.cred.i.ble (incré.dibol) *adj* incrível; inacreditável.

In.cre.du.li.ty (incrédiu.liti) *s* ceticismo; incredulidade.

In.cred.u.lous (incré.diulâs) *adj* incrédulo.

In.cred.u.lous.ness (incré.diulâsnés) *s* incredulidade, falta de fé.

In.crim.i.nate (incri.minêit) *v* acusar; incriminar; inculcar.

In.crust (incrâst) *v* incrustar; engastar.

In.cul.cate (incâl.quêit) *v* inculcar; citar.

In.cul.pate (incâl.pêit) *v* inculpar; acusar.

In.cum.ben.cy (incâm.bénsi) *s* gestão; incumbência; benefício (eclesiástico).

In.cum.bent (incâm.bént) *s* titular; presidente em exercício; *adj* obrigatório; incumbente.

In.cur (incâr) *v* incorrer; expor-se; contrair.

In.cur.sion (incâr.xân) *s* incursão; invasão.

In.cur.vate (incâr.vêit) *v* curvar; dobrar; inclinar.

In.cur.va.tion (incârvêi.xân) *s* encurvatura; curvatura; flexão.

In.curve (incârv) *examine* ⇒ **Incurvate.**

In.cuse (inquiuz) *s* impressão ou figura estampada em moeda; *adj* cunhado; estampado; *v* cunhar; estampar.

In.deed (indid) *adv* na verdade; de fato; realmente; sem dúvida.

In.de.fat.i.ga.ble (indifé.tigâbol) *adj* infatigável; incansável.

In.de.fea.si.bil.i.ty (indifizibi.liti) *s* indestrutibilidade; irrevogabilidade.

In.de.fea.si.ble (indifi.zibol) *adj* irrevogável; inalterável; indestrutível.
In.de.fin.a.ble (indifái.nâbol) *adj* indefinível; inexplicável.
In.def.i.nite.ness (indé.finitnés) *s* indefinibilidade.
In.del.i.ble (indé.libol) *adj* indelével; indestrutível.
In.del.i.ca.cy (indé.licâssi) *s* indelicadeza.
In.del.i.cate (indé.liquit) *adj* rude; indelicado; malcriado.
In.dem.ni.fy (indém.nifái) *v* livrar do perigo; indenizar.
In.dem.ni.ty (indém.niti) *s* indenização; anistia; isenção.
In.dent (indént) *s* impressão; ordem; requisição; encomenda (do exterior); *v* lavrar contrato; recortar.
In.den.ture (indén.txur) *s* contrato; ajuste.
In.de.pen.dence (indipén.déns) *s* liberdade; independência.
In.de.pen.den.cy (indipén.dénsi) *examine* ⇒ **Independence**.
In.de.pen.dent.ly (indipén.déntli) *adv* independentemente.
In.dex (in.décs) *s* índice; indicador; dedo indicador; MAT expoente.
In.di.ca.tion (indiquêi.xân) *s* indicação; indício; sinal.
In.dic.a.tive (indi.câtiv) *s* GRAM o modo indicativo; *adj* designativo.
In.dif.fer.ent (in.difrêns) *adj* indiferente.
In.di.gence (in.didjéns) *s* pobreza; indigência.
In.di.gest.i.ble (indidjés.tibol) *adj* enfadonho; indigerível.
In.dig.ni.ty (indig.niti) *s* indignidade; afronta.
In.di.go (in.digôu) *s* anil; índigo.
In.dis.creet (indiscrit) *adj* indiscreto; imodesto; tagarela.
In.dis.cre.tion (indiscré.xân) *s* indiscrição; imodéstia; imprudência.
In.dis.crim.i.na.tion (indiscriminêi.xân) *s* indistinção; confusão.
In.dis.pen.sa.ble (indispén.sâbol) *adj* necessário; indispensável.
In.dis.pose (indispôuz) *v* indispor; inimizar.
In.dis.pu.ta.ble (indis.piutâbol) *adj* incontestável; indisputável.
In.dis.solv.a.ble (indissôu.xiâbol) *adj* inseparável; indissolúvel; *also* **Indissoluble**.
In.dis.tinct (indistinct) *adj* indistinto; vago.
In.dite (indáit) *v* redigir; ditar; escrever.
In.door (in.dôur) *adj* interior; em casa; dentro (de casa).
In.doors (indôur.z) *adv* dentro; portas adentro; em casa.
In.dorse (indórs) *v* apoiar; sancionar; endossar; *same as* **Endorse**.
In.dorse.ment (indórs.ment) *s* endosso; sanção; *same as* **Endorsement**.
In.draft (in.dráft) *s* aspiração; sucção; absorção; *same as* **Indraught**.
In.du.bi.ta.ble (indiu.bitâbol) *adj* indubitável; sem dúvida.
In.duce (indius) *v* induzir; incitar; persuadir.
In.duce.ment (indius.ment) *s* pretexto; motivo; instigação.
In.duct (indâct) *v* instalar; introduzir.
In.dulge (indâldj) *v* condescender; satisfazer.
In.dul.gent (indâl.djént) *adj* indulgente; condescendente.
In.dus.tri.ous (indâs.triâs) *adj* industrioso; hábil.
In.dus.try (indâs.tri) *s* indústria; engenho.
In.dwell (induél) *v* residir; morar; habitar.
In.dwell.er (indué.lâr) *s* morador; habitante.
In.e.bri.ate (ini.briêit) *v* embriagar.
In.ept (inépt) *adj* inepto; inexperiente; incapaz.
In.eq.ui.ty (iné.cuiti) *s* iniquidade; injustiça.
In.ert (inârt) *adj* inerte; ocioso; inativo.
In.ert.ness (inârt.nés) *s* inércia; ociosidade.
In.es.ti.ma.ble (in.estiâbol) *adj* inapreciável; inestimável.
In.ev.i.ta.bil.i.ty (inevitâ.biliti) *s* fatalidade; inevitabilidade.
In.ex.o.ra.ble (inéc.sorâbol) *adj* inflexível; inexorável; rígido.
In.ex.pug.na.ble (inécspârg.nâbol) *s* invencível; inexpugnável; inconquistável.
In.ex.tri.ca.ble (inécs.tricâbol) *adj* intrincado; emaranhado; inextricável.
In.fal.li.bil.i.ty (infélibi.liti) *s* indefectibilidade; infalibilidade.
In.fal.li.ble (infé.libol) *adj* inevitável; indefectível; infalível.
In.fa.mize (in.famáiz) *v* infamar.
In.fa.mous (in.fâmâs) *adj* ignóbil; vil.
In.fa.my (in.fâmi) *s* infâmia; vileza.
In.fan.cy (in.fânsi) *s* infância.
In.fant (in.fént) *adj* infantil; tenro.
In.fan.try (in.féntri) *s* infantaria, tropa militar a pé.
In.fat.u.ate (infé.txuêit) *v* cegar; perder a cabeça.
In.fat.u.a.tion (infétxuêi.xân) *s* paixão; desvairamento.
In.fect (inféct) *v* infectar; viciar; infeccionar.
In.fec.tious (inféc.xâs) *adj* infeccioso.
In.fe.lic.i.tous (infili.sitâs) *adj* infeliz; inepto; inadequado.
In.fe.lic.i.ty (infili.siti) *s* desgraça; infortúnio; infelicidade.
In.fer (infâr) *v* inferir; provar; deduzir.
In.fest (inféśt) *v* infestar; assolar.
In.fi.del (in.fidél) *adj* desleal; infiel; descrente.
In.fi.del.i.ty (infidé.liti) *s* traição; infidelidade.
In.fil.trate (infil.trêit) *v* infiltrar-se.
In.fin.i.ty (infi.niti) *s* imensidade; infinidade.
In.firm (infârm) *adj* enfermo; fraco; doente.
In.fir.ma.ry (infâr.mâri) *s* enfermaria.
In.fir.mi.ty (infâr.miti) *s* enfermidade.

In.fix (infi.cs) *v* cravar; enterrar; imprimir.
In.flame (inflêim) *v* inflamar; irritar; instigar.
In.flam.ma.ble (inflé.mâbol) *adj* inflamável.
In.flate (inflêit) *v* inflar; inchar.
In.fla.tion (inflêi.xân) *s* inchação; inflação; ECON emissão excessiva de papel-moeda.
In.flect (infléct) *v* inclinar; desviar; modular; variar; GRAM conjugar; flexionar.
In.flex.i.bil.i.ty (inflécsibi.liti) *s* inflexibilidade.
In.flex.i.ble (infléc.sibol) *adj* inflexível.
In.flict (inflict) *v* infligir; impor.
In.flu.ence (in.fluéns) *v* influir; persuadir.
In.flu.ent (in.fluént) *adj* influente.
In.flu.en.tial (influén.xâl) *examine* ⇒ **Influent**.
In.flux (in.flâcs) *s* influxo; afluência.
In.fold (infôuld) *v* envolver; encerrar.
In.form (infórm) *v* informar; dar forma.
In.for.mal.i.ty (infórmé.liti) *s* irregularidade; falta de formalidade.

In.for.ma.tion (infórmêi.xân) *s* informação; aviso.
In.fringe (infrin.dj) *v* infringir; transgredir.
In.fringe.ment (infrindj.ment) *s* infração; violação; transgressão.
In.fu.ri.ate (infiu.riêit) *adj* enfurecido; *v* enfurecer; irritar.
In.fuse (infiu.z) *v* infundir; insinuar; inspirar.
In.fu.sion (infiu.jân) *s* infusão; sugestão.
In.gath.er.ing (ingué.dhârin) *s* colheita; *also* Harvest.
In.ge.nious (indji.niâs) *adj* destro; hábil; engenhoso; astuto.
In.ge.nious.ness (indji.niâsnés) *s* engenho; arte; habilidade.
In.ge.nu.i.ty (indji.niuiti) *s* ingenuidade.
In.gen.u.ous (indjé.niuâs) *adj* inocente; ingênuo.
In.gest (indjést) *v* engolir; ingerir.
In.ges.tion (indjést.xân) *s* ingestão, ação de engolir.
In.got (in.gót) *s* lingote (barra de metal fundido).
In.grain (ingrêin) *v* tingir.
In.gra.ti.ate (ingrêi.xiêit) *v* insinuar-se.
In.gre.di.ent (ingri.dient) *s* ingrediente.
In.gress (in.grés) *s* ingresso; acesso; entrada.
In.grow.ing (in.grôuin) *adj* que tem crescimento interior (para dentro).
In.gulf (ingâlf) *v* engolir; engolfar.
In.hab.it (inhé.bit) *v* habitar; ocupar; morar.
In.hab.i.tant (inhé.bitânt) *s* habitante.
In.hab.i.ta.tion (inhébi.teixân) *s* habitação; residência; morada.
In.hale (in.hêil) *v* inalar; inspirar; aspirar.
In.hal.er (in.hêi.lâr) *s* inalador; que inala; o que respira.
In.here (in.hir) *v* estar inerente; estar ligado de forma íntima.
In.her.it (in.hé.rit) *v* herdar.
In.her.i.tance (in.hé.ritâns) *s* sucessão; herança.
In.hib.it (in.hi.bit) *v* inibir; vedar; proibir.
In.hi.bi.tion (in.hibi.xân) *s* inibição; embaraço.
In.hos.pi.ta.ble (in.hós.pitâbol) *adj* inóspito; inospitaleiro.
In.hu.man (in.hiu.mân) *adj* desumano; cruel; inumano.
In.hu.man.i.ty (in.hiumé.niti) *s* crueldade; desumanidade.
In.hu.ma.tion (in.hiumêi.xân) *s* enterro; inumação.
In.hume (in.hium) *v* enterrar; sepultar; inumar.
In.im.i.ta.ble (ini.mitâbol) *adj* inimitável.
In.iq.ui.tous (ini.cuitâs) *adj* iníquo; mau; perverso.
In.iq.ui.ty (ini.cuiti) *s* iniquidade; crime.
In.i.tial (ini.xâl) *adj* inicial.
In.i.ti.ate (ini.xiêit) *v* iniciar; originar; *adj* iniciado; começado.
In.ject (indjéct) *v* injetar; introduzir.
In.junc.tion (indjânc.xân) *s* ordem; injunção; exortação.
In.jure (indjur) *v* prejudicar; lesar; danificar; debilitar; enfraquecer.
In.ju.ri.ous (indju.riâs) *adj* prejudicial; nocivo; ofensivo; injusto.
In.ju.ry (in.djuri) *s* dano; injustiça; mal; ferimento.
In.jus.tice (indjâs.tis) *s* injustiça; iniquidade.
Ink (inc) *s* tinta para escrever; *v* aplicar tinta.
Ink.y (in.ki) *adj* de tinta; manchado de tinta.
In.land (in.lând) *s* sertão; *adj* sertão; interior de um país.
In.land.er (in.lândâr) *s* habitante do interior.
In.lay (inlêi) *v* incrustar; embutir; *past and pp* **Inlaid**.
In.let (in.lét) *s* angra; enseada.
In.ly (in.li) *adj* interior; interno; *adv* interiormente; no íntimo.
In.mate (in.mêit) *s* inquilino; interno de hospital; hóspede.
In.most (in.môust) *adj* interior; recôndito; íntimo.
Inn (in) *s* estalagem; hotel; hospedaria.
In.ner (in.nâr) *adj* interior; íntimo; secreto.
In.ner.most (in.nârmôust) *adj* íntimo; interior.
In.ner.vate (inâr.vêit) *v* inervar.
In.no.cence (in.nosséns) *s* inocência.
In.no.cen.cy (in.nossénsi) *examine* ⇒ **Innocence**.
In.no.cent (in.nossént) *adj* inocente.
In.noc.u.ous (nió.quiuâs) *adj* inócuo; inofensivo.
In.nom.i.nate (inó.minit) *adj* anônimo; sem nome.
In.no.vate (in.novêit) *v* inovar.
In.no.va.tion (inovêi.xân) *s* inovação; novidade.
In.nox.ious (inó.csiâs) *adj* inócuo; inofensivo.
In.nu.en.do (iniuén.dôu) *s* insinuação.
In.nu.mer.a.ble (iniu.mârâbol) *adj* inumerável.
In.ob.serv.ance (inóbzâr.vâns) *s* desatenção; inobservância.
In.oc.u.late (inó.quiulêit) *v* inocular; contagiar.
In.of.fen.sive (inófén.siv) *adj* inofensivo; manso; inocente.
In.pa.tient (in.pêixént) *s* doente (internado em hospital); paciente.
In.put (in.pât) *s* entrada.
In.quest (in.cuést) *s* sindicância; JUR inquérito.

In.quire (incuáir) *v* indagar; informar; investigar.
In.quir.y (incuái.ri) *s* inquérito; pergunta.
In.qui.si.tion (incuizi.xân) *s* inquisição; inquérito judicial.
In.road (in.rôud) *s* incursão; invasão.
In.rush (in.râxe) *s* invasão; irrupção.
In.sa.lu.bri.ous (insâliu.briâs) *adj* insalubre; doentio.
In.sa.lu.bri.ty (insâliu.briti) *s* insalubridade.
In.san.i.ty (insé.niti) *s* insanidade; demência.
In.sa.ti.ate (insêi.xiêit) *adj* insaciável.
In.scribe (ins.cráib) *v* inscrever; gravar.
In.scrip.tion (inscrip.xân) *s* inscrição; dedicatória; rótulo.
In.sect (in.séct) *s* inseto.
In.se.cure (insiquiur) *adj* incerto; arriscado.
In.se.cu.ri.ty (insiquiu.riti) *s* risco; incerteza; perigo; insegurança.
In.sem.i.nate (insé.minêit) *v* semear; fecundar.
In.sen.sate (insén.sêit) *adj* insensato.
In.sen.si.bil.i.ty (insénsibi.liti) *s* estupidez; insensibilidade; apatia.
In.sen.si.ble (insén.sibol) *adj* insensível; estúpido; apático.
In.sen.ti.ent (insén.xiént) *adj* sem vida; inanimado.
In.sep.a.ra.ble (insé.pârâbol) *adj* inseparável.
In.sert (insârt) *v* inserir; introduzir.
In.side (in.sáid) *s* o interior; o conteúdo; *adv* dentro.
In.sid.i.ous (insi.diâs) *adj* pérfido; insidioso.
In.sight (in.sáit) *s* intuição; introspecção.
In.sin.u.ate (insi.niuêit) *v* insinuar.
In.sin.u.at.ing (insi.niuêitin) *adj* insinuante.
In.sin.u.a.tion (insiniuêi.xân) *s* insinuação; indireta; sugestão.
In.sip.id (insi.pid) *adj* insípido.
In.sip.id.ness (insi.pidnés) *s* insipidez.
In.sist (insist) *v* insistir; persistir.
In.sis.tence (insis.téns) *s* insistência.
In.so.la.tion (insolêi.xân) *s* insolação.
In.so.lent (in.solênt) *adj* insolente; atrevido; descarado.
In.sol.u.ble (insó.liubol) *adj* insolúvel.
In.solv.a.ble (insól.vâbol) *adj* inexplicável; insolúvel; COM insolvente.
In.sol.ven.cy (insól.vensi) *s* insolvência; falência.
In.sol.vent (insól.vent) *adj* insolvente.
In.so.much (insôumâ.txe) *adv* a tal ponto que; de sorte que; de tal modo que.
In.spect (inspéct) *v* inspecionar; examinar; fiscalizar.
In.spec.tion (inspéc.xân) *s* inspeção; exame.
In.spi.ra.tion (inspirêi.xân) *s* inspiração; entusiasmo poético.
In.spire (inspáir) *v* inspirar; respirar; aspirar.
In.sta.bil.i.ty (instâbi.liti) *s* instabilidade; mutabilidade.
In.sta.ble (instêi.bol) *adj* instável.
In.stall (instól) *v* instalar; alojar; dar posse.
In.stal.la.tion (instólêi.xân) *s* instalação; investidura; montagem.
In.stal.ment (instól.ment) *s* instalação; prazo; pagamento parcial.
In.stance (ins.tâns) *s* exemplo; urgência; JUR instância; *v* mencionar; alegar; exemplificar.
In.stan.cy (ins.tânsi) *s* urgência; instância.
In.stant (ins.tânt) *s* instante; momento; *adj* instante; urgente.
In.stead (instéd) *adv* em vez; em lugar de.
In.step (ins.tép) *s* tarso; peito do pé.
In.sti.gate (ins.tiguêit) *v* instigar; inculcar; incitar.
In.sti.ga.tion (instiguêi.xân) *s* instigação; excitamento; incitamento.
In.stil (instil) *v* instilar; inculcar; inspirar; insuflar; *also* **Instill**.
In.stil.ment (instil.ment) *s* instilação; insinuação; *also* **Instillment**.
In.stinct (ins.tict) *adj* animado; impregnado.
In.sti.tute (ins.titiut) *s* instituto; estabelecimento; *v* instituir; intentar; propor; nomear.
In.struct (instrâct) *v* instruir; informar.
In.struc.tion (instrâc.xân) *s* instrução; ensino; educação; *pl* ordens; indicações.
In.struc.tive (instrâc.tiv) *adj* instrutivo.
In.suf.fer.a.ble (insâ.fârâbol) *adj* intolerável; detestável; incômodo.
In.suf.fi.cien.cy (insâfi.xénsi) *s* incapacidade; insuficiência.
In.suf.fi.cient (insâfi.xént) *adj* insuficiente.
In.sult (insâlt) *s* insulto; ofensa; *v* insultar; ofender; afrontar.
In.su.per.a.bil.i.ty (insiupârâbi.liti) *s* invencibilidade; insuperabilidade.
In.su.per.a.ble (insiu.pârâbol) *adj* insuperável; invencível.
In.sur.ance (inxu.râns) *s* garantia; segurança; seguro.
In.sure (inxur) *v* segurar; garantir.
In.tan.gi.bil.i.ty (inténdjibi.liti) *s* intangibilidade (o que é intangível).
In.tan.gi.ble (intén.djibol) *adj* impalpável; intangível.
In.te.grate (in.tigrêit) *v* integrar; restaurar; completar.
In.teg.ri.ty (inté.griti) *s* integridade; retidão; inteireza.
In.tel.lect (in.teléct) *s* inteligência; entendimento; intelecto.
In.tel.lec.tion (inteléc.xân) *s* intelecção; inteligência.
In.tel.lec.tu.al (inteléc.txual) *s* espiritual; intelectual; *adj* espiritual; intelectual.
In.tel.lec.tu.al.ize (inteléc.tualáiz) *v* intelectualizar; raciocinar.
In.tel.li.gence (inté.lidjéns) *s* inteligência.
In.tem.per.ance (intém.pâréns) *s* intemperança.
In.tend (inténd) *v* tencionar; pretender.
In.ten.dance (intén.dâns) *s* intendência.
In.tend.ed (intén.did) *s* noivo; *adj* prometido.

In.tense.ness (inténs.nés) *s* intensidade; veemência; ardor.
In.ten.si.fi.ca.tion (intensifiquêi.xân) *s* intensificação.
In.ten.si.fy (intén.sifái) *v* intensificar.
In.tent (intént) *s* intento; intenção; propósito.
In.ten.tion (intén.xân) *s* intenção; intento.
Inter (intâr) *v* enterrar; sepultar.
Inter.act (intâréct) *v* atuar um sobre outro.
In.ter.ac.tion (intâréc.xân) *s* ação recíproca; interação.
In.ter.breed (intâr.brid) *v* cruzar raças.
In.ter.ca.late (intâr.câlêit) *v* intercalar.
In.ter.ca.la.tion (intârcâlêi.xân) *s* intercalação.
In.ter.cede (intârsid) *v* interceder; intervir.
In.ter.cept (intârsépt) *v* interceptar; deter.
In.ter.change (intârtxén.dj) *s* intercâmbio; permuta; *v* cambiar.
In.ter.change.a.ble (intârtxén.djâbol) *adj* permutável; recíproco.

In.ter.course (in.târcôurs) *s* intercurso; relações comerciais.
In.ter.cur.rent (intârcâ.rént) *adj* intercorrente.
In.ter.dict (in.târdict) *s* interdito; *v* interditar; proibir.
In.ter.dict.ion (intârdic.xân) *s* interdição; proibição.
In.ter.est (in.târést) *s* interesse; juro; lucro; *v* importar; interessar.
In.ter.est.ing (in.târéstin) *adj* atraente; interessante; simpático.
In.ter.fere (intârfir) *v* intervir; interferir; prejudicar; imiscuir-se.
In.ter.fer.ence (intârfi.réns) *s* interferência; intervenção; intrometimento.
In.te.ri.or (inti.riâr) *adj* interno; interior.
In.ter.ject (intârdjéct) *v* interpor; intrometer; interpor-se.
In.ter.jec.tion (intârdjéc.xân) *s* intervenção; GRAM exclamação; interjeição.
In.ter.lace (intârlêis) *v* entrelaçar; misturar; enlaçar.
In.ter.lace.ment (intârlêis.ment) *s* entrelaçamento; mistura.
In.ter.line (intârláin) *v* entrelinhar.
In.ter.lin.e.a.tion (intârliniêi.xân) *s* entrelinha.
In.ter.lock (intârlóc) *v* abraçar; fixar.
In.ter.lo.cu.tion (intârloquiu.xân) *s* interlocução.
In.ter.loc.u.tor (intârló.quiutâr) *s* interlocutor.
In.ter.lope (intârlóup) *v* contrabandear; intrometer-se.
In.ter.lude (in.târliud) *s* MÚS interlúdio; TEATR farsa; intervalo.
In.ter.med.dle (intârmédol) *v* intervir.
In.ter.me.di.ate (intârmi.diêit) *v* servir de intermediário.
In.ter.ment (intâr.mént) *s* enterro; funeral.
In.ter.mi.na.ble (intâr.minâbol) *adj* interminável; ilimitado.
In.ter.min.gle (intârmingol) *v* entremear; misturar-se; incorporar-se.
In.ter.mis.sion (intârmi.xân) *s* intermissão; pausa; interrupção.
In.ter.mit (intârmit) *v* interromper, cortar a continuação.
In.ter.mit.tent (intârmi.tént) *adj* intermitente.
In.ter.mix (intârmi.cs) *v* misturar-se.
In.ter.mix.ture (intârmics.txur) *s* mistura.
In.tern (intârn) *s* interno; *v* internar; *adj* interno.
In.ter.na.tion.al (intârné.xânâl) *adj* internacional.
In.ter.na.tion.al.ize (intarné.xânâláiz) *v* internacionalizar.
In.tern.ee (intâr.ni) *s* médico interno em hospital.
In.tern.ment (intârn.ment) *s* internação; internamento.
In.ter.pel.late (intârpé.lêit) *v* interpelar.
In.ter.pose (intârpôuz) *v* interpor; interferir; intrometer.
In.ter.pret (intâr.prét) *v* interpretar.
In.ter.pre.ta.tion (intârpretêi.xân) *s* interpretação; explicação; esclarecimento.
In.ter.ro.gate (intâ.roguêit) *v* interrogar.
In.ter.ro.ga.tion (intâroguêi.xân) *s* interrogação.
In.ter.rupt (intârrâpt) *v* parar; interromper.
In.ter.rup.tion (intârrâp.xân) *s* interrupção; intervalo; pausa.
In.ter.sect (intârséct) *v* entrecortar; cortar; cruzar-se.
In.ter.sec.tion (intârséc.xân) *s* intersecção; cruzamento de estrada.
In.ter.sperse (intârspârs) *v* espalhar; difundir.
In.ter.val (in.târvâl) *s* intervalo; pausa.
In.ter.vene (intârvin) *v* intervir; acontecer.
In.ter.ven.tion (intârvén.xân) *s* intervenção; interposição; mediação.
In.ter.view (in.târviú) *s* entrevista; conferência; conversação; *v* entrevistar.
In.ter.weave (intâruiv) *v* entrelaçar; enlaçar; entremear; *past and pp* **Interwoven.**
In.tes.ta.cy (intés.tassi) *s* falta de testamento ou testemunho.
In.tes.tate (intés.têit) *s* falecido sem testamento.
In.tes.tine (intés.tin) *s* intestino; *adj* intestino; interior.
In.ti.ma.cy (in.timâssi) *s* intimidade.
In.ti.mate (in.timêit) *s* amigo íntimo; confidente; *v* sugerir; insinuar; *adj* íntimo; interno.
In.ti.ma.tion (intimêi.xân) *s* intimação; notificação; aviso.
In.tim.i.date (inti.midêit) *v* intimidar; amedrontar; desanimar; desencorajar.
In.tim.i.da.tion (intimidêi.xân) *s* intimidação.
In.to (in.tu) *prep* em; para dentro de.
In.tol.er.a.ble (intó.lârâbol) *adj* insuportável; intolerável.
In.to.nate (in.tonêit) *v* entoar; modular a voz.
In.tox.i.cate (intóc.siquêit) *v* intoxicar; envenenar; embriagar.
In.tox.i.ca.tion (intócsiquêi.xân) *s* embriaguez; êxtase; intoxicação.

In.trac.ta.ble (intréc.tâbol) *adj* intratável.
In.tran.si.gent (intrén.sidjént) *s* revolucionário; intransigente; intolerante; *adj* intolerante; intransigente.
In.trench (intrén.txe) *v* entrincheirar; invadir; *also* Entrench.
In.tre.pid.i.ty (intrépi.diti) *s* intrepidez.
In.tri.cate (in.triquit) *adj* intricado; confuso.
In.trigue (intrig) *s* intriga; trama; *v* intrigar; tramar.
In.tro.duce (introdius) *v* introduzir; apresentar; estabelecer.
In.tro.it (intrôit) *s* introito; começo.
In.tro.spec.tion (introspéc.xân) *s* introspecção.
In.tro.spec.tive (introspéc.tiv) *adj* introspectivo.
In.trude (intrud) *v* intrometer-se.
In.trud.er (intru.dâr) *s* intruso; intrometido.
In.tru.sion (intru.jân) *s* intrusão; invasão.
In.tru.sive (intru.siv) *adj* intruso; importuno.
In.tu.i.tion (intiui.xân) *s* intuição; pressentimento.
In.tu.i.tive (intiui.tiv) *adj* intuitivo.
In.tu.mes.cence (intiumé.sens) *s* tumor; intumescência.
In.tu.mes.cent (intiumé.sent) *adj* inchado; intumescente.
In.un.date (i.nândêit) *v* submergir; inundar; alagar.
In.un.da.tion (inândêi.xân) *s* inundação.
In.ure (iniur) *v* acostumar; habituar.
In.ure.ment (iniur.ment) *s* costume; prática; hábito.
In.vade (invêid) *v* invadir; violar.
In.va.lid (in.vâlid) *v* tornar-se inválido; MIL dar baixa por invalidez; *adj* nulo; inválido.
In.val.i.date (invé.lidêit) *v* invalidar; inutilizar; anular.
In.val.u.a.ble (invé.liuâbol) *adj* inestimável; incalculável.
In.va.sion (invêi.jân) *s* invasão; usurpação.
In.vec.tive (invéc.tiv) *s* invectiva; *adj* ultrajante; ofensivo; injurioso.
In.veigh (invêi) *v* injuriar; vituperar; censurar.
In.vei.gle (invigol) *v* seduzir; enganar; engodar.
In.vei.gler (invi.glâr) *s* sedutor; enganador.
In.vent (invént) *v* inventar; idear; descobrir.
In.ven.tion (invén.xân) *s* invenção; inventiva; descoberta.
In.ven.tive (invén.tiv) *adj* inventivo; engenhoso.
In.ven.tive.ness (invén.tivnés) *s* inventiva; qualidade inventiva; engenho.
In.verse (invârs) *s* inverso; invertido; *adj* inverso; invertido.
In.ver.sion (invâr.xân) *s* inversão.
In.vert (in.vârt) *s* homossexual; *v* inverter; transpor; trocar.
In.vest (invést) *v* investir; aplicar dinheiro.
In.ves.ti.gate (invés.tiguêit) *v* investigar; analisar; averiguar.
In.ves.ti.ga.tion (invéstiguêi.xân) *s* investigação; indagação; inquirição.
In.vest.ment (invést.ment) *s* investidura; investimento; bloqueio.
In.vet.er.ate (invé.târit) *adj* inveterado; antigo; arraigado.
In.vid.i.ous (invi.diâs) *adj* invejoso; odioso.
In.vig.or.ate (invi.gârêit) *v* vigorar; fortalecer; fortificar.
In.vig.or.a.tion (invigârêi.xân) *s* robustecimento; fortalecimento.
In.vin.ci.bil.i.ty (invinsibi.liti) *s* insuperabilidade; invencibilidade.
In.vi.o.late (invái.olit) *adj* inviolado; intacto; íntegro.
In.vis.i.bil.i.ty (invizibi.liti) *s* invisibilidade.
In.vis.i.ble (invi.zibol) *adj* invisível.
In.vi.ta.tion (invitêi.xân) *s* convite.
In.vite (inváit) *v* convidar; solicitar.
In.vit.er (invái.târ) *s* o que convida.
In.vit.ing (invái.tin) *adj* convidativo; tentador; atraente.
In.vo.ca.tion (invoquêi.xân) *s* invocação.
In.voice (in.vóis) *s* fatura; remessa; *v* faturar.
In.voke (invôuc) *v* invocar; implorar; chamar.
In.vo.lu.cre (in.voliucâr) *s* invólucro.
In.vol.un.ta.ry (invó.lântéri) *adj* involuntário.
In.vo.lu.tion (involiu.xân) *s* envolvimento; enredo; MAT elevar a uma potência.
In.volve (invólv) *v* envolver; incluir.
In.wall (in.uól) *s* parede interna; *v* emparedar; murar.
In.ward (i.nuârd) *s* o interior; *adj* interno; interior; íntimo; *adv* interiormente.
In.ward.ness (i.nuârdnés) *s* o interior; intimidade; interioridade.
In.wrought (inrót) *adj* lavrado; embutido.
I.o.ta (áiôu.tâ) *s* jota (língua Grega); ponto; quantidade diminuta.
I.ras.ci.ble (áiré.xibol) *adj* irascível.
I.rate (áirêit) *adj* enfurecido; irado.
Ire (áir) *s* ira; fúria; cólera.
Ire.ful (áir.ful) *adj* irado; colérico.
Ire.ful.ness (áir.fulnés) *s* fúria; cólera.
I.rish (ái.rixe) *adj* Irlandês.
Irk (ârc) *v* enfadar; cansar; molestar.
Irk.some (ârc.sôum) *adj* penoso; enfadonho; incômodo.
Irk.some.ness (ârc.sôumnés) *s* enfado; tédio; cansaço.
I.ron (ái.rân) *s* ferro de engomar; ferro; utensílio; *adj* férreo; indômito; *v* passar a ferro; algemar.
I.ron.ic (áiró.nic) *adj* irônico.
I.ron.mon.ger (ái.rânmângâr) *s* ferrageiro; sucateiro.
I.ron.mon.ger.y (ái.rânmângâri) *s* negócio de ferragens ou de quinquilharias.
I.ron.work (ái.rân.uârc) *s* armação de ferro; ferragem.
I.ron.works (ái.rân.uârc) *s* fundição; ferraria; forja.
I.ro.ny (ái.roní) *s* ironia; zombaria; sarcasmo.
Ir.ra.di.ate (irrêi.diêit) *v* irradiar; iluminar; aclarar.

Ir.ra.di.a.tion (irrêidiêi.xân) *s* irradiação; propagação; brilho.
Ir.ra.tion.al (irréxânâl) *adj* irracional; ilógico.
Ir.re.cov.er.a.ble (irricâ.vârâbol) *adj* irreparável; irremediável.
Ir.re.deem.a.ble (irridi.mâbol) *adj* irremissível; perpétuo; irresgatável.
Ir.re.duc.i.ble (irridiu.sibol) *adj* irreduzível; irredutível.
Ir.re.fut.a.ble (irrifiu.tâbol) *adj* irrefutável; evidente; inegável.
Ir.reg.u.lar (irré.guiulâr) *adj* irregular; desigual.
Ir.rel.e.vance (irrélivânsi) *s* irrelevância; impertinência; despropósito; *also* **Irrelevancy**.
Ir.rel.e.vant (irré.livânt) *adj* impertinente; impróprio.
Ir.re.lig.ion (irrili.djân) *s* irreligião; descrença.
Ir.re.lig.ious (irrili.djâs) *adj* irreligioso; descrente.
Ir.re.lig.ious.ness (irrili.djâssnés) *s* irreligiosidade; descrença.

Ir.re.me.di.a.ble (irrimi.diâbol) *adj* irremediável; inevitável; incurável.
Ir.re.mov.a.bil.i.ty (irrimuvâbi.liti) *s* imobilidade; quietude.
Ir.re.mov.a.ble (irrimu.vâbol) *adj* fixo; irremovível; imutável.
Ir.rep.a.ra.bil.i.ty (irrépârâbi.liti) *s* irreparabilidade.
Ir.rep.a.ra.ble (irré.pârâbol) *adj* irremediável; irreparável.
Ir.re.pres.si.ble (irripré.sibol) *adj* indomável; irreprimível.
Ir.re.proach.a.ble (irriprôu.txâbol) *adj* irrepreensível; impecável.
Ir.re.sis.ti.ble (irrizist.tibol) *adj* irresistível.
Ir.res.o.lute (irré.zoliut) *adj* irresoluto.
Ir.res.o.lute.ness (irré.zoliutnés) *s* irresolução; hesitação; indecisão.
Ir.re.spon.si.bil.i.ty (irrispónsibi.liti) *s* irresponsabilidade.
Ir.re.spon.si.ble (irrispón.sibol) *adj* inconsciente; irresponsável.
Ir.re.spon.sive (irrispón.siv) *adj* indiscutível; incontestável; irrefutável.
Ir.re.triev.a.ble (irritri.vâbol) *adj* irremediável; irreparável.
Ir.rev.er.ence (irré.vâréns) *s* irreverência; desacato; desrespeito.
Ir.rev.er.ent (irré.vârént) *adj* irreverente.
Ir.re.vers.i.ble (irrivâr.sibol) *adj* irrevogável.
Ir.rev.o.ca.ble (irré.vocâbol) *adj* irrevogável.
Ir.ri.gate (i.riguêit) *v* irrigar; aguar; regar.
Ir.ri.ga.tion (irriguêi.xân) *s* rega; irrigação.
Ir.ri.ta.bil.i.ty (irritâbi.liti) *s* irritabilidade.
Ir.ri.ta.ble (irri.tâbol) *adj* irritável; colérico.
Ir.ri.tant (iritânt) *adj* estimulante; irritante.
Ir.ri.tate (i.ritêit) *v* irritar; exacerbar; exasperar.
Ir.ri.ta.tion (irritêi.xân) *s* irritação.
Is.lam.ic (is.lâmic) *adj* Islâmico; Islamítico; Maometano.
Is.lam.ism (is.lâmizm) *s* Islamismo.
Is.land (ái.lând) *s* ilha.
Isle (áil) *s* ilhota; ilha.
Is.let (ái.lét) *s* ilhota; ilhéu.
I.so.late (i.solêit) *v* isolar; separar.
I.so.la.tion (issolêi.xân) *s* isolação; isolamento.
Is.ra.el.ite (iz.riéláit) *s* Israelita; Hebreu; Judeu.
Is.ra.el.it.ish (izriéláitxi) *adj* Judeu; Judaico; Hebraico; Hebreu.
Is.su.a.ble (i.xuâbol) *adj* que pode ser emitido; publicável.
Is.sue (i.xu) *s* emissão de valores; emanação; emissão; expedição; *v* sair; emanar; terminar; emitir; publicar; nascer.
Isth.mus (is.mâs) *s* istmo.
It (it) *s* encanto; atrativo; *pron* a; o; ele; ela; isto; isso.
I.tal.ian (ité.liân) *adj* Italiano.
I.tal.ic (ité.lic) *s* GRAF itálico; *adj* Itálico; Italiano.
I.tal.i.cize (ité.lissáiz) *v* grifar; imprimir em itálico.
Itch (itxe) *s* comichão; prurido; *v* coçar; prurir.
Itch.ing (i.txin) *s* comichão.
Itch.y (i.txi) *adj* sarnento.
It.er.ate (i.târêit) *v* repetir; reiterar.
It.er.a.tion (itârêi.xân) *s* iteração; repetição.
I.tin.er.acy (áiti.nârânsi) *s* jornada; viagem.
I.tin.er.an.cy (áiti.nârânsi) *s* jornada; viagem.
I.tin.er.ant (áiti.nârânt) *s* errante; ambulante; *adj* errante; itinerante.
Its (íts) *pron* seu; sua; seus; suas.
It.self (itsélf) *pron* ele (ela) mesmo; ele (ela) próprio; se; sigo; si mesmo.
I.vo.ry (ái.vori) *s* marfim; *adj* de marfim.

jJ

J (djêi) *s* décima letra do alfabeto Português e do alfabeto Inglês.
Jab (dzéb) *s* estocada; golpe; *v* bater; socar; ferir.
Jab.ber (djé.bâr) *s* tagarelice; motim; gritaria; *v* tagarelar.
Jack (djéc) *s* descalçadeira; espeto (para assar); marinheiro; valete (no baralho); lugar (tomada).
Jack.al (djé.cól) *s* chacal.
Jack-A-Napes (djéc.neips) *s* pessoa presumida ou arrogante.
Jack.ass (djéc.és) *s* asno; burro; FIG tolo.
Jack.daw (djéc.dó) *s* gralha (ave).
Jack.et (djé.quét) *s* jaqueta; blusão.
Jack.ie (djéqui) *s* marinheiro.
Jac.o.bin (djécâ.bin) *s* pombo (com penas em forma de capuz).
Jac.o.bin.ism (djécâbinism) *s* jacobinismo.
Jade (djêid) *s* jade (pedra verde ou branca); cavalo estropiado; POP mulher feia; *v* cansar; fatigar; desanimar.
Jag (djég) *s* dente; recorte; carga; bebedeira; entalhe; *v* recortar; entalhar.
Jag.ged.ness (djé.guidnés) *s* aspereza; irregularidade.
Jail (djêil) *s* cárcere; prisão; cadeia.
Ja.lop.y (djé.lâp) *s* POP calhambeque; automóvel antigo (lata velha).
Ja.lou.sie (djé.luzi) *s* ciúme; persiana.
Jam (djém) *s* geleia; aperto; apuro; GÍR pechincha. *v* espremer; apinhar; RÁD interferir.
Jamb (djém) *s* umbral de porta.
Jam.bo.ree (djém.bâri) *s* congresso de escoteiros.
Jan.gle (djéngol) *s* sons discordantes; *v* discutir; brigar; disputar.
Jan.gler (djén.glâr) *s* contendor; tagarela.
Jan.gling (djén.glin) *s* altercação; discussão; som desagradável.
Jan.i.tor (djénitâr) *s* bedel; servente.
Jan.u.a.ry (djé.niuéri) *s* Janeiro.
Ja.pan (djépén) *s* Japão; japan (goma-laca); verniz do Japão; *v* envernizar; engraxar.
Jap.a.nese (djépâniz) *s* Japonês; *adj* Japonês; Nipônico.
Jape (djêip) *s* gracejo; zombaria; *v* gracejar; lograr; iludir.
Jar (djár) *s* jarro; pote; vibração de um choque súbido; *v* vibrar; tremer.
Jar.gon (djár.gân) *s* gíria; dito popular.
Jar.ring (djá.rin) *s* discordância; vibração; rixa; disputa; *adj* discordante.
Jas.mine (djás.min) *s* jasmim (flor).
Jas.per (djés.pâr) *s* jaspe (pedra quartzo).
Jaunt (djánt) *s* excursão; passeio; *v* passear; perambular; vaguear; excursionar.
Jav.a.nese (djávâniz) *adj* Javanês (de Java).
Jaw (djó) *s* mandíbula.
Jay (djéi) *s* USA palerma; simplório; TEATR canastrão.
Jazz (djés) *s* música e dança improvisadas.
Jeal.ous (djé.lâs) *adj* ciumento; zeloso; invejoso; desconfiado.
Jeal.ous.ly (djé.lâsi) *adv* zelosamente; ciosamente.
Jeal.ous.y (djé.lâsi) *s* ciúme; suspeita; receio.
Jeans (djêins) *s* calça esporte.
Jeep (djip) *s* MIL carro (automóvel) especial.
Jeer (djir) *s* zombaria; escárnio; *v* zombar; escarnecer.
Jeer.er (dji.râr) *s* zombeteiro; zombador.
Jeez (djiz) *interj* de Jesus.
Je.hu (dji.hiu) *s* cocheiro de carruagens.
Je.june (djidjun) *adj* seco; estéril; árido; desprovido.
Je.june.ness (djidjun.nés) *s* carência; esterilidade; pobreza.
Jel.ly (djé.li) *s* geleia.
Jem.my (djé.ni) *s* pé-de-cabra.
Jen.ny (djé.ni) *s* torno; máquina (fiar); tacada (bilhar).
Jer.e.mi.ad (djéri.miad) *s* choradeira.
Jerk (djârc) *s* safanão; sacudida; POP idiota; caipira; *v* sacudir; arremessar.
Jer.sey (djâr.zi) *s* bovino (de Jersey); jérsei (tecido).
Jes.sa.mine (djé.sâmin) *s* jasmim (planta florida).
Jest (djést) *s* gracejo; zombaria.
Jest.er (djés.târ) *s* gracejador; bobo; palhaço.
Jes.u.it (djé.ziuit) *s* Jesuíta.

Jesus (djizâs) *s* RELIG Jesus.
Jet (djét) *s* jato; cano de descarga; AER avião a jato; GÍR piloto; *v* fazer saliência; lançar; arrojar.
Jet.ty (djé.ti) *s* cais; saliência; *adj* cor de azeviche.
Jew (dju) *s* Judeu, Israelita.
Jew.el (dju.él) *s* joia; pedra preciosa; prenda; *v* adornar.
Jew.el.er (dju.élâr) *s* joalheiro.
Jew.el.ry (dju.éri) *s* pedraria; pedras preciosas; joalheria.
Jew.ess (dju.és) *s* Judia.
Jew.ish (dju.ish) *adj* Judaico; Hebraico.
Jew.ry (dju.ri) *s* bairro de Judeu.
Jif.fy (dji.fi) *s* POP instante; momento.
Jig.saw (djig.só) *s* serra de vaivém; quebra-cabeças (brinquedo).
Jill (djil) *s* namorada; moça; fêmea do Furão.
Jilt (djilt) *s* alguém que se desfaz do namorado; SCOT mulher jovem leviana; *v* abandonar o namorado.
Jin.go.ism (djingouism) *s* Jacobinismo.
Jinx (djincs) *s* indivíduo azarento.

Jit.ney (djitni) *s* moeda (5 cents); lotação; quantia insignificante.
Jit.ter.bug (djitârbâg) *s* pessoa que dança grotescamente; pessoa nervosa.
Jo (djôu) *s* namorado; namorada.
Job (djób) *s* emprego; serviço; trabalho; ocupação; embuste; lucro; *v* trabalhar de empreitada; fazer bico; agiotar.
Job.ber (djó.bâr) *s* agiota; revendedor.
Job.bery (djó.bâri) *s* agiotagem; usura.
Jock.ey (djó.qui) *s* jóquei; negociante de cavalos; trapaceiro.
Jo.cose (djocôuz) *adj* jocoso; alegre.
Jog (djóg) *s* sacudidela; cotovelada; *v* mover-se vagarosamente; tocar de leve.
Jog.gle (djógol) *s* entalhe (em peças de madeira); *v* sacudir; empurrar.
Join (djóin) *v* unir; associar; reunir; aderir.
Join.er.y (djói.nâri) *s* marcenaria.
Joint (djóint) *s* articulação; nó; união; *v* juntar; ligar; articular; *adj* junto; associado.
Joint.er (djóin.târ) *s* junteira, instrumento de carpinteiro (plaina).
Joist (djóist) *s* viga; trave; barrote.
Joke (djôuc) *s* gracejo; graça; piada; *v* gracejar; pilheriar.
Jok.er (djôu.câr) *s* gracejador; brincalhão; curinga (cartas).
Jok.ing (djôu.quin) *s* gracejo; brincadeira; *adj* gracejador; galhofeiro; brincalhão.
Jol.li.ness (djó.linés) *s* jovialidade; alegria; júbilo.
Jol.ly (djó.li) *adj* jovial; alegre.
Jol.ly.boat (djó.libôut) *s* escaler (barco).
Jolt (djôult) *s* balanço; sacudidela; *v* sacudir; balançar.
Jos.kin (djós.quin) *s* POP matuto; caipira; comilão.
Jos.tle (djósol) *v* empurrar; impelir; apertar.
Jot (djót) *s* jota; ponto; til; *v* anotar; resumir.
Jour.nal (djâr.nâl) *s* jornal; gazeta; periódico; livro-diário.
Jour.nal.ese (djâr.nâlis) *s* linguagem jornalística.
Jour.nal.ism (djâr.nâlism) *s* jornalismo.
Jour.nal.ist (djâr.nâlist) *s* jornalista.
Jour.nal.ize (djâr.nâláiz) *v* trabalhar (em jornal); lançar (em diário).
Jour.ney (djâr.ni) *s* viagem; jornada; caminhada; *v* viajar.
Joust (djâst) *s* torneio; peleja; justa.
Jowl (djául) *s* rosto; face; bochecha.
Joy (djói) *s* prazer; alegria; gozo; *v* alegrar-se; regozijar-se.
Joy.ful.ness (djói.fulnés) *s* júbilo; contentamento.
Joy.less (djói.lés) *adj* triste; melancólico.
Joy.less.ness (djói.lésnés) *s* amargura.
Joy.ous (djói.âs) *adj* alegre; jubiloso.
Ju.bi.lee (dju.bili) *s* jubileu.
Ju.da.ism (dju.dêizm) *s* Judaísmo.
Judge (djâdj) *s* juiz; árbitro; perito; *v* julgar; distinguir; decidir; sentenciar.
Judge.ship (djâdj.ship) *s* magistratura; cargo de juiz.
Judg.ment (djâdj.ment) *s* juízo; sentença judiciária; bom senso; opinião.
Ju.di.ci.a.ry (djudi.xâri) *s* judiciário; *adj* judiciário.
Ju.di.cious (djudi.xâs) *adj* sábio; judicioso; sensato; discreto.
Ju.di.cious.ness (djudi.xâsnés) *s* juízo; prudência; senso.
Jug (djâg) *s* jarro; cântaro; *v* cozinhar (lebre); cantar (como rouxinol); POP encanar (prender).
Jug.gins (djâ.guins) *s* POP simplório.
Jug.gle (djâgol) *s* prestidigitação; *v* enganar; lograr.
Ju.go.slav (iugosláv) *s* iugoslavo.
Juice (djus) *s* sumo; suco.
Juic.i.ness (dju.sinés) *s* suculência.
Juic.y (dju.si) *adj* suculento; sucoso.
Ju.ly (djulái) *s* Julho.
Jum.ble (djâmbol) *s* confusão; baralhada; *v* misturar; confundir; atrapalhar; complicar.
Jum.bo (djâm.bou) *s* colosso.
Jump (djâmp) *s* salto; pulo; *v* pular; saltar; levantar.
Jump.er (djâm.pâr) *s* saltador; vestido comprido; blusa de Esquimó.
Jump.y (djampi) *adj* nervoso; excitado.
June (djun) *s* Junho.
Jun.gle (djângol) *s* selva; mato; floresta.
Jun.ior (dju.niâr) *s* filho mais moço; estudante de um colégio; BR filho que leva o nome do pai; *adj* novo; júnior; mais moço.
Junk (djânc) *s* junco (embarcação); sucata.
Jun.ker (djân.câr) *s* jovem fidalgo (alemão).
Jun.ket (djân.quit) *s* festa; pic-nic; *v* tomar parte em festejos.
Ju.ris.con.sult (djuriscón.sâlt) *s* jurista.
Ju.ris.dic.tion (djurisdic.xân) *s* jurisdição.
Ju.ris.pru.dence (djurispru.déns) *s* jurisprudência.

Ju.rist (dju.rist) *s* jurista; advogado.
Ju.ror (dju.râr) *s* jurado, aquele que prestou juramento.
Ju.ry (dju.ri) *s* júri.
Ju.ry.man (dju.rimân) *s* jurado; *examine* ⇒ Venireman.
Just (djâst) *adj* justo; imparcial; reto; legítimo; *adv* justamente; apenas; exatamente.
Jus.tice (djâs.tis) *s* justiça; retidão; direito.
Jus.ti.fi.a.ble (djâs.tifáiâbol) *adj* justificável.
Jus.ti.fi.a.ble.ness (djâs.tifáiâbolnés) *s* justiça; retidão.
Jus.ti.fi.ca.tion (djâstifiquêi.xân) *s* justificação; defesa.
Jus.ti.fi.er (djâs.tifáiâr) *s* justificador.
Jus.ti.fy (djâs.tiái) *v* justificar; defender; absolver; perdoar.
Jut (djât) *s* projeção; saliência; *v* projetar-se.
Jute (djut) *s* juta (planta).
Jut.ting (djâ.tin) *adj* saliente; proeminente; arqueado.
Ju.ve.nes.cence (djuvené.sens) *s* rejuvenescimento.
Ju.ve.nes.cent (djuvené.sent) *adj* rejuvenescente.
Ju.ve.nile (dju.venil) *s* jovem; mocinho; *adj* juvenil; jovem.
Ju.ve.nil.i.ty (djuveni.liti) *s* juventude; mocidade; vivacidade.
Jux.ta.pose (djâscs.tâpôuz) *v* justapor.
Jux.ta.po.si.tion (djâcstâpôzi.xân) *s* justaposição; superposição.

k K

K (quêi) *s* décima-primeira letra do alfabeto Inglês e de outros alfabetos.
Kail.yard (quéi.liârd) *s* horta (plantação).
Kale (quêil) *s* repolho; couve; POP dinheiro.
Kan.ga.roo (quéngâru) *s* canguru (animal).
Kay.ak (caiéc) *s* caiaque (barco).
Keck (quéc) *v* enojar-se; repugnar-se; fazer esforço para vomitar.
Keel (quil) *s* quilha; barco; chata; *v* bater a quilha.
Keel.er (qui.lâr) *s* caixa rasa; saleiro.
Keel.son (quél.sân) *s* carlinga.
Keen (quin) *adj* vivo; agudo; ávido.
Keep (quip) *s* guarda; manutenção; proteção; *v* guardar; possuir; manter; ter; criar; *past and pp* **Kept**.
Keep.er (qui.pâr) *s* guarda; protetor; guardião.
Kef (quéf) *s* langor; torpor; sonolência.
Keg (quég) *s* barril; barrica.
Ken (quén) *s* alcance (da vista ou de conhecimento); *v* reconhecer; ver (ao longe).
Ken.nel (quén.nel) *s* canil; vala; *v* abrigar-se (em covil ou toca).
Kerb (quérb) *s* pedra de pavimento; meio fio.
Ker.chief (quértxif) *s* lenço de cabeça.
Kern (cârn) *s* caipira; simplório.
Ker.nel (cârnol) *s* semente; miolo; grão.
Ker.sey.mere (câr.zimir) *s* casimira.
Key (qui) *s* chave; teclado; cais; recife; tipo (letra).
Key.board (qui.bôurd) *s* teclado.
Key.hole (qui.houl) *s* buraco de fechadura.
Key.stone (qui.stôun) *s* pedra angular.
Kha.ki (câ.qui) *s* cáqui, cor de barro.
Kibe (cáib) *s* frieira.
Kick (quic) *s* pontapé; coice; crítica; *v* escoicear; dar pontapés; criticar.
Kick.er (qui.câr) *s* que dá pontapés ou coices.
Kid (quid) *s* garoto; cabrito, pele ou carne de cabrito; cesta; *v* cobrir-se com pele (de cabritos); POP enganar; iludir; caçoar.
Kid.ding (quid.in) *adj* bricalhão.
Kid.nap (quid.nép) *v* raptar; sequestrar.
Kid.ney (qui.dni) *s* disposição; humor; rim.
Kill (quil) *s* canal; rio; arroio; *v* matar; executar; assassinar.
Kill.er (qui.lâr) *s* assassino; matador.
Kiln (quiln) *s* forno.
Kilt (quilt) *s* SCOT saiote; *v* franzir; arregaçar.
Kin (quin) *s* parentesco; *adj* parente.
Kind (cáind) *s* gênero; espécie; *adj* afável; gentil; amável.
Kin.dle (quindol) *v* acender; atear; excitar.
Kind.li.ness (cáin.dlinés) *s* bondade; benevolência.
Kind.ly (cáin.dli) *adj* benigno; amável; brando; bondoso.
Kind.ness (cáind.nés) *s* amabilidade; bondade; benevolência.
King (quin) *s* rei; majestade.
King.dom (quin.dâm) *s* reino; império.
King.hood (quin.huud) *s* realeza; soberania.
King.ly (quin.li) *adj* real.
King.ship (quin.xip) *s* majestade; realeza.
Kink (quinc) *s* dobra; prega; tosse violenta; *v* torcer; dobrar; tossir muito.
Kins.folk (quinz.fôuc) *s* parentesco.
Kin.ship (quin.xip) *s* parentesco consaguíneo.
Ki.osk (quiâsc) *s* quiosque; banca de jornal.
Kip (quip) *s* pele (animal); peso (mil libras).
Kirk (quêrc) *s* SCOT igreja.
Kiss (quis) *s* beijo; *v* beijar.
Kiss.ing (qui.sin) *s* ato de beijar; beijo.
Kit (quit) *s* balde (para leite); barril (pequeno); ferramenta.
Kitch.en (qui.txen) *s* cozinha.
Kitch.en.er (qui.txenâr) *s* chefe (de cozinha); cozinheiro (chefe).
Kitch.en.ette (quitxe.inét) *s* cozinha com copa (pequena).
Kite (cáit) *s* milhafre (ave); papagaio de papel (pipa); COM nota promissória (papagaio).
Kith (quith) *s* relações; amigos.
Kit.ten (quitn) *s* gatinho.
Kit.ten.ish (quitnitxe) *adj* travesso; jocoso; brincalhão.
Kit.tle (qui.tol) *adj* intratável; difícil.
Kit.ty (quiti) *s* gatinho (na fala de criança).

Knack (néc) *s* destreza; habilidade; brinquedo.
Knack.er (né.câr) *s* negociante ou fabricante de brinquedos.
Knag (nég) *s* nó (de madeira); cavilha.
Knap (nép) *s* estalido; rangido; *v* estalar; britar.
Knap.sack (nép.sac) *s* mochila.
Knar (nér) *s* nó de árvore.
Knave (nêiv) *s* valete (jogo de cartas); criado; patife.
Knav.er.y (nêi.vâri) *s* velhacaria; patifaria.
Knav.ish (nêi.vixe) *adj* velhaco; patife.
Knav.ish.ness (nêi.vixenés) *s* patifaria; velhacaria.
Knead (nid) *v* amassar; unir; juntar.
Knead.er (ni.dâr) *s* amassador; misturador.
Knee (ni) *s* joelho; curva; **Knee** (ni) *v* ajoelhar; dobrar os joelhos.
Knee.cap (ni.quép) *s* patela; rótula (do joelho).
Kneed (nid) *adj* curvado (joelhos).
Kneel (nél) *v* ajoelhar-se; *past and pp* **Knelt** *or* **Kneeled**.
Knell (nél) *s* dobre de sinos (o bater); *v* dobrar os sinos.
Knick.er.bock.er (nique.bóquer) *s* calção apertado (nos joelhos).
Knick.ers (níquers) *s* calção; calça (de mulher).
Knick-knack (nic.néc) *s* brinquedo; ninharia; bagatela.
Knife (náif) *s* faca; navalha; punhal; *v* apunhalar; esfaquear; trair.
Knight (náit) *s* cavaleiro; cavalo (jogo de xadrez); valete (no baralho).
Knight.hood (náit.hud) *s* dignidade de cavaleiro; cavalaria.
Knight.ly (nái.tli) *adv* cavalheiresco.
Knit (nit) *v* fazer meia ou crochê; fazer renda; unir; enlaçar; *past and pp* **Knit** *or* **Knitted**.
Knit.ting (ni.tin) *s* união; junção; confecção em meia.
Knob (nób) *s* côrcova; botão; alça de gaveta (puxador); nó (em madeira).
Knob.bi.ness (nó.binés) *s* nodosidade; que têm nós.
Knob.by (nó.bi) *adj* protuberante; cheio de saliências.
Knock (nóc) *s* pancada; golpe; toque; *v* bater; socar.
Knock.down (nóc.dáun) *s* ESP soco que faz o adversário cair.
Knock.er (nó.câr) *s* aquele que bate.
Knoc.kout (nók.óut) *s* soco que faz o adversário cair.
Knoll (nóul) *s* colina; morro; cume; dobre de finados; repicar de sino; *v* tinir; retinir.
Knop (nóp) *s* botão (flor).
Knot (nót) *s* nó; laço; dificuldade; nó (de madeira); *v* enlaçar; dar nós.
Knot.ti.ness (nó.tinés) *s* dificuldade.
Knot.ty (nó.ti) *adj* embaraçoso; difícil.
Know (nôu) *v* conhecer; distinguir; saber; compreender; reconhecer; *past* **Knew** *and pp* **Known**.
Know.a.ble (nôu.âbol) *adj* que se pode saber.
Know.er (nôu.âr) *s* conhecedor; sábio.
Know.ing (nôu.in) *adj* instruído; hábil; sagaz.
Know.ing.ness (nôu.innés) *s* sagacidade; esperteza.
Knowl.edge (nó.ledj) *s* saber; conhecimento; inteligência.
Known (nôun) *adj* sabido; reconhecido.
Knuck.le (nâcol) *s* articulação; junta; nó dos dedos; *v* curvar; sujeitar-se.
Knur (nâr) *s* nó de madeira; tronco.
Knurl (nârl) *s* protuberância; nó; estria.
Kohl (côul) *s* pó preto (para pintar os cílios).
Kop.je (có.pi) *s* outeiro; pequena colina.
Ko.ran (câran) *s* Alcorão; Corão.
Ko.sher (côu.xâr) *adj* puro; limpo (segundo a lei dos Judeus).
Ku.dos (quiu.dós) *s* POP fama; glória; crédito.

L

L (él) *s* décima-segunda letra do alfabeto Português e do alfabeto Inglês.
La (lá) *s* lá, nota musical.
Laa.ger (lé.gâr) *v* acampar.
La.bel (lêi.bél) *s* rótulo; etiqueta; *v* rotular; classificar; etiquetar.
La.bi.al (lêi.biâl) *s* letra labial; *adj* labial.
La.bor (lêi.bâr) *s* labor; trabalho; MED dores de parto; *v* trabalhar; labutar; elaborar.
La.bor.er (lêi.barâr) *s* operário; obreiro; trabalhador.
La.bo.ri.ous (lâbôu.riâs) *adj* trabalhoso; difícil; penoso; árduo.

La.bour (lâbôur) *examine* ⇒ **Labor**.
La.bour.er (lêi.barâr) *examine* ⇒ **Laborer**.
Lab.y.rinth (lé.birinth) *s* labirinto; dédalo; interior da orelha.
Lace (lêis) *s* cordão; laço; fita; *v* guarnecer de rendas; atar; bater; enganar.
Lac.er.ate (lé.sârêit) *v* lacerar; dilacerar; rasgar; *adj* lacerado; dilacerado; rasgado.
Lac.er.a.tion (léssârêi.xân) *s* laceração; FIG tormento.
Lac.ing (lêi.sin) *s* laçadura; ato de laçar.
Lack (léc) *s* falta; ausência; privação; *v* carecer de; necessitar; precisar.
Lack.ey (lé.qui) *s* lacaio; servidor; *v* servir de lacaio.
Lac.tate (léc.têit) *v* amamentar; transformar (em leite).
Lac.y (lei.ssi) *adj* rendado; feito de renda.
Lad (léd) *s* moço; rapaz.
Lad.der (lé.dâr) *s* escada de mão; fio corrido em meia.
Lad.die (lé.di) *s* rapazinho; mocinho.
Lade (lêid) *s* canal de rio; carga; *v* carregar; deitar fora; vazar; NÁUT entrar água (numa embarcação); *past and pp* **Laden** *or* **Laded**.
Lad.en (lêidn) *adj* abatido; carregado.
Lad.ing (lêi.din) *s* carregamento; carga; frete.
La.dle (lêidol) *s* colher; concha.
La.dy (lêi.di) *s* senhora; dona de casa; dama; esposa.
La.dy.bird (lêi.dibârd) *s* joaninha; escaravelho.
La.dy.like (lêi.diláic) *adj* senhoril; elegante; distinto.
Lag (lég) *s* atraso; retardamento; *v* andar (vagarosamente); *adj* último; tardio.
Lag.ger (lé.gâr) *s* retardatário; vagaroso.
La.goon (lâgun) *s* lagoa; laguna.
La.ic (lêic) *s* laico; leigo; secular; *adj* laico; leigo; secular.
Laid (lêid) *adj* posto; estendido; colocado; que tem sulcos.
Lake (lêic) *s* lago; lagoa; laca; goma-laca.
Lam (lém) *s* lâmina (de ouro ou de prata); *v* GÍR bater; espancar.
La.ma (lá.mâ) *s* Lama (sacerdote do Tibete); lama ou lhama (animal quadrúpede).
Lamb (lém) *s* cordeiro; carne de cordeiro; *v* ação que retrata o parir de uma ovelha.
Lamb.skin (lém.squin) *s* pele (de cordeiro); pelica.
Lame (lêim) *adj* coxo; estropiado; imperfeito; *v* estropiar; mancar.
Lam.en.ta.ble (lâmén.tâbol) *adj* lamentável; deplorável.
Lam.en.ta.tion (lâmentêi.xân) *s* lamentação; lamento; pranto; queixume.
Lamp (lémp) *s* lâmpada; lampião; lanterna.
Lam.poon (lémpun) *s* pasquim (jornal satírico); jornaleco; *v* difamar; satirizar; escrever para pasquins.
Lam.poon.er (lémpu.nâr) *s* escritor satírico; escritor de pasquins.
Lance (léns) *s* lança; lanceta; *v* lancetar, ferir com lança.
Land (lénd) *s* terra; terreno; região; continente; herdade; bens de raiz; *v* desembarcar; aterrizar; aterrar.
Land.ed (lén.did) *adj* desembarcado.
Land.fall (lénd.fól) *s* ganho não esperado; aterragem; JUR herança.
Land-holder (lénd.hôuldâr) *s* proprietário rural (fazendeiro).
Land.ing (lén.din) *s* desembarque; pouso; aterrizagem.
Land.mark (lénd.márc) *s* limite; *adj* importantes.
Land.scape (lénd.squêip) *s* paisagem; painel; panorama.

Lane (lêin) *s* beco; viela; travessa; passagem.
Lan.guage (lén.güidj) *s* língua; fala; linguagem; idioma.
Lan.guid (lén.güid) *adj* lânguido; débil; fraco; desfalecido.
Lan.guid.ness (lén.güidnés) *s* languidez; abatimento; prostração; cansaço.
Lan.guish (lén.güixe) *v* desfalecer; consumir-se.
Lank (lénc) *adj* magro; liso; franzino.
Lank.y (lén.qui) *adj* frouxo; mole; débil; alto e magrelo.
Lan.tern (lén.târn) *s* lanterna; farol; claraboia.
Lan.yard (lé.niârd) *s* passadeira; correia; NÁUT corda (dos escaleres).
Lap (lép) *s* recobrimento; bainha; dobra; colo; volta completa de uma pista; *v* dobrar; enrolar.
La.pel (lâpél) *s* lapela.
Lap.pet (lé.pét) *s* aba; pano; guia; lóbulo da orelha.
Lapse (léps) *s* lapso; queda; falta de tempo; *v* cair; declinar; escorregar.
Lar.ce.nous (lár.sinâs) *adj* ladrão.
Lar.ce.ny (lár.sini) *s* furto.
Lard (lárd) *s* banha (de porco); toucinho; *v* lardear; engordar; misturar.
Lar.der (lár.dâr) *s* despensa.
Large (lárdj) *adj* grande; largo; volumoso; espaçoso.
Large.ness (lár.djnés) *s* grandeza; tamanho; extensão; liberalidade.
Lar.gess (lár.djés) *s* dom; dádiva; presente.
Lark (lárc) *s* calhandra, cotovia; brincadeira; travessura; peça; partida; *v* apanhar calhandras; dizer gracinhas.
Lar.ri.kin (lé.riquin) *s* desordeiro; malandro de rua; vagabundo; *adj* desordeiro; malandro de rua; vagabundo.
Lar.rup (lé.râp) *s* pancada; golpe; *v* GÍR espancar; surrar.
Las.civ.i.ous (léssi.viâs) *adj* lascivo; obsceno.
Las.civ.i.ous.ness (léssi.viâsnés) *s* lascívia; luxúria.
Laser (lêiza) *s* lêiser.
Lash (léxe) *s* látego; mecha; pestana; *v* açoitar; chicotear; satirizar.
Lash.ing (lé.xin) *s* açoite; chicotada; castigo; amarrilho.
Lass (lés) *s* moça; aldeã; namorada.
Las.sie (lé.si) *s* mocinha; garota.
Las.si.tude (lé.sitiud) *s* lassidão; cansaço; fraqueza.
Las.so (lé.sôu) *s* laço; *v* laçar; agarrar com o laço.
Last (lést) *s* o fim; carga; *v* durar; permanecer; *adj* último; passado; *adv* ultimamente; enfim.
Last.ly (lés.tli) *adv* por fim; finalmente.
Latch (létxe) *s* trinco; fecho; fechadura; *v* fechar com ferrolho.
Latch.et (lé.txét) *s* cordão (para sapato ou sandália).
Late (lêit) *adj* tardio; atrasado; *adv* tarde; fora de hora.
La.teen (lâtin) *adj* Latino; latina (vela).
Late.ly (lêi.tli) *adv* recentemente; ultimamente.
Late.ness (lêit.nés) *s* atraso.
La.tent.ly (lêi.tentli) *adv* secretamente; ocultamente.
Lat.er (lêi.târ) *adj* posterior; subsequente; mais tardio; mais tarde; *adv* mais tarde.
Lat.est (lêi.tést) *adj* o último; o mais recente.
Lath (léth) *s* ripa; sarrafo; *v* cobrir com sarrafos.
Lat.in (lé.tin) *s* o latim.
Lat.ish (lêi.tixe) *adj* um tanto tarde; um pouco tardio.
Lat.ter (lé.târ) *adj* o último de dois; este; o mais recente.
Lat.ter.ly (lé.târli) *adv* recentemente; há pouco tempo.
Lat.tice (lé.tis) *s* janela de grade; gelosia.
Lat.ticed (lé.tist) *adj* engradado; gradeado.
Laud (lód) *s* louvor; elogio; *v* louvar; elogiar.
Laugh (léf) *s* riso; risada; gargalhada; escárnio; *v* rir-se.
Laugh.er (lé.fâr) *s* o que ri; folgazão; brincalhão.
Laugh.ter (léf.târ) *s* risada; riso.
Launch (lán.txe) *s* lancha; lançamento de navio (ao mar); *v* lançar à água.
Laun.dress (lón.drés) *s* lavadeira; lavandeira.
Laun.dry (lón.dri) *s* lavanderia; lavagem de roupa.
Lau.re.ate (ló.riit) *v* laurear; aplaudir; festejar; *adj* laureado.
Lau.rel (ló.rél) *s* loureiro; louro (planta); laurel; triunfo.
Lav.a.to.ry (lé.vâtôuri) *s* lavatório; pia; banheiro.
Lav.en.der (lé.vendâr) *s* lavanda.
La.ver (lêi.vâr) *s* pia; bacia batismal; água do batismo.
Lav.ish (lé.vixe) *adj* pródigo; esbanjador; *v* prodigalizar; esbanjar; gastar.
Lav.ish.ness (lé.vixnés) *s* profusão; excesso.
Law (ló) *s* lei; regra; direito; estatuto; constituição.
Law.ful (ló.ful) *adj* legal; legítimo; estabelecido por lei.
Law.ful.ness (ló.fulnés) *s* legitimidade; legalidade.
Law.less (ló.lés) *adj* ilegal; ilegítimo; não sujeito a leis.
Lawn (lón) *s* relva; prado; planície; relvado; cambraia de linho.
Law.yer (ló.âr) *s* advogado; jurisconsulto; legista.
Lax (lécs) *adj* lasso; frouxo; banho; vago; que tem diarreia.
Lax.i.ty (léc.siti) *s* lassidão; diarreia.
Lay (lêi) *s* situação; leito; camada; negócio; canto; balada; *v* pôr; colocar; depositar; estender; apostar; *past and pp* **Laid**; *adj* leigo; secular.
Lay-out (lêi.aut) *s* plano; esboço; condição.
Laze (lêiz) *v* viver ociosamente; esbanjar o tempo.
La.zi.ness (lêi.zinés) *s* preguiça; indolência; ociosidade.
La.zy (lêi.zi) *adj* preguiçoso; vadio; **Lazy bum:** vagabundo.
Lea (li) *s* prado; campina; pastagem.

Lead (léd) *s* chefia; direção; *v* conduzir; comandar; guiar; entrelinhar; chumbar; ser mão (no jogo); *past and pp* **Led**.
Lead.en (lédn) *adj* de chumbo; cor (de chumbo).
Lead.er (li.dâr) *s* condutor; guia; chefe; cavalo dianteiro.
Lead.er.ship (li.dârxip) *s* direção; chefia; liderança.
Leaf (lif) *s* folha (planta, livro, etc); *v* cobrir-se de folhas; desfolhar.
League (lig) *s* liga; aliança; *v* ligar-se; associar-se.
Leak (lic) *s* fenda; rombo; *v* derramar; gotejar; entrar água (em navio).
Leak.y (li.qui) *adj* aberto; falador; que faz água.
Leal (lil) *adj* leal; fiel; verdadeiro.
Lean (lin) *s* repouso; inclinação; *v* pender; inclinar; firmar; *past and pp* **Leant** *or*
Leaned *adj* magro; mesquinho.
Leap (lip) *s* salto; pulo; **the Leap-year:** o ano bissexto; *v* saltar; pular.
Leap.ing (li.pin) *s* salto; pulo.
Learn (lârn) *v* aprender; instruir-se; ouvir dizer; *past and pp* **Learnt** *or* **Learned**.
Learn.er (lâr.nâr) *s* aprendiz; calouro; novato.
Learn.ing (lâr.nin) *s* ciência; saber; conhecimentos; estudo.
Lease (lis) *s* arrendamento; escritura de
LEA
LES
arrendamento; posse; *v* arrendar; alugar.
Leash (lixe) *s* correia; coleira; *v* atar; ligar; atrelar.
Least (list) *adj* mínimo; menor; *adv* menos; no menor grau; **at Least:** pelo menos.
Least.ways (list.uêiz) *adv* pelo menos; contudo.
Leath.er (lé.dhâr) *s* pele (animal); couro; *v* curtir peles; aplicar couro.
Leath.ern (lé.dhârn) *adj* de couro; feito de couro.
Leath.er.y (lé.dhâri) *adj* igual a couro.
Leave (liv) *s* licença; permissão; autorização; despedida; *v* deixar; abandonar; legar; sair; *past and pp* **Left**.
Leav.ing (li.vin) *s* partida; saída.
Lech.er.y (lé.txâri) *s* luxúria; perversão.
Lec.tion (léc.xân) *s* lição; leitura.
Lec.ture (léc.txâr) *s* leitura; lição; sermão; prática; repreensão; *v* que faz preleção; censurar; conferenciar; FAM repreender.
Lec.tur.er (léc.txarâr) *s* preletor; conferencista.
Ledge (lédj) *s* borda; filete; recife.
Ledg.er (lé.djâr) *s* livro-mestre.
Lee (li) *s* sotavento; abrigo; resguardo; *adj* a sotavento.
Leech (li.txe) *s* sanguessuga; ventosa; NÁUT beira lateral da vela; *v* tratar; curar.
Leer (lir) *s* olhar (malicioso de soslaio); *v* olhar de soslaio.
Lees (liz) *s* fezes; excremento.
Leet (lit) *s* lista; relação de candidatos (a emprego).
Lee.way (li.uêi) *s* tempo de reserva; dinheiro (de reserva); deriva; declinação da rota.
Left (léft) *s* esquerda; o lado esquerdo; *adj* esquerdo.
Left.ward (left.uârds) *adv* para a esquerda; para o lado esquerdo.
Leg (lég) *s* perna; pata; pé de mesa; suporte; perna de compasso; cano de bota.
Leg.a.cy (lé.gâssi) *s* legado; doação; embaixada.
Le.gal (li.gâl) *adj* legal; legítimo; lícito.
Le.gal.ize (li.gâláiz) *v* legalizar; autenticar; legitimar.
Leg.ate (lé.guit) *s* legado; delegado; embaixador; emissário.
Leg.a.tee (légâti) *s* legatário.
Le.ga.tion (liguêi.xân) *s* legação; embaixada.
Leg.end (lé.djend) *s* lenda; legenda; inscrição; rótulo; história.
Leg.en.da.ry (lé.djendéri) *adj* lendário.
Leg.i.ble (lé.djibol) *adj* legível.
Le.gion (li.djân) *s* legião; multidão.
Leg.is.late (lé.djislêit) *v* legislar; fazer ou decretar (leis).
Leg.is.la.ture (lé.djislêitxâr) *s* legislatura; mandato de uma assembleia legislativa.
Le.gist (li.djist) *s* legista.
Le.git.i.ma.cy (lidji.timâssi) *s* legitimidade.
Le.git.i.mate (lidji.timêit) *adj* legitimado; legítimo; genuíno.
Le.git.i.ma.tion (lidjitimêi.xân) *s* legitimação.
Leg.ume (lé.guium) *s* legume.
Lei.sure (li.jur) *s* lazer; ócio; descanso.
Lem.on (lé.mân) *s* limão.
Lem.on.ade (lémânêi.d) *s* limonada.
Lend (lénd) *v* emprestar; dar; proporcionar; conceder; *past and pp* **Lent**.
Lend.ing (lén.din) *s* empréstimo.
Length (lén.th) *s* comprimento; extensão; duração; grau de alcance.
Length.en (lén.thn) *v* alongar; prolongar.
Length.y (lén.thi) *adj* longo; prolongado; prolixo.
Le.ni.ence (li.niéns) *s* brandura; doçura.
Le.ni.en.cy (li.niénsi) *examine* ⇒ **Lenience.**
Len.i.tive (lé.nitiv) *s* lenitivo; calmante; laxativo; *adj* lenitivo.
Len.i.ty (lé.niti) *s* brandura; clemência; indulgência.
Lens (léns) *s* lente óptica; objetiva; cristalino.
Lent (lént) *s* quaresma.
Len.til (lén.til) *s* lentilha .
Le.o.nine (li.onin) *adj* leonino.
Leop.ard (lé.pârd) *s* leopardo.
Lep.er (lé.pâr) *s* leproso; lázaro.
Lep.rous (lé.prôus) *adj* leproso.
Lep.rous.ness (lé.prôusnés) *s* estado de leproso; lepra.
Le.sion (li.jân) *s* lesão; dano; ferida.
Less (lés) *s* o mais moço; o inferior; *adj* menor; menos; inferior; *prep* menos; *adv* em menor grau.
Less.en (lésn) *v* diminuir; reduzir; deprimir.
Les.son (lésn) *s* lição; instrução; ensino; repreensão; censura.
Lest (lést) *conj* a fim de que não; para que não; com receio que.

Let (lét) *s* estorvo; obstáculo; impedimento; *v* deixar; permitir; alugar; fretar; POP **to Let rip:** mandar ver; *past and pp* **Let** *or* **Letted.**
Leth.ar.gy (lé.thârdji) *s* letargia; apatia; indiferença.
Let.ter (lé.târ) *s* letra; carta; diploma; *v* estampar letras.
Let.ter.head (lé.târhéd) *s* cabeçalho; papel timbrado.
Let.ter.ing (lé.târin) *s* título; letreiro; rótulo.
Let.tuce (lé.tis) *s* alface.
Le.vant (livént) *v* esconder.
Lev.ee (lé.vi) *s* dique; represa; recepção governamental.
Lev.el (lévol) *s* superfície plana; nível; plano; planície; *adj* plano; liso; probo; *v* nivelar.
Lev.el.ler (lévl.lâr) *s* nivelador; *also* **Leveler.**
Lev.er (lé.vâr) *s* alavanca; pé de cabra; *v* servir-se de alavanca.
Lev.er.age (lé.vâridj) *s* força; poder da alavanca; FIG supremacia.
Lev.er.et (lé.vârét) *s* lebre pequena, mamífero roedor.
Lev.i.tate (lé.vitêit) *v* suspender; levitar; fazer flutuar ou boiar.
Lev.i.ta.tion (lévitêi.xân) *s* levitação; suspensão de um corpo.
Lev.i.ty (lé.viti) *s* leveza; leviandade; inconstância.
Lev.y (lé.vi) *s* leva de tropas; coleta; cobrança; recrutamento; *v* recrutar; lançar impostos; penhorar.
Lewd (liúd) *adj* lascivo; perverso.
Lex.i.con (léc.sicón) *s* léxico; dicionário.
Li.a.bil.i.ty (láiâbi.liti) *s* perigo; risco; responsabilidade; compromissos; o passivo.
Li.a.ble (lái.âbol) *adj* sujeito; exposto; responsável; devedor de.
Li.ar (lái.âr) *s* mentiroso; embusteiro.
Li.bel (lái.bél) *s* libelo; calúnia; pasquim; difamação; *v* difamar; processar.
Li.ber (lái.bâr) *s* livro de registro (títulos, hipotecas, etc).
Lib.er.al (li.bârâl) *adj* liberal; generoso; franco; isento; nobre.
Lib.er.al.i.ty (libâré.liti) *s* liberalidade; generosidade.
Lib.er.ate (li.bârêit) *v* libertar; emancipar.
Lib.er.a.tion (libârêi.xân) *s* libertação; liberdade; soltura.
Lib.er.ty (li.bârti) *s* liberdade; permissão; licença.
Li.bid.i.nous (libi.dinâs) *adj* libidinoso; imoral; lascivo.
Li.bra (láibrê) *s* moeda (de muitos países).
Li.bra.ri.an (laibrarian) *s* bibliotecário.
Li.bra.ry (lái.brâri) *s* biblioteca.
Li.brate (lái.brêit) *v* librar; equilibrar.
Li.bra.tion (láibrêi.xân) *s* libração; equilíbrio; balanço.
Li.cence (lái.séns) *s* licença; permissão; privilégio; autorização; desordem; *v* licenciar; autorizar; permitir.
Li.cense (lái.séns) *examine* ⇒ **Licence.**
Li.cen.tious (láisén.xâs) *adj* licencioso; libertino.
Li.cen.tious.ness (láisén.xâsnés) *adj* licenciosidade; devassidão.
Lic.it (li.sit) *adj* lícito; permitido.
Lick (lic) *s* lambida; pancada; *v* lamber; derrotar; esmurrar.
Lick.er.ish (li.cârixe) *adj* delicado; saboroso; voraz; guloso.
Lic.o.rice (li.coris) *s* alcaçuz (raiz).
Lid (lid) *s* tampa; cobertura; pálpebra.
Lid.less (li.dlés) *adj* destampado; com as pálpebras abertas.
Lie (lái) *s* mentira; fábula; ficção; *v* mentir; deitarse; furtar; suspender; jazer; *past* **lay** *and pp* **Lain.**
Lief (lif) *adj* querido; caro; amado; *adv* de bom grado.
Liege (lidj) *s* feudatário; vassalo; súdito; *adj* feudatário.
Liege.man (lidj.mân) *examine* ⇒ **Liege.**
Lien (li.en) *s* hipoteca; direito de retenção; penhora.
Lieu (liú) *s* lugar.
Lieu.ten.ant (liuté.nânt) *s* o posto de lugar-tenente; capitão-tenente.
Life (láif) *s* vida; duração; existência; ser; biografia; ardor; movimento.
Life.less (láif.lés) *adj* morto; inanimado; sem vida.
Life.like (láif.láic) *adj* natural; como a vida; semelhante.
Life.long (láif.lón) *adj* que dura toda a vida; vitalício.
Lif.er (lái.fâr) *v* condenado a prisão perpétua.
Life.time (láif.tâim) *s* duração da vida; existência.
Lift (lift) *s* elevador; levantamento; (carona); USA **Elevator;** *v* levantar-se; içar; erguer-se.
Lift.er (lif.târ) *s* o que levanta; suspende; alça; ladrão.
Light (láit) *s* luz; claridade; clarão; inteligência; aurora; dia; percepção; *v* acender; iluminar; pousar; *past and pp* **Lit** *or* **Lighted;** *adj* claro; brilhante; leve.
Light.en (láitn) *v* alumiar; esclarecer; relampejar.
Light.er (lái.târ) *s* acendedor; fragata; isqueiro.
Light.ly (lái.tli) *adv* ligeiramente; levemente; sem razão.
Light.ness (láit.nés) *s* ligeireza; agilidade; leviandade.
Light.ning (láit.nin) *s* iluminação; relâmpago; centelha.
Like (láic) *adj* semelhante; análogo; parecido; igual; *v* gostar de; achar bom; querer; *adv* como; do mesmo modo.
Like.li.hood (lái.cli.hud) *s* semelhança; probabilidade.
Like.ly (lái.cli) *adj* agradável; idôneo; provável; verossímil; *adv* provavelmente.
Lik.en (láicn) *v* assemelhar; comparar.
Like.ness (láic.nés) *s* semelhança; aparência; aspecto; ar; retrato.
Like.wise (láic.uáiz) *adv* da mesma forma; do mesmo modo; também.
Li.lac (lái.lâc) *s* lilás (cor).

Lil.y (li.li) *s* lírio (planta com flores); *adj* branco (como o lírio).
Limb (lim) *s* membro (humano ou de animal); galho de árvore; saliência.
Lim.ber (lim.bâr) *v* engatar; *adj* macio; brando; flexível.
Limber.ness (lim.bârnés) *s* fragilidade; flexibilidade; condescendência.
Lime (láim) *s* cal; lodo; limo (fruta); *v* caiar; cobrir de visco; apanhar com laço.
Lim.it.a.ble (li.mitâbol) *adj* limitável; restringível.
Lim.it.less (li.mitlés) *adj* ilimitado; indefinido.
Limp (limp) *s* coxeadura; manqueira; *v* coxear; mancar; *adj* mole, brando.
Limp.er (lim.pâr) *s* coxo; manco.
Lim.pid.i.ty (limpi.diti) *s* limpidez; clareza; transparência.
Limp.ness (limp.nés) *s* debilidade; fraqueza.
Line (láin) *s* linha; traço; cabo; contorno; linha de navegação; frota mercante; *v* forrar; guarnecer; alinhar.
Lin.e.age (li.niidj) *s* linhagem; estirpe; raça.
Lin.e.a.ment (li.niâmént) *s* lineamento; feição; traço.
Line.man (láin.mân) *s* guarda-linha telegráfico; ESP juiz de linha.

Lin.er (lái.nâr) *s* forro; aeronave (navio ou avião de navegação ou uma linha aérea); camisa de cilindro.
Lines.man (láins.mân) *s* ESP árbitro (de futebol); árbitro de linha (diversos esportes); bandeirinha.
Ling (lin) *s* urze (peixe igual ao bacalhau).
Lin.ger (lin.gâr) *v* demorar; tardar; dilatar.
Lin.ge.rie (lénjâri) *s* lingerie (roupa íntima).
Lin.go (lin.gôu) *s* gíria; calão; algaravia.
Lin.gual (lin.guâl) *s* som lingual; *adj* lingual.
Lin.guist (lin.güist) *s* poliglota; linguísta.
Lin.i.ment (li.nimént) *s* linimento (óleo para massagens).
Link (linc) *s* elo; archote; ligação; *v* ligar; encadear; unir.
Links (lincs) *s* terreno arenoso; campo de golfe.
Lin.net (lin.net) *s* pintarroxo (pássaro).
Lin.seed (lin.sid) *s* linhaça (semente).
Li.on (lái.ân) *s* leão; celebridade; herói.
Li.on.ize (lai.ânáiz) *v* celebrizar.
Lip (lip) *s* beiço; lábio; bordo; extremidade; *v* beijar; balbuciar; tocar com os lábios.
Lip.stick (lip.stic) *s* batom (cosmético).
Liq.ue.fy (li.qüifái) *v* liquidificar; derreter.
Li.queur (licâr) *s* licor; cordial.
Liq.ui.date (li.cuidêit) *v* liquidar; regularizar; saldar.
Liq.ui.da.tion (licuidêi.xân) *s* liquidação de estoque.
Liq.uor (li.câr) *s* bebida alcoólica; licor; *v* umedecer; untar; banhar.
Lisp (lisp) *s* cicio; murmúrio; *v* ciciar; murmurar; balbuciar.
Lisp.er (lis.pâr) *s* cicioso.
List (list) *s* lista; rol; relação; arena; nomenclatura; desejo; filete; moldura; *v* alistar; orlar; listrar; catalogar.
Lis.ten (lisn) *v* escutar; atender.
Lis.ten.er (lis.nâr) *s* ouvinte; espião.
List.less (list.lés) *adj* negligente; descuidado; indiferente.
Li.ter (li.târ) *s* litro (medida de capacidade).
Lit.er.al.ly (li.terâli) *adv* literalmente (letra por letra).
Lit.er.a.ry (li.terâri) *adj* literário; dado à leitura.
Lit.er.a.ture (li.târâtxur) *s* literatura; obras literárias; erudição.
Lithe (láidh) *adj* brando; flexível.
Lithe.some (lái.dhsâm) *adj* flexível; brando.
Lit.i.gant (li.tigânt) *s* litigante; *adj* litigante.
Lit.i.gate (li.tiguêit) *v* pleitear; contestar; demandar.
Li.tig.ious (liti.djâs) *adj* litigioso; trapaceiro.
Lit.ter (li.târ) *s* liteira; ninhada; confusão; lixo; resto; *v* ato de parir (animal).
Lit.tle (litol) *s* pouca coisa; *adj* pouco; limitado; pequeno; breve; *adv* escassamente.
Lit.tle.ness (litol.nés) *s* insignificância; pequenez; ninharia.
Liv.a.ble (li.vâbol) *adj* habitável; tolerável.
Live (liv) *v* morar; habitar; viver; *adj* vivo; ardente; eficaz; efetivo.
Lived (livd) *adj* de vida elevada; de alto tom ou classe.
Live.li.hood (lái.vlihud) *s* meio de vida; subsistência; sustento.
Live.li.ness (lái.vlinés) *s* vivacidade; ânimo; disposição.
Live.ly (lái.vli) *adj* vivo; animado; espirituoso; vigoroso; enérgico; galhardo; *adv* vivamente; vigorosamente.
Liv.er (li.vâr) *s* fígado.
Liv.er.y (li.vâri) *s* libré; ração de cavalo; posse; investidura.
Liv.id (li.vid) *adj* lívido; pálido.
Liv.ing (li.vin) *s* modo de vida; subsistência; sala de estar; *adj* vivo; vivificante; evidente; manifesto.
Liz.ard (li.zârd) *s* lagarto; lagartixa; camaleão.
Load (lôud) *s* carga; *v* carregar (veículos ou arma).
Load.ing (lôu.din) *s* carga.
Load.stone (lôu.dstôun) *s* pedra-ímã; magnetita.
Loaf (lôuf) *s* filão de pão; vadiação; *v* vadiar.
Loaf.er (lôu.fâr) *s* preguiçoso; malandro; *examine* ⇒ Bum.
Loan (lôun) *s* empréstimo (valor ou o objeto); *v* emprestar (soma em dinheiro, etc.).
Loath (lôuth) *adj* contrário; de má vontade.
Loathe (lôuth) *v* detestar; odiar.
Loath.ly (lôu.thli) *adj* detestável; repulsivo; *adv* contra vontade.
Loath.some (lôu.tsâm) *adj* repugnante; asquerosos; aborrecível.
Lob.by (ló.bi) *s* vestíbulo; corredor; o que exerce influência no congresso (na votação).

Lobe (lôub) *s* lobo ou lóbulo.
Lob.ster (ló.bstâr) *s* lagosta.
Lo.cal.i.ty (lóque.liti) *s* localidade, lugar determinado.
Lo.cal.ize (lôu.caláiz) *v* localizar, determinar o local de; limitar.
Lo.cate (lôu.quêit) *v* colocar; designar o lugar de; situar; estabelecer.
Lo.ca.tion (lôuquêi.xân) *s* colocação; situação; sítio; localidade; arrendamento.
Lock (lóc) *s* fechadura; fecho; cadeado; comporta; cerca; *v* fechar a chave; trancar.
Lock.age (ló.quidj) *s* comporta; taxa de eclusa; eclusa.
Lock.et (ló.quit) *s* medalhão; broche.
Lock-out (ló.cáut) *s* greve dos empregadores; fechamento de fábrica.
Lock.smith (lóc.smith) *s* serralheiro.
Lo.co.mo.tion (locomôu.xân) *s* locomoção.
Lo.cust (lôu.câst) *s* locusta; gafanhoto.
Lo.cu.tion (loquiu.xân) *s* locução; frase.
Lode (lód) *s* filão; veio.
Lode.star (lôu.dstâr) *s* a estrela polar; estrela-guia.
Lodge (lódj) *s* loja; casa pequena; cubículo; covil; *v* alojar; hospedar; fixar; depositar; depor.
Lodge.ment (ló.djment) *s* depósito bancário; alojamento.
Lodg.er (ló.djâr) *s* hóspede; inquilino.
Loft (lóft) *s* sótão; celeiro; pombal; galeria superior.
Loft.i.ness (ló.ftinés) *s* elevação; altura; altivez; orgulho; majestade.
Loft.y (ló.fti) *adj* elevado; alto; sublime; excelso.
Log (lóg) *s* acha de lenha; barrote; trave.
Log.ger.head (ló.gâr.héd) *s* tonto; imbecil; grande tartaruga marinha.
Log.ic (ló.djic) *s* lógica; raciocínio; método; coerência.
Log.i.cal (ló.djicâl) *adj* lógico; coerente.
Lo.gis.tic (lodjis.tic) *s* logística; *adj* logístico.
Loin (lóin) *s* lombo; quadril; filé; loro; correia; rins.
Loi.ter (lói.târ) *v* demorar-se; tardar.
Loi.ter.er (lói.târâr) *s* ocioso; vagabundo; vadio.
Loll (lól) *v* recostar-se; refestelar-se; espreguiçarse; mostrar a língua.
Loll.er (ló.lâr) *s* preguiçoso; indolente; ocioso.
Lol.li.pop (ló.lipóp) *s* pirulito; caramelo.
Lone (lôun) *adj* solitário; só; sozinho; solteiro.
Lone.li.ness (lôun.linés) *s* solidão; isolamento.
Lone.ly (lôun.li) *adj* solitário; só; deserto.
Lone.some (lôun.sâm) *adj* solitário; só; isolado; triste.
Long (lón) *s* longitude; *v* cobiçar; ansiar por; querer muito; *adj* longo; comprido; vagaroso; aflito; *adv* longamente; demoradamente.
Long.boat (lón.bôut) *s* lancha.
Lon.gev.i.ty (lóndjé.viti) *s* longevidade.
Long.hand (lón.hénd) *s* escrita por extenso; escrita comum.
Long.ing (lón.nin) *s* anseio; anelo; desejo ardente.
Long.ways (lón.uêiz) *adv* longitudinalmente; *also* **Longwise**.
Loo.by (lu.bi) *s* POP tolo; néscio.
Look (luc) *s* olhar; espiada; fisionomia; *v* olhar; observar; contemplar; parecer; considerar; ver; **to Look about for:** procurar; **to Look after:** cuidar de; **to Look for**; procurar; **to Look into:** informar-se de; **to Look like:** parecer-se; **to Look ower:** examinar.
Loom (lum) *s* tear; braço do remo; presença; miragem; *v* aparecer; reluzir.
Loom.ing (lu.min) *s* miragem; visão.
Loon (lun) *s* tratante; enganador.
Loon.y (lu.ni) *s* POP bobo; tolo; paspalhão.
Loop (lup) *s* presilha; alça; alarmar; *v* pôr presilha; fazer voltas.
Loose (lus) *v* soltar; desatar; aliviar; afrouxar; *adj* solto; destacado; frouxo; móvel desocupado.
Loos.en (lusn) *v* desprender; soltar; afroxar.
Loot (lut) *s* saque; pilhagem; *v* saquear; pilhar.
Lop (lóp) *s* ramos; galhos; *v* podar; desbastar; desgalhar.
Lope (lôup) *s* trote largo; *v* galopar; saltar; pular.
Lo.qua.cious (locuêi.xâs) *adj* loquaz; palrador; conversador.
Lord (lórd) *s* lorde; senhor; Deus; *v* governar; mandar; dominar.
Lord.li.ness (lór.dlinés) *s* grandeza; dignidade; altivez; orgulho.
Lord.ly (lór.dli) *adj* altivo; fidalgo; orgulhoso.
Lore (lór) *s* ciência; saber; erudição; doutrina.
Lorn (lórn) *adj* sem parentes; sem amigos; abandonado.
Lor.ry (ló.ri) *s* caminhão de carga; *also* **Truck**.
Lo.ry (ló.ri) *s* arara (ave).
Lose (luz) *v* perder; arruinar; desperdiçar; *past and pp* **Lost**.
Loss (lós) *s* perda; dano; quebra; desperdício.
Lost (lóst) *adj* desaparecido; perdido.
Lot (lót) *s* lote; fortuna; ventura; grande porção; *v* lotear; repartir.
Lo.tion (lôu.xân) *s* loção; liquido medicinal.
Lo.tus (lôu.tâs) *s* lótus; loto (planta).
Loud (láud) *adj* ruidoso; barulhento; escandaloso; *adv* ruidosamente.
Loud.ness (láud.nés) *s* ruído; barulho; sonoridade.
Lounge (láun.dj) *s* ociosidade; vadiagem; sofá; *v* vaguear; vadiar.
Louse (láus) *s* piolho.
Lousy (láusi) *adj* ruim.
Lout (láut) *s* estúpido; bruto; estúpido.
Lout.ish (láu.tixe) *adj* rústico; grosseiro.
Lov.a.ble (lâ.vâbol) *adj* amável.
Love (lâv) *s* amor; afeição; amizade; galanteio; pessoa amada; *v* amar; gostar; adorar.
Love.bird (lâv.bârd) *s* periquito (ave).
Love.less (lâv.lés) *adj* sem amor.

Love.li.ness (lâ.vlinés) *s* amabilidade; encanto; beleza.
Love.ly (lâ.vli) *adj* amável; agradável; simpático; fascinante.
Lov.er (lâ.vâr) *s* amante; namorado.
Love.some (lâ.vârsâm) *adj* simpático; atraente.
Lov.ing (lâvin) *adj* afetuoso; amoroso; terno.
Low (lôu) *s* balido; mugido; *v* deprimir; abaixar; balir; mugir; *adj* baixo; pequeno; fraco; humilde; moderado; servil; submisso; *adv* baixo; profundamente; vulgarmente.
Low.er (lôu.âr) *adj* inferior; mais baixo; *v* baixar; abaixar; diminuir; escurecer; ameaçar tempestade.
Low.li.ness (lôu.linés) *s* baixeza; vileza; humildade.
Low.ly (lôu.li) *adj* baixo; vil; humilde; *adv* humildemente; modestamente.
Loy.al (ló.iâl) *adj* leal; fiel; sincero.
Loy.al.ty (ló.iâlti) *s* lealdade; fidelidade; sinceridade.
Lub.ber (lâ.bâr) *s* desastrado; desajeitado.
Lub.ber.ly (lâ.bârli) *adj* rústico; vadio; *adv* desastradamente.
Lu.bri.cant (liu.bricânt) *s* lubrificante; *adj* lubrificante.
Lu.bri.cate (liu.briquêit) *v* lubrificar; azeitar; amaciar.
Lu.cent (liu.sent) *adj* luzente; brilhante.

Lu.cid (liu.sid) *adj* lúcido; brilhante; transparente.
Lu.cid.ness (liu.sidnés) *s* lucidez; claridade; clareza.
Luck (lâc) *s* fortuna; acaso; sorte; ventura.
Luck.i.ness (lâc.nés) *s* felicidade; boa sorte.
Luck.less (lâc.lés) *adj* sem sorte.
Luck.y (lâ.qui) *adj* sortudo; propício; afortunado; venturoso.
Lu.cu.brate (liu.quiubrêit) *v* lucubrar.
Lu.cu.bra.tion (liuquiubrêi.xân) *s* lucubração; cogitação profunda.
Lu.di.crous (liu.dicrâs) *adj* burlesco; cômico; ridículo.
Lu.di.crous.ness (liu.dicrâsnés) *s* jocosidade; extravagância.
Luff (lâf) *s* barlavento; *v* pôr em direção ao vento.
Lug (lâg) *s* orelha; alça; asa; *v* arrastar; içar; puxar.
Lug.gage (lâ.guidj) *s* bagagem; *also* **Baggage**.
Lu.gu.bri.ous (luguiu.briâs) *adj* lúgubre; triste; funerário.
Luke.warm (lu.cuórm) *adj* morno; tépido; FIG insensível; indiferente; frio.
Luke.warm.ness (lu.cuórmnés) *s* mornidão; indiferença; apatia.
Lull (lâl) *s* calmaria; murmúrio; *v* embalar; acalmar; adormecer.
Lull.a.by (lâ.lâbâi) *s* canção de ninar; arrulho.
Lum.bar (lâm.bâr) *adj* lombar; dorsal.
Lum.ber (lâm.bâr) *s* madeira; madeiramento; trastes; *v* amontoar ou cortar madeira; marchar pesadamente.
Lum.ber.man (lâm.bârmân) *s* madeireiro.
Lu.mi.na.ry (liu.minâri) *s* luminar; astro; corpo luminoso.
Lump (lâmp) *s* massa; protuberância; bocado; *v* amontoar; aglomerar-se.
Lump.ish (lâm.pixe) *adj* pesado; grosseiro; estúpido.
Lump.ish.ness (lâm.pixenés) *s* grosseria; estupidez; brutalidade.
Lump.y (lâm.pi) *adj* grumoso; granuloso.
Lu.na.cy (liu.nâssi) *s* loucura; demência; insânia.
Lu.nate (liu.nit) *adj* em forma de meia-lua ou crescente.
Lu.na.tic (liu.nâtic) *s* lunático; alienado; *adj* lunático; alienado.
Lunch (lântxe) *s* almoço; fazer merenda; *v* almoçar; merendar.
Lune (liun) *s* a lua; mania.
Lung (lân) *s* pulmão.
Lunge (lândj) *s* investida; bote; investida; *v* dar botes; investir.
Lu.pin (liu.pin) *s* tremoço (grão); *also* **Lupine**.
Lurch (lârtxe) *s* desamparo; abandono; *v* iludir; emboscar-se.
Lure (liur) *s* engodo; isca; armadilha; *v* engodar; atrair.
Lu.rid (liu.rid) *adj* lúgubre; sombrio; fúnebre.
Lurk (lârc) *v* emboscar-se; iludir.
Lush (lâxe) *adj* suculento; viçoso.
Lust (lâst) *s* desejo ardente; cobiça; luxúria; *v* cobiçar; desejar.
Lus.ter (lâs.târ) *s* brilho; fulgor; candelabro.
Lus.tful (lâst.ful) *adj* cobiçoso; sensual; devasso.
Lus.trous (lâs.trâs) *adj* lustroso; brilhante.
Lust.y (lâs.ti) *adj* forte; robusto; abundante.
Lute (liut) *s* alaúde; *v* vedar com luto; tocar alaúde.
Lux.ate (lâc.sêit) *v* deslocar; desconjuntar.
Lux.a.tion (lâcsêi.xân) *s* luxação; deslocamento.
Luxe (lucs) *s* luxo; ostentação.
Lux.u.ri.ous (lâgju.riâs) *adj* luxurioso; exuberante; voluptuoso.
Lux.u.ry (lâc.xuri) *s* luxo; suntuosidade; luxúria; prazer.
Ly.ce.um (láissi.âm) *s* liceu.
Ly.ing (lái.in) *s* mentira; engano; *adj* falso; mentiroso.
Lynch (lintxe) *v* linchar.
Lynx (lincs) *s* lince (animal felino).
Lyre (láir) *s* MÚS lira (instrumento).
Lyr.ic (li.ric) *s* poema lírico; canção lírica; *adj* lírico.

m M

M (ém) *s* décima-terceira letra do alfabeto Português e do alfabeto Inglês.
Ma'am (mém) *s* contração de **Madam:** ⇒ minha senhora.
Mac.a.ro.ni (mécârôu.nic) *s* macarrão.
Ma.caw (mâkó) *s* arara.
Mace (mêis) *s* maça; clava.
Mach.i.nate (mé.quinêit) *v* maquinar; forjar.
Ma.chine (mâxin) *s* máquina; engenho; Machine-gun: metralhadora; *v* trabalhar com máquinas.
Ma.chin.ist (mâxi.nist) *s* mecânico.
Mack.in.tosh (mé.quintóxe) *s* capa impermeável; casaco impermeável.
Mac.u.late (mé.quiulêit) *v* macular; *adj* manchado.
Mad (méd) *adj* louco; doido; raivoso.
Mad.am (médam) *s* senhora.
Mad.cap (méd.quép) *s* maluco; *adj* maluco.
Mad.den (médn) *v* enlouquecer; enfurecer; encolerizar.
Made (mêid) *adj* feito; fabricado.
Madly (mé.dli) *adv* loucamente; furiosamente.
Mad.man (méd.mân) *s* louco; doido; maníaco.
Mad.ness (méd.nés) *s* loucura; raiva; fúria.
Mag (még) *s* POP meio pêni (moeda).
Mag.a.zine (mégâzin) *s* revista; magazine.
Mage (mêidj) *s* mágico.
Mag.got (mé.gât) *s* capricho; fantasia; larva.
Mag.ic (mêi.djic) *s* magia; mago; mágica; *adj* mágico; feiticeiro.
Mag.is.trate (mé.djistrit) *s* magistrado.
Mag.na.nim.i.ty (mégnéni.miti) *s* magnanimidade; nobreza; generosidade.
Mag.nate (még.nêit) *s* magnata.
Mag.net (még.nit) *s* ímã; magneto.
Mag.ni.fi.ca.tion (mégnifiquêi.xân) *s* ampliação; aumento; elevação.
Mag.nif.i.cence (méni.fisséns) *s* magnificência; grandeza; suntuosidade.
Mag.ni.fi.er (még.nifáiâr) *s* ampliador; lente de aumento.
Mag.ni.fy (még.nifái) *v* aumentar; ampliar; engrandecer.
Ma.hog.a.ny (má.hó.gâni) *s* mogno (madeira).
Maid (mêid) *s* donzela; moça; criada.
Maid.en.hood (mêidn.hud) *s* virgindade; pureza.
Maid.en.ly (mêidn.li) *adj* virginal; puro; modesto; *adv* virginalmente.
Mail (mêil) *s* mala postal; correio; correspondência; cota de malha; *v* enviar; remeter (via mala postal).
Mail.bag (mêil.bég) *s* mala postal; mala (correio).
Mail.box (mêil.bócs) *s* caixa do correio.
Mail.man (mêil.mân) *s* carteiro; *examine* ⇒ Postman.
Maim (mêim) *s* mutilação; ferida; *v* mutilar; cortar.
Main (mêin) *s* força; essencial; *adj* principal; essencial.
Main.land (mêin.lénd) *s* continente; terra firme.
Main.ly (mêin.li) *adv* principalmente; fortemente.
Main.tain (mêitêin) *v* manter; sustentar.
Maize (mê.iz) *s* milho.
Ma.jes.tic (mâdjés.tic) *adj* majestoso; sublime.
Maj.es.ty (mé.djesti) *s* majestade; grandeza.
Ma.jor (mêi.djâr) *s* major; maioria; *adj* maior; principal.
Ma.jor.i.ty (mâdjó.riti) *s* maioridade; maioria absoluta.
Make (mêic) *s* forma; feitio; estrutura; *v* fazer; fabricar; somar; construir; causar; *past and pp* Made.
Make-believe (méic.biliv) *s* embuste; pretexto; ficção; *adj* falso; imaginário.
Mak.er (mêi.câr) *s* autor; fabricante; criador.
Make.shift (mêic.xift) *s* substituto; *adj* temporário.
Make-up (mêi.câp) *s* composição; TEATR TV caracterização; maquilagem; TIP composição.
Make.weight (mêi.cuêit) *s* contrapeso.
Mak.ing (mêi.quin) *s* manufatura; trabalho; fabrico; composição.
Mal.a.droit (mélâdróit) *adj* desastrado; inábil.
Mal.con.tent (mél.cântént) *s* descontente; insatisfeito; *adj* descontente; insatisfeito.
Male (mêil) *s* macho; varão; *adj* masculino; varonil.
Mal.e.dic.tion (mélidic.xân) *s* maldição; praga; execração.

Mal.e.fac.tor (méliféc.târ) *s* malfeitor; desordeiro; criminoso.
Ma.lef.i.cent (mâlé.fissént) *adj* maléfico.
Ma.lev.o.lence (mâlé.voléns) *s* aversão; malevolência; ódio.
Mal.fea.sance (mélfi.zâns) *s* malvadeza; malignidade.
Mal.ice (mê.lis) *s* malícia; maldade; JUR má fé; dolo.
Ma.li.cious (mâli.xâs) *adj* malicioso; maldoso; velhaco.
Malign (mâláin) *v* difamar; *adj* maligno; daninho.
Ma.lig.ni.ty (mâlig.niti) *s* malignidade; maldade; malícia.
Ma.lin.ger (mâlin.gâr) *v* fingir-se doente.
Ma.lin.ger.er (mâlin.gârâr) *s* falso doente.
Mall (mól) *s* centro comercial; *examine* ⇒ **Shopping Centre**.
Mal.lard (mé.lârd) *s* pato (ave).
Mal.le.a.ble (mé.liâbol) *adj* maleável; dúctil; flexível.
Mal.let (mé.lit) *s* malho; maço; malhete.
Mal.low (mé.lôu) *s* malva (planta).
Mal.o.dor.ous (mélôu.dârâs) *adj* mal cheiroso; fétido; desagradável.
Mal.prac.tice (mélpréc.tis) *s* abuso.
Malt (mólt) *s* malte.
Mal.treat (méltrit) *v* maltratar; brutalizar.
Mal.treat.ment (méltrit.ment) *s* maltrato.
MAL/MAR **Mal.ver.sa.tion** (mélvârsêi.xân) *s* prevaricação; má conduta; malversação.
Ma.ma (mâ.ma) *s* mamãe; mãe; glândula mamária (mama).
Mam.mal (mé.mâl) *s* mamífero.
Mam.my (mé.mi) *s* mamãe.
Man (mân) *s* homem; a humanidade; *v* tripular; equipar.
Man.a.cle (mé.nâcol) *v* algemar.
Man.age (mé.nidj) *v* gerir; controlar.
Man.ag.er (mé.nidjâr) *s* diretor; gerente; administrador; regente; ESP técnico.
Man.da.to.ry (mén.dâtôuri) *s* mandatário; *adj* obrigatório.
Man.di.ble (mén.dibol) *s* mandíbula.
Man.drel (mén.drâl) *s* MEC mandril; eixo; (cabo de torno mecânico).
Man.drill (ménd.ril) *s* mandril (um babuíno grande).
Mane (mêin) *s* juba; crina.
Man.ful (mân.ful) *adj* viril; robusto; varonil.
Mange (mêindj) *s* rabugem (sarna).
Man.ger (mén.djâr) *s* manjedoura.
Man.go (mén.gôu) *s* manga (fruta).
Man.hood (mân.hud) *s* natureza humana; humanidade; vigor; virilidade.
Man.i.fest (mé.nifést) *s* manifesto; *v* manifestar; demonstrar; patentear; evidenciar; *adj* manifesto; evidente.
Man.i.fest.ly (mé.niféstli) *adv* manifestamente; claramente.
Man.i.fold (mé.nifôuld) *s* cópia; agregado; *adj* múltiplos; diversos.
Man.i.kin (mé.niquin) *s* manequim; boneco.
Ma.nip.u.late (mâni.piulêit) *v* manipular; preparar; manejar.
Man.kind (mân.cáind) *s* humanidade.
Man.ly (mân.li) *adj* varonil; corajoso.
Man.ner (mé.nâr) *s* maneira; modo; espécie.
Man.ner.ly (mé.nârli) *adj* delicado; cortês; *adv* cortesmente.
Man.nish (mé.nixe) *adj* masculino; viril.
Man.sion (mén.xân) *s* mansão; morada.
Man.tle (méntol) *s* manto; camada externa; capa; *v* cobrir; tapar; disfarçar.
Man.u.fac.to.ry (mé.niuféc.tori) *s* fábrica; oficina; manufatura.
Man.u.fac.ture (méniuféc.txur) *s* manufatura; indústria; *v* manufaturar; fabricar.
Ma.nure (mâniur) *s* adubo; estrume; *v* adubar; estercar; fertilizar.
Man.y (mé.ni) *s* multidão; povo; grande número; *adj* muitos; muitas; diversos.
Map (mép) *s* mapa; carta geográfica; *v* traçar; delinear.
Mar (már) *s* mancha; ofensa; borrão; *v* estragar; desfigurar.
Mar.ble (márbol) *s* mármore; bola de gude.
March (mártxe) *s* Março; marcha; progresso; *v* marchar; caminhar.
Mare (mér) *s* égua.
Mar.gin (már.djin) *s* margem; extremidade; *v* marginar; apostilar.
Ma.rine (mârin) *s* marinha; *adj* marítimo; naval.
Mar.i.ner (mé.rinâr) *s* marinheiro; fuzileiro naval.
Mar.ish (mé.rixe) *s* pântano; *adj* pantanoso.
Mark (márc) *s* marca; símbolo; nota escolar; testemunho; prova; *v* marcar; notar; observar.
Mar.ket (már.quit) *s* mercado; venda; preço.
Mar.ket.ing (márc.tin) *s* atuação ativa do mercado (compra, venda, etc); *s* marca; marcação; cotação.
Mar.ma.lade (már.mâleid) *s* compota (alimento doce).
Ma.roon (mârun) *s* cor de castanha; marrom; *adj* castanho; marrom.
Mar.quis (már.cuis) *s* marquês (título).
Mar.riage (mé.ridj) *s* casamento; matrimônio.
Mar.ried (mé.rid) *adj* casado; conjugal.
Mar.row (mé.rôu) *s* tutano; medula.
Mar.ry (mé.ri) *v* casar; unir; desposar.
Mars (márz) *s* Marte (4° planeta do nosso sistema solar).
Marsh (márxe) *s* pântano; malária.
Mar.shal (már.xâl) *s* marechal; mestre-de-cerimônias.
Mart (márt) *s* mercado; feira.
Mar.ten (már.ten) *s* marta; pele de marta.
Mar.tial (már.xâl) *adj* marciano.
Mar.tyr (mâr.târ) *s* mártir; *v* martirizar; atormentar.

Mar.tyr.dom (már.târdâm) *s* martírio; tormento.
Mar.tyr.ize (már.târáiz) *v* martirizar; atormentar.
Mar.vel (már.vel) *s* maravilha; prodígio; *v* maravilhar-se; pasmar.
Mar.vel.lous (már.velâs) *adj* maravilhoso; pasmoso; surpreendente; amante.
Mas.cu.line (més.quiulin) *s* gênero masculino; *adj* masculino; varonil.
Mash (méxe) *s* massa; confusão; desordem; *v* amassar; triturar.
Mask (másc) *s* máscara; disfarce; pretexto; comédia de máscaras; *v* mascarar; encobrir.
Mason (mêisn) *s* pedreiro; Maçom (Pedreiro-Livre).
Ma.son.ic (mâssó.nic) *adj* Maçônico.
Ma.son.ry (mêisn.ri) *s* ofício de pedreiro; Maçonaria.
Mas.quer.ade (més.câréid) *s* disfarce; *v* mascarar-se; disfarçar-se.
Mass (més) *s* missa; massa; confusão; *v* celebrar missa; juntar em massa.
Mas.sa.cre (mé.sâcâr) *s* massacre; extermínio; *v* massacrar.
Mas.sage (masság) *s* massagem; *v* fazer massagem.
Mast (mést) *s* mastro; mastaréu; *v* mastrear.
Mas.ter (más.târ) *s* mestre; professor; *v* dominar.
Mas.ter.dom (más.târdâm) *s* mando; domínio.
Mas.ter.ful (más.târful) *adj* altivo; impetuoso.
Mas.ter.ly (más.târli) *adj* imperioso; dominante; *adv* magistralmente.
Mas.ter.piece (más.târpis) *s* obra-prima.
Mas.ter.ship (más.târxip) *s* magistério; domínio.
Mas.ter.y (más.târi) *s* poder; superioridade; domínio; supremacia.
Mas.ti.cate (més.tiquêit) *v* mastigar; mascar; triturar.
Mas.ti.ca.tion (méstiquêi.xân) *s* mastigação; trituração.
Mas.tiff (més.tif) *s* mastim (cão de guarda para gado).
Mat (mét) *s* esteira; tapete; capacho; *adj* opaco; fosco.
Match (métxe) *s* companheiro; fósforo; mecha; torcida; *v* emparelhar; casar; igualar.
Mate (mêit) *s* companheiro; *v* igualar; casar.
Ma.te.ri.al.ize (mati.rialáiz) *v* materializar; dar corpo; tornar comum.
Ma.ter.nal (mâtâr.nâl) *adj* maternal; materno.
Ma.ter.ni.ty (mâtâr.niti) *s* maternidade; estado ou qualidade de mãe.
Math (méth) *s* matemática.
Math.e.ma.ti.cian (méthimâti.xân) *s* matemático.
Mat.in (mé.tin) *adj* matinal; matutino.
Ma.tric.u.late (mâtri.quiulêit) *s* matriculado; *v* matricular; matricular-se.
Ma.tric.u.la.tion (mâtriquiulêi.xân) *s* matrícula; inscrição.
Mat.ri.mo.nial (métrimôu.niâl) *adj* matrimonial.
Mat.ri.mo.ny (mé.trimôuni) *s* matrimônio; casamento; núpcias.
Ma.tron (mêi.trân) *s* matrona; mãe de família; enfermeira-chefe.
Mat.ter (mé.târ) *s* matéria; assunto; importância; *v* importar; supurar; interessar.
Mat.tock (mé.tóc) *s* alvião (picareta).
Mat.u.rate (mé.tiurêit) *v* amadurecer; esgotar um prazo.
Mat.u.ra.tion (métiurêi.xân) *s* maturação; MED supuração.
Ma.ture (mâtiur) *v* madurar; amadurecer; COM vencer (título, duplicata, etc); *adj* maduro; sazonado; completo; vencido.
Maud.lin (mó.dlin) *adj* embriagado; estúpido.
Maul (mól) *s* malho; martelo; *v* malhar; espancar; maltratar.
Maun.der (món.dâr) *v* resmungar; andar vagarosamente.
Maw (mó) *s* bucho; papo; ventre.
Max.im (méc.sim) *s* máxima; preceito; regra.
May (mêi) *s* Maio; *v* poder; ser possível; *past and pp* **Might**.
May.be (mêi.bi) *adv* talvez; quiçá; porventura.
May.or (mêi.âr) *s* presidente de câmara municipal; prefeito.
Maze (mêiz) *s* labirinto; enredo; *v* confundir; hesitar.
Maz.i.ly (mêi.zili) *adv* confusamente.
Maz.i.ness (mêi.zinés) *s* confusão; indecisão.
Maz.y (mêi.zi) *adj* confuso; embaraçoso.
Me (mi) *pron* me; mim.
Mead (mid) *s* hidromel (bebida).
Mead.ow (mé.dôu) *s* prado; pasto; campina.
Mea.ger (mi.gâr) *adj* magro; insuficiente; escasso; estéril.
Mea.gre (mi.gâr) *examine* ⇒ **Meager**.
Meal (mil) *s* refeição; farinha; comida; bocado.
Mean (min) *s* meios; recursos; modo; forma; *v* destinar; tencionar; querer dizer; significar; *past and pp* **Meant**; *adj* baixo; vil; sovina; abjeto; mediano.
Me.an.der (mién.dâr) *s* meandro; labirinto; *v* vagar, perambular.
Mean.ly (min.li) *adv* vilmente; mesquinhamente.
Mean.time (min.táim) *adv* entretanto; entrementes.
Mean.while (min.huáil) *adv same as* **Meantime**.
Mea.sles (miz.liz) *s* MED sarampo.
Mea.sly (miz.li) *adj* desprezível; MED atacado de sarampo.
Mea.sure (mé.jur) *s* medida; medição; grau; cadência; proporção; *v* medir; graduar.
Mea.sure.ment (mé.jurment) *s* medição; graduação; medida.
Meat (mit) *s* carne; alimento; comida.
Meat.y (mi.ti) *adj* carnudo; nutritivo.
Me.chan.ic (miqué.nic) *s* mecânico; artífice; operário; *adj* mecânico.
Me.chan.ics (miqué.nics) *s* mecânica.
Mech.a.nize (mé.canáiz) *v* mecanizar.
Med.al (mé.dâl) *s* medalha.

Me.dal.lion (medé.liân) *s* medalhão.
Med.dle (médol) *v* intrometer-se; meter-se.
Med.dle.some (médol.sâm) *adj* intrometido; intruso; curioso.
Me.di.ate (mi.diêit) *v* mediar; *adj* intermédio; mediato; interposto.
Me.di.a.tion (midiêi.xân) *s* mediação; intervenção; intercessão.
Med.i.cate (mé.diquêit) *v* medicar.
Med.i.cine (mé.dissin) *s* medicina; remédio; medicamento.
Me.di.oc.ri.ty (midió.criti) *s* mediocridade; medianilidade; trivialidade.
Med.i.tate (mé.ditêit) *v* meditar; cogitar.
Med.ley (mé.dli) *s* mistura; miscelânea; *adj* confuso; misturado.
Meed (mid) *s* recompensa; prêmio; pagamento.
Meek (mic) *adj* afável; meigo; manso.
Meek.ness (mic.nés) *s* brandura; modéstia.
Meet (mit) *s* ponto de reunião; encontro; *v* encontrar; reunir-se; satisfazer; *past and pp* **Met**.
Meet.ing (mi.tin) *s* encontro; entrevista.
Me.grim (mi.grim) *s* enxaqueca.
Mel.an.chol.y (mé.lâncóli) *s* melancolia; tristeza; *adj* melancólico.
Mel.low (mé.lôu) *adj* maduro; mole; melodioso; *v* amadurecer; amolecer.
Me.lo.di.ous (mélôu.diâs) *adj* melodioso; doce; suave.

Mel.o.dy (mé.lodi) *s* melodia; canção; ária.
Mel.on (mé.lân) *s* melão, espécie de fruta.
Melt (mélt) *s* substância derretida; derretimento; *v* derreter; dissolver; fundir; *past and pp* **Melted** *or* **Molten**.
Mem.ber.ship (mém.bârxip) *s* sociedade; confraria; irmandade.
Mem.o.ra.ble (mé.morâbol) *adj* memorável.
Me.mo.ri.al (memóu.riâl) *s* petição; memorial; nota; *adj* comemorativo.
Mem.o.rize (mé.moráiz) *v* anotar; registrar; decorar; recordar.
Mem.o.ry (mé.mori) *s* memória; lembrança; recordação.
Men.ace (mé.nis) *s* ameaça; *v* ameaçar; intimidar.
Mend (ménd) *s* emenda; melhoria; *v* consertar; remendar.
Men.da.cious (mendêi.xâs) *adj* mentiroso; falso.
Men.dac.i.ty (mendé.siti) *s* mentira; embuste.
Men.di.can.cy (mén.dicânsi) *s* mendicância, ação de mendigar.
Men.di.cant (mén.dicânt) *s* mendigo; *adj* mendigo; pedinte.
Men.ses (mén.siz) *s* menstruação; regras.
Men.stru.al (méns.trual) *adj* menstrual.
Men.stru.ate (méns.truêit) *v* menstruar.
Men.stru.a.tion (ménstruêi.xân) *s* menstruação; regras; fluxo.
Men.su.ra.ble (mén.xurâbol) *adj* mensurável.
Men.su.ra.tion (ménxurêi.xân) *s* mensuração; medida; medição.
Men.tal (mén.tâl) *adj* mental; ideal; intelectual.
Men.tal.i.ty (mênté.liti) *s* mentalidade.
Men.tion (mén.xân) *s* menção; alusão; *v* mencionar; aludir.
Men.tor (mén.târ) *s* mentor; guia; conselheiro.
Men.u (mé.niu) *s* menu; cardápio.
Mer.ce.na.ry (mâr.sinéri) *s* mercenário; *adj* mercenário; venal.
Mer.cer (mâr.sâr) *s* negociante (fazendas e tecidos).
Mer.chan.dise (mâr.txândáiz) *s* comerciante atacadista; varejista; *v* negociar; comerciar.
Mer.chant (mâr.txânt) *s* negociante atacadista; comerciante varejista; *adj* mercantil; comercial.
Mer.ci.ful (mâr.siful) *adj* misericordioso; clemente; compassivo; humano.
Mer.ci.ful.ness (mâr.sifulnés) *s* misericórdia; clemência; compaixão.
Mer.ci.less (mâr.silés) *adj* impiedoso; desalmado; cruel.
Mer.cu.ry (mâr.quiuri) *s* mercúrio; ASTR mercúrio (planeta do nosso sistema solar).
Mer.cy (mâr.si) *s* clemência; piedade.
Mere (mir) *adj* mero; simples; puro.
Mere.ly (mir.li) *adv* meramente; simplesmente; inteiramente.
Merge (mârdj) *v* amalgamar; unir; fundir; imergir.
Mer.it (mé.rit) *s* mérito; merecimento; prêmio; *v* merecer.
Merle (mârl) *s* melro (pássaro).
Mer.lin (mâr.lin) *s* esmerilhão (ave).
Mer.maid (mâr.mêid) *s* MIT sereia (mulher-peixe).
Mer.ry (mé.ri) *adj* alegre; jovial; feliz.
Mesh (méxe) *s* malha; rede; laço; *v* prender com rede.
Mesh.y (mé.xi) *adj* reticulado.
Mess (més) *s* prato de comida; rancho; confusão; *v* comer; dar rancho; complicar.
Mes.sage (mé.sâdji) *s* mensagem; recado; comunicação; embaixada.
Mes.si.ah (missaihâ) *s* messias; Cristo; ungido.
Mess.y (mé.si) *adj* desordenado; desarranjado; atravancado.
Met.al (mé.tâl) *s* metal; liga; substância; cascalho; *v* cobrir ou revestir de metal.
Met.al.lur.gy (mé.tâlârdji) *s* metalurgia.
Met.a.phor (mé.tâfâr) *s* metáfora.
Mete (mit) *s* divisa; limite; *v* medir; partilhar.
Me.te.or.ol.o.gy (mitioró.lodji) *s* meteorologia.
Me.ter (mi.târ) *s* metro, sistema de medida; medidor; contador.
Meth.od (mé.thâd) *s* método; regra; ordem.
Meth.od.ism (mé.thâdizm) *s* método; RELIG Metodismo.
Meth.od.ize (mé.thâdáiz) *v* metodizar; regularizar.
Me.tic.u.lous (meti.quiulâs) *adj* meticuloso; cuidadoso; sistemático.
Met.ri.fy (mi.trifái) *v* metrificar.

Met.tle (métol) *s* valor; coragem; vivacidade.
Mew (miu) *v* miar.
Mewl (miul) *s* choro de criança; miado; *v* choramingar como criança; lamentar-se.
Mi (mi) *s* MÚS mi, nota musical (E).
Mi.crobe (mái.crôub) *s* micróbio, ser animal ou vegetal microscópico.
Mi.cro.scope (mái.croscôup) *s* microscópio, excessivamente pequeno.
Mid (mid) *adj* meio; médio; intermediário.
Mid.day (mid.dêi) *s* meio-dia; zênite.
Mid.dle (midol) *adj* do meio; central; médio; intermediário.
Mid.dling (mi.dlin) *adj* médio; mediano.
Midge (midj) *s* mosquito; anão.
Midg.et (mid.gét) *s* anão; pigmeu.
Mid.night (mid.náit) *s* meia-noite; *adj* escuro; oculto; secreto.
Midst (midst) *s* meio; centro; seio; *adv* no meio; *prep* entre.
Mid.sum.mer (mid.sâmâr) *s* Solstício de Verão.
Mid.way (mid.uêi) *s* meio caminho; *adj* a meio caminho.
Mid.wife (mid.uáif) *s* parteira.
Mien (min) *s* ar; semblante.
Might (máit) *s* poder; força; *v* ser possível.
Might.y (mái.ti) *adj* forte; poderoso; importante; eficaz.
Mi.grate (mái.grêit) *v* migrar.
Mi.gra.tion (máigrêi.xân) *s* migração.
Milch (miltxe) *adj* lácteo; de leite.
Mild (máild) *adj* suave; doce; ameno; macio.
Mild.ly (mil.dli) *adv* pacificamente; suavemente.
Mile (máil) *s* milha.
Mile.age (mái.lidj) *s* comprimento em milhas.
Mile.stone (mail.stôun) *s* marco (distância em milhas).
Mil.i.tan.cy (mi.litânsi) *s* militância; guerra; combate.
Mil.i.ta.ry (mi.litéri) *adj* militar; bélico; marcial.
Milk (milc) *s* leite; suco leitoso de algumas plantas; *v* ordenhar; mamar.
Mill (mil) *s* moinho; fiação; oficina; fábrica; POP pugilato; *v* moer; triturar; esmagar.
Mill.er (mi.lâr) *s* moleiro; mariposa.
Mill.ing (mi.lin) *s* moagem; fresagem; moenda.
Milt (milt) *s* esperma de peixe; baço; *v* fecundar (ovas).
Mime (máim) *s* mímica; farsa.
Mim.ic (mi.mic) *adj* mímico; burlesco; grotesco; *v* arremedar; imitar.
Mim.ic.ry (mi.micri) *s* mímica; pantomima; arremedo.
Mince (mins) *v* picar; pronunciar aos poucos; medir palavras; andar com afetação.
Mince.meat (mins.mit) *s* carne picada.
Mind (máind) *s* mente; cabeça; ânimo; gosto; opinião; memória; *v* prestar atenção a; cuidar de; importar-se.
Mind.ful (máind.ful) *adj* atento; cuidadoso; diligente.
Mine (main) *s* mina; jazida; *v* minar; destruir; *pron* meu; minha; meus; minhas.
Min.gle (mingol) *v* misturar; juntar; confundir.
Mini (mini) *s* automóvel miniatura.
Min.i.fy (mini.fái) *v* diminuir; reduzir; menosprezar.
Min.im (mi.nim) *s* MÚS mínima; *also* **Half Note**; *adj* menor; mínimo.
Min.i.mize (mi.nimáiz) *v* diminuir; encurtar; atenuar.
Min.ish (mi.nixe) *v* diminuir.
Min.is.ter (mi.nistâr) *s* ministro; sacerdote; *v* prover; dar; servir; celebrar missa; ministrar.
Min.is.try (mi.nistri) *s* ministério; clero; cargo.
Mink (minc) *s* espécie de marta; pele de marta; vison.
Mi.nor.i.ty (minó.riti) *s* minoria; menoridade.
Min.ster (mins.târ) *s* mosteiro; catedral; convento.
Mint (mint) *s* casa da moeda; mina; *v* cunhar moeda; inventar; forjar.
Mint.er (min.târ) *s* moedeiro; inventor; forjador.
Mir.a.cle (mi.râcol) *s* milagre; maravilha.
Mi.rac.u.lous (miré.quiulâs) *adj* miraculoso; maravilhoso.
Mi.rage (mirâj) *s* miragem; ilusão; visão.
Mire (máir) *s* atoleiro; lama; lodo; *v* atolar-se; enlamear.
Mir.i.ness (mái.rinés) *s* sujidade; porcaria; imundície.
Mir.ror (mi.râr) *s* espelho; modelo; *v* espelhar; refletir.
Mirth (mârth) *s* alegria; contentamento.
Mirth.ful (mârth.ful) *adj* alegre; jovial; jubiloso.
Mirth.less (mârth.lés) *adj* triste; melancólico.
Mir.y (mái.ri) *adj* lodoso; lamacento; enlameado.
Mis.ad.ven.ture (missédvént.xur) *s* infortúnio; desgraça; revés.
Mis.al.li.ance (misséilái.âns) *s* casamento não desejado.
Mis.ap.pro.pri.ate (misséprôu.priêit) *v* malversar; apropriar com fraude.
Mis.car.riage (misqué.ridj) *s* aborto; falta; culpa; malogro.
Mis.car.ry (misqué.ri) *v* malograr; extraviar.
Mis.chance (mistxéns) *s* infortúnio; desgraça; malogro.
Mis.chief (mis.txif) *s* mal; prejuízo; travessura.
Mis.chie.vous (mis.txivâs) *adj* malévolo; nocivo; desordeiro.
Mis.con.struc.tion (miscónstrâc.xân) *s* interpretação errônea.
Mis.con.strue (miscónstru) *v* interpretar mal.
Mis.deed (misdid) *s* delito; culpa; má ação.
Mis.de.mean.our (misdimi.nâr) *s* pequena contravenção; má conduta; *also* **Misdemeanor**.

Mi.ser (mái.zâr) *s* usurário; avarento; avaro.
Mis.er.a.ble (mi.zârâbol) *adj* desgraçado; infeliz; desditoso.
Mis.er.ly (mái.zârli) *adj* avaro; avarento.
Mis.er.y (mi.zâri) *s* miséria; desdita.
Mis.fit (misfit) *s* o que encaixa mal; *v* não ajustar bem.
Mis.for.tune (misfór.txun) *s* infortúnio; desventura; desgraça.
Mis.give (misguiv) *v* inspirar receios.
Mis.guide (misgáid) *v* extraviar; desencaminhar.
Mis.hap (mis.hép) *s* desgraça; infortúnio; contratempo.
Mis.in.for.ma.tion (missinfórmêi.xân) *s* informação errônea ou falsa.
Mis.in.ter.pret (missintâr.prét) *v* interpretar mal; não entender.
Mis.in.ter.pre.ta.tion (missintârpré.têi.xân) *s* má interpretação.
Mis.pro.nounce (mispronáuns) *v* pronunciar mal.
Mis.rep.re.sent (misréprizént) *v* deturpar; adulterar.
Mis.rule (misrul) *s* desgoverno; desordem; confusão.
Miss (mis) *s* erro; engano; menina; jovem; mocinha; *v* faltar; perder; omitir; saltar.
Mis.shap.en (mis.xêipn) *adj* disforme; deformado.
Mis.sile (mi.sil) *s* projétil; míssil.
Miss.ing (mi.sin) *adj* desaparecido; extraviado; ausente; perdido.
MIS **Mis.sion** (mi.xân) *s* missão; destino; desígnio.
MON **Mis.sive** (mi.siv) *s* missiva; carta; mensageiro; *adj* missivo.
Miss.y (mi.si) *s* menina (diminutivo de **Miss**).
Mist (mist) *s* neblina; névoa; nevoeiro.
Mis.take (mistêic) *s* engano; erro; *v* compreender mal; tomar por engano; *past* **Mistook** *and* *pp* **Mistaken**.
Mis.tak.en (mistêicn) *adj* errado; errôneo.
Mis.ter (mis.târ) *s* senhor (**Mr.**).
Mis.tress (mis.trés) *s* mestra; dona de casa.
Mis.trust (mistrâst) *s* desconfiança; *v* desconfiar; recear; duvidar.
Mist.y (mis.ti) *adj* enevoado; obscuro; nublado.
Mis.un.der.stand (missândârsténd) *v* entender errado; equivocar-se; *past and pp* **Misunderstood**.
Mis.un.der.stand.ing (missândâr.stén.din) *s* malentendido; equívoco, erro.
Mis.use (missiuz) *s* abuso; maltrato; aplicação errônea; *v* abusar de; empregar mal; maltratar.
Mit.i.gate (mi.tiguêit) *v* mitigar; consolar; acalmar; atenuar.
Mit.i.ga.tion (mitiguêi.xân) *s* mitigação; consolo; alívio.
Mi.tre (mai.târ) *s* mitra (barrete); *also* **Miter**.
Mix (mics) *s* mistura; *v* misturar; baralhar; confundir-se; juntar.
Mix.er (mic.sâr) *s* misturador; batedeira.
Mix.ture (mics.txur) *s* mistura; misto; mescla.
Miz.zle (mizol) *v* chuviscar; sucumbir; confundir.
Moan (môun) *s* lamentação; lamúria; *v* lamentar; gemer.
Moat (môut) *s* fosso; *v* cercar de fossos.
Mob (mób) *s* motim; turba; multidão; *v* provocar um motim.
Mo.bile (môu.bil) *adj* movediço; móvel.
Mo.bil.i.ty (môubi.liti) *s* mobilidade; volubilidade.
Mo.bil.ize (môu.biláiz) *v* mobilizar.
Mock (móc) *adj* burlesco; falso; fingido; *v* zombar de; ridicularizar; imitar.
Mock.er.y (mó.câri) *s* escárnio; zombaria; menosprezo; arremedo.
Mo.dal.i.ty (modé.liti) *s* modalidade.
Mode (môud) *s* modo; maneira; processo; método; uso; estilo; graduação; grau.
Mod.el (módl) *s* modelo; amostra; norma; desenho; figurino; *v* modelar; fazer um molde.
Mod.el.ler (mó.delâr) *s* modelador; desenhador; *also* **Modeler**.
Mod.el.ling (mó.delin) *s* modelagem; modelação.
Mod.er.ate (mó.dârêit) *v* moderar; acalmar; temperar; conter-se; *adj* moderado; medíocre; calmo; parco; módico.
Mod.er.a.tion (módârêi.xân) *s* moderação; temperança; calma.
Mod.ern (mó.dârn) *s* moderno; recente; banal; *adj* moderno; recente; banal.
Mo.der.ni.ty (módâr.niti) *s* novidade; modernidade.
Mod.ern.ize (mó.dârnáiz) *v* modernizar; tornar atual.
Mod.est (mó.dest) *adj* modesto; moderado; casto; humilde.
Mod.es.ty (mó.desti) *s* modéstia; recato; humildade.
Mod.i.fy (mó.difái) *v* modificar; alterar; variar.
Mod.u.late (mó.diulêit) *v* modular; variar o tom; cantar com harmonia.
Mod.u.la.tion (módiulêi.xân) *s* modulação.
Moist (móist) *adj* úmido; molhado.
Mois.ten (móistn) *v* umedecer.
Mole (môul) *s* verruga; muralha; dique.
Mo.lest (molést) *v* molestar; perturbar; incomodar.
Mol.li.fy (mó.lifái) *v* abrandar; aliviar; suavizar.
Mol.ten (môultn) *adj* fundido; derretido; vasado.
Mo.ment (môu.mént) *s* momento; instante; importância; peso; gravidade.
Mo.men.ta.ry (môu.mentéri) *adj* passageiro; momentâneo.
Mo.men.tous (môu.mentâs) *adj* momentoso; grave; importante.
Mon.as.ter.y (mó.nâstéri) *s* mosteiro; convento.
Mon.day (mâu.dêi) *s* Segunda-feira.
Mon.ey (mâ.ni) *s* dinheiro; moeda; riqueza.
Mon.eyed (mâ.nid) *adj* endinheirado.
Mon.ger (mân.gâr) *s* negociante.
Mon.i.tor (mó.nitâr) *s* monitor; instrutor; lagarto; navio de guerra.
Monk (mânc) *s* monge; frade.
Monk.er.y (mân.câri) *s* vida monástica; mosteiro.

Mon.key (mân.qui) *s* macaco; bate-estacas; *v* brincar; mexer com.
Mon.o.dy (mó.nodi) *s* monodia; canto fúnebre; elegia.
Mon.o.logue (mó.nâlóg) *s* monólogo; *also* Monolog.
Mo.nop.o.lize (monó.poláiz) *v* monopolizar.
Mo.nop.o.ly (monó.poli) *s* monopólio; abarcamento; entreposto.
Mo.not.o.nous (monó.tânâs) *adj* monótono; enfadonho.
Mon.strous (móns.trâs) *adj* monstruoso; prodigioso; pavoroso; disforme.
Month (mânth) *s* mês.
Month.ly (mân.thli) *s* publicação mensal; regras, menstruação; *adj* mensal; *adv* mensalmente.
Mon.u.ment (mó.niumént) *s* monumento; marco; sinal; lápide sepulcral.
Moo (mu) *s* mugido; *v* mugir.
Mooch (mu.txe) *v* vaguear; vadiar; errar.
Mood (mud) *s* ânimo; humor; modo; disposição.
Mood.i.ness (mu.dinés) *s* capricho; extravagância; tristeza.
Mood.y (mu.di) *adj* triste; melancólico; caprichoso; taciturno.
Moon (mun) *s* lua; fase lunar; *v* vaguear; andar sem destino.
Moon.light (mun.láit) *s* luar; *adj* enluarado.
Moon.shine (mun.xáin) *s* luar; disparate; desatino; tolice.
Moon.y (mu.ni) *adj* simplório; lunar; claro como a lua; maníaco.
Moor (mur) *s* charco; pântano; matagal; terreno baldio; mouro; *v* atracar; aportar; ancorar.
Moor.ing (mu.rin) *s* ancoragem; amarra; amarração.
Moor.ish (mu.rixe) *adj* pantanoso; mouro.
Moose (mus) *s* alce.
Moot (mut) *v* discutir; debater.
Mop (móp) *s* esfregão; *v* esfregar; lavar; limpar; fazer caretas.
Mope (môup) *s* indivíduo aborrecido; *v* desanimar; definhar; entristecer.
Mop.ish (môu.pixe) *adj* triste; enfadado; imbecil; desgostoso.
Mop.ish.ness (môu.pixnés) *s* estupidez; tristeza; enfado.
Mor.al (mó.râl) *s* moralidade; moral; *adj* moral; ético; casto; digno.
Mor.al.ism (mó.râlizm) *s* moralismo; religiosidade.
Mor.al.ize (mó.râláiz) *v* moralizar; pregar moral.
Mo.rass (morés) *s* pântano; lamaçal.
Mor.bid (mór.bid) *adj* mórbido; sinistro.
Mor.bid.ness (mór.bidnés) *s* morbidez.
More (môur) *s* maior quantidade; *adj* adicional; extra; mais; em maior quantidade; *adv* mais; em maior número; além de.
More.o.ver (môur.ôuvâr) *adv* além disso; demais.
Morn (mârn) *s* manhã.
Morn.ing (mór.nin) *s* manhã; alvorada; *adj* matutino; matinal.
Mo.rose (morôus) *adj* melancólico; triste; impertinente; misantropo.
Mor.row (mó.rôu) *s* amanhã.
Morse (mórs) *s* telegrafia em códigos.
Mor.tal.i.ty (mórté.liti) *s* mortalidade.
Mort.gage (mór.guidj) *s* hipoteca; *v* hipotecar.
Mor.ti.fi.ca.tion (mortifiquêi.xân) *s* mortificação.
Mor.ti.fy (mór.tifái) *v* mortificar; atormentar; humilhar; gangrenar.
Mor.tise (mór.tis) *s* entalhe; encaixe (de madeira); *v* entalhar.
Mor.tu.a.ry (mór.txuâri) *s* necrotério; cemitério; *adj* mortuário; fúnebre.
Mo.sa.ic (mozêic) *s* mosaico; *adj* mosaico (pavimento); relativo a Moisés.
Mos.lem (móz.lem) *s* Muçulmano; Islamita; *adj* Muçulmano; Islamita.
Mosque (mósc) *s* Mesquita.
Moss (mós) *s* musgo; lagoa; *v* cobrir de musgo.
Most (môust) *s* a maioria; a maior parte.
Most.ly (môus.tli) *adv* principalmente.
Mote (môut) *s* partícula de pó; molécula.
Moth (móth) *s* traça; mariposa.
Moth.er (mâ.dhâr) *s* mãe; genitora; madre; *adj* materno; natural; **Mother-in-law:** sogra; **Mother-in-god:** madrinha; **step-Mother:** madrasta.
Mo.tif (môuti.f) *s* motivo; assunto; tema.
Mo.tion (môu.xân) *s* movimento; gesto; moção; proposta; impulso; *v* fazer sinal; propor; aconselhar.
Mo.tive (môu.tiv) *s* motivo; causa; ideia; *adj* motriz; motor.
Mot.ley (mó.tli) *s* mescla de cores; traje de várias cores; *adj* matizado; mesclado.
Mo.tor (môu.târ) *s* motor, máquina motriz.
Mo.tor.ize (môutâr.ráiz) *v* motorizar; mecanizar.
Mot.tle (mó.tol) *v* matizar; sarapinar.
Mot.to (moutou) *s* lema; legenda; mote.
Mould (môuld) *v* moldar; modelar; amassar pão; mofar; *also* **Mold**.
Mount (máunt) *s* monte; morro; cavalaria; baluarte; *v* montar; subir; somar.
Moun.tain (máun.ten) *s* montanha; serra; massa disforme.
Moun.tain.eer (máuntenir) *s* montanhês; serrano; rústico.
Moun.tain.ous (máun.tenâs) *adj* montanhoso; montês.
Mount.ing (máun.tin) *s* montagem; subida; armadura.
Mourn (môurn) *v* chorar; lamentar-se; deplorar; prantear.
Mourn.er (môur.nâr) *s* o que está de luto.
Mourn.ful (môurn.ful) *adj* triste; melancólico; choroso.

Mourn.ing (môur.nin) *s* dor; lamentação; luto; *adj* triste; choroso.
Mouse (máuz) *s* camundongo; rato.
Mous.tache (mâsté.xe) *s* bigode; *also* **Mustache**.
Mouth (máudh) *s* boca; entrada; bico; gargalo; garganta; embocadura; *v* mastigar; declamar.
Mouth.ful (máudh.ful) *s* bocado; pedaço; gole; trago; porção; punhado.
Mouth.piece (máudh.pis) *s* bocal; embocadura; boquilha; órgão; intérprete.
Mouth.y (máu.dhi) *adj* falante.
Mov.a.ble (mu.vâbol) *adj* móvel; mutável; movediço.
Mov.a.ble.ness (mu.vâblnés) *s* movimento; mobilidade.
Move (muv) *s* movimento; proposta; manobra; ação; mudança; *v* mover; mexer-se.
Move.ment (muv.ment) *s* ação; ato; movimento; impulso; marcha; evolução.
Mov.er (mu.vâr) *s* motor; autor de proposta; móvel.
Mov.ie (múvi) *s* filme; fita de cinema.
Mow (môu) *s* celeiro; *v* ceifar; segar; armazenar; *past* **Mowed** *and pp* **Mown**.
Mow.er (môu.âr) *s* ceifeiro; segador; ceifadeira.
Much (mâtxe) *s* grande quantidade; *adj* muito; excessivamente; assaz; *adv* muito; excessivamente; assaz; quase.
Much.ness (mâtxe.nés) *s* quantidade; grandeza.
Muck (mâc) *s* porcaria; estrume; *v* estrumar; adubar.

Muck.y (mâ.qui) *adj* imundo; sujo; porco.
Mu.cus (miu.câs) *s* muco; mucosidade.
Mud (mâd) *s* lama; lodo; barro; *v* enlamear.
Mud.di.ness (mâ.dinés) *s* imundície.
Mud.dle (mâdol) *s* desordem; confusão; *v* turvar; embotar; misturar; entontecer.
Mud.dy (mâ.di) *adj* turvo; lamacento; lodoso; perturbado de espírito; *v* enlamear; sujar.
Muff (mâf) *s* pessoa desajeitada ou tímida; *v* proceder desajeitadamente.
Muf.fin (mâ.fin) *s* bolo.
Muf.fle (mâfol) *s* crisol; forno para esmaltar; luva de pugilista; *v* agasalhar; cobrir.
Muf.fler (mâ.flâr) *s* capuz; venda; agasalho de pescoço; silenciador (de motor).
Mug (mâg) *s* caneca; cara; tolo; simplório.
Mug.ger (mâ.gâr) *s* crocodilo indiano.
Mug.gi.ness (mâ.guinés) *s* calor úmido.
Mug.gy (mâ.gui) *adj* úmido; climal quente (abafado).
Mulch (mâltxe) *s* estrume; *v* cobrir plantas com estrume.
Mulct (mâlct) *s* multa; penalidade; *v* despojar; multar.
Mule (miul) *s* mula; máquina de fiar algodão; fuso mecânico.
Mul.ish (miu.lixe) *adj* cabeçudo; obstinado.
Mul.ish.ness (miu.lixenés) *s* teimosia; obstinação.
Mull (mâl) *s* confusão; desordem; *v* confundir; atrapalhar; cogitar.
Mul.ti.fa.ri.ous (mâltifêi.riâs) *adj* variado.
Mul.ti.form (mâl.tifórm) *adj* multiforme.
Mul.ti.pli.ca.tion (mâltipliquêi.xân) *s* multiplicação.
Mul.ti.plic.i.ty (mâltipli.siti) *s* multiplicidade.
Mul.ti.pli.er (mâl.tipláiâr) *s* multiplicador.
Mul.ti.ply (mâl.tipIái) *v* multiplicar.
Mul.ti.ply.ing (mâl.tiplálin) *s* multiplicação; *adj* multiplicador.
Mul.ti.tude (mâl.titiud) *s* multidão; chusma; legião.
Mul.ti.tu.di.nous (mâltitiu.dinâs) *adj* numeroso; em grande quantidade.
Mum (mâm) *s* cerveja doce; *adj* silencioso; calado; *interj* silêncio!
Mum.ble (mâmbol) *v* resmungar; murmurar.
Mum.mi.fi.ca.tion (mâmifiquêi.xân) *s* mumificação.
Mum.mi.fy (mâ.mifái) *v* mumificar.
Mum.my (mâ.mi) *s* múmia.
Mump (mâmp) *v* mendigar; enganar; lograr.
Mump.er (mâm.pâr) *s* mendigo; impostor.
Mump.ish (mâm.pixe) *adj* arisco; pensativo; irritável; intratrável.
Mumps (mâmps) *s* caxumba, inflamação infecciosa das parótidas.
Munch (mântxe) *v* mastigar; mascar.
Mu.nif.i.cence (miuni.fisséns) *s* liberalidade; munificência; generosidade.
Mu.nif.i.cen.cy (miuni.fissénsi) *examine* ⇒ **Munificence**.
Mu.ni.ment (miu.nimént) *s* título de posse; escritura.
Mu.ni.tion (miuni.xân) *s* munição; *v* municiar; equipar.
Mur.der (mâr.dâr) *s* assassínio; assassinato; homicídio; *v* assassinar.
Mur.der.er (mâr.dârâr) *s* assassino; homicida; criminoso.
Mur.der.ous (mâr.dârâs) *adj* cruel; homicida; sanguinário.
Murk.i.ness (mâr.quinés) *s* trevas; escuridão.
Mur.mur (mâr.mâr) *s* murmúrio; lamento; rumor; queixa; *v* murmurar; queixar-se.
Mur.mur.ing (mâr.mârin) *adj* murmurante.
Mus.cle (mâscol) *s* músculo; força muscular.
Muse (miuz) *s* musa; inspiração; *v* meditar; cismar; absorver.
Mu.se.um (miuzi.âm) *s* museu.
Mush (mâxe) *s* pirão; mingau.
Mush.room (mâxe.rum) *s* cogumelo; *v* espalhar-se.
Mush.y (mâxi) *s* piegas; sentimental.
Mu.sic (miu.zic) *s* música; melodia; harmonia.
Mu.si.cal (miu.zicâl) *adj* musical; melodioso.
Mu.si.cian (miuzi.xân) *s* músico.
Mus.ing (miu.zin) *adj* contemplativo; meditativo.
Musk (mâsc) *s* almíscar, substância aromática; almiscareiro.
Mus.ket (mâs.quét) *s* mosquete.
Mus.ket.eer (mâsquetir) *s* mosqueteiro.
Musk.y (mâs.qui) *adj* almiscarado.

Mus.lim (mâs.lim) *s* Islamita; Muçulmano *also* ⇒ **Moslem** *s* musselina (tecido).
Muss (mâs) *s* desordem; confusão; *v* desordenar; pôr em desordem.
Mus.sel (mâsol) *s* mexilhão.
Must (mâst) *s* sumo de uva; mofo; bolor; obrigação; imposição; *v* dever; ser obrigado.
Mus.tache (masta.xe) *s* bigode.
Mus.tard (mâs.târd) *s* mostarda.
Mus.ter (mâs.târ) *s* revista; rol; lista; chamada; *v* passar em revista; reunir; fazer a chamada.
Must.i.ness (mâs.tinés) *s* mofo; bolor.
Must.y (mâs.ti) *adj* rançoso; mofado; bolorento; lento; vagaroso.
Mu.ta.ble (miu.tâbol) *adj* mutável; variável.
Mu.tate (miu.têit) *v* mudar; alterar.
Mu.ta.tion (miutêi.xân) *s* mutação; mudança.
Mute (miut) *s* mudo; letra muda; surdina; *adj* mudo; silencioso.
Mute.ness (miut.nés) *s* mudez, privação da fala.
Mu.ti.late (miu.tilêit) *v* mutilar; cortar; truncar.
Mu.ti.la.tion (miutilêi.xân) *s* mutilação.
Mu.ti.neer (miutinir) *s* revoltoso; amotinado.
Mu.ti.nous (miu.tinás) *adj* amotinador; sedicioso; rebelde.
Mu.ti.ny (miu.tini) *s* motim; insurreição; sedição; *v* amotinar-se; revoltar-se.
Mut.ism (miu.tizm) *s* mutismo; mudez.
Mut.ter (mâ.târ) *s* murmúrio; resmungo; *v* murmurar; resmungar.
Mut.ton (mâtn) *s* carne de carneiro.
Mu.tu.al.i.ty (miutxué.liti) *s* mutualidade; reciprocidade.
Muz.zle (mâzol) *s* focinho; focinheira; *v* fazer calar; farejar; cheirar.
Muz.zy (mâ.zi) *adj* confuso; distraído; embriagado.
My (mái) *pron* meu; minha; meus; minhas.
Myrrh (môr) *s* mirra (planta).
My.self (máissél.f) *pron* eu próprio; eu mesmo; a mim mesmo.
Mys.te.ri.ous (misti.riâs) *adj* misterioso; enigmático; obscuro.
Mys.te.ri.ous.ness (misti.riâsnés) *s* mistério; caráter misterioso.
Mys.ter.y (mis.târi) *s* mistério; enigma; mister.
Mys.tic (mis.tic) *adj* místico; enigmático; secreto; misterioso.
Mys.ti.cism (mis.tissizm) *s* misticismo, contemplação espiritual.
Mys.ti.fy (mis.tifái) *v* mistificar; ofuscar; confundir; tornar misterioso.
Mys.ti.fy.ing (misti.fáin) *adj* mistificador; mistificante.
Myth (mith) *s* mito (fábula); utopia.
Myth.ic (mi.thic) *adj* mítico; lendário; fabuloso.
Myth.i.cal (mi.thicâl) *examine* ⇒ **Mythic.**
Myth.o.log.ic (mitholó.djic) *adj* mitológico.
Myth.o.log.i.cal (mitholó.djicâl) *examine* ⇒ **Mythologic.**
My.thol.o.gy (mithó.lodji) *s* mitologia; mito; lenda.

nN

N (én) *s* décima-quarta letra do alfabeto Português e do alfabeto Inglês.
Nab (néb) *v* apanhar rápida e subitamente.
Na.dir (nêi.dir) *s* ponto oposto ao Zênite (no céu).
Nag (nég) *s* garrano (cavalo); sendeiro; *v* importunar; ralhar; atormentar.
Nail (nêil) *s* unha; prego; décima parte da jarda (= $2^{1}/_{2}$ pol); *v* pregar; encravar.
Na.ive (naiv) *adj* crédulo; ingênuo; natural.
Na.ked (nêict) *adj* nu; puro; indefeso.
Na.ked.ness (nêict.nés) *s* nudez.
Name (nêim) *s* nome; título; fama; crédito; reputação; *v* nomear; mencionar.
Name.less (nêim.lés) *adj* sem nome; anônimo; desconhecido.
Name.sake (nêim.sêic) *s* homônimo.
Nan.ny (nê.ni) *s* ama-seca; babá.
Nap (nép) *s* cochilo; soneca; *v* cochilar.
Nape (nêip) *s* nuca.
Nap.kin (nép.cin) *s* guardanapo.
Nap.py (né.pi) *adj* felpudo; embriagado; cerveja forte.
Nar.co.tize (nár.cotáiz) *v* narcotizar; anestesiar.
Nard (nárd) *s* nardo (planta); bálsamo.
Na.res (nêi.riz) *s* narinas; fossas nasais.
Nar.rate (nérrêit) *v* narrar; relatar; contar.
Nar.ra.tive (né.râtiv) *s* narrativa; narração; *adj* narrativo.
Nar.row (né.rôu) *s* desfiladeiro; *v* estreitar; encolher; diminuir; *adj* estreito.
Na.sal (nêi.zâl) *s* som nasal; *adj* nasal.
Na.sal.ize (nêi.zâláiz) *v* nasalar; nasalizar.
Nas.cent (né.sent) *adj* nascente.
Nas.ti.ness (nés.tinés) *s* imundície; indecência; obscenidade; sujeira.
Nas.ty (nés.ti) *adj* sujo; indecente; desonesto.
Na.tal (nêi.tâl) *adj* natal.
Na.ta.tion (nâtêi.xân) *s* natação.
Na.tes (nêi.tiz) *s* nádegas.
Na.tion (nêi.xân) *s* nação; país; povo.
Na.tion.al.i.ty (néxâné.liti) *s* nacionalidade.
Na.tion.al.ize (né.xânâláiz) *v* nacionalizar; naturalizar.
Na.tive (nêi.tiv) *s* nativo; indígena; *adj* nativo; natural; original.
Na.tive.ness (nêi.tivnés) *s* estado natural.
Na.tiv.i.ty (nâti.viti) *s* nascimento.
Nat.ty (né.ti) *adj* elegante; garboso; fino.
Nat.u.ral (né.txurâl) *adj* natural; verdadeiro.
Nat.u.ral.i.za.tion (nétiurélizêi.xân) *s* naturalização; adaptação; aclimatação.
Nat.u.ral.ize (né.tiurâláiz) *v* naturalizar; aclimatar; habituar.
Nat.u.ral.ness (né.txurâlnés) *s* naturalidade; estado natural; ingenuidade.
Na.ture (nêi.txur) *s* natureza; caráter; gênero.
Naught (nót) *s* nada; zero; *adj* sem valor.
Naugh.ti.ness (nó.tinés) *s* desobediência.
Naugh.ty (nó.ti) *adj* mau; malcriado; desobediente.
Nau.se.ous (nó.xâs) *adj* repugnante; asqueroso.
Nave (nêiv) *s* parte do templo entre o Átrio e o Santuário.
Na.vel (nêivol) *s* centro; parte de dentro; ANAT umbigo.
Nav.i.ga.ble (né.vigâbol) *adj* navegável; *v* navegar.
Nav.i.ga.tion (néviguêi.xân) *s* navegação.
Nav.i.ga.tor (né.viguêitâr) *s* navegador; navegante; piloto.
Na.vy (nêi.vi) *s* marinha; esquadra.
Nay (nêi) *s* desmentido; voto contrário; *adv* não; pelo contrário.
Neap (nip) *s* águas mortas; *adj* baixo; ínfimo; maré vazante.
Near (niâr) *v* aproximar; acercar-se; *adj* próximo; contíguo; íntimo; *adv* cerca; perto; quase; *prep* perto de.
Near.by (niâr.bái) *adj* próximo; contíguo.
Near.ly (niâr.li) *adv* quase; proximamente.
Neat (nir) *s* gado; *adj* limpo; asseado; relativo ao gado.
Neat.ly (ni.tli) *adv* asseadamente; destramente.
Neat.ness (nit.nés) *s* limpeza; asseio; elegância; esmero.
Neb (néb) *s* bico; ponta de pena; extremidade.
Neb.u.los.i.ty (nébiuló.siti) *s* nebulosidade.
Necessary (né.sesséri) *adj* necessário.

Ne.ces.si.tate (nessé.sitêit) *v* tornar necessário; constranger.
Ne.ces.si.ty (nessé.siti) *s* necessidade; precisão; carência.
Neck (néc) *s* pescoço; gargalo; istmo; braço de instrumento.
Neck.lace (néc.lêis) *s* colar.
Ne.crol.o.gy (necró.lodji) *s* necrologia; obituário.
Need (nid) *s* necessidade; falta; carência; urgência; miséria; *v* necessitar; precisar.
Nee.dle (nidol) *s* agulha; bússola; obelisco.
Need.less (nid.lés) *adj* desnecessário; imprestável; inútil.
Nee.dle.work (nidol.uârc) *s* trabalho de agulha.
Needs (nids) *adv* necessariamente; indispensavelmente.
Need.y (ni.di) *adj* necessitado; indigente; pobre.
Ne.fa.ri.ous (nefêi.riâs) *adj* nefando; abominável.
Ne.ga.tion (neguêi.xân) *s* negação; negativa.
Neg.a.tive (né.gâtiv) *s* negativa; denegação; *v* negar; desaprovar; *adj* negativo.
Neg.lect (negléct) *s* negligência; desprezo; *v* negligenciar; descuidar.
Neg.li.gence (né.glidjéns) *s* negligência; abandono; *adj* negligente.
Ne.go.ti.ate (negôu.xiêit) *v* tratar.
Ne.go.ti.a.tion (negôuxiêi.xân) *s* negociação.
Ne.gress (ni.grés) *s* negra.
Ne.gro (ni.grôu) *s* negro.
Neigh (nêi) *s* relincho; rincho; *v* relinchar; rinchar.
Neigh.bor (nêi.bâr) *s* vizinho; amigo; *v* aproximar; avizinhar; *adj* vizinho; próximo.
Neigh.bor.hood (nêi.bâr.hud) *s* bairro; vizinhança; proximidade; arredores.
Neigh.bor.ing (nêi.bârin) *adj* próximo; adjacente; vizinho.
Neigh.bor.ly (nêi.bârli) *adj* cortês; atencioso; *also* Neighbourly.
Nei.ther (ni.dhâr) *adj* nenhum dos dois; *conj* nem; também não.
Neph.ew (né.viu) *s* sobrinho.
Nerve (nârv) *s* nervosismo; coragem; sangue frio; ANAT, nervo; tendão; *v* revigorizar; animar.
Nerve.less (nârv.lés) *adj* abatido; sem força.
Ner.vous (nâr.vâs) *adj* nervoso; vigoroso.
Ner.vous.ness (nâr.vâsnés) *s* nervosidade; força; vigor.
Ner.vure (nâr.viur) *s* nervura; veia.
Nest (nêst) *s* ninho; ninhada; série; *v* aninhar; alojar-se.
Nes.tle (néstêl) *v* aninhar; acariciar.
Nest.ling (nés.tlin) *s* pintainho; pinto.
Net (nét) *s* rede; malha; *v* lançar a rede; render (lucro); *adj* limpo; puro; líquido.
Neth.er (ni.dhâr) *adj* inferior.
Neth.er.most (ni.dhârmôust) *adj* o mais baixo; o mais profundo.
Net.ting (né.tin) *s* rede; renda; malha.
Net.tle (nétol) *s* urtiga (planta).
Net.tling (né.tlin) *s* irritação; provocação.
Neu.ter (niu.târ) *adj* neutro; sem sexo.
Neu.tral (niu.trâl) *s* neutro; indiferente; ponto morto (motor); *adj* neutro.
Nev.er (név.âr) *adv* nunca; jamais.
Nev.er.more (né.vârmôur) *adv* jamais; nunca mais.
Nev.er.the.less (névârthlés) *adv* contudo; não obstante; todavia.
New (niu) *adj* novo; fresco.
New.com.er (niu.câmar) *s* recém-chegado.
New.ly (niuli) *adv* recentemente.
New.ness (niu.nés) *s* novidade; início.
News (niuz) *s* notícia; novidade; informação.
News.boy (niuz.bói) *s* jornaleiro; *also* Newsy.
News.pa.per (niuz.pêipâr) *s* jornal; diário.
News.pa.per.man (niuz.peipâr.mân) *s* jornalista.
News-stand (nius.stand) *s* banca de jornal.
News.y (niu.zi) *s* jornaleiro; *adj* noticioso.
Next (nécst) *adj* seguinte; próximo; vizinho; *adv* logo; *prep* junto a; ao lado de.
Nib (nib) *s* bico; ponta; *v* aguçar.
Nib.ble (nibol) *s* mordedura; dentada; *v* morder.
Nice (náis) *adj* bom; ótimo; elegante.
Nice.ness (náis.nés) *s* finura; gentileza.
Ni.ce.ty (nái.siti) *s* gentileza; delicadeza.
Niche (nitxe) *s* nicho.
Nick (nic) *s* talho; corte; entalhe; ponto crítico; *v* entalhar; acertar no alvo; recortar.
Nick.el (ni.cel) *s* níquel.
Nick.name (nic.nêim) *s* apelido; alcunha; *v* apelidar; alcunhar.
Nic.tate (nic.têit) *v* pestanejar.
Nic.ta.tion (nictêi.xân) *s* pestanejo.
Niece (nis) *s* sobrinha.
Nig (nig) *v* lavrar; cortar.
Nig.gard (ni.gârd) *s* mesquinho; avarento; *adj* mesquinho; avaro.
Nig.gle (nigol) *v* zombar; esbanjar tempo com tolices.
Nigh (nái) *adj* próximo; vizinho; *prep* perto de.
Night (náit) *s* noite; cegueira; obscuridade.
Night.gown (náit.gáun) *s* camisola.
Night.in.gale (nái.tinguêil) *s* rouxinol (pássaro).
Night.ly (nái.tli) *adj* noturno; *adv* de noite.
Night.mare (náit.mér) *s* pesadelo.
Nil (nil) *s* nulo; nada; nenhum.
Nim.ble (nimbol) *adj* ágil; leve; ligeiro.
Nim.bly (nim.bli) *adv* velozmente; ativamente.
Nine (náin) *adj* nove.
Nin.ny (ni.ni) *s* tolo; palerma; basbaque.
Ninth (náin.th) *adj* nono.
Ninth.ly (náin.thli) *adv* em nono lugar.
Nip (nip) *s* dentada; pedaço; bocado; trago; *v* beliscar; picar; morder.
Nip.per (ni.pâr) *s* pinça.
Nip.ple (nipol) *s* mamilo; bico de mamadeira.
Nip.py (ni.pi) *adj* picante; ácido; ágil.
Nit (nit) *s* lêndea (ovo de piolho).

Nix (nics) *s* POP nada; ninguém.
No (nôu) *s* voto negativo; não; *adj* nenhum; nenhuma.
Nob (nób) *s* cabeça; protuberância; nobre.
Nob.ble (nóbol) *v* enganar; lograr; amarrar.
Nob.by (nó.bi) *adj* ostentoso; elegante; distinto.
No.ble (nôubol) *s* nobre; aristocrata; *adj* nobre.
No.ble.ness (nôubl.nés) *s* nobreza; dignidade.
No.bod.y (nôu.bódi) *s* o ninguém; *pron* ninguém.
Noc.tam.bu.list (nóctém.biulist) *s* sonâmbulo.
Nod (nód) *s* sinal; saudação; aceno; *v* acenar (com a cabeça); cochilar.
Nod.ding (nó.din) *s* aceno; cumprimento com a cabeça.
Nod.dy (nó.di) *s* estúpido; cabeçudo.
Node (nôud) *s* nódulo; nó; tumor; protuberância.
Nog.gin (nó.guin) *s* cuba; jarro; bilha.
No.how (nôu.háu) *adv* de modo algum.
Noise (nóiz) *s* barulho; ruído; fama; *v* fazer barulho.
Noise.less (noiz.lés) *adj* silencioso; sossegado; tranquilo.
Noise.less.ness (nóiz.lésnés) *s* silêncio; tranquilidade.
Nois.i.ness (nói.zinés) *s* barulho; ruído; estrépito.
Nois.y (nói.zi) *adj* ruidoso; clamoroso; estrepitoso.
Nom.i.nate (nó.minêit) *v* nomear; designar.
Nom.i.na.tion (nóminêi.xân) *s* nomeação.
Nom.i.nee (nómini) *s* nomeado; candidato lançado.
Non.age (nó.nidj) *s* menoridade.
Nonce (nóns) *s* tempo presente; ocasião.
Non.cha.lance (nónxâléns) *s* descuido; relaxamento.
None (nân) *adv* não, de modo algum; de nenhum modo; *pron* nenhum; ninguém; nada.
Non.pa.reil (nónpârél) *s* pessoa ou coisa de grande mérito; *adj* incomparável; sem par; sem rival.
Non.plus (nón.plâs) *s* confusão; *v* confundir; embaraçar.
Non.sense (nón.séns) *s* contrassenso; absurdo.
Non.sen.si.cal (nónsén.sicâl) *adj* absurdo.
Non.sen.si.cal.ness (nónsén.sicâlnés) *s* absurdo; insensatez.
Non.suit (nón.siut) *s* abandono; revelia.
Noo.dle (niudol) *s* simplório; tolo; bobo.
Noon (nun) *s* meio-dia.
Noon.day (nun.dêi) *s* meio-dia; *adj* meridional.
Noon.tide (nun.táid) *s* meio-dia; apogeu; *adj* meridional.
Noose (nus) *s* nó corrediço; armadilha; laço; *v* apanhar em laço.
Nor (nór) *conj* nem; tampouco.
Norm (nórm) *s* norma; regra; lei.
Nor.mal (nór.mâl) *adj* normal; regular.
Nor.mal.i.za.tion (normâlizêi.xân) *s* normalização; regularização.
Nor.mal.ize (nór.mâláiz) *v* normalizar; regularizar.
Nor.mal.ly (nór.mâli) *adv* normalmente.
North (nórth) *s* norte; setentrião; *adj* setentrional; boreal.
North.ern (nór.dhârn) *adj* setentrional; do norte.

Nose (nôuz) *s* nariz; focinho; bico; *v* cheirar; defrontar-se.
Nose.band (nôuz.bénd) *s* focinheira (de animal).
Nos.tril (nós.tril) *s* narina; venta.
Nos.y (nôu.zi) *adj* narigudo; curioso.
Not (nót) *adv* não.
No.ta.bil.i.ty (nôutâbi.liti) *s* notabilidade; importância; valor.
No.ta.ble (nôu.tâbol) *adj* notável; atento; vigilante; cuidadoso.
No.ta.ble.ness (nó.tâblnés) *s* vigilância; atividade; parcimônia; prudência.
No.ta.ry (nôu.târi) *s* notário; tabelião.
No.ta.tion (notêi.xân) *s* notação.
Notch (nótxe) *s* entalhe; encaixe; corte; *v* entalhar; fazer cortes.
Note (nôut) *s* nota; marca; sinal; vale; tom; nota musical; *v* notar; observar; reparar.
Note.book (nôut.buc) *s* caderno; agenda; *inf* computador portátil.
Note.less (nôut.lés) *adj* obscuro; desconhecido; pouco notável.
Note.wor.thy (nôut.uôrth) *adj* importante; notável.
Noth.ing (nâ.thin) *s* nada; coisa nenhuma; *adv* de modo algum; nada.
No.tice (nôu.tis) *s* observação; nota; *v* notar; olhar.
No.tice.a.ble (nôu.tissâbol) *adj* digno de atenção.
No.ti.fy (nôu.tifái) *v* notificar; avisar.
No.tion (nôu.xân) *s* noção; ideia; parecer.
No.to.ri.e.ty (nôutorái.iti) *s* notoriedade.
No.to.ri.ous (nôtôu.riâs) *adj* notório.
Nought (nót) *s* nada; zero.
Noun (náun) *s* nome; substantivo.
Nour.ish (nâ.rixe) *v* nutrir; alimentar; sustentar.
Nour.ish.ment (nâ.rixement) *s* alimento; alimentação; nutrição.
Nous (náus) *s* inteligência; intelecto; alma.
Nov.el (nóvol) *s* romance; *adj* novo; moderno; original.
No.vem.ber (novém.bâr) *s* Novembro.
Nov.ice (nó.vis) *s* noviço; novato.
Now (náu) *s* o presente; o momento atual; *adv* agora; ora; já; imediatamente.
Now.a.days (náu.adêiz) *adv* hoje em dia; presentemente.
No.way (nôu.uêi) *adv* de nenhum modo.
No.where (nôu.huér) *adv* em nenhum lugar; em parte alguma.
No.wise (nôu.uáis) *adv* de forma alguma; de maneira nenhuma.
Nox.ious (nóc.xâs) *adj* nocivo; pernicioso.
Nox.ious.ness (nóc.xâsnés) *s* nocividade.
Noz.zle (nózol) *s* embocadura; bico; agulheta.
Nub.ble (nâbol) *s* protuberância; nó.
Nude (niud) *adj* nu; despido; nulo; desnudar.
Nudge (nâdj) *s* cotovelada; *v* tocar de leve.
Nu.di.ty (niu.diti) *s* nudez; nudeza.
Nug.get (nâ.guet) *s* pepita.

Nui.sance (niu.sâns) *s* incômodo; dano; moléstia; indecência.
Null (nâl) *adj* nulo; inválido; inútil; vão.
Nul.li.fy (nâ.lifái) *v* anular; invalidar; *s* nulidade; anulação.
Numb (nâm) *adj* entorpecido; paralisado; tolhido; *v* amortecer; entorpecer.
Numb.er (nâm.bâr) *s* número; *v* numerar; contar; importar em.
Numb.ness (nâm.nés) *s* torpor; adormecimento; entorpecimento.
Nu.mer.ous (niu.mârâs) *adj* numeroso; copioso; abundante.
Num.skull (nâm.scâl) *s* tolo.
Nun (nân) *s* monja; religiosa; freira.
Nun.ner.y (nâ.nâri) *s* convento de freiras.
Nurse (nârs) *s* ama; enfermeira; enfermeiro; *v* cuidar de.
Nurse.maid (nârs.mêid) *s* ama-seca; pajem.
Nurs.er.y (nârs.ri) *s* creche; quarto de crianças; viveiro.
Nurs.ing (nâr.sin) *s* criação; amamentação; alimentação.
Nur.ture (nâr.txur) *s* alimentação; criação; *v* nutrir; educar.
Nut (nât) *s* noz; avelã; porca de parafuso.
Nu.ta.tion (niutêi.xân) *s* aceno de cabeça; mudança de posição; ASTR Nutação.
Nut.crack.er (nât.cré.câr) *s* quebra-nozes.
Nut.heads (nât.héds) *adj* idiotas.
Nut.meg (nât.még) *s* noz-moscada.
Nu.tri.tion (niutri.xân) *s* nutrição; alimentação; alimento.
Nu.tri.tious (niutri.xâs) *adj* alimentício; nutritivo; substancioso.
Nut.ty (nâ.ti) *adj* com sabor de nozes; abundante em nozes; POP amalucado.
Nuz.zle (nazol) *v* fossar; focinhar.

oO

O (ôu) *s* décima-quinta letra do alfabeto Português e do alfabeto Inglês.
Oaf (ôuf) *s* tolo.
Oaf.ish (ôu.fixe) *adj* tolo; aparvalhado.
Oaf.ish.ness (ôu.fixenés) *s* tolice; estupidez.
Oak (ôuc) *s* carvalho.
Oak.en (ôu.quen) *adj* de carvalho.
Oar (ôur) *s* remo; *v* remar.
Oat (ôut) *s* aveia.
Oat.en (outn) *adj* de aveia.
Oath (ôuth) *s* juramento; voto.
Oat.meal (ôut.mil) *s* mingau; aveia.
Ob.du.ra.cy (ób.diurâssi) *s* inflexibilidade; obstinação.
Ob.du.rate (ób.diurêit) *adj* endurecido; obstinado; impenitente.
O.be.di.ence (óbi.diéns) *s* obediência; sujeição; submissão.
O.be.di.ent (obi.diént) *adj* obediente; submisso.
O.bese (obis) *adj* obeso; gordo.
O.bes.i.ty (ou.bísiti) *s* obesidade; gordura.
O.bey (obêi) *v* obedecer; sujeitar; acatar.
Ob.fus.cate (óbfâs.quêit) *v* ofuscar; obscurecer.
Ob.fus.ca.tion (óbfâsquêi.xân) *s* ofuscação; obscurecimento.
O.bit (ôu.bit) *s* óbito.
O.bit.u.a.ry (obi.txeuéri) *s* obituário.
Ob.ject (ó.bjéct) *s* objeto; coisa; assunto; matéria; desígnio; intento; GRAM objeto; *v* objetar; opor-se; visar.
Ob.jec.tion (óbdjéc.xân) *s* objeção; oposição; reparo.
Ob.jec.tive (óbdjéc.tiv) *s* lente de objetiva; destino; acusativo; *adj* objetivo.
Ob.jec.tiv.i.ty (óbdjécti.viti) *s* objetividade.
Ob.jur.gate (ó.bdjârguêit) *v* objurgar; censurar; repreender.
Ob.la.tion (óblêi.xân) *s* oblação; oferenda.
Ob.li.gate (ó.bliguêit) *v* obrigar; forçar; constranger.
Ob.li.ga.tion (óbliguêi.xân) *s* obrigação; dever; obséquio; favor.
Ob.li.ga.to.ry (ó.bligâtôuri) *adj* obrigatório; compulsório.
O.blige (obláidj) *v* obrigar; obsequiar; constranger; forçar.
Ob.li.gee (óblidji) *s* credor.
O.blig.ing (obláí.djin) *adj* prestativo; cortês.
O.blig.ing.ness (obláí.djinés) *s* delicadeza; polidez; bondade.
Ob.lit.er.ate (óbli.târêit) *v* obliterar; apagar.
Ob.lit.er.a.tion (óblitârêi.xân) *s* obliteração; extinção.
Ob.scene (óbsin) *adj* obsceno; imoral; indecente.
Ob.scen.i.ty (óbsi.niti) *s* obscenidade; torpeza; indescência.
Ob.scure (óbsquiur) *adj* obscuro; confuso; tenebroso; enigmático; *v* obscurecer; ofuscar.
Ob.scu.ri.ty (óbsquiu.riti) *s* obscuridade; escuridão; sombras.
Ob.se.cra.tion (óbsicrêi.xân) *s* obsecração; súplica; rogo.
Ob.se.qui.ous (óbsi.caiâs) *adj* obsequioso; servil; adulador.
Ob.serv.a.ble (óbzâr.vâbol) *adj* observável; perceptível; usual.
Ob.ser.vance (óbzâr.vâns) *s* observância; cumprimento; hábito.
Ob.ser.vant (óbzâr.vânt) *adj* observador; submisso; acatador.
Ob.ser.va.tion (óbzârvêi.xân) *s* observação; experiência; reflexão.
Ob.serve (óbzârv) *v* observar; notar; cumprir.
Ob.sta.cle (ó.bstâcol) *s* obstáculo; dificuldade; contrariedade.
Ob.sti.na.cy (óbs.tinâssi) *s* obstinação; teima.
Ob.sti.nate (óbs.tinit) *adj* obstinado; teimoso; tenaz.
Ob.struct (óbstrâct) *v* obstruir; estorvar; dificultar.
Ob.struc.tion (óbstrâc.xân) *s* obstrução; impedimento; obstáculo.
Ob.tain (óbtêin) *v* obter; alcançar; prevalecer.
Ob.tain.a.ble (óbtêi.nâbol) *adj* que se pode obter.
Ob.tain.ment (óbtêin.ment) *s* obtenção; consecução.
Ob.trude (óbtrud) *v* impor; ser importuno; apresentar à força.
Ob.tru.sion (óbtru.jân) *s* intrometimento; intromissão; intrusão.

Ob.tu.rate (óbtiurêit) *v* tapar; obturar.
Ob.vert (óbvârt) *v* voltar; dirigir para.
Ob.vi.ate (ób.viêit) *v* obviar; evitar; prevenir; precaver.
Ob.vi.ous (ób.viâs) *adj* óbvio; manifesto; evidente.
Oc.ca.sion (óquêi.jân) *s* ocasião; oportunidade; *v* ocasionar; causar.
Oc.cult (ócâlt) *adj* oculto; secreto.
Oc.cul.ta.tion (ócâltêi.xân) *s* ocultação; desaparecimento.
Oc.cu.pan.cy (ó.quiupânsi) *s* ocupação: posse.
Oc.cu.pa.tion (óquiupêi.xân) *s* ocupação; trabalho; emprego.
Oc.cu.py (ó.quiupái) *v* ocupar; empregar; habitar.
Oc.cur (ocâr) *v* ocorrer; acontecer; suceder.
Oc.cur.rence (ócâ.rens) *s* ocorrência; acontecimento; incidente; *adj* ocorrente; casual; acidental.
O.cean (ôu.xân) *s* oceano; mar; imensidade.
O.ce.an.i.an (ôuxeiêi.niân) *s* oceânico; *adj* oceânico.
O.ce.an.ic (ôuxeié.nic) *adj* oceânico; imenso.
Oc.to.ber (óctôu.bâr) *s* Outubro.
Odd (ód) *adj* singular; curioso; estranho.
Odd.i.ty (ó.diti) *s* singularidade; originalidade.
Odd.ment (ód.ment) *s* coisa supérflua; sobras.
Odd.ness (ód.nés) *s* disparidade; singularidade; extravagância.
Odds (óds) *s* diferença; vantagem; desigualdade; rixa.
O.di.ous (ôu.diâs) *adj* odioso; detestável.
O.dor (ôu.dâr) *s* odor; aroma; perfume.
O.dor.if.er.ous (ôudâri.farâs) *adj* odorífero; aromático.
Of (óv) *prep* de.
Off (óf) *adj* desocupado; livre; desligado; *adv* longe; fora; ao largo; *prep* de; fora de.
Of.fence (ôfens) *s* ofensa; ultraje; pecado; *also* Offense.
Of.fend (ofénd) *v* ofender; magoar.
Of.fer (ó.fâr) *s* oferta; convite; *v* oferecer.
Off.hand (óf.hénd) *adj* improvisado; seco; bruto; *adv* de improviso.
Of.fice (ó.fis) *s* escritório; repartição; ofício.
Of.fi.cer (ó.fissâr) *s* servidor; oficial; *v* comandar.
Of.fi.ci.ate (ófi.xeiêit) *v* oficiar; exercer.
Of.fi.cious (ófi.xeâs) *adj* não oficial.
Off.ish (ó.fixe) *adj* intratável; arisco.
Off.side (ófsáid) *s* FUT o fora de jogo (impedimento); o impedido (jogador); *adv* fora do lugar próprio.
Off.spring (óf.sprin) *s* geração; prole; descendência.
Oft.en (ófn) *adj* frequente; *adv* frequentemente.
Oil (óil) *s* óleo; azeite; petróleo; *v* azeitar; olear; untar; alisar.
Oil.y (ói.li) *adj* oleoso; gorduroso; escorregadio.
O. K. (óuquêi) *adv* certo; *examine* ⇒ **All Right**.
Old (ôuld) *adj* velho; idoso; antigo.
Old.en (ôuldn) *adj* velho; antigo.
Ol.ive (óliv) *s* azeitona; *adj* azeitonado; esverdeado.
O.men (ôu.mén) *s* presságio; agouro; prognóstico.
Om.i.nous (ôu.minâs) *adj* ominoso; nefasto.
O.mis.sion (omi.xân) *s* omissão; descuido.
O.mit (omit) *v* omitir; descuidar; excluir.
Om.nip.o.tent (ómni.potént) *adj* onipotente, que pode tudo (Deus).
On (ón) *prep* em; sobre; a; na; no; *adv* em cima; adiante.
Once (uâns) *adv* uma vez; um dia; outrora; antigamente; uma só vez.
One (uân) *s* um; uma; o número um; uma pessoa; *adj* um; uma; um tal; um certo; *pron* um; algum; alguém; aquele; aquela; se; qualquer.
One.ness (uân.nés) *s* unidade; indivisão; singularidade.
On.er.ous (ó.narâs) *adj* oneroso; pesado; opressivo.
One.self (uânsélf) *pron* si mesmo; si próprio; se; a si mesmo.
On.go.ing (óngôuin) *adj* progressivo; avançado.
On.ion (â.niân) *s* cebola.
On.ly (ôun.li) *adj* único; só; raro; *adv* só; somente; *conj* mas; apenas; exceto.
On.ward (ón.uârd) *adj* avante; avançado; progressivo.
On.wards (ón.uârdz) *adv* progressivamente; para diante.
Ooze (uz) *s* exsudação; lodo; lama; *v* vasar; exsudar; destilar; fluir.
O.pal (ôu.pâl) *s* opala (pedra preciosa).
O.pal.ine (ôu.pâlin) *adj* opalino; cintilante.
O.paque (opêic) *adj* opaco; obscuro.
O.pen (ôupen) *s* lugar descoberto; *v* abrir; revelar; encetar; começar; inaugurar; expor; *adj* aberto; patente; sincero; franco; suave.
O.pen.er (ôup.nâr) *s* abridor; intérprete.
O.pen.ing (ôup.nin) *s* abertura; inauguração; meio; campo aberto; *adj* que se abre.
O.pen.ly (ôu.penli) *adv* claramente; abertamente.
O.pen.ness (ôu.penés) *s* nudez; clareza; franqueza; sinceridade.
Op.er.ate (ó.parêit) *v* operar; mover; acionar; funcionar.
Op.er.a.tion (ópârêi.xân) *s* operação; efeito; ofício; manipulação.
O.pine (opáin) *v* opinar; julgar.
O.pin.ion (opi.niân) *s* parecer; julgamento; fama; reputação.
Op.po.nent (ópôu.nent) *adj* oponente; adversário.
Op.por.tune (ópârtiun) *adj* oportuno; favorável; exato.
Op.por.tu.ni.ty (ópârtiu.niti) *s* oportunidade; ocasião.
Op.pose (ópôu.z) *v* opor; objetar; impugnar.
Op.pos.er (ópôu.zâr) *s* opositor; rival.
Op.po.site (ó.pozit) *s* antagonista; *adj* oposto; fronteiro.
Op.po.si.tion (ópozi.xân) *s* oposição; aversão; resistência.
Op.press (oprés) *v* oprimir; tiranizar; comprimir.

Op.pro.bri.ous (óprôu.briâs) *adj* ignominioso; infamante; ultrajante.
Op.pugn (ópiun) *v* opor-se; resistir; combater.
Op.pug.nan.cy (ópâg.nânsi) *s* oposição; resistência.
Op.tic (óp.tic) *s* próprio da visão; vista; *adj* óptico.
Op.ti.cian (ópti.xân) *s* óptico; oculista.
Op.ti.mism (óp.timizm) *s* otimismo.
Op.tion (óp.xân) *s* opção; escolha.
Op.tion.al (óp.xeanâl) *adj* facultativo.
Op.u.lence (ó.piuléns) *s* opulência; fartura; abundância.
O.pus.cule (ópâs.quiul) *s* opúsculo; pequena obra.
Or (ór) *s* ouro (em heráldica); *conj* ou; ou então.
Or.a.cle (ó.râcol) *s* oráculo.
Or.ange (ó.rendj) *s* laranja; *adj* alaranjado.
Or.ange.ade (órendjêid) *s* laranjada.
O.rate (ôurêit) *v* discursar; tagarelar.
O.ra.tion (ôurêi.xân) *s* oração; discurso.
Orb (órb) *s* orbe; globo; esfera; *v* cercar; arredondar; rodear.
Or.bit (ór.bit) *s* órbita; cavidade ocular.
Or.chard (ór.txeârd) *s* pomar.
Or.ches.tra (ór.questrâ) *s* orquestra.
Or.ches.trate (ór.questrêit) *v* orquestrar.
Or.chid (ór.quid) *s* orquídea (flor).
Or.dain (órdêin) *v* ordenar; decretar; nomear um ministério.
Or.de.al (ór.diâl) *s* prova; exame; ensaio.
Or.der (ór.dâr) *s* ordem; classe; condecoração; *v* ordenar; arrumar; requisitar.
Or.der.ly (ór.dârli) *s* sentinela; soldado; *adj* ordenado; metódico; tranquilo.
Or.di.na.ry (ór.dinéri) *adj* ordinário; habitual; comum; vulgar.
Or.di.nate (ór.dinit) *s* ordenada; *adj* metódico; regulado.
Or.dure (ór.djur) *s* imundície; excremento.
Ore (ôur) *s* minério.
Or.gan (ór.gân) *s* órgão do corpo; órgão, instrumento musical.
Or.gan.i.za.tion (órgânizêi.xân) *s* organização; organismo; sociedade.
Or.gan.ize (ór.gânáiz) *v* organizar.
Or.gy (ór.dji) *s* orgia; bacana.
O.ri.ent (ôu.riént) *s* oriente; leste; este; *adj* nascente; oriental.
O.ri.en.tal.ize (ôurién.tâláiz) *v* orientar; *also* **Orientate.**
Or.i.fice (ó.rifis) *s* orifício; buraco.
Or.i.gan (ó.rigân) *s* orégano; orégão (planta).
Or.i.gin (ó.ridjin) *s* origem; raiz; descendência.
O.rig.i.nal (ó.ridjinâl) *s* original; protótipo; *adj* original; primitivo.
O.rig.i.nal.i.ty (oridjiné.liti) *s* originalidade.
O.rig.i.nate (ori.djinêit) *v* originar; produzir; inventar.
O.rig.i.na.tion (oridjinêi.xân) *s* origem; princípio.
Or.i.son (ó.rizân) *s* oração; prece; rogo.

OPP
OUT

Or.na.ment (ór.nâmént) *s* ornamento; enfeite; decoração; insígnia.
Or.na.ment (ór.nâmént) *v* ornamentar; embelezar.
Or.na.men.tal (órnâmén.tâl) *adj* ornamental.
Or.nate (órnêit) *adj* ornado; adornado; embelezado.
Or.thog.ra.phy (órthó.grâfi) *s* ortografia.
Or.tho.pe.dic (órthopi.dic) *adj* ortopédico.
Or.tho.pe.dics (órthopi.dics) *s* ortopedia.
Os.cil.late (ó.silêit) *v* oscilar; vibrar; flutuar.
Os.cil.lat.ing (ó.silêitin) *adj* oscilante.
Os.cil.la.tion (óssilêi.xân) *s* oscilação; vibração.
Os.cu.late (ós.quiulêit) *v* oscular; beijar.
Os.cu.la.tion (ósquiulêi.xân) *s* osculação; ósculo.
O.sier (ôu.jâr) *s* vime; vimeiro; *adj* de vime.
Os.man.li (ózmén.li) *s* Otomano.
Os.se.ous (ó.siâs) *adj* ósseo.
Os.si.fy (ó.sifái) *v* ossificar; ossificar-se.
Os.ten.si.ble (óstén.sibol) *adj* ostensível; manifesto.
Os.ten.ta.tious (óstentêi.xeâs) *adj* ostentoso; faustoso; magnificente.
Os.tra.cism (ós.trâssizm) *s* ostracismo; degredo; banimento.
Os.trich (ós.tritxe) *s* avestruz; ema.
Oth.er (â.dhâr) *adj* outro; outra; outros; outras; *pron* o outro; a outra; *adv* de outra forma.
Oth.er.wise (á.dhâr.uáiz) *adj* outro; diferente; *adv* de outro modo; aliás.
O.ti.ose (ôu.xeiôus) *adj* negligente; ocioso; malandro; vadio.
O.ti.os.i.ty (ôuxeió.siti) *s* ociosidade; desocupação.
Ot.ter (ó.târ) *s* lontra (animal); pele de lontra; larva.
Ought (ót) *s* zero; nada; *v* dever, ter obrigação.
Ounce (áuns) *s* onça (animal); peso (**1 oz = 28,350** gr).
Our (áur) *adj* nosso; nossa; nossos; nossas.
Ours (áurs) *pron* nosso; nossa (os, as).
Our.self (áursélf) *pron* nós mesmos.
Oust (áust) *v* tirar; desalojar; jogar fora.
Out (áut) *s* exterior; oposição; *v* expulsar; desabrigar; *adv* fora; fora de; *interj* fora!
Out.board (áut.bôurd) *adj* NÁUT parte externa; *adv* fora do centro.
Out.brave (áutbrêiv) *v* atemorizar.
Out.break (áutbrêic) *s* erupção; distúrbio; paixão.
Out.build.ing (áutbil.din) *s* construção exterior; dependência exterior.
Out.burst (áut.bârst) *s* erupção; explosão.
Out.cast (áut.quést) *s* pária; desterrado; *adj* expulso; banido; exilado.
Out.class (áutclés) *v* exceder; sobrepujar.
Out.come (áut.câm) *s* consequência; resultado; êxito.
Out.crop (áutcróp) *v* aparecer; aflorar.
Out.cry (áut.crái) *s* clamor; algazarra; gritaria.
Out.do (áutdu) *v* exceder; ultrapassar; *past* **Outdid** *and pp* **Outdone.**
Out.door (áut.dôur) *adj* sob o ar livre; de fora; exterior; em ambiente aberto.

Out.doors (áut.dourz) *s* o campo; o ar livre; *adv* ao ar livre.
Out.er (áu.târ) *adj* exterior; externo.
Out.er.most (áu.târmôust) *adj* extremo; o mais externo; *adv* o mais externo.
Out.fall (aut.fól) *s* saída; desembocadura.
Out.fit (áut.fit) *s* despesas de instalações; armamentos; vestuário.
Out.flow (áut.flôu) *s* efusão; fluxo; jorro.
Out.go (áut.gôu) *s* gasto; despesa; *v* exceder; sobrepujar; adiantar; *past* **Outwent** *and pp* **Outgone**.
Out.grow (áut.grôu) *v* crescer em demasia; *past* **Outgrew** *and pp* **Outgrown**.
Out.growth (áut.grôuth) *s* crescimento excessivo.
Out.house (áut.haus) *s* alpendre; anexo.
Out.land.ish (áutlén.dixe) *adj* grotesco; estrangeiro; ridículo.
Out.last (áutlést) *v* exceder em duração; sobreviver.
Out.law (áut.ló) *s* proscrito; banido; *v* banir; culpar; incriminar.
Out.law.ry (áut.lóri) *s* incriminação; acusação.
Out.lay (áut.lêi) *v* despender; gastar; *past and pp* **Outlaid**.
Out.let (áu.tlét) *s* passagem; saída; mercado.
Out.line (áu.tláin) *s* esboço; perfil; desenho; *v* esboçar; delinear.
Out.live (áutliv) *v* sobreviver; escapar; resistir.
Out.look (áut.luc) *s* vista; perspectiva; vigilância; panorama.
Out.ly.ing (áut.láin) *adj* afastado; remoto.
Out.most (áut.môust) *adj* extremo; mais exterior; mais saliente.
Out.post (áut.pôust) *s* posto avançado.
Out.pour (áutpôur) *v* jorrar; esguichar.
Out.put (áut.put) *s* produção; rendimento.
Out.rage (áu.trêidj) *s* ultraje; violência; transgressão; *v* ultrajar; injuriar.
Out.ra.geous (áutrêi.djâs) *adj* ultrajante; excessivo.
Out.reach (áut.ri.txe) *v* ir além de; ultrapassar.
Out.right (áut.ráit) *adv* imediatamente; logo; francamente.
Out.side (áut.sáid) *s* fora; lado de fora; *adj* externo; exterior; do lado de fora; *adv* exteriormente; *prep* fora de; além de.
Out.sid.er (áut.sáidâr) *s* estranho; forasteiro.
Out.skirt (áut.scârt) *s* bordo; orla; limite.
Out.speak (áut.spic) *v* falar alto.
Out.spo.ken (áut.spôuquen) *adj* franco; leal; sincero.
Out.stand (áutsténd) *v* demorar-se; sair do alinhamento; resistir; *past and pp* **Outstood**.
Out.stand.ing (áutstén.din) *adj* saliente; pendente.
Out.stretch (áutstré.txe) *v* estender; esticar.
Out.strip (áutstrip) *v* avançar; exceder.
Out.ward (áut.uârd) *s* exterior; aparência; *adj* exterior; externo; visível; *adv* exteriormente; para o exterior.
Out.wit (áutuit) *v* ser mais esperto que.
Out.worn (áutuôurn) *adj* desgastado.
Ou.zel (uzl) *s* melro (pássaro).
O.va.ry (ôu.vâri) *s* ovário.
O.vate (ou.vêit) *adj* oval.
Ov.en.bird (â.venbârd) *s* joão-de-barro (ave).
O.ver (ôu.vâr) *s* sobra; excesso; *adj* superior; excessivo; *adv* sobre; em cima; defronte; *prep* em cima de; além de; durante.
O.ver.act (ouvâréct) *v* exagerar.
Over-all (ôu.vâról) *adj* completo.
O.ver.alls (ôu.var.óls) *s* macacão de operário; aventais.
O.ver.bal.ance (ouvârbé.lâns) *s* excesso de peso; superioridade; *v* exceder; preponderar; sobrepujar.
O.ver.bear (ouvârbér) *v* vencer; sujeitar; deprimir.
O.ver.bear.ing (ouvârbé.rin) *adj* despótico; altivo; dominante.
O.ver.bur.den (ouvârbârdn) *v* sobrecarregar; oprimir.
O.ver.cast (ouvârquest) *adj* enuviado; tempo encoberto; *v* escurecer; cobrir de nuvens.
O.ver.charge (ouvârtxeár.dj) *s* sobrecarga; *v* sobrecarregar.
O.ver.cloud (ouvârcláud) *v* obscurecer; nublar; entristecer.
O.ver.coat (ôu.vârcôut) *s* sobretudo; capote.
O.ver.come (ouvârcâm) *v* tornar-se superior a; conquistar; superar; *past* **Overcame** *and pp* **Overcome**.
O.ver.do (ouvârdu) *v* exceder; exagerar.
O.ver.flow (ouvârflôu) *s* inundação; cheia; *v* transbordar; inundar; *past* **Overflowed** *and pp* **Overflown**.
O.ver.flow.ing (ouvârflôu.in) *s* inundação; derramamento.
O.ver.grow (ouvârgrôu) *v* crescer em excesso; *past* **Overgrew** *and pp* **Overgrown**.
O.ver.hang (ouvâr.hén) *s* saliência; *v* sobressair; pender sobre; *past and pp* **Overhung**.
O.ver.haul (ouvâr.hól) *v* rever; visitar.
O.ver.head (ôu.vâr.héd) *adj* elevado; aéreo; *adv* em cima; no alto; por cima.
O.ver.joy (ouvârdjói) *v* arrebatar; enlevar-se.
O.ver.land (ôu.vârlénd) *adv* por terra; em terra.
O.ver.lap (ôu.vârlép) *s* envoltório; *v* sobrepor; encobrir; envolver.
O.ver.lay (ouvârlêi) *s* capar; *v* deitar; sobrepor; oprimir.
O.ver.look (ouvârluc) *s* ato de olhar do alto; *v* ver de lugar mais alto; vigiar; descurar.
O.ver.mas.ter (ouvârmas.târ) *v* dominar; exercer o controle sobre.
O.ver.match (ouvârmé.txe) *s* adversário superior; *v* superar.
O.ver.much (ouvârmâ.txe) *adj* excessivo; *adv* demais.

O.ver.night (ouvârnáit) *adj* da véspera; noturno; *adv* durante a noite.

O.ver.pass (ouvârpés) *v* atravessar; transpor.

O.ver.pow.er (ouvârpáu.âr) *v* domar; vencer; subjugar.

O.ver.rule (ouvârul) *v* rejeitar; ganhar; predominar.

O.ver.run (ouvârân) *v* invadir; infestar; espezinhar; *past* **Overran** *and pp* **Overrun**.

O.ver.sea (ouvârsi) *adj* ultramarino.

O.ver.see (ouvârsi) *v* vigiar; inspecionar; descuidar; *past* **Oversaw** *and pp* **Overseen**.

O.ver.set (ouvârsét) *v* derrubar; estragar; arruinar.

O.ver.shad.ow (ouvârxé.dôu) *v* sombrear; sobrepujar; ultrapassar.

O.ver.shoot (ouvârxut) *v* exceder o alvo; ultrapassar os limites.

O.ver.sight (ôu.vârsáit) *s* descuido; inadvertência; vigilância.

O.ver.state (ouvârstêit) *v* exagerar; ampliar.

O.ver.step (ouvârstép) *v* exceder; ultrapassar.

O.ver.take (ouvârtêic) *v* alcançar; apanhar, surpreenderem flagrante; *past* **Overtook** *and pp* **Overtaken**.

O.ver.throw (ouvârthôu) *s* derrota; ruína; *v* demolir; derrubar; derrotar; *past* **Overthrew** *and pp* **Overthrown**.

O.ver.time (ôu.vârtáim) *s* hora extra.

O.ver.top (ouvârtóp) *v* exceder; sobressair.

O.ver.weight (ouvár.uêit) *s* excesso de peso; superioridade; *v* exceder em peso.

O.vine (ôu.váin) *s* ovino; *adj* ovino (de ovelhas).

O.vule (ôu.viul) *s* óvulo.

Owe (ôu) *v* ser devedor de; dever dinheiro; dever favores.

Ow.ing (ôu.in) *adj* devido.

Owl (ául) *s* coruja; mocho; pessoa notívaga; notívago; *adj* próprio; particular; individual.

Own (ôun) *v* possuir; admitir; reconhecer.

Own.er (áu.nâr) *s* dono; proprietário, amo.

Ox (ócs) *s* boi; gado.

Ox.tail (ócs.têil) *s* rabo (de gado).

Ox.y.gen (óc.sidjén) *s* oxigênio (símbolo **O**).

Ox.y.gen.ate (ócsi.djinêit) *v* oxigenar; oxidar.

Oys.ter (óis.târ) *s* ostra (molusco).

pP

P (pi) *s* décima-sexta letra do alfabeto Português e do alfabeto Inglês.
Pace (pêis) *s* passo; andadura; passada; estrado; tablado.
Pace (pêis) *v* dar passos.
Pa.cif.ic (pâs.fic) *adj* pacífico; quieto; tranquilo.
Pac.i.fy (pé.ssifái) *v* pacificar; acalmar.
Pack (péc) *s* pacote; saco; matilha; bando; *v* empacotar; embrulhar.
Pack.age (pé.quidj) *s* enfardamento; pacote; fardo.
Pack.et (pé.quet) *s* pacote; embrulho; mala; correio; *v* enfardar; embrulhar.
Pact (péct) *s* pacto; ajuste; acordo; tratado.
Pad (péd) *s* almofada; talão; teclado; bloco; *v* acolchoar; almofadar.
Pad.ding (pé.din) *s* chumaço.
Pad.dle (pédol) *s* pá de remo; *v* remar; brincar na água.
Pad.dock (pé.dóc) *s* cercado de cavalos.
Pad.lock (pé.dlóc) *s* cadeado; *v* fechar a cadeado.
Pa.gan.ism (péi.gânizm) *s* paganismo.
Page (pêidj) *s* página; pajem; ajudante; criado; *v* paginar.
Pag.eant (pé.djânt) *s* espetáculo; pompa; cortejo cívico.
Pag.eant.ry (pé.djântri) *s* pompa; aparato; ostentação.
Pag.i.nate (pé.djinêit) *v* paginar.
Pail (pêil) *s* balde.
Pain (pêin) *s* pena; dor; tormento; *v* afligir; causar pena; atormentar.
Pain.ful (pêin.ful) *adj* doloroso; aflitivo; penoso; trabalhoso; árduo.
Paint (pêint) *s* tinta; pintura; *v* pintar; descrever; colorir.
Pair (pér) *s* par; parelha; dupla; *v* emparelhar; igualar; casar.
Pa.ja.mas (pâdjá.mâs) *s* pijama.
Pal (pél) *s* companheiro; camarada; sócio.
Pal.at.a.ble (pé.litábol) *adj* gostoso; saboroso; de apurado sabor.
Pal.ate (pé.lit) *s* paladar; palato; céu da boca.
Pa.lav.er (pâlé.vâr) *s* lisonja; conferência; conversação; *v* adular; lisonjear; palavrear.
Pale (pêil) *s* estaca; sociedade; grêmio; *v* encerrar; cercar; empalidecer; *adj* pálido; amarelado; lívido; claro; descorado.
Pale.ness (pêil.nés) *s* palidez.
Pall (pól) *s* pano mortuário; mortalha; *v* tornar insípido; enjoar; enfastiar.
Pal.li.ate (pé.liêit) *v* paliar; encobrir; disfarçar; desculpar; suavizar.
Pal.lid (pé.lid) *adj* pálido; lívido; descorado.
Pal.lor (pé.lâr) *s* palidez.
Palm (pám) *s* palma da mão, medida; *v* empalmar; manejar.
Pal.mate (pél.mit) *adj* espalmado.
Palm.y (pá.mi) *adj* florescente; próspero; repleto de palmeiras.
Pal.pa.bil.i.ty (pélpâbi.liti) *s* evidência; palpabilidade.
Pal.pa.ble (pél.pâbol) *adj* palpável; claro; óbvio; evidente.
Pal.pi.tate (pél.pitêit) *v* palpitar; pulsar; latejar.
Pal.sy (pól.zi) *s* paralisia; marasmo; *v* paralisar.
Pal.ter (pól.târ) *v* esquivar-se.
Pal.tri.ness (pól.trinés) *s* vileza; sovinice.
Pam.per (pém.pâr) *v* nutrir em excesso; engordar; deleitar; acariciar.
Pan (paen) *s* panela; caçarola; chaleira; *v* cozinhar; ferver; POP criticar.
Pan.cake (pén.quêic) *s* panqueca.
Pan.der (pén.dâr) *s* alcoviteiro; mexeriqueiro; *v* intrometer-se; mediar malevolamente.
Pane (pêin) *s* vidraça; lado; faceta.
Pan.el (pé.nel) *s* caixilho; almofada de porta; lista de jurados; júri; *v* almofadar portas.
Pang (pén) *s* dor; agonia.
Pan.ic (pé.nic) *s* pânico; consternação; terror.
Pan.sy (pén.zi) *s* amor-perfeito (flor).
Pant (pént) *s* palpitação; ânsia; *v* palpitar; suspirar; ofegar; arquejar.
Pan.ta.loon (péntâlun) *s* arlequim; bobo; calça comprida; calção.

Pan.ther (pén.thâr) *s* pantera (animal).
Panties (pén.tis) *s* calcinhas.
Pan.try (pén.tri) *s* despensa.
Pants (pénts) *s* ceroulas; calças; *examine* ⇒ Trousers.
Pap (pép) *s* teta; mamilo; peito; papinha.
Pa.per (pêi.pâr) *s* papel; jornal; escrito; COM ordem de pagamento; *v* empapelar.
Pa.pil.la (pâpi.lâ) *s* papila; glândula; teta.
Par (pár) *s* igualdade; paridade.
Par.a.chute (pá.râxut) *s* paraquedas.
Pa.rade (pârêid) *s* parada; desfile; alarde; *v* alardear; desfilar.
Par.a.digm (pé.râdim) *s* paradigma; cânone.
Par.a.dise (pé.râdáis) *s* paraíso; céu; éden.
Par.a.graph (pé.râgráf) *s* parágrafo; alínea; *v* dividir em parágrafos.
Par.a.keet (pé.râquit) *s* periquito (ave).
Par.a.lyze (pé.râláiz) *v* paralisar.
Par.a.mount (pé.râmáunt) *adj* soberano; principal; superior.
Par.a.mour (pé.ramur) *s* amante.
Par.a.sol (pé.râssól) *s* sombrinha; guarda-sol.
Par.cel (pár.sel) *s* parcela; porção; pacote; COM embarque; remessa; *v* parcelar; repartir; dividir; acondicionar.
Parch (pártxe) *v* sapecar; ressecar; tostar; queimar.
Parch.ment (pár.txement) *s* pergaminho.
Par.don (párdn) *s* perdão; graça; absolvição; *v* perdoar; agraciar; remir.
Pare (pér) *v* aparar; cortar; descascar.
Par.ent (pé.rent) *s* pai; genitor.
Par.ish (pé.rixe) *s* paróquia; freguesia; distrito.
Par.i.ty (pé.riti) *s* paridade; igualdade.
Park (párc) *s* parque; campina; ESP campo; estacionamento; *v* estacionar; parquear.
Par.ley (pár.li) *s* conferência; discussão; *v* falar; conferenciar.
Par.lia.ment (pár.limént) *s* parlamento; corte; câmara.
Par.lia.men.ta.ry (párlimén.târi) *adj* parlamentar; do parlamento.
Par.lour (pár.lâr) *s* sala de visitas; sala de conferência; *also* **parlor**.
Par.o.dy (pé.rodi) *s* paródia; caricatura; *v* parodiar; arremedar.
Parr (pár) *s* salmão filhote (peixe).
Par.rot (pé.rât) *s* papagaio (ave).
Par.ry (pé.ri) *s* defesa.
Parse (párs) *v* analisar palavras ou sentença em suas categorias gramaticais, etc.
Pars.ley (párs.li) *s* salsa (planta).
Par.son (pár.sân) *s* pastor; clérigo; pároco.
Part (párt) *s* parte; fração; componente; partido; *v* dividir; separar; partir.
Par.take (pártêic) *v* participar; compartilha; *past* Partook *and pp* **Partaken**.
Par.tic.i.pate (párti.ssipêit) *v* participar.
Par.ti.ci.ple (pár.tissipol) *s* particípio.
Par.ti.cle (pár.ticol) *s* partícula; porção.
Par.tic.u.lar.ize (párti.quiulâráiz) *v* particularizar; pormenorizar; detalhar.
Part.ing (pár.tin) *s* separação; adeus.
Par.ti.san (pár.tizân) *s* partidário.
Part.ner (pár.tnâr) *s* sócio; companheiro; *v* associar-se.
Par.tridge (pár.tridj) *s* perdiz (ave).
Par.tu.ri.tion (pártiuri.xân) *s* parto.
Par.ty (pár.ti) *s* partido político; festa; facção; parte litigante; reunião festiva.
Pass (paes) *s* passagem; salvo-conduto; *v* passar; entregar; dar; mover; ser aprovado.
Pas.sage (pae.sidj) *s* passagem; travessia; acontecimento.
Pas.sion.ate (pé.xânit) *adj* apaixonado; arrebatado; vivo; intenso.
Pass.word (paes.uârd) *s* palavra de passe.
Past (paest) *s* o passado; GRAM tempo pretérito; *adj* passado; decorrido; último.
Paste (pêist) *s* pasta; cola; goma; *v* colar.
Paste.board *s* POP cartão de visita; carta de baralho, etc.
Past.ry (pêis.tri) *s* pastelaria; massas; pastéis.
Pas.ture (pás.txur) *s* pasto; *v* pastar; apascentar.
Past.y (pêis.ti) *s* pastel; *adj* pastoso.
Pat (paet) *s* pancadinha; carícia; afago; *v* bater de leve; afagar; *adj* exato; próprio; *adv* oportunamente; de modo conveniente.
Patch (pétxe) *s* remendo; emplastro; esparadrapo; terreno; *v* remendar; consertar.
Pate (pêit) *s* cabeça; cachola; crânio.
Path (péth) *s* caminho; senda; passo.
Path.find.er (peth.fáindâr) *s* explorador.
Path.less (péth.lés) *adj* intransitável.
Path.way (péth.uêi) *s* caminho; atalho; vereda; senda.
Pa.tience (pêi.xens) *s* paciência; resignação; *s* paciente.
Pa.trol (patrôul) *s* patrulha; ronda; vigilância; *v* patrulhar; rondar.
Pa.tron.ize (pé.trânáiz) *v* patrocinar; favorecer; apadrinhar.
Pat.tern (pé.târn) *s* modelo; norma; padrão; molde; *v* imitar; copiar; modelar.
Pat.ty (pé.ti) *s* torta; pastel; empada.
Pau.ci.ty (pó.siti) *s* exiguidade; escassez.
Paunch (pántxe) *s* pança; abdome; barriga; abdômen.
Paunch.y (pán.txi) *adj* barrigudo.
Pause (póz) *s* pausa; interrupção; hesitação; *v* pausar; deter-se.
Pave (pêiv) *v* calçar ruas; pavimentar.
Pave.ment (pêiv.ment) *s* pavimento; piso; calçada.
Paw (pó) *s* garra; pata.
Pawk.i.ness (pó.quinés) *s* astúcia; manha.

Pawn (pón) *s* penhor; peão (jogo de xadrez); *v* penhorar; empenhar.
Pay (pêi) *s* soldo; salário; recompensa; *v* pagar; prestar homenagem ou atenção; *past and pp* Paid.
Pay.a.ble (pei.âbol) *adj* pagável; descontável; amortizável.
Pay.ee (pêii) *s* COM sacador.
Pay.er (pêi.âr) *s* COM sacado.
Pay.ment (pêi.ment) *s* pagamento; prêmio.
Pea (pi) *s* ervilha.
Peace (pis) *s* paz; calma; concórdia.
Peace.mak.er (pis.mêicâr) *s* pacificador.
Peach (pitxe) *s* pêssego; mulher jovem e linda.
Pea.cock (pi.cóc) *s* pavão (ave).
Pea.cock.ish (pi.cóquixe) *adj* vaidoso.
Peahen (pi.hén) *s* pavoa.
Peak (pic) *s* pico; cume; ponta.
Peal (pil) *s* bulha; repique de sinos; *v* ressoar.
Pea.nut (pi.nât) *s* amendoim.
Pear (pér) *s* pera, fruta.
Pearl (pârl) *s* pérola; aljôfar, pérola miúda.
Peas.ant (pé.zânt) *s* aldeão; campônio.
Pec.can.cy (pé.cânsi) *s* vício; defeito; imperfeição; falha.
Pec.cant (pé.cânt) *adj* pecador; faltoso; MED doentio.
Peck (péc) *s* bicada; beijo; o ponto de valor mais alto; *v* picar; espicaçar; bicar.
Ped.al (pé.dâl) *s* pedal; *adj* relativo aos pedais; *v* pedalar.
Ped.ant (pé.dânt) *adj* pedante.
Ped.ant.ry (pé.dântri) *s* pedantismo.
Ped.dle (pédol) *v* vender; mascatear.
Ped.i.gree (pé.digri) *s* árvore genealógica; casta; linhagem de animais.
Peek (pic) *v* espiar; espreitar; espionar.
Peel (pil) *s* casca; pele; pá de remo; pá; *v* descascar.
Peel.er (pi.lâr) *s* descascador.
Peep (pip) *s* relance; olhadela; pio (de ave); *v* piar; surgir; aparecer; olhar de esguelha.
Peer (pir) *s* par; companheiro; amigo da mesma idade; *v* espiar; espreitar.
Pee.vish (pi.vixe) *adj* impertinente; rabujento.
Peg (pég) *s* cavilha; estaca; pretexto; prendedor de roupa; *v* fixar com pregos.
Pelf (pélf) *s* riqueza obtida fraudulentamente.
Pel.i.can (pé.licân) *s* pelicano.
Pel.let (pé.let) *s* bolinha; pelota; bala.
Pen (pén) *s* pena de escrever; caneta de pena; caligrafia; escritor; curral; POP penitenciária; *v* encurralar; *past* Penned *or* Pent *and pp* Penned *or* Pent.
Pe.nal.ize (pi.nâláiz) *v* penalizar; punir; declarar culpado.
Pen.al.ty (pé.nâlti) *s* pena; penalidade; multa.
Pen.ance (pé.nâns) *s* penitência; mortificação; confissão.
Pen.cil (pén.sil) *s* lápis; pincel; pintura; *v* pintar; desenhar, riscar.
Pen.guin (pén.guin) *s* pinguim (ave).
Pen.hold.er (pén.hôul.dâr) *s* caneta.
Pen.knife (pén.náif) *s* canivete.
Pen.ny (pé.ni) *s* pêni (moeda inglesa).
Pent.house (pént.háus) *s* sótão; alpendre; cobertura.
Peo.ple (pipol) *s* povo; gente; o mundo.
Pep.per (pé.pâr) *s* pimenta; pimenteira; *v* apimentar.
Per.ceive (pârsiv) *v* perceber; notar.
Per.cep.tion (pârsép.xân) *s* percepção; noção; ideia.
Perch (pârtxe) *s* perca, peixe; poleiro; *v* empoleirar; pousar.
Per.cus.sion (pârcâ.xân) *s* percussão; colisão; choque.
Per.di.tion (pârdi.xân) *s* perdição; ruína.
Per.e.gri.nate (pé.rigrinêit) *v* peregrinar; migrar, viajar.
Per.e.grine (pé.rigrin) *s* falcão; *adj* peregrino; estrangeiro.
Per.fect (pârfect) *v* aperfeiçoar; *adj* perfeito; acabado; completo.
Per.fect.i.ble (pârféc.tibol) *adj* suscetível de aperfeiçoamento.
Per.fid.i.ous (pârfi.diâs) *adj* pérfido; falso; desleal.
Per.fi.dy (pâr.fidi) *s* perfídia; deslealdade.
Per.form (pârfórm) *v* fazer; executar; cumprir; interpretar; representar.
Per.form.ance (pârfór.mâns) *s* execução; desempenho; composição.
Per.fume (pârfium) *s* perfume; fragrância; aroma; perfumista; *v* perfumar.
Per.haps (pâr.hé.ps) *adv* talvez; porventura.
Per.ish (pé.rixe) *v* perecer; acabar; sucumbir.
Per.i.wig (pé.riuig) *s* peruca; cabeleira falsa.
Per.jure (pâr.djur) *v* perjurar, jurar falso.
Per.ju.ry (pâr.djuri) *s* perjúrio.
Perk (pârc) *adj* vivo; alegre; altivo; *v* ataviar; ornar.
Perk.y (pâr.qui) *adj* vivo; alegre.
Per.ma.nence (pâr.mânéns) *s* permanência; constância; perseverança.
Per.ma.nent (pâr.mânént) *adj* permanente; firme; imutável.
Per.me.a.ble (pâr.miâbol) *adj* permeável.
Per.me.ate (pâr.miêit) *v* permear; passar; atravessar.
Per.mis.si.ble (pârmi.sibol) *adj* permissível; admissível.
Per.mit (pârmit) *s* permissão; licença; *v* permitir; consentir.
Per.mut.a.ble (pârmiu.tâbol) *adj* permutável.
Per.mute (pârmiut) *v* permutar; trocar.
Per.ni.cious (pârni.xâs) *adj* pernicioso; perigoso; funesto; fatal.
Per.pe.trate (pâr.pétrêit) *v* perpetrar.
Per.pe.tra.tion (pârpétrêi.xân) *s* perpetração.
Per.pet.u.ate (pârpé.txuêit) *s* perpetuação; eternização.
Per.pe.tu.i.ty (pârpétxu.iti) *s* perpetuidade.
Per.plex (pârplécs) *v* embaraçar.

Per.plex.i.ty (pârpléc.siti) *s* perplexidade; embaraço; irresolução.
Per.qui.site (pâr.quizit) *s* gratificação.
Per.se.cute (pâr.siquiut) *v* perseguir; atormentar.
Per.se.cu.tion (pârsiquiu.xân) *s* perseguição; opressão.
Per.se.ver.ance (pârsivi.râns) *s* perseverança; persistência.
Per.se.vere (pârsivir) *v* perseverar.
Per.si.flage (pérsifláj) *s* troça; zombaria; caçoada.
Per.sist (pârsist) *v* persistir; insistir; continuar.
Per.sis.tence (pârsis.téns) *s* persistência; constância; obstinação.
Per.son (pâr.sân) *s* pessoa; indivíduo; personagem.
Per.son.age (pâr.sânidj) *s* personagem.
Per.son.al.i.ty (pârsâné.liti) *s* personalidade.
Per.son.ate (pâr.sânêit) *v* fingir; representar.
Per.son.i.fy (pársâ.nifái) *v* personificar; personalizar.
Per.spi.ca.cious (pârspiquêi.xâs) *adj* perspicaz; sagaz; esclarecido.
Per.spi.ra.tion (pârspirêi.xân) *s* transpiração; suor.
Per.spire (pârspáir) *v* transpirar; suar.
Per.suade (pârsuêid) *v* persuadir; convencer.
Pert (pârt) *adj* atrevido; petulante; audaz.
Per.tain (pârtêin) *v* pertencer; referir-se.
Per.ti.na.cious (pârtinêi.xâs) *adj* pertinaz; obstinado; constante; decidido.
Per.turb (pârtârb) *v* perturbar; inquietar; irritar.
Pe.ruke (peruc) *s* peruca.
Pe.ruse (peruz) *v* ler atentamente.
Per.vade (pârvêid) *v* penetrar; impregnar.
Per.verse (pârvârs) *adj* perverso; cruel; injusto; atrevido.
Per.verse.ness (pârvârs.nés) *s* perversidade; crueldade.
Per.ver.sion (pârvâr.xân) *s* perversão; corrupção.
Per.ver.si.ty (pârvâr.siti) *s* perversidade.
Per.vert (pâr.vârt) *s* apóstata; corruptor; *v* perverter; corromper; depravar.
Pest (pést) *s* peste; epidemia; praga.
Pes.ter (pés.târ) *v* atormentar; irritar; confundir.
Pes.tle (péstol) *s* mão de pilão; *v* triturar.
Pet (pét) *s* animal de estimação; enfado; *adj* mimado; *v* animar; acariciar.
Pet.al (pé.tâl) *s* pétala.
Pe.ti.tion (peti.xân) *s* petição; requerimento; *v* solicitar; requerer.
Pet.ri.fy (pé.trifái) *v* petrificar; fossilizar.
Pet.ti.coat (pé.ticôut) *s* anágua.
Pet.tish (pé.tixe) *adj* rabugento; áspero; impertinente; irascível.
Pet.ty (pé.ti) *adj* pequeno; mesquinho; insignificante; inferior.
Pet.u.lance (pé.tiulâns) *s* petulância; irritação; insolência.
Pe.tu.ni.a (pitiu.niâ) *s* petúnia (planta).
Pew (piu) *s* banco comprido de igreja.
Phan.tom (fén.tâm) *s* fantasma; espectro; ilusão.
Phar.ynx (fé.rincs) *s* faringe.
Phase (fêiz) *s* fase; aspecto; época; momento.
Pheas.ant (fé.sânt) *s* faisão (ave).
Phil.o.mel (fi.lomél) *s* rouxinol.
Phi.los.o.phize (filó.sofáiz) *v* filosofar.
Phil.ter (fil.târ) *s* filtro; feitiço; *also* **Philtre**.
Phil.ter (fil.târ) *v* enfeitiçar; apaixonar.
Phlegm (flém) *s* fleuma; impassibilidade.
Phleg.mat.ic (flégmé.tic) *adj* fleumático; frio; indiferente.
Phone (fôun) *s* POP telefone; fone; *v* telefonar.
Pho.to (fôu.to) *s* fotografia.
Pho.to.graph (fôu.togréf) *s* fotografia; *v* fotografar.
Pho.tog.ra.phy (fotó.grâfi) *s* fotografia; arte fotográfica.
Phrase (frêiz) *s* frase, sentença; *v* exprimir; expressar.
Phys.ic (fi.zic) *s* medicina; remédio; purgante; *v* medicar; purgar.
Phy.si.cian (fizi.xân) *s* médico.
Pi.an.ist (pié.nist) *s* MÚS pianista.
Pi.an.o (pié.nôu) *s* piano; *adj* MÚS piano; lento; *adv* lentamente; vagarosamente.
Pic.a.roon (picârun) *s* pirata; ladrão; salteador.
Pick (pic) *s* pico; *v* pegar; colher; apanhar; escolher.
Pick.axe (pic.écs) *s* picareta; *also* **Pickax**.
Pick.ed (pict) *adj* escolhido; selecionado; pontiagudo.
Pick.et (pi.quet) *s* estaca; piquete; *v* rodear com estacas; fazer greve.
Pick.le (picol) *s* conserva; salmoura; enredo; *v* pôr em salmoura.
Pick.lock (pic.lóc) *s* ladrão; gatuno.
Pick.pock.et (pic.póquit) *s* batedor de carteiras.
Pic.nic (pic.nic) *s* piquenique; convescote; *v* fazer piquenique.
Pic.ture (pic.txur) *s* pintura; imagem; quadro; descrição; filme; foto; *v* pintar; representar; descrever.
Pie (pái) *s* torta; pastelão; pastel; empada.
Piece (pis) *s* pedaço; peça; composição; TEATR peça; *v* remendar; acrescentar.
Pier (pir) *s* pilar; cais; embarcadouro.
Pierce (pirs) *v* furar; transpassar.
Pierc.ing (pir.sin) *adj* agudo; cortante; comovente.
Pi.e.ty (pái.iti) *s* piedade; devoção.
Pif.fle (pifol) *s* tolice; futilidade; *v* dizer tolices.
Pig (pig) *s* leitão; porco.
Pig.eon (pi.djân) *s* pombo; ingênuo.
Pike (páic) *s* pique; caminho; pico de montanha.
Pil.chard (pil.txârd) *s* sardinha (peixe).
Pile (páil) *s* pilha; estaca; pira; edifício; pelo; *v* empilhar; pôr estacas.
Piles (páils) *s* hemorroidas; pilhas.
Pil.fer (pil.fâr) *v* furtar; surripiar; enganar.
Pil.fer.er (pil.fârâr) *s* gatuno; ladrão; larápio.
Pil.grim (pil.grim) *s* peregrino; romeiro.
Pil.grim.age (pil.grimidj) *s* peregrinação; romaria.
Pil.ing (pái.lin) *s* acumulação; empilhamento.

Pill (pil) *s* pílula; coisa aborrecida.
Pil.lage (pi.lidj) *s* pilhagem; saque; roubo; *v* pilhar; saquear.
Pil.lar (pi.lâr) *s* pilar; coluna; monumento.
Pil.low (pi.lôu) *s* travesseiro; almofada.
Pi.lot (pái.lât) *s* piloto; prático; guia.
Pimp.ing (pim.pin) *adj* mesquinho; pequeno.
Pim.ple (pimpol) *s* empola (bolha); borbulha.
Pin (pin) *s* alfinete; broche; prego; eixo; coisa sem valor; *v* prender com alfinetes.
Pin.cers (pin.sârz) *s* pinça; tenaz; torquês.
Pinch (pintxe) *s* beliscão; aperto; pitada; *v* beliscar; agarrar; apertar; POP furtar; prender.
Pinch.beck (pintxe.béc) *s* ouropel; ouro falso.
Pinch.er (pin.txâr) *s* pinça; beliscador.
Pine (páin) *s* pinheiro; pinho; *v* ansiar; lamentar.
Pine.apple (páin.aepol) *s* abacaxi.
Ping (pin) *s* silvo; sibilo; *v* sibilar.
Pin.ion (pi.niân) *s* asa; AUT pinhão.
Pink (pinc) *adj* rosa; rosado.
Pin.na.cle (pi.nâcol) *s* auge; apogeu; *v* elevar.
Pi.o.neer (páionir) *s* pioneiro; descobridor; explorador; *v* explorar.
Pi.ous (pái.âs) *adj* pio; piedoso; religioso.
Pip (pip) *s* semente; ponto (nas cartas); *v* piar.
Pipe (páip) *s* cachimbo; cano; gaita; pipa; *v* tocar flauta.
Pip.er (pái.pâr) *s* flautista; tocador gaita.
Pip.ing (pái.pin) *s* tubulação; canalização; gemido; som de flauta; *adj* sibilante; ardente; adoentado; pastoril.
Pi.quant (pi.cânt) *adj* picante; mordaz; áspero; satírico.
Pique (pic) *s* melindre; má vontade; *v* irritar; ferir o orgulho de.
Pi.ra.cy (pái.râssi) *s* pirataria.
Pi.rate (pái.rit) *s* pirata; corsário; *v* piratear; pilhar; furtar.
Piss (pis) *s* POP urina; *v* urinar; *also* **to urinate**.
Pis.tol (pis.tâl) *s* pistola; revólver.
Pit (pit) *s* buraco; fosso; túmulo; mina; *v* encerrar num buraco; marcar com furinhos; opor; competir.
Pitch (pitxe) *s* piche; alcatrão; resina; declive; ponto; extremo; *v* pôr piche; lançar; atirar; precipitar-se; mergulhar.
Pitch.y (pi.txi) *adj* triste; melancólico; tenebroso.
Pit.e.ous (pi.tiâs) *adj* compassivo; terno; lastimoso.
Pit.fall (pit.fól) *s* armadilha; engodo; buraco aberto.
Pith (pith) *s* seiva; medula; energia; vigor.
Pith.y (pi.thi) *adj* enérgico; eficaz.
Pit.i.ful (pi.tiful) *adj* lastimável; lamentável.
Pit.i.less (pi.tilés) *adj* desapiedado; desumano.
Pit.y (pi.ti) *s* piedade; compaixão; dor; lástima; infortúnio; *v* compadecer-se; ter pena.
Piv.ot (pi.vât) *s* pivô; espiga; *v* girar sobre um eixo.
Pix.ie (pic.si) *s* fada; duende.
Plac.ard (plâcárd) *s* cartaz; anúncio; *v* anunciar por cartazes.
Pla.cate (plêi.quêit) *v* aplacar; pacificar; acalmar.
Place (plêis) *s* lugar; sítio; espaço; praça de guerra; fortaleza; emprego; *v* pôr; colocar.
Plac.er (plêi.sâr) *s* agente; garimpo.
Pla.cet (plêi.set) *s* permissão; autorização.
Plac.id (plé.sid) *adj* plácido; sereno; sossegado; calmo.
Pla.cid.i.ty (plâssi.diti) *s* placidez; calma; serenidade.
Pla.gi.a.rize (plêi.djâráiz) *v* plagiar.
Pla.gi.a.ry (plêi.djâri) *s* plagiário.
Plague (plêig) *s* praga; peste; flagelo; *v* infectar; atormentar.
Plagu.y (plêi.gui) *adj* molesto; importuno; maligno.
Plaid (pléd) *s* manta xadrez (escocesa).
Plaid.ed (plé.did) *adj* enxadrezado; em quadrados.
Plain (plêin) *s* campina; plano; planície; *v* chorar; lamentar; queixar-se; *adj* liso; plano; singelo.
Plain.ness (plêin.nés) *s* superfície plana; simplicidade; evidência.
Plait (plêit) *s* prega; dobra; *v* fazer pregas; dobrar; trançar.
Plan (plén) *s* plano; projeto; esboço; *v* projetar; desenhar (plantas); elaborar (plantas).
Plane (plêin) *s* plano; superfície plana; nível; aeroplano; *v* aplainar.
Plan.er (plêi.nâr) *s* plaina mecânica; aplanador; alisador.
Plan.et (plé.net) *s* planeta.
Plan.ish (plé.nixe) *v* aplainar; alisar; polir.
Plank (plénc) *s* prancha; tábua; *v* assoalhar.
Plant (plént) *s* planta vegetal; maquinaria; policial infiltrado; *v* plantar; fundar; fixar; instalar.
Plan.ta.tion (pléntêi.xân) *s* plantação; latifúndio.
Plant.er (plén.târ) *s* plantador; colono; lavrador.
Plash (pléxe) *s* atoleiro; lamaçal; esguicho; *v* enlamear; salpicar; espirrar.
Plas.ter (plés.târ) *s* emplastro; estuque; *v* emplastrar; rebocar (parede).
Plat (plét) *s* pedaço de terra; mapa de loteamento; *v* trançar; dividir em lotes.
Plate (plêit) *s* chapa; lâmina; folha de metal; prataria; *v* chapear; blindar.
Plat.i.tude (plé.titiud) *s* vulgaridade; baixeza.
Pla.toon (plâtun) *s* pelotão.
Plat.ter (plé.târ) *s* travessa; disco.
Plau.si.ble (pló.zibol) *adj* plausível; louvável.
Play (plêi) *s* jogo; brinquedo; comédia; divertimento; *v* jogar; brincar; tocar instrumentos; representar; bancar.
Play.er (plêi.âr) *s* jogador; ator; músico.
Play.ful.ness (plêi.fulnés) *s* jovialidade; brincadeira.
Play.wright (plêi.ráit) *s* dramaturgo; autor.
Plea (pli) *s* processo; demanda.
Pleach (plitxe) *v* entretecer; trançar.
Plead (plid) *v* pleitear; alegar; justificar.
Pleader (pli.dâr) *s* defensor; advogado.
Pleas.ant (plé.zânt) *adj* agradável; grato.
Please (pliz) *v* agradar; satisfazer; gostar.

Pleas.ing (pli.zin) *adj* agradável; amável.
Plea.sur.a.ble (plé.jurâbol) *adj* agradável; divertido; alegre.
Plea.sure (plé.jur) *s* prazer; encanto; agrado; satisfação; gozo.
Pledge (plédj) *s* penhor; caução; fiança; brinde à saúde de; *v* penhorar; prometer.
Pledg.ee (plédji.) *s* caucionário; penhor.
Ple.na.ry (pli.nâri) *adj* pleno; completo; inteiro.
Plen.ti.ful (plén.tiful) *adj* copioso; abundante; fértil.
Plen.ti.ful.ness (plén.tifulnés) *s* abundância; fertilidade.
Plen.ty (plén.ti) *s* abundância; fartura; *adj* abundante; *adv* bastante.
Pli.a.bil.i.ty (pláiâbi.liti) *s* flexibilidade; docilidade; brandura.
Pli.a.ble (plái.âbol) *adj* dobradiço; flexível; brando.
Pli.an.cy (plái.ânsi) *s* flexibilidade; docilidade.
Pli.er (pláir) *s* alicate; tenaz.
Plight (pláit) *s* penhor; promessa; dobra; aperto; *v* penhorar; empenhar.
Plod (plód) *v* labutar; andar com dificuldade.
Plod.der (pló.dâr) *s* trabalhador; labutador.
Plop (plóp) *adv* repentinamente; subitamente; *s* conluio; trama; enredo; *v* tramar; conspirar.
Plot.ter (pló.târ) *s* conspirador; maquinador.
Plough (pláu) *s* arado; charrua; *v* lavrar; arar.
Pluck (plác) *s* valor; ânimo; coragem; resolução; *v* arrancar; depenar.
Pluck.y (plâ.qui) *adj* valente; corajoso; valoroso.
Plug (plâg) *s* rolha; registro; tomada; *v* arrolhar; tapar.
Plum (plâm) *s* ameixa; GÍR sorte; cem mil libras esterlinas; riqueza; fortuna.
Plu.mage (plu.midj) *s* plumagem; adorno; enfeite.
Plumb (plâm) *s* prumo; fio de prumo; *v* chumbar; soldar; sondar; pôr a prumo; *adj* completo; acabado; perfeito; *adv* perpendicularmente.
Plume (plum) *s* pluma; orgulho; jactância; *v* jactar-se; depenar.
Plum.met (plâ.met) *s* prumo; sonda; contrapeso.
Plump (plâmp) *s* bando; grupo; aglomerado; *v* engordar; cair pesadamente; *adj* gordo; brusco; rude; *adv* repentinamente.
Plump.ness (plâmp.nés) *s* gordura; descortesia.
Plun.der (plân.dâr) *s* saque; pilhagem; roubo; *v* saquear; pilhar; mergulhar.
Plunge (plândj) *s* mergulho; imersão; salto; *v* mergulhar.
Plung.er (plân.djâr) *s* mergulhador; pescador de pérolas.
Plus (plâs) *s* quantidade positiva; MAT positivo.
Plush (plâxe) *s* pelúcia; tecido macio; luxuoso.
Plush.y (plâ.xi) *adj* felpudo.
Pluto (plutu) *s* Plutão.
Ply (plâi) *s* prega; dobra; hábito; costume; *v* trabalhar ativamente; insistir; dobrar.
Pneu.mat.ic (pniumé.tic) *adj* pneumático.
Pock (póc) *s* pústula; varíola.
Pock.et (pó.quit) *s* bolso; cavidade; *v* pôr no bolso; embolsar.
Pod (pód) *s* casca; vagem; *v* inchar; encher-se.
Podg.y (pó.dji) *adj* gordo; graxo; atarracado.
Po.em (pôu.em) *s* poema; poesia.
Po.et (pôu.et) *s* poeta.
Po.et.ry (pôu.etri) *s* poesia.
Po.grom (pogróm) *s* massacre; devastação.
Poign.ant (pói.nânt) *adj* doloroso.
Point (póint) *s* ponta; ponto; sinal de pontuação; ponto de vista; *v* apontar; aguçar; indicar.
Point.er (póin.târ) *s* indicador; ponteiro.
Point.less (póin.tlés) *adj* obtuso; sem ponta.
Poise (póiz) *s* peso; equilíbrio; *v* equilibrar; pesar.
Poi.son (póizn) *s* veneno; tóxico; *v* intoxicar; envenenar.
Poi.son.ous (póiz.nâs) *adj* venenoso; tóxico.
Poke (pôuc) *s* impulso; jugo; bolsa; saco; *v* empurrar; atiçar; andar às apalpadelas.
Pok.er (pôu.câr) *s* pôquer (jogo); atiçador de fogo.
Pok.y (pôu.qui) *adj* lento; estúpido; pequeno; acanhado.
Pole (pôul) *s* polo; estaca; vara de medir; mastro.
Pole-Axe (pôul.écs) *s* machadinha; *also* **Pole-Ax**.
Po.lice (pôlis) *s* polícia; *v* policiar; vigiar.
Po.lice.man (pôlis.mân) *s* policial.
Pol.i.cy (pó.lissi) *s* política; prudência; astúcia.
Pol.ish (pó.lixe) *s* polimento; cortesia; *v* polir; lustrar; engraxar.
Po.lite (poláit) *adj* polido; cortês; fino; elegante.
Po.lite.ness (poláit.nés) *s* urbanidade; cortesia.
Pol.i.tic (pó.litic) *adj* político.
Poll (pôul) *s* cabeça; lista; rol; nomeação; *v* tosquiar; desramar; votar.
Pol.lard (pó.lârd) *s* árvore podada; *v* podar árvores.
Pol.lute (póliut) *v* poluir; manchar; desonrar.
Pol.lu.tion (póliu.xân) *s* poluição.
Pol.troon (póltrun) *s* poltrão; covarde.
Pol.troon.er.y (póltru.nâri) *s* covardia.
Pol.y.glot (pó.liglót) *s* poliglota; *adj* poliglota.
Pom.ace (pâ.mis) *s* polpa (maçã, de frutas).
Po.made (pomêid) *s* pomada; brilhantina.
Pome.gran.ate (póm.grénit) *s* romã.
Pom.mel (pâm.mél) *s* pomo; punho de espada; *v* bater; surrar.
Pomp (pómp) *s* pompa; esplendor; fausto.
Pom.pos.i.ty (pómpó.siti) *s* pompa; ostentação.
Pom.pous (póm.pâs) *adj* pomposo; aparatoso.
Pond (pómp) *s* tanque; bacia; lagoa.
Pond.er (pón.dâr) *v* ponderar; meditar; refletir.
Pon.der.ous (pón.dârâs) *adj* grave; ponderado; veemente.
Pon.iard (pó.niârd) *s* punhal pequeno; *v* apunhalar.
Pon.tiff (pón.tif) *s* pontífice; papa.
Pon.toon (póntun) *s* chata; barcaça; doca.
Po.ny (pôu.ni) *s* pônei, pequeno cavalo; POP dinheiro.
Poo.dle (pudol) *s* cachorro.

Pool (pul) *s* lago; piscina; jogo de bilhar; COM união de interesses; *v* COM conciliar interesses.
Poop (pup) *s* NÁUT popa (posterior à proa).
Poor (pur) *adj* pobre; necessitado; infeliz.
Poor.ness (pur.nés) *s* pobreza; miséria.
Pop (póp) *s* estalo; detonação; estouro; ruído; MÚS concerto popular; *v* estalar; sobrevir de repente; atirar; soltar; disparar.
Pop.corn (póp.córn) *s* milho de pipoca; pipoca estourada.
Pope (pôup) *s* Papa.
Pop.lin (pó.plin) *s* popelina (tecido).
Pop.ple (pópol) *v* mexer; deslizar; agitar-se.
Pop.py (pó.pi) *s* papoula.
Pop.u.lar (pó.piulâr) *adj* popular; do povo.
Pop.u.lar.i.ty (pópiulé.riti) *s* popularidade.
Pop.u.lar.ize (pó.piulâráiz) *v* popularizar; vulgarizar.
Porce.lain (pórs.lin) *s* porcelana; louça refinada; *adj* de porcelana.
Porch (pórtxe) *s* pórtico; átrio; vestíbulo.
Por.cu.pine (pór.quiupáin) *s* porco-espinho; ouriço.
Pore (pôur) *s* poro; *v* ter os olhos fixos em; estudar atentamente.
Pork (pórc) *s* carne de porco; negociata.
Po.rous (pôu.râs) *adj* poroso.
Por.ridge (pó.ridj) *s* cozido; mingau.
Por.rin.ger (pó.rindjâr) *s* tigela.
Port (pórt) *s* porto; baía; porta; portal; *v* levar; conduzir.
Port.a.ble (pór.tâbol) *adj* portátil; desmontável; manual.
Port.age (pór.tidj) *s* porte; espaço entre dois rios ou canais.
Por.tal (pór.tâl) *s* portal; fachada.
Por.tend (pórténd) *v* prognosticar; pressagiar; vaticinar.
Por.tent (pórtént) *s* presságio; vaticínio.
Por.ten.tous (pórtén.tâs) *adj* nefasto; prodigioso; portentoso.
Por.ter (pór.târ) *s* porteiro; carregador.
Por.tion (pór.xân) *s* porção; quinhão; *v* dotar; repartir.
Port.ly (pór.tli) *adj* majestoso; nobre; grosso.
Por.trait (pór.trit) *s* retrato; pintura.
Por.tray (pórtrêi) *v* retratar; pintar.
Por.tu.guese (pórtiuguiz) *s* o Português; a língua Portuguesa; *adj* Português.
Pose (pôuz) *s* postura; pose estudada; *v* posar; embaraçar.
Pos.er (pôu.zâr) *s* pergunta embaraçosa; examinador.
Pos.i.tive (pó.zitiv) *adj* positivo; formal; categórico; imperativo; teimoso.
Pos.i.tive.ness (pó.zitivnés) *s* positividade; certeza; segurança; obstinação.
Pos.sess (pózés) *v* possuir; ter; apoderar-se.
Pos.ses.sive (pózé.siv) *s* GRAM o caso possessivo; *adj* possessivo.
Pos.si.bil.i.ty (póssibi.liti) *s* possibilidade.
Pos.si.ble (pó.sibol) *adj* possível.
Pos.si.bly (pó.sibli) *adv* possivelmente; provavelmente.
Post (pôust) *s* poste; pilar; correio; posto; emprego; mensageiro; cargo; *v* lançar; registrar; informar; colocar no correio; *adv* rapidamente.
Post.age (pôs.tidj) *s* porte; tarifa.
Pos.ter.i.ty (posté.riti) *s* posteridade.
Pos.thu.mous (pós.tiumâs) *adj* póstumo.
Post.man (pôust.mân) *s* carteiro; *examine* ⇒ Mailman.
Post.mark (pôust.márc) *s* carimbo do correio; *v* carimbar.
Post.mas.ter (pôust.maestâr) *s* agente do correio.
Post.pone (pôust.pôun) *v* pospor; adiar; transferir.
Pos.tu.late (pós.tiulit) *s* postulado; *v* solicitar.
Pos.ture (pós.txur) *s* postura; posição; atitude; situação; condição; *v* colocar em posição.
Po.sy (pôu.zi) *s* divisa; conceito; pensamento; flor.
Pot (pót) *s* panela; pote; aposta conjunta; taça prêmio.
Po.ta.tion (pôutêi.xân) *s* bebida; gole; trago.
Po.ta.to (potêi.tôu) *s* batata.
Po.ten.cy (pôu.tensi) *s* potência; força; autoridade.
Po.tent (pôu.tent) *adj* potente; forte; poderoso.
Po.ten.tate (pôu.tentêit) *s* potentado; soberano.
Poth.er (pó.dhâr) *s* bulha; confusão; motim; *v* atormentar; importunar.
Po.tion (pôu.xân) *s* poção.
Pot.sherd (pót.xârd) *s* caco.
Pot.tage (pó.tidj) *s* sopa; mingau; caldo.
Pot.ter.er (pó.târâr) *s* preguiçoso.
Pot.ter.y (pó.târi) *s* olaria; cerâmica.
Pot.tle (pótol) *s* jarro; vaso; cesta de fruta.
Pouch (páutxe) *s* saco; bolsa; cartucheira; *v* embolsar; engolir; tragar.
Poult (pôult) *s* pinto; frango.
Poul.tice (pôul.tis) *s* emplastro; cataplasma; *v* aplicar um cataplasma.
Poul.try (pôul.tri) *s* aves domésticas.
Pounce (páuns) *s* garra; unha; pó de carvão; *v* lançar-se; precipitar-se.
Pound (páund) *s* libra esterlina; curral; *v* moer; quebrar em pedaços.
Pour (pôur) *s* temporal; aguaceiro; *v* derramar; chover muito.
Pour.boire (purboár) *s* propina; gorjeta.
Pout (páut) *v* embirrar; fazer beicinho.
Pov.er.ty (pó.vârti) *s* pobreza; indigência.
Pow.der (páu.dâr) *s* pó; polvilho; talco; pólvora; *v* pulverizar; empoar.
Pow.er (páu.âr) *s* poder; força; energia.
Pow.er.house (páuâr.hâus) *s* usina elétrica.
Pox (pócs) *s* pústula; varíola.
Prac.ti.ca.ble (préc.ticâbol) *adj* praticável; viável.
Prac.tice (préc.tis) *s* prática; experiência; praxe; uso; clientela; *v* praticar; exercer; *also* **Practise**.
Prac.tic.er (préc.tissâr) *s* prático; praticante.

Prac.ti.tion.er (précti.xâner) *s* profissional (geralmente médico).
Prai.rie (pré.ri) *s* pradaria; campina.
Praise (prêiz) *s* louvor; elogio; mérito; *v* louvar; elogiar; rezar.
Praiser (prêi.zâr) *s* admirador; louvador.
Praise.wor.thi.ness (prêiz.uârthinés) *s* valor; merecimento.
Praise.wor.thy (prêiz.uârthi) *adj* louvável; meritório.
Pram (prám) *s* carrinho de criança.
Prank (prénc) *s* logro; burla; *v* ornar; enfeitar; adornar.
Prate (prêit) *s* tagarelice; loquacidade; *v* tagarelar.
Prat.tle (prétol) *s* murmúrio; tagarelice; *v* tagarelar; murmurar.
Prat.tler (pré.tlâr) *s* tagarela; murmurador.
Prawn (prón) *s* lagostim.
Pray (prêi) *v* rezar; orar
Prayer (prêi.âr) *s* oração; prece; reza.
Preach (pritxe) *v* pregar.
Preach.er (pri.txâr) *s* pregador.
Preach.i.fy (pri.txeifái) *v* arengar; discursar de modo enfadonho.
Pre.am.ble (pri.émbol) *s* preâmbulo; exórdio; introdução.
Pre.ca.ri.ous (priquêi.riâs) *adj* precário; incerto; duvidoso; perigoso.
Pre.cede (prissid) *v* preceder; antepor.
Pre.ce.dence (prissi.déns) *s* precedência; prioridade.
Pre.cept (pri.sépt) *s* preceito; regra; máxima.
Pre.cep.tor (prissép.târ) *s* preceptor; mestre.
Pre.ces.sion (prissé.xân) *s* precedência; ASTR precessão.
Pre.ci.os.i.ty (préxeió.siti) *s* preciosismo.
Pre.cious (pré.xâs) *adj* precioso; estimado.
Prec.i.pice (pré.sipis) *s* precipício; despenhadeiro.
Pre.cip.i.tate (prissi.pitêit) *v* precipitar; apressarse; *adj* precipitado.
Pre.cip.i.tous (prissi.pitâs) *adj* precipitado; arrojado.
Pre.cise (prissáis) *adj* preciso; exato; justo.
Pre.ci.sion (prissi.jân) *s* precisão; exatidão; justeza.
Pre.co.cious (pricó.xâs) *adj* precoce; prematuro.
Pre.cur.sor (prikâr.sâr) *s* precursor.
Pred.a.to.ry (pré.dâtôuri) *adj* predatório.
Pred.e.ces.sor (prédissé.sâr) *s* predecessor; antecessor.
Pre.des.ti.nate (pridés.tinêit) *v* predestinar, destinar de antemão; *adj* predestinado.
Pre.des.ti.na.tion (pridéstinêi.xân) *s* predestinação.
Pre.de.ter.mine (priditâr.min) *v* predeterminar.
Pre.dic.a.ment (pridi.câmént) *s* predicamento; categoria; condição; apuro.
Pred.i.cate (pré.diquêit) *s* predicado; *v* afirmar; basear.
Pre.dis.pose (pridispôuz) *v* predispor.
Pre.dis.po.si.tion (pridispôuzi.xân) *s* predisposição.
Pre.dom.i.nance (pridó.minâns) *s* predominância; supremacia.
Pre.dom.i.nate (pridó.minêit) *v* predominar; prevalecer; influir.
Pre.em.i.nence (prié.minéns) *s* preeminência; superioridade.
Pre.empt (priémpt) *v* adquirir por preempção (compra antecipada).
Pre.emp.tion (priémp.xân) *s* preempção.
Pref.ace (pré.fis) *s* prefácio; introdução; *v* prefaciar.
Pre.fect (pri.féct) *s* prefeito.
Pre.fec.ture (priféc.txur) *s* prefeitura.
Pre.fer (prifâr) *v* preferir; escolher; eleger; apresentar.
Pref.er.ence (pré.fâréns) *s* preferência; predileção; primazia.
Pre.fer.ment (prifâr.ment) *s* promoção; elevação; cargo.
Pre.fix (prifics) *v* prefixar; *s* prefixo.
Preg.nan.cy (prég.nânsi) *s* gravidez.
Preg.nant (prég.nânt) *adj* grávida; prenhe.
Pre.hen.sile (pri.hén.sil) *adj* capaz de agarrar; tenaz.
Prej.u.dice (pré.djudis) *s* preconceito; dano; prejuízo; *v* prejudicar; causar dano.
Pre.lim.i.na.ry (prili.minéri) *s* preliminar; *adj* preliminar.
Prel.ude (priliud) *s* prelúdio; prólogo; *v* preceder.
Pre.med.i.tate (primé.ditêit) *v* premeditar.
Prem.ise (primáiz) *s* premissa; instalação; *v* explicar; expor antecipadamente.
Pre.mo.ni.tion (primoni.xân) *s* premonição; presságio; pressentimento.
Pre.oc.cu.pa.tion (prióquiupêi.xân) *s* preocupação; prevenção.
Pre.oc.cu.py (prió.quiupái) *v* preocupar; inquietar; ocupar primeiro.
Prep.a.ra.tion (prépârêi.xân) *s* preparação; preparativo; disposição; fabricação.
Pre.par.a.tive (pripé.râtiv) *s* preparativo; *adj* preparatório.
Pre.pare (pripér) *v* preparar; aprontar.
Pre.par.er (pripé.râr) *s* preparador.
Pre.pay (pripêi) *v* pagar adiantadamente.
Pre.pay.ment (pripêi.ment) *s* pagamento com antecipação.
Pre.pense (pripéns) *adj* premeditado.
Pre.pon.der.ance (pripón.dârâns) *s* preponderância; predomínio.
Pre.pon.der.ant (pripón.dârânt) *adj* preponderante.
Pre.pon.der.ate (pripón.dârêit) *v* sobrepujar; predominar; prevalecer.
Pre.pon.der.a.tion (pripón.dârêi.xân) *s* predomínio; preponderância.
Prep.o.si.tion (prepózi.xân) *s* GRAM preposição.
Pre.pos.i.tive (pripó.zitiv) *adj* prepositivo; prefixo.
Pre.rog.a.tive (priro.gâtiv) *s* prerrogativa; privilégio; *adj* privilegiado.

Pres.age (prissêi.dj) *s* presságio; *v* pressagiar; profetizar.
Pres.by.ter (prés.bitâr) *s* presbítero; padre.
Pres.by.te.ri.an (présbiti.riân) *s* Presbiteriano; *adj* Presbiteriano.
Pres.by.ter.y (prés.bitâri) *s* presbitério; assembleia de pastores e anciãos (igreja Presbiteriana).
Pre.sci.ence (pri.xeiéns) *s* presciência; previsão.
Pre.scribe (priscráib) *v* prescrever; receitar.
Pre.script (pris.cript) *s* prescrição; regra; preceito.
Pre.scrip.tion (priscrip.xân) *s* prescrição; receita médica.
Pre.scrip.tive (priscrip.tiv) *adj* prescritivo; sancionado; prescrito.
Pres.ence (pré.zens) *s* presença; porte; aparição; auditório.
Pres.ent (pré.zent) *s* o presente; o atual; *v* apresentar; presentear; *adj* presente; vigente; corrente.
Pres.en.ta.tion (prézentêi.xân) *s* apresentação; exibição; oferecimento.
Pre.sen.ti.ment (prissén.timént) *s* pressentimento; prenúncio.
Pres.ent.ly (pré.zentli) *adv* presentemente; logo.
Pres.er.va.tion (prézârvêi.xân) *s* preservação; resguardo.
Pre.ser.va.tive (prizâr.vâtiv) *s* preservativo; preventivo; *adj* preservativo; profilático.
Pre.serve (prizârv) *s* conserva; compota; *v* preservar; conservar.
Pre.serv.er (prizâr.vâr) *s* preservador; conservador.
Pre.side (prizáid) *v* presidir; dirigir; superintender.
Pres.i.den.cy (pré.zidénsi) *s* presidência; governo.
Pres.i.dent (pré.zidént) *s* presidente.
Pres.i.den.tial (prézidén.xâl) *adj* presidencial.
Press (prés) *s* prensa; imprensa; multidão; opressão; *v* apertar; exigir pressa.
Press.er (pré.sâr) *s* prensador; impressor.
Press.ing (pré.sin) *adj* urgente; importante.
Press.man (prés.mân) *s* impressor; jornalista.
Pres.sure (pré.xâr) *s* pressão; aperto; urgência; impulso; impressão.
Pres.ti.dig.i.ta.tion (préstididjitêi.xân) *s* prestidigitação; ilusionismo.
Pres.ti.dig.i.ta.tor (préstidi.djitêitâr) *s* prestidigitador.
Pres.tige (prés.tidj) *s* prestígio; reputação; influência.
Pre.sum.a.ble (priziu.mâbol) *adj* presumível; provável.
Pre.sume (prizium) *v* presumir.
Pre.sump.tion (prizâmp.xân) *s* presunção; conjetura; suspeita.
Pre.sump.tive (prizâmp.tiv) *adj* presuntivo; suposto; presumido.
Pre.sump.tu.ous (prizâmp.tiuâs) *adj* presunçoso; vaidoso; arrogante.
Pre.sup.pose (prissâpôuz) *v* pressupor.
Pre.sup.po.si.tion (prissâpôuzi.xân) *s* pressuposição; conjetura.
Pre.tend (priténd) *v* pretextar; fingir; simular; fraudar.
Pre.tend.er (pritén.dâr) *s* impostor; embusteiro.
Pre.tense (priténs) *s* pretexto; pretensão; máscara; simulação; *also* **Pretence**.
Pre.ten.sion (pritén.xân) *s* pretexto; simulação; pretensão.
Pre.ten.tious (pritén.xâs) *adj* pretensioso; afetado.
Pret.er.ite (pré.târite) *s* pretérito; passado; *adj* pretérito; *also* **Preterit**.
Pre.ter.nat.u.ral (pritârné.txurâl) *adj* sobrenatural; extraordinário.
Pre.text (pritékst) *s* pretexto; dissimulação.
Pret.ti.ness (pri.tinés) *s* beleza; graça; formosura.
Pret.ty (pri.ti) *adj* bonito; elegante; garboso.
Pre.vail (privêi.il) *v* prevalecer; sobrepujar.
Pre.vail.ing (privêi.lin) *adj* predominante; eficaz; salutar.
Prev.a.lence (pré.vâléns) *s* predomínio; preponderância; domínio.
Prev.a.lent (pré.vâlént) *adj* predominante; eficaz; preponderante.
Pre.var.i.cate (privé.riquêit) *v* prevaricar; mentir.
Pre.var.i.ca.tion (privériquêi.xân) *s* mentira; prevaricação.
Pre.var.i.ca.tor (privé.riquêi.târ) *s* prevaricador.
Pre.vent (privént) *v* prevenir; evitar; impedir.
Pre.vent.a.ble (privén.tâbol) *adj* evitável.
Pre.ven.tion (privén.xân) *s* prevenção.
Pre.ven.tive (privén.tiv) *adj* preventivo.
Pre.view (pri.viu) *s* pré-estreia.
Pre.vi.ous (pri.viâs) *adj* prévio; antecipado; anterior.
Pre.vi.sion (privi.jân) *s* previsão; profecia.
Prex.y (préchi) *s* POP presidente (termo utilizado por estudantes); *also* **Prex**.
Prey (prêi) *s* presa; depredação; pilhagem; *v* pilhar; devorar; FIG remoer.
Price (práis) *s* preço; valor; prêmio; *v* avaliar; fixar.
Price.less (práis.lés) *adj* inestimável.
Prick (pric) *s* picada; alfinetada; *v* picar; ferroar.
Prick.er (pri.câr) *s* ponta; bico; picador.
Prick.ing (pri.quin) *s* picada.
Prick.le (pricol) *s* bico; pua; espinho.
Pride (práid) *s* orgulho; vaidade; *v* orgulhar-se.
Priest (prist) *s* padre; sacerdote.
Priest.hood (prist.hud) *s* sacerdócio; clero.
Priest.ly (pris.tli) *adj* sacerdotal; eclesiástico.
Prig (prig) *s* tolo; estúpido; pedante; *v* furtar; surrupiar.
Prig.gish (pri.guixe) *adj* presunçoso.
Prig.gish.ness (pri.guixenés) *s* presunção; afetação.
Prim (prim) *adj* afetado; *v* afetar.
Pri.ma.cy (prái.mâssi) *s* primazia; superioridade.
Pri.mal (prái.mâl) *adj* original; primeiro; principal.
Pri.ma.ry (prâi.mâri) *adj* primário; primeiro; primitivo; original.
Pri.mate (prái.mit) *s* primaz; ZOO primata.

Prime (práim) *s* manhã; alvor; prima; *adj* primeiro; primitivo; principal; MAT número primo; *v* estar preparado; aparelhar.
Prim.er (prái.mâr) *s* espoleta; cartilha; livro.
Pri.me.val (práimi.vâl) *adj* primitivo; original; primário; primeiro.
Prim.ing (prái.min) *s* primeira mão; preparação.
Prim.i.tive (pri.mitiv) *adj* primitivo; primordial; originário.
Pri.mor.dial (práimór.diâl) *s* primórdio; origem; *adj* primordial; primitivo.
Prim.rose (prim.rôuz) *s* primavera (flor); *adj* de cor amarela.
Prince (prins) *s* príncipe.
Prin.cess (prin.sés) *s* princesa.
Prin.ci.pal (prin.sipâl) *s* chefe; gerente; capital; JUR constituinte; registro de órgão; *adj* principal; capital; fundamental; essencial.
Prin.ci.pal.i.ty (prinsipé.liti) *s* superioridade; primazia; soberania.
Prin.ci.ple (prin.sipol) *s* princípio; origem; *v* instruir; principiar.
Prink (princ) *v* enfeitar-se.
Print (print) *s* impressão; estampa; jornal; *v* imprimir; desenhar letras.
Print.er (prin.târ) *s* impressor; tipógrafo.
Print.er.y (prin.târi) *s* tipografia.
Print.ing (prin.tin) *s* impressão; tipografia; imprensa; impresso.
Pri.or (prái.âr) *s* prior; *adj* anterior; prévio.
Pri.or.i.ty (práió.riti) *s* prioridade; precedência.
Prism (prizm) *s* prisma.
Pris.mat.ic (prizmé.tic) *adj* prismático.
Pris.on (prizn) *s* prisão; cárcere; *v* prender; encarcerar.

Pris.on.er (priz.nâr) *s* prisioneiro; preso.
Pris.tine (pris.tin) *adj* pristino; primitivo; original.
Pri.va.cy (prái.vâssi) *s* retiro; privacidade; solidão.
Pri.vate (prái.viti) *adj* privado; secreto; particular; solitário; reservado.
Pri.vate.ness (prai.vitnés) *s* segredo; retiro; recolhimento.
Pri.va.tion (práivêi.xân) *s* privação; escassez; carência.
Priv.a.tive (pri.vâtiv) *s* negação; *adj* privativo; negativo.
Priv.i.lege (pri.vilidj) *s* privilégio; *v* privilegiar; eximir.
Priv.i.ty (pri.viti) *s* confidência; segredo.
Priv.y (pri.vi) *adj* privado; secreto; particular.
Prize (práiz) *s* prêmio; recompensa; *v* premiar; avaliar.
Priz.er (prái.zâr) *s* avaliador; apreciador.
Pro (prôu) *s* voto a favor; *adv* por; a favor; para.
Prob.a.bil.i.ty (próbâbi.liti) *s* probabilidade.
Prob.a.ble (pró.bâbol) *adj* provável; possível.
Pro.ba.tion (prôubêi.xân) *s* prova; exame; provação.
Pro.ba.tion.er (prôubêi.xânâr) *s* candidato; aprendiz; aspirante.
Pro.ba.tive (prôu.bâtiv) *adj* probatório.
Probe (prôub) *s* prova; *v* sondar; provar.
Pro.bi.ty (pró.biti) *s* probidade; honradez; honestidade.
Prob.lem (pró.blém) *s* problema; questão.
Prob.lem.at.ic (próblemé.tic) *adj* duvidoso; problemático.
Pro.ce.dure (prossi.djur) *s* procedimento.
Pro.ceed (prossid) *v* proceder; provir.
Pro.ceed.ing (prossi.din) *s* procedimento; processo; conduta.
Pro.ceeds (prôu.sidz) *s* produtos; ganhos, rendas.
Proc.ess (pró.sés) *s* procedimento; curso; processo; *v* processar.
Pro.ces.sion (prossé.xân) *s* marcha; andamento; procissão.
Pro.claim (proclêim) *v* proclamar; professar.
Pro.claim.er (proclêi.mâr) *s* proclamador; aclamador.
Proc.la.ma.tion (proclâmêi.xân) *s* proclamação; edital; édito; edito; decreto.
Pro.cliv.i.ty (procli.viti) *s* propensão; tendência; predisposição.
Pro.cras.ti.nate (procrés.tinêit) *v* procrastinar; adiar; pospor.
Pro.cras.ti.na.tion (procréstinêi.xân) *s* procrastinação; demora; adiamento.
Pro.cre.ate (prôu.criêit) *v* procriar; gerar.
Pro.cre.a.tion (prôcriêi.xân) *s* procriação; germinação; geração.
Pro.cre.a.tor (prôu.criêitâr) *s* procriador; genitor; pai.
Proc.tor (próc.târ) *s* procurador; censor; inspetor de colégio.
Proc.u.ra.tion (próquiurêi.xân) *s* JUR procuração.
Proc.u.ra.tor (pró.quiurêitâr) *s* procurador.
Pro.cure (proquiur) *v* achar; encontrar; conseguir.
Prod (pród) *s* objeto de ponta; picada; *v* picar; agulhar.
Prod.i.gal (pró.digâl) *adj* pródigo; perdulário; abundante.
Prod.i.gal.i.ty (pródigué.liti) *s* prodigalidade.
Pro.dig.ious (prodi.djâs) *adj* prodigioso; maravilhoso; extraordinário.
Prod.i.gy (pró.didji) *s* prodígio; maravilha.
Prod.uce (prodius) *s* produto; produção; rendimento; provisões; *v* produzir; render; exibir; mostrar.
Pro.duc.er (prodiu.sâr) *s* produtor; autor; diretor, empresário (de teatro).
Pro.du.ci.ble (prodiu.sibol) *adj* produtível.
Prod.uct (pró.dâct) *s* produto; resultado; rendimento.
Pro.duc.tion (prodâc.xân) *s* produção; composição.
Pro.duc.tive (prodâc.tiv) *adj* produtivo; fértil; lucrativo.
Prof.a.na.tion (profânêi.xân) *s* profanação.

Pro.fane (profêin) *adj* profano; não sagrado; leigo; secular; *v* profanar; violar.
Pro.fan.er (profêi.nâr) *s* profanador; sacrílego; violador.
Pro.fess (profés) *v* professar; exercer; reconhecer; declarar; proclamar.
Pro.fes.sion (profé.xân) *s* profissão; mister; ofício; arte; declaração.
Pro.fes.sion.al (profé.xânâl) *s* profissional.
Pro.fes.sor (profé.sâr) *s* professor.
Pro.fes.sor.ate (profé.sârit) *s* professorado; magistério.
Prof.fer (pró.fâr) *s* oferecimento; proposta; *v* oferecer; propor.
Prof.fer.er (pró.fârâr) *s* ofertante; proponente.
Pro.fi.cien.cy (profi.xeênsi) *s* proficiência; talento; capacidade.
Pro.fi.cient (profi.xent) *adj* proficiente; perito; hábil.
Pro.file (prôu.fáil) *s* perfil; *v* desenhar o perfil.
Prof.it (pró.fit) *s* lucro; proveito; utilidade; *v* aproveitar; lucrar.
Prof.it.a.ble (pró.fitâbol) *adj* proveitoso; produtivo; vantajoso.
Prof.it.a.ble.ness (pró.fitâbolnés) *s* proveito; utilidade; vantagem.
Prof.it.less (pró.fitlés) *adj* desvantajoso.
Pro.found (profáund) *s* profundidade; *adj* profundo; fundo; extremo; intenso.
Pro.fuse (profius) *adj* profuso; intenso.
Pro.fu.sion (profiu.jân) *s* profusão; abundância; prodigalidade; desperdício.
Pro.gen.i.tor (prodjé.nitâr) *s* progenitor.
Prog.e.ny (pró.djini) *s* progênie; prole.
Prog.nos.tic (prógnôus.tic) *s* prognóstico.
Prog.nos.ti.cate (prógnôus.tiquêit) *v* prognosticar; vaticinar.
Pro.gram (prôu.grém) *s* programa; plano.
Prog.ress (progrés) *s* progresso; *v* melhorar; progredir; avançar; continuar.
Pro.gres.sion (progré.xân) *s* progressão; marcha; sequência.
Prog.ress.ist (progré.sist) *s* progressista.
Pro.gres.sive (progré.siv) *adj* progressivo.
Pro.hib.it (pro.hi.bit) *v* proibir; tolher.
Pro.hi.bi.tion (pro.hibi.xân) *s* proibição; interdição; impedimento.
Pro.hib.i.tive (pro.hi.bitiv) *adj* proibitivo.
Proj.ect (pró.djéct) *s* projeto; plano; traçado; *v* projetar; inventar; lançar-se; arremessar.
Pro.jec.tion (prodjéc.xân) *s* projeção.
Pro.le.ta.ri.an (prôulitêi.riân) *s* proletário; operário.
Pro.lif.ic (proli.fic) *adj* prolífico; produtivo.
Pro.lif.ic.ness (proli.ficnés) *s* fecundidade; fertilidade.
Pro.lix (prôu.lics) *adj* prolixo.
Pro.lix.i.ty (prolic.siti) *s* prolixidade; superabundância.
Pro.log (prôu.lóg) *s* prólogo; introdução; prefácio.
Pro.long (prolón) *v* prolongar; alongar.
Pro.lon.ga.tion (prolonguêi.xân) *s* prolongamento; prorrogação; continuação.
Prom.e.nade (promenád) *s* passeio; baile; concerto; *v* passear.
Prom.i.nence (pró.minéns) *s* eminência; importância; distinção.
Prom.i.nent (pró.minént) *adj* proeminente; eminente; conspícuo; saliente.
Pro.mis.cu.i.ty (promisquiu.iti) *s* promiscuidade; mistura; confusão.
Pro.mis.cu.ous (promis.quiuâs) *adj* promíscuo; confuso; misturado.
Prom.ise (pró.mis) *s* promessa; compromisso; *v* prometer; dar esperança.
Prom.is.er (pró.missâr) *s* prometedor.
Pro.mote (promôut) *v* promover; elevar; favorecer; animar; patrocinar.
Pro.mot.er (promôu.târ) *s* promotor; agente; autor.
Pro.mo.tion (promôu.xân) *s* promoção; adiantamento; incentivo.
Prompt (prómpt) *s* dia de vencimento; lembrete; *v* incitar; TEATR assistir um ator relembrando sua fala; *adj* pronto; rápido.
Prompt.er (prómp.târ) *s* incitador; instigador; TEATR ponto (pessoa escondida no palco, relembrando o que se fala na peça).
Promp.ti.tude (prómp.titiud) *s* prontidão; pontualidade; exatidão.
Pro.mul.gate (promâl.guêit) *v* promulgar; tornar público; anunciar.
Pro.mul.ga.tion (promâlguêi.xân) *s* promulgação.
Pro.mul.ga.tor (pro.mâlguêitâr) *s* promulgador.
Prone (prôn) *adj* deitado; debruçado; propenso; inclinado.
Prong (prón) *s* instrumento pontiagudo; enxadão.
Pro.noun (prôu.náun) *s* pronome.
Pro.nounce (pronáuns) *v* pronunciar.
Pro.nounced (pronáunst) *adj* pronunciado; acentuado; marcado.
Pro.nounce.ment (pronáuns.ment) *s* declaração ou proclamação formal.
Proof (pruf) *s* prova; experiência; evidência; *adj* impenetrável; comprovante.
Prop (próp) *s* apoio; suporte; coluna; *v* apoiar; suportar; manter.
Prop.a.gate (pró.pâguêit) *v* propagar.
Prop.a.ga.tion (própâguêi.xân) *s* propagação; transmissão; multiplicação.
Pro.pel (propél) *v* impelir; propelir; propulsar.
Pro.pel.ler (propé.lâr) *s* motor; propulsor.
Pro.pen.si.ty (propén.siti) *s* propensão; inclinação; vocação.
Prop.er (pró.pâr) *adj* próprio; devido; justo; adequado; correto.
Prop.er.ly (pró.pârli) *adv* propriamente; exatamente; adequadamente.

Prop.er.ty (pró.pârti) *s* propriedade; coisa possuída; bens.
Proph.e.cy (pró.fissi) *s* profecia; presságio.
Proph.e.si.er (pró.fissáiâr) *s* profetizador; profeta; vaticinador.
Proph.e.sy (pró.fissái) *v* profetizar.
Proph.et (pró.fit) *s* profeta.
Pro.pi.ti.ate (propi.xeiêit) *v* propiciar; conciliar; favorecer.
Pro.pi.tious (propi.xâs) *adj* propício; oportuno; benéfico.
Pro.por.tion (propôr.xân) *s* proporção; relação; regra; medida; analogia; *v* proporcionar; ajustar; comparar.
Pro.por.tion.ate (propór.xânêit) *adj* simétrico; harmônico; proporcionado.
Pro.pose (propôuz) *v* propor casamento.
Pro.pos.er (propôu.zâr) *s* proponente.
Prop.o.si.tion (própozi.xân) *s* proposição; oferta; proposta.
Pro.pound (propáund) *v* propor; expor; sustentar uma opinião.
Pro.pri.e.ta.ry (propráі.itéri) *s* proprietário; dono; *adj* de propriedade.
Pro.pri.e.ty (propráі.iti) *s* propriedade; conveniência; decoro; decência.
Pro.pul.sion (propâl.xân) *s* propulsão.
Pro.ro.ga.tion (prôuroguêi.xân) *s* prorrogação; adiamento; prolongação.
Pro.rogue (prorôu.g) *v* prorrogar; diferir; prolongar.
Pro.sa.ic (prozêic) *adj* prosaico; trivial; vulgar.
Pro.scribe (proscráib) *v* proscrever; interdizer; denunciar.
Pro.scrip.tion (proscrip.xân) *s* proscrição; proibição.
PRO
PRU
Prose (prôuz) *s* prosa; conversa; palestra.
Pros.e.cute (pró.siquiut) *v* prosseguir; executar.
Pros.e.cu.tion (próssiquiu.xân) *s* prossecução; prosseguimento.
Pros.e.lyte (pró.siláit) *s* neófito; adepto.
Pros.er (prôu.zâr) *s* prosador; narrador enfadonho.
Pro.sod.ic (prossó.dic) *adj* prosódico.
Pros.o.dy (pró.sodi) *s* prosódia (pronúncia perfeita).
Pros.pect (prós.péct) *s* perspectiva; aspecto; pretendente; vista; *v* garimpar; aguardar; pôr-se de expectativa.
Pro.spec.tive (prospéc.tiv) *adj* previdente; antecipado; prospectivo.
Pros.per (prós.pâr) *v* medrar; prosperar; progredir.
Pros.per.i.ty (prospé.riti) *s* prosperidade; ventura; felicidade.
Pros.per.ous (prós.pârâs) *adj* próspero; feliz; propício.
Pros.tate (prós.têit) *s* próstata (glândula).
Pros.ti.tu.tion (próstitiu.xân) *s* prostituição; desonra; corrupção.
Pros.trate (prós.trêit) *adj* prostrado; abatido; humilhado; *v* prostrar; derrubar; debilitar.
Pros.tra.tion (próstrêi.xân) *s* prostração; abatimento; fraqueza.
Pros.y (prôu.zi) *adj* prosaico; sem graça; insípido.
Pro.tect (protéct) *v* proteger; defender; favorecer.
Pro.tec.tion (protéc.xân) *s* proteção; amparo; apoio; auxílio.
Pro.tec.tive (protéc.tiv) *s* abrigo; *adj* protetor; defensor.
Pro.tec.tor (protéc.târ) *s* protetor; defensor; patrono; tutor.
Pro.te.in (prôu.tiin) *s* proteína.
Pro.test (prôu.tést) *s* protesto; *v* protestar.
Pro.tes.ta.tion (protestêi.xân) *s* protesto; juramento; declaração solene.
Pro.ton (prôu.ton) *s* FÍS próton.
Pro.to.plasm (prôu.toplaesm) *s* protoplasma.
Pro.to.type (prôu.totáip) *s* protótipo.
Pro.tu.ber.ance (protiu.bârâns) *s* protuberância; inchação; proeminência.
Pro.tu.ber.ant (protiu.bârânt) *adj* protuberante; intumescido; inchado.
Proud (práud) *adj* orgulhoso; grande.
Prove (pruv) *v* provar; demonstrar; evidenciar; justificar.
Prov.er (pru.vâr) *s* provador; demonstrador; argumentador.
Prov.erb (pró.vârb) *s* provérbio.
Pro.vide (prováid) *v* prover; munir; fornecer.
Pro.vid.ed (provái.did) *conj* contanto que; com a condição de.
Prov.i.dence (pró.vidéns) *s* providência.
Prov.i.dent (pró.vidént) *adj* previdente; prudente.
Pro.vid.er (provái.dâr) *s* provisor; provedor.
Prov.ince (pró.vins) *s* província; cargo; obrigação; competência.
Pro.vi.sion (provi.jân) *s* provisão; abastecimento; cláusula; *v* prover; abastecer.
Pro.vi.sion.al (provi.jânâl) *adj* provisional; temporário; provisório.
Pro.vi.so (provái.zôu) *s* condição; item; cláusula.
Prov.o.ca.tion (próvoquêi.xân) *s* provocação; estímulo.
Pro.voke (provôuc) *v* provocar; excitar.
Pro.vok.er (provôu.câr) *s* provocador.
Pro.vok.ing (provôu.quin) *adj* provocante; enervante; provocador.
Prov.ost (pró.vâst) *s* preboste; reitor.
Prow (práu) *s* NÁUT proa.
Prow.ess (práu.és) *s* proeza; ânimo; façanha.
Prowl (prául) *v* rondar.
Prowl.er (práu.lâr) *s* gatuno; vagabundo.
Prox.i.mate (próc.simit) *adj* próximo; imediato; seguinte.
Prox.im.i.ty (próc.simit) *s* proximidade.
Prox.y (próc.si) *s* representante; procurador; procuração.
Pru.dence (pru.déns) *s* prudência; cautela; ponderação.

Pru.dent (pru.dént) *adj* prudente; precavido; prevenido.
Prud.er.y (pru.dâri) *s* afetação; falsa modéstia.
Prud.ish (pru.dixe) *adj* melindroso.
Prune (prumn) *s* ameixa preta; *v* podar; desramar; aparar.
Prun.er (pru.nâr) *s* podador.
Pru.ri.ence (pru.riéns) *s* prurido; comichão; desejo ardente.
Pru.ri.ent (pru.riént) *adj* pruriente; impuro.
Pry (prái) *s* bisbilhotice; pesquisa; reconhecimento; *v* esquadrinhar; pesquisar; alçar.
Psalm (sám) *s* Salmo.
Psalm.ist (sá.mist) *s* salmista.
Psal.ter.y (sól.târi) *s* parte da Bíblia que contém os Salmos.
Pseu.do.nym (siu.donim) *s* pseudônimo.
Psy.chic (sái.quic) *adj* psíquico.
Psy.cho.log.ic (sáicoló.djic) *adj* psicológico.
Psy.chol.o.gist (saicó.lodjist) *s* psicólogo.
Psy.chol.o.gy (sáicó.lodji) *s* psicologia.
Pu.ber.ty (piu.bârti) *s* puberdade.
Pu.bes.cence (piubé.sens) *s* pubescência.
Pu.bes.cent (piubé.sent) *adj* pubescente.
Pub.lic (pâ.blic) *s* o público; o povo; *adj* público; comum; geral; conhecido.
Pub.li.can (pâ.blicân) *s* publicano.
Pub.li.ca.tion (pâbliquêi.xân) *s* publicação; jornal; revista.
Pub.lic.i.ty (pâbli.siti) *s* publicidade.
Pub.li.cize (pâbli.sais) *v* dar publicidade; divulgar.
Pub.lish (pâ.blixe) *v* publicar; editar; promulgar.
Pub.lish.er (pâ.blixâr) *s* publicador; editor; divulgador.
Puck (pâc) *s* duende; fada; fantasma; gênio.
Puck.er (pâ.câr) *v* enrugar; franzir.
Pud.ding (pu.din) *s* pudim.
Pud.dle (pâdol) *s* lamaçal; poça; pântano; *v* cimentar; enlamear.
Pudg.y (pâ.dji) *adj* gorducho; rechonchudo.
Pu.er.ile (piu.ârâl) *adj* pueril; infantil; ingênuo.
Pu.er.il.i.ty (piuâri.liti) *s* puerilidade.
Puff (pâf) *s* sopro; aragem; elogio; baforada; *v* bafejar; soltar baforadas; inchar.
Puff.er (pâ.fâr) *s* adulador.
Puff.i.ness (pâ.finés) *s* inchação; inchaço; intumescência.
Puff.y (pâ.fi) *adj* intumescido; inchado; presumido; orgulhoso.
Pu.gi.lism (piu.djilizm) *s* pugilismo; boxe; pugilato.
Pu.gi.list (piu.djilist) *s* pugilista.
Puke (piuc) *s* vômito; *v* vomitar.
Pule (piul) *v* piar; choramingar; chorar.
Pull (pul) *s* puxão; sacudidela; influxo; remada; *v* puxar; arrancar; remar.
Pull.back (pul.béc) *s* estorvo; obstáculo; impedimento.
Pull.er (pu.lâr) *s* puxador; arrancador.
Pul.ley (pu.li) *s* polia; roldana.
Pull.man (pul.mân) *s* poltrona; carro-dormitório.
Pul.lu.late (pâ.liulêit) *v* pulular; germinar; brotar.
Pul.lu.la.tion (pâliulêi.xân) *s* pululação; germinação.
Pulp (pâlp) *s* polpa; medula; pasta; massa; *v* descascar; tornar pasta.
Pul.pit (pul.pit) *s* púlpito; palanque; tribuna.
Pulp.y (pâl.pi) *adj* polposo; polpudo.
Pul.sate (pâl.sêit) *v* pulsar; bater; palpitar.
Pul.sa.tion (pâlsêi.xân) *s* pulsação.
Pulse (pâls) *s* pulso; pulsação; *v* pulsar; bater; palpitar.
Pul.ver.i.za.tion (pâlvârizêi.xân) *s* pulverização.
Pul.ver.ize (pâl.vâráiz) *v* pulverizar.
Pum.ice (pâ.mis) *s* pedra-pomes; *v* alisar (com pedra-pomes).
Pump (pâmp) *s* bomba d'água (ar, etc.); *v* sondar; tatear.
Pump.kin (pâmp.quin) *s* abóbora; jerimum.
Pun (pân) *s* trocadilho; *v* fazer trocadilhos.
Punch (pântxe) *s* punção; furador; palhaço; murro; ponche; *v* furar; perfurar; ferroar; bater; golpear; esmurrar.
Pun.cheon (pân.txân) *s* buril; escora; barril; furador.
Punc.til.i.o (pâncti.lio) *s* exatidão; escrúpulo; meticulosidade.
Punc.til.i.ous (pâncti.liâs) *adj* pontual; exato; escrupuloso.
Punc.til.ious.ness (pâncti.liâsnés) *s* pontualidade rigorosa; exatidão.
Punc.tu.al (pânc.txuâl) *adj* pontual; exato; rigoroso; justo; preciso; certo.
Punc.tu.al.i.ty (pânctxué.liti) *s* pontualidade; exatidão; presteza.
Punc.tu.a.tion (pânctxuêi.xân) *s* pontuação.
Punc.ture (pânc.txur) *s* picada; punção; *v* furar; perfurar.
Pun.gence (pân.djéns) *s* pungência; acidez; acrimônia; mordacidade.
Pun.gent (pân.djént) *adj* pungente; mordaz; ferino; acrimonioso; cáustico.
Pun.ish (pâ.nixe) *v* punir; corrigir; surrar; castigar.
Pun.ish.er (pâ.nixâr) *s* castigador.
Pun.ish.ment (pâ.nixement) *s* castigo; pena; correção; punição.
Punk (pânc) *s* POP tolice; lixo; prostituta; gângster jovem; *adj* POP inútil.
Pun.ster (pâns.târ) *s* trocadilhista.
Punt (pânt) *s* barcaça; barca; chata; *v* conduzir (balsas).
Punt.er (pân.târ) *s* apostador; pontos (em jogo); empurrador de balsa.
Pu.ny (piu.ni) *adj* pequeno; débil; fraco.
Pup (pâp) *s* cachorrinho; filhote; jovem; *v* ZOO dar cria, parir.
Pu.pil (piu.pil) *s* aluno; pupila; menina dos olhos; pupilo; tutelado.
Pup.pet (pâ.pét) *s* boneco; fantoche; manequim.

Pup.py (pâ.pi) *s* cachorrinho; fedelho; velhaco; malandro.
Pur.chas.a.ble (pâr.txeisâbol) *adj* comprável; adquirível.
Pur.chase (pâr.txeis) *s* compra; aquisição; *v* comprar; adquirir; obter.
Pur.chas.er (pâr.txeisâr) *s* comprador.
Pure (piur) *adj* puro; genuíno; legítimo; inocente; simples.
Pure.ness (piur.nés) *s* pureza; castidade; ingenuidade.
Pur.ga.tive (pâr.gâtiv) *s* purgante; *adj* purgativo.
Pur.ga.to.ry (pâr.gâtôuri) *s* purgatório; *adj* purgatório; purificador.
Purge (pârdj) *s* purga; purgação; purgante; *v* purgar; purificar; desobstruir.
Pu.ri.fi.er (piu.rifáiâr) *s* purificador.
Pu.ri.fy (piu.rifái) *v* purificar; clarificar; limpar.
Pu.ri.ty (piu.riti) *s* pureza; castidade.
Purl (pârl) *s* murmúrio; ondulação; sussurro; *v* sussurrar; murmurar.
Pur.loin (pârlón) *v* furtar; plagiar.
Pur.loin.er (pârlói.nâr) *s* plagiário; ladrão.
Pur.ple (pârpol) *s* púrpura; dignidade real; *v* purpurar; ruborizar; *adj* purpúreo.
Pur.port (pâr.pôurt) *s* conteúdo; teor; escopo; alvo; *v* dar a entender; propor-se.
Pur.pose (pâr.pâs) *s* propósito; razão; finalidade; *v* tencionar; propor-se.
Pur.pose.ly (pâr.pâsli) *adv* de propósito.
Purr (pâr) *s* som que imita o ronronar do gato; *also* Pur.
Purse (pârs) *s* bolsa; tesouro; coleta; prêmio; *v* embolsar; franzir.
Pur.su.ance (pârsiu.âns) *s* prosseguimento; seguimento; continuação.
Pur.su.ant (pârsiu.ânt) *adv* em consequência.
Pur.sue (pârsiu) *v* perseguir; seguir; continuar.
Pur.su.er (pârsiu.âr) *s* perseguidor.
Pur.suit (pârsiut) *s* perseguição; caça; ocupação; pretensão.
Pur.vey (pârvêi) *v* prover; abastecer; fornecer.
Pur.vey.ance (pârvêi.âns) *s* abastecimento; provisão; víveres.
Pur.vey.or (pârvêi.âr) *s* abastecedor; fornecedor.
Push (puxe) *s* empurrão; ataque; encontrão; *v* empurrar; impelir; acelerar; apressar-se.
Push.er (pu.xâr) *s* impulso; pessoa ativa; traficante.
Push.ing (pu.xein) *adj* empreendedor; ativo; vigoroso; operoso.
Pu.sil.lan.i.mous (piussilé.nimâs) *adj* pusilânime; covarde; medroso.
Puss (pus) *s* gatinho; menina; mocinha.
Pus.tule (pâs.tiul) *s* pústula.
Put (put) *v* pôr; colocar.
Pu.tre.fac.tion (piutriféc.xân) *s* putrefação; decomposição.
Pu.tre.fy (piu.trifái) *v* putrefazer; putrificar; apodrecer; decompor-se.
Pu.tres.cence (piutré.sens) *s* putrescência; decomposição.
Pu.trid (piu.trid) *adj* pútrido; apodrecido.
Put.ting (pu.tin) *s* colocação; ato de pôr.
Puz.zle (pâzol) *s* adivinhação; enigma; quebracabeça; confusão; *v* confundir; embaraçar.
Puz.zler (pâz.lâr) *s* embaraçador.
Pyg.my (pig.mi) *s* pigmeu; anão.
Pyr.a.mid (pi.râmid) *s* pirâmide.

qQ

Q (quiu) *s* décima-sétima letra do alfabeto Português e do alfabeto Inglês.
Quack (qüéc) *s* grasnido; curandeiro; *v* grasnar.
Quack.ish (qüé.quixe) *adj* charlatanesco.
Quad (qüéd) *s* cadeia; prisão.
Quad.ra.ges.i.ma (qüódrâdjé.simâ) *s* quadragésima; quaresma.
Quad.ran.gle (qüó.drêngol) *s* quadrilátero; pátio.
Quad.rant (qüó.drânt) *s* GEOM quadrante.
Quad.rate (qüó.drêit) *s* quadrado; MÚS bequadro; *v* quadrar; convir; ir bem; assentar; *adj* quadrado; quadrangular; conveniente.
Quad.rat.ic (qüá.drá.tic) *s* equação quadrática ou de segundo grau; *adj* quadrado.
Quad.ra.ture (qüó.drâtxur) *s* quadratura; esquadro.
Qua.drille (qüé.dril) *s* MÚS quadrilha (dança e música).
Quad.roon (qüódrun) *s* quarteirão.
Quad.ru.ple (qüó.drupol) *s* quádruplo; *v* quadruplicar; *adj* quádruplo.
Quad.ru.pli.cate (qüódru.pliquêit) *v* quadruplicar; quadruplicar-se; *adj* quadruplicado.
Quad.ru.pli.ca.tion (qüódrupliquêi.xân) *s* quadruplicação.
Quaff (qüéf) *s* trago; gole; copo; *v* esvaziar; sorver; tragar.
Quaff.er (qüé.fâr) *s* beberrão; ébrio.
Quag (qüég) *s* pântano; alagadiço.
Quag.gy (qüé.gui) *adj* pantanoso; alagadiço.
Quail (qüêil) *s* codorniz.
Quaint (qüêint) *adj* belo; bonito; curioso.
Quaint.ness (qüêint.nés) *s* elegância; singularidade; curiosidade.
Quake (qüêic) *s* tremor; estremecimento; tremer; *v* tremer.
Quak.er (qüêi.câr) *s* o que treme.
Qual.i.fi.ca.tion (qüólifiquêi.xân) *s* qualificação; habilitação; idoneidade; reserva.
Qual.i.fied (qüó.lifáid) *adj* apto; qualificado.
Qual.i.fi.er (qüó.lifáiâr) *s* qualificador; GRAM qualificativo.
Qual.i.fy (qüó.lifái) *v* qualificar; limitar; particularizar; habilitar.
Qual.i.ty (qüó.liti) *s* qualidade.
Qualm.ish (qüá.mixe) *adj* enjoado; escrupuloso.
Qualm.ish.ness (qüá.mixenés) *s* náuseas; enjoo.
Quan.da.ry (qüón.dâr) *s* dúvida; incerteza.
Quan.ti.ty (qüón.titi) *s* quantidade; soma; número; volume.
Quar.an.tine (qüórântin) *s* quarentena; *v* pôr em quarentena.
Quar.rel (qüó.rel) *s* querela; questão; diamante de corte; *v* altercar; querelar.
Quar.rel.ling (qüó.relin) *s* disputas; questões; querelas.
Quar.rel.some (qüó.relsâm) *adj* bulhento; brigão.
Quar.ry (qüó.ri) *s* pedreira; pedraria.
Quart (qüórt) *s* quarto; MÚS quarta.
Quar.ter (qüór.târ) *s* quarto; quarta parte; bairro; semínima; *v* alojar; hospedar.
Quar.ter.age (qüór.târidj) *s* pagamento trimestral.
Quar.ter.ly (qüór.târli) *s* publicação trimestral; *adj* trimestral; *adv* trimestralmente.
Quar.tet (qüórtét) *s* MÚS quarteto.
Quartz (qüártz) *s* quartzo (mineral).
Quash (qüóxe) *v* esmagar; achatar; anular.
Qua.ter.na.ry (qüâtâr.nâri) *s* período quaternário; *adj* quaternário.
Quat.rain (qüó.trêin) *s* quarteto; quadra.
Qua.er (qüêi.vâr) *v* trilar; gorjear; tremer; vibrar; tremular.
Qua.ver (qüêi.vâr) *s* trilo; gorjeio; MÚS colcheia; oitava nota.
Quay (qui) *s* cais; doca; desembarcadouro.
Quean (qüin) *s* meretriz; rameira.
Quea.si.ness (qüi.zinés) *s* enjoo; náusea.
Quea.sy (qüi.zi) *adj* enjoativo; escrupuloso.
Queen (qüin) *s* rainha; dama (em jogos de cartas, xadrez, etc.).
Queen.ly (qüin.li) *adj* de rainha; próprio de rainha; régio.

Queer (qüir) *s* moeda falsa; esquisito; GÍR homossexual; *v* embaraçar; ridicularizar; arruinar; *adj* original; raro; singular.
Queer.ness (qüir.nés) *s* excentricidade; singularidade; originalidade.
Quell (qüél) *v* esmagar; dominar; aliviar; aplacar.
Quench (qüéntxe) *v* saciar; extinguir; debelar; abafar.
Quench.a.ble (qüén.txâbol) *adj* saciável; extinguível.
Quench.er (qüên.txâr) *s* extintor; apagador.
Quer.u.lous (qüé.rulâs) *adj* queixoso; lamuriante; rabujento.
Quer.u.lous.ness (qüé.rulâsnés) *s* lamúria.
Que.ry (qüi.ri) *s* quesito; pergunta; o ponto de interrogação; *v* interrogar; indagar; duvidar; pôr ponto de interrogação.
Quest (qüést) *s* busca; pesquisa; procura; investigação; *v* investigar; buscar; indagar; pesquisar.
Ques.tion (qüés.txân) *s* pergunta; questão; problema; controvérsia; debate; *v* interrogar; perguntar; examinar.
Ques.tion.a.ble (qüés.txânâbol) *adj* duvidoso; questionável; contestável.
Ques.tion.a.ry (qüést.enéri) *s* questionário.
Queue (quiu) *s* cauda; trança; fila de pessoas; taco de bilhar.
Quib.ble (qüibol) *s* trocadilho; jogo de palavra; argúcia; *v* sofismar; discutir.
Quick (qüic) *adj* rápido; veloz; ligeiro; vivo; esperto; *adv* velozmente; ligeramente.
Quick.en (qüicn) *v* vivificar; apressar-se; animar; agitar-se.
Quick.en.er (qüicnâr) *s* o que anima ou vivifica.
Quick.lime (qüic.láim) *s* cal viva.
Quickly (qüic.li) *adv* rapidamente; vivamente; prontamente.
Quick March (qüic.mártxe) *s* marcha rápida, acelerada.
Quick.match (qüic.mátxe) *s* estopim (fio para bomba).
Quick.ness (qüic.nés) *s* ligeireza; presteza; vivacidade.
Quick.sand (qüic.sénd) *s* areia movediça.
Quick.set (qüicsét) *s* planta de cercas; *v* prover de cerca viva.
Quick.sil.ver (qüic.silvâr) *s* mercúrio.
Quid (qüid) *s* fumo (de mascar); remoedura; POP Libra Esterlina.
Qui.es.cence (qüáié.sens) *s* quietude; repouso; descanso.
Qui.es.cent (qüáié.sent) *adj* inativo; imóvel.
Qui.et (qüái.et) *s* quietude; sossego; calma; *v* acalmar; fazer calar; tranquilizar; *adj* calado; sossegado; calmo.
Qui.et.ly (qüái.etli) *adv* calmamente; serenamente.
Quill (qüil) *s* pena de ave; espinho; pena de escrever; *v* franzir; enrugar; depenar.
Quilt (qüilt) *s* colcha; acolchoado; *v* acolchoar.
Quilt.ing (qüil.tin) *s* acolchoamento; ação de estofar.
Quince (qüins) *s* marmelo; marmeleiro.
Quin.qua.ge.na.ri.an (qüinqüâdjiné.riân) *s* quinquagenário; *adj* quinquagenário.
Quin.sy (quin.zi) *s* tonsilite; amigdalite.
Quint (qüint) *s* quinteto; conjunto de cinco; um quinto.
Quin.tes.sence (qüinté.sens) *s* o mais alto grau; requinte.
Quin.tu.ple (qüin.tiupol) *v* quintuplicar; *adj* quíntuplo.
Quip (qüip) *s* troça; sarcasmo; zombaria; ironia; *v* ironizar; censurar; replicar.
Quip.ster (qüipster) *adj* escarnecedor; sarcástico.
Quirk (qüârc) *s* desvio; volta fechada; curva fechada.
Quis.ling (qüiz.lin) *s* colaboracionista; traidor.
Quit (qüit) *v* deixar; abandonar; parar; demitir-se.
Quite (qüáit) *adv* completamente; totalmente; inteiramente.
Quit.tance (qüi.tâns) *s* quitação; pagamento; recompensa.
Quit.ter (qüí.ter) *s* desertor; covarde.
Quiv.er (qüi.vâr) *s* coldre; *v* tremer; arrepiar; estremecer.
Quix.ot.ic (qüic.xótic) *adj* quixotesco; aventureiro.
Quiz (qüiz) *s* enigma; logro; arguição; *v* zombar; mistificar; olhar de través.
Quiz.zi.cal (qüi.zicâl) *adj* zombador; excêntrico; estranho.
Quod (qüód) *s* cadeia; prisão.
Quoin (cóin) *s* pedra angular; canto; ângulo; cunha; esquina; *v* acunhar, pôr cunhas.
Quoit (qüóit) *s* malha, no jogo de malha.
Quo.ta (qüôu.tâ) *s* cota; contingente; contribuição.
Quot.a.ble (qüôu.tâbol) *adj* citável.
Quo.ta.tion (qüôutêi.xân) *s* citação; COM cotação de preços; orçamento.
Quote (qüôut) *v* citar; COM cotar preços.
Quo.tid.i.an (qüoti.diân) *adj* cotidiano; diário.
Quo.tient (qüôu.xent) *s* MAT quociente.

rR

R (ér) *s* décima-oitava letra do alfabeto Português e do alfabeto Inglês.
Rab.bet (ré.bét) *s* malhete; estria; *v* encaixar; entalhar.
Rab.bi (ráebai) *s* Rabino.
Rab.bit (ré.bit) *s* coelho.
Rab.ble (rébol) *s* multidão; ralé; plebe.
Rab.id (ré.bid) *adj* furioso; raivoso; radical.
Ra.bies (rêi.biiz) *s* raiva; hidrofobia.
Race (rêis) *s* raça humana; geração; corrida; descendência; *v* correr.
Rac.er (rêi.sâr) *s* cavalo ou carro de corridas; corredor.
Rack (réc) *s* tortura; suplício; prateleira; *v* torturar; extorquir.
Rack.et (ré.quét) *s* raqueta; barulho.
Rac.y (rêi.si) *adj* vigoroso; picante.
Radish (ré.dixe) *s* rábano; rabanete.
Ra.dix (rêi.dics) *s* raiz; origem; fonte.
Raf.fle (réfol) *s* rifa; sorteio; loteria; *v* rifar; sortear.
Raft (ráft) *s* jangada; balsa; *v* transportar jangada ou balsa.
Rag (rég) *s* trapo; *v* escarnecer; atormentar.
Rag.a.muf.fin (ré.gâmafin) *s* malandro.
Rage (rêidj) *s* raiva; fúria; entusiasmo; *v* enfurecer-se; assolar; devastar.
Rag.ged (ré.guid) *adj* esfarrapado; roto; áspero.
Rag-tag (rég.tég) *s* gentalha; ralé; plebe.
Rag.time (rég.táim) *s* dança e música (sincopada).
Raid (rêid) *s* ataque; invasão; *v* invadir.
Rail (rêil) *s* trilho; grade; corrimão; balaústre; ferrovia; *v* pôr grade; zombar.
Rail.ler.y (rêi.lâri) *s* repreensão.
Rail.road (rêil.rôud) *s* grade de proteção.
Rail.way (rêi.luêi) *s* via férrea.
Rain (rêin) *s* chuva; *v* chover.
Rain.bow (rêin.bôu) *s* arco-íris.
Rain.coat (rêin.côut) *s* casaco de chuva.
Rain.fall (rêin.fól) *s* tempestade de água, granizo ou neve.
Rain.proof (rêin.pruf) *s* vestuário impermeável; *adj* impermeável; *also* **Raincoat**.
Raise (rêiz) *s* aumento (em todos os sentidos); *v* levantar; edificar; acumular.
Rais.er (rêi.sâr) *s* levantador; autor; cultivador; criador.
Rai.sin (rêizn) *s* uva seca.
Rake (rêic) *s* ancinho; *v* raspar; limpar com ancinho.
Rake.off (rêic.óf) *s* POP lucro ilícito; propina.
Rak.er (rêi.câr) *s* raspadeira; trabalhador (com o ancinho).
Rak.ing (rêi.quin) *s* limpador que usa ancinho; exame meticuloso; censura.
Ral.ly (ré.li) *s* reunião; comício; zombaria; recuperação; *v* reunir; zombar; reanimar-se.
Ram (rém) *s* carneiro; martelo; bate-estacas; ASTR Constelação de Áries; *v* calcar; enterrar.
Ram.ble (rémbol) *s* excursão; passeio; *v* passear (de auto).
Ram.bler (rém.blâr) *s* passeante; vadio.
Ram.i.fy (ré.mifái) *v* ramificar-se.
Ram.mer (ré.mâr) *s* maço; martelo (bate-estacas).
Ramp (rémp) *s* rampa; declive; salto; *v* pular; dar cambalhotas.
Ram.page (rémpêi.dj) *s* barulho; agitação; alvoroço; *v* fazer alvoroço.
Ram.pan.cy (rém.pânsi) *s* exuberância; extravagância.
Ram.part (rém.párt) *s* baluarte; muro; *v* fortificar.
Ranch (réntxe) *s* fazenda; rancho; *v* rasgar; criar gado.
Ranch.er (rént.xâr) *s* rancheiro; vaqueiro.
Ran.cid (rén.sid) *adj* rançoso; repugnante.
Ran.cor (rén.câr) *s* rancor; ódio.
Ran.cor.ous (rén.câras) *adj* rancoroso; vingativo.
Ran.dom (rén.dâm) *s* acaso; aleatório; *adj* fortuito.
Range (rêindj) *s* fila; gama; série; classe; fogão; *v* alinhar; classificar; percorrer.
Rang.er (rêin.djâr) *s* cão de caça; guarda florestal.
Rank (rénc) *s* fila; fileira; classe; ordem; classe social; grau; *v* ordenar, dispor em ordem.
Ran.kle (réncol) *v* ulcerar; inchar; irritar-se.
Ran.sack (rén.séc) *v* saquear; esquadrinhar; revistar com minúcias.

Ran.som (rén.sâm) *s* resgate; preço de um resgate; *v* resgatar.
Rant (rént) *s* linguagem extravagante; *v* falar com extravagância.
Rap (rép) *s* pancada; batida na porta; piparote; *v* bater; vociferar; *past and pp* **Rapped** *or* **Rapt**.
Ra.pa.cious.ness (rapêi.xâsnés) *s* rapacidade; avidez.
Rape (rêip) *s* violação; estupro; *v* violar; violentar; estuprar.
Rap.id (ré.pid) *adj* rápido; veloz; ligeiro.
Ra.pi.er (rêi.piâr) *s* florete; espadim.
Rap.ine (ré.pin) *s* rapina; roubo; saque.
Rapt (répt) *adj* extasiado; enlevado.
Rap.ture (rép.txâr) *s* arroubo; enlevo; êxtase.
Rap.tur.ous (rép.txâras) *adj* arrebatador; sedutor; encantador.
Rare (rér) *adj* raro; escasso; notável; mal passado.
Rar.e.fy (ré.rifái) *v* rarefazer-se.
Rash (réxe) *s* erupção; borbulha; *adj* arrojado; ousado.
Rash.er (ré.xâr) *s* pedaço de toucinho (fatia).
Rash.ness (réxe.nés) *s* temeridade; imprudência; precipitação.
Rasp (résp) *s* grosa; lima; *v* raspar.
Rat (rét) *s* rato; traidor; fura-greve; *v* mudar (de partido).
Ratch (rétxe) *s* catraca; alavanca.
Rate (rêit) *s* preço; taxa; índice; valor; *v* avaliar; classificar; repreender.
Rath.er (ra.dhâr) *adv* antes; bastante; um tanto; algo; mais.
Rat.i.fy (ré.tifái) *v* aprovar; confirmar.
Ra.ti.oc.i.nate (réxió.sinêit) *v* raciocinar.
Ra.ti.oc.i.na.tion (réxióssinêi.xân) *s* raciocínio.
Ra.tion (rêi.xân) *s* ração; *v* racionar.
Ra.tion.al (ré.xanâl) *s* ente racional; *adj* racional; judicioso.
Ra.tion.al.i.ty (réxâné.liti) *s* racionalidade; raciocínio.

Ra.tion.al.ize (ré.xânâláiz) *v* raciocinar; ponderar; refletir.
Rat.tle (rétol) *s* estrondo; tagarelice; *v* ressoar; agitar com estampidos; atordoar.
Rat.tle.snake (rét.snêic) *s* cascavel (cobra).
Rat.tle.trap (rétol.trép) *s* calhambeque.
Rat.tling (ré.tlin) *adj* alegre; vivo.
Rau.cit.y (ró.siti) *s* rouquidão.
Rau.cous (ró.câs) *adj* rouco.
Rav.age (ré.vidj) *s* destruição; devastação; ruína; *v* assolar; devastar; destruir.
Rave (rêiv) *v* delirar; divagar.
Rav.el (révol) *v* desfiar; emaranhar; revelar.
Ra.ven (rêivn) *s* rapina; restos; presa; *v* apresar; rapinar; devorar.
Rav.in (ré.vin) *s* pilhagem; rapacidade; presa; *v* apresar; rapinar; ser voraz.
Rav.ing (rêi.vin) *s* delírio; alucinação; *adj* alucinado; delirante.
Rav.ish (ré.vixe) *v* arrebatar; raptar.
Raw (ró) *adj* cru; verde; fresco.
Raw.hide (ró.háid) *s* couro cru; chicote (feito de couro cru).
Ray (rêi) *s* raio; fila; linha reta; *v* irradiar; cintilar; listrar.
Raze (rêiz) *v* arrasar; derrubar; raspar; limar.
Ra.zor (rêi.zâr) *s* navalha (para barba).
Reach (ritxe) *s* extensão; alcance; desígnio; *v* estender; tocar; alcançar; atingir.
Read (rid) *v* ler; decifrar; interpretar; compreender; *past or pp* **Read**.
Read.ing (ri.din) *s* leitura; comentário; estudo; *adj* de leitura.
Re.ad.just (riédjâst) *v* reajustar; compor; consertar.
Re.ad.just.ment (riêdjâst.ment) *s* reajustamento.
Read.y (ré.di) *adj* pronto; disposto; rápido.
Re.al (riâl) *adj* real; autêntico; positivo; sincero.
Re.al.i.ty (rié.liti) *s* realidade.
Re.al.ize (ri.âláiz) *v* compreender; imaginar.
Re.al.ly (ri.âli) *adv* realmente; na verdade; é mesmo.
Reap (rip) *v* ceifar; colher.
Rear (rir) *s* retaguarda; traseira; *v* elevar; educar; discutir; raciocinar; empinar-se; *adj* traseiro; posterior; último.
Re.ar.range (riérén.dj) *v* reajustar; recompor; reorganizar.
Rea.son (rizn) *s* razão; motivo; argumento; *v* raciocinar; discutir.
Rea.son.a.ble (riz.nâbol) *adj* razoável; módico; moderado.
Rea.son.a.ble.ness (riz.nâblnés) *s* justiça; moderação; equidade.
Rea.son.er (riz.nâr) *s* raciocinador; pensador.
Re.bate (ri.bêit) *s* rebate; desconto; dedução; *v* abater; diminuir; deduzir.
Re.bel (rébol) *s* rebelde; revoltoso; *v* revoltarse; rebelar-se; *adj* rebelde.
Re.bel.lion (ribé.liân) *s* rebelião; motim; *adj* rebelde; insubordinado.
Re.bound (ribáund) *s* repercussão; *v* repercutir.
Re.buff (ribâf) *s* recusa; resistência; *v* repelir; rejeitar.
Re.buke (ribiuc) *s* repreensão; *v* repreender; censurar.
Re.but (ribât) *v* replicar; repelir.
Re.call (ricól) *s* revocação; chamada; recordação; MIL toque de reunir; *v* retratar-se; anular; lembrar-se.
Re.cant (riquént) *v* retratar-se.
Re.ca.pit.u.late (riquépi.txeulêit) *v* recapitular.
Re.cede (rissid) *v* retirar-se; desistir.
Re.ceipt (rissit) *s* recibo; recebimento; *v* passar recibo.
Re.ceiv.a.ble (rissi.vâbol) *adj* aceitável.
Re.ceive (rissiv) *v* receber; permitir; conter.
Re.cep.ta.cle (rissép.tâcol) *s* receptáculo; recipiente.

Re.cep.tion (rissép.xân) *s* recepção; recebimento; acolhimento.
Re.cep.tive (rissép.tiv) *adj* receptivo.
Re.cess (rissés) *s* retirada; intervalo; pausa; retiro; recesso.
Re.ces.sion (rissé.xân) *s* recesso; retirada; caída; depressão.
Rec.i.pe (récipi) *s* receita (médica, de culinária, etc).
Re.cip.i.ent (rissi.pient) *s* recipiente.
Re.cite (rissáit) *v* recitar; narrar.
Reck (réc) *v* importar-se; ter cuidado.
Reck.less (réc.lés) *adj* negligente; descuidado; atrevido.
Reck.less.ness (réc.lésnés) *s* descuido; negligência.
Reck.on (récn) *v* contar; calcular; POP pensar; julgar.
Re.claim (riclêim) *v* reformar; recuperar; amansar; regenerar.
Re.claim.a.ble (riclêi.mâbol) *adj* recuperável.
Re.cline (ricláin) *v* pender; reclinar-se.
Re.cluse (riclus) *s* recluso; eremita; *adj* recluso; solitário.
Re.clu.sion (riclu.jân) *s* reclusão; retiro.
Rec.og.ni.tion (récogni.xân) *s* reconhecimento; confissão.
Rec.og.niz.a.ble (ré.cógnaízâbol) *adj* reconhecível.
Re.cog.ni.zance (ricóg.nizâns) *s* reconhecimento; obrigação sob fiança.
Rec.og.nize (récâgnaiz) *v* reconhecer; admitir.
Re.coil (ricóil) *s* recuo; coice de arma de fogo; temor; repugnância; *v* recuar; retirar-se.
Rec.om.pense (ré.cómpens) *s* recompensa; remuneração; indenização; *v* recompensar; indenizar.
Rec.on.dite (ré.cóndáit) *adj* recôndito; secreto; profundo.
Re.con.sid.er (ricónsi.dâr) *v* rever; reconsiderar.
Rec.ord (ricórd) *s* registro; disco (de vitrola); crônica.
Re.cord.er (ricór.dâr) *s* registrador; gravador (som).
Re.cov.er (ricâ.vâr) *v* recobrir; recuperar; recobrar; convalescer; restabelecer-se.
Re.cov.er.a.ble (ricâ.vârâbol) *adj* recuperável; curável.
Rec.re.ate (ré.criêit) *v* recrear; divertir-se.
Rec.re.a.tion (récriêi.xân) *s* recreação; recreio.
Re.crim.i.nate (ricri.minêit) *v* recriminar; acusar; censurar.
Re.cru.des.cence (ricrudé.sens) *s* recrudescência.
Re.cru.des.cent (ricrudé.sent) *adj* recrudescente.
Re.cruit (ricrut) *s* novato; recruta; suprimento; *v* recrutar; refazer-se; restabelecer-se.
Re.cruit.ment (recrut.ment) *s* recrutamento; alistamento.
Rec.ti.fy (réc.tifái) *v* retificar; corrigir; destilar.
Rec.tor (réc.târ) *s* reitor; pároco; cura; pastor.
Re.cu.per.ate (riquiu.parêit) *v* recuperar a saúde; convalescer.
Re.cu.per.a.tion (riquiuparêi.xân) *s* recuperação; restabelecimento.
Re.cur (ricâr) *v* ocorrer novamente; recorrer.
Re.cur.rence (ricâ.râns) *s* volta; retorno; repetição.
Re.cur.rent (ricâ.rânt) *adj* periódico.
Red (réd) *s* cor vermelha (de sangue); *v* avermelhar; *adj* vermelho; rubro.
Re.dact (ridéct) *v* redigir; editar.
Red.den (rédn) *v* corar; incandescer; enrubecer.
Red.dish (ré.dixe) *adj* avermelhado.
Re.deem (ridim) *v* remir; redimir; resgatar; compensar.
Re.deem.a.ble (ridi.mâbol) *adj* remível; resgatável.
Re.demp.tion (ridémp.xân) *s* redenção; resgate; amortização (de dívida).
Red.o.lence (ré.doléns) *s* aroma; perfume; odor.
Red.o.lent (ré.dolént) *adj* fragrante; cheiroso.
Re.dou.ble (ridâ.bol) *v* redobrar; repetir.
Re.doubt (ridúat) *s* reduto; refúgio.
Re.doubt.a.ble (ridáu.tâbol) *adj* formidável; terrível; respeitável.
Re.dound (ridáund) *v* redundar; resultar.
Re.draft (ridráft) *s* novo projeto; nova redação.
Re.dress (ridrés) *s* emenda; correção; *v* reparar; consolar; aliviar; desagravar.
Re.duce (ridius) *v* diminuir; degradar; reduzir; transformar; subjugar; emagrecer.
Re.duc.er (ridiu.sâr) *s* tubo de redução.
Re.duc.i.ble (ridiu.sibol) *adj* redutível.
Re.dun.dance (ridân.dâns) *s* redundância; pleonasmo.
Re.dun.dant (ridân.dânt) *adj* redundante; pleonástico; superabundante.
Reed (rid) *s* cana; caniço; flecha; gaita; flauta.
Reed.y (ri.di) *adj* coberto de colmo; feito de junco; fino como um caniço.
Reef (rif) *s* recife; sarna; erupção; filão.
Reek (ric) *s* fumo; vapor; exalação; *v* exalar; lançar vapores; fumegar; cheirar forte.
Reel (ril) *s* torniquete; carretel; bobina; *v* cambalear; vacilar; enrolar.
Re.en.force (riénfôurs) *s* reforço; *v* reforçar; fortificar.
Re.fec.to.ry (riféc.tôuri) *s* refeitório.
Re.fer (rifâr) *v* referir; referir-se; transmitir.
Ref.e.ree (réfâri) *s* árbitro; juiz; ESP árbitro.
Ref.er.ence (ré.fâréns) *s* referência; alusão; menção; observação.
Re.fill (rifil) *v* reencher; tornar a encher.
Re.fine.ment (rifáin.ment) *s* refinamento; cultura.
Re.fin.er.y (rifái.nâri) *s* refinaria.
Re.fit (rifit) *v* consertar; aparelhar; armar.
Re.flect (rifléct) *v* refletir; ponderar; censurar; projetar; criticar.
Re.flec.tion (rifléc.xân) *s* reflexão; reflexo; meditação; consideração.
Re.flex (ri.flécs) *s* reflexo; *adj* reflexo; reflexivo.
Re.form (rifórm) *s* reforma; *v* reformar; modernizar; emendar.

Ref.or.ma.tion (réfórmêi.xân) *s* reforma; reformação.

Re.fract (rifréct) *v* refratar; refranger.

Re.frac.tion (rifréc.xân) *s* refração.

Re.frac.to.ry (rifréc.tôuri) *adj* refratário; obstinado; teimoso; indócil.

Re.frain (rifrêin) *s* refrão; estribilho; *v* refrear; abster-se; reter.

Re.fresh (rifré.xe) *v* restaurar; reparar as forças; recrear; divertir-se.

Re.fresh.ing (rifré.xin) *adj* refrigerante; reanimador; restabelecedor.

Re.fresh.ment (rifréxe.ment) *s* refresco; alívio; refrigério.

Re.frig.er.ate (rifri.djârêit) *v* refrigerar; refrescar.

Re.frig.er.a.tor (rifri.djârêitâr) *s* refrigerador; geladeira.

Ref.uge (ré.fiudj) *s* refúgio; abrigo; subterfúgio; *v* abrigar; proteger.

Ref.u.gee (réfiudji) *s* refugiado; asilado.

Re.ful.gence (rifâl.djéns) *s* refulgência.

Re.ful.gent (rifâl.djént) *adj* refulgente; brilhante.

Re.fund (rifând) *v* reembolsar; restituir.

Re.fus.al (rifiu.zâl) *s* recusa; repulsa.

Ref.use (rifiuz) *s* refugo; sobra; resíduo; *v* recusar; rejeitar; *adj* rejeitado; de refugo.

Re.fut.a.bil.i.ty (réfiutâbi.liti) *s* refutabilidade.

Re.fute (rifiut) *v* refutar; constestar; rebater.

Re.gain (riguêin) *v* reganhar; recobrar.

Re.gal (ri.gâl) *adj* real; régio.

Re.gale (riguêil) *v* banquetear; recrear; alegrar; lisonjear.

Re.gard (rigárd) *s* consideração; respeito; estima; *v* considerar; olhar.

Re.gard.less (rigár.dlés) *adj* desatento; indiferente; descuidado.

Re.gen.er.ate (ridjé.nârêit) *v* regenerar-se; reproduzir; *adj* regenerado; renascido.

Re.gen.er.a.tion (ridjénârêi.xân) *s* regeneração; restauração; reprodução.

Re.gent (ri.djent) *s* regente; governador; *adj* regente.

Reg.is.ter (ré.djistâr) *s* registro; arquivo; *v* registrar; indicar; anotar.

Reg.is.try (ré.djistri) *s* registro; arquivo; protocolo.

Reg.nant (ré.gnânt) *adj* reinante; dominante.

Re.gress (rigrés) *s* regresso; volta; *v* regressar; retornar.

Re.gres.sion (rigré.xân) *s* regressão; regresso.

Re.gret (rigrét) *s* pesar; sentimento; pena; dor; *v* lamentar; arrepender.

Re.gret.ful (rigrét.ful) *adj* arrependido; pesaroso.

Re.gret.ta.ble (rigré.tâbol) *adj* lastimável; sensível; deplorável.

Reg.u.late (ré.guiulêit) *v* regular; ordenar; dirigir.

Re.hears.al (ri.hâr.sâl) *s* narração; ensaio; repetição.

Re.hearse (ri.hârs) *v* narrar; repetir; recitar; ensaiar.

Reign (rêin) *s* reino; reinado; soberania; *v* reinar; imperar.

Re.im.burse (riimbârs) *v* reembolsar; indenizar.

Re.im.burse.ment (riimbârs.ment) *s* reembolso.

Rein (rêin) *s* rédea; governo; *v* governar; guiar por rédeas.

Re.in.state (riinstêit) *v* reintegrar; restabelecer; repor.

Re.it.er.ate (rii.târêit) *v* reiterar; repetir.

Re.it.er.a.tion (riitârêi.xân) *s* reiteração; repetição.

Re.ject (ridjéct) *v* rejeitar; recusar; repudiar.

Re.joice (ridjóis) *v* regozijar-se; alegrar-se.

Re.joic.ing (ridjói.sin) *s* alegria; regozijo; *adj* deleitável; alegre.

Re.join (ridjóin) *v* reajuntar; reunir.

Re.ju.ve.nate (ridju.venêit) *v* remoçar; rejuvenescer.

Re.ju.ve.na.tion (ridjuvenêi.xân) *s* rejuvenescimento.

Re.lapse (riléps) *s* recaída; reincidência; *v* recair; reincidir.

Re.late (rilêit) *v* relatar; referir-se; narrar; ter parentesco.

Re.la.tion (rilêi.xân) *s* relação; afinidade; parentesco.

Re.la.tion.ship (rilêi.xânxip) *s* parentesco; relacionamento.

Re.lax (rilécs) *v* relaxar; afrouxar; soltar; largar; expandir-se; desabrochar.

Re.lay (ri.lêi) *s* muda (de cavalos); substituição; relé (dispositivo elétrico); *v* repor.

Re.lease (rilis) *s* liberação; desobrigação; quitação; *v* soltar; liberar; livrar.

Re.lent (rilént) *v* abrandar-se.

Re.lent.less (rilén.tlés) *adj* empedernido; implacável.

Rel.e.vance (ré.livâns) *s* relação; importância.

Re.li.a.bil.i.ty (riláiâbi.liti) *s* confiança; segurança.

Re.li.a.ble (rilái.âbol) *adj* de confiança; seguro.

Rel.ic (ré.lic) *s* relíquia; ruína.

Re.lief (rilif) *s* alívio; reparação; realce; relevo.

Re.liev.a.ble (rili.vâbol) *adj* remediável; reparável.

Re.lieve (riliv) *v* aliviar; realçar; ressaltar.

Re.lig.ious (rili.djâs) *adj* religioso; devoto; escrupuloso.

Re.lig.ious.ness (rili.djâsnés) *s* piedade; religião; sentimento religioso.

Re.lin.quish (rilin.cuixe) *v* abandonar; renunciar.

Re.lin.quish.ment (rilin.cuixement) *s* abandono; cedência; desistência.

Rel.ish (ré.lixe) *s* gosto; sabor; gulodice; *v* saborear; ter bom gosto.

Re.luc.tance (rilâc.tâns) *s* relutância; objeção; resistência.

Re.ly (rilái) *v* confiar em; contar com.

Remain (rimêins) *s pl* (**Remains**) restos; sobras; restos mortais; *v* ficar; permanecer.

Re.main.der (rimêin.dâr) *s* resto; restante; saldo.

Re.mand (riménd) *v* reenviar; retornar.

Re.mark.a.ble (rimár.câbol) *adj* notável; invulgar; extraordinário.

Re.mem.ber (rimém.bâr) *v* lembrar-se; recordar; ter em mente.
Re.mem.brance (rimém.brâns) *s* lembrança; recordação; memória.
Re.mind (rimáind) *v* lembrar; avisar.
Rem.i.nis.cence (rémini.sens) *s* reminiscência; memória.
Rem.i.nis.cent (rémini.sent) *adj* recordativo; rememorativo.
Re.mise (rimáiz) *s* repetição de golpe (esgrima) JUR renúncia; cessão; *v* repetir golpe.
Re.miss (rimis) *adj* remisso; lento; negligente; despreocupado.
Re.mis.sion (rimi.xân) *s* remissão; indulto; perdão.
Re.mit (rimit) *v* remeter; largar; perdoar; soltar; abandonar.
Re.mit.tance (rimi.tâns) *s* remessa (de dinheiro, etc).
Rem.nant (rém.nânt) *s* remanescente; resto; retalho.
Re.morse (rimórs) *s* remorso; arrependimento.
Re.morse.ful (rimórs.ful) *adj* com remorsos; arrependido; contrito.
Re.morse.less (rimórs.lés) *adj* sem remorsos; impenitente; cruel; desumano.
Re.morse.less.ness (rimórs.lésnés) *s* impenitência; desumanidade.
Re.mote (rimôut) *adj* remoto; afastado; retirado; isolado; alheio.
Re.mote.ness (rimôut.nés) *s* afastamento; distância considerável.
Re.mov.a.ble (rimu.vâbol) *adj* removível; transportável.
Re.mov.al (rimu.vâl) *s* remoção; demissão; retirada; afastamento.
Re.move (rimuv) *s* remoção; mudança; grau de parentesco; *v* remover; retirar.
Re.mu.ner.ate (rimiu.nârêit) *v* remunerar; recompensar.
Re.mu.ner.a.tion (rimiunârêi.xân) *s* remuneração; recompensa.
Re.mu.ner.a.tive (rimiu.nârâtiv) *adj* remunerativo; lucrativo.
Ren.as.cence (riné.sens) *s* renascença; renascimento.
Rend (rénd) *v* rasgar; despedaçar; arrancar; *past and pp* Rent.
Rend.er (rén.dâr) *v* fazer; dar; tornar.
Re.new (riniu) *v* renovar; reiterar; refazer.
Re.new.al (riniu.âl) *s* renovação; renovo; reforma.
Re.nounce (rináuns) *v* renunciar; rejeitar (em público).
Re.nounce.ment (rináuns.mént) *s* renúncia.
Ren.o.vate (ré.novêit) *v* renovar; restaurar; reformar.
Re.nown (rináun) *s* renome; fama; *v* afamar; celebrizar.
Rent (rént) *s* aluguel; arrendamento; fenda; *v* alugar; arrendar.
Rent.er (rén.târ) *s* arrendatário; locatário; inquilino.
Re.nun.ci.a.tion (rinânsiêi.xân) *s* renunciação; renúncia; repúdio.
Re.o.pen (riôupn) *v* reabrir.
Re.or.gan.ize (riór.gânáiz) *v* reorganizar; melhorar; reformar.
Re.pair (ripér) *s* reparo; restauração; guarida; *v* reparar; consertar; dirigir-se; indenizar.
Re.pair.er (ripé.râr) *s* reparador; restabelecedor; restaurador.
Rep.ar.tee (répârti) *s* réplica; resposta.
Re.past (ripést) *s* refeição; alimento.
Re.pa.tri.ate (ripé.triêit) *v* repatriar.
Re.pay (ripéi) *v* repagar; reembolsar indenizar.
Re.pay.a.ble (ripêi.âbol) *adj* reembolsável.
Re.pay.ment (ripêi.ment) *s* reembolso; novo pagamento; devolução.
Re.peal (ripil) *s* revogação; ab-rogação; anulação; *v* revogar; ab-rogar; expulsar.
Re.peat (ripit) *s* repetição; estribilho; *v* repetir; recitar.
Re.peat.er (ripi.târ) *s* repetidor; recitador.
Re.pel (ripél) *v* repelir; rechaçar.
Re.pel.lent (ripé.lent) *s* tecido impermeável; *adj* repelente.
Re.pent (ripént) *v* arrepender-se; mudar de parecer.
Re.pen.tance (ripén.tâns) *s* arrependimento; contrição.
Re.peo.ple (ripipol) *v* repovoar.
Re.per.cus.sion (riparcâ.xân) *s* repercussão.
Rep.e.ti.tion (répiti.xân) *s* repetição; recitação.
Re.pine (ripáin) *v* lamentar-se; queixar-se; murmurar.
Re.pin.er (ripái.nâr) *s* murmurador.
Re.pin.ing (ripái.nin) *s* queixa; lamentação; pesar; desgosto.
Re.place (riplêis) *v* repor; restabelecer; substituir.
Re.place.ment (riplêis.ment) *s* reposição; reembolso; substituição.
Re.plen.ish (riplé.nixe) *v* reabastecer.
Re.plete (riplit) *adj* repleto; cheio; recheado.
Re.plev.in (riplé.vin) *s* reivindicação; desembargo.
Rep.li.ca.tion (répliquêi.xân) *s* réplica; objeção.
Re.ply (riplái) *s* resposta; réplica; *v* responder.
Re.port (ripôurt) *s* relatório; relação; descrição; boato; rumor; *v* referir; relatar.
Re.port.er (ripôur.târ) *s* repórter; noticiarista.
Re.pose (ripôuz) *s* repouso; descanso; tranquilidade; *v* repousar; confiar em.
Rep.re.hend (répri.hénd) *v* repreender.
Rep.re.hen.si.ble (répri.hén.sibol) *adj* censurável; repreensível.
Rep.re.sent (réprizént) *v* representar; descrever; interpretar.
Re.press (riprés) *v* reprimir; dominar; conter.
Re.prieve (ripriv) *s* suspensão de pena; *v* suspender sentença.
Rep.ri.mand (répriménd) *s* reprimenda; repreensão; *v* repreender; reprovar.

Re.print (riprint) *s* reimpressão; reedição; *v* reimprimir; reeditar.
Re.pri.sal (riprái.zâl) *s* represália; vingança; desforra.
Re.proach (riprôu.txe) *s* censura; vitupério; opróbrio; *v* exprobrar; censurar.
Re.proach.ful (riprôu.txefâl) *adj* injurioso; ultrajante; condenatório.
Rep.ro.bate (ré.probêit) *v* reprovar; condenar; rejeitar.
Re.pro.duce (riprodius) *v* reproduzir.
Re.pro.duc.tion (riprodâc.xân) *s* cópia; reprodução.
Re.proof (ripruf) *s* reprovação; censura.
Re.prov.a.ble (ripru.vâbol) *adj* reprovável; censurável.
Re.prove (ripruv) *v* censurar.
Re.prov.er (ripru.vâr) *s* reprovador; censurador.
Re.pub.lic (ripâ.blic) *s* república.
Re.pu.di.ate (ripiu.diêit) *v* repudiar; repelir; rejeitar.
Re.pu.di.a.tion (ripiudiêi.xân) *s* repúdio; rejeição; renúncia.
Re.pug.nance (ripâg.nâns) *s* aversão; oposição; repugnância.
Re.pug.nant (ripâg.nânt) *adj* oposto; contrário; repugnante.
Re.pulse (ripâls) *s* repulsa; rejeição; recusa; *v* repelir; recusar.
Re.pul.sion (ripâl.xân) *s* repulsão; repugnância.
Re.pul.sive.ness (ripâl.sivnés) *s* repelência; aversão.
Re.pute (ripiut) *s* fama; crédito; *v* reputar; considerar.
Re.quest (riquést) *s* pedido; requisição; reclamação; *v* pedir; solicitar.
Re.quire (ricuáir) *v* precisar; requerer; exigir.
Req.ui.site.ness (ré.cuizitnés) *s* necessidade; exigência; precisão.
Req.ui.si.tion (récuizi.xân) *s* requisição; requisito; pedido; *v* requisitar.
Re.qui.tal (ricuái.tâl) *s* recompensa; paga; revide.
Re.quite (ricuáit) *v* recompensar; devolver.
REP **Re.scind** (rissind) *v* rescindir; anular.
RES **Re.scis.sion** (rissi.jân) *s* rescisão; anulação.
Res.cue (rés.quiu) *s* socorro; libertação; *v* livrar; socorrer.
Re.search (rissâr.txe) *s* pesquisa; busca; investigação; *v* pesquisar; investigar; procurar.
Re.sell (rissél) *v* revendedor.
Re.sem.blance (rizém.blâns) *s* semelhança; parecença; analogia.
Re.sem.ble (rizémbol) *v* assemelhar-se; parecer-se.
Re.sent (rizént) *v* ressentir-se; indignar-se com.
Re.sent.ful (rizént.ful) *adj* ressentido; vingativo; rancoroso.
Re.sent.ment (rizént.ment) *s* ressentimento; enfado; queixa.
Res.er.va.tion (rézârvêi.xân) *s* reserva; restrição; dissimulação.
Re.serve (rizârv) *s* reserva; cautela; circunspecção; *v* reservar; conservar.
Re.set (rissét) *s* nova disposição; recolocação; *v* recompor; recolocar; retomar.
Re.side (rizáid) *v* residir; habitar; morar.
Res.i.dence (rá.zidéns) *s* residência; morada; habitação.
Res.i.due (ré.zidiu) *s* resíduo; resto; sobra; remanescente.
Re.sign (rizáin) *v* resignar-se; demitir-se.
Res.ig.na.tion (rézignêi.xân) *s* resignação; demissão; renúncia.
Re.sist (rizist) *v* resistir; opor-se; suportar; aguentar.
Re.sis.tance (rizis.tâns) *s* resistência; oposição; obstáculo; impedimento.
Re.sis.tant (rizis.tânt) *adj* resistente.
Res.o.lu.ble (ré.zoliubol) *adj* resolúvel.
Res.o.lute (ré.zoliut) *adj* resoluto; decidido; firme.
Res.o.lute.ness (ré.zoliutnés) *s* resolução; firmeza; constância.
Res.o.lu.tion (rézoliu.xân) *s* resolução; solução; firmeza.
Re.solve (rizólv) *s* resolução; acordo; determinação; *v* resolver; dissolver; analisar.
Res.o.nance (ré.zonâns) *s* ressonância.
Res.o.nant (ré.zonânt) *adj* ressonante.
Re.sort (rizórt) *s* recurso; estância; *v* recorrer; frequentar.
Re.sound (rizáund) *v* ressoar; retinir; ter fama; ecoar.
Re.source (rissôurs) *s* recurso; meio; expediente.
Re.spect (rispéct) *s* respeito; aspetos; consideração; *v* respeitar.
Re.spect.a.ble (rispéc.tâbol) *adj* respeitável; honroso; venerável.
Re.spect.ful (rispéct.ful) *adj* respeitoso.
Re.spect.ing (rispéc.tin) *prep* quanto a; com respeito a; visto que.
Re.spec.tive (rispéc.tiv) *adj* respectivo; particular; individual.
Re.spire (rispáir) *v* respirar; viver; *s* descanso; pausa; folga; prorrogação.
Res.pite (rés.pit) *v* prorrogar.
Re.splen.dence (risplén.déns) *s* resplendor; brilho; fulgor.
Re.splen.dent (risplên.dént) *adj* resplendente; brilhante.
Re.spond (rispónd) *s* resposta; solução; *v* responder; corresponder.
Re.sponse (rispóns) *s* resposta; reação; réplica; responsório.
Re.spon.si.bil.i.ty (rispónsibi.liti) *s* responsabilidade; dever; obrigação.
Re.spon.si.ble (rispón.sibol) *adj* responsável.
Re.spon.sive (rispón.siv) *adj* compreensivo.
Re.spon.sive.ness (rispón.sivnés) *s* correspondência; conformidade.
Re.spon.so.ry (rispón.sôuri) *s* responsório; responso; *adj* responsivo.
Rest (rést) *s* repouso; tranquilidade; resto; MÚS pausa; *v* descansar; repousar.

Rest.ful (rést.ful) *adj* sossegado; tranquilo; quieto.
Rest.ful.ness (rést.fulnés) *s* tranquilidade; repouso; quietude.
Res.tive (rés.tiv) *adj* teimoso; impaciente.
Res.tive.ness (rés.tivnés) *s* impaciência; teimosia; obstinação; indocilidade.
Rest.less (rés.tlés) *adj* inquieto; incessante; insaciável; inquieto.
Rest.less.ness (rés.tlésnés) *s* inquietação; impaciência.
Res.to.ra.tion (ristorêi.xân) *s* restituição; restauração.
Re.store (ristôur) *v* restaurar; reconstruir, devolver.
Re.strain (ristrêin) *v* refrear; restringir; limitar.
Re.strain.a.ble (ristrêi.nâbol) *adj* restringível; restringente.
Re.straint (ristrêint) *s* sujeição; coerção; restrição; constrangimento.
Re.strict (ristrict) *v* restringir; limitar.
Re.sume (rizium) *v* retomar; renovar; reiniciar; reassumir.
Re.sump.tion (rizâmp.xân) *s* reinício.
Res.ur.rec.tion (rézâréc.xân) *s* ressurreição; restabelecimento.
Re.sus.ci.ta.tion (rissâssitêi.xân) *s* ressurreição.
Re.tail (ritê.il) *s* retalho; *v* vender a retalho.
Re.tain (ritêin) *v* reter; assalariar; conservar.
Re.take (ritêic) *v* retomar; recobrar; *past* **Retook** *and pp* **Retaken**.
Re.tal.i.ate (rité.liêit) *v* vingar-se; retaliar; desagravar.
Re.tal.i.a.tion (ritéliêi.xân) *s* represália; vingança.
Re.tard (ritârd) *s* demora; atraso; delonga; *v* retardar; protelar; demorar.
Retch (rétxe) *v* vomitar.
Re.ten.tion (ritén.xân) *s* retenção; limitação; conservação.
Ret.i.cence (ré.tisséns) *s* reticência.
Ret.i.nue (ré.tiniu) *s* comitiva; séquito; cortejo.
Re.tire (ritáir) *v* retirar-se; recolher-se; aposentar-se.
Re.tired (ritáird) *adj* retirado; ermo; aposentado.
Re.tire.ment (ritáir.ment) *s* retiro; retraimento; reforma; aposentadoria.
Re.tort (ritórt) *s* retorta; destilador; recriminação; *v* retorquir; replicar; repelir.
Re.touch (ritâ.txe) *s* retoque; última demão; *v* retocar; corrigir.
Re.trace (ritrêis) *v* retraçar; narrar; remontar; retroceder.
Re.tract (ritréct) *v* retratar; recuar; voltar.
Re.trac.ta.tion (ritréctêi.xân) *s* retratação.
Re.trac.tion (ritréc.xân) *s* retração; contração; retraimento.
Re.treat (ritrit) *s* retiro; retirada; retraimento; *v* retirar-se.
Re.trench (ritrén.txe) *v* entrincheirar; poupar; economizar.
Re.trench.ment (ritrén.txement) *s* diminuição; redução; economia.
Ret.ri.bu.tion (rétribiu.xân) *s* retribuição; desforra.
Re.triev.a.ble (ritri.vâbol) *adj* reparável; restaurável; recuperável.
Re.trieve (ritriv) *v* reaver; recobrar; restabelecer.
Re.triev.er (ritri.vâr) *s* cão ensinado.
Re.turn (ritârn) *s* volta; regresso; reposição; relação; lista; reembolso; *v* restituir; voltar.
Re.turn.a.ble (ritâr.nâbol) *adj* restituível.
Re.un.ion (riu.niân) *s* reunião; reconciliação.
Re.u.nite (riunáit) *v* reunir; juntar; reconciliar.
Re.veal (rivil) *v* revelar; descobrir; publicar.
Re.veal.a.ble (rivi.lâbol) *adj* revelável; divulgável.
Rev.el (ré.vel) *s* prazer; brincadeira; folia; *v* divertir-se; festejar.
Rev.e.la.tion (révelêi.xân) *s* revelação; publicação.
Rev.el.ler (ré.velâr) *s* farrista; *also* **Reveler**.
Rev.el.ry (ré.velri) *s* festança; folia; orgia.
Re.venge (rivén.dj) *s* vingança; desforra; *v* vingar-se; desforrar-se.
Re.venge.ful (rivén.djful) *adj* vingativo.
Rev.e.nue (ré.viniu) *s* renda; fisco; benefício; direitos de importação.
Re.ver.ber.ate (rivâr.bârêit) *v* reverberar; repercutir; retinir.
Re.ver.ber.a.tion (rivârbârêi.xân) *s* eco; reflexão; reverberação.
Re.vere (rivir) *v* reverenciar; venerar; respeitar.
Rev.er.ence (ré.vârêns) *s* reverência; respeito; veneração; *v* reverenciar; respeitar; honrar; saudar (com respeito).
Rev.er.ent (ré.vârént) *adj* reverente; submisso.
Rev.er.en.tial (révârén.xâl) *adj* reverencial; respeitoso.
Rev.er.ie (ré.vâri) *s* devaneio; sonho.
Re.verse (rivârs) *s* reverso; inverso; verso; contrário; vicissitude; mudança; contratempo; *v* inverter (sentido, etc).
Re.vers.i.ble (rivâr.sâbol) *adj* reversível.
Re.ver.sion (rivâr.xân) *s* reversão.
Re.vert (rivârt) *v* reverter; retroceder.
Re.view (riviu) *s* revista; exame; análise; *v* rever; revisar; passar em revista; criticar.
Re.view.al (riviuual) *s* o ato de revisar.
Re.vile (riváil) *v* injuriar; caluniar.
Re.vise (riváiz) *s* revisão; *v* rever; revisar.
Re.vi.sion (rivi.jân) *s* revisão; edição; revista; correção.
Re.vi.val (rivái.vâl) *s* revivificação; restauração; renovação.
Re.vive (riváiv) *v* ressuscitar; reviver.
Re.viv.er (rivái.vâr) *s* reanimador.
Re.viv.i.fy (rivi.vifái) *v* revivificar; reviver.
Rev.o.ca.ble (ré.vocâbol) *adj* revogável.
Rev.o.ca.tion (révoquêi.xân) *s* revogação; anulação.
Re.voke (rivóuc) *v* revogar; anular; renunciar.

Re.volt (rivôult) *s* sedição; rebelião; revolta; *v* revoltar-se.
Rev.o.lu.tion (révoliu.xân) *s* revolução; giro.
Rev.o.lu.tion.a.ry (révoliu.xânéri) *s* revolucionário; *adj* revolucionário.
Rev.o.lu.tion.ist (révoliu.xânist) *s* revolucionário.
Rev.o.lu.tion.ize (révoliu.xânáiz) *v* revolucionar; amotinar.
Re.volve (rivólv) *v* virar; girar; relembrar.
Re.volv.er (rivól.vâr) *s* revólver (arma); *examine* ⇒ Gun.
Re.vul.sion (rivâl.xân) *s* revulsão; retrocesso; repugnância.
Re.ward (riuórd) *s* recompensa; prêmio; remuneração; *v* recompensar; premiar.
Rheum (rum) *s* reuma; catarro.
Rheu.ma.tism (ru.mâtizm) *s* reumatismo.
Rhi.noc.e.ros (ráinó.serâs) *s* rinoceronte.
Rhyme (ráim) *s* rima; *same as* **Rime**; *v* rimar; versejar.
Rhythm (ri.thm) *s* ritmo; cadência; harmonia; compasso.
Rhyth.mic (rith.mic) *adj* rítmico; ritmado; cadenciado; harmônico.
Rib (rib) *s* costela; carne (porção de costela); faixa; friso; nervura das folhas; vareta (de guarda-chuva); *v* estriar; listrar; POP caçoar.
Rib.ald (ri.bóld) *adj* pertencente ou alusivo a insulto.
Rib.ald.ry (ri.bóldri) *s* libertinagem; cinismo; obscenidade.
Rib.bon (ri.bân) *s* fita; laço; cinta; banda; faixa; freio; *v* ornar; enfeitar.
Rice (ráis) *s* arroz.
Rich (ritxe) *adj* rico; suntuoso; valioso; fértil; saboroso.
Rich.es (ri.txiz) *s* riquezas; bens.
Rich.ness (ri.txenés) *s* riqueza; fertilidade; opulência.
Rick (ric) *s* pilha; monte; *v* amontoar.
REV **Rick.ets** (ri.quits) *s* raquitismo.
ROA **Rick.et.y** (ri.queti) *adj* raquítico.
Rid (rid) *adj* livre; desembaraçado; *v* livrar; desembaraçar; *past and pp* **Rid**.
Rid.dance (ri.dâns) *s* livramento; desembaraço.
Rid.dle (ridl) *s* enigma; mistério; *v* falar enigmaticamente.
Rid.dler (ri.dlâr) *s* fala enigmática.
Ride (ráid) *s* passeio (de carro, de bicicleta, cavalo, trem,etc); *v* cavalgar; pedalar; viajar; *past* **Rode** *and pp* **Ridden**.
Rid.er (rái.dâr) *s* cavaleiro; montador; ciclista; viajante.
Ridge (ridji) *s* espinhaço; cume; recife; rego; cordilheira; *v* sulcar.
Rid.i.cule (ri.diquiul) *s* ridículo; zombaria; mofa; *v* ridicularizar; zombar de.
Rife (ráif) *adj* corrente; comum; numeroso; abundante.
Ri.fle (ráifol) *s* carabina; fuzil; rifle; *v* pilhar; roubar.
Rift (rift) *s* fenda; racha; brecha; *v* fender-se; rachar.
Rig (rig) *v* guarnecer navios; vestir; armar; enfeitar.
Right (ráit) *s* lado direito; justiça; direito; *v* endireitar; fazer justiça; *adj* direito; certo; reto; correto; *adv* de acordo.
Right.eous (rái.txâs) *adj* direito; justo; reto.
Right.eous.ness (rái.txâsnés) *s* retidão; honestidade; justiça; probidade.
Right.ful (raít.ful) *adj* legítimo; justo; reto.
Rig.id (ri.djid) *adj* rígido; rigoroso.
Rig.or (ri.gâr) *s* rigor; severidade; dureza.
Rig.or.ous (ri.gârâs) *adj* rigoroso; severo; duro; inflexível.
Rill (ril) *s* ribeiro; regato; riacho.
Rim (rim) *s* borda; extremidade; aro; pestana.
Rime (ráim) *s* rima; degrau; fenda; geada; *v* gelar; gear.
Rind (ráind) *s* casca; vagem; crosta.
Rin.der.pest (rin.dârpést) *s* sarna.
Ring (rin) *s* anel; argola; aro; cerne; *v* cercar; circundar; encaracolar; *past and pp* **Ringed**.
Ring 2 (rin) *v* tocar, repicar; soar; zumbir; telefonar; *past* **Rang** *or* **Rung** *and pp* **Rung**.
Ring.worm (rin.uârm) *s* impingem.
Rink (rinc) *s* pista de patinação.
Rinse (rins) *v* lavar; enxaguar.
Rins.ing (rin.sin) *s* ação de enxaguar.
Riot (rái.ât) *s* tumulto; confusão; revolta; *v* fazer distúrbios; tumultuar.
Rip (rip) *s* ruptura; rasgão; instrumento de raspar; *v* fender; dilacerar; despedaçar.
Ripe (ráip) *adj* sazonado; acabado; oportuno.
Rip.en (ráipn) *v* amadurecer.
Rip.ple (ripol) *s* ondulação; ruído das águas; *v* ondular; agitar.
Rise (ráiz) *s* elevação; subida; alta; acesso; cheia; *v* levantar; subir; erguer-se; aumentar; *past* **Rose** *and pp* **Risen**.
Ris.i.ble (ri.zibol) *adj* irrisório; ridículo.
Risk (risc) *s* risco; perigo; acaso; *v* arriscar; aventurar.
Risk.y (ris.qui) *adj* arriscado; perigoso.
Rite (ráit) *s* rito; cerimônia.
Ri.val.ry (rái.vâlri) *s* rivalidade; emulação.
Rive (ráiv) *v* fender; despedaçar; *past* **Rived** *and pp* **Riven**.
Riv.er (rái.vâr) *s* rio; cópia; abundância.
Riv.er.side (ri.vârsáid) *s* margem de rio.
Riv.et (ri.vet) *s* rebite; arrebite; *v* rebitar; fixar com rebites.
Riv.u.let (ri.viulit) *s* regato; arroio; riacho.
Roach (rôutxe) *s* barata.
Road (rôud) *s* estrada.
Road.stead (rôud.stéd) *s* enseada; ancoradouro.
Road.way (rôud.uêi) *s* rodovia; estrada; o leito da rua.
Roam (rôum) *v* vagar; percorrer.
Roam.er (rôu.mâr) *s* vadio; vagabundo.

Roar (rôur) *s* rugido; estrondo; grito; *v* rugir; vociferar; mugir.
Roar.ing (rôu.rin) *adj* que ruge; que ronca.
Roast (rôust) *s* carne assada; assado; *v* assar; tostar; *adj* assado; tostado.
Roast.er (rôus.târ) *s* assador.
Rob (rób) *v* assaltar; saquear; pilhar.
Rob.ber (ró.bâr) *s* ladrão; assaltante.
Rob.ber.y (ró.bâri) *s* roubo; saque; pilhagem.
Robe (rôub) *s* veste; túnica; roupão; *v* vestir; revestir; enfeitar.
Rob.ot (roubôut) *s* autômato.
Ro.bust (robâst) *adj* robusto; vigoroso; forte; duro; rude.
Ro.bust.ness (robâst.nés) *s* robustez; força.
Rock (róc) *s* rocha; rochedo; *v* balançar; agitar.
Rock.er.y (ró.câri) *s* gruta artificial; pedras.
Rock.et (ró.quet) *s* foguete; foguetão.
Rock.y (ró.qui) *adj* empedrado; endurecido.
Rod (ród) *s* vareta; vara (de pescar, de castigo); linhagem.
Roe (rôu) *s* cabrito (montês).
Ro.ga.tion (roguêi.xân) *s* rogações; súplicas; preces.
Rogue (rôug) *s* vadio; velhaco.
Rogu.er.y (rôu.gâri) *s* velhacaria; vadiagem; malícia.
Rogu.ish (rôu.guixe) *adj* velhaco; maldoso; folgazão; travesso.
Rogu.ish.ness (rôu.guixenés) *s* velhacaria; jocosidade, maldade.
Roist.er (róis.târ) *v* fazer barulho.
Role (rôul) *s* TEATR papel; função; parte.
Roll (rôul) *s* rolo; cilindro; lista; rol; rufo do tambor, pau de vassoura; *v* rolar; rodar; enrolar; revolver; envolver; rufar o tambor.
Roll.er (rôu.lâr) *s* rolo; cilindro; vaga; maresia.
Roll.ing (rôu.lin) *s* rotação; giro; ato de enfaixar; laminação; *adj* que roda; ondulado.
Ro.man (rôu.mân) *adj* romano; severo; austero; nobre.
Ro.mance (romens) *s* romance; conto; namoro; *v* romancear; *adj* romântico.
Ro.man.tic (romén.tic) *adj* romântico; fabuloso; sentimental; imaginário.
Romp (rómp) *s* garota desembaraçada; *v* brincar ruidosamente.
Romp.ish (róm.pixe) *adj* brincalhão; gracejador.
Rood (rud) *s* cruz; crucifixo.
Roof (ruf) *s* telhado; abóbada; teto; habitação; abrigo; *v* abrigar; telhar.
Rook (ruc) *s* gralha; torre (xadrez); *v* lograr; trapacear.
Rook.er.y (ru.câri) *s* antro; casa muito povoada (cortiço).
Room (rum) *s* quarto; sala; causa; motivo; oportunidade; alojamento; razão; *v* alojar.
Room.y (ru.mi) *adj* espaçoso; amplo; vasto.
Roost (rust) *s* poleiro; lugar de descanso; *v* empoleirar.
Roost.er (rustâr) *s* galo.
Root (rut) *s* raiz; origem; base; MÚS nota tônica; *v* arraigar-se.
Rope (rôup) *s* corda; cabo; réstia; enfiada; *v* amarrar; enganar; laçar.
Ro.sa.ry (rôu.zâri) *s* rosário; coroa de rosas.
Rose (rôuz) *s* rosa; roseira; cor-de-rosa; rubor.
Rose-cross (rôuz.cros) *s* a Rosacruz, símbolo do Rosacrucianismo (uma Rosa e uma Cruz unidas).
Ros.ter (rós.târ) *s* registro de homens e oficiais ativos; qualquer lista.
Ros.y (rôu.zi) *adj* rosado; róseo; agradável; lisonjeiro; otimista.
Rot (rót) *s* podridão; putrefação; cárie; *v* apodrecer; decompor.
Ro.ta.ry (rôu.târi) *adj* giratório; rotativo.
Ro.tate (rôu.têit) *adj* em forma de roda; *v* girar; dar voltas.
Ro.ta.tion (rotêi.xân) *s* rotação; volta; revolução; alternativa.
Rote (rôut) *s* rotina; som (de ondas).
Ro.tund (rotând) *adj* redondo; rotundo; esférico.
Rou.ble (rubol) *s* Rublo (moeda).
Rough (râf) *s* estado tosco; grosseiro; desordeiro; *v* tornar; tornar rude; encapelar (o mar); *adj* rude; áspero.
Rough. ly (râfli) *adv* asperamente; mais ou menos; bruscamente.
Rough.ness (râf.nés) *s* aspereza; tormenta; tempestade.
Round (ráund) *s* círculo; roda; degrau de escada; giro; globo; rota; caminho; *adj* redondo; circular; cilíndrico; sonoro; íntegro; *v* arredondar; andar em volta de; *adv* em roda de; ao redor de.
Rouse (ráuz) *v* acordar; despertar; excitar.
Rous.er (ráu.zâr) *s* despertador; excitador; embuste; mentira.
Rout (ráut) *s* derrota; tumulto; confusão; *v* derrotar; pôr em fuga.
Route (rut) *s* caminho; rumo; rota.
Rou.tine (rutin) *s* rotina; prática; hábito.
Rove (rôuv) *s* correria; passeio; *v* percorrer; vagar.
Rov.er (rôu.vâr) *s* vagabundo; pessoa indecisa; ladrão.
Row (rôu) *s* fila; fileira; passeio de barco; contenda; tumulto; algazarra; *v* conduzir remando; armar tumulto.
Row.di.ness (ráu.dinés) *s* turbulência; bulha.
Row.dy.ism (ráu.diizm) *s* tumulto; desordem.
Row.el (ráu.âl) *s* roda dentada (espora); *v* picar com espora (roda dentada).
Roy.al (rói.âl) *adj* real; régio; superior.
Roy.al.ism (rói.âlizm) *s* realismo; monarquia.
Roy.al.ist (rói.âlist) *s* realista.
Roy.al.ty (rói.âlti) *s* realeza; dignidade real; JUR direitos de patente, autoral, etc.
Rub (râb) *s* fricção; atrito; polimento; sarcasmo; vaia; *v* friccionar; lustrar; tirar com borracha.

Rub.ber (râ.bâr) *s* borracha; caucho; polidor; pedra de amolar; lima; disputa em jogo (melhor de três); *adj* feito de borracha.
Rub.bish (râ.bixe) *s* lixo; refugo; insignificância.
Rub.ble (râbol) *s* cascalho; seixo.
Ru.by (ru.bi) *s* rubi; *v* tornar rubro.
Ruck (râc) *s* prega; vinco; *v* vincar.
Ruc.tion (râc.xân) *s* POP algazarra; tumulto.
Rud.der (râ.dâr) *s* governo; direção; leme.
Rud.dy (râ.di) *adj* vermelho; rubro; rosado.
Rude (rud) *adj* rude; imperfeito; turbulento.
Rude.ness (rud.nés) *s* rudeza; grosseria; rigor; insolência.
Ru.di.ment (ru.dimént) *s* rudimento; embrião.
Ru.di.men.tal (rudimén.târi) *adj* rudimentar; elementar.
Rue (ru) *s* arrependimento; pesar; arruda; *v* lastimar; pesar; arrepender-se.
Rue.ful (ru.ful) *adj* triste; pesaroso; lúgubre; lamentável.
Rue.ful.ness (ru.fulnés) *s* pena; tristeza.
Ruff (râf) *s* prega; franzido; rufo de tambor; *v* rufar (tambor); pôr em desordem.
Ruf.fle (râfol) *s* confusão; desordem; rufar (tambor); *v* franzir; amarrotar; arrepiar-se.
Rug (râg) *s* tapete; coberta; manta de viagem.
Rug.ged (râgd) *adj* rude; carrancudo; robusto.
Rug.ged.ness (râgd.nés) *s* rudeza; severidade.
Rule (rul) *s* regra; estatuto; risco; governo; autoridade; régua; norma; JUR parecer de um tribunal; *v* governar; regular; disciplinar; reinar.
Rul.er (ru.lâr) *s* soberano; régua; governador.
Rum (râm) *s* rum; aguardente; POP bebida alcoólica; *adj* estranho; singular; ótimo.
Rum.ble (râmbol) *s* rumor; ruído; estrondo; ronco; ribombo; *v* retumbar; repreender.
Ru.mi.nate (ru.minêit) *v* ruminar; refletir.
Rum.mage (râm.midj) *s* busca minuciosa; vistoria; *v* remexer; revolver.
Rum.mer (rum.mâr) *s* copázio; taça; copo.
Ru.mor (ru.mâr) *s* rumor; boato; *v* divulgar; espalhar boatos.
Rump (râmp) *s* anca; garupa; nádegas.
Rum.ple (râmpol) *s* prega; dobra; vinco; *v* amarrotar; enrugar.
Rum.pus (râm.pâs) *s* motim; distúrbio.
Run (rân) *s* corrida; viagem; aceitação; *v* correr; *past* **Ran** *and pp* **Run**.
Rung (rân) *s* degrau (escada); vareta; caverna.
Run.ner (rân.nâr) *s* corredor; peão; mensageiro; fugitivo; corretor.
Ruse (ruz) *s* ardil; astúcia; artimanha.
Rush (râxe) *s* ímpeto; carga; arremetida; fúria; *v* fazer com muita urgência; acelerar.
Rusk (râsc) *s* rosca; biscoito.
Rus.set (râ.set) *s* cor avermelhada; traje; *adj* avermelhado; rústico; grosseiro.
Rust (râst) *s* ferrugem; bolor; *v* enferrujar.
Rus.tle (râsol) *s* murmúrio; sussurro; ruído; *v* sussurrar; roçar.
Rust.y (râs.ti) *adj* inutizável por falta de uso; enferrujado.
Rut (rât) *s* rotina; cio; buraco.
Rye (rái) *s* centeio.
Ryot (rái.ât) *s* lavrador.

s S

S (és) *s* décima-nona letra do alfabeto Português e do alfabeto Inglês.
Sa.ble (sêibol) *s* zibelina ou marta; pele (de marta); roupa de luto; *adj* negro; sombrio.
Sab.o.tage (sabotáj) *s* sabotagem; *v* sabotar.
Sa.bre (sei.br) *s* sabre (espada); *also* **Saber**.
Sab.u.lous (sé.biulâs) *adj* arenoso; *also* **Sabulose**.
Sac (séc) *s* bolsa membranosa; BIO cavidade.
Sack (séc) *s* saco; saca; saque; *v* ensacar; saquear.
Sac.ri.fice (sé.crifáis) *s* sacrifício; holocausto; vítima; *v* sacrificar; imolar.
Sac.ri.lege (sé.crilidj) *s* sacrilégio; profanação.
Sac.ri.le.gious (sécrili.djâs) *adj* sacrílego; profano.
Sad (séd) *adj* circunspecto; triste; pesaroso; melancólico.
Sad.den (sédn) *v* entristecer-se.
Sad.dle (sédol) *s* sela; selim; *v* selar; pôr carga (na sela).
Sad.ness (séd.nés) *s* tristeza; melancolia; abatimento.
Safe (sêif) *s* cofre-forte; *adj* salvo; ileso; intacto; leal; digno de confiança.
Safe.guard (sêif.gárd) *s* salvaguarda; proteção.
Safe.ty (sêif.ti) *s* segurança; abrigo; lugar seguro.
Saf.fron (sêi.frân) *s* açafrão; *adj* cor (de açafrão).
Sag (ség) *s* inclinação; dobra; curvatura; *v* vergar; curvar.
Sa.ga.cious (sâguêi.xâs) *adj* sagaz; astuto.
Sage (sêidj) *s* sábio; salva (planta); *adj* sábio; prudente.
Sage.ness (sêidj.nés) *s* sabedoria; prudência.
Sail (sêil) *s* vela de navio; barco (vela); *v* navegar; velejar.
Sail.boat (sêil.bôut) *s* veleiro.
Sail.cloth (sêil.clóth) *s* lona.
Sail.ing (sêi.lin) *s* navegação; mareação; partida; largada.
Sail.or (sêi.lâr) *s* marinheiro; navegante.
Saint (sêint) *s* santo; santa.
Sake (sêic) *s* atenção; causa; fim; motivo.
Sa.la.cious (sâlêi.xâs) *adj* impudico; lascivo; obsceno.
Sa.la.cious.ness (sâlêi.xâsnés) *s* lascívia; luxúria; obscenidade.
Sal.a.ry (sé.lâri) *s* salário; ordenado.
Sale (sêil) *s* ação de vender; liquidação; leilão; mercado.
Sale.a.ble (sêi.lâbol) *adj* vendável.
Sa.li.ence (sêi.liéns) *s* saliência; projeção; proeminência.
Sa.li.ent (sêi.liént) *s* ângulo saliente (em fortificação); *adj* saliente.
Sal.i.va.tion (sélivêi.xân) *s* salivação.
Sal.low (sé.lôu) *adj* amarelado; descorado; pálido.
Sal.low.ness (sé.lôunés) *s* lividez; palidez.
Sal.low.y (sé.lôui) *adj* cheio de salgueiros; lívido; pálido.
Sal.ly (sé.li) *s* excursão; saída; sortida; *v* sair às pressas.
Sa.loon (sâlun) *s* salão; sala de recepção.
Sal.si.fy (sél.sifi) *s* barba-de-bode (planta).
Salt (sólt) *s* sal; sabor; gosto; graça; espírito; marinheiro; *v* salgar; *adj* salgado; picante.
Sal.ta.tion (séltêi.xân) *s* palpitação; pulo; pulsação; salto.
Sa.lute (séliut) *s* saudação; MIL continência; salva; *v* saudar.
Sal.vage (sél.vidj) *s* salvamento; os salvados.
Sal.va.tion (sélvêi.xân) *s* salvação; redenção.
Salve (sáv) *s* unguento; pomada; emplastro; *v* aplicar unguento.
Sal.ver (sél.vâr) *s* salva; bandeja de prata.
Same (sêim) *adj* mesmo (a, os, as); idêntico.
Same.ness (sêim.nés) *s* identidade; semelhança.
Sam.ple (sémpol) *s* amostra; modelo; exemplo; *v* dar amostra; experimentar.
Sanc.ti.fy (sénc.tifái) *v* santificar.
Sanc.tion (sénc.xân) *s* sanção; confirmação; *v* sancionar.
Sanc.tu.a.ry (sénc.txuéri) *s* santuário; abrigo; altar; templo.
Sanc.tum (sénc.tâm) *s* lugar sagrado.
Sand (sând) *s* areia; areal; praia; *v* arcar; cobrir de areia.
San.dal (sândol) *s* sandália; alparcata.

Sand.wich (sén.duitxe) *s* sanduíche.
Sand.y (sân.di) *adj* arenoso; ruivo.
Sane (sêin) *adj* de mente sã; sensato; sadio.
Sane.ness (sêin.nés) *s* sanidade; higidez.
San.i.ty (sé.niti) *s* sanidade; razão.
San.ta Claus (sén.tâclós) *s* Papai Noel.
Sap (sép) *s* seiva; fluido vital; MIL trincheira estreita e funda; *v* solapar; escavar.
Sap.a.jou (sé.pâju) *s* macaquinho; mico.
Sa.pi.ence (sêi.piéns) *s* sapiência; sabedoria.
Sa.pi.ent (sêi.piént) *adj* sapiente; sábio.
Sap.ling (sé.plin) *s* árvore nova; um jovem; a mocidade.
Sap.o.na.ceous (séponêi.xâs) *adj* saponáceo.
Sa.pon.i.fy (sâpó.nifái) *v* saponificar.
Sap.phire (sé.fáir) *s* safira (pedra).
Sap.py (sé.pi) *adj* imaturo; sentimental; suculento; tolo; viçoso.
Sar.casm (sár.quézm) *s* sarcasmo; ironia.
Sar.cas.tic (sárqués.tic) *adj* sarcástico.
Sarce.net (sárs.net) *s* tafetá.
Sar.coph.a.gus (sárcó.fâgâs) *s* sarcófago.
Sark (sárc) *s* camisa; mortalha.
Sash (séxe) *s* cinto; caixilho de janela; faixa; vidraça corrediça.
Sate (sêit) *v* saciar; fartar.
Sa.ti.ate (sêi.xeiêit) *v* saciar; satisfazer.
Sa.ti.e.ty (sâtái.iti) *s* saciedade.
Sat.in (sé.tin) *s* cetim; *adj* de ceetim; acetinado.
Sat.ire (sé.táir) *s* sátira (composição literária); censura jocosa.
Sat.i.rize (sé.tiráiz) *v* satirizar.
Sat.is.fac.tion (sétisféc.xân) *s* satisfação; compensação; confirmação.
Sat.is.fac.to.ry (sétisféc.tôuri) *adj* satisfatório.
Sat.is.fy (sé.tisfái) *v* satisfazer; bastar; contentar; convencer; pagar.
Sat.ur.day (sé.târdêi) *s* sábado (7° dia da semana).
Sat.yr (sé.târ) *s* MIT sátiro.
Sauce (sós) *s* molho; atrevimento; *v* temperar; dizer insolências.
Sauce.pan (sós.pân) *s* caçarola (panela).
Sau.cer (só.sâr) *s* pires.
Sau.cy (só.si) *adj* insolente; petulante.
Saun.ter (són.târ) *v* perambular; vaguear; vadiar.
Sau.sage (só.sidj) *s* salsicha; chouriço; POP pênis.
Sav.age (sé.vidj) *s* selvagem; *adj* selvagem; feroz; bárbaro; inculto.
Sa.vant (saván) *s* sábio; erudito.
Save (sêiv) *v* salvar; poupar; socorrer; economizar; *prep* salvo; *conj* a não ser que.
Sav.iour (sêi.viâr) *s* salvador.
Sa.vor.y (sêi.vâri) *s* prato saboroso (servido após a refeição principal); *adj* interessante; saboroso; gostoso.
Sa.vour (sêi.vâr) *s* sabor; gosto; *v* provar; saborear.
Sa.voy (sâvói) *s* repolho (variedade).

Savvy (saevi) *s* habilidade; conhecimento; compreensão.
Saw (só) *s* serra; *v* serrar; *past* **Sawed** *and pp* **Sawed** *or* **Sawn**.
Say (sêi) *s* fala; palavra; discurso; tecido (lã ou seda); *v* dizer; falar; recitar; contar; *past and pp* **Said**.
Scab (squéb) *s* crosta de ferida; ronha; sarna; operário.
Scab.bi.ness (squé.binés) *s* estado sarnento; mesquinhez; vileza.
Sca.bi.ous (squé.biâs) *adj* sarnoso.
Scaf.fold (squé.fâld) *s* estrado; andaime; tablado; cadafalso; *v* fazer andaimes.
Scald (scóld) *s* escaldadura; queimadura; tinta; *v* escaldar.
Scale (squêil) *s* balança; escala.
Scalp (squélp) *s* couro cabeludo; *v* escalpar.
Scal.y (squêi.li) *adj* avaro; escamoso; mesquinho; revestido (com escamas).
Scam (squêim) *s* golpe; fraude.
Scamp (squémp) *s* velhaco; patife; *v* trabalhar negligentemente.
Scamp.er (squém.pâr) *s* fuga; *v* fugir.
Scan (squén) *v* examinar; esquadrinhar; metrificar um verso.
Scan.dal.ize (squén.dâláiz) *v* escandalizar; aviltar; desonrar; difamar.
Scant (squént) *v* restringir; limitar; *adj* escasso; raro; limitado; *adv* escassamente.
Scant.i.ness (squén.tinés) *s* escassez.
Scant.y (squén.ti) *adj* avarento; escasso; exíguo.
Scape (squêip) *s* escapo; haste; pedúnculo.
Scap.u.la (squé.piulâ) *s* omoplata; espádua.
Scar (scár) *s* cicatriz; escoriação; *v* marcar com cicatrizes.
Scar.ab (squé.râb) *s* escaravelho; escarabeu (inseto).
Scarce (squérs) *adj* raro; escasso; incomum.
Scarce.ly (squérs.li) *adv* escassamente; apenas; mal.
Scare (squér) *s* susto; sobressalto; terror; *v* assustar.
Scare.crow (squér.crôu) *s* espantalho; pessoa mal vestida.
Scarf (scárf) *s* mantilha; lenço para pescoço; tapete para toucador.
Scathe (squêidh) *s* prejuízo; dano; *v* prejudicar; criticar severamente.
Scat.ter (squé.târ) *v* espalhar; dispersar.
Scav.enge (squé.vendj) *v* varrer; limpar (rua).
Scene (sin) *s* cena; cenário; paisagem.
Scen.er.y (si.nâri) *s* cenário; paisagem; decoração.
Scent (sént) *s* cheiro; perfume; indício; pista; rastro; *v* perfumar; cheirar.
Scent.less (sén.tlés) *adj* inodoro.
Scep.ter (sép.târ) *s* cetro; FIG realeza.
Scep.ti.cism (squép.tissizm) *s* FIL Ceticismo (a verdade absoluta é inatingível ao homem).
Sched.ule (squé.djul) *s* catálogo; horário; inventário; lista; *v* inventariar; incluir numa lista; discriminar; arrolar.

Scheme (squim) *s* esquema; projeto; esboço; traçado; trama; *v* projetar; planejar.
Schism (sizm) *s* cisma.
Schol.ar (scó.lâr) *s* aluno; estudante; sábio; erudito.
Schol.ar.ship (scó.lârxip) *s* saber; erudição; bolsa de estudos.
School (scul) *s* escola; classe; aula; cardume de peixes.
Schmuck (ximâc) *adj* GÍR panaca, trouxa (**Yiddish**).
Schoon.er (scu.nâr) *s* escuna; galeota; copo (para cerveja).
Sci.ence (sái.ens) *s* ciência; saber; erudição.
Sci.en.tist (sái.entist) *s* cientista; sábio; conhecedor.
Scin.til.lant (sin.tilânt) *adj* cintilante; luminoso.
Sci.on (sái.ân) *s* enxerto; renovo; broto; descendente.
Scis.sion (si.jân) *s* cisão; corte; divisão.
Scis.sors (si.zârs) *s* tesoura.
Scoff (scóf) *s* escárnio; zombaria; *v* escarnecer; zombar de.
Scoff.er (scó.fâr) *s* escarnecedor; zombador.
Scold (scôuld) *s* pessoa faladora; pessoa rabugenta; *v* repreender; ralhar.
Scold.er (scôul.dâr) *s* ralhador; rabugento.
Scold.ing (scôul.din) *s* repreensão; ralhos.
Sconce (scóns) *s* arandela; fortificação; POP bom senso; *v* fortificar; abrigar.
Scoop (scup) *s* pá; colher grande; cratera; lucro; furo jornalístico; *v* vazar; despejar com colherão; escavar.
Scoot (scut) *v* fugir (rapidamente); safar-se.
Scoot.er (scu.ter) *s* motoneta (motocicleta).
Scope (scôup) *s* escopo; esfera; extensão; fim; liberdade de ação.
Scorch (scórtxe) *s* queimadura; *v* crestar; chamuscar; magoar (com palavras).
Score (scôur) *s* incisão; risco; conta; pontos (num jogo); partitura; *v* marcar pontos; orquestrar; lançar em conta.
Scor.er (scôu.râr) *s* marcador; contador de pontos (em jogo).
Scorn (scórn) *s* desdém; escárnio; *v* desprezar; escarnecer.
Scorn.ful.ness (scórn.fulnés) *s* desprezo.
Scor.pi.on (scór.piân) *s* escorpião; lacrau.
Scot (scót) *s* o dialeto Escocês; Escocês.
Scotch (scótxe) *s* Escocês; aguardente Escocesa; uísque Escocês; *adj* Escocês.
Scoun.drel (scáun.drel) *s* velhaco; biltre; tratante.
Scour (scáur) *s* ação de desentupir; *v* branquear; esfregar; polir.
Scourge (scârdj) *s* chicote; açoite; castigo; *v* flagelar; chicotear; castigar.
Scout (scáut) *s* escoteiro; explorador; batedor; *v* fazer reconhecimento.
Scow (scáu) *s* barcaça de fundo chato.
Scowl (scául) *s* carranca; olhar ameaçador; *v* fazer carranca.
Scrab.ble (scrébol) *s* garatuja; arranhão; *v* escrever mal; lutar; trepar.
Scrag (scrég) *s* coisa delgada (fina); pessoa magra; *v* matar (enforcando).
Scrag.gi.ness (scré.guinés) *s* aspereza; escabrosidade; magreza.
Scram.ble (scrémbol) *s* esforço; diligência; competição renhida; *v* esforçar-se.
Scrap (scrép) *s* bocado; fragmento; resto; migalha; luta; discussão; *v* despojar material velho; lutar; discutir.
Scrape (scrêip) *s* embaraço; raspadura; ruído; cortesia desajeitada; *v* raspar; arranhar; apagar.
Scrap.er (scrêi.pâr) *s* raspador; raspadeira.
Scratch (scrétxe) *s* arranhão; raspadura; ESP equipe; *v* arranhar; coçar; riscar.
Scrawl (scró) *s* escrita ilegível; rabiscos; *v* rabiscar; escrever mal.
Screak (scric) *s* grito agudo; *v* ranger; chiar; gritar.
Scream (scrim) *s* pio; grito; *v* dar gritos agudos; gritar.
Scream.er (scri.mâr) *s* o que grita.
Screech (scri.txe) *s* guincho; grito agudo; *v* guinchar; soltar gritos agudos.
Screech.y (scri.txi) *adj* agudo; áspero; estridente.
Screed (scrid) *s* fragmento; pedaço; tira; retalho.
Screen (scrin) *s* grade; tela de cinema; *v* abrigar; proteger; esconder; mostrar filme.
Screw (scru) *s* parafuso; rosca; hélice; torcedura; avarento; salário; *v* parafusar; atarraxar; apertar; oprimir; torcer.
Scrib.ble (scribol) *s* rabisco; *v* rabiscar.
Scribe (scráib) *s* escrevente; escritor; escrivão; *v* escrever; riscar.
Scrim.mage (scri.midj) *s* escaramuça; contenda; luta corpo a corpo.
Scrimp (scrimp) *s* pessoa econômica; avaro; muquirana; *v* encurtar; estreitar; restringir; economizar.
Scrip (scrip) *s* bolsa; alforje; certificado.
Script (script) *s* escrita; manuscrito.
Scrip.ture (scrip.txur) *s* escritura; Bíblia.
Scrive (scráiv) *v* registrar; inscrever.
Scriv.en.er (scriv.nâr) *s* notário.
Scroll (scrôul) *s* rolo de papel; rolo de pergaminho; espiral.
Scro.tum (scrôu.tâm) *s* escroto.
Scrub (scrâb) *s* pobre-coitado; mato; ninharia; cavalo; *v* esfregar; lavar com escova; dar-se ao trabalho; *adj* desprezível; abjeto.
Scrub.ber (scrâ.bâr) *s* esfregão; encerador.
Scrub.by (scrâ.bi) *adj* mau; sem préstimo; indigente; coberto de mato.
Scruff (scrâf) *s* nuca.
Scrunch (scrântxe) *v* trincar; mascar; esmagar.

Scru.ple (scrupol) *s* dúvida; escrúpulo; pequena quantidade; escrópulo (peso antigo = 1,295 grama); antiga moeda Romana; *v* ter escrúpulos; hesitar.

Scru.pu.lous (scru.piulâs) *adj* escrupuloso; delicado; consciencioso.

Scru.ti.nize (scru.tiráiz) *v* examinar; observar cuidadosamente; investigar.

Scru.ti.ny (scru.tini) *s* investigação; exame.

Scud (scâd) *s* fuga; nuvens; *v* fugir, deslizar, correr apressadamente.

Scuf.fle (scâfol) *s* briga; rixa; tumulto; luta corpo a corpo; *v* bater-se; lutar contra.

Scuf.fler (scâ.flâr) *s* altercador; brigão.

Scull (scâl) *s* barquinho; remo longo; par de remos; *v* remar; impelir barco (com remo).

Scul.ler.y (scâ.lâri) *s* copa.

Scul.lion (scâ.liân) *s* lavador (de pratos).

Sculp (scâlp) *s* gravura; *v* POP esculpir; gravar.

Sculp.ture (scâlp.txur) *s* escultura; *v* cinzelar; esculpir; entalhar; gravar.

Scum (scâm) *s* escória dos metais; espuma; escuma.

Scum.mer (scâ.mâr) *s* escumadeira; espumadeira.

Scurf (scârf) *s* caspa; crosta; tinha.

Scur.ry (scâ.ri) *s* fuga apressada; *v* correr.

Scur.vy (scâr.vi) *adj* desprezível; vil; miserável; atacado de escorbuto.

Scut (scât) *s* rabo curto; POP pessoa contemplativa; *v* cortar (cauda de animal); *adj* curto (rabo, cauda).

Scutch (scâtxe) *s* estopa.

Scut.tle (scâtol) *s* escotilha; cesto; corrida acelerada; passo apressado; *v* fazer rombos (para afundar navio); apressar-se.

Scythe (sáidh) *s* foice; *v* ceifar; segar.

Sea (si) *s* mar; oceano; colosso.

Sea.far.er (si.férâr) *s* navegante; marinheiro.

Sea.go.ing (si.gôuin) *adj* de alto-mar; marítimo.

Seal (sil) *s* selo, sinete; carimbo; sigilo; foca; pele de foca; *v* lacrar; chancelar; afixar sobre (selo ou rubrica)

Seam (sim) *s* costura; junta; ruga; cicatriz; *v* costurar; coser; cerzir; juntar.

Sea.man (si.mân) *s* marinheiro.

Seam.stress (sims.trés) *s* costureira.

Sea.plane (si.plêin) *s* hidroavião.

Sear (sir) *s* sinal de queimadura; *v* murchar; secar; tostar; *adj* murcho; seco; árido.

Search (sârtxe) *s* busca; pesquisa; exame; *v* procurar; pesquisar; dar busca; investigar.

Sea.shore (si.xôur) *s* litoral; costa; praia.

Sea.sick.ness (si.sic.nés) *s* enjoo do mar.

Sea.son (sizn) *s* estação do ano; época; momento propício; *v* amadurecer; acostumar; aclimatar; endurecer.

Sea.son.ing (siz.nin) *s* condimento; tempero.

Seat (sit) *s* assento; banco ou lugar em veículo; fundo; posição; domicílio; *v* assentar; sentar; estabelecer o lugar.

Sea.ward (si.uârd) *adj* para o mar, soprando do mar (vento); *adv* em direção do mar.

Se.cede (sissid) *v* fazer corte; ir embora; separar.

Se.ces.sion (sissé.xân) *s* cisão; secessão; separação.

Se.clude (siclud) *v* excluir; separar; segregar.

Se.clu.sion (siclu.jân) *s* afastamento; separação; segregação.

Sec.ond (sé.cånd) *s* auxiliar; segundo; instante; padrinho (no boxe); testemunha; mercadoria; *v* apoiar; secundar; ajudar; *adj* segundo; inferior.

Sec.on.da.ry (sé.cândéri) *adj* secundário; subordinado.

Se.cre.cy (si.cressi) *s* segredo; retiro; sigilo; reserva.

Se.cret (si.cret) *s* segredo; *adj* secreto; oculto; recôndito.

Sec.re.ta.ry (sé.critéri) *s* secretário; escrivaninha.

Se.crete (sicrit) *v* guardar um secredo; ocultar; segregar.

Se.cre.tive (sicri.tiv) *adj* reservado; calado.

Sect (séct) *s* seita; doutrina; partido.

Sec.ta.ri.an (séctêi.riân) *s* sectário; partidário; *adj* partidário.

Sec.ta.ry (séc.târi) *s* sectário; fanático.

Sec.tion (séc.xân) *s* artigo; secção; divisão; parte; parágrafo.

Sec.u.lar (sé.quiulâr) *s* secular; temporal; mundano; leigo; *adj* secular; leigo; mundano.

Se.cur.a.ble (siquiu.râbol) *adj* que se pode segurar.

Se.cure (siquiur) *v* pôr em segurança; resguardar; garantir; obter a posse; trancar; *adj* seguro; em segurança.

Se.cur.i.ty (siquiu.riti) *s* segurança; penhor; proteção.

Se.date (sidêit) *adj* calmo; sossegado; tranquilo.

Se.di.tion (sidi.xân) *s* sedição; tumulto; revolta.

Se.di.tious (sidi.xâs) *adj* insurreto; rebelde.

Se.duce (sidius) *v* seduzir; corromper.

Se.duce.ment (sidius.ment) *s* corrupção; sedução.

Sed.u.lous (sé.diulâs) *adj* assíduo; ativo; aplicado; diligente.

See (si) *s* sé; catedral; *v* compreender; enxergar; examinar; imaginar; pensar; visitar; ver; *past* **Saw** *and pp* **Seen**.

Seed (sid) *s* semente; origem; geração; fonte; *v* semear; espigar; brotar.

Seed.y (si.di) *adj* cheio de sementes; gasto; usado; miserável.

Seek (sic) *v* aspirar; buscar; lidar; procurar; tentar; *past and pp* **Sought**.

Seek.er (si.câr) *s* investigador.

Seem (sim) *v* parecer; aparentar.

Seem.ly (sim.li) *adj* decoroso; conveniente; *adv* convenientemente.

Seer (sir) *s* vidente; profeta.

See.saw (si.só) *s* gangorra; balanço; *v* balançar em gangorra; *adj* de balanço.

Seethe (sidh) *v* ferver; FIG ser ou estar agitado; *past* **Sod** *and pp* **Sodden**.

Seg.re.gate (sé.griguêit) *v* segregar; isolar, separar.
Seg.re.ga.tion (ségriguêi.xân) *s* segregação; separação.
Seize (siz) *v* agarrar; confiscar; embargar; penhorar; prender; sequestrar.
Seiz.ing (si.zin) *s* tomada de posse; penhora.
Sei.zure (si.jur) *s* apreensão; captura; embargo; prisão; tomada.
Sel.dom (sél.dâm) *adv* raramente.
Se.lect (siléct) *v* escolher; selecionar; *adj* seleto; escolhido.
Se.lec.tion (siléc.xân) *s* seleção; escolha.
Self (sélf) *s* eu; indivíduo; pessoa; *adj* se; mesmo; próprio; individual; pessoal.
Self.ish (sél.fixe) *adj* egoísta; vaidoso; interesseiro.
Self.same (sélf.sêim) *adj* mesmo; idêntico.
Sell (sél) *v* vender; *past or pp* **Sold**.
Sell.er (sé.lâr) *s* vendedor.
Sel.vage (sél.vidj) *s* orla (de tecido); ourela.
Se.man.tics (simén.tics) *s* semântica.
Sem.a.phore (sé.mâfôur) *s* semáforo.
Sem.blance (sém.blâns) *s* semelhante; aspecto; aparência.
Sem.i.co.lon (sé.mi.côu.lân) *s* ponto e vírgula.
Sem.i.nar (séminár) *s* estudante que faz curso especial.
Sem.i.na.ry (sé.minéri) *s* seminário; grupo de estudos.
Send (sénd) *v* mandar; enviar; mandar buscar; expedir; transmitir; arrojar; *past and pp* **Sent**.
Send.er (sén.dâr) *s* remetente; expedidor; despachante.
Se.nior (si.niâr) *s* sênior; ancião; decano.
Sen.sa.tion (sénsêi.xân) *s* sensação; comoção; excitação.
Sense (séns) *s* espírito; razão; sentimento; significado; senso; sentido; *v* perceber.
Sense.less (séns.lés) *adj* insensato; néscio; algo sem sentido.
Sense.less.ness (séns.lésnés) *s* insensatez; tolice; absurdo.
Sen.si.bil.i.ty (sénsibi.liti) *s* sensibilidade; susceptibilidade.
Sen.si.ble (sén.sibol) *adj* sensível; razoável; sensato.
Sen.su.al (sén.xuâl) *adj* sensual; carnal.
Sen.su.al.i.ty (sénxué.liti) *s* sensualidade; volúpia.
Sen.su.ous (sén.xuâs) *adj* sensual; sensitivo; terno.
Sen.tence (sén.tens) *s* sentença; decisão; opinião; máxima; GRAM sentença; frase; *v* sentenciar.
Sen.ten.tious (sentén.xâs) *adj* breve; conciso; lacônico; sentencioso.
Sen.ten.tious.ness (sentén.xâsnés) *s* laconismo; concisão.
Sen.ti.ment (sén.timént) *s* sentimento; afeto; juízo; opinião; parecer.
Sen.ti.men.tal (séntimén.tâl) *adj* sentimental; sensível; terno.
Sen.ti.men.tal.ism (séntimén.tâlizm) *s* sentimentalismo; sensibilidade.
Sen.ti.nel (sén.tinél) *s* sentinela.
Sep.a.ra.bil.i.ty (sépârâbi.liti) *s* separabilidade; divisibilidade.
Sep.a.ra.bie (sé.pârâbol) *adj* separável; divisível.
Sep.a.rate (sé.pârêit) *v* separar; distinguir; dividir; *adj* separado; desunido; distinto.
Sep.a.ra.tion (sépârêi.xân) *s* separação; desunião; divisão.
Sep.a.ra.tist (sé.pârâtist) *s* separatista.
Sep.tem.ber (séptém.bâr) *s* Setembro (9º mês do ano).
Sep.tic (sép.tic) *adj* séptico; relativo à putrefação (tecido orgânico).
Se.pul.chral (sipâl.crâl) *adj* sepulcral; sombrio.
Se.pul.chre (sé.pâlcâr) *s* sepulcro; túmulo; *v* sepultar; enterrar.
Sep.ul.ture (sé.pâltxur) *s* túmulo; jazigo; sepultura.
Se.qua.cious (sicuêi.xâs) *adj* sequaz; servil.
Se.quel (si.cuél) *s* sequela; resultado; consequência.
Se.quence (si.cuéns) *s* sequência; continuação; série.
Se.ques.ter (sicués.târ) *v* sequestrar; apoderarse; ocultar; separar.
Se.ques.trate (sicués.trêit) *v* sequestrar; apoderar-se de; confiscar.
Ser.e.nade (sérenêid) *s* serenata; seresta.
Se.rene (sirin) *adj* sereno; calmo; plácido; tranquilo.
Se.ren.i.ty (siré.niti) *s* serenidade; paz.
Serf (sârf) *s* servo; escravo; empregado.
Serf.age (sâr.fidj) *s* servidão; sujeição; escravidão.
Serge (sârdj) *s* sarja; tecido (lã ou seda).
Ser.geant (sár.djânt) *s* sargento.
Se.ri.al (si.riâl) *s* publicação periódica; folhetim; *adj* disposto em série.
Se.ries (si.ris) *s* série; sucessão de coisas ou fatos da mesma natureza.
Se.ri.ous (si.riâs) *adj* sério; grave; circunspecto; solene.
Ser.pen.tine (sâr.pentáin) *s* serpentina.
Ser.rate (sé.rit) *adj* dentado como serra.
Ser.ra.tion (serrêi.xân) *s* recorte dentado.
Ser.vant (sâr.vâl) *s* criado; criada; servo; servidor.
Serve (sârv) *v* servir; ser suficiente; exercer (cargo); pagar; compensar; fornecer.
Serv.er (sâr.vâr) *s* servidor; criado; bandeja.
Ser.vice (sâr.vis) *s* serviço; préstimo; utilidade; obséquio; ajuda; baixela.
Ser.vile (sâr.vil) *adj* servil; adulador; humilde.
Ser.vil.i.ty (sârvi.liti) *s* servilidade; servilismo; servidão.
Ser.vi.tude (sâr.vitiud) *s* servidão; escravidão.
Ses.a.me (sé.sâmi) *s* palavra que expressava poderes mágicos; BOT sésamo.
Ses.sion (sé.xân) *s* sessão; audiência.

Set (sét) *s* aparelho; classe; coleção; jogo; conjunto; partida; *adj* determinado; fixo; regulado; firme; pronto; *v* adaptar-se; causar; engomar; embutir; embaraçar; fixar; montar; obrigar; *past and pp* **Set**.
Set.ter (sé.târ) *s* cão (de caça).
Set.tle (sétol) *v* acalmar; colonizar; casar-se; deter; dispor.
Set.tle.ment (sé.tolment) *s* ajuste; depósito; dote.
Set.tler (sé.tlâr) *s* colonizador; fazendeiro.
Set.tling (sé.tlin) *s* assentamento; acordo estabelecimento; instalação.
Sev.er (sé.vâr) *v* cortar; desfazer; dividir; romper.
Sev.er.al (sé.vârâl) *adj* alguns; distinto; diversos; diferente; vários.
Sev.er.ance (sé.vârâns) *s* separação.
Se.vere (sivir) *adj* austero; difícil; rigoroso; sério; severo.
Se.ver.i.ty (sivé.riti) *s* austeridade; rigor; severidade.
Sew (sôu) *v* costurar; cerzir; coser; *past* **Sewed** *and pp* **Sewed** *or* **Sewn**.
Sew.age (siu.idj) *s* imundície; esgotos; dejetos.
Sew.ing (sôu.in) *s* costura.
Sex (sécs) *s* sexo.
Sex.tet (sécs.tét) *s* MÚS sexteto.
Sex.u.al (séc.xuâl) *adj* sexual.
Sex.u.al.i.ty (sécxué.liti) *s* sexualidade.
Shab.bi.ness (xé.binés) *s* baixeza; desalinho; mesquinhez; vileza.
Shab.by (xé.bi) *adj* mesquinho; sórdido; vil.
Shack.le (xécol) *s* algemas; trava; *v* algemar; embaraçar.
Shade (xêid) *s* cortina transparente (de janela); gradação de cor; imagem; ilusão; sombra; visão; *v* escurecer.
Shadiness (xêi.dinés) *s* escuridão; sombra; sombreado.
Shad.ow (xé.dôu) *s* abrigo; reflexo (de espelho; etc.); sombra; traço; vestígio; *v* escurecer; nublar; sombrear.
Shad.y (xêi.di) *adj* sombrio; opaco; escuro.
Shaft (xáft) *s* cano; eixo; fuso; fuste; haste.
Shag (xég) *s* felpa; pelúcia; pelo áspero.
Shag.gy (xé.gui) *adj* áspero; felpudo; peludo.
Shah (xá) *s* xá, título (soberano persa).
Shake (xêic) *s* sacudidela; aperto de mão; *v* abalar; sacudir; tremer; desembaraçar-se; *past* **Shook** *and pp* **Shaken**.
Shall (xél) *v* GRAM formador do futuro nas primeiras pessoas (auxiliar); *past* **Should**.
Shal.low (xé.lôu) *s* lugar baixo; *adj* baixo; superficial; pouco profundo.
Sham (xém) *s* falsa aparência; fingimento; fraude; pretexto; *v* simular; fingir; enganar; *adj* dissimulado; postiço.
Sham.ble (xémbol) *s* passo vacilante; *v* caminhar com dificuldade.
Sham.bles (xém.bols) *s* matadouro.
Shame (xêim) *s* vergonha; pudor; *v* desonrar; envergonhar-se.
Sham.my (xé.mi) *s* camurça (animal).
Shank (xénc) *s* cabo; haste; perna; tíbia; tubo.
Shan.ty (xén.ti) *s* barracão; cabana; choça.
Shape (xêip) *s* aspecto; contorno; estado; figura; forma; molde; *v* adaptar; formar; moldar; modelar; regular; *past* **Shaped** *and pp* **Shaped** *or* **Shapen**.
Shape.ly (xêi.pili) *adj* bem feito ou modelado; estético; gracioso; simétrico.
Share (xér) *s* ação; quota; participação; *v* compartilhar; dividir; repartir; ter parte em.
Share.hold.er (xér.hôul.dâr) *s* acionista.
Shar.er (xé.râr) *s* acionista; partícipe; repartidor.
Shark (xárc) *s* tubarão; FIG tratante; velhaco; gatuno; *v* lograr; roubar.
Sharp (xárp) *s* agulha comprida; MÚS sustenido; som agudo; *v* afiar; aguçar; enganar; irritar; MÚS elevar o tom; *adj* afiado; fino; vivo; *adv* pontualmente; exatamente.
Sharp.en (xárpn) *v* amolar; afiar; aguçar; abrir o apetite; azedar; exasperar; estimular.
Sharp.er (xár.pâr) *s* vigarista; caloteiro.
Shat.ter (xá.târ) *v* destruir; despedaçar; esmigalhar; frustrar; quebrar.
Shatters (xá.târz) *s* pedaços; fragmentos; quebra.
Shave (xêiv) *s* ato de barbear; ação de aparar; ação de escapar (por um triz); *v* roçar; extorquir; aplainar; *past* **Shaved** *and pp* **Shaven** *or* **Shaved**.
Shav.er (xêi.vâr) *s* aparelho de fazer a barba; barbeiro; POP rapaz.
Shawl (xól) *s* xale; manta.
Shawm (xóm) *s* MÚS oboé (instrumento).
She (xi) *pron* ela.
Sheaf (xif) *s* feixe; molho; gavela; *v* fazer feixes; enfeixar.
Shear (xir) *s* tosquiadela; tosquia; *v* tosquiar; tosar; podar; ceifar (o trigo); FIG despojar; *past* **Shore** *and pp* **Shorn**.
Shears (xirz) *s* tesouras (próprias para tosquiar, podar).
Sheath (xith) *s* bainha; estojo; vagem.
Sheathe (xidh) *v* embainhar a espada; revestir; ocultar.
Shed (xéd) *s* telheiro; alpendre; cabana; barraca; *v* espalhar; derramar; entornar; *past and pp* **Shed**.
Sheen.y (xi.ni) *adj* lustroso; brilhante.
Shenn (xin) *s* brilho; luz; reflexo; resplendor.
Sheep (xip) *s* carneiro; ovelha; tolo; pele de carneiro.
Sheer (xir) *v* desviar-se; afastar-se; *adj* puro; completo; fino; escarpado, perpendicular; *adv* duma vez.
Sheet (xeit) *s* lençol; folha de papel; lâmina de metal; *v* envolver em lençóis.
Shelf (xélf) *s* prateleira; estante; baixio; banco de areia.

Shell (xél) *s* casco; casca (noz, ovo, etc.); concha; vagem; carcaça; barco de regatas; *v* descascar; bombardear.
Shel.ter (xél.târ) *s* abrigo; asilo; proteção; amparo; *v* abrigar; proteger.
Shelve (xélv) *v* desprezar; pôr em prateleira; inclinar-se.
Shelv.y (xél.vi) *adj* inclinado; ressaltado; saliente; protuberante.
Shep.herd (xé.pârd) *s* pastor; FIG pastor; guia; *v* cuidar; guiar; proteger.
Sher.bet (xâr.bet) *s* refresco gelado; sorvete.
Sher.iff (xé.rif) *s* xerife, chefe de condado.
Sher.ry (xé.ri) *s* xerez.
Shield (xild) *s* escudo; proteção; blindagem; *v* escudar; defender; proteger.
Shift (xift) *s* meio; expediente; mudança; revezamento (de operários); *v* mudar; mover; esguiarse; desviar; alterar.
Shift.y (xif.ti) *adj* astuto; velhaco.
Shil.ling (xi.lin) *s* xêlim (moeda prateada Inglesa).
Shim (xim) *s* calço; enchimento.
Shin (xin) *s* canela; tíbia; *v* escalar; subir; trepar.
Shine (xáin) *s* brilho; claridade; *v* brilhar; luzir; lustrar; *past or pp* **Shone**.
Shin.er (xái.nâr) *s* aquilo que brilha; moeda de ouro.
Shin.gle (xingol) *s* ripa; sarrafo; letreiro de escritório; *v* cobrir de ripas; cortar o cabelo.
Shiny (xái.ni) *adj* brilhante.
Ship (xip) *s* avião; barco; navio; *v* embarcar; despachar; expedir; receber a bordo.
Ship.mate (xip.mêit) *s* camarada de bordo.
Ship.ment (xip.ment) *s* ato de embarcar (mercadorias).
Ship.ping (xi.pin) *s* marinha mercante; esquadra; navios.
Ship.wreck (xip.réc) *s* naufrágio marítimo; infortúnio; ruína; *v* naufragar.
Shire (xáir) *s* divisão territorial na Inglaterra; condado.
Shirk (xârc) *v* esquivar-se; evitar.
Shirt (xârt) *s* camisa (para homem).
Shit (xit) *s* GÍR merda; *v* cagar.
Shiv.er (xi.vâr) *s* tremor; calafrio; *v* tremer.
Shiv.er.y (xi.vâri) *adj* friorento; febril.
Shoal (xôul) *s* baixio; banco de areia; cardume; bando; multidão; *v* juntar-se; encher-se de bancos de areia; *adj* pouco fundo.
Shock (xóc) *s* choque; colisão; *v* chocar; abalar; colidir; ofender.
Shod.dy (xó.di) *s* imitação de lã; coisa inferior; *adj* aparente; falso; de lã artificial.
Shoe (xu) *s* sapato; ferradura; *v* calçar; ferrar; *past and pp* **Shod** *or* **Shodden**.
Shoe.mak.er (xu.mêi.câr) *s* sapateiro.
Shoot (xut) *s* tiro; coador; *v* atirar; filmar; caçar; lançar; *past and pp* **Shot**.
Shoot.ing (xu.tin) *s* ato de atirar.
Shop (xóp) *s* estabelecimento; loja; oficina; *v* fazer compras.
Shop.ping (xó.pin) *s* compras.
Shore (xôur) *s* praia; litoral; costa; escora; pontão; *v* escorar.
Short (xórt) *adj* breve; curto; escasso; insuficiente; limitado; próximo; perto; *adv* brevemente.
Short.age (xeór.tidj) *s* deficiência; escassez; falta.
Short.en (xórtn) *v* encurtar; diminuir; abreviar.
Shot (xót) *s* tiro de arma; flecha; atirador; parte; *v* carregar uma arma.
Shoul.der (xôul.dâr) *s* ombro; espádua; parte saliente; *v* levar ao ombro (a arma).
Shout (xáut) *s* brado; grito; berro; *v* gritar; berrar; aclamar.
Shove (xâv) *s* empurrão; impulso; *v* empurrar.
Shov.el (xâvol) *s* pá; escavadeira; *v* escavar.
Show (xôu) *s* exibição; exposição; mostra; *v* aparecer; demonstrar; exibir; explicar; guiar; indicar; mostrar; *past* **Showed** *and pp* **Shown** *or* **Showed**.
Show.er (xôu.âr) *s* aguaceiro; abundância; chuveiro; *v* tomar ducha ou banho.
Show.piece (xôu.piss) *s* obra-prima.
Show.y (xôui) *adj* pomposo; alegre; vistoso.
Shred (xeréd) *s* pedaço; tira estreita; fragmento; *v* retalhar; picar; *past or pp* **Shred** *or* **Shredded**.
Shrew (xeru) *s* megera; mulher de mau gênio.
Shrewd (xerud) *adj* inteligente; perspicaz.
Shrewd.ness (xerud.nés) *s* astúcia; perspicácia; sagacidade.
Shriek (xeric) *s* grito agudo; guincho; *v* gritar; emitir som agudo.
Shrift (xerift) *s* confissão; confidência.
Shrimp (xerimp) *s* camarão; anão; homem sem valor.
Shrine (xeráin) *s* relicário; santuário; túmulo de Santo.
Shrink (xerinc) *s* contração; *v* encolher-se; recuar; *past* **Shrank** *or* **Shrunk** *and pp* **Shrunk** *or* **Shrunken**.
Shrive (xeráiv) *v* ouvir confissão de; confessar; *past* **Shrived** *or* **Shrove** *and pp* **Shrived** *or* **Shriven**.
Shroud (xeráud) *s* mortalha; abrigo; *v* abrigarse; refugiar-se.
Shrub (xeráb) *s* arbusto; árvore pequena; *s* encolhimento de ombros.
Shrug (xerâg) *v* sacudir os ombros; levantar os ombros; dar de ombros.
Shud.der (xâ.dâr) *s* tremor; frêmito; arrepio de medo; aversão; *v* estremecer; tremer de medo.
Shuf.fle (xâfol) *s* confusão; mistura; trapaça; arrastar os pés; *v* baralhar; misturar; enganar; trapacear.
Shun (xân) *v* evitar; desviar *s* desvio; derivação.
Shunt (xânt) *v* desviar-se; mudar de linha.
Shut (xât) *adj* fechado; *v* fechar; excluir; *past and pp* **Shut**.
Shut.ter (xâ.târ) *s* postigo, pequena porta; buraco em porta (para observação).

Shy (xái) *adj* tímido; acanhado; reservado; *v* recuar; desviar-se; assustar-se.
Shy.ness (xái.nés) *s* acanhamento; timidez.
Sib.i.la.tion (sibilêi.xân) *s* assobio; silvo.
Sick (sic) *adj* doente; adoentado; enjoado; com náuseas.
Sick.en (sicn) *v* adoecer; cansar-se; aborrecer.
Sick.ish (si.quixe) *adj* adoentado.
Sick.le (sicol) *s* segadeira, foice.
Sick.li.ness (si.clinés) *s* indisposição.
Sick.ly (si.cli) *adj* adoentado; fraco; débil; *adv* debilmente.
Sick.ness (sic.nés) *s* doença; enfermidade; aborrecimento; enjoo.
Side (saíd) *s* lado; flanco; declive; facção; partido; *v* tomar partido de alguém; estar ao lado; *adj* lateral; secundário.
Side.board (sáid.bôurd) *s* aparador.
Side.long (sáid.lón) *adj* lateral; *adv* lateralmente.
Si.de.re.al (sáidi.riâl) *adj* sideral; astral; estelar.
Side.walk (sáid.uólc) *s* calçada.
Side.ways (sáid.uêiz) *adv* obliquamente; de lado.
Sid.ing (sái.din) *s* desvio.
Si.dle (sáidol) *v* mover-se de lado; caminhar de lado.
Siege (sidj) *s* sítio; cerco; assédio.
Sieve (siv) *s* peneira; crivo.
Sift (sift) *v* peneirar; examinar com detalhe.
Sigh (sái) *v* suspirar; lamentar.
Sight (sáit) *s* vista; visão; cena; mira de arma de fogo; opinião; julgamento; *v* ver; avistar; fazer pontaria; *adv* **at first Sight:** à primeira vista.
Sign (sáin) *s* sinal; aviso; indício; vestígio; *v* assinar; rubricar; significar; fazer sinais.
Sig.nal (sig.nâl) *s* sinal; aviso; *v* fazer sinais a; indicar; *adj* notável; memorável.
Sig.nal.ize (sig.nâláiz) *v* assinalar; particularizar; distinguir.
Sig.na.to.ry (sig.nâtôuri) *s* signatário; assinante; *adj* signatário; assinante.
Sig.na.ture (sig.nâtxur) *s* assinatura; firma.
Sig.net (sig.nit) *s* carimbo; sinete; selo.
Sig.ni.fy (sig.nifái) *v* significar; querer dizer; importar; indicar; assinalar.
Silk (silc) *s* seda; *v* vestir ou combrir com seda; *adj* de seda.
Silk.en (silkn) *adj* de seda; macio; sedoso.
Silk.worm (silc.uârm) *s* bicho-da-seda.
Silk.y (sil.qui) *adj* de seda; sedoso; macio.
Sill (sil) *s* peitoril de janela.
Sil.ly (si.li) *s* louco; néscio.
Silt (silt) *s* lama; lodo; depósito sedimentar; *v* obstruir com lodo.
Silt.y (sil.ti) *adj* lodoso; sedimentoso.
Sil.ver (sil.vâr) *s* prata; moeda de prata; cor de prata; *v* pratear; estanhar um espelho; branquear; *adj* argênteo.
Sil.ver.ware (sil.vâr.uér) *s* prataria; artigos de prata (talheres); *examine* ⇒ **Tableware**.

Sim.i.lar (si.milâr) *adj* similar; semelhante.
Sim.i.lar.i.ty (similé.riti) *s* semelhança; conformidade.
Sim.per (sim.pâr) *s* sorriso afetado; *v* sorrir tolamente.
Sim.ple (simpol) *s* pessoa estúpida, simplória; *adj* simples; cândido; inocente; tolo.
Sim.ple.ness (simpl.nés) *s* simplicidade.
Sim.ple.ton (simpl.tân) *s* simplório.
Sim.plic.i.ty (simpli.siti) *s* simplicidade; clareza; singeleza.
Sim.pli.fy (sim.plifái) *v* simplificar.
Sim.ply (sim.pli) *adv* simplesmente; meramente.
Sin (sin) *s* pecado; culpa; *v* pecar; errar.
Since (sins) *adv* desde; desde então; *prep*; desde então; *conj* desde que; uma vez que.
Sin.cere (sinsir) *adj* sincero; leal; franco; verdadeiro.
Sin.cer.i.ty (sinsé.riti) *s* sinceridade; franqueza.
Sin.ew (si.niu) *s* tendão; fibra; nervo; energia; *v* fortalecer; ligar com tendões.
Sin.ew.y (si.niui) *adj* com tendões fortes; duro; vigoroso; resistente como tendão.
Sin.ful (sin.ful) *adj* pecador.
Sing (sin) *v* cantar; celebrar em canto ou em verso; zumbir; exaltar; louvar; *past* **Sang** *or* **Sung** *and pp* **Sung**.
Sing.er (sin.nâr) *s* cantor; cantora.
Sin.gle (singol) *adj* simples; só; singelo; solteiro; único; *v* distinguir; destacar; escolher.
Sin.gle.ness (singol.nés) *s* simplicidade; singeleza; singularidade; solidão.
Sin.glet (sinn.lit) *s* camiseta.
Sin.gu.lar (sin.guiulâr) *s* singular; único; *adj* singular; único; extraordinário.
Sin.gu.lar.i.ty (singuiulé.riti) *s* singularidade; particularidade.
Sink (sinc) *s* cano de esgoto; fundo do porão; pia; latrina; *v* afundar; diminuir; escavar um poço; humilhar; *past* **Sank** *or* **Sunk** *and pp* **Sunk** *or* **Sunken**.
Sink.er (sin.câr) *s* o que afunda; perfurador de poços.
Sin.less (sin.lés) *adj* impecável; puro; santo.
Sin.ner (sin.nâr) *s* pecador; pecadora.
Sin.u.ous (si.niuâs) *adj* sinuoso; curvo; tortuoso.
Si.nus (sái.nâs) *s* seio; cavidade; fístula.
Sip (sip) *s* sorvo; gole; *v* bebericar.
Si.phon (sái.fân) *s* sifão.
Sir (sâr) *s* senhor; título de respeito.
Sire (sáir) *s* genitor; pai; progenitor; *v* procriar cavalos.
Si.ren (sái.ren) *s* sereia.
Sis.ter (sis.târ) *s* irmã; freira.
Sit (sit) *v* sentar; velar; reunir-se; ajustar; *past and pp* **Sat** *or* **Sate**.
Site (sáit) *s* sítio; local; lugar; situação.
Sit.ting (si.tin) *s* ato de sentar; pose para fotografia; *adj* sentado; em sessão.
Sit.u.ate (si.txuêit) *v* situar; colocar.

Sit.u.a.tion (sitxuêi.xân) *s* situação; ocupação; emprego.
Size (sáiz) *s* tamanho; medida; calibre; número; *v* medir; calibrar; classificar; colar.
Siz.zle (sizol) *s* chiado; sibilo; *v* chiar.
Skate (squêit) *s* patim; arraia; *v* patinar.
Skel.e.ton (squé.letân) *s* esqueleto; *adj* esquelético.
Sketch (squétxe) *s* croqui; esboço; desenho; traçado; rascunho; *v* esboçar; desenhar; traçar.
Skew (squiu) *s* engano; olhar estrábico; *adj* oblíquo; torcido; esguelhado (olhar).
Ski (squi) *s* esqui.
Skid (squid) *s* calço de roda; sapata; trem de aterrizagem; *v* calçar a roda; travar; derrapar.
Skiff (squif) *s* esquife (barco de remos).
Skil.ful (squil.ful) *adj* hábil; destro; habilidoso; *also* Skillful.
Skill (squil) *s* perícia; habilidade; destreza.
Skilled (squild) *adj* perito; destro; hábil.
Skil.let (squi.lit) *s* caçarola; frigideira.
Skim (squim) *s* escuma; escumadeira; *v* escumar; escorregar; desnatar; folhear; roçar.
Skim.mer (squim.mâr) *s* escumadeira.
Skimp (squimp) *v* descuidar; cercear; restringir.
Skimp.i.ness (squim.pinés) *s* feito sem cuidado.
Skimp.y (squim.pi) *adj* imperfeito.
Skin (squin) *s* pele; couro; forro; pergaminho; *v* tirar a pele; esfolar; cicatrizar.
Skin.flint (squin.flint) *s* sovina; avarento.
Skin.ni.ness (squi.ninés) *s* magreza excessiva.
Skin.ny (squi.ni) *adj* magro; definhado; descarnado.
Skip (squip) *s* salto; pulo; omissão; *v* pular; omitir; saltar uma linha (etc.).
Skip.per (squi.pâr) *s* capitão (barco pesca); patrão; bicho do queijo; ESP líder de equipe.
Skir.mish (scâr.mixe) *s* escaramuça; conflito.
Skirt (scârt) *s* aba; fronteira; orla; saia; *v* orlar; ladear; costear.
Skit (squit) *s* mofa; panfleto; peça humorística.
Skit.tish (squi.tixe) *adj* leviano; volúvel; caprichoso; excitável.
Skit.tish.ness (squi.tixenés) *s* capricho; leviandade; manha.
Skulk (scâlc) *s* covarde; medroso; *v* fugir; ocultar-se; sair de fininho.
Skull (scâl) *s* crânio; caveira.
Sky (scái) *s* céu; firmamento.
Sky.scrap.er (scái.scrêi.pâr) *s* arranha-céu.
Slab (sléb) *s* folha; prancha; laje; *v* cortar (em pranchas, em tábuas).
Slack (sléc) *s* parte bamba de uma corda; carvão miúdo; pausa; *v* abrandar; estancar; apagar; *adj* bambo.
Slack.ness (sléc.nés) *s* frouxidão; indolência.
Slacks (slécs) *s* calças compridas.
Slag (slég) *s* escumalha; escória.
Slake (slêic) *v* apaziguar; diminuir; estancar.
Slam (slém) *s* ação de bater porta; estrondo; *v* fechar porta com violência.
Slan.der (slén.dâr) *s* calúnia; difamação; *v* caluniar; maldizer.
Slan.der.er (slén.dârâr) *s* difamador; caluniador.
Slang (slén) *s* gíria; calão; jargão.
Slant (slént) *s* obliquidade; ladeira; inclinação; *v* enviesar; inclinar.
Slap (slép) *s* bofetada; tapa; *v* esbofetear.
Slash (sléxe) *s* corte; talho; entalhe; cicatriz; *v* esmagar.
Slat (slét) *s* lasca; fragmento de madeira; ripa; pessoa alta e magra.
Slate (slêit) *s* lousa; chapa eleitoral; *v* cobrir com ardósia.
Slaugh.ter (slâ.târ) *s* matança; carnificina; *v* trucidar; matar.
Slave (slêiv) *s* escravo; servo; *v* trabalhar como escravo; labutar.
Slav.er (slêi.vâr) *s* traficante de escravos; negreiro; navio negreiro; baba; *v* babar.
Slav.er.y (slêi.vâri) *s* escravidão; escravatura.
Slav.ish (slêi.vixe) *adj* de escravo; servil; cativo.
Slay (slêi) *v* matar; assassinar; *past* **Slew** *and pp* **Slain**.
Slay.er (slêi.âr) *s* matador; assassino.
Sleave (sliv) *s* seda crua; *v* desenredar; desembaraçar.
Slea.zy (slizi) *adj* nojento; desprezível.
Sled (sled) *s* trenó; marreta; ENGL **Sledge**.
Sleek (slic) *v* alisar; amaciar; polir; *adj* liso; macio; polido.
Sleep (slip) *s* sono; repouso; *v* dormir; adormecer; *past and pp* **Slept**.
Sleep.less.ness (slip.lénés) *s* insônia.
Sleet (slit) *s* granizo; chuva; neve; *v* chover; nevar.
Sleeve (sliv) *s* manga de camisa.
Slen.der (slén.dâr) *adj* esbelto; elegante.
Slen.der.ness (slén.dârnés) *s* delgadeza; elegância; sobriedade.
Slice (sláis) *s* fatia; posta; *v* retalhar; cortar em fatias.
Slide (sláid) *s* superfície escorregadia; CIN chapa de projeção; *v* resvalar; escorregar; deslizar; *past* **Slid** *and pp* **Slid** *or* **Slidden**.
Slight (sláit) *s* desprezo; desfeita; *v* desleixar; desprezar; desconsiderar; *adj* ligeiro.
Slight.ing (slái.tin) *adj* desdenhoso.
Slight.ness (sláit.nés) *s* insignificância; fraqueza; irreverência.
Slim (slim) *adj* esbelto; esguio; garboso; delgado; *s* lodo; limo.
Slim.y (slái.mi) *adj* coberto com lodo; trapaceiro.
Sling (slin) *s* funda; estilingue; *v* alçar; atirar com estilingue; *past or pp* **Slung**.
Slink (slinc) *s* animal premato; *v* escapulir-se; esquivar-se; *past and pp* **Slunk** *or* **Slank**.
Slip (slip) *s* escorregadela; *v* escorregar; escapulir; errar; largar; tirar; despir; pôr (roupa); omitir; fugir da memória.

Slip.per (sli.pâr) *s* chinelo.
Slip.per.y (sli.pâri) *adj* escorregadio; incerto; obsceno.
Slit (slit) *s* fenda; racha; *v* rachar; fazer incisão; *past and pp* **Slit**.
Slob.ber (sló.bâr) *s* baba; *v* babar; dizer baboseiras.
Slo.gan (slôu.gân) *s* grito; lema; frase de propaganda.
Sloop (slup) *s* NÁUT chalupa; escaler.
Slop (slóp) *s* líquido derramado; roupas de confecção; *v* derramar; verter; entornar.
Slope (slôup) *s* declive; inclinação; *v* inclinar; enviesar.
Slop.py (sló.pi) *adj* lamacento; molhado; sujo.
Slosh (slóxe) *s* lama; neve derretida; *v* enlamear.
Slot (slót) *s* fenda; ranhura; pista.
Sloth (slóth) *s* indolência; bicho-preguiça; preguiça.
Slouch (sláutxe) *s* inclinação; andar desajeitado; pântano; pele de cobra; *v* abaixar a cabeça; mudar a pele (cobra).
Slow (slôu) *adj* vagaroso; demorado; *v* diminuir a velocidade.
Slow.ly (slôu.li) *adv* vagarosamente; lentamente.
Slug (slâg) *s* bloco de chumbo; preguiçoso; lesma; bala (arma de fogo).
Slug.gard (slâ.gârd) *s* mandrião; indolente; preguiçoso.
Sluice (slus) *s* comporta; eclusa; represa.
Slum (slâm) *s* bairro pobre; favela; *v* visitar, por razões de filantropia, bairros pobres.
Slum.ber (slâm.bâr) *s* soneca; cochilo; *v* adormecer; cochilar.
Slump (slâmp) *s* fracasso; baixa no preço das mercadorias; *v* afundar (repentinamente).
Slur (slâr) *s* pronúncia não compreensível; estigma; MÚS modulação; *v* manchar; macular; modular; censurar.
Slush (slâxe) *s* neve derretida; lama; lodo; graxa lubrificante.
Slut (slât) *s* mulher relaxada; GÍR mulher da vida (prostituta).
Sly (slái) *adj* manhoso; astuto; dissimulado.
Smack (sméc) *s* sabor; gosto; aroma; beijoca com estalo; palmada; *v* fazer estalo.
Small (smól) *adj* tamanho pequeno; baixo; pobre.
Smart (smárt) *s* dor aguda; aflição; *v* sofrer; pungir; arder; doer; *adj* vivo; esperto; sagaz; elegante.
Smart.en (smártn) *v* embelezar.
Smash (sméxe) *s* quebra; estrondo; falência; *v* despedaçar; quebrar; falir.
Smat.ter (smé.târ) *s* leve noção; *v* falar sem conhecimento.
Smear (smir) *s* borrão; sujeira de gordura; *v* lambuzar; sujar.
Smell (smél) *s* cheiro; aroma; *v* cheirar; descobrir; *past and pp* **Smelt** *or* **Smelled**.
Smelt (smélt) *v* fundir; refinar por fusão.
Smile (smáil) *s* sorriso; olhar alegre; *v* sorrir.
Smirch (smârtxe) *s* sujeira; mancha; degradação; *v* sujar; manchar; desacreditar.
Smirk (smârc) *s* sorriso afetado ou forçado; *v* sorrir com afetação.
Smite (smáit) *v* atingir; afetar; golpear; castigar *past* **Smote** *or* **Smit** *and pp* **Smit** *or* **Smitten**.
Smith (smith) *s* ferreiro; forjador.
Smog (smóg) *s* combinação de fumaça e névoa.
Smoke (smôuc) *s* fumaça; *v* fumar; defumar; fumegar.
Smolder (smôul.dâr) *v* queimar; *also* **Smoulder**.
Smooth (smudh) *s* leve; macio; suave; calmo; liso; *v* alisar; aplainar; suavizar; *adj* liso; macio; suave; polido.
Smoth.er (smâ.dhâr) *s* nuvem (de fumaça, de poeira); *v* abafar; extinguir.
Smudge (smâdj) *s* mancha; fogo com fumaça para espantar os insetos; nódoa; *v* lambuzar; sujar.
Smug (smâg) *adj* elegante; presumido.
Smug.gler (smâ.glâr) *s* contrabandista; navio de contrabando.
Smut (smât) *s* negror que resulta da fuligem; obscenidade; linguagem obscena.
Smutty (smâ.ti) *adj* enegrecido; obsceno.
Snack (snéc) *s* refeição leve; merenda; quinhão.
Snag (snég) *s* árvore submersa; nó; laço; saliência; empecilho; *v* impedir.
Snail (snêil) *s* caracol; caramujo; lesma.
Snake (snêic) *s* cobra; serpente; pessoa falsa.
Snap (snép) *s* ruptura; estalo; estrépito; dentada; resposta rude; foto instantânea; *v* quebrar subitamente; estalar.
Snare (snér) *s* laço; armadilha; cilada; ardil.
Snarl (snárl) *s* rosnadura; confusão; *v* rosnar; ralhar; resmungar.
Snatch (snétxe) *s* agarramento; breve período; *v* agarrar.
Sneak (snic) *s* homem vil; dissimulação; *v* introduzir-se furtivamente; agir servilmente.
Sneak.er (sniquer) *s* tênis (sapato esportivo de lona, com sola de borracha); covarde.
Sneer (snir) *s* olhar de escárnio; riso zombeteiro; *v* zombar.
Sneeze (sniz) *s* espirro; *v* espirrar.
Snell (snél) *adj* ativo; agudo; severo.
Snick (snic) *s* corte; entalhe; *v* cortar; entalhar.
Sniff (snif) *s* aspiração; fungada; *v* aspirar; fungar; cheirar.
Snig.ger (sni.gâr) *s* riso abafado; *v* rir sorrateiramente; rir sem motivo.
Snip (snip) *s* ato de cortar; apara; retalho; *v* cortar; aparar.
Snipe (snáip) *s* tiro de tocaia; *v* atirar em caça (às escondidas).
Sniv.el (snivol) *s* muco nasal; fala hipócrita; *v* choramingar; pingar do nariz.
Sniv.el.ler (sniv.lâr) *s* ranhento; choramingas.

Snob (snób) *s* pretensioso; presumido; esnobe; (LAT sine **nobilitas**: sem nobreza).
Snooze (snuz) *s* sesta; soneca; *v* POP dormir; cochilar.
Snore (snôur) *s* ronco; *v* roncar durante o sono.
Snow (snôu) *s* neve; *v* nevar.
Snow.fall (snôu.fól) *s* nevada; queda brusca de neve.
Snow.flake (snôu.flêic) *s* floco de neve.
Snow.storm (snôu.stórm) *s* nevasca; tempestade de neve.
Snub (snâb) *s* menosprezo; injúria; afronta; nariz chato; nariz arrebitado; *v* censurar; repreender.
Snuff (snâf) *s* rapé; coto de vela; tabaco; *v* aspirar; cheirar; fungar.
Snuf.fle (snâfol) *s* som fanhoso; *v* falar fanhoso.
Snuf.fler (snâ.flâr) *s* pessoa fanhosa.
Snug (snâg) *adj* abrigado; agasalhado; cômodo; bem espaçoso; em boa ordem.
Snug.gle (snâgol) *v* aninhar-se; aconchegar-se.
So (sôu) *adv* assim; bem; da mesma forma; deste modo.
Soak (sôuc) *s* encharcado; orgia; bebedeira; beberrão; *v* beber demais; embeber.
Soak.er (sôu.câr) *s* beberrão.
Soap (sôup) *s* sabão; sabonete; *v* ensaboar.
Soar (sôur) *s* voo; *v* esvoaçar; elevar-se; planar.
Sob (sób) *s* soluço; sussurro; *v* soluçar; suspirar; sussurrar.
So.ber (sôu.bâr) *adj* sóbrio; moderado; sensato; prudente modesto; *v* sossegar; tornar-se moderado; sensato.
Soc.cer (sócquer) *s* futebol, corruptela de **association** (Association Football *and* Footer).
Sock (sóc) *s* meia; soco; golpe; *v* POP dar socos; esmurrar.
Sock.et (só.quet) *s* bocal; soquete de lâmpada; órbita do olho; alvéolo do dente.
Sod (sód) *s* gramado; turfa; torrão; *v* cobrir com relva.
Sod.den (sódn) *v* encharcar; embriagar; *adj* molhado; empapado; encharcado.
Soft (sóft) *s* pessoa simplória; *adj* mole; amolecido; brando; suave; maleável; ameno.
Soft.en (sóften) *v* amolecer; abrandar; suavizar.
Soft.y (sóf.ti) *s* indivíduo muito sentimental.
Sog.gy (só.gui) *adj* encharcado; ensopado.
Soil (sóil) *s* solo; terra; região; país; mancha; sujeira; *v* manchar; sujar.
Sol.ace (só.lis) *s* conforto; consolo; *v* confortar; consolar.
Sol.dier (sôul.djâr) *s* soldado; militar; guerreiro; *v* assentar praça.
Sole (sôul) *s* planta do pé; sola do sapato; linguado; *v* pôr solas; solar; *adj* só; único; exclusivo.
Sol.emn (só.lemn) *adj* solene; sério.
So.lem.ni.ty (sólem.niti) *s* solenidade; seriedade.
Sol.em.nize (só.lemnáiz) *v* celebrar.
So.lic.it (soli.sit) *v* solicitar; pedir; apelar.
So.lic.i.ta.tion (solissitêi.xân) *s* solicitação; pedido; requerimento.
Sol.i.dar.i.ty (sólidé.riti) *s* solidariedade; fraternidade.
So.lid.i.fy (soli.difái) *v* solidificar.
Sol.i.ta.ry (só.litâri) *s* solitário; recluso; ermitão; *adj* solitário.
Sol.i.tude (só.litiud) *s* lugar sem habitantes; solidão.
So.lu.tion (soliu.xân) *s* solução; explicação.
Solv.a.ble (sól.vâbol) *adj* solúvel; solvente; pagável.
Solve (sólv) *v* resolver; esclarecer; decifrar.
Som.ber (sóm.bâr) *adj* sombrio; obscuro; melancólico.
Som.ber.ness (sóm.bârnés) *s* escuridão; obscuridade; melancolia.
Some (sâm) *pron* algum (a); alguns (as); uns; umas; um pouco; uma parte de.
Some.bod.y (sâm.bódi) *s* alguém.
Some.how (sâm.háu) *adv* de alguma forma; seja como for.
Some.one (sâm.uan) *pron* alguém.
Some.thing (sâm.thin) *s* alguma coisa; qualquer coisa; *adv* algo; um tanto.
Some.time (sâm.táim) *adv* antigamente; noutra ocasião.
Some.times (sâm.táimz) *adv* às vezes; de vez em quando.
Some.what (sâm.uót) *s* alguma coisa; *adv* um tanto; algo.
Some.where (sâm.uér) *adv* algures; em algum lugar.
Som.no.lence (sóm.noléns) *s* sonolência.
Som.no.lent (sóm.nolênt) *adj* sonolento.
Son (sân) *s* filho.
Song (sôn) *s* canto; canção; cantiga; poesia; verso.
Son.net (són.net) *s* soneto.
Sonny (sân.ni) *s* filhinho.
Son.ship (sân.xip) *s* filiação.
Soon (sun) *adv* cedo; em breve; de boa vontade; depressa; prontamente.
Soot (sut) *s* fuligem; *v* cobrir de fuligem.
Soothe (sudh) *v* acalmar; afagar; aliviar; amenizar.
Sop (sóp) *s* pão embebido em sopa; sopa; suborno; *v* umedecer; ensopar.
So.phis.ti.cate (sofis.tiquêit) *v* sofismar; falsificar; adulterar.
Sor.cer.er (sór.sârâr) *s* feiticeiro; mágico.
Sor.cer.y (sór.sâri) *s* feitiçaria; bruxaria; magia.
Sor.did (sór.did) *adj* sórdido; vil; mesquinho; nojento.
Sore (sôur) *s* chaga; desgosto; pena; *adj* dorido; sensível; triste; *adv* dolorosamente.
Sore.ness (sôur.nés) *s* dor; parte doente; sensibilidade; inflamação.
Sor.row (só.rôu) *s* pena; tristeza; infortúnio; *v* entristecer-se; afligir-se.
Sor.row.ful (só.rôuful) *adj* pesaroso; aflito.
Sor.ry (só.ri) *adj* triste; pesaroso; miserável.
Sort (sórt) *s* espécie; sorte; maneira; classe; forma; *v* classificar; sortir; combinar.

Sot (sót) *s* uma pessoa estúpida por viver habituamente embriagada.
Sot.tish (só.tixe) *adj* bêbedo.
Soul (sôul) *s* alma; espírito.
Sound (sáund) *s* som; ruído; *v* soar; ecoar; sondar; parecer; *adj* são; sadio; forte.
Sound.ing (sáun.din) *s* sonda; *adj* sonoro; sonante.
Soup (sup) *s* sopa; caldo.
Sour (sâur) *v* azedar; ficar de mau humor; irritar; *adj* azedo; ácido; mal-humorado.
Source (sôurs) *s* fonte; manancial; origem.
Souse (sáus) *s* encharque; *v* salgar; ensopar.
South (sáuth) *s* sul; *adj* meridional; austral.
South.ern (sâ.dhârn) *adj* meridional; sulino; do sul.
Sow (sôu) *s* porca; lingote de chumbo; *v* semear; fazer a sementeira; *past* **Sowed** *and pp* **Sown**.
Soy (sói) *s* soja; feijão-soja (leguminosa).
Space (spêis) *s* espaço; área; distância; extensão; intervalo; *v* espaçar.
Space.craft (spêis.cráaft) *s* espaçonave; astronave; foguete.
Spade (spêid) *s* pá; enxada; naipe de espada.
Span (spén) *s* palmo; vão; pequeno intervalo; *v* medir aos palmos; atravessar.
Span.gle (spéngol) *s* lantejoula; *v* brilhar; cintilar; ornamentar (com lantejoulas).
Span.ish (spé.nixe) *s* Espanhol; língua espanhola.
Spank (spénc) *s* palmada; *v* dar palmadas.
Spar (spár) *s* espato; raio de roda; *v* altercar; treinar box; esmurrar.
Spare (spér) *adj* vago; livre; magro; sobressalente; *v* economizar; poupar.
Spar.ing (spé.rin) *adj* econômico.
Spark (spárc) *s* faísca; chispa; centelha; vislumbre; *v* lançar faísca.
Spar.kle (spárcol) *s* centelha; fagulha pequena; *v* cintilar; luzir, brilhar; faiscar.
Spar.row (spé.rôu) *s* pardal.
Sparse (spárs) *adj* disperso; espalhado.
Spat (spét) *s* palmada; disputa; polaina; *v* dar palmada; questionar.
SOT/SPL
Spa.tial (spêi.xeâl) *adj* espacial.
Spat.ter (spé.târ) *s* salpico; *v* salpicar; enlamear; manchar; difamar.
Spawn (spón) *s* ovas; fruto; prole; *v* gerar; desovar.
Speak (spic) *v* falar; dizer; pronunciar; revelar; indicar; declarar; *past* **Spoke** *and pp* **Spoken**.
Spear (spir) *s* lança; arpão; folha de erva; *v* matar com a lança.
Spe.cial (spé.xeâl) *adj* distinto; de primeira plana; especial; privativo.
Spe.cial.ize (spé.xeâláiz) *v* especializar-se.
Spe.cif.ic (spissi.fic) *adj* específico; exclusivo; preciso.
Spec.i.fy (spé.sifái) *v* especificar; descrever.
Speck (spéc) *s* nódoa; mácula; pinta; *v* mosquear; manchar; salpicar.
Spec.ta.cle (spéc.tâcol) *s* espetáculo; exibição; óculos.
Spec.u.late (spé.quiulêit) *v* meditar; especular.
Speech (spitxe) *s* palavra; fala; conversação; linguagem; discurso.
Speech.less (spi.txelés) *adj* mudo; sem fala.
Speed (spid) *s* velocidade; rapidez; pressa; *v* apressar; acelerar; apressar-se; *past and pp* **Sped** *or* **Speeded**.
Speed.y (spi.di) *adj* rápido; ligeiro; apressado.
Spell (spél) *s* temporada; período; feitiço; encanto; *v* soletrar; encantar; significar.
Spell.bind (spél.báind) *v* fascinar; enfeitiçar; encantar.
Spell.bound (spél.báund) *adj* encantado; enfeitiçado; fascinado.
Spell.er (spé.lâr) *s* livro de ensino (para escrita); soletrador.
Spell.ing (spé.lin) *s* soletração; ortografia.
Spenc.er (spén.sâr) *s* jaqueta curta; jaleco.
Spend (spénd) *v* gastar; despender; passar o tempo; passar uma temporada; empregar; *past and pp* **Spent**.
Spent (spént) *adj* gasto; exausto; sem força.
Spew (spiu) *s* vômito; *v* vomitar; lançar.
Spice (spáis) *s* especiaria; condimento; sabor; *v* temperar; dar sabor a comida.
Spic.y (spái.si) *adj* aromático; de especiarias.
Spi.der (spái.dâr) *s* aranha; frigideira.
Spike (spáic) *s* espiga; prego forte; espigão; ponta; *v* encravar; pregar.
Spill (spil) *s* tombo; queda; derramamento; *v* derramar; *past and pp* **Spilt**.
Spin (spin) *s* giro; volta; rodopio; passeio; *v* fiar; entrançar; girar; rodar; *past* **Spun** (antigamente **Span**); *pp* **Spun**.
Spin.ach (spi.nitxe) *s* espinafre (planta).
Spin.dle (spindol) *s* fuso; rosca sem fim.
Spine (spáin) *s* espinha; coluna vertebral.
Spi.nous (spái.nâs) *adj* espinhoso.
Spin.ster (spins.târ) *s* solteirona; donzela.
Spire (spáir) *s* espiral; ápice; agulha de torre; ponta de igreja.
Spir.it (spi.rit) *s* espírito; alma; talento; lealdade; bebida alcoólica; *v* animar; arrebatar.
Spit (spit) *s* cuspe; assador; *v* expectorar; cuspir; *past and pp* **Spat**.
Spite (spáit) *s* despeito; rancor; malevolência; *v* mostrar despeito; perseguir; irritar.
Spit.tle (spitol) *s* cuspe; saliva.
Spit.toon (spitun) *s* escarradeira.
Splash (spléxe) *s* salpico de lama; *v* salpicar; enlamear.
Splat.ter (splé.târ) *s* salpico; *v* esparramar líquidos; espargir; salpicar.
Splay (splêi) *s* inclinação; abertura; alargamento; *v* abrir; alargar; inclinar.
Spleen (splin) *s* baço; desânimo; rancor; hipocondria.

Spleen.y (spli.ni) *adj* rabugento; colérico.
Splen.did (splén.did) *adj* esplêndido; brilhante; magnífico; excelente.
Splice (spláis) *s* união de dois cabos ou pontas de corda; *v* justar; unir; juntar.
Splint (splint) *s* lasca; fragmento de objeto duro; *v* lascar; pôr em talas.
Splin.ter (splin.târ) *s* lasca; fragmento; estilhaço; *v* lascar; estilhaçar-se.
Split (split) *s* fenda; racha; separação; rompimento; *v* fender; rachar; *past and pp* **Split**.
Splotch (splótxe) *s* mancha; nódoa; borrão; *v* manchar; borrar.
Splut.ter (splâ.târ) *s* confusão; barulho; *v* balbuciar; gaguejar; crepitar; cuspir.
Spoil (spóil) *s* despojos; presa; roubo; saque; dano; *v* roubar; pilhar; estragar; *past and pp* **Spoiled** *or* **Spoilt**.
Sponge (spândj) *s* esponja; parasita; que vive à custa de outrem; *v* limpar; embeber.
Spon.sor (spón.sâr) *s* padrinho de batismo (ou madrinha); *v* apadrinhar.
Spon.ta.ne.i.ty (spóntâni.iti) *s* espontaneidade; naturalidade.
Spoof (spuf) *s* burla; imitação; logro; *v* lograr; enganar; burlar.
Spook (spuc) *s* fantasma; assombração.
Spool (spul) *s* carretel; *v* dobar; enrolar em novelos; *s* colher; simplório.
Spoon (spun) *s* colher; *v* apanhar com uma colher; entregar-se a namoro ostensivo.
Spoon.y (spu.ni) *s* simplório; tolo; *adj* sentimental; apaixonado.
Spoor (spur) *s* rasto, trilha de animal; *v* seguir o rastro.
Sport (spórt) *s* desporto; esporte; atletismo; passatempo; diversão; *v* ostentar; divertir-se.
Sportswear (spór.tzuér) *s* roupa esporte.
Spot (spót) *s* mancha; nódoa; salpico; lugar; sítio; *v* manchar; descobrir; notar.
Spout (spáut) *s* cano; tubo; bica; jato; repuxo; *v* esguichar; jorrar; declamar; correr.
Sprain (sprêin) *s* torcedura; mau jeito; *v* torcer; machucar; deslocar.
Sprawl (spról) *s* espreguiçamento; *v* espichar; espreguiçar-se.
Spray (sprêi) *s* ramo de flores; borrifo; pulverizador; *v* borrifar.
Spread (spréd) *s* expansão; cobertor; patê; *v* espalhar; divulgar; *past and pp* **Spread**.
Sprig (sprig) *s* galho; renovo; broto; *v* enfeitar com ramos.
Spring (sprin) *s* salto; pulo; lance; fonte; nascente; primavera; mola; *v* saltar; brotar; nascer; *past* **Sprang** *or* **Sprung** *and pp* **Sprung**.
Sprin.kle (sprincol) *s* borrifo; chuvisco; *v* borrifar; chuviscar.
Sprint (sprint) *s* corrida curta e rápida; *v* correr.
Sprint.er (sprin.târ) *s* corredor; atleta.
Sprite (spráit) *s* espírito; duende; fada.
Sprock.et (spró.quet) *s* dente de roda.
Sprout (spráut) *s* renovo; rebento; *v* germinar; brotar.
Spry (sprái) *adj* ligeiro; leve; ativo.
Spud (spâd) *s* pá de jardineiro; faca pequena; POP batata.
Spume (spium) *s* espuma; efervescência; *v* espumar.
Spunk (spânc) *s* coragem; brio; isca; madeira podre.
Spur (spâr) *s* espora; estímulo; *v* esporear; estimular; andar a cavalo; apressar-se.
Spurn (spârn) *s* desdém; desprezo; *v* desprezar; rejeitar com desdém.
Spurt (spârt) *s* jorro; esguicho; esforço repentino; *v* esguichar; fazer esforço.
Sput.ter (spâ.târ) *s* baba; perdigoto, falar espirrando saliva; *v* cuspir falando; balbuciar.
Spy (spái) *s* espião; *v* espiar; avistar; enxergar; espreitar.
Squab (scuób) *s* gorducho; almofada; ave pequena (pombo); *adj* atarracado; implume.
Squab.ble (scuóbol) *s* questão; rixa; altercação; *v* discutir; altercar.
Squad.ron (scuó.drân) *s* esquadrão; uma parte da esquadra; batalhão.
Squal.id (scuó.lid) *adj* esquálido; miserável; imundo.
Squall (scuól) *s* tempestade; borrasca; aguaceiro; *v* gritar agudamente.
Squal.or (scuó.lâr) *s* esqualidez; sujidade.
Squan.der (scuón.dâr) *v* dissipar; esbanjar.
Square (scuér) *s* quadrado; largo; praça; conformidade; *v* quadrar; ajustar; elevar ao quadrado; *adj* quadrado.
Squash (scuóxe) *s* abóbora; coisa mole; polpa; aperto; *v* esmagar; achatar.
Squat (scuót) *v* acocorar-se; *adj* acocorado; agachado.
Squeak (scuic) *s* grito agudo; chiado; *v* gritar; chiar.
Squeal (scuil) *s* grito agudo e intenso; *v* gritar agudamente; POP trair; denunciar.
Squeeze (scuiz) *s* aperto; abraço; pressão; *v* apertar; abraçar; comprimir.
Squelch (scuél.txe) *s* queda pesada; ruído de esmagamento; *v* esmagar; ficar esmagado.
Squib (scuib) *s* busca-pé; sátira; pessoa insignificante; *v* lançar busca-pés; satirizar.
Squig.gle (scuigol) *s* curva pequena e irregular; letra ilegível; *v* rabiscar.
Squint (scuint) *s* ato de olhar de soslaio; estrabismo; *v* olhar vesgo; *adj* vesgo.
Squire (scuáir) *s* escudeiro; cavalheiro; proprietário rural; nobre rural; juiz de paz.
Squirm (scuârm) *s* torcedura; torção; *v* torcer; retorcer.
Squir.rel (scui.rel) *s* esquilo; pele de esquilo.
Squirt (scuârt) *s* seringa; esguichadela; *v* esguichar.
Stab (stéb) *s* golpe; punhalada; *v* apunhalar; ferir; injuriar; ofender.

Sta.bil.i.ty (stâbi.liti) *s* estabilidade; firmeza; solidez.
Sta.ble (stêibol) *s* estábulo; cavalariça; *v* ocupar um estábulo; viver em cavalariça.
Stack (stéc) *s* pilha de trigo ou feno; cano; estante; *v* empilhar; amontoar.
Staff (stáf) *s* estado maior; corpo administrativo; bastão; cajado; báculo.
Stag (stég) *s* veado adulto; macho de animais.
Stage (stêidj) *s* estrado; palco; grau; fase; cenário; cena; *v* pôr em cena; exibir no palco.
Stag.ger (sté.gâr) *s* vacilação; cambaleio; *v* cambalear; vacilar; hesitar.
Stag.na.tion (stégnêi.xân) *s* estagnação.
Staid (stêid) *adj* grave; sério; sóbrio; sereno.
Stain (stêin) *s* mácula; nódoa; *v* manchar; macular; enodoar; tingir; infamar.
Stain.less (stêin.lés) *adj* imaculado; limpo; sem manchas.
Stair (stér) *s* degrau; escada.
Stair.case (stér.cêis) *s* escada.
Stake (stêic) *s* estaca; poste; parada; aposta; *v* apoiar; escorar; arriscar no jogo; apostar.
Stale (stêil) *adj* velho; antigo; passado; gasto; *v* tornar deteriorado.
Stale.mate (stêil.mêit) *s* posição no xadrez que provoca empate, pois o rei fica sem movimento, isto é, sempre em cheque.
Stalk (stóc) *s* talo; cano; andar afetadamente; *v* caçar à espreita; perseguir.
Stall (stól) *s* estábulo; lugar no coro da igreja; *v* encurralar; sentar-se; enguiçar.
Stal.wart (stól.uârt) *s* robusto; *adj* forte; rijo; robusto; valente; destemido.
Stam.mer (sté.mâr) *s* gaguez; gagueira; *v* gaguejar.
Stam.mer.er (sté.mârâr) *s* gago.
Stamp (stémp) *s* selo; cunho; impressão; marca; carimbo; prensa; *v* estampar; cunhar; selar; carimbar; bater com os pés no piso.
Stam.pede (stémpid) *s* estouro; corrida por pânico; *v* debandar em pânico.
Stance (sténs) *s* lugar; postura; posição.
STA / STE
Stanch (sténtxe) *adj* constante; fiel; são; sólido; zeloso; *v* estancar o sangue; vedar.
Stan.chion (stén.xân) *s* escora; suporte; pau de toldo; *v* escorar.
Stand (sténd) *s* lugar; local; pedestal; estante; mesinha; barraca; *v* achar-se; apresentar-se; consistir; estar em pé; manter-se; resistir; suportar; *past and pp* **Stood**.
Stan.dard (stén.dârd) *s* modelo; norma; padrão; poste; critério; estandarte; *adj* clássico; normal; oficial; típico.
Stand.ing (stén.din) *adj* em pé; ereto; erguido.
Stand-off (stén.dof) *s* impasse; afastamento.
Sta.ple (stêipol) *s* mercado; empório; produto; matéria bruta; grampo de metal.
Star (stâr) *s* astro; asterisco; destino; estrela; TV CIN atores (consagrados); *v* estrear.
Starch (stártxe) *s* amido; fecula; goma; *v* engomar.
Stare (stér) *s* olhar fixo; *v* fitar os olhos.
Stark (stárc) *adj* forte; rígido; completo; absoluto; contrastante.
Star.ling (stár.lin) *s* estorninho (pássaro); ARQT espigão.
Start (stárt) *s* arremesso; começo; impulso; partida; *v* começar; dar nova direção.
Star.tle (stártol) *v* espantar; estremecer.
Star.tling (stár.tlin) *adj* assustador; surpreendente; aterrador.
Star.va.tion (starvêi.xân) *s* estado de aguda desnutrição; definhamento; fome.
Starve (stárv) *v* morrer ou sofrer de fome.
State (stêit) *s* classe; condição; estado; *v* afirmar; declarar; dizer; expor; fixar; formular; manifestar.
State.ment (stêit.ment) *s* declaração; resumo; relato; COM balanço.
States.man (stêi.tzmân) *s* homem de estado; político; estadista.
Sta.tion (stêi.xân) *s* classe; condição social; estação.
Sta.tion.er.y (stêi.xânéri) *s* papelaria; artigos de escritório.
Stat.ue (sté.tiu) *s* estátua; imagem.
Stat.ure (sté.txur) *s* estatura; tamanho.
Stave (stêiv) *s* bastão; MÚS pentagrama; POES estrofe; estância; *v* prover de aduelas; guarnecer de aduelas.
Stay (stêi) *s* apoio; demora; escora; estada; obstáculo; parada; residência; suspensão; *v* esperar; deter; ficar; hospedar-se; parar.
Stead (stéd) *s* lugar; local.
Stead.fast (stéd.fést) *adj* estável; constante.
Stead.y (sté.di) *adj* firme; seguro; sólido; resistente; *v* firmar; fixar.
Steak (stêic) *s* bife, fatia de carne.
Steal (stil) *s* roubo; furto; *v* furtar; roubar; plagiar; entrar furtivamente; *past* **Stole** *and pp* **Stolen**.
Stealth.y (stél.thi) *adj* clandestino; oculto; secreto.
Steam (stim) *s* vapor; fumaça; *v* evaporar; mover a vapor; FIG tornar-se enérgico.
Steam.er (sti.mâr) *s* barco ou navio a vapor; dispositivo para colocar água.
Steed (stid) *s* cavalo de batalha; corcel.
Steel (stil) *s* aço (lâmina, folha, etc.); *adj* de aço; insensível; duro.
Steep (stip) *s* abismo; precipício; *v* mergulhar; ensopar; *adj* excessivo; difícil.
Stee.ple (stipol) *s* campanário; torre (de igreja).
Steer (stir) *s* bezerro; novilho; *v* dirigir leme.
Stem (stém) *s* haste; pedúnculo; proa; talo; GRAM raiz; *v* opor-se; repelir; deter; resistir.
Stench (sténtxe) *s* mau cheiro; fedentina.
Sten.cil (stén.sil) *s* estêncil (papel para gravar; modelo; chapa de gravação); *v* pintar.
Step (stép) *s* degrau; marcha; passo; passada; passo de dança; *v* andar; caminhar.
Step.broth.er (stép.brâdhâr) *s* meio-irmão.
Step.child (stép.txeáild) *s* enteado; enteada.

Step.dame (stép.dêim) *s* madastra.
Step.daught.er (stép.dótâr) *s* enteada.
Step.fath.er (stép.fâdhâr) *s* padrasto.
Step.moth.er (stép.mâdhâr) *s* madrasta.
Step.sist.er (stép.sistâr) *s* meio-irmã.
Step.son (stép.sân) *s* enteado.
Ster.il.ize (sté.riláiz) *v* esterilizar; desinfetar.
Ster.ling (stâr.lin) *s* prata esterlina; *adj* pura; de bom quilate.
Stern (stârn) *s* rabo de animal; NÁUT popa; ré; *adj* severo; duro; rígido; inflexível.
Stern.ness (stârn.nés) *s* severidade; rigor; austeridade.
Stew (stiu) *s* ensopado; agitação mental; ansiedade; *v* estufar; cozer (com fogo lento).
Stew.ard (stiu.ârd) *s* mordomo; intendente; comissário de bordo; administrador de terras.
Stick (stic) *s* pau; bastão; bengala; cavaco; *v* furar; apunhalar; afixar; afeiçoar-se; hesitar; *past and pp* **Stuck**.
Stiff (stif) *s* cadáver; pessoa formal; *adj* duro; teso; firme; afetado; obstinado.
Stiff.en (stifn) *v* endurecer; obstinar-se.
Sti.fle (stáifol) *v* sufocar; abafar.
Stig.ma.ti.za.tion (stigmâtizêi.xân) *s* estigmatização.
Stig.ma.tize (stig.mâtáiz) *v* estigmatizar; marcar.
Stile (stáil) *s* degrau sobre cercados; barreira.
Still (stil) *s* silêncio; sossego; alambique; *v* acalmar; apaziguar; destilar; satisfazer; *adj* calmo; tranquilo; morto; *adv* ainda; sempre; até agora; *conj* todavia; entretanto; contudo.
Still.y (sti.li) *adj* calmo; silencioso; *adv* silenciosamente; sossegadamente.
Stim.u.lant (sti.miulânt) *adj* estimulante; excitante.
Sting (stin) *s* ferrão; remorso; dor aguda; *v* picar; aferroar; afligir; sentir remorsos; *past and pp* **Stung** *or* **Stang**.
Stink (stinc) *s* fedentina; fedor; mau cheiro; *v* ter mau cheiro; *past* **Stank** *or* **Stunk** *and pp* **Stunk**.
Stint (stint) *s* restrição; limite; quantidade; *v* restringir; limitar.
Stip.ple (stipol) *s* gravura ponteado; desenho ponteado; *v* enfeitar com pontos; pontuar.
Stip.u.late (sti.piulêit) *v* estipular; fazer estipulações.
Stir (stâr) *s* agitação; atividade; excitação; rebuliço; tumulto; *v* agitar; comover; mexer.
Stir.a.bout (stâr.âbáut) *s* mingau de aveia; pessoa ativa; pessoa muito diligente.
Stir.rup (stir.râp) *s* estribo; degrau.
Stitch (stitxe) *s* ponto de costura; ponteada; malha; *v* coser; dar pontos.
Stith.y (sti.thi) *s* bigorna; forja.
Stock (stóc) *s* tronco; estirpe; cabo; COM capital; estoque; *v* armazenar; fornecer; sortir.
Stock.ade (stóquêid) *s* estacada; paliçada; *v* cercar; fortificar com paliçada.
Stock.ings (stó.quins) *s* meias; meias longas.
Stodge (stódj) *v* comer excessivamente.
Sto.i.cism (stôu.issizm) *s* Estoicismo.
Stole (stôul) *s* estola.
Stol.id (stó.lid) *adj* parvo; impassível.
Stom.ach (stâ.mâc) *s* estômago; *v* engolir; suportar.
Stone (stôun) *s* pedra; pedra preciosa; caroço de frutas; cálculo biliar; *v* apedrejar.
Stool (stul) *s* banco; evacuação; privada; sanitário.
Stoop (stup) *s* condescendência; pendor; submissão; *v* abaixar-se; inclinar; submeter-se.
Stop (stóp) *s* suspensão; parada; pausa; espera; alojamento; GRAM ponto; *v* deter; fechar; ficar; hospedar-se; impedir; obturar; parar.
Store (stôur) *s* armazém; depósito; *v* fornecer; abastecer; armazenar.
Stork (stórc) *s* cegonha.
Storm (stórm) *s* tempestade; tumulto; assalto; *v* assaltar; enraivecer-se.
Storm.y (stór.mi) *adj* tempestuoso; violento; turbulento.
Sto.ry (stôu.ri) *s* história; conto; narrativa; anedota; andar; pavimento.
Stout (stáut) *s* cerveja preta; *adj* forte; vigoroso; intrépido.
Stove (stôuv) *s* fogão; fogareiro; estufa.
Stow (stôu) *v* arrumar; armazenar; pôr em ordem.
Stow.age (stôu.idj) *s* armazenamento; armazenagem.
Strad.dle (strédol) *s* postura de pernas bem abertas; *v* andar com as pernas abertas.
Strag.gle (strégol) *v* afastar-se; vagar.
Straight (strêit) *s* pista direita; reta; curso; linha; *adj* direito; reto; franco; *adv* diretamente; imediatamente.
Straight.en (strêit.nés) *v* endireitar; pôr em ordem.
Strain (strêin) *s* esforço; raça; linhagem; condição; *v* forçar; exagerar; esticar; filtrar; coar.
Strain.er (strêi.nâr) *s* coador; filtro.
Strait (strêit) *s* desfiladeiro; dificuldade; apuro; *adj* estreito; rigoroso; estrito.
Strait.en (strêi.nâr) *v* estreitar; pôr em apuros; limitar.
Strange (strêin.dj) *adj* estranho; singular; raro; inexperiente.
Strang.er (strêin.djâr) *s* estranho; intruso.
Stran.gle (stréngol) *v* estrangular; sufocar.
Strap (strép) *s* correia; tira; alça; presilha; *v* apertar com correia.
Strat.e.gy (stré.tidji) *s* estratégia.
Strat.i.fy (stré.tifái) *v* estratificar; *past and pp* **Stratified**.
Straw (stró) *s* palha; canudo para beber refrescos; ninharia.
Straw.ber.ry (stró.béri) *s* morango; morangueiro.
Stray (strêi) *s* extravio; *v* vagar; extraviar-se; *adj* extraviado; desgarrado.
Streak (stric) *s* risca; listra; indício; vestígio; raio de luz; *v* listrar; riscar; raiar.

Stream (strim) *s* corrente; *v* correr; fluir.
Street (strit) *s* rua.
Strength (strén.th) *s* força; energia.
Strength.en (strén.thn) *v* fortificar; fortalecer; robustecer.
Stren.u.ous (stré.niuâs) *adj* corajoso; enérgico; tenaz.
Stress (strés) *s* força; tensão; importância; GRAM acento; *v* insistir; tensionar; acentuar.
Stretch (strétxe) *s* tensão; dilatação; trecho; pedaço; esforço; *v* estender; esticar.
Strew (stru) *v* espalhar; derramar; polvilhar; *past* **Strewed** *and pp* **Strewed** *or* **Strewn.**
Strick.en (stricn) *adj* atacado; ferido.
Strict (strict) *adj* estrito; exato; estreito; restrito; rigoroso; severo.
Stride (stráid) *v* cavalgar; galopar; montar; andar apressadamente; **Strides:** passos; *past* **Strode** *and pp* **Stridden.**
Strife (stráif) *s* luta; contenda; discussão.
Strike (stráic) *s* pancada; golpe; greve; *v* bater; achar; cunhar; fazer greve; *past* **Struck** *and pp* **Struck** *or* **Stricken.**
String (strin) *s* cordão; fio; tendão; fila; MÚS corda; *v* afinar; amarrar; esticar; MÚS encordoar; *past and pp* **Strung.**
Strin.gen.cy (strin.djensi) *s* rigor; severidade; pressão.
Strin.gent (strin.djent) *adj* rigoroso; severo; meticuloso.
Strip (strip) *v* despojar; despir; saquear; descascar.
Stripe (stráip) *s* listra; gênero; tipo; chicotada; *v* riscar; açoitar.
Strip.y (strái.pi) *adj* listrado; raiado.
Strive (stráiv) *v* esforçar-se; disputar; competir; *past* **Strove** *and pp* **Striven** *or* **Strived.**
Striv.er (strái.vâr) *s* competidor; porfiador.
Stroke (strôuc) *s* golpe; pincelada; MED derrame cerebral (hemorragia); ESP tacada (no bilhar); *v* acariciar; friccionar.
Stroll (strôul) *s* excursão; giro; volta; *v* passear; vaguear.
Strong (strón) *adj* forte; vigoroso; violento; COM que indica tendência para a alta.
Strong.hold (strón.hôuld) *s* praça forte; fortaleza.
Struc.ture (strâc.txur) *s* estrutura; disposição; organização; constituição.
Strug.gle (strâgol) *s* luta; esforço; disputa; *v* lutar; debater; brigar.
Strug.gler (strâ.glâr) *s* lutador; contendor.
Strum (strâm) *v* MÚS tocar mal instrumento de corda (desafinando).
Strum.pet (strâmpt) *s* prostituta; meretriz.
Strut (strât) *s* andar altivo; escora; suporte; *v* emproar-se; empertigar-se.
Stub (stâb) *s* toco; cepo; fragmento; resto; ponta; talão de cheques.
Stub.born (stâ.bârn) *adj* obstinado; teimoso; intratável.
Stub.by (stâ.bi) *adj* atarracado; POP curto e grosso.
Stud (stâd) *s* viga; prego de cabeça larga; botão; *v* prover de pregos; semear.
Stud.ent (stiu.dent) *s* estudante; aluno.
Stud.ied (stâ.did) *adj* estudado; calculado; premeditado.
Stu.di.ous (stiu.diâs) *adj* estudioso; aplicado; estudado.
Stud.y (stâ.di) *s* estudo; meditação; atenção; *v* estudar; meditar; imaginar; projetar.
Stuff (stâf) *s* matéria; material; tecido; tolice; ninharia; *v* encher; estofar; apertar.
Stuff.ing (stâ.fin) *s* enchimento; recheio.
Stuff.y (stâ.fi) *adj* mal ventilado; abafado.
Stul.ti.fi.ca.tion (stâltifiquêi.xân) *s* embrutecimento de uma pessoa.
Stul.ti.fy (stâl.tifái) *v* ensandecer; embasbacar; desacreditar.
Stum.ble (stâmbol) *s* tropeção; cabeçada; erro; *v* tropeçar; encontrar por acaso.
Stump (stâmp) *s* talo; estrado; plataforma; *v* discursar em praça pública; confundir.
Stun (stân) *s* golpe que atordoa; *v* estontear; aturdir.
Stun.ning (stâ.nin) *adj* estonteante; surpreendente; assombroso.
Stunt (stânt) *s* impedimento no progresso de; ocupação; *v* tolher; atrofiar; feito notável; fazer piruetas.
Stu.pe.fac.tion (stiupiféc.xân) *s* estupefação; estupor; espanto.
Stu.pe.fy (stiu.pifái) *v* pasmar; espantar.
Stu.pen.dous (stiupén.dâs) *adj* enorme; colossal.
Stu.pid (stiu.pid) *adj* estúpido; néscio; imbecil; enfadonho.
Stur.dy (stâr.di) *adj* forte; sadio; robusto; vigoroso.
Stur.geon (stâr.djân) *s* esturjão.
Stut.ter (stâ.târ) *s* gaguez; *v* gaguejar; titubear.
Sty (stái) *s* chiqueiro; pocilga; terçol.
Style (stáil) *s* estilo; modo; linguagem; gosto; estilete; *v* nomear; chamar; apelidar.
Sty.let (stái.lit) *s* estilete; sonda.
Styl.ish (stái.lixe) *adj* elegante; moderno; na moda.
Styl.ist (stái.list) *s* estilista.
Sua.sion (suêi.jân) *s* persuasão; conselho.
Sub.con.scious (sâbcón.xâs) *adj* subconsciente.
Sub.due (sâbdiu) *v* subjugar; submeter; amansar.
Sub.du.er (sâbdiu.âr) *s* dominador; vencedor.
Sub.ject (sâbjéct) *s* assunto; texto; tese; *v* sujeitar; submeter; expor; *adj* sujeito; subordinado.
Sub.jec.tion (sâbdjéc.xân) *s* sujeição; obediência; dependência; submissão.
Sub.join (sâbdjó.in) *v* ajuntar; anexar; acrescentar.
Sub.ju.gate (sâb.djuguêit) *v* subjugar; submeter; dominar.
Sub.ju.ga.tion (sâbdjuguêi.xân) *s* subjugação.

Sub.lease (sâblis) *s* sublocação; *v* sublocar; *also* Sublet.
Sub.li.mate (sâ.blimit) *s* sublimado; elevado; *v* sublimar; elevar; *adj* sublimado.
Sub.merge (sâbmâr.dj) *v* submergir; imergir; afundar.
Sub.mer.sion (sâbmâr.xân) *s* submersão; imersão.
Sub.mis.sion (sâbmi.xân) *s* submissão; obediência.
Sub.mit (sâbmit) *v* submeter; sujeitar.
Sub-rosa (sâb.rouz) *s* sob silêncio; secreto.
Sub.scribe (sâbscráib) *v* subscrever; endossar; assinar.
Sub.scrib.er (sâbscrái.bâr) *s* subscritor; assinante.
Sub.script (sâbs.cript) *s* subscrição; *adj* subscrito; escrito; firmado.
Sub.scrip.tion (sâbscrip.xân) *s* subscrição; assinatura.
Sub.se.quence (sâb.sicuéns) *s* subsequência.
Sub.se.quent (sâb.sicuént) *adj* subsequente.
Sub.serve (sâbsârv) *v* servir; estar na dependência de; ser útil; favorecer.
Sub.ser.vi.ence (sâbsâr.viéns) *s* subserviência.
Sub.side (sâb.sáid) *v* acalmar-se; assentar; baixar ao fundo.
Sub.si.dence (sâbsái.déns) *s* calma; apaziguamento; colapso; QUÍM precipitação.
Sub.si.dy (sâb.sidi) *s* subsídio; ajuda; subvenção.
Sub.sist (sâbssist) *v* subsistir; viver.
Sub.sis.tence (sâbssis.téns) *s* subsistência; sustento; manutenção.
Sub.soil (sâb.sóil) *s* subsolo.
Sub.stance (sâbs.tâns) *s* substância; matéria.
Sub.stan.tive (sâ.bstântiv) *s* substantivo; nome.
Sub.sti.tute (sâ.bstitiuti) *s* substituto; *v* substituir.
Sub.sti.tu.tion (sâbstitiu.xân) *s* substituição; intercâmbio; troca.
Sub.ten.an.cy (sâbté.nânsi) *s* sublocação.
Sub.ten.ant (sâbté.nânt) *s* sublocatário.
Sub.ter.fuge (sâb.târfiudj) *s* subterfúgio; pretexto.
Sub.ter.ra.ne.an (sâbterêi.niân) *adj* subterrâneo.
Sub.tile (sâb.til) *adj* sutil; tênue; astuto.
Sub.til.ize (sâb.tiláiz) *v* requintar; refinar.
Sub.tle (sâtol) *adj* sutil; delicado; fino; astuto; engenhoso.
Sub.tract (sâbtrékt) *v* subtrair; tirar; deduzir; diminuir.
Sub.trac.tion (sâbtréc.xân) *s* subtração.
Sub.tra.hend (sâb.trâ.hend) *s* MAT subtraendo.
Sub.urb (sâ.bârb) *s* subúrbio; arrabalde.
Sub.ven.tion (sâbvén.xân) *s* subvenção; subsídio; auxílio pecuniário.
Sub.vert (sâbvârt) *v* subverter; corromper; arruinar.
Sub.way (sâ.buêi) *s* caminho subterrâneo; metrô; ENGL **Underground**.
Suc.ce.da.ne.ous (sâcssidêi.niâs) *adj* sucedâneo.
Suc.ceed (sâcsid) *v* suceder; conseguir; sair-se bem.
Suc.cess (sâcsés) *s* êxito; triunfo; sucesso.
Suc.cess.ful (sâcsés.ful) *adj* bem-sucedido; feliz; auspicioso.
Suc.ces.sion (sâcsé.xân) *s* sucessão; seguimento; linhagem; sequência.
Suc.ces.sive (sâcsé.siv) *adj* sucessivo.
Suc.ces.sor (sâcsé.sâr) *s* sucessor; herdeiro.
Suc.cinct (sâcsinct) *adj* sucinto; conciso; resumido.
Suc.co.ry (sâ.cori) *s* chicória.
Suc.cu.lence (sâ.quiuléns) *s* suculência; *also* Succulency.
Suc.cu.lent (sâ.quiulênt) *adj* suculento.
Suc.cumb (sâcâm) *v* sucumbir; submeter-se.
Such (sâtxe) *adj* tal; tais; semelhante; aquele; aquela; *pron* tal; tais; o (os) mesmo (s); aquele (as); o; a; os; as. **Such as:** muito; **He's such a nice guy!** Ele é um cara tão legal!
Suck (sâc) *s* sucção; mamada; chupada; *v* sugar; chupar; mamar.
Suck.le (sâcol) *v* amamentar; criar; nutrir; mamar.
Sud.den (sâdn) *adj* repentino; súbito; inesperado.
Sud.den.ness (sâdn.nés) *s* precipitação; imprevisto; rapidez.
Suds (sâds) *s* espuma.
Sue (siu) *v* demandar; processar; pleitear; acionar em juízo.
Su.et (siu.et) *s* gordura; sebo.
Su.et.y (siu.eti) *adj* seboso; gorduroso.
Suf.fer (sa.far) *v* sofrer; tolerar; aguentar.
Suf.fer.a.ble (sa.farâbol) *adj* suportável; tolerável.
Suf.fer.ance (sa.farâns) *s* sofrimento; dor; paciência; tolerância.
Suf.fer.er (sa.farâr) *s* sofredor.
Suf.fice (sâ.fáis) *v* bastar; ser suficiente.
Suf.fi.cien.cy (sâfi.xeênsi) *s* suficiência; competência; aptidão.
Suf.fo.cate (sâ.foquêit) *v* sufocar; asfixiar.
Suf.fo.ca.tion (sâfoquêi.xân) *s* sufocação; asfixia.
Suf.frage (sâ.fridj) *s* sufrágio; voto; direito de voto.
Suf.fra.gette (sâ.fridjgét) *s* sufragista.
Suf.fuse (sâfiuz) *v* estender; difundir; espalhar.
Sug.gest (sâdjést) *v* sugerir; insinuar; indicar.
Sug.ges.tion (sâdjés.txân) *s* sugestão; instigação.
Sug.ges.tive (sâdjés.tiv) *adj* sugestivo.
Su.i.cide (siu.issáid) *s* suicídio; suicida.
Suit (siut) *s* sortimento; série; traje; petição; demanda; ação; naipe; *v* adaptar-se; ajustar-se.
Suit.a.ble (siu.tâbol) *adj* conveniente; adequado; apropriado.
Suite (suit) *s* suíte; MÚS suíte.
Suit.or (siu.târ) *s* solicitante; homem que corteja uma mulher.
Sulk (sâlc) *s* mau humor; *v* estar de mau humor; zangar.
Sul.len (sâ.len) *adj* mal-humorado.
Sul.ly (sâ.li) *s* mancha de sujeira, mácula; *v* sujar; manchar; violar.
Sul.tan (sâl.tân) *s* sultão.
Sul.try (sâl.tri) *adj* abafado; sufocante.

Sum (sâm) *s* soma; total; quantia; *v* somar; adicionar; resumir.
Sum.ma.ri.ness (sâ.mârinés) *s* brevidade; ação sumária.
Sum.ma.rize (sâ.mâráiz) *v* resumir; compendiar.
Summar.y (sâ.mâri) *s* sumário; resumo; *adj* sumário.
Sum.mer (sâ.mâr) *s* verão; estio; *v* veranear.
Sum.mit (sâ.mit) *s* cume; ápice; topo.
Sum.mon (sâ.mân) *v* apelar; citar; notificar; convocar; *s* convocação; intimação; citação.
Sump (sâmp) *s* reservatório; tanque; depósito; recipiente.
Sump.tu.ous (sâm.txuâs) *adj* suntuoso; luxuoso; magnífico.
Sun (sân) *s* sol; luz do sol; brilho; *v* aquecer, expor ao sol.
Sun.beam (sân.bim) *s* raio de sol.
Sun.bow (sân.bôu) *s* arco-íris.
Sun.burn (sân.bârn) *s* queimadura feita pelos raios solares.
Sun.day (sân.dêi) *s* Domingo; *adj* domingueiro; dominical.
Sun.der (sân.dâr) *v* separar; dividir.
Sun.dry (sân.dri) *adj* vários; diversos; variados.
Sun.flow.er (sân.fláuâr) *s* girassol.
Sun.light (sân.láit) *s* luz do sol.
Sun.ny (sân.ni) *adj* ensolarado; alegre.
Sun.rise (sân.ráiz) *s* o nascer do sol.
Sun.shade (sân.xeêid) *s* sombrinha; para-sol.
Sun.shine (sân.xeáin) *s* brilho do sol; calor.
Sun.stroke (sân.strôuc) *s* insolação.
Sup (sâp) *s* gole; trago; *v* cear.
Su.per.a.ble (siu.pârâbol) *adj* superável.
Su.per.a.bun.dance (siupârâbân.dâns) *s* superabundância.
Su.per.a.bun.dant (siupârâbân.dânt) *adj* superabundante.
Su.per.an.nu.ate (siupâré.niuêit) *v* aposentar por idade.
Su.per.an.nu.a.tion (sipâréniuêi.xân) *s* inabilitação; aposentadoria por idade; reforma.
Su.perb (siupârb) *adj* soberbo; elegante; majestoso.
Su.per.car.go (siupârcár.gôu) *s* NÁUT comissário de bordo; sobrecarga.
Su.per.cil.i.ous (siupârsi.liâs) *adj* altivo; arrogante; desdenhoso; orgulhoso.
Su.per.fi.cial (siupârfi.xeâl) *adj* superficial.
Su.per.fi.ci.al.i.ty (siupârfixeé.liti) *s* superficialidade.
Su.per.fi.ci.es (siupârfi.xeiis) *s* superfície.
Su.per.flu.ous (siupâr.fluâs) *adj* supérfluo.
Su.per.im.pose (siupârimpôuz) *v* sobrepor.
Su.per.im.po.si.tion (siupârimpôuzi.xân) *s* sobreposição.
Su.per.in.tend (siupârinténd) *v* superintender; dirigir; controlar; fiscalizar.
Su.per.in.ten.dence (siupârintén.déns) *s* superintendência; direção.
Su.per.in.ten.dent (siupârintén.dént) *s* superintendente; diretor.
Su.pe.ri.or (siupi.riâr) *s* superior; chefe; *adj* superior.
Su.pe.ri.or.i.ty (siupirió.riti) *s* superioridade; vantagem.
Su.per.la.tive (siupâr.lâtiv) *adj* superlativo; supremo.
Su.per.man (siu.pârmân) *s* super-homem.
Su.per.pose (siupârpôuz) *v* sobrepor.
Su.per.po.si.tion (siupârpôuzi.xân) *s* sobreposição.
Su.per.scribe (siupârscráib) *v* sobrescrever; endereçar.
Su.per.scrip.tion (siupârscrip.xân) *s* sobrescrito; endereço; direção.
Su.per.sede (siupârsid) *v* substituir o lugar de outrem.
Su.per.sti.tion (siupârsti.xân) *s* superstição; crendice.
Su.per.sti.tious (siupârsti.xâs) *adj* supersticioso.
Su.per.struc.ture (siupârstrâc.txur) *s* superestrutura.
Su.per.vi.sion (siupârvi.jân) *s* supervisão; inspeção; fiscalização.
Su.pine (siupáin) *adj* supino; deitado de costas; recostado.
Su.pine.ness (siupáin.nés) *s* supinação; inércia.
Sup.per (sâ.pâr) *s* ceia; jantar.
Sup.plant (sâplént) *v* suplantar; substituir; minar; derrubar.
Sup.ple (sâpol) *v* fazer flexível; *adj* brando; maleável; flexível.
Sup.ple.ment (sâ.plimént) *s* suplemento; acréscimo; *v* acrescentar; suprir.
Sup.ple.ness (sâ.plinés) *s* flexibilidade; bajulação.
Sup.pli.ant (sâ.pliânt) *s* suplicante; requerente; impetrante; *adj* suplicante; requerente; impetrante.
Sup.pli.cate (sâ.pliquêit) *v* suplicar.
Sup.pli.ca.tion (sâpliquêi.xân) *s* súplica; rogo.
Sup.ply (sâplái) *s* suprimento; provisão; abastecimento; *v* suprir; fornecer; completar.
Sup.port (sâpôurt) *s* sustento; apoio; sustentáculo; *v* sustentar; suportar; desempenhar.
Sup.port.a.ble (sâpôur.tâbol) *adj* suportável; tolerável; sustentável.
Sup.port.er (sâpôur.târ) *s* o que suporta; sustentáculo; defensor; partidário.
Sup.pose (sâpôuz) *v* supor; imaginar; conjeturar.
Sup.po.si.tion (sâpôuzi.xân) *s* suposição; conjetura.
Sup.press (sâprés) *v* suprimir; reprimir; dissimular.
Sup.pres.sion (sâpré.xân) *s* supressão; repressão.
Sup.pres.sor (sâpré.sâr) *s* supressor.
Sup.pu.ra.tion (sâpiurêi.xân) *s* supuração.
Su.prem.a.cy (siupré.mâssi) *s* supremacia; domínio.
Su.preme (siupri.mn) *adj* supremo.
Sur.charge (sârtxeár.dj) *s* sobrecarga; *v* sobrecarregar.
Sur.coat (sâr.côut) *s* sobretudo; capote.

Sure (xur) *adj* certo; seguro; infalível; *adv* POP naturalmente; certamente.
Sure.ness (xur.nés) *s* segurança; confiança; certeza.
Sure.ty (xur.ti) *s* segurança; confiança; fiança; certeza.
Sure.ty.ship (xur.tixip) *s* caução; fiança.
Surf (sârf) *s* ressaca; rebentação; onda.
Sur.face (sâr.fis) *s* superfície; aparência exterior; *v* nivelar; alisar.
Sur.feit (sâr.fit) *s* fartura; excesso; indigestão; *v* fartar; saciar.
Surge (sârdj) *s* onda; vaga; maré; *v* encresparse; encapelar-se.
Sur.geon (sâr.djân) *s* cirurgião.
Sur.ger.y (sâr.djâri) *s* cirurgia.
Sur.gi.cal (sâr.djicâl) *adj* cirúrgico.
Sur.li.ness (sâr.linés) *s* mau humor; grosseria.
Sur.ly (sâr.li) *adj* áspero; grosseiro; impertinente; mal humorado.
Sur.mise (sâr.máiz) *s* desconfiança; suspeita; conjetura; *v* conjeturar; supor; pressentir.
Sur.mount (sârmáunt) *v* superar; vencer; sobrepujar.
Sur.mount.a.ble (sârmáun.tâbol) *adj* superável.
Sur.name (sâr.nêim) *s* sobrenome; apelido; *v* apelidar.
Sur.pass (sârpés) *v* exceder; superar.
Sur.pass.ing (sârpé.sin) *adj* superior; transcendente.
Sur.plice (sâr.plis) *s* sobrepeliz (vestimenta).
Sur.plus (sâr.plâs) *s* excesso; sobra.
Sur.prise (sârpráiz) *s* surpresa; admiração; *v* surpreender; admirar.
Sur.pris.ing (sârprái.zin) *adj* surpreendente; inesperado.
Sur.ren.der (sârén.dâr) *s* rendição; entrega; renúncia; *v* entregar-se; render-se; entregar; ceder.
Sur.ro.gate (sâ.roguêit) *s* sub-rogado; delegado; substituto.
Sur.round (sâráund) *v* rodear; circundar; cercar.
Sur.round.ings (sâráun.dins) *s* arredores; ambientes.
Sur.veil.lance (sarvêi.lânss) *s* vigilância.
Sur.vey (sârvêi) *s* agrimensura; exame; inspeção; *v* medir e avaliar terras; inspecionar; examinar.
Sur.vey.or (sârvêi.âr) *s* agrimensor; superintendente; inspetor.
Sur.viv.al (sâr.váivâl) *s* sobrevivência; resto.
Sur.vive (sârváiv) *v* sobreviver; permanecer vivo.
Sur.vi.vor (sârvái.vâr) *s* sobrevivente.
Sus.cep.ti.bil.i.ty (sâsséptibi.liti) *s* suscetibilidade; sensibilidade.
Sus.cep.ti.ble (sâssép.tibol) *adj* suscetível; sensível; melindroso.
Sus.pect (sâspéct) *s* pessoa suspeita; *v* suspeitar; desconfiar.
Sus.pend (sâspénd) *v* suspender; enforcar; pendurar.
Sus.pend.er (sâspén.dâr) *s* o que suspende; suspensórios.
Sus.pense (sâspéns) *s* dúvida; indecisão; incerteza; suspensão.
Sus.pen.sion (sâspén.xân) *s* suspensão; o objeto suspenso.
Sus.pen.sive (sâspén.siv) *adj* suspensivo.
Sus.pi.cion (sâspi.xân) *s* suspeita; desconfiança; porção de um ingrediente.
Sus.pi.cious (sâspi.xâs) *adj* suspeito; receoso; desconfiado.
Sus.tain (sâstêin) *v* experimentar; manter; prolongar.
Sus.tain.er (sâstêi.nâr) *s* sustentador; mantenedor.
Sus.te.nance (sâs.tinâns) *s* sustento; sustentação.
Sus.ten.ta.tion (sâstentêi.xân) *s* sustentação; manutenção.
Swab (suób) *s* esfregão; pessoa desajeitada; *v* esfregar; limpar.
Swag.ger (sué.gâr) *s* maneiras insolentes; bravata; *v* mostrar-se insolente; jactar-se.
Swag.ger.er (sué.gârâr) *s* fanfarrão; gabola.
Swain (suêin) *s* jovem camponês; namorado.
Swal.low (suó.lôu) *s* andorinha; trago; bocado; *v* engolir; tragar.
Swamp (suómp) *s* pântano; brejo; *v* submergir; inundar.
Swan (suón) *s* cisne.
Swank (suénc) *s* ostentação.
Swap (suóp) *s* troca; permuta; barganha; *v* trocar; permutar.
Sward (suórd) *s* erva (fina e rasteira); campo recoberto de relva.
Swarm (suórm) *s* multidão; *v* aglomerar-se; atropelar-se.
Swarth.y (suór.thi) *adj* trigueiro; moreno.
Swash (suóxe) *v* agitar; esguichar; esparramar água.
Swath (suóth) *s* fileira; fiada; tira.
Sway (suêi) *s* agitação; balanço; influência; *v* governar; dominar; influir.
Swear (suér) *v* jurar; blasfemar; prometer; *past* **Swore** *and pp* **Sworn**.
Swear.er (sué.râr) *s* o que jura.
Sweat (suét) *s* suor; fadiga; cansaço; *v* suar; fatigar-se; *past and pp* **Sweat**.
Sweat.er (sué.târ) *s* que transpira muito; patrão explorador; suéter (blusa de lã).
Sweat.i.ness (sué.tinés) *s* transpiração; suor.
Swede (suid) *s* sueco; sueca; espécie de nabo.
Swed.ish (sui.dixe) *s* a língua sueca; *adj* sueco.
Sweep (suip) *s* varredura; carreira rápida; limpador de chaminés; alcance; *v* varrer; arrebatar; limpar; marchar; *past and pp* **Swept**.
Sweep.stake (sui.pstêic) *s* jogador que ganha todo o prêmio.
Sweet (suit) *s* doçura; doce; querido; deleite; caro; *adj* belo; doce; suave; melodioso; fresco; agradável; delicado.
Sweet.en (suitn) *v* adoçar; açucarar.
Sweet.heart (suit.hárt) *s* namorado; amada; namorada; querido; querida; amante.
Sweet.ish (sui.tixe) *adj* adocicado.
Sweet.ness (suit.nés) *s* doçura; suavidade.

Swell (suél) *s* bojo; intumescer; *v* inchar; aumentar; engrossar; envaidecer-se; *past* **Swelled** *and pp* **Swelled** *or* **Swollen**; *adj* elegante; magnífico.
Swell.ing (sué.lin) *s* inchaço; tumor; protuberância; *adj* inchado.
Swel.ter (suél.târ) *v* sufocar; abafar; suar.
Swerve (suârv) *s* desvio; mudança súbita de direção; *v* afastar-se; desviar.
Swift (suift) *s* gavião; corrente de rio; *adj* veloz; ágil; rápido.
Swift.ness (suift.nés) *s* ligeireza; rapidez; presteza.
Swig (suig) *s* gole; trago; bêbedo; *v* beber demasiadamente.
Swill (suil) *s* trago, excesso de bebida; lavagem de louça; *v* beber excessivamente; enxaguar; lavar; banhar.
Swim (suim) *s* natação; nado; tendência; *v* nadar; boiar; transbordar; ter vertigens; *past* **Swam** *and pp* **Swum**.
Swim.mer (sui.mâr) *s* nadador.
Swim.ming (sui.min) *s* natação; *adj* natatório.
Swin.dle (suindol) *s* logro; trapaça; *v* enganar; trapacear.
Swin.dler (suin.dlâr) *s* trapaceiro; caloteiro.
Swin.dling (suin.dlin) *s* fraude; burla; logro.
Swine (suáin) *s* porco; suíno.
Swing (suin) *s* balanço; tipo de dança ou de música; dança do box; *v* balançar; oscilar; vibrar; *past and pp* **Swung**.
Swipe (suáip) *s* POP golpe; pancada forte; *v* dar pancada violenta.
Swirl (suârl) *s* redemoinho; friso; movimento giratório; *v* rodar; girar; dar voltas.
Swiss (suis) *s* Suíço; *adj* suíço.
Switch (suitxe) *s* vara flexível; chibata; chave de estrada de ferro; comutador; interruptor; *v* chicotear; ligar ou desligar.
Swiv.el (suivol) *s* elo, argola (móvel); *v* girar sobre um eixo.
Swoon (suun) *s* desmaio; síncope; *v* desmaiar; desfalecer.
Swoon.ing (suu.nin) *s* desmaio.

Swoop (suup) *s* golpe repentino; *v* agarrar; apanhar; cair sobre.
Sword (sôurd) *s* espada; sabre; arma branca.
Sword.fish (sôurd.fixe) *s* peixe-espada.
Swords.man (sôurdz.mân) *s* esgrimista.
Syc.a.mine (si.câmáin) *s* amoreira preta.
Syce (sáis) *s* criado.
Syl.lab.ic (silé.bic) *adj* silábico.
Syl.la.ble (si.lâbol) *s* sílaba; *v* silabar; articular.
Syl.la.bus (si.lâbâs) *s* sílabo; resumo; sumário.
Syl.van (sil.vân) *adj* silvestre; rústico.
Sym.bol (sim.bâl) *s* símbolo; figura; emblema.
Sym.bol.ic (simbó.lic) *adj* simbólico; figurativo.
Sym.bol.ism (sim.bolizm) *s* simbolismo.
Sym.bol.i.za.tion (simbolizêi.xân) *s* simbolização.
Sym.bol.ize (sim.boláiz) *v* simbolizar.
Sym.met.ric (simé.tric) *adj* simétrico.
Sym.me.try (sim.metri) *s* simetria; harmonia; proporção.
Sym.pa.thet.ic (simpâthé.tic) *adj* simpático; solidário; harmonioso.
Sym.pa.thize (sim.pâtháiz) *v* compadecer-se; condoer-se de.
Sym.pa.thy (sim.pâthi) *s* simpatia; compaixão; solidariedade.
Sym.phon.ic (simfó.nic) *adj* sinfônico.
Sym.pho.ny (sim.foni) *s* sinfonia; harmonia; melodia.
Symp.tom (simp.tâm) *s* sintoma; sinal; indício.
Syn.chro.ni.za.tion (sincronizêi.xân) *s* sincronização.
Syn.chro.nize (sin.cronáiz) *v* sincronizar; ter analogia; ser simultâneo; regular relógio.
Syn.chro.nous (sin.cronâs) *adj* síncrono; sincrônico; simultâneo.
Syn.co.pate (sin.copêit) *v* sincopar.
Syn.cre.tism (sin.critizm) *s* sincretismo.
Syn.cre.tize (sin.critáiz) *v* sincretizar.
Syn.dic (sin.dic) *s* síndico.
Syn.di.cate (sin.diquit) *s* sindicato.
Syn.di.cate (sin.diquit) *v* sindicar.
Syn.od (si.nâd) *s* sínodo (reunião em assembleia de sacerdotes).
Syn.o.nym (si.nonim) *s* sinônimo.
Syn.tax (sin.técs) *s* sintaxe.
Syn.the.sis (sin.thissis) *s* síntese.
Syn.the.size (sin.thissáiz) *v* sintetizar.
Syn.thet.ic (sinthé.tic) *adj* sintético; resumido.
Sy.rin.ga (sirin.gâ) *s* lilás; flor.
Syr.inge (si.rindj) *s* seringa.
Syr.up (si.râp) *s* xarope.
Sys.tem (sis.tém) *s* sistema; método.
Sys.tem.at.ic (sistemé.tic) *adj* sistemático.
Sys.tem.a.tize (sis.temâtáiz) *v* sistematizar.

tT

T (ti) *s* vigésima letra do alfabeto Português e do alafbeto Inglês.
Tab.er.na.cle (té.bârnécol) *s* tabernáculo.
Ta.ble (têibol) *s* mesa; tabela; índice; *v* pôr na mesa; comer à mesa; exibir; mostrar.
Ta.ble.land (têibol.lénd) *s* tabuleiro; planalto.
Tab.let (té.blet) *s* tabuleta gravada; painel; comprimido.
Tab.loid (tâblóid) *s* pastilha; comprimido; jornal sem expressão, jornaleco.
Ta.boo (tâbu) *s* proibição; *v* proibir; vedar; interdizer.
Tab.u.la.tion (tébiulêi.xân) *s* arranjo em forma de tabela.
Tac.it (té.sit) *adj* tácito; implícito.
Tac.i.turn (té.sitârn) *adj* taciturno; calado; silencioso.
Tack (téc) *s* tacha; preguinho; adesão; *v* pregar com tachas; ligar.
Tack.le (técol) *s* roldana; equipamento; *v* amarrar; agarrar; atacar; prover de cordagem.
Tack.ling (té.clin) *s* equipamento.
Tact (téct) *s* tato; jeito; tino.
Tac.tic (téc.tic) *adj* tático; estratégico.
Tad.pole (téd.pôul) *s* sapinho; girino.
Taf.fy (té.fi) *s* puxa-puxa; caramelo; *same as* **Toffee**.
Tag (tég) *s* chapa; atacador; plebe; ponta de cauda; marca; sinal; *v* ligar; fixar presilha; fixar etiqueta; seguir.
Tail (têil) *s* rabo; cauda; cabo; cortejo; *v* prender à cauda.
Tai.lor (téi.lâr) *s* alfaiate.
Taint (têint) *s* mancha; infecção; corrupção; *v* infeccionar; corromper-se; poluir; estragar.
Take (têic) *s* ação de tomar; *v* tomar; pegar; segurar; *past* **Took** *and pp* **Taken**.
Tak.ing (téi.quin) *adj* fascinante; atraente.
Tale (têil) *s* conto; fábula; narrativa; história.
Tale.bear.er (têil.bérâr) *s* mexeriqueiro.
Tal.ent (té.lent) *s* talento; gênio; engenho; talento (moeda).
Talk (tóc) *s* conversa; conversação; discurso; *v* falar; conversar; dizer; narrar.
Talk.a.tive (tóc.âtiv) *adj* falador; conversador; tagarela.
Tall (tól) *adj* alto; elevado; excessivo.
Tall.ness (tól.nés) *s* altura; estatura.
Tal.low (té.lôu) *s* sebo; *v* ensebar; engordurar.
Tal.ly (té.li) *s* contagem; marcação; *v* corresponder; condizer.
Tal.on (té.lân) *s* garra; unha.
Tam.a.ble (têi.mâbol) *adj* domável.
Tame (téim) *adj* dócil; manso; doméstico; abatido; *v* amansar; cativar; domar; submeter.
Tam.per (tém.pâr) *v* intrometer-se; experimentar; ocupar-se de.
Tan (tén) *s* casca que possui tanino; cor parda; *v* curtir; *adj* crestado; trigueiro.
Tan.dem (tén.dem) *s* carro de dois cavalos; bicicleta de dois selins; *adv* um atrás do outro.
Tang (tén) *s* espigão; som agudo; sabor; *v* retinir.
Tan.gi.ble (tén.djibol) *adj* tangível; palpável.
Tangle (téngol) *s* enredo; confusão; alga; *v* emaranhar; entrelaçar; misturar.
Tank (ténc) *s* tanque; cisterna; MIL tanque.
Tan.ner (té.nâr) *s* curtidor.
Tan.ner.y (té.nâri) *s* curtume.
Tan.ta.mount (tén.tâmáunt) *adj* equivalente; igual.
Tap (tép) *s* punção; cânula (tubo para cirurgia); torneira; pancada; *v* bater; furar tonel.
Tape (têip) *s* trena; fita de medição; cadarço; liga; fita.
Ta.per (têi.pâr) *s* círio (vela grande); facho; luz; pavio; afilamento; *v* afilar-se; iluminar com círios; *adj* cônico.
Tap.es.try (té.pestri) *s* tapete bordado; tapeçaria.
Tar.dy (tár.di) *adj* vagaroso; moroso; lento.
Tare (tér) *s* COM tara (peso líquido).
Tar.get (tár.djét) *s* alvo; mira; meta; pontaria.
Tar.iff (táerif) *s* tarifa.
Tarn (tárn) *s* lago entre montanhas.
Tar.ri.er (té.riâr) *s* retardatário.
Tar.ry (té.ri) *v* retardar; tardar; deter-se.
Tart (tárt) *s* torta; pastelão (doce ou salgado); *adj* ácido; picante; azedo; mordaz.
Tar.tar (tár.târ) *s* tártaro (depósito salino); calcário nos dentes; sarro.
Task (tésc) *s* tarefa; empreitada; emprego; empresa; *v* dar uma tarefa a.

Tas.sel (tésol) *s* borla; gancho.
Taste (têist) *s* gosto; sabor; prova; amostra; *v* provar alimento ou bebida; saborear.
Taste.ful (têist.ful) *adj* gostoso; saboroso; de bom gosto.
Taste.less (têist.lés) *adj* insípido; insosso; sem gosto.
Tast.i.ness (têis.tinés) *s* gosto; sabor; graça; elegância.
Tast.y (têis.ti) *adj* gostoso.
Tat.ter (té.târ) *s* farrapo; trapo; *v* estraçalhar; reduzir a farrapos.
Tat.tered (té.târd) *adj* esfarrapado; andrajoso.
Tat.tle (tétol) *v* tagarelar; mexericar.
Tat.tler (té.tlâr) *s* tagarela; palrador.
Tat.too (té.tu) *s* tatuagem; toque de recolher; *v* tatuar.
Tat.too.ing (tétu.in) *s* tatuagem.
Taunt (tónt) *s* mofa; zombaria; *v* insultar; verberar; exprobar; *adj* elevado; alto.
Taunt.er (tón.târ) *s* escarnecedor; insultante; zombador.
Tav.ern (té.vârn) *s* taberna; botequim.
Taw.dry (tó.dri) *adj* extravagante; espalhafatoso.
Taw.ny (tó.ni) *adj* tostado; moreno.
Tax (técs) *s* taxa; encargo; imposto; obrigação; *v* taxar; sobrecarregar; acusar.
Tax.a.tion (técsêi.xân) *s* taxação.
Tax.i (téc.si) *s* táxi.
Tax.i.der.mist (téc.sidârmist) *s* taxidermista.
Tax.i.der.my (téc.sidârmi) *s* taxidermia.
Tax.i.me.ter (técsi.mitâr) *s* taxímetro.
Tea (ti) *s* chá.
Teach (titxe) *v* ensinar; treinar; instruir; *past or pp* **Taught**.
Teach.er (ti.txâr) *s* professor; instrutor.
Teach.ing (ti.txin) *s* ensino; instrução; magistério.
Team (tim) *s* parelha; junta; bando; equipe; *v* transportar em parelha; juntar numa manada.
Tea.poy (ti.pói) *s* mesinha de chá.
Tear (tér) *s* lágrima; *v* rasgar; despedaçar; *past* **Tore** *and pp* **Torn**.
Tear.ful (tér.ful) *adj* lacrimoso; choroso; dilacerante.
Tear.ful.ness (tér.fulnés) *s* lacrimação; choro.
Tear.ing (té.rin) *adj* violento; furioso; dilacerante.
Tease (tiz) *s* arrelia; enfado; aborrecimento; *v* atormentar; importunar; cardar.
Teas.er (ti.zâr) *s* importuno; aborrecedor.
Teat (tit) *s* teta; úbere; bico de seio.
Tech.ni.cian (técni.xân) *s* técnico; prático; perito.
Tech.nol.o.gy (técnó.lodji) *s* tecnologia.
Tech.y (té.txei) *adj* rabugento; colérico.
Te.di.ous (ti.diâs) *adj* tedioso; enfadonho; maçante.
Tee (ti) *s* meta.
Teem (tim) *v* gerar; abundar em.
Teem.ing (ti.min) *adj* abundante; fértil.
Teen.ager (tin.êidjâr) *s* adolescente.
Teeth (tith) *s* dentes; plural de **Tooth**.
Teeth.ing (ti.thin) *s* dentição.
Tel.e.phone (té.lefôun) *s* telefone; *v* telefonar.
Te.leph.o.ny (telé.foni) *s* telefonia.
Tel.e.vi.sion (televisiân) *s* televisão.
Tell (tél) *v* dizer; contar; informar; revelar; ordenar; *past and pp* **Told**.
Tell.er (té.lâr) *s* narrador.
Tell.tale (tél.têil) *s* mexeriqueiro; indicador; *adj* falador.
Te.mer.i.ty (timé.riti) *s* temeridade; ousadia.
Tem.per (tém.pâr) *s* têmpera; gênio; calma; sangue frio; temperamento; *v* temperar; modelar; misturar; ajustar.
Tem.per.ate (tém.pârit) *adj* temperado; moderado; sóbrio; brando; ameno.
Tem.per.a.ture (tém.parâtxeur) *s* temperatura.
Tem.pest (tém.pést) *s* tempestade; tormenta; tumulto.
Tem.pes.tu.ous (tempés.txeuâs) *adj* tempestuoso.
Tem.ple (témpol) *s* templo; basílica; igreja; MED fonte.
Tem.po.ra.ry (tém.poréri) *adj* temporário; transitório; provisório.
Tem.po.rize (tém.poráiz) *v* aceder; acomodar-se a; render-se; capitular.
Tempt (témpt) *v* tentar; atrair; seduzir.
Temp.ta.tion (témptêi.xân) *s* tentação.
Ten.a.ble (té.nâbol) *adj* defensável; sustentável.
Te.na.cious (tenêi.xeâs) *adj* tenaz; firme; persistente.
Ten.ant (té.nânt) *s* inquilino; locatário.
Ten.ant.less (té.nântlés) *adj* desocupado; devoluto; vago.
Tend (ténd) *v* cuidar de; tratar; acompanhar; contribuir para.
Ten.der (tén.dâr) *s* oferta; proposta; *v* oferecer; propor; *adj* tenro; mole.
Ten.der.ly (tén.dârli) *adv* ternamente, delicadamente.
Ten.der.ness (tén.dârnés) *s* ternura; suavidade; brandura; escrúpulo.
Ten.don (tén.dân) *s* tendão.
Ten.e.brous (té.nibrâs) *adj* tenebroso; escuro.
Ten.e.ment (té.nemént) *s* cortiço; habitação coletiva; JUR prazo judicial.
Ten.fold (tén.fôuld) *adj* décuplo.
Ten.nis (tén.nis) *s* tênis.
Tense (téns) *s* GRAM tempo (flexão verbal); *adj* tenso; esticado.
Tense.ness (téns.nés) *s* tensão; esforço; rigidez.
Ten.si.ty (tén.siti) *s* tensão; rigidez.
Tent (tént) *s* tenda; barraca; atenção; *v* sondar; acampar.
Ten.ta.cle (tén.tâcol) *s* tentáculo.
Ten.ter (tén.târ) *s* escápula; gancho.
Ten.u.ous (té.niuâs) *adj* tênue; delgado.
Tep.id (té.pid) *adj* tépido (morno).
Ter.gi.ver.sate (târ.djivârsêit) *v* tergiversar.
Ter.gi.ver.sa.tion (târdjivârsêi.xân) *s* tergiversação; rodeios; evasivas.

Term (târm) *s* termo; palavra; limite; prazo; *v* nomear; designar.
Ter.ma.gant (târ.magânt) *s* mulher colérica; *adj* turbulento; inquieto.
Ter.mi.nate (târ.minêit) *v* terminar.
Ter.mi.na.tion (târminêi.xân) *s* terminação; término.
Ter.mi.nol.o.gy (târminó.lodji) *s* terminologia.
Ter.mite (târ.mait) *s* térmita; cupim; formiga branca.
Ter.ri.ble (té.ribol) *adj* terrível; horrível; espantoso; tremendo; grave.
Ter.ri.er (té.riâr) *s* cão rateiro.
Ter.rif.ic (téri.fic) *adj* terrífico; terrível; horrível.
Ter.ri.fy (té.rifái) *v* terrificar; apavorar; amedrontar.
Ter.ri.to.ry (té.ritôuri) *s* território; praça; zona.
Ter.ror.ize (té.roráiz) *v* aterrorizar; horrorizar.
Terse (târs) *adj* polido; conciso.
Test (tést) *s* teste; exame; análise; padrão; *v* examinar; experimentar.
Test.a.ble (tés.tâbol) *adj* o que se pode legar.
Tes.ta.ment (tés.tâmént) *s* JUR testamento.
Tes.ta.men.ta.ry (téstâmén.târi) *adj* testamentário.
Tes.ter (tés.târ) *s* testador; examinador; analisador; ensaiador.
Tes.ti.fi.ca.tion (téstifiquêi.xân) *s* atestação.
Tes.ti.fi.er (tés.tifáiâr) *s* depoente; certificante; testemunha.
Tes.ti.fy (tés.tifái) *v* depor; testemunhar; atestar; declarar.
Tes.ti.mo.ny (tés.timôuni) *s* testemunho; depoimento.
Tes.ti.ness (tés.tinés) *s* impertinência.
Tes.ty (tés.ti) *adj* colérico; irritável.
Tet.a.nus (té.tânâs) *s* tétano.
Teth.er (té.dhâr) *s* cabresto; peia; sujeição; *v* pear; travar.
Tet.ter (té.târ) *s* impingem (afecção cutânea).
Text (técst) *s* texto; tópico; tema.
Tex.ture (té.cstxur) *s* textura; contextura; tecido.
Than (dhen) *conj* do que; que.
Thank (thénc) *s* agradecimentos; graças; *v* agradecer.
Thank.ful (thénc.ful) *adj* agradecido; grato.
Thank.ful.ness (thénc.fulnés) *s* gratidão; reconhecimento.
Thank.less (thénc.lés) *adj* ingrato.
Thanks.giv.ing (théncsgui.vin) *s* Ação de Graças.
That (dhét) *pron* esse (a); isso; aquele (a); aquilo; *conj* que; para que; a fim de que; *adv* tão; de tal modo.
Thaw (thó) *s* degelo; *v* degelar; derreter.
The (dhâ) *art* o; a; os; as.
The.a.ter (thi.âtâr) *s* teatro; *also* **Theatre**.
The.at.ri.cal (thié.tricâl) *adj* teatral.
Thee (dhi) *pron* POES te; ti.
Theft (théft) *s* furto; roubo.
Their (dhér) *pron* seu (s); sua (s); deles (as).
Theirs (dhérz) *pron* o(s); a(s); seu(s); sua(s); deles(as).
The.ism (thi.izm) *s* teísmo.
Them (dhém) *pron* os; as; lhes; eles (as).
Theme (thim) *s* tema; tese; assunto; matéria.
Them.selves (dhémsélvz) *pron* se; a si mesmos; eles mesmos, elas mesmas.
Then (dhén) *adj* daquele tempo; daquela época; que existia; *adv* então; naquele tempo; doutra feita; em seguida.
Thence (dhéns) *adv* daí; dali; de lá; portanto.
Thence.forth (dhéns.fórth) *adv* desde então.
Thence.for.ward (dhéns.fóruârd) *adv* dali em diante; desde então.
The.o.rem (thi.orém) *s* teorema.
The.o.ry (thi.ori) *s* teoria.
There (dhér) *adv* aí; ali; lá; acolá.
There.a.bout (dhér.âbáut) *adv* por aí; perto; aproximadamente.
There.af.ter (dhér.áfter) *adv* depois disso; desde então.
There.at (dhér.át) *adv* naquele lugar; nisso; por isso; com isso.
There.by (dhér.bái) *adv* por aí; desse modo.
There.fore (dhér.fôur) *adv* por isso; por conseguinte; por essa razão.
There.from (dhér.frôum) *adv* disso; dalí; daí.
There.in (dhér.in) *adv* ali; lá; então; nisto.
There.of (dhér.óv) *adv* disto; disso; daquilo.
There.on (dhér.ón) *adv* nisto; nisso; naquilo.
There.with.al (dhér.uidâl) *adv* com isso; além disso; ademais.
Ther.mal (thâr.mâl) *adj* térmico.
Ther.mom.e.ter (thârmó.mitâr) *s* termômetro.
The.sau.rus (thessó.râs) *s* tesouro; léxico; dicionário.
These (dhiz) *adj* estes; estas; *pron* estes; estas.
They (dhêi) *pron* eles; elas.
Thick (thic) *s* espessura; grossura; densidade; *adj* grosso; denso; espesso; abundante; íntimo; familiar; *adv* densamente; continuamente; abundantemente.
Thick.en (thiquên) *v* engrossar; densificar; aumentar.
Thick.et (thi.quet) *s* bosque; moita; mato.
Thick.ness (thic.nés) *s* espessura; grossura; grosseria; estupidez.
Thief (thif) *s* ladrão; ladra; gatuno.
Thieve (thiv) *v* roubar; furtar.
Thiev.er.y (thi.vâri) *s* roubo; furto.
Thiev.ishe (thi.vixe) *adj* inclinado ao roubo; furtivo; secreto.
Thiev.ishe.ness (thi.vixenés) *s* cleptomania.
Thigh (thái) *s* coxa.
Thill (thil) *s* lança; varal.
Thim.ble (thimbol) *s* dedal.
Thin (thin) *adj* magro; fino; leve; superficial; *v* emagrecer; afinar; definhar.
Thing (thin) *s* coisa; objeto; negócio.
Think (thin) *v* pensar; julgar; achar; imaginar; crer; *past and pp* **Thought**.
Think.er (thin.câr) *s* pensador; filósofo.
Think.ing (thin.quin) *s* pensamento; meditação.

Thin.ness (thin.nés) *s* tenuidade; magreza.
Thirst (thârst) *s* sede; ânsia; desejo.
Thirst.y (thârs.ti) *adj* sedento; com sede.
This (dhis) *adj* este; esta; isto; *pron* este; esta; isto.
This.tle (thisol) *s* cardo (planta).
Thith.er (dhi.dhâr) *adv* para lá; naquela direção.
Thith.er.ward (dhidhâr.uârd) *adv* para ali; para lá; nessa direção.
Thong (thón) *s* correia; tira.
Tho.rax (thôu.récs) *s* tórax; peito.
Thorn (thórn) *s* espinho; pico; espinheiro.
Thor.ough (thâ.ro) *adj* inteiro; completo.
Thor.ough.bred (thâ.robréd) *s* animal de puro sangue; *adj* puro sangue.
Thor.ough.fare (thâ.rofér) *s* via pública; estrada; entrada principal.
Thor.ough-go.ing (thâ.rogôuin) *adj* completo; cabal; extremo.
Those (dhôuz) *adj* esses; aqueles (as); os; as.
Though (dhôu) *conj* contudo; não obstante; conquanto; posto que; *s* pensamento; meditação; opinião; juízo.
Thought.ful (thót.ful) *adj* pensativo.
Thought.ful.ness (thót.fulnés) *s* meditação; inquietação; ansiedade.
Thought.less (thót.lés) *adj* irrefletido; descuidado; imprevidente.
Thrall (thról) *s* escravo; cativo; servo; *v* escravizar.
Thrall.dom (thról.dâm) *s* cativeiro; escravidão; servidão.
Thrash (thréxe) *v* debulhar; sovar; espancar; labutar.
Thrash.ing (thré.xein) *s* debulha; sova.
Thread (thréd) *s* linha; fio; rosca; *v* enfiar a linha na agulha; atravessar; traspassar.
Threat (thrét) *s* ameaça; promessa de castigo.
Threat.en (thrétn) *v* ameaçar; assustar.
Three.fold (thri.fôuld) *adj* triplo; triplicado.
Thresh.old (thré.xeâld) *s* limiar; soleira.
Thrice (thráis) *adv* três vezes; muito.
Thrift (thrift) *s* economia; ganho; lucro.
Thrill (thril) *s* estremecimento; *v* furar; palpitar; emocionar.
Thrill.ing (thri.lin) *adj* comovente.

Thrive (thráiv) *v* prosperar; *past* **Throve** *or* **Thrived** *and pp* **Thriven** *or* **Thrived**.
Throat (thrôut) *s* garganta; gargalo; orifício.
Throb (thrób) *s* pulsação; palpitação; *v* bater; pulsar; palpitar.
Throe (thrôu) *s* angústia; agonia; *v* agonizar.
Throng (thrón) *s* multidão; aglomerado.
Throt.tle (thrótol) *s* garganta; traqueia; *v* estrangular; asfixiar.
Through (thru) *adj* completo; contínuo; direto; *prep* por meio de; devido a; por causa de; *adv* cabalmente; completamente.
Through.out (thru.áut) *prep* de uma à outra extremidade; por meio de; *adv* por toda a parte.
Throw (thrôu) *s* arremesso; impulso; *v* atirar; arremessar; *past* **Threw** *and pp* **Thrown**.
Thrum (trâm) *v* arranhar, tocar mal um instrumento.
Thrush (thrâxe) *s* tordo; pássaro canoro; afta (sapinho).
Thrust (thrâst) *s* golpe de esgrima; ataque; bote; arremetida; empurrão; *v* empurrar; arrombar; forçar; apunhalar.
Thud (thâd) *s* baque; pancada; ruído surdo; *v* baquear.
Thug (thâg) *s* assassino; matador.
Thumb (thâm) *s* dedo polegar; *v* folhear.
Thump (thâmp) *s* murro; soco; *v* dar um murro; golpear surdo.
Thun.der (thân.dâr) *s* trovão; estrondo; gritaria; *v* trovejar; retumbar; reboar.
Thun.der.bolt (thân.dârbôult) *s* raio; faísca.
Thun.der.ing (thân.dârin) *adj* estrondoso.
Thurs.day (thârs.dêi) *s* quinta-feira.
Thus (dhâs) *adv* assim; desta forma; por conseguinte.
Thwart (thuórt) *s* banco de remador; *v* atravessar; contrariar; *adj* transversal.
Thy (dhái) *pron* POES teu (s); tua (s).
Thy.roid (thái.roid) *adj* tiroide; da glândula tiroide; *also* **Thyreoid**.
Thy.self (dháissélf) *pron* POES tu mesmo; a ti mesmo.
Tick (tic) *s* toque; crédito; empréstimo; carrapato; *v* fiar; comprar ou vender a crédito; bater (como um relógio).
Tick.et (ti.quet) *s* bilhete; etiqueta; rótulo; letreiro; cédula; *v* marcar; etiquetar; rotular.
Tick.le (ticol) *s* cócega; *v* fazer cócegas; lisonjear; divertir.
Tick.lish (ti.clixe) *adj* coceguento; instável; melindroso.
Tick-tack (tic.téc) *s* tique-taque; pulsação.
Tide (táid) *s* maré; corrente; curso; estação; *v* ir com a maré.
Ti.di.ness (tái.dinés) *s* asseio; elegância; ordem.
Ti.dy (tái.di) *v* arrumar; assear; arranjar; *adj* asseado; limpo; elegante.
Tie (tái) *s* laço; nó; gravata; empate; ligação; *v* atar; ligar; sujeitar; empatar; constranger.
Tiff (tif) *s* gole; trago de bebida; discórdia; aborrecimento; *v* disputar; zangar-se; enfeitar.
Ti.ger (tái.gâr) *s* tigre.
Tigerish (tái.gârixe) *adj* feroz; sanguinário.
Tight (táit) *adj* apertado; embriagado.
Tight.en (táitn) *v* apertar; tornar rijo.
Tight.ness (táit.nés) *s* impermeabilidade; tensão.
Ti.gress (tái.grés) *s* fêmea do tigre.
Til.bur.y (til.bâri) *s* tíburi.
Tile (táil) *s* telha; ladrilho; azulejo; *v* entelhar; ladrilhar; segregar.
Til.ing (tái.lin) *s* telhado; azulejo; ladrilho.
Till (til) *s* caixa (de guardar dinheiro); *v* cultivar; lavrar; *conj* até; até que.
Till.age (ti.lidj) *s* lavoura; cultivo da terra.

Till.er (ti.lâr) *s* broto; rebento; lavrador; cultivador.
Tilt (tilt) *s* toldo; coberta de lona; torneio; estocada; inclinação; *v* cobrir com toldo.
Tilth (til.th) *s* lavoura.
Tim.bal (tim.bâl) *s* timbale.
Tim.ber (tim.bâr) *s* vigamento (madeira); *v* guarnecer de madeira.
Time (táim) *s* tempo; época; hora; momento; vez; *v* adaptar ao tempo; observar a hora exata; servir de cronometrista.
Time.li.ness (táim.linés) *s* oportunidade; momento propício; ocasião.
Time.ly (táim.li) *adj* oportuno; a propósito.
Time.piece (táim.pis) *s* relógio de mesa.
Tim.er (tái.mâr) *s* cronômetro; cronometrista.
Tim.id (ti.mid) *adj* tímido; acanhado.
Ti.mid.i.ty (timi.diti) *s* timidez; acanhamento.
Tim.ing (tái.min) *s* adaptação; ajustamento.
Tim.or.ous (ti.mâras) *adj* medroso; tímido.
Tin (tin) *s* estanho; folha-de-flandres; latinha *v* enlatar; *also* **Can**.
Tin.der (tin.dâr) *s* mecha para isqueiro.
Tin.der.box (tin.dârbócs) *s* isqueiro.
Ting (tin) *s* tinido; *v* tinir; tilintar.
Tin.gle (tingol) *s* dor; formigueiro; formigamento; *v* tinir; formigar; arder; estremecer.
Tink.er (tin.câr) *s* caldeireiro; latoeiro; funileiro; *v* consertar.
Tin.kle (tincol) *v* zunir; tinir; soar.
Tint (tint) *s* tinta; cor; *v* tingir; matizar.
Ti.ny (tái.ni) *adj* minúsculo; pequenino; ínfimo.
Tip (tip) *s* ponta; pancada; gorjeta; palpite; informação secreta; *v* dar gorjetas; colocar ponta; avisar; informar; aconselhar; pender.
Tip.ple (tipol) *s* bebida; licor; bebedeira; *v* beber com frequência; embebedar-se.
Tip.ster (ti.pstâr) *s* POP informante de apostas (corrida de cavalo, da bolsa de valores, etc.).
Tip.sy (ti.psi) *adj* ébrio; embriagado.
Tip.toe (tip.tôu) *s* ponta do pé; *v* andar na ponta dos pés.
Tip-top (tip.tóp) *s* auge; cume; topo; *adj* supremo; excelente.
Tire (táir) *s* pneumático; adorno; fileira; *v* cansar; fatigar; colocar um pneu.
Tired (táird) *adj* cansado; aborrecido.
Tire.less (táir.lés) *adj* incansável.
Tire.some (táir.sâm) *adj* fatigante; aborrecido; cansativo.
Tis.sue (ti.xu) *s* tecido fino; encadeamento; ANAT tecido.
Tit (tit) *s* cavalinho; passarinho; teta; POP mulherzinha ordinária.
Tit.bit (tit.bit) *s* gulodice; migalha; bocado.
Ti.tle (táitol) *s* título; documento; *v* intitular; qualificar.
Tit.ter (ti.târ) *s* riso abafado; *v* rir em surdina.
Tit.tle (titol) *s* ponto; pingo; nada; ninharia.
To (tu) *prep* a; para; em; até; para com; por; *adv* em direção a; para diante.
Toad (tôud) *s* sapo.
Toad.y (tôu.di) *s* adulador; bajulador; *v* adular; bajular.
Toast (tôust) *s* brinde; torrada; *v* brindar; torrar.
Toast.er (tôus.târ) *s* torrador; brindador.
To.bac.co (tobé.côu) *s* tabaco; fumo.
To.day (tudêi) *s* hoje; *adv* hoje; na época atual.
Tod.dle (tódol) *s* andar vacilante; *v* andar como um bebê.
Toe (tôu) *s* dedo do pé; *v* tocar com a ponta do pé; pisar.
Tof.fee (tó.fi) *s* caramelo; bala puxa-puxa ou de caramelo.
Tog (tóg) *s* peça de vestuário.
To.geth.er (tugué.dhâr) *adv* juntamente; em companhia.
Toil (tóil) *s* trabalho; fadiga; laço; cilada; *v* trabalhar; mourejar.
Toil.er (tói.lâr) *s* trabalhador; aquele que trabalha com afinco.
Toil.ful (tóil.ful) *adj* árduo; penoso; trabalhoso.
To.ken (tôucn) *s* sinal; marca; lembrança; *v* marcar; fazer saber.
Tol.er.a.ble (tó.lârâbol) *adj* tolerável; suportável; aceitável.
Tol.er.ance (tó.lârâns) *s* tolerância; complacência.
Tol.er.ate (tó.lârêit) *v* tolerar; suportar.
Tol.er.a.tion (tólârêi.xân) *s* tolerância, qualidade de tolerante.
Toll (tôul) *s* dobre de sinos; *v* tocar os sinos; badalar.
Tom (tóm) *s* macho de alguns animais.
To.ma.to (tomêi.tôu) *s* tomate.
Tomb (tum) *s* túmulo; sepultura; *v* sepultar; enterrar.
Tom.cat (tóm.quét) *s* denominação atribuída aos machos do felino doméstico (gato).
Tome (tôum) *s* tomo; volume; livro.
Tom.fool (tóm.ful) *s* tolo; palerma.
Tom.my (tó.mi) *s* gato; comida dada como ordenado.
To.mor.row (tumó.rôu) *s* amanhã; o dia de amanhã; *adv* amanhã.
Ton (tân) *s* tonelada.
To.nal.i.ty (toné.liti) *s* tonalidade.
Tone (tôun) *s* tom; som; entonação; timbre; acento; inflexão; *v* entoar; mudar o tom.
Tongue (tân) *s* língua; idioma; lingueta; fiel de balança.
Tongue.less (tân.lés) *adj* sem língua; mudo.
To.night (tunáit) *adv* hoje à noite.
Ton.nage (tân.nidj) *s* tonelada; porte.
Ton.sil (tón.sil) *s* tonsila (amídalas).
Too (tchu) *adv* demais; demasiado; também; igualmente; *s* ferramenta; instrumento.
Tool (tul) *v* talhar; modelar.
Tooth (tuth) *s* dente; sabor; gosto; paladar; *v* dentear; colocar dentes.
Tooth.ache (tuth.êic) *s* dor de dente.

Tooth.brush (tuth.brâxe) *s* escova de dente.
Tooth.less (tuth.lés) *adj* desdentado.
Tooth.pick (tuth.pic) *s* palito.
Tooth.some (tuth.sâm) *adj* gostoso.
Top (tóp) *s* cume; alto; pico; remate; copa da árvore; chefe; *v* dominar; elevar-se; encimar; encabeçar; coroar; *adj* superior; mais elevado.
To.paz (tôu.pés) *s* topázio.
Tope (tôup) *s* tubarão; túmulo budista; *v* bebericar.
Top.er (tôu.pâr) *s* beberrão; bêbado.
Top.ic (tó.pic) *s* tópico; assunto; ponto; matéria.
Top.most (tóp.môust) *adj* superior.
Top.ple (tópol) *v* desabar; cair.
Top.sy.tur.vy (tópsitâr.vi) *s* confusão; bagunça; *adj* virado de cima para baixo; *adv* de pernas para o ar.
Torch (tórtxe) *s* tocha; archote.
Tor.ment (tórmént) *s* tormento; suplício; sofrimento; *v* atormentar; torturar; irritar.
Tor.pid (tór.pid) *adj* adormecido; dormente; entorpecido; apático.
Tor.pid.i.ty (tórpi.diti) *s* torpor; entorpecimento.
Tor.rent (tó.rent) *s* torrente; corrente.
Tor.rid (tó.rid) *adj* tórrido; torrado.
Tor.sion (tór.xân) *s* torção; torcedura.
Tor.tu.ous (tór.xâs) *adj* tortuoso; sinuoso.
Tor.ture (tór.txur) *s* tortura; tormento; *v* torturar; irritar.
Tor.tur.er (tór.txurâr) *s* atormentador; algoz.
Toss (tós) *s* lance; arremesso; *v* lançar; atirar para o ar.
Tossing (tó.sin) *s* sacudidela; agitação.
Tot (tót) *s* criança; soma de uma coluna; gole de bebida alcoólica.
To.tal (tôu.tâl) *s* total; soma; *v* somar; totalizar; *adj* total; cabal.
To.tal.i.ty (tôuté.liti) *s* soma; totalidade.
To.tal.ize (tôu.tâláiz) *v* totalizar; somar; completar.
Tot.ter (tó.târ) *v* vacilar; cambalear; oscilar.
Tot.ter.y (tó.târi) *adj* cambaleante; vacilante; hesitante.
Tou.can (tu.cân) *s* tucano.
Touch (tâtxe) *s* toque; tato; contato; tintura; dor; apalpadela; *v* tocar em; comover; atracar em; escalar; POP morder, pedir dinheiro.
Touch.a.ble (tâ.txeâbol) *adj* palpável.
Touch.ing (tâ.txein) *s* escala; toque; *adj* tocante; comovente; *prep* tocante a; relativo a; concernente a.
Touch.stone (tâ.txetôun) *s* pedra de toque; exame.
Touch.y (tâ.txi) *adj* irascível; melindroso.
Tough (táf) *s* durão; violento; *adj* duro; resistente.
Tough.en (táfn) *v* enrijecer.
Tough.ness (tâf.nés) *s* dureza; rijeza; tenacidade.
Tour (tur) *s* jornada; passeio; giro; *v* viajar; dar um giro.
Tour.ism (tu.rism) *s* turismo.
Tour.ist (tu.rist) *s* turista.
Tour.ma.lin (tur.mâlin) *s* turmalina (pedra preciosa).

Tour.ney (tur.ni) *s* torneio; competição.
Touse (táus) *v* puxar; sacudir; amarrotar.
Tou.sle (táuzol) *v* desarranjar; desordenar.
Tout (táut) *s* angariador; agenciador; *v* procurar freguesia.
Tow (tôu) *s* reboque; rebocador; *v* rebocar.
To.ward (tôu.ârd) *adj* dócil; favorável; propício; *also* Towards.
To.wards (tôu.ârdz) *prep* para; voltado para; acerca de.
Tow.el (táu.el) *s* toalha.
Tow.er (táu.âr) *s* torre; fortaleza; cidadela; rebocador; *v* elevar-se.
Town (táun) *s* cidade; aldeia.
Toy (tói) *s* brinquedo; ninharia; galanteio; *v* brincar; divertir-se; galantear.
Trace (trêis) *s* sinal; pista; vestígio; trilha; *v* traçar; esboçar; içar; andar; viajar; dançar.
Tra.che.a (trêi.quiâ) *s* traqueia.
Track (tréc) *s* pegada; rasto; trilha; via férrea; estrada; curso; leito de rio; *v* seguir a rastro.
Tract (tréct) *s* região; área; extensão; curso; série; tratado; panfleto.
Tract.a.ble (tréc.tâbol) *adj* tratável; dócil; meigo.
Trade (trêid) *s* comércio; ocupação; arte; navegação; *v* negociar; traficar; permutar.
Trad.er (trêi.dâr) *s* negociante; comerciante.
Trad.ing (trêi.din) *adj* comercial.
Tra.di.tion (trâdi.xân) *s* tradição.
Tra.duce (trâdius) *v* caluniar; difamar; detratar; censurar; vituperar.
Traf.fic (tré.fic) *s* tráfico; comércio; transporte; *v* comerciar; traficar.
Traf.fick.er (tré.ficâr) *s* traficante.
Trail (trêil) *s* pista; rasto; atalho; *v* arrastar; baixar; rastejar.
Trail.er (trêi.lâr) *s* rastejador; reboque; trecho de um filme.
Train (trêin) *s* trem; comboio; séquito; cortejo; cauda; rabo; cilada; *v* treinar; puxar; educar; disciplinar.
Train.er (trêi.nâr) *s* instrutor; domesticador; disciplinador.
Train.ing (trêi.nin) *s* treino; exercício; instrução.
Tram.mel (tré.mel) *s* rede; impedimento; *v* algemar; limitar; impedir.
Tramp (trémp) *s* caminhada; ruído feito com os pés; vadio; *v* vagar; caminhar; pisar.
Tram.ple (trémpol) *v* pisar; calcar; insultar.
Trance (tréns) *s* êxtase; enlevo; letargia; arrebatamento.
Trans.ac.tion (trénséc.xân) *s* transação; operação; negócio.
Tran.scend (trénsénd) *v* transcender; sobrepujar; exceder.
Tran.scen.den.tal (trénsendén.tâl) *adj* transcendental.
Tran.scribe (trénscráib) *v* transcrever; copiar; transladar.

Tran.script (tréns.cript) *s* transcrição; cópia.
Tran.scrip.tion (trénscrip.xân) *s* transcrição.
Trans.fer (trénsfâr) *s* transferência; *v* transferir; transmitir; vender; reproduzir.
Trans.fer.ee (trénsfâri) *s* cessionário.
Trans.fer.ence (trénsfâ.rens) *s* transferência; transmissão.
Trans.fig.ure (trénsfi.guiur) *v* transfigurar.
Trans.form (trénsfórm) *v* transformar; transformar-se; modificar.
Trans.gress (trénsgrés) *v* transgredir; infringir; exceder; pecar.
Trans.gres.sion (trénsgré.xân) *s* transgressão; violação; ofensa; pecado.
Tran.sient (trén.ziênt) *adj* transitório; passageiro; breve; de pouca duração.
Tran.sit (trén.sit) *s* trânsito.
Tran.si.tion (trénsi.xân) *s* transição; mudança; passagem.
Tran.si.tive (trén.sitiv) *adj* transitivo.
Tran.si.to.ry (trén.sitôuri) *adj* transitório; provisório; passageiro.
Trans.late (trénslêit) *v* traduzir; transferir.
Trans.la.tion (trénslêi.xân) *s* tradução; interpretação; transferência.
Trans.la.tor (trénslêi.târ) *s* tradutor.
Trans.mi.gra.tion (trénsmigrêi.xân) *s* transmigração.
Trans.mis.si.ble (trénsmi.sibol) *adj* transferível; transmissível.
Trans.mit (traenz.mit) *v* transmitir.
Trans.mu.ta.tion (trénsmiutêi.xân) *s* transmutação; conversão.
Trans.mute (trénsmiut) *v* transmutar; alterar; transformar.
Tran.som (trén.sâm) *s* trave; viga.
Trans.par.en.cy (trénspé.rensi) *s* transparência.
Tran.spi.ra.tion (trénspirêi.xân) *s* transpiração.
Tran.spire (trénspáir) *v* transpirar; exalar; divulgar-se; propalar-se; acontecer.
Trans.port (trénspórt) *s* transporte; arrebatamento; êxtase; *v* transportar; exilar.
Trans.port.er (trénspór.târ) *s* transportador.
Trans.pose (trénspôuz) *v* transpor; mudar de lugar.
Trans.verse (trénsvârs) *adj* transversal; atravessado; oblíquo.
Trap (trép) *s* laço; armadilha; ratoeira; *v* apanhar no laço.
Trap.ping (tré.pin) *s* arreios; *pl* enfeites.
Trash (tréxe) *s* refugo; lixo; imundície; gente vil; *v* impedir.
Trash.y (tré.xei) *adj* desprezível; vil; inútil.
Trav.el (trévol) *s* viagem; peregrinação; jornada; *v* viajar.
Trav.es.ty (tré.vesti) *s* dissimulado; mascarado; *v* disfarçar.
Trawl (tról) *s* rede de arrasto; *v* pescar com rede de arrasto.
Tray (trêi) *s* tabuleiro; bandeja; salva.
Treach.er.ous (tré.txeârâs) *adj* pérfido; insidioso; traiçoeiro.
Treach.er.y (tré.txeâri) *s* traição; perfídia; insídia.
Trea.cly (tri.cli) *adj* meloso; melado.
Tread (tréd) *s* passo; pegada; trilha; *v* pisar; *past* **Trod** *and pp* **Trodden**.
Tread.le (trédol) *s* pedal; *v* pedalar; *also* **Treddle**.
Trea.son (trizn) *s* traição; deslealdade; perfídia.
Trea.sure (tré.jur) *s* tesouro; riqueza; *v* entesourar; dar grande valia a.
Trea.sur.y (tré.juri) *s* tesouraria; erário; fazenda; tesouro.
Treat (trit) *s* convite; festim; gosto; *v* tratar; pagar para; entreter; obsequiar; regalar.
Trea.tise (tri.tis) *s* tratado; discurso; exposição.
Treat.ment (trit.ment) *s* tratamento; trato.
Trea.ty (tri.ti) *s* negociação; convênio; ajuste.
Tree (tri) *s* árvore; madeiro; lenho; *v* abrigar-se numa árvore.
Trem.ble (trémbol) *s* tremor; *v* tremer; estremecer.
Trem.bling (trém.blin) *adj* trêmulo; bamboleante.
Tre.men.dous (trimén.dâs) *adj* tremendo; formidável.
Tremulous (tré.miulâs) *adj* trêmulo; vacilante.
Trench (tréntxe) *s* trincheira; vala; fossa; *v* abrir valetas; cavar; sulcar; entrincheirar.
Trench.an.cy (trén.txeânsi) *s* causticidade; mordacidade.
Trench.ant (trén.txeânt) *adj* trinchante; cortante; agudo.
Trend (trénd) *s* inclinação; tendência; *v* tender; dirigir-se.
Tres.pass (trés.pâs) *s* violação; ofensa; *v* usurpar; invadir; pecar.
Tress (trés) *s* trança; cacho de cabelo.
Tres.tle (trésol) *s* tripeça; cavalete.
Tri.ad (trái.éd) *s* tríade; trio; trindade.
Tri.al (trái.âl) *s* julgamento; exame; sofrimento; provação; expiação.
Trib.u.la.tion (tribiulêi.xân) *s* tribulação; aflição; infortúnio.
Trib.ute (tri.biut) *s* tributo; imposto; taxa.
Trice (tráis) *s* instante; momento; *v* içar; guindar.
Trick (tric) *s* artifício; astúcia; engano; *v* lograr; pregar uma peça; trapacear; enfeitar.
Trick.er.y (tri.câri) *s* trapaça; velhacaria.
Trick.ish (tri.quixe) *adj* trapaceiro; velhaco.
Trick.le (tricol) *s* gota; pingo d'água; respingo; *v* escoar.
Trig (trig) *adj* forte; são; bonito; *v* travar; calçar.
Trig.ger (tri.gâr) *s* gatilho de arma de fogo; gancho; calço; início, desencadeador.
Trill (tril) *s* trinado; vibração; gorjeio; *v* trinar; vibrar a voz.
Trim (trim) *s* enfeite; arrumação; NÁUT estiva; calado; navegabilidade; *v* endireitar; arranjar; equipar; enfeitar; podar; censurar; *adj* enfeitado; composto.

Trim.ness (trim.nés) *s* asseio; elegância; limpeza.
Trip (trip) *s* excursão; pequena viagem; tropeção; passo; *v* dar rasteiras em; tropeçar e cair; errar; enganar-se; correr; dançar.
Trip.le (tripol) *v* triplicar; *adj* triplo.
Trite (tráit) *adj* trivial; comum; vulgar.
Troll (tról) *s* canção com diversas estrofes; anão do folclore escandinavo (suvenir); *v* cantar; virar; rodar; pescar.
Troop (trup) *s* tropa; companhia militar; companhia; *v* ir em bandos; ir em tropa.
Troth (tróth) *s* verdade; fé; fidelidade.
Troub.le (trâbol) *s* perturbação; aflição; dissabor; calamidade; *v* importunar; perturbar.
Troub.ler (trâ.blâr) *s* aborrecedor; perturbador.
Troub.le.some (trâbol.sâm) *adj* importuno; aborrecido.
Trou.sers (tráu.zârs) *s* calças.
Trous.seau (trussou) *s* enxoval de noiva.
Trout (tráut) *s* truta, peixe.
Trow.el (tráu.el) *s* trolha; colher de pedreiro; *v* rebocar; estucar.
Tru.an.cy (tru.ânsi) *s* vadiagem.
Tru.ant (tru.ânt) *s* vadio; gazeador; *adj* vadio; gazeador.
Truce (trus) *s* armistício; pausa; trégua.
Truck (trâc) *s* troca; permuta; carrinho de mão; vagão ferroviário; caminhão; *v* transportar (em caminhão); trocar.
Truck.age (trâ.quidj) *s* transporte em vagão ou caminhão.
Trudge (trâdj) *v* caminhar com esforço.
True (tru) *adj* verdadeiro; autêntico; genuíno; puro; fiel; sincero; constante; leal; *adv* verdadeiramente.
Truf.fle (trâ.fol) *s* trufa, túbera (cogumelo).
Tru.ly (tru.li) *adv* verdadeiramente; sinceramente; exatamente.
Trump (trâmp) *s* trombeta; clarim; jogo de trunfo; *v* jogar trunfo; inventar; forjar; MÚS tocar trombeta.
Trun.cate (trân.quêit) *adj* truncado; *v* truncar.
Trun.cheon (trân.txân) *s* clava; bastão; cassetete.
Trunk (trânc) *s* tronco; baú; cofre; mala; tromba de elefante.

Truss (trâs) *s* suporte de teto; suporte de ponte; molho; *v* embrulhar; enfeixar.
Trust (trâst) *s* confiança; cuidado; fé; crédito; *v* confiar em; dar crédito.
Trust.ful (trâst.ful) *adj* confiante; honesto; leal.
Trust.y (trâs.ti) *adj* fiel; leal; seguro; firme; resoluto.
Truth (truth) *s* verdade; verdadeiro; verídico; realidade.
Truth.less (truth.lés) *adj* falso; inverídico; fingido.
Try (trái) *s* prova; ensaio; experiência; *v* tentar; julgar; experimentar.
Tub (tâb) *s* tina; cuba; pote; GÍR púlpito; *v* pôr numa tina; banhar.
Tub.by (tâ.bi) *adj* corpulento; gordo.
Tuck (tâc) *s* dobra; prega; *v* arregaçar; acomodar; fazer pregas em.
Tues.day (tius.dêi) *s* terça-feira.
Tuft (tâft) *s* penacho; borla; ramalhete; *v* empenachar; enfeitar.
Tuft.y (tâf.ti) *adj* espesso; copado; enfeitado.
Tug (tâg) *s* ato de puxar com força; custo; esforço; *v* puxar, arrastar com esforço.
Tu.i.tion (tiui.xân) *s* instrução; ensino.
Tu.lip (tiu.lip) *s* tulipa (planta).
Tum.ble (tâmbol) *s* tombo; confusão; desordem; *v* cair; dar cambalhotas; derrubar; amarrotar; rolar.
Tu.mes.cent (tiumé.sent) *adj* intumescente; túmido; inchado.
Tu.mid (tiu.mid) *adj* túmido; inchado.
Tu.mult (tiu.mâlt) *s* tumulto; motim.
Tun (tân) *s* tonel; pipa; barril; tina; *v* pôr, guardar em pipa.
Tune (tiun) *s* melodia; cantiga; toada; consonância; *v* MÚS afinar; cantar.
Tune.less (tiun.lés) *adj* dissonante; desarmônico; discordante.
Tun.er (tiu.nâr) *s* afinador; MÚS tornar harmônico.
Tu.nic (tiu.nic) *s* túnica.
Tun.nel (tân.nel) *s* túnel; cano de chaminé; funil; *v* construir em túnel.
Tun.ny (tân.ni) *s* atum (peixe).
Tur.ban (târ.bân) *s* turbante.
Tur.bu.lence (târ.biulêns) *s* turbulência; confusão; perturbação.
Tu.reen (tiurin) *s* terrina.
Turf (târf) *s* turfa; gramado; gleba; *v* cobrir com relva.
Turf.man (târf.mân) *s* turfista.
Turf.y (târ.fi) *adj* relativo ao turfe.
Tur.gid (târ.djid) *adj* túrgido; inchado.
Tur.gid.i.ty (târdji.diti) *s* inchação; turgescência.
Tur.key (târ.qui) *s* peru (ave).
Tur.moil (târ.móil) *s* tumulto; perturbação; *v* perturbar; enfraquecer.
Turn (târn) *s* favor; forma; giro; inclinação; mudança; pender; vez; *v* adaptar; aproveitar; converter; desviar-se.
Turn.coat (târn.côut) *s* vira-casaca; desertor.
Tur.nip (târ.nip) *s* nabo.
Turn.key (târn.qui) *s* carcereiro.
Tur.ret (tâ.ret) *s* torre; torre blindada.
Tur.tle (târtol) *s* tartaruga (réptil).
Tusk (tâsc) *s* presa de animais.
Tus.sle (tâsol) *v* lutar; brigar.
Tus.sock (tâ.sâc) *s* tufo de ramos; tufo de cabelos.
Twad.dle (tuódol) *s* bisbilhotice; disparates; *v* tagarelar.
Twang (tuén) *s* som agudo; som fanhoso; *v* ressoar; zunir.
Tweed (tuid) *s* pano de duas cores.
Twee.dle (tiudol) *s* o som do violino.
Tweez.ers (tui.zârs) *s* pinças; tenazes.
Twice (tuáis) *adv* duas vezes; dupladamente.

Twiddle (tuidol) *s* giro; volta; *v* fazer girar.
Twig (tuig) *s* rebento; broto; *v* observar; castigar; avistar.
Twi.light (tuái.láit) *s* crepúsculo; noitinha; sombra; *adj* crepuscular; obscuro; sombrio.
Twin (tuin) *s* gêmeo.
Twine (tuáin) *s* fio; barbante; *v* torcer; enroscar; entrelaçar; serpear.
Twinge (tuindj) *s* dor aguda; aflição; beliscão; *v* arder; picar; latejar.
Twin.kle (tuincol) *s* cintilação; brilho; piscar os olhos; momento; instante; *v* brilhar.
Twin.kling (tuin.clin) *s* volver de olhos; instante; vislumbre.
Twirl (tuârl) *s* volta; giro; rotação.
Twist (tuist) *s* trança; cordão; fio; torcedura; *v* torcer; girar; entrelaçar.
Twit (tuit) *v* censurar; acusar.
Twitch (tuitxe) *s* puxão; espasmo; beliscão.
Twit.ter (tui.târ) *s* chilro; trinado; *v* chilrear; pipilar; tagarelar.
Two.fold (tu.fôuld) *adj* duplo; duplicado; *adv* duplamente.
Type (táip) *s* tipo; modelo; padrão; cunha; emblema; TIP tipo; *v* datilografar; imprimir.
Type.write (táip.ráit) *v* datilografar; *past* **Typewrote** *and pp* **Typewritten.**
Ty.phoon (táifun) *s* tufão; furacão.
Typ.i.fy (ti.pifái) *v* tipificar; representar.
Tyr.an.nize (ti.rânáiz) *v* tiranizar.

uU

U (in) *s* vigésima-primeira letra do alfabeto Português e do alfabeto Inglês.
Ud.der (â.dâr) *s* úbere; teta.
Ug.li.ness (â.glinés) *s* fealdade; vileza.
Ug.ly (â.gli) *adj* feio; mal encarado; vil.
Ul.lage (â.lidj) *s* falta; déficit.
Ul.ster (âls.târ) *s* gabão comprido.
Ul.ti.mate (âl.timit) *adj* derradeiro; último; definitivo.
Um.ber (âm.bâr) *s* pigmento de cor escura; *adj* sombreado; *v* sombrear.
Um.bil.i.cus (âmbilái.câs) *s* umbigo.
Um.bra.geous (âmbrêi.djâs) *adj* sombrio.
Um.bra.geous.ness (âmbrêi.djâsnés) *s* sombra; obscuridade.
Um.brel.la (âmbré.lâ) *s* guarda-chuva.
Um.pire (âm.pâir) *s* árbitro; *v* arbitrar.
Un.a.ble (anêibol) *adj* incapaz; impotente.
Un.af.fect.ed (anéféc.tid) *adj* natural; não afetado.
Un.af.fect.ed.ness (anéféc.tidnés) *s* simplicidade; naturalidade; franqueza.
U.na.nim.i.ty (iunâni.miti) *s* unanimidade.
U.nan.i.mous (iuné.nimâs) *adj* unânime; geral.
Un.apt (anépt) *adj* inapto; incapaz.
Un.armed (anármd) *adj* desarmado; inerme.
Un.at.tached (anété.txet) *adj* desligado; solto; separado.
Un.a.ware (anâuér) *adj* despercebido; desatento.
Un.be.com.ing (anbicâ.min) *adj* indecente; impróprio; indecoroso.
Un.be.lief (anbilif) *s* descrença.
Un.be.liev.a.ble (anbili.vâbol) *adj* incrível; inacreditável.
Un.bend (anbénd) *v* endireitar; afrouxar-se; descurvar; *past and pp* **Unbent**.
Un.bid.den (anbidn) *adj* espontâneo; inesperado.
Un.bind (anbáind) *v* desatar; soltar; desligar.
Un.blush.ing (anblâ.xin) *adj* sem-vergonha.
Un.bolt (âmboult) *v* desatarraxar.
Un.born (anbórn) *adj* futuro; nascituro.
Un.bo.som (anbu.zâm) *v* revelar; confessar; confiar.
Un.cer.tain (ansâr.tin) *adj* incerto; duvidoso; indeciso.
Un.cer.tain.ty (ansâr.tinti) *s* incerteza; dúvida; risco; irresolução.
Un.chain (antxêin) *v* desacorrentar.
Un.clasp (anclésp) *v* desabotoar; desprender; soltar.
Un.cle (ancol) *s* tio.
Un.clean (anclin) *adj* sujo; imundo; obsceno.
Un.clean.ness (ancli.nés) *s* porcaria; indecência.
Un.close (anclôuz) *v* abrir; desabrochar; revelar.
Un.coil (ancóil) *v* desenrolar; estender.
Un.com.fort.a.ble (ancâm.fârtâbol) *adj* desconfortável; penoso; incômodo; desagradável.
Un.con.cern (ancón.sârn) *s* indiferença; apatia; frieza. *adj* despreocupado.
Un.con.scious (ancón.xâs) *adj* inconsciente; ignorante.
Un.cork (an.quêrc) *v* desarrolhar.
Un.cov.er (anca.vâr) *v* descobrir; destampar.
Unc.tion (anc.xân) *s* unção; fervor; unguento.
Un.de.ni.a.ble (andinái.âbol) *adj* inegável; incontestável.
Un.der (andâr) *adj* inferior; subordinado; *adv* debaixo; embaixo; por baixo; *prep* debaixo; embaixo.
Un.der.bred (andârbred) *adj* malcriado; rude.
Un.der.croft (andârcróft) *s* câmara subterrânea; cripta.
Un.der.done (andârdân) *adj* mal passado.
Un.der.foot (andârfut) *adv* sob os pés; debaixo dos pés.
Un.der.gar.ment (andârgar.ment) *s* roupa íntima (de baixo).
Un.der.go (andârgôu) *v* sofrer; sujeitar-se; tolerar; provar; *past* **Underwent** *and pp* **Undergone**.
Un.der.ground (andârgráund) *s* subterrâneo; masmorra; *adj* subterrâneo.
Un.der.hand (andâr.hénd) *adj* secreto; clandestino; *adv* clandestinamente.
Un.der.line (andârláin) *s* sublinhar; *v* sublinhar.
Un.der.most (andârmôust) *adj* o mais baixo.
Un.der.neath (andârni.th) *adv* debaixo; por baixo; abaixo.
Un.der.prop (andârpróp) *v* escorar.

Un.der.score (andêrs.câr) *v* sublinhar.
Un.der.set (andârsét) *v* reforçar; suportar; escorar.
Un.der.shirt (andârxârt) *s* camiseta.
Un.der.side (andârsáid) *s* lado de baixo; face inferior.
Un.der.sign (andârsáin) *v* subscrever; assinar; firmar.
Un.der.stand (andârsténd) *v* supor; saber; compreender; *past and pp* **Understood**.
Un.der.stand.a.ble (andârstén.dâbol) *adj* compreensível; inteligível.
Un.der.take (andârtêic) *v* empreender; prometer; contratar.
Un.der.tak.ing (andârtêi.quin) *s* empreendimento; empreitada.
Un.der.tow (andârtôu) *s* ressaca; fluxo e refluxo; cansaço.
Un.der.wear (andâr.uér) *s* roupa de baixo.
Un.der.work (andâr.uârc) *s* trabalho subordinado; rotina; *v* trabalhar pouco (menos do que o necessário).
Un.der.write (andâráit) *v* subscrever; garantir; tomar um seguro.
Un.do (andu) *v* desfazer; desatar; empobrecer; *past* **Undid** *and pp* **Undone**.
Un.done (andân) *adj* desfeito; invalidado; arruinado; incompleto.
Un.dress (andrés) *s* roupa comum (diária); *v* despir.
Un.due (andiu) *adj* indevido; ilegal; excessivo.
Un.dy.ing (andái.in) *adj* imortal; perene; eterno.
Un.earth (anâr.th) *v* desenterrar; descobrir; revelar.
Un.em.ploy.ment (animplói.ment) *s* desemprego; inatividade.
Un.e.qual (ani.cuâl) *adj* desigual; irregular.
Un.err.ing (anâ.rin) *adj* infalível.
Un.e.ven (anivn) *adj* desigual.
Un.e.vent.ful (anivén.tiful) *adj* calmo; tranquilo; sossegado.
Un.ex.cep.tion.al (anicsép.xânâl) *adj* usual; corrente; banal.
Un.fair (anfér) *adj* injusto; desleal; falso.
Un.fair.ness (anfér.nés) *s* deslealdade; infidelidade; deslealdade.
Un.fast.en (anfésn) *v* desparafusar; desabotoar; soltar; desligar.
Un.fa.vor.a.ble (anfêi.vârâbol) *adj* desfavorável; adverso; desvantajoso.
Un.feel.ing (anfi.lin) *adj* insensível; cruel.
Un.feigned (anfêind) *adj* verdadeiro.
Un.fit (anfit) *adj* incapaz; inadequado; *v* inabilitar; incapacitar.
Un.fold (anfôuld) *v* desdobrar.
Un.for.get.ta.ble (anfórgué.tâbol) *adj* inesquecível.
Un.for.tu.nate (anfór.txânit) *adj* infortunado; infeliz.
Un.grate.ful (angrêit.ful) *adj* ingrato; desagradável.
Un.gu.la (an.guiulâ) *s* unha; garra; casco.
Un.hand (an.hénd) *v* largar; soltar.
Un.hap.pi.ness (an.hé.pinés) *s* infelicidade; infortúnio.
Un.hap.py (an.hé.pi) *adj* infeliz; desgraçado.
Un.ho.ly (an.hôu.li) *adj* ímpio.
U.ni.form (iu.nifórm) *adj* uniforme; igual.
U.ni.form.i.ty (iunifór.miti) *s* uniformidade.
U.ni.fy (iu.nifái) *v* unificar; uniformizar.
Un.im.peach.a.ble (animpi.txâbol) *adj* impecável; irrepreensível.
U.nion (iu.niân) *s* união; aliança; sindicato de empregados.
U.nit (iu.nit) *s* unidade.
U.ni.ta.ry (iu.nitâri) *adj* unitário; integral.
U.nite (iunáit) *v* unir; aliar-se; reunir.
U.nit.ed (iunái.tid) *adj* unido; reunido; junto.
U.ni.ty (iu.niti) *s* unidade; união; concórdia.
Un.just (andjâst) *adj* injusto.
Un.kind (ancáind) *adj* indelicado; descortês.
Un.kind.ness (ancáind.nés) *s* indelicadeza; grosseria; maldade.
Un.known (anôun) *adj* ignorado; incógnito; desconhecido; estranho.
Un.lace (anlêis) *v* desapertar; desatar.
Un.lade (anlêid) *v* descarregar mercadorias; desembaraçar.
Un.law.ful (anló.ful) *adj* ilegal; bastardo; ilegítimo.
Un.learned (anlârnd) *adj* iletrado; ignorante.
Un.leav.ened (anlévnd) *adj* ázimo.
Un.less (anlés) *conj* salvo se; a não ser que; a menos que.
Un.like (anláic) *adj* diferente; desigual.
Un.load (anlôud) *v* descarregar; aliviar; exonerar.
Un.lock (anlóc) *v* destrancar; desferrolhar; abrir.
Un.loose (anlus) *v* desatar; afroxar.
Un.love.ly (anlâ.vli) *adj* desagradável; não amado.
Un.luck.i.ness (anlâ.quinés) *s* infelicidade; desventura; infortúnio.
Un.luck.y (anlâ.qui) *adj* infeliz; funesto; que dá azar.
Un.man (anmân) *v* desanimar; efeminar; castrar.
Un.man.li.ness (anmân.linés) *s* efeminação; desumanidade.
Un.man.ly (anmân.li) *adj* efeminado; afemindado.
Un.mer.ci.ful (anmâr.siful) *adj* impiedoso; cruel; inexorável.
Un.mer.ci.ful.ness (anmâr.sifulnés) *s* crueldade; inclemência.
Un.mind.ful (anmáind.ful) *adj* desquidado; esquecido; negligente.
Un.mis.tak.a.ble (anmistêi.câbol) *adj* manifesto; claro; evidente; óbvio.
Un.moor (anmur) *v* NÁUT desamarrar; levantar ferros.
Un.nec.es.sa.ri.ness (ané.sessérinés) *s* inutilidade.
Un.nec.es.sa.ry (ané.sesséri) *adj* desnecessário; dispensável; supérfluo.
Un.nerve (anârv) *v* enervar; tirar a coragem; enfraquecer.
Un.pack (anpéc) *v* desenfardar; desembrulhar; desabafar.
Un.peo.ple (anpipol) *v* despovoar; devastar.

Un.pick (anpic) *v* desatar; desfazer; descoser.
Un.pleas.ant (anpléznat) *adj* desagradável; enfadonho; aborrecido.
Un.prof.it.a.ble (anpró.fitâbol) *adj* inútil; inaproveitável.
Un.rav.el (anré.vâl) *v* desenredar; desfiar; desemaranhar.
Un.read (anréd) *adj* não lido; ignorante.
Un.read.y (anré.di) *adj* desprevenido; não preparado.
Un.rea.son (anrizn) *s* tolice; absurdo.
Un.rea.son.a.ble (anriz.nâbol) *adj* desarrazoado; exorbitante.
Un.re.li.a.ble (anrilái.âbol) *adj* inexato; duvidoso.
Un.re.mit.ting (anrimi.tin) *adj* persistente; contínuo; incessante.
Un.rest (anrést) *s* inquietação; desassossego; inquietude.
Un.re.strained (anristrêind) *adj* desenfreado; livre; imoderado; impedido.
Un.ripe (anráip) *adj* não maduro (verde).
Un.ripe.ness (anráip.nés) *s* estado imaturo; falta de amadurecimento.
Un.ru.ly (anru.li) *adj* indômito; desenfreado; turbulento.
Un.sa.vor.y (ansêi.vâri) *adj* insípido; sem sabor.
Un.say (ansê.i) *v* desdizer; retratar-se.
Un.screw (ans.cru) *v* desparafusar; desapertar; desenroscar; desatarrachar.
Un.scru.pu.lous (anscru.piulâs) *adj* inescrupuloso.
Un.search.a.ble (ansâr.txâbol) *adj* inescrutável; insondável.
Un.sea.son.a.ble (ansâr.txâbol) *adj* extemporâneo; inoportuno; intempestivo.
Un.seat (ansit) *v* derrubar; tirar do lugar.
Un.seem.ly (ansim.li) *adj* indecoroso; indecente; feio.
Un.set.tle (ansétol) *v* deslocar; remover.
Un.shap.en (anxêipn) *adj* disforme; informe.
Un.ship (anxip) *v* NÁUT descarregar; desembarcar.
Un.skil.ful (anscil.ful) *adj* inábil; inexperiente.
Un.skil.ful.ness (anscil.fulnés) *s* imperícia; falta de habilidade.
Un.sound (ansáund) *adj* doente; corrompido.
Un.sound.ness (ansáund.nés) *s* falta de força; corrupção; fraqueza.
Un.spar.ing (anspé.rin) *adj* franco; liberal; generoso.
Un.spar.ing.ness (anspé.rinés) *s* generosidade.
Un.speak.a.ble (anspi.câbol) *adj* inexprimível; inefável.
Un.sta.ble (anstêibol) *adj* instável; variável.
Un.suit.a.ble (ansiu.tâbol) *adj* impróprio; desproporcionado.
Un.sus.pect.ed (ansâspéc.tid) *adj* insuspeito.
Un.sus.pect.ing (ansâspéc.tin) *adj* confiante; ingênuo.
Un.tan.gle (anténgol) *v* desembaraçar; desenredar.
Un.ten.a.ble (anti.nâbol) *adj* indefensável; insustentável.
Un.thank.ful (anthénc.ful) *adj* ingrato.
Un.ti.di.ness (antái.dinés) *s* falta de asseio; negligência.
Un.ti.dy (antái.di) *adj* desarranjado; sujo; negligente.
Un.tie (antái) *v* desatar; desamarrar; soltar; afrouxar.
Un.til (antil) *prep* até; *conj* até que.
Un.to (an.tu) *prep* a; ao; aos; em; para; dentro.
Un.touch.a.ble (antâ.txâbol) *adj* intocável; inatacável.
Un.to.ward (antôu.ârd) *adj* perverso; desagradável.
Un.to.ward.ness (antôu.ârdnés) *s* teima; perversidade.
Un.true (antru) *adj* não verídico; inverossímil; falso.
Un.truth (antru.th) *s* falsidade; mentira.
Un.truth.ful (antru.thful) *adj* falso; inverídico; desleal.
Un.twist (antuíst) *v* destorcer; desentrançar; desenrolar.
Un.wa.ry (anué.ri) *adj* incauto.
Un.whole.some (an.hôul.sâm) *adj* insalubre; doentio.
Un.wise (anuáiz) *adj* imprudente; ignorante; insensato.
Un.wit.ting (anui.tin) *adj* inconsciente; despercebido.
Un.wor.thy (anuâr.thi) *adj* indigno; desonroso.
Un.wrap (anrép) *v* desembrulhar; desenrolar.
Un.writ.ten (anritn) *adj* verbal; não escrito.
Up (ap) *s* o alto; subida; prosperidade; *v* levantar-se; *adj* ascendente; *adv* em cima; em posição vertical; com segurança; *prep* em cima; acima; sobre; em.
Up.braid (apbrêid) *v* censurar; repreender; afrontar; ultrajar.
Up.cast (ap.cást) *s* arremesso para o alto; *adj* levantado.
Up.grade (ap.grêid) *s* elevação; subida; aclive; elevar a qualidade.
Up.heave (ap.hiv) *v* levantar; sublevar; soerguer; alçar.
Up.hold (ap.hôuld) *v* levantar; sustentar; proteger; *past and pp* **Upheld**.
Up.hold.er (ap.hôul.dâr) *s* apoio; sustentáculo.
Up.hol.ster (ap.hôuls.târ) *v* acolchoar; estofar.
Up.hol.ster.y (ap.hôuls.târi) *s* tapeçaria.
Up.lift (ap.lift) *v* levantar; elevar.
Up.on (apón) *prep* sobre; em cima de; próximo de.
Up.per (â.pâr) *s* parte superior dum calçado; *adj* superior; mais alto.
Up.per case (â.pâr.ceiz) *s* maiúscula.
Up.per.most (â.pârmôust) *adj* o mais alto; o mais elevado.
Up.pish (â.pixe) *adj* altivo; soberbo; orgulhoso.
Up.pish.ness (â.pixenés) *s* soberba; arrogância.
Up.raise (aprêiz) *v* levantar; erguer; excitar; exaltar.
Up.right (ap.ráit) *adj* direito; ereto; vertical; de pé; *adv* verticalmente.

Up.rise (apráis) *s* subida; ladeira; *v* levantar; surgir.
Up.roar (â.prôur) *s* tumulto; algazarra; barulho.
Up.set (apsét) *s* transtorno; desarranjo; *v* derrubar; chatear; entristecer; desapontar; *adj* contrariado; aborrecido.
Up.shot (ap.xót) *s* fim; remate; conclusão.
Up.side (ap.sáid) *s* a parte superior.
Up.stairs (ap.stérz) *s* o andar superior; *adj* do andar superior; *adv* no andar superior.
Up.start (ap.stárt) *s* pessoa que chegou ao sucesso; novo-rico; *v* elevar-se subitamente.
Up.take (ap.têic) *s* ato de levantar; tubo de caldeira; FIG apreensão mental; captação.
Up.thrust (ap.thrâst) *s* impulso para cima.
Up.ward (ap.uârd) *adj* dirigido para cima; levantado; *adv* para cima; mais; além.
U.ra.nus (ue.rêinês) *s* Urano.
Ur.chin (âr.txin) *s* ouriço; moleque; menino travesso.
Urge (ârdj) *v* urgir; insistir com; apressar; empurrar.
Ur.gen.cy (âr.djensi) *s* urgir; insistir; instar; provocar.
U.ri.nal (iu.rinâl) *s* urinol.
U.rine (iu.rin) *s* urina.
Urn (ârn) *s* urna; vaso; cântaro; túmulo.
Ur.sine (âr.sáin) *adj* ursino; de urso.
Us (âs) *pron* nós; nos.
Us.age (iu.zidj) *s* uso; prática; costume; hábito.
Use (iuz) *s* uso; costume; hábito; *v* usar; utilizar.
Use.ful (iuz.ful) *adj* útil; proveitoso; lucrativo.
Use.ful.ness (iuz.fulnés) *s* utilidade; vantagem; lucro.
Ush.er (â.xâr) *s* porteiro; escudeiro; *v* introduzir; anunciar.
U.su.al (iu.juâl) *adj* usual; frequente; habitual.
U.su.al.ly (iu.juâli) *adv* usualmente.
U.surp (iuzârp) *v* usurpar; apoderar-se de.
U.ten.sil (iutén.sil) *s* utensílio; instrumento; vasilha.
U.til.i.ty (iuti.liti) *s* utilidade; proveito.
U.til.i.za.tion (iutilizêi.xân) *s* utilização.
U.til.ize (iu.tiláiz) *v* utilizar; aproveitar; tirar proveito de.
Ut.most (ât.môust) *adj* extremo; máximo.
Ut.ter (â.târ) *adj* total; completo; *v* proferir; pronunciar; revelar.
Ut.ter.most (â.târmôust) *adj* extremo. *same as* Utmost.

V

V (vi) *s* vigésima-segunda letra do alfabeto Português e do alfabeto Inglês.
Va.can.cy (vêi.cânsi) *s* vaga; lacuna; vácuo.
Va.cate (vé.quêit) *v* vagar; anular.
Va.ca.tion (vêiquêi.xân) *s* férias; descanso; anulação.
Vac.il.late (vé.silêit) *v* vacilar; hesitar.
Vac.il.la.tion (véssilêi.xân) *s* vacilação; hesitação.
Va.cu.i.ty (vâquiu.iti) *s* vacuidade; estupidez; vão; vácuo.
Va.ga.ry (vâguêi.ri) *s* excentricidade; capricho.
Va.gran.cy (vêi.grânsi) *s* vadiagem; ociosidade.
Va.grant (vêi.grânt) *s* vagabundo; vadio; errante; *adj* vagabundo; vadio; errante.
Vague (vêig) *adj* vago; incerto; impreciso.
Vague.ness (vêig.nés) *s* incerteza; imprecisão.
Vain (vêin) *adj* vão; vaidoso; fútil.
Vain.glo.ry (vêin.glôuri) *s* vanglória; vaidade; frivolidade.
Val.en.tine (váelentain) *s* galã; namorado.
Val.et (vé.let) *s* valete; servo; criado; pajem; *v* pajear.
Val.id (vé.lid) *adj* válido; poderoso; eficaz.
Va.lid.i.ty (vâli.diti) *s* validade.
Val.u.a.ble (vé.liuâbol) *adj* valioso; precioso; útil.
Val.ue (vé.liu) *s* valor; preço; mérito; *v* avaliar; estimar; taxar.
Va.moose (vamôus) *v* POP sair; *also* **Vamose**.
Vamp (vémp) *s* remendo; *v* recolocar couro numa botina.
Van (vén) *s* vanguarda; carroça; caminhão.
Va.nil.la (vâni.lâ) *s* baunilha (planta).
Van.ish (vé.nixe) *v* desaparecer; dissipar-se; desfalecer.
Van.i.ty (vé.niti) *s* vaidade; orgulho.

Van.quish (vén.qüixe) *v* vencer; conquistar; domar.
Van.tage (vén.tidj) *s* vantagem; proveito; lucro.
Vap.id (vé.pid) *adj* evaporado; insípido.
Va.pid.i.ty (vépi.diti) *s* insipidez; sem gosto.
Va.por.ize (vêi.pâráiz) *v* vaporizar.
Va.por.ous (vêi.parâs) *adj* vaporoso; etéreo; quimérico.
Va.ri.a.tion (vâriêi.xân) *s* variação; diferença; mudança.
Va.ri.e.ty (vârái.iti) *s* variedade; diversidade; sortimento.
Va.ri.ous (vêi.riâs) *adj* vário; variado; diverso, variável.
Va.ri.ous.ness (vêi.riâsnés) *s* diversidade; variedade.
Va.ry (vê.ri) *v* variar; desviar.
Vast (vést) *s* vastidão; imensidade; *adj* vasto.
Vast.ness (vést.nés) *s* vastidão; enormidade; grandeza.
Vat (vét) *s* tina; tanque; tonel; *v* pôr em tinas.
Vault (vólt) *s* abóbada; catacumba; adega; *v* abobadar; arquear; saltar.
Vaunt (vánt) *v* gabar-se; exibir ostentação.
Veal (vil) *s* carne de vitela.
Veg (védj) *v* vegetar.
Ve.he.mence (vi.himéns) *s* veemência; ímpeto.
Ve.he.ment (vi.himént) *adj* veemente; impetuoso.
Ve.hi.cle (vi.icol) *s* veículo; carro.
Veil (vêil) *s* véu; faixa; capa; *v* velar; cobrir; disfarçar; ocultar.
Vein (vêin) *s* veia; veio; filão; talento.
Ve.loc.it.y (viló.siti) *s* velocidade; celeridade; rapidez.
Vel.vet (vé.lvet) *s* veludo; *adj* de veludo; aveludado.
Vend (vénd) *v* vender; oferecer para vender.
Ven.er.ate (vé.nâreit) *v* venerar; respeitar.
Ven.er.a.tion (vénârei.xân) *s* veneração; respeito.
Ve.ne.tian (veni.xân) *s* veneziano; *adj* Veneziano (de Veneza, na Itália).
Ven.geance (vén.djâns) *s* vingança; desforra.
Venge.ful (véndj.ful) *adj* vingativo.
Ven.i.son (vé.nizân) *s* carne de veado.
Ven.om (vénâm) *s* veneno; rancor; maldade; peçonha.
Ven.om.ous (vé.nâmas) *adj* venenoso; peçonhento; odiento.
Vent (vént) *s* saída; passagem; vento; *v* dar saída a; desafogar; divulgar.
Ven.ti.late (vén.tilêit) *v* ventilar; elucidar; arejar; discutir.
Ven.ture (vén.txur) *v* aventurar.
Ven.ture.some (vén.txursâm) *adj* aventureiro; ousado.

Ven.ture.some.ness (vén.txursâmnés) *s* ousadia.
Ven.tur.ous (vén.txurâs) *adj* atrevido; corajoso; audaz.
Ven.ue (vêniu) *s* jurisdição.
Ve.nus (vínâs) *s* Vênus.
Ve.ra.cious (verêi.xâs) *adj* verídico; verdadeiro.
Ve.rac.i.ty (veré.siti) *s* veracidade; verdade.
Verb (varb) *s* verbo.
Ver.bos.i.ty (varbó.siti) *s* verbosidade; prolixidade.
Ver.dant (vâr.dânt) *adj* verde; verdejante; inexperiente.
Verge (vârdj) *s* borda; margem; beira; *v* tender; pender; aproximar-se.
Ver.i.fy (vé.rifái) *v* verificar; autenticar; provar.
Ver.i.ta.ble (vé.ritâbol) *adj* verdadeiro; real; autêntico.
Ver.i.ty (vé.riti) *s* verdade; realidade.
Ver.sa.tile (vâr.sâtáil) *adj* versátil; mutável.
Verse (vârs) *s* verso; estrofe; poesia; *v* versificar.
Ver.si.cle (vâr.sicol) *s* versículo; verso bíblico; verseto.
Ver.si.fy (vâr.sifái) *v* versificar; versejar.
Ver.tig.i.nous (vârti.djinâs) *adj* vertiginoso; estonteante.
Ver.y (vé.ri) *adj* verdadeiro; próprio; *adv* muito; bastante; perfeitamente.
Ves.per (véspar) *s* vésper, estrela da noite (Vênus); véspera.
Ves.sel (vésol) *s* vaso; navio; vaso; canal.
Vest (vést) *s* camiseta; colete; *v* vestir; empossar; investir.
Vest.ment (vést.ment) *s* vestimenta; vestuário.
Ves.try (vés.tri) *s* sacristia.
Ves.ture (vés.txur) *s* veste; cobertura; investidura; *v* vestir; envolver.
Vet.er.an (vé.târan) *adj* veterano.
Vex (vécs) *v* atormentar; irritar-se; disputar.
Vex.a.tion (vécsêi.xân) *s* opressão; tormento; irritação.
Vex.a.tious (vécsêi.xâs) *adj* irritante; penoso; incômodo.
Vi.al (vái.âl) *s* frasco; ampulheta; pequena garrafa.
Vi.and (vái.ând) *s* provisão; abundância.
Vi.brant (vái.brânt) *adj* vibrante; trêmulo.
Vi.brate (vái.brêit) *v* vibrar; oscilar; agitar; balançar.
Vi.bra.to.ry (vái.brâtôuri) *adj* vibratório; vibrante.
Vic.ar (vi.câr) *s* vigário; cura.
Vi.ca.ri.ous (váiquêi.riâs) *adj* de vigário; vicário; substituto.
Vice (váis) *s* vício; vice; *prep* em lugar.
Vi.cin.i.ty (vissi.niti) *s* vizinhança; adjacência; proximidade.
Vi.cious (vi.xâs) *adj* vicioso; corrompido; viciado.
Vic.to.ri.ous (vic.tôu.riâs) *adj* vitorioso.
Vic.to.ri.ous.ness (victôu.riâsnés) *s* caráter vitorioso.
Vic.to.ry (vic.tôuri) *s* vitória; triunfo.
Vict.ual (vitxuol) *v* fornecer víveres; abastecer.
Vie (vái) *v* disputar; competir; desafiar.
View (viu) *s* vista; paisagem; modo de ver; *v* ver; observar; contemplar.
View.less (viu.lés) *adj* invisível.
Vig.il (vi.djil) *s* vigília; velório.
Vig.i.lance (vi.djilâns) *s* vigilância; prevenção; sentinela.
Vig.i.lant (vi.djilânt) *adj* vigilante; atento; cauteloso.
Vig.or (vi.gâr) *s* vigor; força; poder; energia.
Vig.or.ous (vi.gâras) *adj* vigoroso; enérgico.
Vig.or.ous.ness (vi.gârasnés) *s* vigor; robustez.
Vile (váil) *adj* vil; desprezível; indigno.
Vile.ness (váil.nés) *s* vileza; baixeza.
Vil.i.fi.er (vi.lifáiâr) *s* difamador; caluniador.
Vil.i.fy (vi.lifái) *v* aviltar; difamar; vilipendiar.
Vil.lage (vi.lidj) *s* vila; aldeia; povoação; *adj* de aldeia.
Vim (vim) *s* energia; força; vigor.
Vin.ci.ble (vin.sibol) *adj* vencível; conquistável.
Vin.di.cate (vin.diquêit) *v* justificar; vingar; defender; vingar.
Vin.di.ca.tion (vindiquêi.xân) *s* justificação; defesa.
Vine (váin) *s* videira; vinha; trepadeira.
Vin.e.gar (vi.nigâr) *s* vinagre.
Vine.yard (vi.niârd) *s* vinha (plantação de videiras).
Vi.o.late (vái.olêit) *v* violar; ultrajar; profanar; transgredir.
Vi.o.la.tion (váiolêi.xân) *s* violação; transgressão; desonra.
Vi.o.lence (vái.oléns) *s* violência; fúria; tirania.
Vi.o.let (vái.olét) *s* a cor violeta; violeta (flor); *adj* violeta.
Vi.o.lin (váiolin) *s* violino.
Vi.o.lon.cel.lo (váiolóntxé.lôu) *s* violoncelo.
Vi.per (vái.pâr) *s* víbora (réptil); pessoa de mau gênio.
Vir.gin.i.ty (vârdji.niti) *s* virgindade; pureza.
Vi.rid.i.ty (viri.diti) *s* verdura; verdor.
Vir.ile (vi.ril) *adj* viril; varonil; másculo.
Vi.ril.i.ty (viri.liti) *s* virilidade; masculinidade.
Vir.tue (vâr.txu) *s* virtude; mérito; valor.
Vir.tu.ous (vârt.xuâs) *adj* virtuoso; casto; puro.
Vir.u.lence (vi.ruléns) *s* virulência; rancor; malignidade.
Vi.rus (vái.râs) *s* vírus (germe patogênico).
Vis.age (vi.zidj) *s* semblante; aspecto; rosto.
Vis.cid (vi.sid) *adj* viscoso; pegajoso.
Vis.cid.i.ty (visi.diti) *s* viscosidade.
Vis.cos.i.ty (viscó.siti) *s* viscosidade.
Vis.count (vái.cáunt) *s* visconde.
Vis.cous (vis.câs) *adj* viscoso; pegajoso.
Vise (váis) *s* torno mecânico.
Vis.i.bil.i.ty (vizibi.liti) *s* visibilidade.
Vis.i.ble (vi.zibol) *adj* visível; claro; evidente.
Vi.sion (vi.jân) *s* visão; fantasma; *v* visionar; imaginar.
Vi.sion.a.ry (vi.jânéri) *s* visionário; utopista; *adj* visionário; imaginativo.

Vis.it (vi.zit) *s* visita; reconhecimento; *v* visitar; inflingir; frequentar.
Vis.i.tant (vi.zitânt) *s* visitante; visita.
Vis.i.ta.tion (vizitêi.xân) *s* visita; inspeção; recompensa.
Vis.i.ter (vi.zitá) *s* visitador; visita; hóspede; *also* Visitor.
Vis.or (vái.zâr) *s* viseira; máscara.
Vis.u.al (vi.juâl) *adj* visual; aparência.
Vis.u.al.i.za.tion (vijuélizêi.xân) *s* visualização.
Vis.u.al.ize (vi.juéláiz) *v* visualizar; imaginar.
Vi.tal.i.ty (váité.liti) *s* vitalidade; vigor; ânimo.
Vi.tal.ize (vái.tâláiz) *v* vitalizar; animar; reanimar.
Vi.ti.a.ble (vi.xiâbol) *adj* corruptível.
Vi.ti.ate (vi.xiêit) *v* viciar; arruinar.
Vit.re.ous (vi.triâs) *adj* vítreo; vidroso.
Vit.ri.fy (vi.trifái) *v* vitrificar; vitrificar-se.
Vi.tu.per.ate (váitiu.parêit) *v* vituperar; ralhar; censurar; injuriar.
Vi.va.cious (vivêi.xâs) *adj* vivaz; vivo; animado.
Vi.vac.i.ty (vivé.siti) *s* vivacidade; perspicácia.
Viv.i.fy (vi.vifái) *v* avivar; vivificar.
Viv.i.sect (vivisséct) *v* dissecar.
Vix.en (vi.csn) *s* raposa.
Vo.ca.ble (vôu.câbol) *s* vocábulo; palavra.
Vo.cab.u.la.ry (voqué.biuléri) *s* vocabulário; glossário.
Vo.cal.ize (vôu.câláiz) *v* vocalizar; pronunciar.
Vo.ca.tion (voquêi.xân) *s* vocação; posto; ofício; tendência.
Vo.cif.er.ate (vôussi.farêit) *v* vociferar; bramar; berrar.
Vo.cif.er.a.tion (vôussifarêi.xân) *s* vociferação; vozerio.
Vo.cif.er.ous (vôussi.fâras) *adj* vociferante; barulhento.
Vogue (vôug) *s* voga; moda.
Voice (vóis) *s* voz; palavra; tom; sufrágio; voto; *v* divulgar; proclamar; vociferar.
Voice.ful (vóiss.ful) *adj* sonoro.
Voice.less (vóis.lés) *adj* sem voz; mudo.
Void (vóid) *s* vácuo; vacuidade; *v* esvaziar; invalidar; *adj* vazio; desocupado.
Void.a.ble (vói.dâbol) *adj* anulável; invalidável; cancelável.
Void.ance (vói.dâns) *s* vocatura; invalidação; expulsão.
Vol.a.tile (vó.lâtil) *adj* volátil; inconstante.
Vol.a.tile.ness (vó.lâtilnés) *s* volatilidade; mutabilidade; inconstância.
Vol.a.til.i.za.tion (vólâtilizêi.xân) *s* volatilização.
Vol.a.til.ize (vó.lâtiláiz) *v* volatilizar-se.
Volition (vôuli.xân) *s* volição; vontade.
Vol.ley (vó.li) *s* descarga; aclamação; salva de artilharia; *v* dar salva com descarga.
Vol.u.ble (vó.liubol) *adj* volúvel; tagarela; prolixo.
Vo.lu.mi.nous (vóliu.minâs) *adj* volumoso; extenso; grosso.
Vo.lu.mi.nous.ness (vóliu.minâsnés) *s* volume; grossura.
Vol.un.ta.ry (vó.lântéri) *s* teima; arbítrio; *adj* voluntário; espontâneo.
Vol.un.teer (vólântir) *s* voluntário; *adj* voluntário; *v* alistar-se; oferecer-se.
Vo.lup.tu.ous (volâp.txuâs) *adj* voluptuoso.
Vo.lup.tu.ous.ness (volâp.txuâsnés) *s* voluptuosidade; sensualidade.
Vo.lu.tion (voliu.xân) *s* volta; giro; revolução.
Vom.it (vó.mit) *s* vômito; *v* vomitar.
Vo.ra.cious (vorêi.xâs) *adj* voraz; ávido; devorador.
Vo.ra.cious.ness (vorêi.xâsnés) *s* voracidade.
Vo.rac.i.ty (voré.siti) *s* voracidade; avidez.
Vote (vôut) *s* voto; escrutínio; *v* votar em; eleger; deliberar.
Vot.ing (vôu.tin) *s* votação; escrutínio.
Vo.tive (vôu.tiv) *adj* comemorativo.
Vouch (váutxe) *s* garantia; testemunho; *v* atestar; certificar.
Vouch.er (váu.txâr) *s* fiador; prova; testemunho.
Vouch.safe (váutxesêif) *v* conceder; outorgar, permitir.
Vow (váu) *s* voto; promessa; *v* jurar; fazer um voto a Deus.
Vow.el (váu.âl) *s* vogal; *adj* de vogal.
Voy.age (vói.idj) *s* viagem; *v* viajar; navegar.
Voy.ag.er (vói.idjâr) *s* viajante.
Vul.gar (vâl.gâr) *s* o povo; a plebe; *adj* vulgar; comum.
Vul.gar.i.ty (vâlgué.riti) *s* vulgaridade; banalidade.
Vul.gar.i.za.tion (vâlgârizêi.xân) *s* vulgarização.
Vul.gar.ize (vâl.garáiz) *v* vulgarizar; popularizar; generalizar.
Vul.ner.a.bil.i.ty (vâlnârabi.liti) *s* vulnerabilidade.
Vul.ner.a.ble (vâl.nârabol) *adj* vulnerável.
Vul.ner.a.ry (vâl.naréri) *adj* vulnerário.
Vul.ture (vâl.txur) *s* abutre (ave); urubu.
Vul.tur.ine (vâl.txurin) *adj* de abutre; *also* Vulturous.
Vul.va (vâl.vâ) *s* vulva; parte externa da genitália feminina.
Vy.ing (váin) *adj* rival; concorrente.
Vy.ing.ly (váin) *adv* rivalidade.

W W

W (dâ.bliu) *s* vigésima-terceira letra do alfabeto Português e do alfabeto Inglês.
Wad (uód) *s* estopa; molho; monte; feixe; chumaço; *v* acolchoar; encher; fartar.
Wad.dle (uódol) *s* bamboleio; *v* balançar; bambolear; gingar.
Wade (uêid) *s* vau (lugar raso em um rio etc.); *v* patinhar.
Wad.er (uêi.dâr) *s* o que anda com dificuldade.
Waf.fle (uófol) *s* bolo; panqueca.
Waft (uáft) *v* flutuar.
Waft.age (uáf.tidj) *s* condução; transporte (por água ou ar).
Wag (uég) *s* balanço; sacudidela; *v* agitar; oscilar.
Wage (uêidj) *s* paga, salário; (de mão-de-obra); parada (no jogo); *v* apostar.
Wa.ger (uêi.djâr) *s* aposta; *v* apostar; arriscar (no jogo).
Wag.ger.y (uêi.djârâr) *s* brincadeira; malícia; esperteza.
Wag.gish (ué.guixe) *adj* brincalhão; divertido; jocoso.
Wag.on (ué.gân) *s* carroça; carro; vagão; *v* transportar.
Wail (uêil) *s* lamento; queixume; gemido; *v* lamentar.
Wain (uêin) *s* carro; carroça; carreta.
Wain.scoat (uêin.scât) *s* estuque; *v* emadeirar.
Waist (uêist) *s* cintura; cinta; meio; talhe.
Waist.coat (uêist.côut) *s* colete; *also* **Vest**.
Wait (uêit) *s* demora; espera; detença; *v* atender; esperar; servir.
Wait.er (uêi.târ) *s* garçom; garção; servidor.
Wait.ing (uêi.tin) *s* ato de esperar; serviço.
Wait.ress (uêi.trés) *s* copeira; garçonete.
Waive (uêiv) *s* desistência; renúncia; *v* desistir de; renunciar a.
Wake (uêic) *s* insônia; vigília; *v* acordar; despertar; velar; *past* **Woke** *or* **Waked** *and pp* **Woken** *or* **Waked**.
Wake.ful (uêic.ful) *adj* alerta; desperto.
Wale (uêil) *s* marca (de pancada); vinco; vergão; raia; sulco; *v* açoitar; vincar.
Walk (uóc) *s* carreira; giro; o andar; passeio; *v* andar.
Wall (uól) *s* muro; muralha; parede; *v* murar; emparedar.
Wal.let (uó.let) *s* carteira.
Wal.lop (uó.lâp) *s* golpe; pancada; *v* bater; ferver; surrar.
Wal.nut (uól.nât) *s* noz; nogueira.
Waltz (uól.ts) *s* valsa; *v* valsar.
Wan (uón) *adj* doentio; pálido; sem brilho; fraco.
Wand (uónd) *s* batuta; bastão; vara; varinha.
Wan.der (uón.dâr) *s* excursão; viagem; *v* delirar; errar; vagar.
Wan.der.ing (uón.dârin) *adj* errante; inconstante; vadio.
Wanna (uóna) *v* contração de **Want To**.
Want (uónt) *s* carência; escassez; falta; *v* desejar.
Want.age (uón.tidj) *s* carência; falta.
War (uór) *s* guerra; *v* guerrear; combater.
War.ble (uórbol) *s* gorjeio; trinado; *v* chilrear; gorjear; trinar.
Ward (uórd) *s* guarda; ala; distrito; *v* cuidar; proteger.
War.den (uór.dn) *s* diretor (de colégio, de presídio etc.).
Ward.robe (uór.drôub) *s* guarda-roupa; vestuário.
Ward.ship (uór.dxip) *s* custódia; tutela.
Ware (uér) *s* mercadoria; *adj* acautelado; *v* ter cuidado com.
Ware.house (uér.háus) *s* armazém; depósito; *v* armazenar; abastecer.
War.fare (uór.fér) *s* conflito; guerra.
Wa.ri.ness (ué.rinés) *s* cuidado; cautela; prudência.
War.like (uór.láic) *adj* belicoso; hostil; marcial.
War.lock (uór.lóc) *s* feiticeiro; mágico.
Warm (uórm) *adj* apaixonado; quente; *v* aquecer.
Warn (uórn) *v* avisar; advertir; admoestar; prevenir.
Warn.ing (uór.nin) *s* aviso; advertência.
Warp (uórp) *s* urdidura; *v* corromper; empenar (madeira); rebocar (barco); tecer.
War.rant (uó.rânt) *s* autorização; diploma; alvará; *v* afiançar; autorizar; garantir.
War.ran.tee (uórânti) *s* JUR afiançado; abonado.
War.ri.or (uó.riâr) *s* guerreiro; soldado experimentado.
Wart (uórt) *s* verruga.

Wa.ry (uêi.ri) *adj* cauteloso; prudente.
Was (uós) *v* passado do verbo **To Be**.
Wash (uóxe) *s* camada de tinta; lavagem; *v* dar uma demão de tinta; lavar.
Wash.board (uóxe.bôurd) *s* rodapé; tábua (de lavar roupa).
Wash.ing (uó.xin) *s* lavagem; roupa lavada; *adj* lavável.
Wash.y (uó.xi) *adj* aguado; fraco; molhado; úmido.
Wasp (uósp) *s* vespa.
Wasp.ish (uó.pixe) *adj* rabugento.
Was.sail (uós.sil) *s* brinde; festim; orgia; *v* brindar.
Wast.age (uêis.tij) *s* desperdício; desgaste.
Waste (uêist) *s* desgaste; desperdício; *v* desperdiçar; *adj* arruinado; supérfluo.
Waste.ful (uêist.ful) *adj* gastador; esbanjador.
Waste.ful.ness (uêist.fulnés) *s* esbanjamento; desperdício.
Watch (uótxe) *s* guarda; relógio; vigília; *v* assistir; espreitar; observar; vigiar.
Watch.er (uó.txâr) *s* guarda; sentinela; vigia.
Watch.ful (uó.txeful) *adj* atento; vigilante; esperto.
Watch.ful.ness (uó.txefulnés) *s* atenção; guarda; vigilância.
Wa.ter (uó.târ) *s* água; *v* banhar; molhar; regar.
Wa.ter.er (uó.târâr) *s* aguador; regador.
Wa.ter.less (uó.târlés) *adj* árido; seco.
Water-logged (uó.târlóguid) *adj* encharcado de água.
Wa.ter.man (uó.tarmân) *s* remador.
Wa.ter.mel.on (uó.târ.mé.lon) *s* melancia.
Wa.ter.proof (uó.târpruf) *s* impermeável; *v* impermeabilizar. *adj* **à prova d'água** resistente à água; impermeável.
Wa.ter.y (uó.târi) *adj* aquoso; líquido.
Wave (uêiv) *s* aceno; onda; vaga; ondulação; *v* acenar; ondular; vibrar.
Wav.er (uêi.vâr) *v* ondear; ondular; oscilar.
Wav.er.er (uêi.vârâr) *s* hesitante; pessoa indecisa.
Wav.i.ness (uêi.vinés) *s* flutuação; indecisão; ondulação.
Wav.y (uêi.vi) *adj* flutuante; ondulatório; ondulado.
Wax (uécs) *s* cera; cerume; *v* crescer; encerar; engrandecer.
Wax.en (uéc.sân) *adj* feito com cera; revestido com cera.
Wax.y (uó.csi) *adj* de cera; ceroso; ceráceo.
Way (uêi) *s* canal; caminho; modo; passagem; via.
Way.lay (uêi.lêi) *v* emboscar-se; surpreender; *past and pp* **Waylaid**.
Way.ward (uêi.uârd) *adj* caprichoso; impertinente; instável; travesso.
Way.ward.ness (uêiúârdnés) *s* capricho; instabilidade; mau humor.
We (ui) *pron* nós.
Weak (uic) *adj* débil; fraco; frágil; inábil; tolerante; ineficaz.
Weak.en (uicn) *v* atenuar; debilitar; enfraquecer.
Weak.ness (uic.nés) *s* debilidade; fraqueza.
Weal (uil) *s* bem-estar; felicidade; prosperidade.
Weald (uild) *s* descampado; extensão de mata; duna.
Wealth (uélth) *s* bens de fortuna; prosperidade; riqueza.
Wealth.y (uél.thi) *adj* abastado; rico.
Wean (uin) *v* desmamar; desacostumar; separar.
Weap.on (ué.pân) *s* arma; armamento.
Wear (uér) *s* desgaste; moda; uso; *v* passar o tempo; trajar; usar; vestir; *past* **Wore** *and pp* **Worn**.
Wear.ing (ué.rin) *adj* exaustivo; fatigante.
Wea.ry (ui.ri) *adj* aborrecido; cansado; enfastiado; *v* aborrecer; cansar.
Wea.sel (uizol) *s* doninha; fuinha.
Weath.er (ué.dhâr) *s* clima; *v* dobrar um cabo; navegar ao vento; resistir.
Weave (uiv) *s* ato de tecer; tecido; trama; *v* entrelaçar; tecer; trançar; *past* **Wove** *and pp* **Woven**.
Web (uéb) *s* enredo; rolo de papel contínuo; tecido fino; teia.
Web.ster (ué.bstâr) *s* tecelão.
Wed (uéd) *v* casar; desposar.
Wed.ding (ué.din) *s* bodas; casamento; núpcias.
Wedge (uédj) *s* calço; cunha; *v* apertar; encravar; fender.
Wed.lock (uéd.loc) *s* matrimônio; vida matrimonial.
Wednes.day (uenz.dêi) *s* quarta-feira.
Weds (uéds) *s* **abreviatura de Wednesday:** quarta-feira.
Wee (ui) *s* pequeno espaço (de tempo ou distância); *adj* pequenino; pequerrucho.
Weed (uid) *s* erva daninha; joio; *v* capinar; limpar.
Week (uic) *s* semana.
Week.ly (ui.cli) *s* semanário; *adj* semanal; *adv* semanalmente.
Weep (uip) *s* choro; *v* chorar; lamentar; *past and pp* **Wept**.
Weep.er (ui.pâr) *s* aquele que chora; aquele que lamenta.
Weft (uéft) *s* urdidura; trama; tecido.
Weigh (uêi) *v* calcular a importância de; considerar; pesar; *s* peso.
Weight.i.ness (uêi.tinés) *s* gravidade; importância; peso.
Weight.less (uêi.tinés) *adj* sem gravidade; sem peso.
Weight.y (uêi.ti) *adj* eficaz; grave pesado.
Weir (uir) *s* açude; dique; represa.
Weird (uird) *s* destino; sorte, sina; fado; *adj* misterioso.
Wel.come (uél.câm) *s* boas-vindas; saudação; *v* acolher; bendizer; dar boas-vindas; *adj* agradável; bem-vindo.
Wel.com.ing (uél.câmin) *s* ser bem acolhido.
Weld (uéld) *s* solda; *v* caldear; soldar.
Wel.fare (uél.fér) *s* bem-estar; saúde; ventura.

Well (uél) *s* fonte; nascente; poço; NÁUT porão de navio; *v* brotar; esguichar; emanar; nascer; *adj* bom; confortável; feliz; *adv* bem; devidamente; felizmente; muito.
Welt (uélt) *s* margem; orla; vinco; vergão; *v* debruar; orlar.
Wen (uén) *s* lobinho; quisto sebáceo.
Wend (uénd) *v* ir; passar; encaminhar; seguir.
Were.wolf (ué.ruulf) *s* lobisomem.
West (uést) *s* oeste; ocidente; poente; ocaso; *adj* do oeste; ocidental; *adv* para o oeste.
West.er.ly (ués.târli) *adj* ocidental; *adv* em direção do ocidente.
West.ern (ués.târn) *s* ocidental; CIN faroeste; *adj* do oeste.
Wet (uét) *s* água; chuva; umidade; *v* umedecer; molhar; *adj* molhado; bêbado.
Whale (huêil) *s* baleia (mamífero); cachalote.
Whale.bone (huêil.bôun) *s* barba de baleia.
Whang (huén) *s* pancada; surra; correia; *v* cortar em fatias; espancar.
Whap (huáp) *s* pancada; *v* bater; espancar; surrar.
Wharf (huórf) *s* cais; desembarcadouro.
What (huót) *adj* aquilo; aquele (a) que; aqueles (as) que; o que; que; *pron* aquilo; aquele (a) que; aqueles (as) que; o que; que; *conj* que; *adv* de que maneira; em que.
What.ev.er (huót.évâr) *pron* tanto faz; seja o que for; tudo aquilo que; todo que.
What.not (huót.nót) *s* algo trivial ou indefinido; POP sei lá mais o que!
What.so.ev.er (huót.sôué.vâr) *adj* por mais que; seja qual for; tudo quanto; *pron* por mais que; seja qual for.
Wheat (huit) *s* trigo.
Whee.dle (huidol) *v* lisonjear.
Wheel (huil) *s* roda; disco; *v* girar; rodar.
Wheel.ing (hui.lin) *s* ato de rodar; pedalar.
Wheeze (huiz) *s* respiração ofegante; *v* respirar com esforço.
Whelp (huélp) *s* filhote (de mamífero); *v* dar cria.
When (huén) *adv* logo; no tempo; no momento em que; quando; *conj* logo; no tempo; no momento em que.
Whence (huéns) *adv* consequentemente; donde; por essa razão; por isso.
When.ev.er (huéné.vâr) *adv* quando; sempre que; todas as vezes que; *conj* quando; sempre que; todas as vezes que.
Where (huér) *adv* em que lugar; para onde; onde.
Where.a.bouts (huér.âbáuts) *adv* perto; próximo.
Where.by (huér.bái) *adv* como; por que meio; por onde.
Where.fore (huér.fôur) *s* causa; motivo; *adv* por que; *conj* para que; por que.
Where.so.ev.er (huérsoé.vâr) *adv* em qualquer parte; sempre que.
Whet (huét) *s* estimulante; excitante; *v* afiar; excitar; estimular.
Wheth.er (hué.dhâr) *conj* ou; quer seja; se; *pron* qual dos dois.
Which (huitxe) *pron* o(a) qual; os(as) quais; cujo (os); cuja (as); que.
Which.ev.er (huitxé.vâr) *pron* qualquer; um ou outro.
Which.so.ev.er (huitxésou.vâr) *pron* qualquer; um ou outro.
Whiff (huif) *s* baforada; bafejo; brisa; cheiro; sopro.
Whif.fler (hui.flâr) *s* assobio; pessoa inconstante; pessoa frívola; *v* mudar; ser inconstante; variar.
Whig (huig) *adj* liberal.
While (huáil) *s* espaço de tempo; momento; vez; *v* distrair; entreter; passar; retardar; *conj* conquanto; ainda que; *adv* no tempo em que.
Whim.per (huim.pâr) *s* lamúria; queixume; *v* choramingar; lamuriar.
Whip (huip) *s* açoite; chicote; chibata; cocheiro; carroceiro; *v* açoitar; alinhavar costura.
Whir (huâr) *s* silvo; zunido; zumbido; *v* girar zunindo.
Whirl (huârl) *s* giro; remoinho; turbilhão; volta; rotação; *v* girar rapidamente; rodopiar.
Whirl.pool (huêr.pul) *s* redemoinho (em água).
Whirl.wind (huêr.uind) *s* redemoinho (de vento); tufão.
Whis.key (huis.qui) *s* uísque; *also* **Whisky**.
Whis.per (huis.pâr) *s* murmúrio; sussurro; segredo; *v* cochichar; sussurrar.
Whis.per.ing (huis.pârin) *s* insinuação; maledicência; murmúrio; *adj* murmurante; sussurrante.
Whist (huist) *s* jogo de cartas; *adj* mudo; calado; *interj* silêncio!
Whis.tle (huistol) *s* assobio; silvo; sibilo; apito; *v* assobiar; apitar; silvar.
Whit (huit) *s* porção mínima; átomo.
White (huáit) *s* branco; brancura; *v* branquear; caiar; *adj* branco; inocente; puro.
White.ness (huáit.nés) *s* alvura; brancura; inocência.
Whit.sun (huitsn) *adj* de pentecostes.
Whit.sun.day (huit.sândêi) *s* domingo de Pentecostes.
Whit.tle (huitol) *v* aparar; modelar; cortar.
Who (hu) *pron* o(a) qual; os(as) quais; aquele (s) que; aquela (s) que; que; quem.
Who.ev.er (hué.vâr) *pron* quem quer que; qualquer.
Whole (hôul) *s* a totalidade; o todo; *adj* inteiro; todo; total.
Whole.ness (hôul.nés) *s* integridade; o todo; totalidade.
Whole.sale (hôul.sêil) *s* venda por atacado; *adj* por atacado.
Whole.some (hôul.sâm) *adj* benéfico; saudável; são.
Whom (hum) *pron* a quem; que; o (a) qual.
Whoop (hup) *s* algazarra; grito de guerra; pio da coruja; *v* apupar; berrar; piar; vaiar.

Whose (huz) *pron* cujo (os); cuja (as); de quem.
Why (huái) *adv* por quê; por que razão; *interj* caramba!
Wick (uic) *s* mecha; pavio; torcida.
Wick.ed.ness (ui.quidnés) *s* iniquidade; imoralidade; maldade.
Wick.er (ui.câr) *s* vime; trabalho (de vime).
Wick.et (ui.quet) *s* postigo; portinhola; cancela.
Wide (uáid) *s* amplidão; largura; *adj* amplo; largo; vasto; FIG inteligente; liberal; *adv* ao longe; extensamente; longe.
Wid.en (uáidn) *v* alargar; dilatar; estender.
Wide-spread (uáids.prid) *adj* amplo; muito difundido.
Wid.ow (ui.dôu) *s* viúva; *v* despojar; enviuvar.
Width (uidth) *s* amplitude; extensão; largura.
Wield (uild) *v* dirigir; manejar.
Wife (uáif) *s* esposa; mulher.
Wife.hood (uáif.hud) *s* condição de mulher casada; estado de mulher casada.
Wig (uig) *s* cabeleira postiça; peruca; *v* POP repreender severamente em público; ralhar.
Wig.ger.y (ui.gâri) *s* cabelo postiço; peruca.
Wild (uáild) *s* deserto; ermo; *adj* bravo; feroz; inculto; selvagem.
Wild boar (uáild.bór) *s* javali; porco selvagem.
Wild.ness (uáild.nés) *s* ferocidade; loucura; selvageria.
Wile (uáil) *s* ardil; engano; logro; *v* lograr; usar de astúcia.
Will (uil) *s* escolha; inclinação; vontade; GRAM auxiliar que forma o futuro; *v* desejar; querer; *past and pp* **Would**.
Will.ful (uil.ful) *adj* obstinado; teimoso.
Wil.low (ui.lôu) *s* salgueiro.
Wilt (uilt) *v* definhar; esmorecer; murchar.
Wi.ly (uái.li) *adj* astuto; manhoso.
Wim.ble (uimbol) *s* broca; furador; pua.
Wim.ple (uimpol) *s* flâmula; touca de freira; *v* cobrir com véu; velar.
Win (uin) *v* cativar; ganhar; induzir; vencer; *past and pp* **Won**.
Wince (uins) *s* retraimento; *v* escoicear; retrair-se; pestanejar.
Wind 1 (uind) *s* aragem; brisa; vento; *v* arejar; abanar; ventar.
Wind 2 (uaind) *s* enroscamento; curvatura; torcedura; volta; *v* enroscar; girar; serpentear; *past and pp* **Winded**.
Wind 3 (uaind) *v* buzinar; tocar instrumento; *past and pp* **Wound**.
Wind.er (uin.dâr) *s* pessoa que enrola corda em relógio.
Wind.i.ness (uin.dinés) *s* flatulência; inchação.
Wind.lass (uind.lâs) *s* molinete; *v* fazer rodeios; içar com molinete.
Wind.mill (uind.mil) *s* moinho de vento.
Win.dow (uin.dôu) *s* janela; coberta; tampa; vitrina; abertura; *v* expor; pôr janelas.
Wind.screen (uins.crin) *s* AUT para-brisa; USA **Windshield**.
Wind.ward (uind.uârd) *s* barlavento; *adj* de barlavento; *adv* a barlavento.
Wind.y (uin.di) *adj* pomposo; ventoso.
Wine (uáin) *s* vinho.
Wing (uin) *s* asa; ala; bastidor; voo; FUT ponta; *v* dar asas a; levar sobre as asas.
Wink (uinc) *s* cochilo; piscadela; soneca; *v* piscar; disfarçar; fazer sinal (piscando).
Win.ner (uin.nâr) *s* ganhador; vencedor.
Win.ter (uin.târ) *s* inverno; *v* invernar; *adj* hibernal.
Win.try (uin.tri) *adj* de inverno; frio; gélido.
Wipe (uáip) *s* ato de limpar; bofetada; gracejo; *v* enxugar; limpar.
Wire (uáir) *s* arame; fio elétrico; telégrafo; MÚS corda; *v* cercar (com arame); instalar fios elétricos; ligar.
Wis.dom (uis.dâm) *s* juízo; sabedoria.
Wise (uáiz) *s* maneira de agir; modo; *adj* discreto; douto; prudente; sábio; sensato.
Wish (uixe) *s* desejo; vontade; voto; *v* desejar; querer.
Wish.ful (uixe.ful) *adj* ansioso; ávido; desejoso.
Wisp (uisp) *s* bando (de pássaros); escova; feixe; punhado; *v* esfregar; enfeixar.
Wist.ful (uist.ful) *adj* ansioso; anelante; atento; pensativo.
Wist.ful.ness (uist.fulnés) *s* anseio; desejo ardente.
Wit (uit) *s* aptidão; destreza; engenho; imaginação; *v* cientificar-se; saber.
Witch (uitxe) *s* bruxa; feiticeira; *v* encantar; enfeitiçar.
With (uídh) *prep* com; contra; em; entre; por.
With.al (uidhól) *adv* além disso; demais; por outra parte.
With.draw (uidhdró) *v* desviar; desdizer-se; retirar; tirar; *past* **Withdrew** *and pp* **Withdrawn**.
With.er (ui.dhâr) *v* definhar; murchar; mirrar; secar.
With.hold (uidh.hôuld) *v* deter; impedir; reter; recusar; *past and pp* **Withheld** *or* **Withholden**.
With.in (uidhin) *adv* dentro; em; no interior; na parte de dentro; *prep* dentro; em.
With.out (uidháut) *adv* destituído; fora de; sem; exteriormente; *prep* destituído; exteriormente; fora de; sem.
Wit.less (ui.tlés) *adj* imbecil; néscio; sem graça.
Wit.ness (uit.nés) *s* testemunha; declarante; indício; testemunho; *v* JUR atestar; depor; presenciar.
Wit.ty (ui.ti) *adj* engraçado; divertida; engenhoso.
Wive (uáiv) *v* casar-se com; contrair matrimônio.
Wiz.ard (ui.zârd) *s* adivinho; feiticeiro; mago; sábio; *adj* encantador; mágico.
Wiz.ard.ry (ui.zârdri) *s* feitiçaria; magia; prestidigitação.
Wiz.en (uizn) *adj* murcho; *v* murchar; secar.
Woe (uôu) *s* calamidade; dor; desgraça; *interj* êh!, ô!

Woe.ful.ness (uôu.fulnés) *s* aflição; desgraça; miséria.
Wold (uôuld) *s* descampado; duna; planície.
Wolf (uolf) *s* conquistador; lobo.
Wo.man (uu.mam) *s* mulher; *adj* feminino.
Womb (uum) *s* cavidade; útero; ventre.
Wond.er (uân.dâr) *s* admiração; espanto; prodígio; maravilha; *v* admirar-se; estranhar.
Won.der.ful (uân.dârful) *adj* admirável; estupendo; magnífico; prodigioso.
Won.der.ful.ness (uân.dârfulnés) *s* beleza; esplendor; maravilha; prodígio.
Won.der.ment (uân.dârment) *s* admiração; pasmo; prodígio.
Won.drous (uân.drâs) *adj* extraordinário; maravilhoso; notável.
Wont (uónt) *s* costume; hábito; uso; *v* acostumar; estar acostumado.
Woo (uu) *v* cortejar; solicitar; suplicar amor.
Wood (uud) *s* bosque; floresta; lenha; pau; selva; *v* fornecer lenha.
Wood.cut.ter (uud.câ.târ) *s* lenhador.
Wood.en (uudn) *adj* desastrado; estúpido; feito de madeira; grosseiro; rude.
Wood.peck.er (uud.pécâr) *s* pica-pau (ave).
Wood.y (uu.di) *adj* de madeira; silvestre.
Woof (uuf) *s* trama (em tecido).
Wool (uul) *s* cabelo; lã; lanugem; pelo.
Wool.en (uu.len) *s* tecido de lã; *adj* de lã; lanoso.
Word (uârd) *s* palavra; dito; expressão; linguagem; ordem; sinal; termo; vocábulo; *v* exprimir; enunciar; escrever; frasear.
Word.ing (uâr.din) *s* dicção; expressão; enunciação; redação.
Word.less (uâr.dlés) *adj* calado; silencioso.
Word.y (uâr.di) *adj* falador; prolixo; verbal.
Work (uârc) *s* emprego; obra; trabalho; tarefa; *v* bordar; explorar; operar; lavrar; produzir; trabalhar; *past and pp* **Worked**.
Work.a.ble (uâr.câbol) *adj* em condições de funcionar; em condições de trabalhar; viável.
Work.a.day (uâr.câdêi) *adj* de todos os dias; laborioso; rotineiro.
Work.er (uâr.câr) *s* artífice; operário; trabalhador.
Work.house (uârc.háus) *s* asilo; reformatório.
Work.man (uârc.mân) *s* artífice; operário.
Work.man.ship (uârc.mânxip) *s* feitio; habilidade; mão-de-obra; trabalho.
Work.shop (uorc.shóp) *s* fábrica; oficina.
World (uârld) *s* mundo.
Worm (uârm) *s* verme; larva; pessoa vil; remorso; rosca de parafuso; *v* arrastar-se; insinuar-se; escorregar.
Worm.y (uâr.mi) *adj* bichento; carunchoso; rastejante.
Worn (uórn) *adj* gasto.
Wor.ried (uâ.rid) *adj* apreensivo; aflito; inquieto.
Wor.ry (uâ.ri) *s* incômodo; inquietação; tormento; *v* afligir-se; aborrecer; despedaçar.
Worse (uârs) *s* o pior; prejuízo; *adj* pior; *adv* pior.
Wor.ship (uâr.xip) *s* adoração; culto; veneração; *v* adorar.
Wor.ship.ful (uâr.xipful) *adj* adorável; respeitável; venerável.
Worst (uârst) *adj* o pior; o mais doente; péssimo; *v* derrotar; vencer; *adv* o pior possível.
Wors.ted (uârs.tâd) *s* lã fiada; *adj* feito de lã fiada.
Wort (uârt) *s* cerveja (sem fermento); erva; planta.
Worth (uârth) *s* custo; importância; mérito; preço; valor; *adj* digno; que vale; que merece.
Wor.thi.ness (uâr.dhinés) *s* dignidade; mérito; merecimento.
Worth.less (uâr.dhlés) *adj* desprezível; indigno.
Wor.thy (uâr.dhi) *adj* digno; merecedor.
Wound (uáund) *s* ferida; lesão; chaga; *v* ferir; lastimar.
Wrack (réc) *s* alga; naufrágio; ruína.
Wran.gle (réngol) *s* altercação; contenda; disputa; *v* contender; discutir; *s* disputador.
Wrap (rép) *s* agasalho; *v* cobrir; dobrar; envolver; embrulhar; *past and pp* **Wrapped** *or* **Wrapt**.
Wrap.per (ré.pâr) *s* capa; envoltório.
Wrath (rath) *s* ira; indignação; raiva.
Wrath.ful (réth.ful) *adj* furioso; irado.
Wreak (ric) *v* desafogar; infligir; saciar; satisfazer; vingar.
Wreath (rith) *s* espiral; grinalda; coroa.
Wreathe (ridh) *v* coroar; entrelaçar; enroscar-se.
Wreck (uréc) *s* alga marinha; destroços; naufrágio; ruína; *v* destruir; naufragar.
Wreck.age (ré.quidj) *s* destroços; naufrágio.
Wrench (réntxe) *s* arranco; puxão; *v* arrancar; arrebatar; forçar; torcer.
Wrest (rést) *v* arrancar à força; lutar.
Wrest.er (rés.târ) *s* infrator; que arranca.
Wres.tle (résol) *v* brigar; combater.
Wres.tler (rés.lâr) *s* lutador; competidor.
Wretch (rétxe) *s* desgraçado; infeliz; miserável.
Wretch.ed (ré.txed) *adj* indigno; infeliz.
Wretch.ed.ness (ré.txednés) *s* desdita; desgraça; miséria.
Wrig.gle (rigol) *s* movimento em ziguezague; *v* enroscar; torcer.
Wrig.gler (ri.glâr) *s* que se move (em ziguezague).
Wright (ráit) *s* artífice; operário; obreiro.
Wring (rin) *v* virar; torcer; espremer; *past and pp* **Wrung**.
Win.kle (rincol) *s* prega; ruga; vinco; *v* enrugar; dobrar.
Wrist (rist) *s* munheca; pulso; punho.
Writ (rit) *s* citação; mandado; ordem.
Write (ráit) *v* compor; escrever; redigir; *past* **Wrote** *and pp* **Written**.
Writ.er (rái.târ) *s* escritor; escrevente.

Writ.ing (rái.tin) *s* artigo; composição; escrito; manuscrito; obra.

Wrong (rón) *s* crime; delito; dano; injustiça; mal; *v* fazer mal; lesar; prejudicar; tratar com injustiça; *adj* errado; errôneo; injusto; irregular; *adv* às avessas; injustamente; mal.

Wrong.ful (rón.ful) *adj* falso; injusto; iníquo.

Wrong.ful.ness (rón.fulnés) *s* falsidade; injustiça.

Wroth (rôuth) *adj* aborrecido; furioso; irado.

Wrought (rót) *adj* forjado.

Wry (rái) *adj* torto; torcido.

x X

X (écs) *s* vigésima-quarta letra do alfabeto Português e do alfabeto Inglês.
X-Chromosome (écs-cromosom) *s* cromossomo.
Xmas (cris.mâs) *s* Natal.
X-ray (écs.rêi) *s* ráio-X.
Xy.lo.graph (zái.lograf) *s* xilogravura; xilografia.
Xy.log.ra.pher (záiló.grâfâr) *s* xilógrafo.
Xy.log.ra.phy (záiló.grâfi) *adj* xilografia.
Xy.lo.phone (zái.lofôunn) *s* MÚS xilofone; marimba.

y Y

Y (uái) *s* vigésima-quinta letra do alfabeto Português e do alfabeto Inglês.
Yacht (iât) *s* iate; barco (de recreio); *v* dirigir, competir.
Yahoo (iá.hú) *s* pessoa de baixos instintos; bruta.
Yankee (iénc) *s* ianque.
Yap (iép) *s* POP conversa; caipira; latido; *v* latir; tagarelar.
Yard (iárd) *s* quintal; jarda.
Yarn (iárn) *s* conto; história; fio de tecer; estame.
Yawl (iól) *s* iole (embarcação a vela).
Yawn (ión) *s* bocejo; *v* bocejar; suspirar.
Ye (i) *pron same as* **You** ⇒ (arcaico)
Yeah (iêa) *adv* certamente; sim.
Yearn (iârn) *v* aspirar; almejar; ansiar.
Yeast (iist) *s* fermento.
Yegg (ijég) *s* POP ladrão de cofres (arrombador).
Yell (iél) *s* grito; alarido; uivo; *v* berrar; gritar; uivar.
Yel.low (ié.lôu) *adj* amarelo.
Yelp (iélp) *s* ganido; *v* ganir.
Yep (iés) *adv* POP sim; certamente.
Yes.ter.day (iés.târdêi) *adv* ontem.
Yet (iét) *adv* ainda; já; contudo; todavia; porém, mas.
Yid.dish (éidixe) *s* Iídiche (língua do povo judeu).
Yield (iild) *s* rendimento; produção; *v* produzir; render.
Yoke (iôuc) *s* jugo; escravidão; *v* escravizar; ligar.
Yo.kel (iôucol) *s* caipira; interiorano.
Yolk (iôuc) *s* gema (de ovo); vitelo.
Yon (ión) *adj* aquele (a); aqueles (as); *adv* além; acolá; lá.
Yore (iôur) *adv* outrora; antigamente; no passado.
You (iu) *Pron* tu; vós; você(s); o senhor.
Young (iân) *s* juventude; mocidade; *adj* jovem; moço.
Young.ish (iân.nixe) *adj* um tanto jovem.
Young.ling (iân.lin) *s* animal, pessoa jovem; cria.
Young.ster (iâns.târ) *s* jovem; criança.
Your (iôur) *adj* seu (s); sua (as); teu(s); tua(s); vosso(s); vossa(s).
Your.self (iôursélf) *pron* você mesmo.
Youth (iuth) *s* adolescência; juventude.
Youth.ful (iuth.ful) *adj* alegre; juvenil; jovem.
Youth.ful.ness (iuth.fulnés) *s* juventude.
Yule (iul) *s* Natal.

z Z

Z (zed) *s* vigésima-sexta letra do alfabeto Português e vigésima-sexta letra do Inglês.
Za.ny (zê.ni) *s* tolo; cômico.
Zeal (zil) *s* ardor; zelo.
Zeal.ot (zé.lât) *s* fanático.
Zeal.ot.ry (zé.lâtri) *s* fanatismo.
Zeal.ous (zé.lâs) *adj* zeloso; entusiasmo.
Zeal.ous.ness (zé.lâsnés) *s* zelo.
Ze.bra (zi.brâ) *s* zebra (mamífero).
Ze.bu (zi.biu) *s* zebu (bovino).
Ze.nith (zi.nith) *s* ASTR zênite.
Zeph.yr (zé.fâr) *s* zéfiro (briza, aragem).
Zep.pe.lin (zi.pêlin) *s* Zepelim, aeronave construída pelo conde **Zeppelin**.
Ze.ro (zi.rôu) *s* zero; *v* zerar.
Zest (zést) *s* entusiasmo; sabor; vivacidade; prazer; condimento; *v* dar gosto a.
Zest.ful (zést.fâl) *adj* agradável; saboroso.
Zinc (zinc) *s* QUÍM zinco (símbolo **Zn**).
Zin.cog.ra.pher (zincó.grafâr) *s* zincógrafo.
Zin.cog.ra.phy (zincó.grâfi) *s* zincografia.
Zin.ga.ro (zin.garou) *s* zíngaro; cigano; *also* Zingano.
Zip.per (zi.pâr) *s* zíper.
Zip.py (zi.pi) *adj* POP alegre; animado; cheio de energia.
Zith.er (zi.thâr) *s* cítara; guitarra.
Zo.di.ac (zôu.diéc) *s* ASTR Zodíaco.
Zom.bi (zâmbi) *s* fantasma; zumbi.
Zone (zôun) *s* ponto; região.
Zoo (zu) *s* zoológico.
Zo.ol.a.try (zôuó.lâtri) *s* zoolatria (adoração de animais).
Zo.o.log.i.cal (zôuoló.djicâl) *adj* zoológico.
Zo.ol.o.gist (zôuó.lodjist) *s* zoólogo; zoologista.
Zo.ol.o.gy (zôuó.lodjist) *s* zoologia.
Zoom (zum) *s* aumento (rápido e repentino); subida (rápida e vertical); *v* zumbir.
Zo.o.mor.phy (zôuó.morfi) *s* zoomorfia, zoomorfismo.
Zy.go.ma (zái.gôu.mâ) *s* zigoma (osso do rosto).
Zyme (záimm) *s* fermento; germe de doença.
Zy.mol.o.gy (záimó.lodji) *s* zimologia.
Zy.mot.ic (záimó.tic) *adj* zimótico.

Minidicionário Prático

Português – Inglês

aA

A *s* the first letter of the Portuguese alphabet and of the English alphabet.
À *prep* mais *art* (a+a) at the; for the; to the.
A.ba.ca.te *s* alligator pear; avocado.
A.ba.ca.xi *s* BOT pineapple.
A.ba.far *v* to suffocate; to swelter; to muffle (sound); to cover.
A.bai.xar *v* to lower; to turn down.
A.bai.xo *adv* below; under; beneath; down.
A.ba.jur *s* lampshade.
A.ba.lar *v* to upset.
A.ba.lo *s* shake; shock.
A.bal.ro.a.men.to *s* crash; collision.
A.bal.ro.ar *v* to crash; to collide.
A.ba.na.dor *s* one who fans.
A.ba.nar *v* to fan.
A.ban.do.nar *v* to abandon; to forsake to; to desert.
A.bar.ro.tar *v* to overstock.
A.bas.tar *v* to supply.
A.bas.te.cer *v* to supply; to provide.
A.ba.ter *v* to abate; to slaughter (cattle).
Ab.di.car *v* to give up; to abdicate.
Ab.do.me *s* abdomen; belly; *also* **Abdômem**.
Ab.du.zir *v* to abduct.
A.be.ce.dá.rio *s* the alphabet.
A.be.lha *s* bee; honey bee.
A.ben.ço.ar *v* to bless.
A.ber.ra.ção *s* aberrance; aberration.
A.ber.ta.men.te *adv* openly; freely.
A.ber.to *adj* open; exposed; free.
A.bis.coi.tar *v* to gain from; to steal.
A.bis.mar *v* to amaze; to astound.
A.bis.mo *s* abyss.
Ab.ju.rar *v* to renounce to any doctrine; to portray.
A.blu.ção *s* ablution.
Ab.ne.gar *v* to renounce; to abnegate.
A.bo.ba.do *adj* stupid; silly; foolish.
A.bó.bo.ra *s* pumpkin.
A.bo.bri.nha *s* squash.
A.bo.lir *v* to suppress; to abolish.
A.bo.mi.nar *v* to abhor; to hate; to abominate.
A.bo.mi.ná.vel *adj* abominable; hateful; odious.
A.bo.nar *v* to guarantee; to assure; to warrant.
A.bo.no *s* bonus; allowance; warranty.
A.bor.da.gem *s* boarding.
A.bor.dar *v* to board; to approach.
A.bor.re.cer *v* to abhor; to bore; to annoy.
A.bor.re.ci.do *adj* annoyed; bored.
A.bor.tar *v* to abort.
A.bor.to *s* abortion; POP BR monster.
A.bo.to.a.du.ra *s* cufflink.
A.bo.to.ar *v* to button.
A.bra.ça.de.i.ra *s* cramp.
A.bra.çar *v* to embrace; to hug; to clasp.
A.bra.ço *s* embrace; hug; clasp.
A.bran.dar *v* to soften; to soothe.
A.bran.ger *v* to encompass; to contain.
A.bra.si.lei.rar *v* to adopt the Brazilian way (in the music, dressing, language etc.).
A.bre.vi.ar *v* to shorten; to abbreviate; to condense.
A.bre.vi.a.tu.ra *s* abbreviation.
A.bri.gar *v* to shelter; to protect; to cover.
A.bri.go *s* shelter; FIG protection.
A.bril *s* April, the fourth month of the year.
A.bri.lhan.tar *v* to brighten; to embellish.
A.brir *v* to open, to unlock.
A.brup.to *adj* rugged; abrupt; FIG sudden.
A.bru.ta.lhar *v* to brutify.
Ab.so.lu.ta.men.te *adv* absolutely.
Ab.so.lu.to *adj* complete; absolute; despotic.
Ab.sol.ver *v* to acquit; to absolve; to pardon.
Ab.sor.ção *s* absorption.
Ab.sor.to *adj* absent-minded.
Ab.sor.ven.te *adj* absorbent; absorbing.
Ab.sor.ver *v* to consume; to absorb.
Abs.tê.mio *adj* abstemious; teetotal.
Abs.ter *v* to abstain; to restrain.
Abs.ti.nên.cia *s* abstinence; continence.
Abs.tra.ir *v* to separate; to abstract; to isolate.
A.bun.dan.te *adj* plenty.
A.bu.tre *s* vulture.
A.ca.ba.do *adj* complete; finished; over.
A.ca.bar *v* to complete; to accomplish.
A.ca.bru.nha.do *adj* downcast.
A.ca.de.mi.a *s* academy.
A.ça.frão *s* saffron.

A.ca.len.tar *v* to lull; to rock gently.
A.cal.mar *v* to calm; to pacify; to quiet; to soothe.
A.ca.lo.rar *v* to excite.
A.ca.ma.do *adj* bedridden.
A.ca.mar *v* to dispose by layers; to lie in bed.
A.çam.bar.car *v* to buy up; to engross; to monopolize.
A.cam.pa.men.to *s* camp; camping; encampment.
A.cam.par *v* to camp; to go camping; to encamp.
A.ca.nha.do *adj* timid; too tight; bashful; shy.
A.ca.nhar *v* to depress.
A.ção *s* action; activity; act; COM stock; share.
A.ca.re.a.ção *s* facing; confronting; *also* Acareamento.
A.ca.re.ar *v* to confront (witnesses); to face.
A.ca.ri.ci.ar *v* to fondle; to caress; to cherish.
Á.ca.ro *s* mite; tick.
A.car.re.tar *v* to cause; to cart; to bring about.
A.ca.sa.lar *v* to mate; to pair; to couple (animals); to match.
A.ca.so *s* luck; sort; chance; *adv* by the way; by chance.
A.ca.tar *v* to fulfil; to respect; to accept.
A.cau.te.lar *v* to take care; to caution; to beware of.
A.ce.der *v* to agree to; to accede.
A.cé.fa.lo *adj* without head; acephalous.
A.cei.ro *s* backfire; firebreak.
A.cei.tar *v* to agree; to admit; to accept.
A.ce.le.ra.ção *s* haste; acceleration; pickup.
A.ce.le.rar *v* to speed; to accelerate.
A.cém *s* loin.
A.ce.nar *v* to beckon; to make a sign.
A.cen.de.dor *s* lighter.
A.cen.der *v* to set on fire; to excite.
A.ce.no *s* beckon; nod; sign.
A.cen.to *s* stress; tone; accent.
A.cen.tu.a.ção *s* accent; accentuation.
A.cen.tu.ar *v* to accent; to emphasize.
A.cep.ção *s* meaning; sense; acceptance.
A.cer.bar *v* to acerbate; to make sour.
A.cer.ca *adv* about; near; nearly; *prep* about; as regards; concerning.
A.cer.car *v* to surround.
A.cer.tar *v* to guess right; to set right.
A.cer.vo *s* patrimony; lot; accumulation.
A.ce.so *adj* alight; lighted; lit.
A.ces.si.bi.li.da.de *s* accessibility; attainability.
A.ces.sí.vel *adj* approachable; accessible.
A.ces.so *s* admittance; access; approach.
A.ce.ti.nar *v* to soften; to gloss; to make satin-like.
A.cha *s* fire-wood.
A.cha.car *v* to assault; to rob; to steal through intimidation.
A.char *v* to find; to hit upon; to come across; to discover.
A.cha.tar *v* to make flat; to flatten; to overcome.
A.ci.den.tal.men.te *adv* accidentally; by chance.
A.ci.den.tar-se *v* to injure oneself accidentally.
A.ci.den.te *s* accident; casualty.
A.ci.ma *adv* above; besides; *prep* on top of.
A.cin.te *s* provocation; spite.
A.cin.zen.tar *v* to gray; to color grayish.
A.cir.rar *v* to irritate; to stir up; to provoke.
A.cla.ma.ção *s* applause; acclamation; acclaim.
A.cla.mar *v* to applaud; to acclaim; to hail.
A.cla.rar *v* to clarify; to explain.
A.cli.mar *v* to acclimate; to acclimatize.
A.cli.ma.tar *v* to acclimate; to acclimatize.
A.cli.ve *s* acclivity; upward slope; *adj* steep.
A.ço *s* steel.
A.co.ber.tar *v* to cover; to conceal; to protect.
A.co.co.rar-se *v* to crouch; to squat.
A.ço.dar *v* to incite; to hurry; to hasten; to instigate.
A.çoi.tar *v* to scourge; to whip; to flog.
A.çoi.te *s* scourge; whip.
A.co.lá *adv* over there; there; in that place.
A.col.cho.a.do *s* quilt; comforter; *adj* quilted; padded; upholstered.
A.col.cho.ar *v* to quilt; to pad; to wad.
A.co.lher *v* to shelter; to protect; to heed.
A.co.mo.dar *v* to lodge; to arrange; to accommodate.
A.com.pa.nha.men.to *s* accompaniment; attendance; retinue; escort.
A.com.pa.nhar *v* to accompany; to attend; to follow; to escort.
A.con.che.gar *v* to warm; to snuggle; to shelter; to cuddle.
A.con.di.ci.o.nar *v* to arrange; to pack (goods).
A.con.se.lhar *v* to advise; to counsel; to recommend.
A.con.se.lhá.vel *adj* advisable.
A.con.te.cer *v* to happen; to occur; to come about; to take place.
A.con.te.ci.men.to *s* event; happening; incident.
A.co.plar *v* to join; to connect; to couple.
A.cor.dar *v* to awake; to awaken; to agree with; to harmonize with; to tune.
A.cor.deão *s* MÚS accordion.
A.cor.do *s* accord; deal; bond.
A.cor.ren.tar *v* to chain; to link; to enthrall.
A.cos.sa.dor *s* pursuer.
A.cos.sar *v* to hunt; to pursue; to chase.
A.cos.ta.men.to *s* the space beside a main road.
A.cos.tar *v* to approach.
A.cos.tu.ma.do *adj* used to; accustomed; usual.
A.cos.tu.mar *v* to accustom; to inure.
A.çou.gue *s* butcher shop; butchery.
A.çou.guei.ro *s* butcher.
A.co.var.dar *v* to intimidate; to fright; to frighten.
A.cre.di.tar *v* to believe; to trust; to rely on.
A.cres.cen.tar *v* to add; to increase; to append.
A.cres.cer *v* to grow; to add; to increase.
A.crós.ti.co *s* acrostic.
A.cu.ar *v* to corner.
A.çú.car *s* sugar.
A.çu.ca.rar *v* to sweeten; to sugar.
A.çu.ca.rei.ro *s* sugar-basin; sugar-bowl.

A.çu.de *s* dam; a barrier across a watercourse.
A.cu.dir *v* to go to help; to give first aid.
A.cu.i.da.de *s* sharpness; acuteness; perspicacity.
A.çu.lar *v* to instigate; to provoke.
A.cu.me *s* acumen; quickness of perception.
A.cu.mu.la.dor *s* battery; accumulator; storage battery.
A.cu.mu.lar *v* to heap up; to accumulate; to pile up.
A.cu.rar *v* to perfect; to make accurate.
A.cu.sa.ção *s* accusation; imputation.
A.cu.sar *v* to accuse; to blame; to charge.
A.da.ga *s* dagger.
A.da.gi.ar *v* to quote adages; to quote proverbs.
A.dá.gio *s* adage; proverb; MÚS adage, slowly movement.
A.dap.ta.bi.li.da.de *s* adaptability; adjustment.
A.dap.ta.ção *s* adjustment; adaptation; accommodation.
A.dap.tar *v* to adapt; to fit; to adjust.
A.de.ga *s* wine cellar.
A.de.mais *adv* also; beside; furthermore; moreover; in addition.
A.den.trar-se *v* to enter; to penetrate.
A.dep.to *s* admirer; follower; partisan; supporter.
A.de.qua.ção *s* fitness; adequacy.
A.de.qua.da.men.te *adv* properly; adequately.
A.de.quar *v* to adapt; to adjust.
A.de.re.çar *v* to adorn; to deck; to ornament.
A.de.re.ço *s* adornment; ornament; finery.
A.de.rên.cia *s* adhesion; adherence.
A.de.rir *v* to join; to adhere; to unite.
A.de.são *s* support; adhesion; joining; attachment.
A.de.si.vo *s* sticking plaster; *adj* adhesive.
A.des.tra.ção *s* training; drilling.
A.des.tra.do *adj* skilled; trained; skilful; drilled.
A.des.trar *v* to instruct; to train; to teach; to exercise.
A.deus *interj* so long; bye-bye; good-bye.
A.di.an.tar *v* to progress; to advance; to anticipate.
A.di.an.te *adv* forward; ahead; farther on; along.
A.di.ar *v* to adjourn; to postpone; to defer.
A.di.ção *s* increase; addition; sum.
A.di.ci.o.nar *v* to add; to join; to sum.
A.di.do *adj* adjoined.
A.dim.ple.men.to *s* complement.
A.di.ta.men.to *s* supplement; addition.
A.di.tar *v* to add; to adjoin.
A.di.ti.vo *adj* additive.
A.di.vi.nha.ção *s* guess; divination; prophecy.
A.di.vi.nhar *v* to guess; to foretell.
Ad.ja.cên.cia *s* adjacency; proximity; contiguity.
Ad.je.ti.var *v* to adjective; to qualify.
Ad.je.ti.vo *s* GRAM adjective.
Ad.jun.to *s* assistant; adjunct; accessory; *adj* adjoined.
Ad.mi.nis.tra.ção *s* direction; management; administration.
Ad.mi.nis.trar *v* to conduct; to run; to administer; to conduct; to run; to manage.
Ad.mi.ra.ção *s* wonder; admiration; astonishment.
Ad.mi.rar *v* to admire; to marvel at; to be surprised at.
Ad.mis.são *s* admittance; entrance.
Ad.mis.si.bi.li.da.de *s* admissibility.
Ad.mis.sí.vel *adj* admissible.
Ad.mi.tir *v* to admit; to hire; to confess.
Ad.mo.es.ta.ção *s* warning; admonition; advice.
Ad.mo.es.tar *v* to admonish; to warn.
A.do.çan.te *adj* sweetener.
A.do.ção *s* adoption.
A.do.çar *v* to sweeten.
A.do.ci.car *v* to sweeten.
A.do.e.cer *v* to fall ill; to get sick.
A.do.en.tar *v* to sicken.
A.doi.da.do *adj* mad; haywire; crazy; foolish.
A.doi.dar *v* to madden.
A.do.les.cên.cia *s* youth; teens.
A.do.les.cen.te *s* youth; adolescent; teenager; *adj* adolescent.
A.do.ra.ção *s* worship; adoration; idolatry.
A.do.rar *v* to adore; to worship; to idolize.
A.do.rá.vel *adj* adorable; POP charming.
A.dor.me.cer *v* to fall asleep.
A.dor.nar *v* to ornament; to adorn; to embellish; to deck.
A.dor.no *s* ornament; ornamentation; adornment.
A.do.ta.do *adj* adopted.
A.do.tar *v* to adopt; to affiliate; to espouse.
A.do.ti.vo *adj* adoptive.
Ad.qui.rir *v* to obtain; to get; to acquire; to buy.
A.dre.de *adv* purposely; deliberately; intentionally.
A.du.ba.ção *s* fertilization; manure.
A.du.ba.dor *s* manurer.
A.du.ba.gem *s examine* ⇒ **Adubação.**
A.du.ba.men.to *s examine* ⇒ **Adubação.**
A.du.bar *v* to manure; to season; to fertilize; to spice.
A.du.bo *s* manure; fertilizer.
A.du.lar *v* to adulate; to toady; to fawn upon.
A.dúl.te.ra *s* adulteress.
A.dul.te.ra.ção *s* adulteration.
A.dul.te.rar *v* to adulterate; to forge; to debase; to corrupt.
A.dul.té.rio *s* adultery.
A.dúl.te.ro *s* adulterer; adulterous.
A.dul.to *adj* adult; mature.
A.du.to.ra *s* pipe-line to carry water.
A.du.zir *v* to adduce; to cite.
Ad.ven.to *s* advent; coming.
Ad.ver.bi.al *adj* adverbial.
Ad.ver.bi.ar *v* to employ as an adverb.
Ad.vér.bi.o *s* adverb.
Ad.ver.sá.rio *s* opponent; adversary; enemy; antagonist.
Ad.ver.si.da.de *s* adversity.
Ad.ver.so *adj* contrary; adverse; hostile.
Ad.ver.tên.cia *s* warning; admonishment.
Ad.ver.ti.do *adj* adverted; admonished.

Ad.ver.tir *v* to warn; to advise; to advert.
Ad.vir *v* to result from; to succeed.
Ad.vo.ca.ci.a *s* advocacy; law.
Ad.vo.ga.do *s* lawyer; attorney; advocate.
Ad.vo.gar *v* to advocate; to practice law.
A.é.reo *adj* aerial; airy; imaginary.
A.e.ro.mo.ça *s* flight stewardess; air hostess.
A.e.ro.mo.ço *s* flight steward.
A.e.ro.nau.ta *s* aeronaut.
A.e.ro.na.ve *s* airship; aircraft.
A.e.ro.pla.no *s* aeroplane; airplane.
A.e.ro.por.to *s* airport.
A.e.ro.vi.a *s* airway; air lane.
A.e.ro.vi.á.rio *s* airline employee.
A.fã *s* eagerness; diligence; anxiety.
A.fa.bi.li.da.de *s* affability; friendliness.
A.fa.gar *v* to caress; to pet; to fondle.
A.fa.go *s* caress; fondling.
A.fa.mar *v* to make famous.
A.fas.ta.do *adj* far away; remote; distant; long ago.
A.fas.tar *v* to drive away; to remove; to push.
A.fá.vel *adj* courteous; affable; amiable.
A.fa.zer *v* to accustom; to habituate; to inure.
A.fe.ar *v* to make ugly; to deface.
A.fe.gã *adj* Afghan, native of Afghanistan
A.fei.ção *s* affection; love; friendship; fondness.
A.fei.ço.ar *v* to charm; to captivate.
A.fei.to *adj* used to; accustomed to.
A.fe.ri.do *adj* gauged; compared; checked.
A.fe.rir *v* to compare; to gauge; to check.
A.fe.ta.ção *s* affectation; mannerism; pretension; vanity.
A.fe.ta.do *adj* affected; pedant.
A.fe.tar *v* to affect.
A.fe.ti.vo *adj* affective; dedicated.
A.fe.to *s* affection; fondness.
A.fe.tu.o.si.da.de *s* affection; fondness; friendliness.
A.fe.tu.o.so *adj* affectionate.
A.fi.an.ça.do *adj* warranted; bonded; guaranteed.
A.fi.an.çar *v* to assure; to bail; to guarantee; to warrant; to assert.
A.fi.ar *v* to sharpen; to grind; to edge; to whet.
A.fi.ci.o.na.do *s* amateur; enthusiast; fan.
A.fi.lha.da *s* goddaughter; godchild.
A.fi.lha.do *s* godson; godchild.
A.fi.li.ar *v* to join; to admit; to affiliate.
A.fim de *conj* so that; in order to; *s* relative; affine; *adj* similar; akin; kin.
A.fi.na.ção *s* refinement; tuning; *also* **Afinamento.**
A.fi.na.do *adj* tuned.
A.fi.nal *adv* after all; at last.
A.fi.nar *v* to adjust; to tune; to harmonize.
A.fin.co *s* perseverance; tenacity; stubbornness.
A.fi.ni.da.de *s* relationship; affinity; rapport.
A.fir.ma.ção *s* assertion; affirmation; protestation.
A.fir.mar *v* to assert; to confirm; to affirm.
A.fir.ma.ti.va *s* affirmative; affirmation.
A.fir.ma.ti.vo *adj* affirmative; positive; affirmatory.
A.fir.má.vel *adj* affirmable; maintainable.
A.fi.xo *s* affix.
A.fli.ção *s* distress; sorrow; affliction; anxiety; anguish.
A.fli.gir *v* to cause pain; to afflict; to torment.
A.fli.ti.vo *adj* distressing; afflictive; afflicting.
A.fli.to *adj* distressed; afflicted; grieved; worried.
A.flo.rar *v* to appear on the surface; to crop; to outcrop.
A.flu.ên.cia *s* plenty; crowd; affluence; convergence.
A.flu.ir *v* to flow into; to run into; to converge.
A.flu.xo *s* afflux; flowing.
A.fo.ba.ção *s* bustle; hurry; excited activity; flurried haste.
A.fo.bar *v* to hurry; to upset.
A.fo.far *v* to make fluffy; to fluff.
A.fo.ga.do *s* a person that drowned; *adj* drowned; suffocated; stuffy.
A.fo.ga.dor *adj* drowning; suffocating; *s* choker; AUT choke.
A.fo.gar *v* to drown; to suffocate; **Afogar-se:** to be drowned.
A.fo.ra *adv* outside; out into; *prep* except; apart from; excepting.
A.for.mo.se.ar *v* to embellish; to adorn.
A.fres.co *s* PINT fresco.
A.fri.ca.no *adj* African.
A.fro.di.sí.a.co *s* aphrodisiac.
A.fro.di.te *s* Aphrodite.
A.fron.ta *s* outrage; affront; dishonor; insult; offense.
A.fron.tar *v* to insult; to affront; to face; to confront.
A.frou.xar *v* to loosen; to slacken; to loose; to relax.
Af.ta *s* MED thrush; aphtha.
A.fu.gen.tar *v* to chase; to drive away.
A.fun.dar *v* to deepen; to sink.
A.fu.ni.lar *v* to make like funnel; to narrow.
A.ga.cha.do *adj* crouching; squat.
A.ga.char-se *v* to squat; to crouch.
Á.ga.pe *s* agape, the love feast of the primitive Christians; ceremonial dinner.
A.gar.ra.do *adj* held fast; caught.
A.gar.rar *v* to seize; to catch.
A.ga.sa.lha.do *adj* well sheltered; covered.
A.ga.sa.lhar *v* to shelter; to lodge; to warm.
A.ga.sa.lho *s* warm clothes; wrap; muffler.
A.gas.tar *v* to anger; to vex.
A.gên.cia *s* agency; office.
A.gen.ci.ar *v* to manage; to negotiate; to promote.
A.gen.da *s* notebook; agenda; appointment book.
A.gen.te *s* agent; broker.
Á.gil *adj* active; agile; nimble.
A.gi.li.da.de *s* agility; nimbleness.
A.gir *v* to work; to proceed; to act; to operate.
A.gi.ta.ção *s* excitement; agitation; emotion; tumult.
A.gi.tar *v* to perturb; to agitate; to disturb.
A.glo.me.ra.ção *s* mass; crowd; agglomeration.
A.glo.me.rar *v* to heap up; to agglomerate; to assemble.

A.glu.ti.nar *v* to glue together; to agglutinate.
A.go.nia *s* anguish; agony; affliction; nausea.
A.go.ni.ar *v* to cause affliction.
A.go.ni.zan.te *adj* agonizing.
A.go.ni.zar *v* to be dying; to agonize.
A.go.ra *adv* at this moment; the present time; now.
A.go.ri.nha *adv* just now; just now even.
A.gos.to *s* August, the eighth month of the year.
A.gou.rar *v* to augur; to foretell; to forecast.
A.gou.ro *s* omen; augury; presage.
A.gra.ci.a.do *adj* graced; honoured.
A.gra.ci.ar *v* to grace; to decorate with; to honor.
A.gra.dar *v* to please; to gratify; to delight; to oblige; to satisfy.
A.gra.dá.vel *adj* agreeable; pleasant.
A.gra.de.cer *v* to give tanks; to be grateful for.
A.gra.de.ci.men.to *s* the act of thanking; thankfulness; gratitude.
A.gra.do *s* liking; pleasure; courtesy.
A.gra.van.te *adj* aggravating; *s* aggravating circumstance.
A.gra.var *v* to aggravate; to vex; to burden; to exasperate.
A.gra.vo *s* offence; injury; JUR appeal.
A.gre.dir *v* to assault; to aggress; to strike.
A.gre.ga.ção *s* aggregation; agglomeration.
A.gre.ga.do *adj* aggregate; annexed; joined.
A.gre.gar *v* to join; to add.
A.gre.mi.a.ção *s* fraternity; club; society.
A.gres.são *s* attack; aggression; offense.
A.gres.sor *s* aggressor.
A.gres.te *s* BR arid zone in the northeastern; *adj* rough; agrestic; agrestical.
A.gri.ão *s* watercress.
A.gri.cul.tor *s* farmer; agriculturist.
A.gru.pa.men.to *s* cluster; gathering.
A.gru.par *v* to group; to cluster; to assort; to classify.
A.gru.ra *s* sourness; roughness; acerbity.
Á.gua *s* water; rain.
A.gua.cei.ro *s* squall; cloudburst; shower.
A.gua.do *adj* watery; watered; waterish.
Água-furtada *s* garret; attic.
A.guar *v* to dilute; to water.
A.guar.dar *v* to expect; to wait for.
A.guar.den.te *s* any alcoholic liquor; that comes from disked and fermented sugar-cane; brandy.
Á.gua-vi.va *s* jellyfish.
A.gu.ça.do *adj* sharpened; pointed; acute.
A.gu.çar *v* to excite; to sharpen.
A.gu.dez *s* acuteness; sharpness; smartness.
A.gu.de.za *s* acuteness; perspicacity.
A.gu.do *adj* acute; sharp; keen; critical.
A.guei.ro *s* gutter.
A.guen.tar *v* to support; to sustain; to bear.
A.guer.ri.do *adj* warlike; bellicose; valiant.
A.guer.rir *v* to be warlike.
Á.guia *s* eagle; FIG a clever person.
A.gu.lha *s* needle.
A.gu.lhar *v* to prick.
Ai! *interj* oh! alas! ouch!
Ai.a *s* governess.
A.in.da *adv* yet; still; even.
Ai.po *s* celery.
A.jar.di.nar *v* to landscape.
A.jei.tar *v* to adjust.
A.jo.e.lha.do *adj* kneeling; genuflected; FIG humiliated; abased.
A.jo.e.lhar *v* to kneel down.
A.ju.da *s* assistance; help; aid.
A.ju.dan.te *s* assistant; helper.
A.ju.dar *v* to help; to aid; to succor.
A.ju.i.za.do *adj* discreet; wise; judicious.
A.ju.i.zar *v* to estimate; to judge.
A.jun.ta.men.to *s* crowd; throng; multitude.
A.jun.tar *v* to assemble.
A.jus.ta.bi.li.da.de *s* adaptability.
A.jus.ta.do *adj* settled; stipulated; just; fair.
A.jus.ta.do *s* adjusted; combined.
A.jus.ta.men.to *s* adjusting; fitting; adaptation.
A.jus.tar *v* to adjust; to settle; to fit; to stipulate; to adapt.
A.jus.tá.vel *adj* adjustable; adaptable; applicable.
A.jus.te *s* settlement; pact; adjustment; agreement; accord.
A.la *s* row; rank; tier; wing; file.
A.la.do *adj* winged; alated; wingy.
A.la.ga.do *adj* overflowed.
A.la.gar *v* to flood; to inundate; to overflow.
A.la.go.a.no *adj* a native or inhabitant or relating to the state of Alagoas.
A.lam.bi.que *s* alembic.
A.lam.bra.do *s* a fence, usually of wire, for great areas.
A.lam.brar *v* to fence with wire.
A.la.me.da *s* a row of trees; alley.
A.lar.de *s* ostentation; parade; show; vainglory.
A.lar.de.ar *v* to boast; to brag; to parade.
A.lar.ga.men.to *s* enlargement; widening; dilatation.
A.lar.gar *v* to extend; to enlarge; to slacken.
A.la.ri.do *s* out-cry; shout; din; clamor.
A.lar.man.te *s* alarming; scary.
A.lar.mar *v* to alert; to alarm; to frighten.
A.lar.me *s* alert; alarm; *also* **Alarma**.
A.lar.mis.ta *s* alarmist.
A.las.tra.men.to *s* spreading; diffusion; propagation.
A.las.trar *v* to scatter; to spread; to strew; to diffuse.
A.la.ú.de *s* MÚS lute.
A.la.van.ca *s* lever; crowbar; crank.
A.la.zão *s* a kind of horse.
Al.ba.nês *adj* Albanian.
Al.ba.troz *s* albatross.
Al.ber.gue *s* shelter; inn.
Al.bi.nis.mo *s* MED albinism.
Al.bi.no *s* albino.
Ál.bum *s* albun; scrapbook; snaps-book.

Al.ça *s* handle; grip; loop; brace; catch.
Al.ca.cho.fra *s* artichoke.
Al.ca.çuz *s* licorice.
Al.ça.da *s* competence; jurisdiction; power.
Al.ça.men.to *s* elevation; lifting; hoisting.
Al.can.ça.do *s* caught; reached; obtained.
Al.can.ça.men.to *s* attainment.
Al.can.çar *v* to reach; to achieve; to succeed.
Al.can.ce *s* competence; reach.
Al.ça.pão *s* trap-door; trap; snare.
Al.ca.par.ra *s* caper.
Al.çar *v* to lift up; to raise; to rise up.
Al.ca.tei.a *s* gang; pack of wolves.
Al.ca.ti.fa *s* carpet.
Al.ca.ti.far *v* to carpet.
Al.ca.tra *s* rump.
Al.ca.trão *s* tar.
Al.ce *s* moose.
Ál.co.ol *s* alcohol.
Al.co.ó.la.tra *s* alcoholic.
Al.co.o.li.zar *v* to alcoholize.
Al.co.rão *s* Koran, islamic divine book.
Al.co.va *s* alcove; bedroom; hiding-place.
Al.co.vi.tar *v* to pander; to gossip; to intrigue.
Al.co.vi.tei.ro *s* panderer; pander; pimp; intriguer.
Al.cu.nha *s* nickname.
Al.cu.nhar *v* to nickname.
Al.de.ão *s* villager; peasant.
Al.dei.a *s* borough; village; hamlet.
Al.de.o.ta *s* hamlet; small village.
A.le.a.tó.ri.o *adj* aleatory; contingent; fortuitous.
A.le.crim *s* rosemary.
A.le.ga.ção *s* argument; allegation; claim.
A.le.gar *v* to quote; to allege; to claim.
A.le.go.ria *s* GRAM allegory; figurative language.
A.le.gó.ri.co *adj* allegoric; allegorical.
A.le.go.ri.zar *v* to allegorize.
A.le.grar *v* to cheer up; to make happy.
A.le.gre *adj* cheerful; merry; happy.
A.le.gri.a *s* cheerfulness; merriment; joy.
A.le.gro *s* MÚS allegro.
A.lei.jar *v* to disable; to maim; to cripple.
A.lei.tar *v* to feed on milk; to suckle; to nurse.
A.le.lui.a *s* hallelujah; alleluia.
A.lém *adv* beyond; further; *prep* besides; plus; moreover.
A.le.mão *s* German; *adj* German.
A.len.tar *v* to comfort; to encourage.
A.len.to *s* breath; breathing; courage.
A.ler.gi.a *s* allergy.
A.ler.ta *s* alert; alarm; *adj* alert; alive; vigilant; *adv* vigilantly; on the alert.
A.ler.tar *v* to put on guard; to warn.
A.le.van.tar *v* to get up; to lift; *examine* ⇒ Levantar.
Al.fa.be.ti.za.ção *s* alphabetization; the action of teaching reading and writing.
Al.fa.be.ti.za.do *adj* literate; able to read and to write.
Al.fa.be.ti.zar *v* to teach to read and to write.
Al.fa.be.to *s* alphabet.
Al.fa.ce *s* lettuce.
Al.fa.ci.nha *s* native of Lisbon.
Al.fa.fa *s* alfalfa.
Al.fai.a *s* ornament; jewelry.
Al.fai.a.ta.ria *s* tailor's shop.
Al.fai.a.te *s* tailor.
Al.fân.de.ga *s* customhouse.
Al.fa.ze.ma *s* perfumed water; lavender.
Al.fi.ne.tar *v* to prick with a pin.
Al.fi.ne.te *s* pin.
Al.fi.ne.te.i.ra *s* pincushion.
Al.for.je *s* bag; saddlebag; knapsack; wallet.
Al.ga *s* alga.
Al.ga.ris.mo *s* symbol for a number; numeral.
Al.ga.zar.ra *s* tumult; clamour; clamor.
Ál.ge.bra *s* algebra.
Al.gé.bri.co *adj* algebraic; algebraical.
Al.ge.ma *s* handcuff; shackle.
Al.ge.mar *v* to handcuff; to fetter; to manacle.
Al.gi.a *s* MED pain.
Al.gi.bei.ra *s* pocket; back-pocket.
Al.go *pron* something; *adv* somewhat; a little.
Al.go.dão *s* cotton.
Al.go.do.al *s* cotton plantation; cotton field.
Al.go.do.ei.ro *s* cotton plant.
Al.goz *s* executioner; hangman.
Al.guém *pron* someone; somebody.
Al.gum *adj* something; some; any; *pron* some; any.
A.lhei.o *s* strange; *adj* strange; another's.
A.lho *s* garlic.
A.li *adv* there; over there; in that place.
A.li.a.do *s* ally; *adj* allied.
A.li.an.ça *s* alliance; covenant.
A.li.ar *v* to join; to ally; to associate.
A.li.ás *adv* on the other hand; as a matter of fact; besides.
Á.li.bi *s* alibi; justification.
A.li.ca.te *s* pliers.
A.li.cer.çar *v* to build foundation; to cement.
A.li.cer.ce *s* foundation; base; bottom.
A.li.ci.a.dor *s* allurer; enticer; seducer.
A.li.ci.a.men.to *s* allurement; seduction.
A.li.ci.ar *v* to entice; to seduce; to allure.
A.lie.na.ção *s* alienation; insanity.
A.lie.na.do *adj* insane; alienated.
A.lie.nar *v* to alienate; to withdraw; to divert; to deviate; to enrapture.
A.lie.na.tó.rio *s* transferee; alienee; *adj* alienable.
A.lie.ní.ge.na *s* alien; foreigner; E.T. (extra terrestriae).
A.lie.nis.ta *s* alienist; psychiatrist.
A.li.gá.tor *s* cayman; alligator.
A.li.men.ta.ção *s* nutrition; alimentation; nourishment.

A.li.men.tar *v* to feed; to nourish.
A.li.men.to *s* food; aliment.
A.lí.nea *s* sub-paragraph; subheading.
A.li.nha.do *adj* aligned.
A.li.nha.men.to *s* alignment; ranging.
A.li.nhar *v* alignment; to align; to range.
A.li.nha.var *v* to tack; to baste.
A.lí.quo.ta *adj* aliquot.
A.li.sa.do *adj* polished; smoothed; leveled.
A.li.sar *v* to level; to plane; to smooth.
A.lis.ta.do *adj* enlisted; recruited; *s* draftee; conscript.
A.lis.ta.men.to *s* enlistment; engagement.
A.lis.tar *v* to enlist; to recruit.
A.li.te.rar *v* to alliterate.
A.li.viar *v* to alleviate; to relieve; to assuage.
A.lí.vio *s* relief; alleviation; comfort.
Al.ma *s* soul; spirit; essence.
Al.ma.ço *s* foolscap.
Al.mei.rão *s* chicory.
Al.me.jar *v* to crave; to hanker; to yearn.
Al.mo.çar *v* to have lunch.
Al.mo.ço *s* lunch.
Al.mo.fa.da *s* pad; pillow; cushion.
Al.mo.fa.di.nha *s* small cushion; small pillow; BR wealthy person.
Al.môn.de.ga *s* croquette; meat ball.
Al.mo.xa.ri.fa.do *s* stock room; warehouse.
Al.mo.xa.ri.fe *s* stockman; stock clerk.
A.lô *interj* hi! hello!
A.lo.cu.ção *s* allocution; address.
A.lo.ja.men.to *s* accommodation; lodging; dormitory.
A.lo.jar *v* to lodge; to shelter; to store.
A.lon.gar *v* to prolongate; to lengthen; to extend; to elongate.
Al.pa.ca *s* alpaca.
Al.pa.car.ta *s* a canvas shoe.
Al.par.ga.ta *s examine* ⇒ **Alpacarta.**
Al.pen.dre *s* porch; shed; piazza.
Al.pi.nis.mo *s* climber.
Al.pi.nis.ta *s* alpinist; mountaineer.
Al.pis.te *s* birdseed.
Al.que.bra.do *adj* weakened; worn-out; exhausted.
Al.que.brar *v* to weaken; to stoop.
Al.quei.re *s* BR a measure of land equivalent to 24.200 m^2.
Al.qui.mi.a *s* alchemy.
Al.qui.mis.ta *s* alchemist.
Al.ta *s* rise; increase; FIG it refers to a person that exits from a hospital, after having gotten better.
Al.ta.nei.ro *adj* haughty; arrogant.
Al.tar *s* altar; sanctuary.
Al.te.ra.ção *s* alteration; change; altercation.
Al.te.rar *v* to alter; to change; to modify.
Al.te.rá.vel *adj* alterable; changeable; modifiable.
Al.ter.car *v* to quarrel; to altercate; to wrangle.
Al.ter.na.ção *s* alteration.
Al.ter.na.do *adj* alternate; *s* alternator.
Al.ter.nar *v* to take turns; to alternate.
Al.ter.na.ti.va *s* option; alternative; choice.
Al.te.za *s* highness; elevation; excellence; greatness.
Al.tís.si.mo *s* extremely high; FIG God; the Almighty.
Al.tis.so.nan.te *adj* high-sounding.
Al.ti.tu.de *s* altitude; height.
Al.ti.vez *s* fieriness; pride; arrogance.
Al.ti.vo *adj* haughty; arrogant; proud.
Al.to *s* top; height; halt; *adj* high; tall; loud.
Alto-falante *s* loudspeaker.
Alto-relevo *s* high-relief.
Al.tu.ra *s* height; stature; altitude.
A.lu.ci.na.ção *s* hallucination; illusion; delusion.
A.lu.ci.na.do *adj* crazy; hallucinated.
A.lu.ci.nar *v* to hallucinate; to madden.
A.lu.de *s* avalanche.
A.lu.dir *v* to refer; to allude; to mention.
A.lu.gar *v* to hire; to lease.
A.lu.guel *s* rental.
A.lu.mí.nio *s* aluminum.
A.lu.no *s* student; pupil; scholar; learner.
A.lu.são *s* reference; allusion; hint.
A.lu.si.vo *adj* referring to; allusive; alluding.
Al.va *s* dawn; daybreak.
Al.vai.a.de *s* ceruse.
Al.va.rá *s* license; warrant.
Al.ve.jan.te *adj* whitening; albescent.
Al.ve.jar *v* to whiten; to blanch; to bleach.
Al.ve.na.ria *s* masonry; brickwork.
Al.vis.sa.rei.ro *adj* favorable; good news.
Al.vi.tre *s* advice; suggestion.
Al.vo *s* target; objective; aim; *adj* white; pure; limpid.
Al.vo.ra.da *s* dawn; daybreak; aurora.
Al.vo.re.cer *s* dawn; daybreak.
Al.vo.ro.çar *v* to stir up; to excite; to agitate.
Al.vo.ro.ço *s* riot; disturbance; agitation.
Al.vu.ra *s* purity; whiteness; limpidity.
A.ma *s* governess; nanny; nursemaid.
A.ma.bi.li.da.de *s* affability; amiability.
A.ma.ci.ar *v* to soften; to smooth; to soothe.
A.ma.da *s and adj* darling; lover; sweetheart.
A.ma.do *s and adj* beloved; dear; sweetheart.
A.ma.dor *s* amateur; lover.
A.ma.du.re.cer *v* to age; to mature; to ripen.
A.ma.du.re.ci.men.to *s* ripening; ripeness; maturity.
Â.ma.go *s* soul; heart; pith.
A.mal.di.ço.a.do *adj* damned; cursed.
A.mal.di.ço.ar *v* to execrate; to curse; to damn.
A.ma.men.ta.ção *s* breast-feeding; lactation; suckling.
A.ma.men.tar *v* to suckle; to feed; to nurse.
A.man.ce.bar-se *v* to cohabit as lover with another person.
A.ma.nhã *s* tomorrow.
A.ma.nhe.cer *v* to dawn.
A.man.sar *v* to pacify; to tame; to soothe.

A.man.te *s* lover; admirer.
A.ma.pa.en.se *adj* relative to the territory of the Amapa.
A.mar *v* to love; to be loving.
A.ma.re.la.do *adj* yellowish.
A.ma.re.lão *s* hookworm disease.
A.ma.re.lar *v* to make yellow; to yellow.
A.ma.re.lo *adj* yellow.
A.mar.gar *v* to embitter; to make bitter; BR to make painful, unpleasant.
A.mar.go *s* bitterness; *adj* bitter.
A.mar.gor *s* bitterness.
A.mar.gu.ra *s* affliction; grief; bitterness; anguish.
A.mar.gu.rar *v* to afflict; to grieve.
A.mar.ra *s* hawser; cord; cable.
A.mar.rar *v* to tie.
A.mar.ro.tar *v* to crease; to wrinkle.
A.ma-se.ca *s* nanny.
A.má.sia *s* concubine.
A.ma.siar-se *v* to cohabit as lover with another person.
A.mas.sa.do *adj* squashed; kneaded.
A.mas.sar *v* to knead; to mix; to squash.
A.má.vel *adj* kind; amiable; pleasant.
A.ma.zo.na *s* amazon.
A.ma.zô.ni.co *adj* amazonian.
Âm.bar *s* amber.
Am.bi.ção *s* ambition; *s* ambitious.
Am.bi.cio.nar *v* to desire; to aspire.
Am.bi.cio.so *adj* eager; aspiring; ambitious.
Am.bi.ên.cia *s* environment.
Am.bi.en.tar *v* to adapt.
Am.bi.en.te *s* environment; ambient.
Am.bi.gui.da.de *s* ambiguity; double meaning.
Am.bí.guo *adj* ambiguous; doubtful.
Âm.bi.to *s* circuit; ambit; field; orbit.
Am.bos *pron* both.
Am.bu.lân.cia *s* field hospital; ambulance.
Am.bu.lan.te *adj* itinerant; ambulant.
Am.bu.la.tó.rio *adj* ambulatory; *s* clinic.
A.me.a.ça *s* menace; threat; threatening.
A.me.a.çar *v* to threaten; to menace; to frighten.
Amedrontado *adj* afraid; scared; frightened.
A.me.dron.tar *v* to scare; to frighten; to intimidate.
A.mei.xa *s* prune; plum.
A.mei.xe.i.ra *s* plum-tree.
A.mém *interj* amen! so be it!
A.mên.doa *s* almond.
A.men.do.im *s* peanut.
A.me.ni.da.de *s* amenity; delight.
A.me.ni.zar *v* to make pleasant; to soothe.
A.me.no *adj* agreeable; mild; soft.
A.me.ri.ca.no *adj* American.
A.mí.da.la *s* tonsil; amygdala.
A.mi.do *s* starch.
A.mi.ga *s* girl friend.
A.mi.gar-se *v* to become friend of someone; to live together with someone.
A.mi.gá.vel *adj* amiable; friendly; amicable.
A.mi.go *s* boy friend.
A.mis.to.so *adj* affable; friendly; cordial.
A.mi.za.de *s* amity; friendship.
A.mo *s* landlord; master.
A.mo.la.ção *s* grinding; annoying; worry.
A.mo.lar *v* to sharpen; to grind; BR POP to bore.
A.mol.dar *v* to mould; to adapt; to fashion.
A.mo.le.cer *v* to weaken; to melt; to soften.
A.mon.to.ar *v* to accumulate; to pile up.
A.mor *s* love; affection.
A.mo.ra *s* mulberry.
A.mor.da.çar *v* to muzzle; to gag.
A.mo.ro.so *adj* amorous.
Amor-perfeito *s* perfect love; pansy.
A.mor.ti.zar *v* to amortize; to pay off.
A.mos.tra *s* model; specimen; sample.
A.mos.tra.gem *s* sampling.
A.mo.ti.nar *v* to agitate, to go against the authority.
Am.pa.rar *v* to take care; to protect; to support; to sustain.
Am.pli.a.ção *s* enlargement; amplification.
Am.pli.ar *v* to augment; to amplify; to lengthen; *also* Amplificar.
Am.pli.fi.ca.dor *s* amplifier.
Am.pli.tu.de *s* amplitude; spaciousness.
Am.plo *adj* ample; extensive; wide; large.
Am.pu.lhe.ta *s* hourglass.
Am.pu.tar *v* to amputate; to mutilate.
A.mu.ar *v* to annoy; to vex; to bother.
A.mu.le.to *s* talisman; amulet; luck charm.
A.nã *s* woman dwarf.
A.ná.gua *s* slip; petticoat; underskirt.
A.nais *s* chronicles; annals.
A.nal *adj* anal; annual.
A.nal.fa.be.tis.mo *s* illiteracy.
A.nal.fa.be.to *s* illiterate.
A.na.li.sar *v* to examine; to analyze; to investigate.
A.ná.lo.go *adj* alike; similar; analogous.
A.não *s* dwarf.
An.ces.tral *adj* ancestral.
An.ci.ã *s* old woman.
An.ci.ão *s* elderly.
Ân.co.ra *s* anchor.
An.co.ra.dou.ro *s* harbour; harbor; anchorage.
An.dar *v* to pace; to walk; to go; to move.
An.do.ri.nha *s* swallow; martin.
A.ne.do.ta *s* anecdote.
A.nel *s* ring.
A.ne.lar *v* to pine; to long for; to desire.
A.ne.lo *s* craving; desire; longing; yearning.
A.ne.xa.ção *s* annexation.
A.ne.xar *v* to annex; to join; to attach.
A.ne.xo *adj* joined; annexed.
An.fi.tri.ão *s* host.
An.ga.ri.ar *v* to attract; to entice; to solicit.
An.go.la.no *s* native of Angola.
An.gra *s* cove; small bay.

An.gús.tia *s* anxiety; affliction; anguish.
An.gus.ti.ar *v* to afflict; to anguish; to distress; to grieve.
A.ni.a.gem *s* coarse; made from cotton or another fabric or plant.
A.nil *s* anil; bluing; indigo.
A.ni.ma.ção *s* animation; enthusiasm; movement.
A.ni.mal *s* animal; BR POP an ignorant man.
A.ni.mar *v* to comfort; to put somebody up; to animate; to cheer; to stimulate.
A.ní.mi.co *adj* relative to the soul.
Â.ni.mo *s* animus; soul; courage.
A.ni.qui.lar *v* to destroy; to annihilate; to humiliate.
A.ni.ver.sá.ri.o *s* anniversary; birthday.
An.jo *s* angel.
A.no *s* year.
A.noi.te.cer *s* dusk; evening; nightfall; *v* to darken; to grow night.
A.no.ta.ção *s* note; annotation; notation.
A.no.tar *v* to annotate; to take notes.
An.sei.o *s* ardent desire; longing; anxiety.
Ân.sia *s* affliction; anxiety; strong desire.
An.ta *s* tapir.
An.ta.go.ni.zar *v* to antagonize.
An.ta.nho *adv* long ago; in the past.
An.te *prep* before.
An.te.bra.ço *s* forearm.
An.te.ce.dên.cia *s* antecedence; precedence.
An.te.ce.der *v* to antecede.
An.te.ces.sor *s* ancestors.
An.te.ci.pa.ção *s* anticipation.
An.te.mão *adv* beforehand.
An.te.na *s* antenna; spar.
An.te.no.me *s* forename; first name.
An.te.on.tem *adv* the day before yesterday.
An.te.pas.sa.do *s* forefather; ancestor; *adj* past; bygone.
An.te.por *v* to place before; to set before.
An.te.ri.or *adj* former; previous.
An.te.ri.or.men.te *adv* ago.
An.tes *adv* before; formerly; ago.
An.ti.ga.men.te *adv* anciently; formerly.
An.ti.go *adj* ancient; old; antique.
An.ti.gui.da.de *s* antiquity; ancient times.
An.tí.lo.pe *s* antelope.
An.ti.pa.tia *s* aversion; dislike; antipathy.
An.ti.qua.do *adj* archaic; out of date; oldfashioned.
An.tro *s* cavern; cave; hangout.
A.nu.al *s* yearly; annual.
A.nu.ên.cia *s* consent; acquiescence; agreement.
A.nu.ir *v* to approve; to agree; to acquiesce.
A.nu.la.ção *s* cancellation; annulment; abolition.
A.nu.lar *adj* annular; **dedo Anular:** ring-finger.
A.nu.lar *v* to annul; to destroy; to eliminate.
A.nun.ci.ar *v* to advertise; to announce; to inform.
A.nún.cio *s* advertisement; notice; sign.
An.ver.so *s* obverse.
An.zol *s* hook; fishhook.
Ao (a+o) *prep+art* at the; to the one; to the; for the; in the; by the; into the; to that.
A.on.de *adv* whence; to what place; where.
A.pa.dri.nhar *v* to be godfather to; to support.
A.pa.gar *v* to erase; to extinguish; to turn off the lamp.
A.pai.xo.na.do *adj* in love.
A.pai.xo.nar *v* to fall in love.
A.pal.par *v* to touch; to feel; to grope.
A.pa.nhar *v* to pick up; to catch; to seize.
A.pa.re.cer *v* to appear; to come round.
A.pa.re.lhar *v* to prepare; to fit out; to equip.
A.pa.re.lho *s* set; equipment; gear.
A.pa.rên.cia *s* garb; aspect; appearance.
A.pa.ren.ta.do *adj* kindred.
A.pa.ren.tar *v* to feign; to resemble.
A.pa.ren.te *adj* apparent; feigned; seeming.
A.pa.ri.ção *s* vision; apparition; ghost.
A.par.ta.men.to *s* apartment; division; ENGL flat.
A.par.tar *v* to separate; to divide; to grade.
A.par.te *adv* interruption; remark; aside.
A.par.te.ar *v* to interrupt.
A.pa.vo.rar *v* to scare; to frighten; to terrify.
A.pa.zi.guar *v* to pacify; to appease; to calm.
A.pe.ar *v* to drop; to dismount; to unhorse.
A.pe.dre.jar *v* to pelt; to throw stones on somebody; to insult.
A.pe.gar-se *v* to attach oneself; to cling to.
A.pe.la.ção *s* appeal; appealing.
A.pe.lar *v* to apply; to appeal; to resort.
A.pe.li.dar *v* to name; to nickname; to surname.
A.pe.lo *s* appeal.
A.pe.nas *adv* only; just.
A.per.fei.ço.a.men.to *s* perfecting; improving; improvement.
A.per.fei.ço.ar *v* to polish; to improve; to perfect.
A.pe.ri.ti.vo *s* appetizer; aperitif.
A.per.tar *v* to tie; to tighten; to afflict.
A.per.to *s* pressing; jam; difficult situation.
A.pe.ti.te *s* appetite; desire; ambition.
Á.pi.ce *s* apex; summit; top.
A.pi.e.dar-se *v* to have compassion for; to take pity on.
A.pi.men.tar *v* to pepper; to stimulate.
A.pi.nha.do *adj* crowded; agglomerate.
A.pi.nhar *v* to jam; to heap up; to crowd.
A.pi.tar *v* to whistle.
A.pi.to *s* whistle.
A.pla.nar *v* to smooth; to remove; to level.
A.plau.dir *v* to cheer; to clap; to applaud.
A.plau.so *s* clap; applause; acclamation.
A.pli.ca.do *adj* applied; diligent; studious.
A.pli.car *v* to affix; to apply.
A.po.ca.lip.se *s* Apocalypse, the last book of the Bible.
A.po.de.rar-se *v* to invade; to occupy.
A.po.dre.cer *v* to rot; to corrupt; to decay.
A.poi.ar *v* to support.

A.pó.li.ce *s* share; bond; policy; stock.
A.po.lo.gia *s* defence; apology.
A.pon.tar *v* to aim; to sharpen; to sight; to point out.
A.pós *prep* after; afterwards; since; *adv* after; afterward; after that.
A.po.sen.ta.do *adj* retired; pensioned off.
A.po.sen.tar *v* to retire; to pension off.
A.po.sen.to *s* room.
A.pos.sar *v* to master; to possess; to dominate.
A.pra.zí.vel *adj* charming; pleasing.
A.pre.ci.ar *v* to appreciate; to estimate.
A.pre.ço *s* account; estimation; consideration; esteem.
A.pre.en.der *v* to apprehend.
A.pren.der *v* to learn; to receive instruction.
A.pren.diz *s* novice; apprentice.
A.pre.sar *v* to capture; to arrest; to apprehend.
A.pre.sen.ta.ção *s* presentation; introduction.
A.pre.sen.tar *v* to introduce; to present; to show; to exhibit.
A.pres.sa.do *adj* hurried; hasty; in a hurry.
A.pri.mo.rar *v* to perfect; to improve.
A.pri.si.o.nar *v* to jail; to imprison; to arrest.
A.pro.fun.dar *v* to deepen; to sink.
A.pron.tar *v* to equip; to get ready.
A.pro.pri.ar *v* to appropriate.
A.pro.var *v* to approve; to commend.
A.pro.vei.tar *v* to enjoy; to apply.
A.pro.xi.ma.ção *s* approach; approximation.
A.pro.xi.mar *v* to approach; to approximate.
Ap.ti.dão *s* ability; aptness; aptitude.
Ap.to *adj* able; capable.
A.pu.nha.lar *v* to stab.
A.pu.par *v* to boo; to hiss at.
A.pu.rar *v* to prove; to clear up; to purify.
A.quá.rio *s* aquarium.
A.que.ce.dor *s* heater.
A.que.cer *v* to warm; to heat; to excite.
A.que.la *adj* that (she, it); *pron* that one (she, it); *also* Aquele.
A.quém *adv* beneath; below; less than.
A.qui *adv* here; herein; in this place.
A.qui.es.cên.cia *s* consent; agreement; acquiescence.
A.qui.es.cer *v* to consent; to agree.
A.qui.si.ção *s* purchase; acquisition.
Ar *s* air; wind; atmosphere.
Á.ra.be *s* the arabic language; *adj* Arabian; Arabic; Arab.
A.ra.do *s* plow.
A.ra.me *s* wire.
A.ra.nha *s* spider.
A.rar *v* to plow; to plough.
A.ra.ra *s* macaw.
Ar.bi.tra.gem *s* mediation; arbitration.
Ar.bi.trar *v* to arbitrate.
Ar.bí.trio *s* opinion; decision; will; arbitrament.
Ár.bi.tro *s* referee; arbiter.
Ar.bus.to *s* bush; shrub; arbuscle.
Ar.ca *s* ark; coffer.
Ar.ca.bou.ço *s* chest; skeleton; framework.
Ar.cai.co *adj* archaic.
Ar.ca.no *s* arcanum; *s* occult; mysterious.
Ar.car *v* to arch; to bow; to endeavour; to assume.
Ar.ce.bis.po *s* archbishop.
Ar.cho.te *s* torch.
Ar.co *s* arch; bow.
Arco-íris *s* rainbow.
Ar.der *v* to flame; to burn; to blaze.
Ar.di.do *adj* burnt; fermented; rancid.
Ar.dil *s* stratagem; trick.
Ar.di.lo.so *adj* tricky; artful; crafty.
Ar.dor *s* ardor; itch.
Ar.do.ro.so *adj* ardent; zealous.
Ár.duo *adj* hard; arduous.
A.re *s* are.
Á.rea *s* area.
A.re.al *s* sands; strand.
A.re.ar *v* to sand; to scour.
A.rei.a *s* sand.
A.re.jar *v* to air; to ventilate; to aerate.
A.res.ta *s* edge; corner.
Ar.gi.la *s* adobe; clay; argil.
Ar.go.la *s* ring; hoop.
Ar.gú.cia *s* astuteness; acuteness; acumen.
Ar.gui.ção *v* argumentation; inquiry.
Ar.guir *v* to argue; to accuse; to question.
Ar.gu.men.tar *v* to argue; to discuss.
Ar.ma *s* arm; weapon; gun.
Ar.ma.di.lha *s* snare; trap; pitfall.
Ar.má.rio *s* chest; closet; wardrobe.
Ar.ma.zém *s* store; shop; warehouse.
A.ro *s* ring; hoop.
A.ro.ma *s* scent; balm; fragrance.
Ar.qui.ban.ca.da *s* bleachers.
Ar.qui.pé.la.go *s* archipelago.
Ar.qui.te.tar *v* to built; to plan; to imagine.
Ar.qui.te.to *s* architect.
Ar.qui.var *v* to file; to shelve.
Ar.qui.vo *s* file; folder.
Ar.ra.bal.des *s* outskirts; suburbs; environs.
Ar.rai.ga.do *adj* fixed; rooted.
Ar.rai.gar *v* to fix; to root; to settle down.
Ar.ran.car *v* to drag; to pull out; to pluck out; to dig up.
Ar.ra.nha-céu *s* skyscraper.
Ar.ra.nhar *v* to scratch.
Ar.ran.jar *v* to dispose; to arrange; to settle.
Ar.ran.jo *v* ordering; order; arrangement; BR POP connivance.
Ar.ra.sar *v* to ruin; to demolish; to destroy.
Ar.ras.tar *v* to trail; to drag; to haul.
Ar.re.ba.tar *v* to grab; to snatch; to pull; to ravish.
Ar.re.bi.ta.do *adj* pert; turned-up.
Ar.re.ca.dar *v* to collect.
Ar.re.di.o *s* solitary; retired.

Ar.re.don.dar *v* to round.
Ar.re.do.res *s* surroundings; neighborhood.
Ar.re.ga.çar *v* to roll up.
Ar.rei.o *s* harness; adornment.
Ar.re.li.a *s* worry; trouble; vexation.
Ar.re.ma.tar *v* to hoe; to conclude.
Ar.re.mes.sar *v* to hurl; to throw; to cast away.
Ar.re.me.ter *v* to dash at.
Ar.re.pen.der-se *v* to rue; to repent; to be sorry.
Ar.re.pen.di.men.to *s* sorrow; repentance.
Ar.re.pi.ar *v* to frighten; **Arrepiar-se:** to shiver.
Ar.re.pi.o *s* gooseflesh; chill; shiver.
Ar.ris.car *v* to risk; to venture.
Ar.ro.gân.cia *s* arrogance.
Ar.roi.o *s* brook; rill; streamlet.
Ar.ro.ja.do *adj* daring; fearless; bold.
Ar.ro.jar *v* to hurl; to drag; to trail; to cast.
Ar.rom.bar *v* to break down; to burst.
Ar.ro.tar *v* to brag; to belch; to boast.
Ar.roz *s* rice.
Ar.ru.a.ça *s* tumult; mess; riot.
Ar.ru.i.nar *v* to destroy; ruin; to demolish; to damage.
Ar.ru.lho *s* lullaby; coo.
Ar.ru.mar *v* to tidy; to put in order; to arrange.
Ar.te *s* art; skill; craft; artifice.
Ar.te.lho *s* toe.
Ar.té.ria *s* artery.
Ar.tí.fi.ce *s* artisan; craftsman.
Ar.ti.fi.ci.al *adj* artificial.
Ar.ti.fí.cio *s* skill; trick; artifice; craft.
Ar.ti.ma.nha *s* fraud; stratagem.
Ar.tis.ta *s* artist.
Ár.vo.re *s* tree.
Ás *s* ace.
A.sa *s* wing; lug; handle.
As.cen.dên.cia *s* origin; ascendance.
As.co *s* aversion; gorge; disgust.
As.fal.tar *v* to asphalt.
As.fal.to *s* asphalt.
A.si.la.do *adj* given asylum; cared for.
As.nei.ra *s* nonsense; folly; silliness.
As.no *s* a dunce; ass; FIG stupid person.
As.pas *s* inverted commas; quotation marks.
As.pec.to *s* aspect; expression; air.
Ás.pe.ro *adj* rough; severe; harsh.
As.pi.ra.dor *s* suction pump; aspirator.
As.pi.rar *v* to inhale; to aspirate; to breathe.
As.sa.do *s* roasted; baked.
As.sal.tar *v* to assault; to rob.
As.sa.nhar *v* to irritate; to incite; to anger.
As.sar *s* to burn; to roast; to bake.
As.sas.si.nar *v* to murder; to kill.
As.sas.si.na.to *s* murder; killing.
As.saz *adv* enough; sufficiently.
As.se.ar *v* to clean.
As.se.di.ar *v* to importune.
As.sé.di.o *s* harassment.
As.se.gu.rar *v* to assure; to assert; to affirm.
As.sei.o *s* cleanliness; neatness.
As.se.me.lhar *v* to make similar; to resemble.
As.sen.tar *v* to seat; to place; to fix.
As.sen.to *s* rump; seat; buttocks.
As.ses.sor *s* adviser; aide; assessor.
As.se.ve.rar *v* to asseverate; to affirm.
As.si.dui.da.de *s* perseverance; diligence.
As.sí.duo *adj* frequent; constant; diligent.
As.sim *adv* thus; so; in this way.
As.si.mi.lar *v* to absorb; to assimilate.
As.si.na.do *adj* signed.
As.si.na.lar *v* to mark; to signalize.
As.si.nar *v* to sign
As.si.na.tu.ra *s* signature.
As.sis.tên.cia *s* audience; attendance; aid; assistance.
As.sis.tir *v* to be present; to attend.
As.so.bi.ar *v* to hoot at; to whistle.
As.so.ci.a.ção *s* society; association; partnership.
As.su.mir *v* to assume; to take on.
As.sun.to *s* matter; subject.
As.sus.tar *v* to frighten.
As.te.ca *s* Aztec; *adj* aztec.
As.te.ris.co *s* asterisk.
As.tro *s* star.
As.tú.cia *s* slyness; sagacity; cunning.
A.ta *s* a book that registers what happened in a meeting.
A.ta.car *v* to attack.
A.ta.lho *s* short cut; bypass; byway.
A.ta.que *s* attack; assault; insult; aggression.
A.tar *v* to tie; to fasten.
A.ta.re.fa.do *adj* occupied; busy.
A.ta.ú.de *s* coffin; casket.
A.ta.vi.ar *v* to trim; to adorn; to attire.
A.té *prep* until; up till; till; *adv* still; even.
A.te.ar *v* to inflame; to stir up; to fire.
A.ten.ção *s* attention; care; respect.
A.ten.der *v* to pay attention; to attend.
A.ten.tar *v* to mind; to consider; to attack.
A.te.nu.a.ção *s* diminution; attenuation.
A.te.nu.ar *v* to attenuate; to diminish.
A.ter.rar *v* to frighten; to terrify; to land.
A.ter.ris.sar *v examine* ⇒ **Aterrizar.**
A.ter.ri.za.gem *s* landing; landfall; *also* Aterrissagem.
A.ter.ri.zar *v* to land an airplane.
A.ter.ro *s* embankment.
A.ter.ro.ri.zar *v* to terrify.
A.ter-se *v* to stick to.
A.tes.tar *v* to attest; declare; to certify.
A.tin.gir *v* to reach; to attain.
A.ti.rar *v* to shoot; to throw.
A.ti.tu.de *s* posture; position; attitude.
A.tle.ta *s* athlete.
A.to.lei.ro *s* swamp; FIG disgrace.
A.tô.ni.to *adj* amazed; astonished; surprised.
A.tor *s* actor.
A.tor.men.tar *v* to torture; to torment.

A.tra.ção *s* magnetism; appeal; attraction.
A.tra.car *v* to moor; to land; to dock.
A.tra.en.te *adj* charming; attractive.
A.trai.ço.ar *v* to betray; to double-cross.
A.tra.ir *v* to attract; to draw to; to entice.
A.tra.pa.lhar *v* to bother; to trouble.
A.trás *adv* behind; before; back; ago.
A.tra.sa.do *adj* backward; late; delayed.
A.tra.vés *adv* across; transversally; through; *prep* across; through.
A.tra.ves.sa.do *adj* oblique; FIG restless; illhumored.
A.tra.ves.sar *v* to cross.
A.tre.lar *v* to harness.
A.tre.ver-se *v* to dare; to risk; to venture.
A.tri.bui.ção *s* competence; attribution.
A.tri.to *s* friction; attrition.
A.tro.ci.da.de *s* cruelty; outrage; atrocity.
A.tro.pe.lar *v* to trample on.
A.troz *adj* atrocious; cruel.
A.tu.al *adj* present; current.
A.tu.ar *v* to act.
A.tum *s* tunny fish.
A.tu.rar *v* to support; to bear.
A.tur.dir *v* to amaze; to deafen.
Au.dá.cia *s* audacity; courage.
Au.di.ção *s* hearing.
Au.di.ên.cia *s* audience; session.
Au.ge *s* pinnacle; summit; apogee.
Au.gu.rar *v* to presage; to augur.
Au.la *s* class; classroom.
Au.men.tar *v* to enlarge; to increase; to augment; to amplify.
Au.ra *s* aura; gentle breeze.
Au.ro.ra *s* aurora; dawn.
Au.sên.cia *s* absence; lack of.
Au.ten.ti.car *v* to certify; to attest.
Au.to.mó.vel *s* car; automobile.
Au.tor *s* author; creator.
Au.to.ri.zar *v* to empower; to authorize; to permit; to warrant; to grant.
Au.xi.li.ar *v* to assist; to aid.
A.ve *s* bird; fowl.
A.ven.ca *s* fern.
A.ven.tu.rar *v* to risk; to hazard; to venture.
A.ve.ri.guar *v* to check; to investigate.
A.ves.so *adj* adverse; averse; contrary.
A.ves.truz *s* ostrich.
A.vi.a.men.to *s* preparation; execution.
A.vi.ão *s* aircraft; aeroplane; airplane; avion.
A.vil.tar *v* to vilify; to degrade; to dishonor.
A.vi.sar *v* to inform; to advice; to warn; to beware.
A.vi.so *s* notice; warning; advice.
A.vis.tar *v* to sight; to see.
A.vô *s* grandfather; grandpa.
A.vó *s* grandmother; grandmama; grandma.
A.xi.la *s* armpit; axilla; axil.
A.za.lei.a *s* azalea.
A.zar *s* adversity; bad luck.
A.ze.dar *v* to sour; to embitter.
A.zei.te *s* oil; olive-oil.
A.zei.to.na *s* olive.
A.zi.a *s* heartburn; stomach acidity.
Á.zi.mo *adj* azymic; unleavened.
A.zul *adj* blue.
A.zu.le.jo *s* tile.

b B

B *s* the second letter of the Portuguese alphabet and of the English alphabet.
Ba.ba *s* slime; drool; *s* nanny; maid.
Ba.ba.dor *s* bib.
Ba.bar *v* to drivel; to slaver; to slobber.
Ba.bel *s* Babel tower; FIG tumult.
Ba.bo.sei.ra *s* silliness; slobber; nonsense.
Ba.ca.lhau *s* codfish; cod.
Ba.ca.lho.a.da *s* prepared stew with cod.
Ba.ca.na *adj* GÍR BR cool or handsome or rich person.
Ba.ca.nal *s* orgy; bacchanal.
Ba.cha.re.lar *v* to receive the degree of bachelor; to prattle; to babble.
Ba.ci.a *s* basin; MED the pelvic cavity.
Ba.ço *s* MED spleen.
Ba.da.lar *v* to ring; to blab; to ring.
Ba.de.jo *s* name of several kinds of fish.
Ba.der.na *s* revelry; tumult.
Ba.du.la.que *s* trash; cosmetic; junk.
Ba.fa.fá *s* dispute; uproar; tumult; confusion.
Ba.fe.jar *v* to exhale; to blow softly.
Ba.fo *s* exhalation.
Ba.fo.ra.da *s* blow of cigarette smoke, etc.
Ba.ga.gei.ro *s* luggage rack.
Ba.ga.gem *s* luggage; baggage.
Ba.go *s* grain; GÍR BR testicle.
Ba.gre *s* catfish.
Ba.gu.lho *s* grapestone; GÍR BR ugly person.
Ba.gun.ça *s* disorder; mess; tumult.
Ba.ia *s* stall.
Ba.í.a *s* bay; harbor; harbour.
Bai.ão *s* MÚS BR popular folk music and dance.
Bai.lar *v* to dance.
Ba.i.nha *s* scabbard.
Ba.i.o *s* fur horse (hair, leather) brown clear.
Baio.ne.ta *s* bayonet.
Bai.rris.mo *s* to love in excess to the neighborhood where lives, municipal district, borough etc.
Ba.ir.ro *s* neighborhood.
Ba.i.ta *adj* GÍR BR huge.
Ba.i.u.ca *s* little tavern; canteen.
Ba.i.xa *s* decrease; abatement; dismissal from service.
Ba.i.xar *v* to come down; to decrease.
Ba.i.xe.la *s* tableware; silverwares.
Ba.i.xe.za *s* vileness; inferiority.
Ba.i.xi.nho *adj* GÍR BR person of low stature; *adv* to speak whispering.
Ba.i.xo *s* low; short; cheap.
Ba.i.xo.te *adj* rather low.
Ba.ju.la.ção *s* adulation; flattery; toadyism.
Ba.ju.lar *v* to toady; to flatter; to cajole.
Ba.la *s* bullet; shot; BR candy; sweet.
Ba.la.da *s* ballad; ballade, pop song; GIR night party.
Ba.lan.ça *s* balance; scale.
Ba.lan.çar *v* to swing; to rock; to balance.
Ba.lan.ce.a.men.to *s* balancing.
Ba.lan.ce.te *s* COM balance sheet.
Ba.lan.ço *s* a toy that goes forward and back; COM balance sheet.
Ba.lan.drau *s* overcoat; mantle; large cape.
Ba.lan.gan.dã *s* trinket.
Ba.lão *s* balloon.
Ba.lar *v* to bleat or to cry as a sheep.
Ba.la.ús.tre *s* baluster.
Bal.bu.ci.ar *s* to stutter; to babble; to stammer.
Bal.búr.dia *s* disorder; confusion; tumult.
Bal.cão *s* balcony; counter.
Bal.co.nis.ta *s* BR clerk.
Bal.de *s* pail; bucket.
Bal.de.a.ção *s* transfer.
Bal.de.ar *v* to decant; to transfer the travelleres from one bus, train, car or underground (subway) to another.
Bal.dio *s* fallow land; uncultivated ground; *adj* fallow; uncultivated.
Ba.le.ar *v* to reach, to hurt with a revolver bullet.
Ba.le.ia *s* whale; baleen; FIG BR fat person.
Ba.le.la *v* BR GIR lie; fib.
Ba.lir *v* to bleat; to baa.
Ba.li.za *s* landmark.
Ba.li.zar *v* to demarcate; to buoy.
Bal.ne.á.rio *s* balneae.
Ba.lo.fo *adj* puffy; fluffy.
Bal.sa *s* ferry boat; raft; small raft.
Bál.sa.mo *s* balsam; balm.

Bal.za.qui.a.na *adj* it is said of the woman that is 30 years old more or less, in reference to the romance of Honoré de Balzac.
Bam.ba *adj* GÍR BR it is said of an intelligent person, a true ace.
Bam.bu *s* bamboo; cane; reed.
Ba.nal *adj* banal; commonplace; trivial.
Ba.na.li.zar *v* to render trivial.
Ba.na.na *s* banana.
Ba.na.ne.i.ra *s* banana tree; banana plant.
Ban.ca *s* desk; table; lawyer's office.
Ban.car *v* to pretend.
Ban.da.gem *s* bandage; compress.
Ban.da.lhei.ra *s* vileness; lowness.
Ban.dei.ra *s* banner; flag; standard.
Ban.dei.ran.te *s* BR scout; name given to the Portugueses and Brazilians that did expeditions to capture people (Indian) and to discover gold, diamonds etc., for the centuries 16, 17 and 18.
Ban.dei.ri.nha *s* little flag; ESP FUT linesman.
Ban.de.ja *s* tray; salver.
Ban.di.do *s* gangster; robber; bandit.
Ban.do *s* group; crew; gang; band.
Ban.do.lim *s* MÚS mandolin (instrument).
Ba.nha *s* fat.
Ba.nhar *v* to bathe.
Ba.nhei.ra *s* bathtub.
Ba.nhei.ro *s* bathroom.
Ba.nho *s* bath.
Ba.ni.do *s* outlaw; *adj* banished, outlawed.
Ba.nir *v* to expatriate; to deport; to banish.
Ban.que.ta *s* small bench.
Ban.que.te.ar *v* to banquet; to feast.
Ban.zé *s* disturbance; disorder; riot.
Ba.que.ar *v* to tumble down; almost to faint.
Bar *s* bar; saloon; tavern; public house.
Ba.ra.lho *s* pack of cards; deck of cards.
Ba.ra.ta *s* cockroach.
Ba.ra.te.ar *v* to reduce price.
Ba.ra.to *adj* inexpensive; cheap.
Bar.ba *s* beard; **fazer a barba:** to shave.
Bar.ban.te *s* string; packingthread.
Bar.ba.ri.da.de *s* barbarity; absurdity.
Bár.ba.ro *adj* barbarous; savage; cruel.
Bar.ba.ta.na *s* fin of a fish; whalebone.
Bar.be.ar *v* to shave.
Bar.be.a.ri.a *s* barbershop.
Bar.bei.ra.gem *s* it is said of the maneuver badly done or of mistakes when driving a car.
Bar.bei.ro *s* barber; BR insect that transmits the disease of Chagas; BR GÍR terrible driver.
Bar.bi.cha *s* goatee.
Bar.bu.do *s* full-bearded.
Bar.ca *s* ferryboat; bark.
Bar.co *s* boat; vessel; ship.
Bar.ga.nha *s* exchange; trade; dicker.
Bar.ga.nhar *v* to bargain; to exchange; to dicker.
Bar.quei.ro *s* boatman; ferryman.
Bar.ra *s* bar; beam; BR final part of the fabric of the pants; GÍR something very difficult of doing or anything that causes mess or problem.
Bar.ra.ca *s* hut; shanty.
Bar.ra.cão *s* shack; shed.
Bar.ra.co *s* shanty; hut; shack.
Bar.ra.cu.da *s* barracuda (fish).
Bar.ran.co *s* ravine.
Bar.rar *v* to bar; to obstruct.
Bar.rei.ro *s* muddy land.
Bar.ren.to *adj* muddy.
Bar.re.te *s* night-cap; bastion.
Bar.ri.ca *s* cask; keg.
Bar.ri.ga *s* belly.
Bar.ri.gu.do *adj* with a very big belly.
Bar.ril *s* barrel; cask; keg.
Bar.ro *s* clay; muddy.
Ba.ru.lhei.ra *s* uproar; din.
Ba.ru.lho *s* uproar; noise.
Bas.cu.lan.te *s* inclinable.
Ba.se *s* base; support; background.
Ba.se.a.do *adj* based; supported; BR GÍR marijuana cigarette.
Ba.se.ar *v* to base; to establish.
Ba.se.bol *s* baseball.
Bá.si.co *adj* basic; fundamental; *also* **Basilar**.
Ba.sí.li.ca *s* basilica; main church.
Bas.que.te.bol *s* basketball.
Bas.ta! *interj* stop!; shut up!
Bas.tan.te *adv* enough; quite.
Bas.tão *s* stick; cane; baton.
Bas.tar *v* to suffice; to be enough.
Bas.ti.dor *s* back stage.
Ba.ta *s* dressing gown.
Ba.ta.lha *s* battle; combat; fight.
Ba.ta.lhar *v* to fight; to battle.
Ba.ta.ta *s* potato; **Batata-doce:** sweet potato; Batata-frita: french fries.
Bate-boca *s* BR POP altercation; quarrel.
Ba.te.dor *s* scout; BR POP **Batedor de carteira:** pickpocket.
Ba.ten.te *s* doorpost.
Bate-papo *s* chit-chat; chat.
Ba.ter *v* to beat; to streak; to knock.
Ba.te.ri.a *s* battery.
Ba.te.ris.ta *s* drummer.
Ba.ti.da *s* beating; collision.
Ba.tis.mo *s* baptism.
Ba.ti.za.do *s* baptism.
Ba.ti.zar *v* to baptize.
Ba.tom *s* lipstick.
Ba.tu.ca.da *s* BR sound of percussion instruments (drums) done by several people.
Ba.tu.car *v* BR to drum (to play percussion instrument, creating the necessary rhythm to the Brazilian samba); POP to speak repeatedly.
Ba.tu.que *s* name given to the afro-brazilian rhythm.
Ba.tu.ta *s* POP expert; intelligent; MÚS baton.

Ba.ú *s* trunk; chest; ark.
Ba.zar *s* bazaar.
Ba.zu.ca *s* bazooka.
Be.a.ta *s* bigot, devout person.
Be.a.ti.fi.car *v* to beatify.
Bê.ba.do or Bê.be.do *adj* drunk; drunken.
Be.bê *s* baby.
Be.be.dou.ro *s* drinking fountain.
Be.ber *v* to drink.
Be.ber.rão *s* drunkard.
Be.bi.da *s* beverage; drink.
Be.ca *s* gown.
Be.ça *s* too much; a lot.
Be.co *s* alley.
Be.del *s* beadle.
Be.de.lho *s* lad; boy.
Be.ge *adj* beige.
Bei.ça *s* POP pout.
Bei.ci.nho *s* small lip.
Bei.ço *s* lip.
Bei.çu.do *adj* thick-lipped.
Beija-flor *s* hummingbird.
Bei.jar *v* to kiss.
Bei.jo *s* kiss.
Bei.jo.ca *s* smack; kiss.
Bei.jo.quei.ro *adj* smooching.
Bei.ju *s* a delicacy type done with tapioca.
Bei.ra *s* border; brink; brim; edge.
Bei.ra.da *s* border; eaves; margin; edge.
Bei.rar *v* to edge.
Be.la *s* beautiful woman.
Bel.da.de *s* beauty.
Be.le.za *s* beauty.
Bel.ga *s* Belgian.
Be.li.che *s* bunk.
Be.lis.cão *s* nip; pinch.
Be.lis.car *v* to pinch; to nip.
Be.lo *s* beauty; beautiful.
Bel-prazer *s* free will.
Bel.tra.no *s* so-and-so.
Bem *s* good; *adv* well.
Be.mol *s* MÚS flat.
Bên.ção *s* benediction; blessing.
Ben.di.to *adj* blessed.
Ben.di.zer *v* to praise; to bless.
Be.ne.fi.cên.ci.a *s* beneficence; charity.
Be.ne.fi.cen.te *adj* charitable; beneficent.
Be.ne.fi.ci.a.do *adj* beneficiary; *s* beneficiary.
Be.ne.fi.ci.ar *v* to better; to improve.
Be.ne.fí.cio *s* benefit; *adj* advantageous.
Be.ne.vo.lên.cia *s* benevolence; goodness.
Be.ne.vo.len.te or Be.né.vo.lo *adj* kind; benign.
Ben.fa.ze.jo *adj* beneficent.
Ben.fei.tor *s* benefactor.
Ben.ga.la *s* cane.
Be.nig.no *adj* mild; indulgent; benign.
Ben.ja.mim *s* BR socket.
Bens *s* property.
Ben.to *adj* blessed; sacred.
Ben.zer *v* to bless.
Be.que *examine* ⇒ **Zagueiro**.
Ber.çá.rio *s* nursery.
Ber.ço *s* cradle.
Be.rin.je.la *s* aubergine; eggplant.
Ber.lin.da *s* carriage; BR to be very exposed.
Ber.rar *v* to bellow; to bawl; to scream.
Be.sou.ro *s* horn-beetle; beetle.
Bes.ta *s* beast, pack-animal; blockhead.
Bes.tei.ra *s* foolishness; nonsense.
Bes.ti.fi.car *v* to become stupid.
Be.sun.tar *v* to grease.
Be.ter.ra.ba *s* beet.
Be.xi.ga *s* MED bladder; BR MED smallpox.
Be.zer.ro *s* calf.
Bí.blia *s* Bible.
Bi.bli.o.te.ca *s* library.
Bi.ca *s* spout.
Bi.car *v* to peck.
Bi.cha *s* worm; leech; GÍR gay; fag.
Bi.cha.do *adj* maggoty.
Bi.cha.no *s* kitty.
Bi.cha.ra.da *s* a bunch of animals.
Bi.cho *s* animal; bug.
Bi.ci.cle.ta *s* bicycle; bike; cycle.
Bi.co *s* beak; GÍR BR temporary job.
Bi.co.ta *s* BR smack.
Bi.cu.do *adj* beaked.
Bi.e.la *s* MEC connecting rod.
Bi.fe *s* beefsteak; steak.
Bi.go.de *s* moustache; mustache.
Bi.gor.na *s* anvil; ANAT small bone of the ear.
Bi.ju.te.ri.a *s* trinkets; jewelry.
Bi.lhar *s* billiard; billiard table.
Bi.lhe.te *s* note; ticket.
Bí.lis *s* bile; gall.
Bi.ná.rio *adj* binary.
Bi.nó.cu.lo *s* binocular.
Bio.gra.far *v* to elaborate a biography.
Bi.om.bo *s* screen (a furniture that divides atmospheres).
Bí.pe.de *adj* biped.
Bi.quei.ra *s* extremity.
Bi.qui.nho *s* small beak.
Bir.ra *s* whim; anger.
Bi.ru.ta *s* device done of cloth.
Bis *adv* bis, twice; *interj* encore.
Bi.sar *v* to encore.
Bis.avô *s* great-grandfather.
Bis.avó *s* great-grandmother.
Bis.bi.lho.tar *v* to snoop; to peer.
Bis.bi.lho.tei.ro *s* snooper.
Bis.ca.te *s* odd job; GIR whore.
Bis.coi.to *s* biscuit; USA cracker.
Bis.na.ga *s* tube.
Bis.ne.ta *s* great-granddaughter.
Bis.ne.to *s* great-grandson.

Bi.so.nho *adj* shy; inexperienced.
Bis.po *s* bishop.
Bis.sex.to *adj* bissextile.
Bis.tu.ri *s* scalpel; bistoury.
Bi.to.la *s* standard measure; gauge.
Bi.to.lar *v* to gauge.
Bi.zar.ro *adj* gallant; bizarre; strange.
Blas.fe.mar *v* to blaspheme.
Blas.fê.mia *s* blasphemy.
Ble.far *v* to bluff.
Blin.da.gem *s* screening.
Blin.dar *v* to armor.
Blo.co *s* block.
Blo.que.ar *v* to blockade; to bar.
Bloqueio *s* blockade; blockage.
Blu.sa *s* blouse.
Blu.são *s* blouse.
Bo.a *s* a kind of snake (serpent); *adj* good.
Boa-noite *s* good-night.
Boa-sorte *interj* good luck!
Boa-vida *s* loafer, idler.
Boas-vindas *s* welcome.
Bo.a.to *s* rumour; rumor.
Bo.ba.gem *s* nonsense; foolishness.
Bo.ba.lhão *s* great fool; silly; idiot.
Bo.be.ar *v* to miss out.
Bo.bei.ra *s* silliness.
Bo.bi.ce *s* silliness, foolishness.
Bo.bi.nar *v* to coil; to spool.
Bo.bo *s* jester; buffoon; jerk.
Bo.ca *s* mouth.
Bo.ca.do *s* mouthful; morsel; bit.
Bo.cal *s* socket; MÚS mouthpiece.
Bo.çal *adj* stupid; rude.
Bo.ce.jar *s* to yawn; to gap.
Bo.ce.jo *s* yawn; gape.
Bo.ce.ta *s* little box; jewel box.
Bo.che.cha *s* cheek.
Bo.che.char *v* to wash the mouth; to gargle.
Bo.che.cho *s* mouthwash.
Bo.có *adj* foolish; stupid.
Bo.das *s* wedding anniversaries.
Bo.de *s* goat.
Bo.ê.mio *s* bohemian.
Bo.fe.ta.da *s* slap.
Bo.fe.tão *s* great slap in the face.
Bo.fe.te *s* slap.
Bo.i *s* ox.
Bo.i.a *s* buoy; chow; GÍR BR food.
Bo.i.a.da *s* herd of cattle; drove.
Bo.i.a.dei.ro *s* cowboy.
Bo.i.ar *v* to float.
Bo.i.co.tar *v* to boycott.
Bo.i.co.te *s* boycott.
Boi.na *s* beret; cap.
Bo.jo *s* salience.
Bo.la *s* ball; sphere.
Bo.la.cha *s* biscuit; cracker; cookie.
Bo.la.da *s* a lot of money.
Bo.lar *v* BR to perceive; to plan.
Bo.lei.a *s* BR cockpit on a truck.
Bo.le.ro *s* bolero, a musical rhythm for to dance and to sing.
Bo.le.tim *s* bulletin.
Bo.le.to *s* ticket.
Bo.lha *s* blister; bubble.
Bo.li.che *s* bowling.
Bo.li.nho *s* little cake.
Bo.lo *s* cake; cupcake.
Bol.sa *s* handbag; pouch; purse.
Bol.so *s* pocket; wrinkle.
Bom *adj* good; kind.
Bom.ba *s* bomb.
Bom.bei.ro *s* fireman.
Bo.na.chão *s* good-natured; *adj* kind; friendly.
Bon.da.de *s* goodness; benevolence.
Bon.de *s* trolley car; streetcar.
Bon.do.so *adj* kind; benevolent.
Bo.né *s* cap.
Bo.ne.ca *s* doll; puppet.
Bo.ni.fi.car *v* to give bonus.
Bo.ni.te.za *s* prettiness; beauty.
Bo.ni.to *adj* fine; pretty; handsome.
Bô.nus *s* bonus; bond.
Bo.quei.rão *s* wide opening; mouth of river, see or canal.
Bo.qui.nha *s* little mouth.
Bor.bo.le.ta *s* butterfly.
Bor.bu.lhar *v* to bubble; to boil.
Bor.da *s* edge; border.
Bor.da.do *s* embroidery.
Bor.dar *v* to embroider.
Bor.do.a.da *s* knock; crash.
Bor.la *s* tassel.
Bo.ro *s* boron.
Bo.ro.co.xô *adj* GÍR BR weak; coward.
Bor.ra.cha *s* rubber; eraser.
Bor.ra.chei.ro *s* BR person who repairs tires.
Bor.ra.cho *s* drunkard; *adj* drunkard.
Bor.ra.chu.do *s* stilt; mosquito.
Bor.rão *s* blot; stain.
Bor.rar *s* to stain; to soil.
Bor.ras.ca *s* storm; gale.
Bor.ri.far *v* to spray; to sprinkle.
Bos.que *s* woods; forest; grove.
Bos.sa *s* bump; POP talent.
Bos.ta *s* dung, animal excrement; shit.
Bo.ta *s* boot.
Bo.tão *s* button.
Bo.tar *v* to put; to set; to place.
Bo.te *s* boat.
Bo.te.co *s* public house; small pub; *also* **Botequim**
Bo.ti.ca *s* drugstore; pharmacy.
Bo.ti.cão *s* tooth extractor.
Bo.ti.cá.rio *s* druggist.
Bo.ti.na *s* boot.

Bo.to *s* kind of dolphin.
Bo.xe.a.dor *s* boxer; pugilist.
Bra.ça.dei.ra *s* tieback.
Bra.ce.le.te *s* bracelet; bangle.
Bra.ço *s* arm.
Bra.dar *v* to cry out; to shout.
Bra.mi.do *s* roar; shout.
Bra.mir *v* to roar; to bellow.
Bran.ca *s* white (feminin form).
Bran.co *s* white.
Bran.da.men.te *adv* softly.
Bran.do *s* gentle; soft; mild.
Bran.du.ra *s* blandness.
Bran.que.ar *v* to bleach.
Bra.sa *s* ember.
Bra.sei.ro *s* brazier.
Bra.si.lei.ro *s and adj* brazilian.
Bra.va.ta *s* brag; boast.
Bra.va.te.ar *v* to boast; to brag.
Bra.ve.za *s* fury; ferocity; savagery.
Bravio *adj* untamed; savage; wild; fierce.
Bra.vo! *interj* bravo!
Bra.vu.ra *s* bravery, courage, heroism.
Bre.car *v* to brake.
Bre.cha *s* gap; rift.
Bre.jo *s* swamp; bog; marsh.
Bre.que *s* brake.
Bre.tão *adj* Breton.
Breu *s* pitch.
Bre.ve *adj* short; rapid; *adv* soon; shortly.
Bre.ve.men.te *adv* briefly; soon; shortly.
Bre.vi.da.de *s* briefness.
Bri.ga *s* quarrel; fight; wrangle.
Bri.gar *v* to fight.
Bri.lhan.te *s* bright; brilliant.
Bri.lhar *v* to shine; to glitter.
Bri.lho *s* brilliance; radiance; brightness.
Brim *s* canvas.
Brin.ca.dei.ra *s* joke; fun; jest.
Brin.car *v* to play; to joke.
Brin.co *s* earring; jewel.
Brin.dar *v* to toast.
Brin.de *s* present; gift.
Brin.que.do *s* toy.
Bri.o *s* honour; pride.
Bri.sa *s* breeze.
Bri.tâ.ni.co *s* British; *adj* British.
Bro.a *s* bread of corn; cake.
Bro.ca *s* drill.
Bro.che *s* brooch.
Bron.co *adj* BR dull; stupid; rough.
Bron.ze *s* bronze; bearing.
Bron.ze.a.do *adj* tan.
Bron.ze.ar *v* to bronze; to tan.
Bro.tar *v* to sprout; to bud.
Bro.ti.nho *s* BR young; teen person; a small bud.
Bro.to.e.ja *s* prickly heat.
Bro.xa *s* painter's brush.
Brus.ca.men.te *adj* abruptly; roughly.
Brus.co *adj* rude; sudden; rough.
Bru.tal *adj* brutal; savage, cruel; coarse.
Bru.ta.li.zar *v* to brutalize.
Bru.ta.mon.tes *s* savage; brute.
Bru.to *adj* brute; rough; savage.
Bru.xa *s* witch; sorceress.
Bru.xa.ri.a *s* sorcery; witchcraft.
Bru.xo *s* wizard; sorcerer.
Bru.xu.le.ar *s* to flicker.
Bu.cha *s* wad; scourer.
Bu.cho *s* name of the stomach of some animals; BR paunch; GÍR a very ugly person.
Bu.có.li.co *adj* bucolic; pastoral
Bu.ei.ro *s* culvert.
Bú.fa.lo *s* buffalo.
Bu.far *v* to puff; to snort.
Bu.gi.ga.nga *s* trinket; bauble.
Bugio *s* monkey.
Bu.gre *s* indian; FIG rough person.
Bu.jão *s* plug.
Bu.le *s* teapot; coffeepot.
Búl.ga.ro *s* bulgarian; *adj* bulgarian.
Bu.lha *s* noise; confusion.
Bu.lhar *v* to quarrel; to fight.
Bu.lir *v* to move; to stir.
Bum.bo *s* drum.
Bu.ra.co *s* hole; cavity.
Bur.bu.ri.nho *s* murmur; buzz.
Bur.guês *s* citizen; burgher.
Bu.ril *s* burin; stone chisel.
Bu.ri.lar *v* to cute; to incise.
Bur.lar *v* to trick; to mock.
Bu.ro.cra.cia *s* bureaucracy.
Bu.ro.cra.ta *s* bureaucrat.
Bur.ra *s* BR safe; strong box; GIR silly woman.
Bur.ro *s* donkey; ass; *adj* silly; stupid.
Bus.ca *s* search.
Bus.car *v* to seek; to search.
Bús.so.la *s* compass.
Bus.to *s* bust; torso; breast.
Bu.zi.na *s* automobile horn.
Bu.zi.nar *v* to honk.

c C

C *s* the third letter of the English alphabet and of the Portuguese alphabet.
Cá *adv* here.
Ca.bal *adj* complete; full.
Ca.ba.na *s* cottage; cot; hut.
Ca.be.ça *s* head; mind.
Ca.be.ça.lho *s* headline; foreword.
Ca.be.çu.do *adj* FIG headstrong.
Ca.be.lo *s* hair.
Caber *v* to suit; to fix; to fit.
Ca.bi.de *s* hanger.
Ca.bi.na *s* cockpit.
Ca.bo *s* extremity; cape.
Ca.bo.clo *s* a person who descends from brazilian Amerindian and white European.
Ca.bo.ti.no *s* exhibitionist; traveling comedian.
Ca.bra *s* female goat.
Ca.bres.to *s* halter.
Ca.bri.to *s* baby goat.
Ca.ça *s* hunt; pursuit; chase.
Ca.çar *v* to hunt; to chase; to pursue.
Ca.ca.re.cos *s* junk; trash.
Ca.ca.re.jo *s* cluck.
Ca.ça.ro.la *s* casserole; saucepan.
Ca.cau *s* cocoa.
Ca.ce.ta.da *s* BR action of beating on the head; POP beat of automobiles.
Ca.ce.te *s* stick; bludgeon; club.
Ca.cha.ça *s* BR alcoholic drink done with cane of sugar.
Ca.che.a.do *adj* curly, wavy.
Ca.che.col *s* scarf; stole.
Ca.chim.bo *s* pipe.
Ca.cho.ei.ra *s* falls; cataract.
Ca.chor.ra *s* female canine; *also* **Cadela**.
Ca.chor.ro *s* dog; canine.
Ca.chum.ba *s* mumps.
Ca.ci.fe *s* a sum to be won.
Ca.ci.que *s* cacique; boss.
Ca.co *s* shard; bit.
Ca.ço.ar *v* to jest; to jeer; to mock.
Ca.co.e.te *s* habit (shake nervous).
Ca.çu.la *s* youngest child.
Ca.da *adj* every; each.
Ca.dar.ço *s* thread to tie shoes.
Ca.das.tro *s* cadaster; cadastre; dossier.
Ca.dá.ver *s* cadaver; corpse.
Ca.de.a.do *s* padlock.
Ca.dei.a *s* chain; gaol; penitentiary; jail.
Ca.dei.ra *s* chair; seat.
Ca.den.ci.ar *v* to cadence.
Ca.den.te *adj* cadent; shooting; falling.
Ca.der.ne.ta *s* passbook of a bank; notebook.
Ca.der.no *s* copybook; notebook.
Cá.di *s* a judge among Turks, Arabs etc.
Ca.du.car *v* to become decrepit; to grow old.
Ca.du.ceu *s* caduceus, symbol of mercury (ancient divinity).
Ca.du.co *adj* caducous; decrepit; senile; aged.
Ca.fa.jes.te *s* a shrimp; vulgar person; boor.
Ca.fé *s* coffee; café.
Ca.fe.zi.nho *s* small cup of black coffee.
Ca.fu.né *s* caress.
Cai.ar *v* to whitewash.
Cãi.bra *s* cramp; kink; crick; *also* **Cãimbra**.
Cai.pi.ra *s* yokel; hillbilly.
Ca.ir *s* to fall; to relapse; drop.
Ca.is *s* quay; pier; wharf; dock.
Cai.xa *s* box; chest; case; cashier.
Cai.xão *s* coffin; bin; box; case.
Ca.ju *s* cashew-nut; cashew.
Cal *s* whitewash.
Ca.la.bou.ço *s* prison; jail.
Ca.la.fri.o *s* shiver.
Ca.lão *s* jargon; slang.
Ca.lar *v* to hush; to silence.
Cal.ça.da *s* walkway; pavement.
Cal.ça.dei.ra *s* shoehorn; bootjak.
Cal.ça.do *s* footwear; shoe; boots.
Cal.ca.nhar *s* heel; heelpiece.
Cal.ção *s* breeches; shorts; trunks.
Cal.çar *v* to shoes; to pave; to wedge.
Cal.car *v* to tread; to trace; to trample on.
Cal.ças *s* trousers; pants.

Cal.ço *s* wedge; shim.
Cal.cu.lar *v* to calculate.
Cál.cu.lo *s* calculation; computation.
Cal.do *s* soup; gravy; broth; juice.
Ca.le.jar *v* to be callous; to harden.
Ca.len.dá.rio *s* calendar; almanac.
Ca.lha *s* trough; gutter; trench.
Ca.lham.be.que *s* small coasting vessel; BR an old car.
Ca.lhar *v* to tally; to fit in; to square.
Ca.li.brar *v* to calibrate; to gauge.
Cá.li.ce *s* chalice; cup; wine-glass.
Ca.li.gra.fi.a *s* calligraphy; handwriting.
Cal.ma *s* calm; calmness; tranquillity.
Cal.mo *adj* calm; quiet; cool; serene.
Ca.lo *s* corn; callus; callosity.
Ca.lor *s* heat; warmth; hotness; FIG vivacity, animation.
Ca.lo.ta *s* hub cap; skull cap.
Ca.lo.te *s* swindle; bad debt.
Ca.lou.ro *s* neophyte; novice.
Ca.lú.ni.a *s* calumny; defamation; slander.
Ca.lu.ni.ar *v* to calumniate; to slander.
Cal.va *s* baldness; hairless scalp; *also* **Calvo**.
Cal.vá.rio *s* calvary.
Cal.ví.ci.e *s* baldness.
Cal.vi.nis.mo *s* RELIG Calvinism.
Ca.ma *s* bed; sack; bunk.
Câ.ma.ra *s* chamber; cabin; room in a house; town hall.
Ca.ma.ra.da *s* comrade; pal; companion; guy.
Ca.ma.rão *s* shrimp.
Ca.ma.rei.ra *s* chambermaid.
Ca.ma.rei.ro *s* chamberlain; valet.
Ca.ma.rim *s* cabinet; dressing room.
Ca.ma.ro.te *s* stateroom.
Cam.ba.la.cho *s* barter; fraud; trick; cheat.
Cam.ba.le.ar *v* to totter; to stagger.
Cam.ba.lho.ta *s* gambol.
Cam.be.ta *adj* bow-legged; lame; bow-leg.
Câm.bio *s* exchange.
Cam.bis.ta *s* exchange banker; BR seller of tickets of theatre, movies, plays, soccer etc.
Cam.bra.i.a *s* cotton cloths; cambric.
Ca.me.lo *s* camel.
Ca.mi.nha.da *s* walk; hike.
Ca.mi.nhão *s* lorry; camion; van; truck.
Ca.mi.nhar *v* to walk; to go.
Ca.mi.nho *s* way; route; road; path.
Ca.mi.sa *s* shirt.
Ca.mi.se.ta *s* undershirt; vest; singlet.
Ca.mi.so.la *s* camisole; nightdress.
Cam.pa.i.nha *s* bell.
Cam.peão *s* champion; champ.
Cam.po *s* camp; field.
Cam.po.nês *adj* rural, rustic; *s* countryman.
Ca.mu.fla.gem *s* camouflage; disguise.
Ca.mu.flar *v* to camouflage.
Ca.mun.don.go *s* mouse.
Ca.mur.ça *s* chamois.
Ca.na *s* cane; reed; BR jail; prison.
Ca.na.lha *s* infamous person; rabble; mob; *adj* infamous; vile.
Ca.na.li.zar *v* to canalize.
Ca.na.pé *s* settee.
Can.ção *s* song; air.
Can.ce.la *s* barred gate; gate; wicket.
Can.ce.lar *v* to cancel, annul or destroy; to abolish.
Cân.cer *s* ASTRL Cancer.
Ca.ne.ca *s* cannikin.
Ca.ne.la *s* cinnamon; shin; shinbone.
Ca.ne.ta *s* pen; penholder.
Can.ga.cei.ro *s* bandit; outlaw.
Can.go.te *s* POP nape.
Câ.nha.mo *s* hemp.
Ca.nhão *s* cannon (gun).
Ca.nho.to *s* left-hander.
Ca.ni.ço *s* reed; fishing rod.
Ca.nil *s* kennel.
Ca.ni.no *s* canine tooth.
Ca.ni.ve.te *s* penknife; pocketknife.
Can.ja *s* chicken soup.
Can.ji.ca *s* hominy.
Ca.no *s* pipe; tube; conduit.
Ca.no.a *s* canoe.
Ca.no.ni.zar *v* to canonize.
Can.sa.ço *s* tiredness; weariness.
Can.sar *v* to tire; to weary.
Can.sei.ra *s* fatigue; weariness.
Can.ta.dor *s* singer.
Can.tar *v* to sing; to croon; BR POP to flirty; to seduce somebody.
Cân.ta.ro *s* jar; jug.
Can.ta.ro.lar *v* to hum; to croon.
Can.tei.ro *s* quarryman; stonecutter.
Can.ti.ga *s* ballad; ode.
Can.til *s* flask.
Can.to *s* song.
Can.tor *s* singer; crooner.
Ca.nu.do *s* tube; pipe.
Cão *s* dog.
Ca.o.lho *adj* cross-eyed; cockeyed.
Ca.os *s* chaos; anarchy.
Ca.ó.ti.co *adj* chaotic; anarchic.
Ca.pa *s* cape; cover.
Ca.pa.ce.te *s* helmet.
Ca.pa.ci.tar *v* to enable; to capacitate.
Ca.pan.ga *s* BR bodyguard; gangster.
Ca.par *v* to castrate; to geld.
Ca.pa.taz *s* foreman.
Ca.paz *adj* capable; able.
Ca.pe.la *s* chapel; shrine.
Ca.pen.ga *adj* lame.
Ca.pe.ta *s* BR GIR the devil.

Ca.pim *s* grass.
Ca.pi.nar *v* to cut the grass.
Ca.pin.zal *s* grazing field.
Ca.pi.tal *s* capital; money; *adj* capital.
Ca.pi.tão *s* captain.
Ca.pí.tu.lo *s* chapter.
Ca.pô *s* bonnet; hood.
Ca.po.ei.ra *s* BR brazilian fight.
Ca.po.tar *v* to turn over (an auto); BR POP to sleep very quickly.
Ca.po.te *s* cloak; overcoat; rain coat.
Ca.pri.char *v* to perfect.
Ca.pri.cór.nio *s* ASTR Capricorn, the tenth sign of the zodiac.
Cáp.su.la *s* capsule; cartridge.
Cap.tar *v* to catch; to receive; to get.
Cap.tu.rar *v* to capture; to arrest; to prize.
Ca.puz *s* hood; calash; cowl.
Ca.qui *s* kaki.
Cá.qui *adj* khaki (color of fabric); drab-colored.
Ca.ra *s* face; look; aspect; man; guy.
Ca.ra.bi.na *s* rifle; carbine.
Ca.ra.col *s* caracole; curl; snail.
Ca.rac.te.res *s pl* characters; charactery.
Ca.rac.te.ri.zar *v* to characterize; to distinguish.
Ca.ram.ba *interj* fie!
Ca.ra.me.lo *s* caramel; toffee; taffy.
Ca.ra.mu.jo *s* periwinkle.
Ca.ran.gue.jo *s* crab; ASTR Cancer.
Ca.rá.ter *s* character.
Car.bo.ná.rio *s* member of an anti-French secret society of the 19th century.
Car.bu.ra.dor *s* carburettor.
Car.ca.ça *s* carcass; body; skeleton.
Cár.ce.re *s* gaol; jail; prison.
Car.dá.pio *s* menu.
Car.du.me *s* shoal; FIG crowd.
Ca.re.ca *s* baldness; bald man; *adj* bald; balding.
Ca.re.cer *v* to lack; to need; to want.
Ca.rên.cia *s* lack; need; want.
Ca.re.ta *s* grimace; mask.
Car.ga *s* load; burden; freight; cargo.
Car.go *s* function; office; charge.
Car.guei.ro *s* cargo ship.
Ca.ri.a.do *adj* carious; decayed.
Ca.ri.ca.tu.rar *v* to caricature.
Ca.rí.cia *s* caress; fondness; fondling.
Ca.ri.da.de *s* charity; pity; mercy.
Cá.rie *s* caries; decay; tooth decay.
Ca.rim.bar *v* to seal; to stamp.
Ca.rim.bo *s* seal; stamp.
Ca.ri.nho *s* love; fondness; affection; caress.
Ca.ri.o.ca *s* BR born in Rio de Janeiro city.
Ca.ris.ma *s* charisma.
Car.ne *s* flesh; meat.
Car.ne.gão *s* the part lasts of certain tumors.
Car.nei.ro *s* sheep; ram.
Car.ni.ça *s* decayed meat; carrion, offal.
Ca.ro *adj* dear, loved; expensive; *adv* dearly; expensively.
Ca.ro.chi.nha *s* fairy story; legend.
Ca.ro.ço *s* seed.
Ca.ro.na *s* POP hitchhiker.
Car.pin.ta.ria *s* carpentry; carpenter's shop.
Car.ra.pa.to *s* tick.
Car.ras.co *s* hangman; executioner.
Car.re.ar *v* to cart; to drive.
Car.re.gar *v* to load; to carry.
Car.rei.ra *s* run; race; career.
Car.re.ta *s* cart; truck; wagon.
Car.re.tel *s* bobbin; coil; reel; spool.
Car.re.to *s* freight charge; cartage; portage.
Car.ro *s* cart; car; automobile.
Car.ta *s* letter; card; map.
Car.tão *s* card.
Car.taz *s* bill; poster; billboard; FIG popularity; fame.
Car.tei.ra *s* desk; notebook; wallet; pocketbook; BR driver's licence.
Car.tei.ro *s* postman; mailman.
Car.ti.lha *s* primer.
Car.to.la *s* top hat; BR directors of the clubs of soccer.
Car.to.li.na *s* cardboard.
Car.to.man.te *s* fortune-teller; fortuneteller.
Car.tu.chei.ra *s* cartridge holder.
Car.tu.cho *s* cartridge.
Car.va.lho *s* oak.
Car.vão *s* coal.
Ca.sa *s* house; home; residence; **Casa da Moeda:** mint.
Ca.sa.ca *s* dress-coat.
Ca.sa.co *s* coat; jacket.
Ca.sa.do *adj* married; wedded.
Ca.sal *s* couple; married couple; partner.
Ca.sa.men.to *s* marriage; wedding.
Ca.sar *v* to marry.
Cas.ca *s* peel; skin.
Cas.ca.lho *s* gravel; pebble-stones.
Cas.ca.ta *s* cascade; waterfall.
Cas.ca.vel *s* zoo viper.
Cas.co *s* cask (ship bottom, of boat etc.).
Ca.se.bre *s* shack.
Ca.si.mi.ra *s* cashmere; soft; cassimere.
Ca.so *s* case; event; occurrence.
Cas.pa *s* scurf; furfur; dandruff.
Cas.sar *v* to annul; to repeal; to quash.
Cas.se.te.te *s* club; billy club.
Cas.si.no *s* casino; gambling house.
Cas.ta.nha *s* chestnut; chignon.
Cas.ta.nho *adj* brown colored.
Cas.te.lo *s* castle; fort; fortification.
Cas.ti.çal *s* candlestick.
Cas.ti.da.de *s* chastity; continence.
Cas.ti.gar *v* to chastise; to punish.
Cas.ti.go *s* chastisement; punishment.

Cas.tor *s* castor; beaver.
Cas.trar *v* to geld; to castrate; to emasculate.
Ca.su.al *adj* chance; casual; fortuitous.
Ca.su.a.li.da.de *s* hazard; accident; fortuity.
Ca.su.lo *s* cocoon; husk; cod; chrysalis; boll.
Ca.ta.lo.gar *v* to catalogue; to catalog.
Ca.tá.lo.go *s* catalogue; index; file.
Ca.ta.po.ra *s* chicken-pox.
Ca.tar *v* to look for; to search; to catch.
Ca.ta.ra.ta *s* cataract; waterfall; BR eye's disease.
Ca.tar.ro *s* catarrh; sputum.
Ca.tás.tro.fe *s* catastrophe; disaster.
Ca.ta.ven.to *s* weather-cock; weathercock.
Ca.te.drá.ti.co *s* a university teacher; professor.
Ca.te.go.ri.a *s* category; class; rank.
Ca.te.qui.za.ção *s* catechizing.
Ca.te.qui.zar *v* to catechize; to instruct.
Ca.tin.ga *s* stink; avarice; rankness.
Ca.tin.gar *v* to stink.
Ca.ti.var *v* to captivate; to charm.
Ca.ti.vei.ro *s* captivity; prison; bondage.
Ca.tó.li.co *s* catholic; *adj* catholic.
Cau.ção *s* bail; security; guarantee.
Cau.sa *s* cause; ground; lawsuit; case.
Cau.sa.li.da.de *s* causality.
Cau.sar *v* to cause; to induce; to occasion.
Cau.te.la *s* caution; prudence; care.
Cau.te.ri.zar *v* to cauterize; to burn; to fire.
Ca.va *s* digging; hole.
Ca.va.co *s* sliver; chat; chip.
Ca.va.do *adj* hollowed; dug out; excavated.
Ca.va.lei.ro *s* knight; rider.
Ca.va.le.te *s* easel; rack; trestle; frame.
Ca.val.ga.du.ra *s* mount; beast; BR FIG a rude person.
Ca.val.gar *v* to ride; to jump.
Ca.va.lhei.ro *s* gentleman; *adj* noble; gentlemanly; gallant.
Ca.va.lo *s* horse.
Ca.va.nha.que *s* goatee.
Ca.va.qui.nho *s* small acoustic guitar.
Ca.var *v* to dig; to excavate; to hoe.
Ca.vei.ra *s* skull; skeleton head.
Ca.ver.na *s* cavern; cave.
Ca.vi.da.de *s* cavity; hole; hollow.
Ca.xum.ba *s* mumps; parotitis.
Ce.ar *v* to have dinner; to have supper.
Ce.a.ren.se *s* BR native or inhabitant of the state of the Ceará.
Ce.bo.la *s* onion (plant).
Ce.der *v* to yield; to cede; to submit; to agree; to assent.
Ce.di.nho *adv* very early; quite soon.
Ce.do *adv* early; soon.
Cé.du.la *s* bank note; schedule; bill.
Ce.gar *v* to blind.
Ce.go *s* blind; *adj* blind.
Ce.go.nha *s* stork.
Cei.a *s* supper.
Cei.far *s* to reap; to harvest; to crop.
Ce.le.brar *v* to celebrate; to solemnize.
Cé.le.bre *adj* celebrated; renowned; famous.
Ce.le.bri.da.de *s* celebrity; fame; renown.
Ce.lei.ro *s* granary; barn.
Ce.le.ri.da.de *s* celerity; quickness; speed.
Ce.les.te *adj* celestial; heavenly; *also* **Celestial**.
Ce.leu.ma *s* alarm; uproar; row.
Ce.li.ba.to *s* celibacy; bachelorhood.
Ce.men.tar *v* to cement.
Ce.mi.té.rio *s* cemetery; graveyard.
Ce.na *s* scene; sight.
Ce.ná.rio *s* scenery; setting.
Ce.nou.ra *s* carrot.
Cen.so *s* census.
Cen.su.rar *v* to censure; to blame; to criticize.
Cen.tei.o *s* rye.
Cen.te.lha *s* spark; sparkle; flash of fire.
Cen.to *s* a hundred.
Cen.tra.li.zar *v* to center; to centralize; to concentrate.
Cen.trar *v* to center.
Cen.tro *s* centre; center.
Ce.ra *s* wax; cerumen
Cer.ca *s* fence; hedge; *adv* nearly; about.
Cer.car *v* to enclose; to surround; to fence.
Cer.ce.ar *v* to pare; to clip; to restrain.
Cer.da *s* bristle.
Ce.re.al *s* cereal; grain; corn; *adj* cereal; grain.
Cé.re.bro *s* brain; cerebrum; FIG intelligence.
Ce.re.ja *s* cherry.
Ce.ri.mô.nia *s* formality; ceremony.
Ce.rou.las *s* long underwear.
Cer.ra.ção *s* mist; fog; gloom.
Cer.rar *v* to close; to shut; to lock.
Cer.ta.me *s* contest; competition; debate.
Cer.ta.men.te *adv* sure; certainly; surely.
Cer.te.za *s* certainty; assurance; conviction.
Cer.ti.dão *s* certificate; affidavit.
Cer.ti.fi.car *v* to certify; to attest; to assure.
Cer.to *adj* certain; right; sure.
Cer.ve.ja *s* malt; beer; ale.
Cer.vo *s* stag; hart; deer.
Cer.zi.dei.ra *s* person that mends, darns clothes etc.
Cer.zir *v* to darn; to patch.
Ces.são *s* cession; transfer; release.
Ces.sar *v* to cease; to stop.
Ces.ta *s* basket; pannier; hamper.
Ce.tim *s* satin.
Ce.tro *s* scepter; sceptre.
Cé.u *s* sky; heaven; firmament.
Ce.va.da *s* barley.
Ce.var *v* to fatten; to glut; to lure; to feed.
Chá *s* tea.
Chá.ca.ra *s* small farm.
Cha.ci.nar *v* to kill, to butcher, to slaughter.

Cha.co.ta *s* jest; fun; jeer.
Cha.fa.riz *s* fountain.
Cha.fur.dar *s* to mire.
Cha.ga *s* ulcer; wound.
Cha.lé *s* chalet; cottage.
Cha.lei.ra *s* kettle; teapot.
Cha.ma *s* flame; blaze; fire.
Cha.mar *v* to call; to convoke; to name.
Cha.mi.né *s* chimney; funnel.
Cham.pa.nha *s* champagne (French wine).
Chan.ta.gis.ta *adj* blackmailer; extortionate.
Chão *s* ground; soil; floor.
Cha.pa *s* plate; slate; sheet.
Cha.pa.da *s* plateau; glade.
Cha.pe.la.ri.a *s* hat trade.
Cha.péu *s* hat; bonnet.
Char.co *s* muddy; swamp; marsh; bog.
Char.la.ta.ni.ce *s* charlatanism; quackery; *also* Charlatanismo.
Char.re.te *s* buggy.
Cha.ru.ta.ria *s* cigar shop; cigar store.
Cha.ru.to *s* cigar; cheroot.
Cha.te.ar *v* POP to bore; to weary; to bother, to annoy, to worry, to upset.
Cha.to *adj* flat; plain; level; tiresome; importune.
Cha.ve *s* key.
Che.fão *s* big-boss; bigwig.
Che.fe *s* chief; leader; master; head.
Che.fi.ar *v* to lead, to head.
Che.ga! *interj* enough! hold it!
Che.ga.do *adj* arrived; close; near; BR friend.
Che.gar *v* to arrive; to approach; to come.
Chei.o *adj* full; filled; occupied; plenty.
Chei.rar *v* to smell; to scent; to snuff.
Chei.ro *s* smell; odor; scent.
Che.que *s* check; cheque.
Chi.ar *v* to creak; to squeak; to wheeze.
Chi.ba.ta *s* wicker; rod; quirt; slender cane.
Chi.cle.te *s* chewing gum; gum.
Chi.có.ri.a *s* endive; chicory.
Chi.co.te *s* whip; horsewhip; quirt.
Chi.fre *s* horn; antler.
Chi.mar.rão *s* unsweetened mate tea.
Chi.ne.lo *s* slipper; carpet slipper.
Chi.que *adj* chic; stylish; smart.
Chi.quei.ro *s* pigpen; pigsty.
Chis.par *v* to sparkle; to throw off sparks.
Cho.ça *s* hut; hovel; shack.
Cho.ca.dei.ra *s* incubator; brooder.
Cho.ca.lho *s* cowbell; rattle; jingle.
Cho.car *v* to hatch; to offend; to shock; to hit.
Cho.co.la.te *s* chocolate; cocoa.
Cho.pe *s* draft beer; fresh beer from barrels.
Cho.que *s* shock; clash; collision.
Cho.ra.min.gar *v* to cry; to whimper.
Cho.rar *v* to weep; to mourn; to cry.
Cho.ro *s* weeping; tears; complaint.
Chou.pa.na *s* hut; shack.
Chou.ri.ço *s* smoked sausage.
Cho.ver *v* to rain; to pour.
Chu.chu *s* chayote.
Chu.lé *s* stink.
Chu.ma.ço *s* wadding; padding.
Chum.bar *v* to lead; to solder.
Chum.bo *s* lead; shot; sinker.
Chu.pa.da *s* sucking; suck.
Chu.par *v* to suck; to absorb; to draw; BR FIG to consume.
Chu.pe.ta *s* sucker; tube for liquids; pacifier.
Chur.ras.co *s* barbecue.
Chu.tar *v* to kick; BR to kick a ball in the soccer; POP to create, to invent; to take a risk; to lie.
Chu.te *s* kick.
Chu.tei.ra *s* BR soccer shoes.
Chu.va *s* rain; shower; rainfall.
Chu.vei.ro *s* shower bath.
Chu.vis.car *v* to mizzle; to drizzle.
Ci.ca.tri.zar *v* to heal; to scar.
Ci.ce.ro.ne *s* cicerone; guide.
Ci.clis.ta *s* cyclist.
Ci.clo.ne *s* cyclone; hurricane; whirlwind.
Ci.da.dão *s* citizen; city-dweller.
Ci.da.de *s* city; town.
Ci.ên.ci.a *s* science; knowledge; learning.
Ci.en.ti.fi.car *v* to advise; to notify.
Ci.frar *v* to cipher; to abridge.
Ci.ga.no *s* gypsy.
Ci.gar.ra *s* cicada; locust; buzzer.
Ci.gar.rei.ra *s* cigarette-case; cigarette case.
Ci.gar.ro *s* cigarette.
Ci.la.da *s* snare; trap; ambush.
Ci.ma *s* top; summit.
Ci.men.tar *v* to cement; to unite.
Ci.men.to *s* cement; groundmass.
Cin.co *s* five.
Ci.ne.ma *s* cinema; motion picture; film.
Cin.gir *v* to belt; to gird; to limit.
Cí.ni.co *adj* cynical; cynic.
Cin.ta *s* girdle; belt.
Cin.ti.lar *v* to scintillate; to sparkle.
Cin.to *s* belt; sash.
Cin.tu.ra *s* waist; waist line; belt.
Cin.za *s* ash; cinder; gray; grey.
Cin.zei.ro *s* ash-tray; ash bin; ashtray.
Cin.zel *s* chisel; chaser; burin.
Cin.zen.to *adj* grey; ashen; gray.
Ci.o *s* rut; rutting; heat.
Ci.pó *s* liana; liane; vine.
Ci.pres.te *s* cypress.
Ci.ran.da *s* screen; a popular child dance.
Cir.co *s* circus; cirque; ring.
Cir.cui.to *s* circuit; circle.
Cir.cu.lar *s* circular notice; *v* to circle; to move round; to circulate; *adj* circular.

Cír.cu.lo *s* circle; club; society; ring.
Cir.cun.ci.dar *v* to circumcise.
Cir.cun.ci.são *s* RELIG circumcision.
Cir.cun.dar *v* to surround; to encircle.
Cir.cun.fle.xo *adj* circumflex symbol (^).
Cir.cuns.pec.to *adj* cautious; circumspect.
Cir.cuns.tân.cia *s* event; circumstance.
Cis.co *s* dust; filth.
Cis.ma *s* schism; mania; fancy.
Cis.mar *v* to dream; to fancy; to muse; to mull.
Cis.ne *s* swan.
Cis.ter.na *s* cistern; water tank.
Ci.tar *v* to cite; to quote; to mention.
Cí.ta.ra *s* MÚS cithara; zither.
Ci.ú.me *s* jealousy.
Ci.vi.li.zar *v* to civilize.
Clã *s* clan; tribe.
Cla.mar *v* to cry out; to want; to complain.
Cla.mor *s* clamor; uproar; outcry.
Clan.des.ti.no *adj* clandestine.
Cla.ra *s* egg white; albumen.
Cla.re.ar *v* to make clear; to explain; to explain.
Cla.rei.ra *s* glade; clearing.
Cla.re.za *s* clearness; intelligibility.
Cla.ri.da.de *s* clarity; clearness; brightness.
Cla.rim *s* clarion; bugle.
Cla.ri.ne.ta *s* clarinet; clarionet; clarinetist.
Cla.ro *adj* clear; bright; light; evident.
Clas.se *s* class; rank.
Clás.si.co *adj* classical; classic; usual.
Clas.si.fi.car *v* to classify; to organize; to arrange.
Clau.di.car *v* to be lame; to limp; to hobble; FIG to commit a fault.
Cláu.su.la *s* clause; article; condition.
Cla.va *s* club; cudgel; bludgeon.
Cla.ve *s* MÚS clef; key.
Cle.mên.cia *s* clemency; mercy.
Cle.ro *s* clergy; ministry.
Cli.chê *s* cliché.
Cli.en.te *s* client; customer.
Cli.ma *s* clime; climate; weather.
Clí.ni.ca *s* clinic; hospital.
Clí.ni.co *s* physician; medical doctor; *adj* clinical.
Co.a.ção *s* coaction; duress; filtering.
Co.a.dor *s* strainer; filter bag; sieve.
Co.a.du.nar *v* to conciliate; to combine.
Co.a.gir *s* to coerce; to restrain; to force.
Co.a.gu.lar *v* to coagulate; to clot; to curdle.
Co.á.gu.lo *s* coagulum; clot; curd.
Co.a.lha.da *s* curdled-milk; clabber; yogurt.
Co.a.lhar *v* to curdle; to curd; to clot.
Co.a.lho *s* curd.
Co.a.li.zão *s* coalition; union; fusion.
Co.ar *v* to brew; to distill; to filter.
Co.ber.ta *s* covering; blanket; coverlet; FIG shelter; protection.
Co.ber.to *adj* covered; sheltered; hid; hidden.
Co.ber.tor *s* blanket.
Co.bi.ça *s* covetousness; greediness; greed.
Co.bi.çar *v* to covet; to long for, to crave.
Co.bra *s* snake; FIG a bad-tempered person.
Co.bran.ça *s* receiving; collecting.
Co.brar *v* to collect.
Co.bre *s* copper; FIG money.
Co.brir *v* to cover; to envelop; to clothe.
Cocada *s* coconut candy; FIG BR to beat with the head.
Co.çar *v* to scratch; to rub; to spank.
Có.ce.gas *s* tickling sensation; tickle.
Co.cei.ra *s* itch; itchiness; itching.
Co.chei.ra *s* coach-house; barn.
Co.chi.char *v* to whisper; to murmur.
Co.chi.lar *v* to doze; to slumber; to nod.
Co.cho *s* hod; trough.
Co.co *s* coconut; cocoanut; coco-palm.
Co.di.fi.car *v* to codify.
Co.dor.niz *s* quail; tinamou.
Co.e.lho *s* rabbit; coney; cony; bunny.
Co.er.ção *s* coercion; repression; constraint.
Co.er.ci.vo *adj* coercive; compulsory.
Co.e.rên.cia *s* coherence; logical way; coherency.
Co.e.rir *v* to cohere.
Co.e.são *s* cohesion; cohering.
Co.e.tâ.neo *adj* contemporary, contemporaneous.
Co.fre *s* coffer; chest; safe.
Cog.no.me *s* cognomen; surname; nickname.
Cog.no.mi.nar *v* to surname; to nickname.
Cog.nos.cí.vel *adj* knowable.
Co.gu.me.lo *s* mold; fungus; mushroom.
Co.i.bir *v* to repress; to restrain.
Coi.ce *s* kick; spurn; rear; heel.
Co.in.ci.dên.cia *s* coincidence.
Co.in.ci.dir *v* to coincide.
Co.i.o.te *s* coyote.
Co.i.sa *s* thing; matter; affair.
Co.i.ta.do *s* poor devil; *adj* poor; miserable.
Co.la *s* glue; gum; paste; trail.
Co.la.bo.rar *v* to collaborate.
Co.lap.so *s* collapse; breakdown.
Co.lar *s* necklace; collar; *v* to paste; to glue; to graduate.
Co.la.ri.nho *s* shirt collar.
Col.cha *s* bedspread; counterpane; coverlet.
Col.chão *s* mattress.
Col.che.te *s* clasp; hook.
Col.dre *s* holster.
Co.le.ci.o.nar *v* to collect; to assemble.
Co.le.ga *s* classmate; colleague; schoolmate.
Co.le.gi.al *s* collegian; student; school boy; *adj* collegial; collegiate.
Co.lé.gio *s* school; highschool.
Co.le.guis.mo *s* group spirit; solidarity.
Co.lei.ra *s* collar (for animals).
Co.lé.ri.co *adj* choleric; angry.
Co.le.tâ.nea *s* collectanea; anthology.

Co.le.tar *v* to collect; to tax; to assess.
Co.le.te *s* waistcoat; corset; vest.
Co.le.ti.vo *s* collective noun; street-car; bus; *adj* collective.
Co.lhei.ta *s* crop; harvest; picking.
Co.lher *s* spoon; **Colher de chá:** teaspoon; **Colher de sopa:** tablespoon; *v* to catch; to get.
Co.li.bri *s* hummingbird.
Co.li.dir *v* to collide; to clash.
Co.li.gar *v* to ally; to league.
Co.li.gir *v* to collect; to gather.
Co.li.mar *v* to aim at.
Co.li.na *s* hill.
Co.li.são *s* collision; crash; chock; conflict.
Col.mei.a *s* beehive; swarm.
Co.lo *s* lap; neck.
Co.lo.ca.ção *s* collocation; place; job; employment.
Co.lo.car *s* to put; to place; to employ.
Co.lô.nia *s* colony; settlement.
Co.lo.ni.zar *v* to colonize; to settle.
Co.lo.ra.ção *s* colouring; coloration.
Co.lo.rar *v* to color, to paint; to blush.
Co.lo.ri.do *adj* colorful; vivid; bright.
Co.lo.rir *v* to color; to paint; to blush.
Co.los.sal *adj* colossal; monumental; huge.
Co.lu.na *s* column; pillar; line.
Com *prep* with.
Co.man.do *s* order; commandment; command.
Co.mar.ca *s* district; county.
Com.ba.lir *v* to weaken; to impair; to shake.
Com.ba.ter *v* to combat; to fight; to battle.
Com.bi.nar *v* to combine; to settle; to agree.
Com.bo.iar *v* to convoy, to escort.
Com.bus.tí.vel *s* fuel; *adj* combustible.
Co.me.çar *v* to begin; to start; to initiate.
Co.mé.dia *s* comedy; play.
Co.me.di.do *adj* moderate; prudent.
Co.me.dir *v* to temper; to moderate; to restrain.
Co.me.mo.rar *s* to commemorate; to celebrate.
Co.men.su.rar *v* to measure; to compare.
Co.men.tar *v* to comment; to explain.
Co.mer *v* to eat.
Co.mer.ci.an.te *s* merchant; businessman; trader; *adj* business; trade.
Co.mer.ci.ar *v* to deal; to trade.
Co.mér.cio *s* trade; business; dealing.
Co.mes.tí.vel *adj* eatable; any food which can be eaten.
Co.me.ter *v* to commit; to perpetrate; to perform.
Co.mi.chão *s* itch.
Co.mí.cio *s* meeting; assembly.
Cô.mi.co *s* comedian; *adj* comical; comic; funny.
Co.mi.da *s* food; meals.
Co.mi.go *pron* with me.
Co.mi.lão *adj* glutton; gluttonous.
Co.mis.são *s* commission; percentage.
Co.mis.si.o.nar *v* to commission.
Comitê *s* committee.
Co.mi.ti.va *s* train; retinue; entourage.
Co.mo *conj* as; like; *adv* how.
Co.mo.ção *s* commotion; shock.
Cô.mo.da *s* dresser.
Co.mo.di.da.de *s* comfort; well-being.
Co.mo.ver *v* to touch; to disturb.
Com.pa.de.cer *v* to pity.
Com.pa.dre *s* godfather.
Com.pai.xão *s* compassion; pity; mercy.
Com.pa.nhei.ro *s* partner; companion; fellow.
Com.pa.nhia *s* company; fellowship.
Com.pa.rar *v* to compare; to liken; to parallel; **Comparar-se:** to match.
Com.pa.re.cer *v* to attend.
Com.par.sa *s* partner.
Com.par.ti.lhar *v* to share; to participate.
Com.pa.ti.bi.li.da.de *s* compatibility.
Com.pa.tí.vel *adj* compatible; suitable.
Com.pe.lir *v* to compel; to oblige; to force.
Com.pên.dio *s* compendium; abridgment.
Com.pe.ne.trar *v* to convince; to understand.
Com.pen.sar *v* to compensate; to indemnify.
Com.pe.tên.cia *s* competence; ability.
Com.pe.ti.ção *s* match; contest; game.
Com.pe.tir *v* to compete.
Com.pi.lar *v* to compile; to collect.
Com.pla.cên.cia *s* complacency; pleasure.
Com.ple.i.ção *s* constitution; complexion.
Com.ple.men.to *s* complement.
Com.ple.ta.men.te *adv* completely; quite.
Com.ple.tar *v* to complete; to conclude.
Com.ple.xo *s* complex; *adj* complex; complicated.
Com.pli.car *v* to complicate; to difficult.
Com.por *v* to compose; to compound.
Com.por.ta *s* dam; floodgate.
Com.por.ta.men.to *s* behavior
Com.por.tar *v* to behave.
Com.pos.tu.ra *s* composure; moderation.
Com.po.ta *s* compote; stewed fruit.
Com.pra *s* purchase; buying; shopping.
Com.prar *v* to buy; to purchase; to shop.
Com.pre.en.der *v* to understand.
Com.pre.en.sí.vel *adj* comprehensible; intelligible.
Com.pres.são *s* compression; pressure.
Com.pres.si.vo *adj* compressive; repressive.
Com.pri.do *adj* long; extended; lengthy.
Com.pri.men.to *s* length.
Com.pri.mi.do *s* tablet; *adj* compressed; pressed.
Com.pri.mir *v* to compress; to jam.
Com.pro.me.te.dor *adj* compromising.
Com.pro.me.ter *v* to compromise; to pledge; to promise.
Com.pro.mis.so *s* compromise; obligation; appointment.
Comprovar *v* to confirm; to ratify.
Compulsão *s* compulsion; coercion.

Com.pul.sar *v* to examine; to thumb.
Com.pun.ção *s* compunction; remorse.
Com.pun.gir *v* to touch; to move.
Com.pu.ta.ção *s* computation.
Com.pu.ta.dor *s* computer.
Com.pu.tar *v* to compute.
Co.mum *s* majority; vulgarity; people; *adj* common; public; ordinary.
Co.mun.gar *v* to commune.
Co.mu.ni.ca.ção *s* communication.
Co.mu.ni.car *v* to communicate; to impart; to tell; to transmit.
Co.mu.tar *v* to commute; to exchange.
Con.ca.te.nar *v* to concatenate; to connect; to link.
Con.ce.ber *v* to conceive; to realize.
Con.ce.der *v* to concede; to accord; to yield.
Con.cei.to *s* concept; idea.
Con.cei.tu.a.do *adj* esteemed; deemed; regarded.
Con.cei.tu.ar *v* to judge; to esteem; to deem.
Con.cen.trar *v* to concentrate; to centralize.
Con.cep.ção *s* conception; idea; concept.
Con.cer.to *s* MÚS concert.
Con.ces.são *s* grant; concession.
Con.cha *s* shell.
Con.ci.li.ar *v* to conciliate; to reconcile.
Con.cí.lio *s* council; covenant.
Con.ci.são *s* conciseness; concision; precision.
Con.ci.so *adj* concise; terse; brief.
Con.cla.mar *v* to clamor.
Con.clu.den.te *adj* conclusive.
Con.clu.ir *v* to conclude; to finish; to infer, to deduce.
Con.co.mi.tân.cia *s* concomitance; concurrence.
Con.co.mi.tan.te *adj* concomitant; simultaneous.
Con.cor.dân.cia *s* concordance; agreement.
Con.cor.dar *v* to conciliate; to agree; to accept.
Con.cor.de *adj* concordant; agreeing.
Con.cór.dia *s* concord; harmony; peace.
Con.cor.rer *v* to concur; to compete.
Con.cre.ti.za.ção *s* materialization.
Con.cre.ti.zar *v* to concrete; to make true.
Con.cu.bi.na *s* concubine; mistress.
Con.cu.pis.cên.cia *s* concupiscence; lust; ardent desire.
Con.cur.so *s* competition; contest.
Con.cus.são *s* concussion; shock; FIG extortion committed by public employee.
Con.da.do *s* county; shire.
Con.dão *s* privilege.
Con.de *s* earl.
Con.de.co.rar *v* to honour; to distiguish.
Con.de.nar *v* to condemn; to convict; to doom.
Con.den.sar *s* to condense; to concentrate.
Con.des.cên.cia *s* condescension.
Con.des.cen.der *v* to condescend; to comply; to acquiesce.
Con.di.ção *s* condition; restriction.
Con.di.ci.o.nar *v* to condition.
Con.dig.no *adj* condign; adequate; deserved.
Con.di.men.tar *v* to season; to flavor; to spice.
Con.di.men.to *s* condiment; spice.
Con.di.zer *v* to fit; to accord.
Con.do.er *v* to pity; to commiserate.
Con.do.lên.ci.a *s* condolence.
Con.dor *s* condor.
Con.du.ção *s* carriage; transportation.
Con.du.ta *s* conduct; behavior.
Con.du.to *s* conduit; pipe.
Con.du.zir *v* to lead; to guide; to transport.
Co.ne.xão *s* connection.
Con.fa.bu.la.ção *s* chat; chit-chat.
Con.fa.bu.lar *v* to chat; to confabulate.
Con.fec.ção *s* confection.
Con.fec.ci.o.nar *v* to make; to prepare.
Con.fei.tar *v* to make cakes; to make candies; to ice.
Con.fei.tei.ro *s* confectioner.
Con.fei.to *s* sweets; candies.
Con.fe.ren.ci.ar *v* to lecture.
Con.fe.rir *v* to confer; to check.
Con.fes.sar *v* to confess; to admit.
Con.fes.si.o.ná.rio *s* confessional.
Con.fi.an.ça *s* confidence; trust; reliance.
Con.fi.ar *v* to confide; to trust; to entrust; to rely.
Con.fi.dên.cia *s* confidence; secret.
Con.fi.gu.ra.ção *s* outline; configuration.
Con.fi.gu.rar *v* to configure; to form.
Con.fi.nar *v* to limit; to confine.
Con.fir.ma.ção *s* confirmation.
Con.fir.mar *v* to confirm; to ratify.
Con.fis.car *v* to confiscate.
Con.fis.co *s* arrest; confiscation.
Con.fis.são *s* confession; avowal.
Con.fla.grar *v* to burn; to rouse; to inflame.
Con.fli.to *s* conflict; contest; struggle.
Con.flu.ên.cia *s* confluence.
Con.flu.ir *v* to converge.
Con.for.mar *v* to conform; to adapt; to harmonize.
Conforme *adj* similar; alike; identical; *conj* as; according to; *prep* according to; *adv* in conformably; accordingly.
Con.for.mi.da.de *s* conformity.
Con.for.tar *v* to comfort; to console.
Con.for.tá.vel *adj* comfortable.
Con.for.to *s* comfort; solace; welfare.
Con.fra.ri.a *s* confraternity; brotherhood.
Con.fra.ter.ni.zar *v* to fraternize.
Con.fron.tar *v* to confront; to face.
Con.fun.dir *v* to mix; to confuse.
Con.fu.são *s* confusion; tumult.
Con.ge.la.dor *s* freezer.
Con.ge.lar *v* to congeal; to freeze.
Con.ges.tão *s* congestion.
Con.ges.ti.o.nar *v* to congest; FIG to provoke traffic jam.
Con.glo.me.ra.do *s* conglomerate, accumulated.

Con.glo.me.rar *v* to conglomerate; to gather.
Con.gra.çar *v* to reconcile; to harmonize.
Con.gra.tu.lar *v* to congratulate; to felicitate.
Con.gre.ga.ção *s* congregation; assembly; brotherhood.
Con.gre.gar *v* to congregate; to assemble.
Con.gru.ên.cia *adj* congruence; coherence.
Co.nha.que *s* cognac; brandy.
Co.nhe.cer *v* to know; to understand; to meet.
Co.nhe.ci.men.to *s* knowledge; skill; COM bill of land.
Co.ni.vên.cia *s* connivance; collusion.
Con.je.tu.rar *v* to conjecture; to guess.
Con.ju.gal *adj* conjugal; matrimonial; connubial.
Con.ju.gar *v* to conjugate.
Côn.ju.ge *s* consort (husband or wife).
Con.jun.ção *s* conjunction; union.
Con.jun.to *s* assemblage; group; collection; *adj* united; adjacent.
Con.jun.tu.ra *s* conjuncture; occasion.
Con.ju.rar *v* to conjure; to conspire.
Con.lui.ar *v* to collude; to connive; to cabal.
Co.nos.co *pron* with us; concerning us.
Co.no.ta.ção *s* connotation.
Con.quan.to *conj* although; though.
Con.quis.ta *s* conquest; achievement.
Con.quis.tar *v* to conquer; to subdue; to win.
Con.sa.grar *v* to consecrate; to devote.
Con.san.guí.neo *adj* consanguineous; akin.
Cons.ci.ên.cia *s* conscience; awareness.
Côns.cio *adj* conscious; aware.
Con.se.cu.ção *s* consecution; attainment.
Con.se.guin.te *adj* consequent; consecutive.
Con.se.guir *v* to obtain; to get; to acquire.
Con.se.lho *s* advice; counsel; council; assembly.
Con.sen.so *s* consensus; approval; assent.
Con.sen.ti.men.to *s* consent; approval; permission.
Con.sen.tir *v* to consent; to assent; to agree.
Con.se.quên.cia *s* consequence; result.
Con.se.quen.te.men.te *adv* thus; consequently.
Con.ser.tar *v* to mend; to repair; to fix.
Con.ser.to *s* mend; mending; repair.
Con.ser.va *s* conserve.
Con.ser.va.ção *s* conservation; preserving.
Con.ser.var *v* to conserve; to preserve; to keep.
Con.si.de.ra.ção *s* consideration; respect; regard.
Con.si.de.rar *v* to consider; to regard; to esteem.
Con.sig.na.ção *s* consignment.
Con.sig.nar *v* to consign; to entrust; to give on deposit.
Con.si.go *pron* with himself or with herself.
Con.sis.tên.cia *s* consistency; consistence.
Con.sis.ten.te *adj* consistent; solid.
Con.sis.tir *v* to consist.
Con.so.la.ção *s* consolation; relief; comfort.
Con.so.lar *v* to console; to comfort; to solace; to soothe.
Con.so.li.dar *v* to consolidate; to fund.
Con.so.nân.cia *s* consonance; harmony.
Con.sór.cio *s* partnership.
Con.sor.te *s* consort; partner; husband; wife.
Cons.pí.cuo *adj* conspicuous; notable.
Cons.pi.ra.ção *s* conspiracy; plot.
Cons.pi.rar *v* to collude; to conspire; to plot.
Cons.pur.car *v* to soil; to stain; to corrupt.
Cons.tân.cia *s* persistence; constancy.
Cons.tar *v* to consist.
Cons.ta.tar *v* to verify; to confirm; to find out.
Cons.ter.nar *v* to consternate; to distress; to dismay.
Cons.ti.pa.ção *s* constipation; POP cold.
Cons.ti.tu.i.ção *s* constitution; establishment.
Cons.ti.tu.in.te *s* constituent; *adj* constituent.
Cons.ti.tu.ir *v* to constitute; to form.
Cons.tran.ge.dor *adj* constraining.
Cons.tran.ger *v* to constrain; to compel.
Cons.tran.gi.men.to *s* constraint coercion.
Cons.tru.ção *s* construction; building.
Cons.tru.ir *v* to construct; to build.
Con.subs.tan.ci.ar *v* to consubstantiate.
Côn.sul *s* consul; diplomat.
Con.su.lar *adj* consular.
Con.su.len.te *s* consulter; consultant; *adj* consulting.
Con.sul.ta *s* consultation.
Con.sul.tar *v* to consult; to advise; to consider.
Con.sul.tó.rio *s* medical office.
Con.su.mar *v* to consummate; to complete; to finish.
Con.su.mi.dor *s* consumer; waster; *adj* consumptive; consuming.
Con.su.mir *s* to consume.
Con.ta *s* account; bill; amount; **tomar Conta:** look out; take care.
Con.tá.bil *adj* accounting; pertaining to bookkeeping.
Con.ta.bi.li.da.de *s* accounting; bookkeeping.
Con.ta.gi.ar *v* to contaminate; to infect.
Con.ta-go.tas *s* dropper.
Con.ta.m.inar *v* to contaminate; to defile.
Con.tar *v* to count; to number; to tell; to expect.
Con.ta.to *s* contact; touch.
Con.tem.pla.ção *s* contemplation.
Con.tem.plar *v* to contemplate; to meditate.
Con.tem.po.râ.neo *s* contemporary.
Con.tem.po.râ.neo *adj* contemporaneous; contemporary.
Con.tem.po.ri.za.ção *s* compliance; condescension.
Con.tem.po.ri.zar *v* to comply; to temporize.
Con.ten.ção *s* contention; restraint.
Con.ten.da *s* contention; altercation; quarrel.
Con.ten.ta.men.to *s* contentment; joy; pleasure.
Con.ten.tar *v* to content; to please; to be satisfied.
Con.ten.te *adj* contented; happy; glad.
Con.ten.to *s* satisfaction; contentment; content.
Con.ter *v* to contain; to include; to hold.

Con.ter.râ.neo *s* compatriot; fellow countryman; *adj* of the same country; compatriot.
Con.tes.ta.ção *s* contestation; dispute.
Con.tes.tar *v* to contest; to reply; to contradict.
Con.te.ú.do *s* content; matter; subject.
Con.tex.to *s* context; contexture.
Con.ti.do *adj* contained; included; enclosed.
Con.ti.go *pron* with you.
Con.ti.gui.da.de *s* contiguity; proximity; closeness.
Con.ti.nên.cia *s* continence; continency.
Con.ti.nen.te *s* continent; mainland.
Con.ti.nen.te *adj* continent.
Con.tin.gen.te *s* contingent; *adj* contingent.
Con.ti.nu.a.ção *s* continuation; extension.
Con.ti.nu.ar *v* to continue.
Con.to *s* shorty-story; **conto de fadas**: fairy tale.
Con.tor.cer *v* to contort; to distort; to twist.
Con.tor.nar *v* to contour.
Con.tor.no *s* circuit; contour; outline.
Con.tra *s* objection; obstacle; hindrance; *prep* against.
Con.tra.ba.lan.çar *v* to counterbalance.
Con.tra.ban.de.ar *v* to smuggle.
Con.tra.ban.do *s* contraband; smuggling.
Con.tra.ção *s* contraction; abridgment.
Con.tra.di.ção *s* contradiction.
Con.tra.di.tar *v* to contradict.
Con.tra.di.zer *v* to contradict; to deny; to refute.
Con.tra.fei.to *adj* constrained; upset.
Con.tra.gos.to *s* aversion; dislike; distaste.
Con.tra.in.di.ca.ção *s* contra-indication.
Con.tra.ir *v* to contract; to reduce.
Con.tra.por *v* to confront; to oppose.
Con.tra.ri.ar *v* to contradict; to oppose; to refute.
Con.tra.ri.e.da.de *s* contrariety; bother; annoyance.
Con.trá.rio *adj* contrary; adverse.
Con.tra.tar *v* to deal; to negotiate.
Con.tra.tem.po *s* reverse; accident.
Con.tra.to *s* contract; agreement.
Con.tra.ven.ção *s* contravention; violation; transgression.
Con.tri.bu.i.ção *s* contribution.
Con.tri.ção *s* contrition.
Con.tro.lar *v* to control.
Con.tro.le *s* control.
Con.tro.vér.sia *s* controversy.
Con.tro.ver.so *adj* controverted.
Con.tu.do *conj* nevertheless; however; yet.
Con.tu.má.cia *s* default; obstinacy.
Con.tu.maz *adj* contumacious; obstinate.
Con.tun.den.te *adj* contusing; bruising.
Con.tun.dir *v* to contuse; to bruise.
Con.tur.bar *v* to trouble; to agitate; to disturb.
Con.va.les.cen.ça *s* convalescence.
Con.va.les.cer *s* to convalesce; to recover.
Con.ven.ção *s* pact; convention; agreement.
Con.ven.cer *v* to convince; to persuade.
Con.ven.ci.o.nar *v* to agree; to stipulate; to covenant.
Con.ve.ni.ên.cia *s* convenience; fitness; advisability.
Con.vê.nios convention; pact; covenant.
Con.ven.to *s* convent; cloister; nunnery.
Con.ver.gên.cia *s* convergence; convergency.
Con.ver.sa *s* chatter; conversation; talk; chat; causerie; *also* **Conversação**.
Con.ver.são *s* conversion; change.
Con.ver.sar *v* to talk; to chat; to chatter.
Con.ver.sí.vel *adj* convertible.
Con.ver.ter *v* to convert; to change.
Con.vés *s* deck.
Con.ve.xo *adj* convex; rounded; bulgy.
Con.vic.ção *s* conviction; persuasion.
Con.vi.da.do *s* guest; *adj* invited.
Con.vi.dar *v* to invite; to bid; to tempt.
Con.vin.cen.te *adj* convincing.
Con.vir *v* to agree; to coincide; to suit.
Con.vi.te *s* invitation; bidding.
Con.vi.va *s* guest; commensal; banqueter.
Con.vi.vên.cia *s* sociability.
Con.vi.ver *v* to live together; to be sociable.
Con.ví.vio *s* sociability; society.
Con.vo.car *v* to convoke; to call up.
Con.vos.co *pron* with you.
Co.o.pe.ra.ção *s* cooperation.
Co.o.pe.rar *v* to cooperate.
Co.o.pe.ra.ti.va *s* cooperative society.
Co.or.de.na.ção *s* coordination.
Co.or.de.na.das *s* MAT coordinates.
Co.or.de.nar *v* coordinate.
Co.pa *s* cupboard; buffet; clump of a tree.
Có.pia *s* copy; abundance; imitation.
Co.pi.a.dor *s* copyist; copier.
Co.pi.ar *v* to copy; to transcribe; to imitate.
Co.pi.o.so *adj* copious; plentiful; profuse.
Co.po *s* glass.
Có.pu.la *s* copula; copulation.
Co.pu.lar *s* to copulate; to couple.
Co.quei.ro *s* coco-palm; cocoa.
Cor *s* tint; color.
Co.ra.ção *s* heart.
Co.ra.do *adj* red; rosy; blushing.
Co.ra.gem *s* courage; bravery; **Coragem!**: *interj* cheer up!
Co.ra.jo.so *adj* courageous; brave.
Co.ral *s* coral; BR coral (small snake).
Co.rar *v* to color; to dye; to bleach.
Cor.be.lha *s* basket; small basket.
Cor.ça *s* doe; hind; roe.
Cor.cel *s* steed; charger; courser.
Cor.ço *s* roebuck.
Cor.co.va *s* hump; hunch.
Cor.co.va.do *adj* humpbacked; humped.
Cor.co.var *v* to stoop, to bow.
Cor.cun.da *s* hunch; hump; hunchback.

Cor.da *s* rope; cord.
Cor.dão *s* twist; string; fillet.
Cor.da.to *adj* sage; wise; prudent.
Cor.dei.ro *s* lamb.
Cor.del *s* string; cord; twine.
Cor.di.al *adj* cordial; sincere; hearty.
Cor.di.a.li.da.de *s* cordiality; heartiness.
Cor.di.lhei.ra *s* chain; ridge of mountains.
Co.re.to *s* bandstand.
Co.ris.co *s* flash of lightning; spark.
Co.ris.ta *s* chorister; show girl; chorus girl.
Cor.ja *s* rabble; multitude; mob.
Cor.ne.ta *s* cornet; bugler; trumpet.
Cor.no *s* horn; antler; cornu.
Cor.nu.do *adj* horned; cornuted.
Co.ro *s* choir; chorus; choristers; chancel.
Co.ro.a *s* crown.
Co.ro.ar *v* to crown.
Co.ro.lá.rio *s* corollary; consequence.
Co.ro.nha *s* gunstock; butt.
Cor.po *s* body; person;.
Cor.po.ra.ção *s* corporation.
Cor.pu.len.to *adj* corpulent; hefty.
Cor.pús.cu.lo *s* corpuscle; corpuscule.
Cor.re.ção *s* correction; accuracy; editing.
Cor.re.dor *s* runner; racer; corridor; *adj* running.
Cór.re.go *s* ravine; stream; streamlet; brook.
Cor.re.i.a *s* leather strap; thong; rein; belt.
Cor.re.i.o *s* mail.
Cor.re.la.ci.o.nar *v* to correlate; to interrelate.
Cor.re.li.gi.o.ná.rio *s* coreligionist.
Cor.ren.te *adj* current; fluent; present.
Cor.ren.te.za *s* stream; current; flow.
Cor.rer *v* to run; to flow; to hurry.
Cor.re.ria *s* rush.
Cor.res.pon.dên.cia *s* letters; mail.
Cor.res.pon.der *v* to correspond.
Cor.re.ta.gem *s* brokerage.
Cor.re.to *adj* correct; right.
Cor.re.tor *s* broker.
Cor.ri.da *s* run; race.
Cor.ri.gir *v* to correct; to punish.
Cor.ri.mão *s* banister; rail; handrail.
Cor.ri.quei.ro *adj* vulgar; trivial; usual.
Cor.ro.bo.ra.ção *s* corroboration; confirmation.
Cor.ro.bo.rar *v* to corroborate; to confirm.
Cor.ro.er *v* to corrode; to waste.
Cor.rom.per *v* to corrupt; to debase.
Cor.ro.são *s* corrosion; wasting; erosion.
Cor.ro.si.vo *s* corrosive; *adj* caustic; corrosive.
Cor.rup.ção *s* depravity; subornation; corruption.
Cor.rup.to *adj* corrupt; dissolute; depraved.
Cor.sá.rio *s* corsair; pirate.
Cor.ta.do *adj* cut; banged; cleft.
Cor.tar *v* to cut; to intercept; to interrupt.
Cor.te *s* cut; gash.
Cor.te.jar *v* to court; to woo; to allure; to attract; to allure.
Cor.te.jo *s* attendance; procession; cortege.
Cor.tês *adj* courteous; civil; polite; gracious.
Cor.te.si.a *s* courtesy; gallantry.
Cor.ti.ça *s* cork.
Cor.ti.ço *s* hive; beehive; slum.
Cor.ti.na *s* curtain; screen.
Co.ru.ja *s* owl.
Cor.vo *s* raven; crow.
Co.ser *v* to sew; to stitch.
Cos.mé.ti.co *s* cosmetic; *adj* cosmetic.
Cós.mi.co *adj* cosmical; cosmic.
Cos.mo *s* cosmos; the universe.
Cos.ta *s* coast; shore; *pl* back; shoulders.
Cos.ta.do *s* broadside; flank.
Cos.te.ar *v* to coast; to skirt.
Cos.tei.ro *adj* coasting; coastal.
Cos.te.la *s* rib; BR FIG wife.
Cos.te.le.ta *s* cutlet; sideburns.
Cos.tu.me *s* custom; manner; usage; fashion.
Cos.tu.mei.ro *adj* usual; habitual.
Cos.tu.ra *s* seam; scar; sewing.
Cos.tu.rar *v* to sew; to seam.
Co.ta *s* quota.
Co.ta.ção *s* quotation; FIG credit.
Co.te.jar *v* to compare; to confront.
Co.te.jo *s* comparing; comparison; collation.
Co.ti.di.a.no *adj* quotidian; daily.
Co.to *s* stump.
Co.to.ve.lar *v* to nudge.
Co.to.ve.lo *s examine* ⇒ **Cúbito.**
Co.to.vi.a *s* lark; skylark.
Co.tur.no *s* sock; half boot; buskin.
Cou.ra.ça *s* armor plate.
Cou.ra.ça.do *s* battleship; *adj* armored.
Cou.ro *s* hide; leather; skin.
Cou.ve *s* kale; cole; **Couve-flor:** cauliflower.
Co.va *s* hole; ditch; pit; cave; grave; cavity.
Co.var.de *adj* coward; craven.
Co.var.di.a *s* cowardice.
Co.vei.ro *s* gravedigger.
Co.vil *s* den; lair; burrow.
Co.xa *s* thigh; haunch.
Co.xo *s* thigh; haunch.
Co.zer *v* to cook; to boil.
Co.zi.men.to *s* baking; boiling.
Co.zi.nha *s* kitchen.
Co.zi.nhar *v* to cook; to boil.
Crâ.ni.o *s* skull; cranium.
Cra.que *adj* competent.
Cra.se *s* grave accent.
Cras.so *adj* crass; thick; dense; coarse.
Cra.te.ra *s* crater; cup.
Cra.var *v* to rivet; to nail; to fix.
Cra.ve.jar *v* to nail; to rivet; to set precious stones.
Cra.vo *s* nail; spike.

Cre.che *s* nursery.
Cre.den.ci.al *s* credentials; *adj* credential.
Cre.di.tar *v* to credit.
Cré.di.to *s* credit; trust; credence.
Cre.do *s* creed; rule.
Cre.dor *s* creditor.
Cre.du.li.da.de *s* credulity.
Cré.du.lo *adj* credulous.
Cre.ma.ção *s* cremation; burning; incineration.
Cre.mar *v* to cremate; to incinerate.
Cre.ma.tó.rio *s* crematory.
Cre.me *s* cream; custard.
Cren.ça *s* belief; faith; conviction.
Cren.di.ce *s* absurd belief; superstition.
Cren.te *s* sectarian; believer; *adj* sectarian; believing.
Cre.pi.tar *v* to crepitate; to crackle.
Cre.pús.cu.lo *s* crepuscle; twilight; dusk.
Crer *v* to believe; to presume; to trust.
Cres.cen.te *adj* crescent; growing.
Cres.cer *v* to grow; to increase.
Cres.ci.men.to *s* growth; progress; increase.
Cres.par *v* to curl; to wave; to wrinkle.
Cres.po *adj* curled; curly; wavy.
Cres.tar *v* to toast; to burn; to singe.
Cre.ti.no *s* cretin; idiot; imbecile.
Cri.a *s* young horse; colt.
Cri.a.ção *s* creation; invention; livestock; cattle.
Cri.a.da *s* maid; servant.
Cri.a.do *s* servant; waiter.
Cri.an.ça *s* child; brat.
Cri.an.ci.ce *s* childish manners.
Cri.ar *v* to create; to raise; to invent.
Cri.a.tu.ra *s* creature; human being; person.
Cri.me *s* crime; felony.
Cri.mi.no.so *s* criminal.
Cri.na *s* horse-hair; crest; mane.
Crip.ta *s* crypt.
Cri.se *s* crisis; emergency.
Cris.ma *s* Chrism (Baptism confirmation).
Cris.mar *v* to confirm the Christian Baptism.
Cris.par *v* to wrinkle, to contract; to shrink.
Cris.tal *s* crystal; flint glass.
Cris.ta.li.zar *v* to crystallize; to candy.
Cris.tan.da.de *s* Christendom; Christianity.
Cris.tão *s* Christian; *adj* Christian.
Cris.ti.a.nis.mo *s* Christianism; Christianity.
Cris.to *s* Christ.
Cri.té.rio *s* criterion; wisdom; judgment.
Crí.ti.ca *s* criticism; critique; censure.
Cri.ti.car *v* to criticize; to censure.
Cri.var *v* to sift; to riddle.
Crí.vel *adj* credible; believable.
Cri.vo *s* sieve; riddle; sifter.
Cro.chê *s* crochet.
Cro.co.di.lo *s* crocodile.
Cro.ma.do *adj* chromium-plated; chromeplated.
Crô.ni.ca *s* chronicle; history.
Crô.ni.co *adj* chronic; inveterate.
Cro.nô.me.tro *s* chronometer; stop watch.
Cro.qui *s* sketch; rough design; outline.
Cros.ta *s* crust; scab.
Cru *adj* raw; crude; uncooked.
Cru.ci.an.te *adj* mortifying; tormenting; excruciating.
Cru.ci.fi.ca.ção *s* crucifixion.
Cru.ci.fi.car *v* to crucify; to torture; to vex.
Cru.ci.fi.xo *s* crucifix.
Cru.el *adj* cruel; ruthless; savage.
Cru.el.da.de *s* cruelty; devilry.
Cru.e.za *s* crudity; cruelty.
Cruz *s* cross; rood; FIG affliction.
Cru.za.do *adj* crossed.
Cru.za.dor *s* cruiser; panhandler.
Cru.za.men.to *s* crossing; intersection.
Cru.zar *v* to cross; to intersect; to interbreed.
Cru.zei.ro *s* crossing; crucifix; cruise.
Cu.ba *s* vat; tub.
Cu.bar *v* to cube.
Cu.bí.cu.lo *s* cubicle; cell.
Cu.bis.mo *s* cubism.
Cú.bi.to *s* elbow.
Cu.bo *s* cube.
Cu.e.ca *s* man's underwear.
Cu.ei.ro *s* diaper.
Cu.i.da.do *s* care; diligence; attention; **Cuidado!** *interj* take care!; be careful!
Cu.i.dar *v* to take care.
Cu.jo *pron* whose; of whom; of which.
Cu.la.tra *s* breech.
Cu.li.ná.ria *s* cookery; cooking; cuisine.
Cul.mi.na.ção *s* culmination; apogee.
Cul.mi.nân.cia *s* culmination; climax.
Cul.mi.nar *v* to culminate.
Cul.pa.do *s* guilty.
Cul.par *v* to blame; to indict.
Cul.pá.vel *adj* culpable; guilty.
Cul.ti.var *v* to cultivate; to till.
Cul.to *s* cult; worship; adoration; *adj* cultured; educated; learned.
Cul.tu.ar *v* to worship; to adore.
Cul.tu.ra *s* culture.
Cu.me *s* top; summit; apex; apogee.
Cúm.pli.ce *s* accomplice; conniver; abettor.
Cum.pli.ci.da.de *s* complicity; abetment.
Cum.pri.dor *s* accomplisher; executor.
Cum.pri.men.tar *v* to compliment; to greet; to congratulate.
Cum.pri.men.to *s* greeting; accomplishment.
Cum.prir *v* to fulfill; to accomplish; to execute; to perform.
Cú.mu.lo *s* cumulus; highest point.
Cu.nei.for.me *adj* cuneiform; cuneated.
Cu.nha *s* wedge.
Cu.nha.da *s* sister-in-law.

Cu.nha.do *s* brother-in-law.
Cu.nhar *v* to coin; to mint; to stamp.
Cu.nho *s* stamp.
Cu.pi.dez *s* cupidity; greed; avarice.
Cu.pim *s* termite; ant.
Cú.pu.la *s* cupola; cupule; dome.

Cu.ra *s* cure.
Cu.ra.dor *s* trustee; guardian; tutor.
Cu.ran.dei.ro *s* quack.
Cu.rar *v* to cure; to restore; to heal; to bleach.
Cu.ra.ti.vo *s* curative; *adj* curative; healing.
Cu.rá.vel *adj* curable.
Cu.ri.o.si.da.de *s* curiosity; oddity.
Cu.ri.o.so *adj* curious; strange.
Cur.ral *s* corral.
Cur.sar *v* to frequent; to follow.
Cur.so *s* course; lectures; direction.
Cur.tir *v* to tan; BR POP to enjoy oneself or something.
Cur.to *adj* short.
Cur.tu.me *s* tannery.
Cur.va *s* the curve.
Cur.var *v* to curve; to bend.
Cur.va.tu.ra *s* curvature; bend.
Cur.vo *adj* curved; crooked; bent.
Cus.pe *s* spit; spittle.
Cus.pir *v* to spit; to eject.
Cus.tar *v* to cost.
Cus.to *s* cost; price.
Cus.tó.dia *s* custody; keeping.
Cu.tí.cu.la *s* cuticle.
Cú.tis *s* cutis; skin.
Cu.tu.car *v* to nudge.

dD

D *s* the fourth letter of the English alphabet and of the Portuguese alphabet.
Da (de+a) *prep+art* of the; from the.
Dá.di.va *s* gift; keepsake; donation.
Da.do *s* die; datum; ESP dice; *adj* given; affable.
Da.í (de+aí) *prep+adv* thence; from there; for that reason; therefore.
Da.li (de+ali) *prep+adv* thence; from there.
Da.ma *s* lady; maid; ESP queen (in the game of chess etc.).
Da.mas.co *s* damson; apricot; Damascus.
Da.na.do *adj* damned; wicked; angry; smart.
Da.nar *v* to hurt; to injure; to damage.
Dan.ça *s* dance; dancing; ball.
Dan.çar *v* to dance; to skip.
Dan.ça.ri.no *s* dancer.
Da.ni.fi.car *v* to damage; to harm; to hurt.
Da.no *s* damage; hurt; harm; injury.
Dan.tes *adv* formerly; before.
Dan.tes.co *adj* horrible; frightful; dantesque.
Da.que.le (de+aquele) *prep+pron* from that; from yonder; of that.
Da.qui (de+aqui) *prep+adv* from here; from now; hence.
Da.qui.lo (de+aquilo) *prep+pron* from that; of that.
Dar *v* to give; to concede; to present.
Dar.wi.nis.mo *s* Darwinism.
Da.tar *v* to date.
De *prep* of; from; at; for; by; to; on; in.
De.bai.xo *adv* under; beneath; below.
De.bal.de *adv* in vain; vainly.
De.ban.dar *v* MIL to disperse; to scatter.
De.ba.te *s* debate; discussion; argument.
De.ba.ter *v* to contest.
De.be.lar *v* to conquer; to combat; to subdue.
Dé.bil *adj* weak; feeble.
De.bo.char *v* to debauch; to mock.
De.bo.che *s* mockery; debauchery.
De.bru.çar-se *v* to stoop; to lean over.
De.bu.lhar *v* to shell; to hull; to husk.
De.ca.dên.cia *s* decadence; decay; decline.
De.ca.í.do *adj* decrepit; decayed; fallen.
De.ca.ir *v* to decline; to fade; to fail.
De.cal.que *s* decal; tracing.
De.can.tar *s* to decant; to celebrate.
De.cên.ci.a *s* decency; decorum; seemliness.
De.cen.te *adj* decent; honest; fair; becoming.
De.ce.par *v* to mutilate; to cut off; to amputate.
De.cep.ção *s* disappointment; deception.
De.cep.ci.o.nar *v* to disappoint.
De.ci.dir *v* to decide; to settle; to determine.
De.ci.frar *v* to decipher; to solve; to decode.
De.ci.são *s* decision; resolution.
De.cla.rar *v* to declare; to assert; to proclaim.
De.cli.nar *v* to decline; to lower; to decrease.
De.clí.ni.o *s* decline; decay; decadence.
De.cli.ve *s* descending; declivity; slope.
De.co.lar *v* to take off; to hop off.
De.com.por *v* to decompose.
De.co.rar *v* to decorate; to adorn; to ornament; to memorize.
De.co.ro *s* decency; seemliness.
De.cor.rer *v* to elapse; to pass; to occur.
De.co.tar *v* to cut low; to cut off.
De.co.te *s* low neckline.
De.cré.pi.to *adj* decrepit; feeble.
De.cres.cer *v* to diminish; to abate.
De.cur.so *s* lapse of time; succession.
De.dal *s* thimble.
De.da.lei.ra *s* foxglove.
De.dão *s* big toe.
De.de.i.ra *s* finger-stall.
De.di.car *v* to dedicate; to offer; to inscribe.
De.di.lhar *v* to finger; to strum; to pluck.
De.do *s* finger; toe.
De.du.ção *s* deduction; COM discount.
De.du.zir *v* to deduce; to deduct; to subtract.
De.fe.car *v* to defecate; to evacuate.
De.fei.to *s* defect; fault; shortcoming.
De.fe.rên.cia *s* deference; respect; regard.
De.fe.ri.do *adj* granted; conceded; approved.
De.fe.sa *s* defence; protection; USA defense.
De.fi.ci.ên.cia *s* deficiency; fault; disability.
De.fi.nhar *v* to weaken; to waste away; to pine away.

De.fi.nir *v* to define; to determine; to explain; Definir-se: to define oneself.
De.fi.ni.ti.va.men.te *adv* for good; definitely.
De.fla.grar *v* to deflagrate; to break out.
De.for.mar *v* to deform; to deface; to disfigure; to distort; to misshape.
De.fron.tar *v* to confront; to face; to affront.
De.fron.te *adv* in opposition to; face to face; confronting; facing; in face of; opposing.

De.fu.ma.do *adj* smoky.
De.fu.mar *v* to smoke.
De.fun.to *s* corpse; dead person; *adj* deceased; defunct.
De.ge.lar *v* to defrost; to melt.
De.ge.ne.rar *v* to degenerate; to deteriorate.
De.go.lar *v* to behead; to decapitate.
De.gra.da.ção *s* degradation; degeneration.
De.gra.dar *v* to degrade.
De.grau *s* degree; grade; stair; step.
De.gre.da.do *s* exile; expatriate; *adj* banished; exiled.
De.gre.dar *v* to banish; to exile.
De.gus.ta.ção *s* tasting.
De.gus.tar *v* to taste; to degust.
Dei.da.de *s* deity; divinity; goddess.
Dei.tar *v* to cast; to lay; to sleep.
Dei.xar *v* to leave; to quit; to go away.
De.je.ção *s* defecation.
De.je.ju.ar *v* to breakfast.
De.la *s* **(de+ela)** *prep+pron* her; hers; of her; from her.
De.la.tar *v* to accuse; to denounce; to delate.
De.la.tor *s* informer; snitch.
De.le *prep* plus *pron* (de+ele) his; of him; from him.
De.le.ga.ção *s* deputation; delegation.
De.le.ga.ci.a *s* police precinct; delegacy.
De.le.gar *v* to delegate; to commission; to intrust; to entrust.
De.lei.tar *v* to delight; to please; to charm.
De.le.tar *v* to delete.
De.le.té.rio *adj* deleterious; harmful.
De.lé.vel *adj* erasable; effaceable.
Del.ga.do *adj* thin; slim; delicate.
De.li.be.rar *v* to deliberate; to consider; to decide.
De.li.ca.de.za *s* delicacy; politeness; courtesy.
De.li.ca.do *adj* gentle; courteous; polite.
De.li.ci.ar *v* to delight; to entrance; to please.
De.li.ci.o.so *adj* delicious; delightful; enjoyable.
De.li.mi.tar *v* to delimit; to bound.
De.li.ne.ar *v* to delineate; to outline.
De.lin.quen.te *adj* guilty; delinquent.
De.lin.quir *v* to transgress.
De.li.rar *v* to be delirious; to rage; to rave.
De.lí.rio *s* delirium; insanity; rapture.
De.li.to *s* delict; offense; crime.
De.lon.ga *s* delay; procrastination.
De.lon.gar *v* to delay; to defer; to postpone.
De.mais *adv* too much; moreover; more than enough; besides.
De.man.da *s* demand; lawsuit; claim; action.
De.man.dar *v* to require; to demand; to claim; to request.
De.mar.car *v* to demarcate; to landmark.
De.ma.si.a *s* surplus; excess; abuse.
De.ma.si.a.do *adj* excessive; too much; *adv* to many; excessively.
De.men.te *adj* insane; mad; crazy.
De.mi.tir *v* to dismiss; to discharge.
De.mo.lir *v* to demolish; to destroy; to throw down.
De.mô.nio *s* demon; devil; old nick.
De.mons.tra.ção *s* demonstration; show; exhibition.
De.mons.trar *v* to demonstrate; to explain; to display; to show.
De.mo.ra *s* delay; detention; tardiness.
De.mo.rar *v* to delay; to retard; to hold up.
De.mo.ver *v* to dissuade.
De.ne.gar *v* to deny; to refuse; to disallow.
De.ne.grir *v* to blacken; to soil; to smut.
Den.gue *s* MED infectious and eruptive disease with fever, headache, muscular pain etc., transmitted by the mosquito "*aëdes aegypti*".
Den.gui.ce *s* affectation; coquetry.
De.no.do *s* daring; courage; boldness.
De.no.mi.nar *v* to denominate; to designate; to name; to call.
De.no.tar *v* to denote; to express; to signify; to indicate.
Den.so *adj* dense; thick; compact; close.
Den.ta.do *adj* toothed; dentate.
Den.ta.du.ra *s* denture; set of teeth.
Den.tá.rio *adj* dental.
Den.te *s* tooth; dent.
Den.te.ar *v* to indented; to notch; to tooth.
Den.ti.ção *s* dentition; teething.
Den.ti.frí.cio *s* dentifrice; toothpaste; dental cream.
Den.tre (de+entre) *prep+prep* among; in the midst of.
Den.tro *adv* inside; within; in; into; indoors.
De.nún.cia *s* denunciation; accusation.
De.nun.ci.ar *v* to denounce; to accuse; to disclose.
De.pa.rar *v* to find; to present; to fall in with; to meet.
De.par.ta.men.to *s* department; USA bureau.
De.pau.pe.rar *v* to weaken; to deplete; to impoverish.
De.pe.nar *v* to deplume; to pluck; GÍR strip of money.
De.pen.der *v* to depend on; to be under; to rely on.
De.pen.du.rar *v* to hang; to suspend; to hock.
De.pi.lar *v* to depilate; to strip off hair.
De.plo.rar *v* to deplore; to lament; to regret.
De.po.i.men.to *s* testimony; evidence; deposition.
De.pois *adv* after; next; afterwards; then.
De.por *v* to lay down; to depose; to testify.
De.po.si.tar *v* to deposit; to lay; to place; to intrust.
De.pó.si.to *s* deposit; depot; store.

De.pra.var *v* to corrupt; to deprave; to pervert.
De.pre.car *v* to entreat; to invoke; to implore.
De.pre.ci.ar *v* to depreciate; to cheapen; to disparage.
De.pre.dar *v* to depredate; to destroy; to spoil.
De.pre.en.der *v* to infer; to deduce.
De.pres.sa *adv* fast; quick; quickly; swiftly.
De.pres.são *s* depression; melancholy.
De.pri.mi.do *adj* downcast; dejected; glum.
De.pri.mir *v* to depress; to humiliate.
De.pu.rar *v* to purify; to clean; to depurate.
De.pu.tar *v* to depute; to deputize.
De.ri.va *s* drift; leeway.
De.ri.va.ção *s* derivation.
De.ri.var *v* to derive; to proceed; to originate.
Der.me *s* derm; skin.
Der.ra.dei.ro *adj* last; final.
Der.ra.mar *v* to shed; to spill; to pour.
Der.ra.me *s* scattering; shedding; overflow.
Der.ra.par *v* to skid.
Der.re.ter *v* to melt; to dissolve; to soften.
Der.ro.car *v* to demolish; to destroy; to ruin.
Der.ro.gar *v* to derogate; to annul; to repeal.
Der.ro.ta *s* defeat; rout; balk.
Der.ro.tar *v* to defeat; to beat; to rout.
Der.ru.bar *v* to throw down; to drop.
De.sa.ba.far *v* to uncover; to expose; to air.
De.sa.bar *v* to crumble; to fall down.
De.sa.bi.tu.ar *v* to disaccustom.
De.sa.bo.to.ar *v* to unbutton; to unclasp.
De.sa.bri.gar *v* to abandon; to uncover.
De.sa.bro.char *v* to bloom; to blossom.
De.sa.ca.tar *v* to disrespect; to insult.
De.sa.ca.to *s* disrespect; discourtesy; offense.
De.sa.cer.to *s* mistake; error; blunder.
De.sa.com.pa.nha.do *adj* alone; unaccompanied.
De.sa.cor.do *s* disagreement; dissension.
De.sa.cre.di.tar *v* to discredit; to disrepute.
De.sa.fe.to *s* adversary; opponent; enemy; rival.
De.sa.fi.an.te *s* challenger; *adj* defying; challenging.
De.sa.fi.ar *v* to challenge; to defy; to incite.
De.sa.fi.nar *v* to sing out of tune.
De.sa.fi.o *s* challenge; defiance; match.
De.sa.fo.gar *v* to relieve; to ease.
De.sa.fo.ra.do *adj* insolent; abusive.
De.sa.for.tu.na.do *adj* unlucky; hapless; unfortunate.
De.sa.gra.dar *v* to displease; to dislike; to disfavor.
De.sa.gra.do *s* discontent; unpleasantness; displeasure; disfavor.
De.sa.gre.gar *v* to disintegrate; to separate.
De.sa.jei.ta.do *adj* unskillful; awkward.
De.sa.jus.tar *v* to disagree; to disorder.
De.sa.jus.te *s* disagreement; maladjustment.
De.sa.len.tar *v* to discourage; to dismay.
De.sa.len.to *s* discouragement; dismay.
De.sa.li.nhar *v* to disarrange; to disorder.
De.sa.lo.jar *v* to dislodge; to remove; to displace.
De.sa.mar.rar *v* to untie; to unmoor.
De.sam.pa.rar *v* to abandon; to forsake; to desert.
De.sa.ni.mar *v* to cast down; to discourage; to depress; to dishearten.
De.sâ.ni.mo *s* discouragement; prostration; depression.
De.sa.pa.re.cer *v* to disappear; to vanish; to be lost; to die away.
De.sa.pon.ta.men.to *s* disappointment.
De.sa.pon.tar *v* to disappoint; to disconcert; to let down.
De.sa.pren.der *v* to forget.
De.sa.pro.pri.ar *v* to expropriate; to dispossess.
De.sa.pro.va.ção *s* disapproval; censure; reprehension.
De.sa.pro.var *v* to disprove; to refute; to disapprove; to dislike; to censure.
De.sar.mar *v* to disarm; to unarm.
De.sar.ran.jar *v* to derange; to disarrange; to upset.
De.sar.ru.mar *v* to disarrange; to displace; to mess; to disorder.
De.sar.vo.rar *v* to dismantle.
De.sas.tra.do *adj* awkward; disastrous.
De.sas.tre *s* disaster; accident; misfortune.
De.sas.tro.so *adj* disastrous; calamitous; hazardous.
De.sa.tar *v* to unfasten; to untie; to unbind.
De.sa.ten.to *adj* heedless; inattentive; absent-minded.
De.sa.ti.na.do *adj* mad; crazy; insane.
De.sa.ti.nar *v* to rattle; to madden.
De.sa.ti.no *s* madness; folly; nonsense.
De.sa.ven.ça *s* discord; disagreement; dissension.
De.sa.vi.sar *v* to countermand; to rescind.
Des.ban.car *v* to beat; to outclass; to supplant.
Des.bas.tar *v* to cut off; to chop; to pare; to trim.
Des.bo.ca.do *adj* big-mouth; unrestrained.
Des.bo.tar *v* to discolor.
Des.bra.var *s* to tame; to domesticate.
Des.ca.bi.do *adj* improper; inadequate.
Des.ca.ir *v* to decay; to decline; to droop.
Des.ca.la.bro *s* calamity; great; holocaust.
Des.cal.çar *v* to take off the shoes, gloves, socks etc.
Des.cal.ço *adj* barefoot; shoeless.
Des.cam.bar *v* to slide down; to backfire.
Des.cam.pa.do *s* unsheltered; open field.
Des.can.sa.do *adj* quiet; calm; rested.
Des.can.sar *v* to rest; to relax.
Des.can.so *s* rest; resting; refreshment.
Des.car.ga *s* discharge; delivery; unloading.
Des.car.re.gar *v* to discharge; to unload.
Des.car.tar *v* to discard; to dismiss; to throw away.
Des.cas.car *v* to peel; to husk; to hull.
Des.ca.so *s* negligence; disregard; neglect.
Des.cen.dên.cia *s* lineage; progeny.
Des.cen.den.te *adj* descending; proceeding.
Des.cen.der *v* to descend; to proceed from.

Des.cer *v* to descend; to get down; to get off.
Des.cer.rar *v* to open; to disclose.
Des.co.brir *v* to discover; to uncover; to find out.
Des.co.lar *v* to unglue.
Des.con.cer.tar *v* to disconcert; to upset.
Des.con.fi.an.ça *s* suspicion; distrust.
Des.con.fi.ar *v* to suspect; to distrust; to suppose.
Des.con.for.to *s* discomfort; distress.
Des.con.ge.lar *v* to thaw; to melt.
Des.co.nhe.cer *v* to ignore.
Des.con.tar *v* to discount; to deduct; to diminish.
Des.con.ten.tar *v* to discontent; to displease; to dissatisfy.
Des.con.to *s* abatement; deduction.
Des.con.tro.lar *v* to lose control.
Des.co.rar *v* to discolour; to discolor.
Des.cor.tês *adj* discourteous; unkind.
Des.cor.ti.nar *v* to reveal; to disclose.
Des.cre.ver *v* to describe; to explain; to narrate.
Des.cui.dar *v* to neglect; to despise; to overlook.
Des.cui.do *s* carelessness; slip.
Des.cul.pa *s* excuse; apology.
Des.cul.par *v* to excuse; to forgive.
Des.de *prep* since; from.
Des.dém *s* disdain; disregard; scorn.
Des.de.nhar *v* to disregard; to disdain.
De.se.jar *v* to wish; to want; to desire
De.se.jo *s* desire; wish; will.
De.sem.ba.ra.çar *v* to disentangle; to extricate.
De.sem.bar.car *v* to debark; to disembark.
De.sem.bar.que *s* landing; debarkation.
De.sem.bo.car *v* to discharge.
De.sem.bol.sar *v* to disburse.
De.sem.bru.lhar *v* to unpack; to uncover; to unwrap.
De.sem.pa.tar *v* to decide; to resolve.
De.sem.pa.te *s* resolution; decision.
De.sem.pe.nhar *v* to perform; to practice; to accomplish.
De.sem.pe.nho *s* performance; discharge.
De.sem.pre.ga.do *adj* unemployed; jobless.
De.sen.ca.mi.nhar *v* to misguide; to mislead.
De.sen.con.trar *v* to keep apart.
De.sen.co.ra.jar *v* to discourage.
De.sen.ga.no *s* disillusion; undeceiving.
De.sen.gre.nar *v* to put out of gear.
De.se.nhar *v* to design; to draw; to sketch.
De.se.nhis.ta *s* draftsman; designer.
De.se.nho *s* drawing.
De.sen.la.ce *s* end; outcome; upshot.
De.sen.ro.lar *v* to unroll.
De.sen.ros.car *v* to untwist; to unscrew.
De.sen.ru.gar *v* to unwrinkle.
De.sen.ter.rar *v* to dig up; to disinter.
De.sen.tor.tar *v* to unbend; to make straight.
De.sen.tu.pir *v* to clear; to unstop.
De.sen.ven.ci.lhar *v* to disentangle; to disengage; to loosen.
De.sen.vol.tu.ra *s* agility; nimbleness.
De.sen.vol.ver *v* to unroll; to develop.
De.sen.vol.vi.do *adj* grown-up; advanced; developed.
De.se.qui.li.brar *v* to unbalance; **Desequilibrar-se** *v* to lose one's balance.
De.se.qui.lí.bri.o *s* unbalance; lack of equilibrium; instability.
De.ser.ção *s* desertion; forsaking.
De.ser.dar *v* to disinherit; to deprive of heritage.
De.ser.tar *v* to desert; to abandon; to forsake.
De.ser.to *s* desert; wasteland; *adj* deserted; barren; uninhabited; wild.
De.ser.tor *s* deserter; runaway.
De.ses.pe.ra.do *adj* hopeless; reckless; desperate.
De.ses.pe.ran.ça *s* despair; desperation; hopelessness.
De.ses.pe.ran.çar *v* to deprive of hope; to depress; to discourage; **Desesperançar-se** *v* to lose hope.
De.ses.pe.rar *v* to despair; to despond; to discourage; to dishearten; to fret.
Des.fa.le.cer *v* to faint; to weaken; to droop; to sink.
Des.fa.le.ci.men.to *s* swoon; faintness.
Des.fal.que *s* defalcation; embezzlement.
Des.fa.vo.rá.vel *adj* unfavourable; adverse.
Des.fa.vo.re.cer *v* to disfavor; to oppose; to discountenance.
Des.fa.zer *v* to undo; to unmake; to unpack.
Des.fe.cho *s* outcome; upshot; ending.
Des.fei.ta *s* affront; insult; affront; outrage.
Des.fei.te.ar *v* to insult; to offend; to affront.
Des.fei.to *adj* undone; melted; dissolved.
Des.fi.ar *v* to unthread; to ravel; to shred.
Des.fi.gu.rar *v* to disfigure; to mangle; to deface; to deform.
Des.fi.la.dei.ro *s* defile; pass.
Des.fi.lar *v* to march; to parade.
Des.for.rar *v* to avenge; to revenge.
Des.fru.tar *v* to usufruct; to enjoy; to relish.
Des.gas.tar *v* to wear out.
Des.gas.te *s* wear; consuming; erosion.
Des.gos.tar *v* to displease; to disgust; to dislike.
Des.gos.to *s* disgust; displeasure; grief.
Des.gra.ça *s* misfortune; distress; misery.
Des.gra.çar *v* to ruin.
De.sig.na.ção *s* designation; indication.
De.sig.nar *v* to designate; to indicate.
De.si.lu.dir *v* to disillusion; to disenchant.
De.si.lu.são *s* disillusionment; disillusion.
De.sim.pe.dir *v* to free; to disencumber.
De.sin.char *v* to reduce; to humble; to deflate.
De.sis.tên.cia *s* cancellation; abdication; abandonment.
De.sis.tir *v* to give up; to put off; to desist.
Des.je.ju.ar *v* to have breakfast.
Des.la.va.do *adj* discolored; FIG impudent.
Des.le.al *adj* disloyal; false; treacherous.

Des.lei.xa.do *adj* careless; sloppy; negligent.
Des.li.gar *v* to turn off; to switch off; to disconnect.
Des.lin.dar *v* to clear up; to explain.
Des.li.za.men.to *s* sliding; slide.
Des.li.zar *v* to slide; to skid; to slip; to glide.
Des.li.ze *s* slip; sliding; skid.
Des.lo.ca.do *adj* dislocated; displaced.
Des.lo.car *v* to dislocate; to displace.
Des.lum.brar *v* to dazzle; to fascinate; to seduce.
Des.mai.ar *v* to faint; to swoon; to fade.
Des.mai.o *s* faint; a fainting fit; swoon; syncope.
Des.ma.mar *v* to wean.
Des.man.char *v* to undo; to smash.
Des.man.te.lar *v* to dismantle; to demolish; to ruin.
Des.mar.car *v* to remove; to cancel.
Des.mas.ca.rar *v* to unmask; to debunk.
Des.ma.ze.la.do *adj* untidy; gotten untidy.
Des.ma.ze.lo *s* negligence; carelessness.
Des.me.di.do *adj* excessive; immense.
Des.mem.brar *v* to dismember; to divide; to separate.
Des.men.tir *v* to contradict; to deny.
Des.me.re.cer *v* to belittle.
Des.mi.o.la.do *adj* silly; brainless; forgetful.
Des.mon.tar *v* to dismount; to disjoint; to get off.
Des.mo.ra.li.zar *v* to demoralize; to discredit.
Des.mo.ro.nar *v* to demolish.
Des.na.ta.do *adj* skim milk.
Des.na.tu.ra.do *adj* unnatural; cruel.
Des.ne.ces.sá.rio *adj* unnecessary; needless.
Des.ní.vel *s* unevenness.
Des.nor.te.ar *v* to misguide; to mislead.
Des.nu.dar *v* to denude; to bare; to strip.
Des.nu.do *adj* nude; naked; bared.
Des.nu.tri.ção *s* malnutrition; under nourishment.
De.so.be.de.cer *v* to disobey; to transgress.
De.so.bri.gar *v* to exempt; to release; to dispense; Desobrigar-se *v* to discharge; to perform one's duty.
De.sobs.tru.ir *v* to remove obstructions from; to unstop; to clear.
De.so.cu.pa.do *adj* disengaged; idle; bum.
De.so.cu.par *v* to vacate; to rid; to empty.
De.so.do.ran.te *s* deodorizer; deodorant.
De.so.la.ção *s* desolation; harshness; affliction.
De.so.lar *v* to lay waste; to desolate; to distress; to ravage.
De.so.ne.rar *v* to exonerate; to dispense.
De.so.nes.ti.da.de *s* dishonesty; crookedness.
De.so.nes.to *adj* dishonest; knavery; crooked.
De.son.ra *s* dishonour; disgrace.
De.son.rar *v* to dishonor; to discredit; to disgrace; to defame.
De.sor.dei.ro *s* hooligan; rowdy; *adj* rowdy; POP roughneck.
De.sor.dem *s* disorder; disturbance; riot.
De.sor.de.nar *v* to disorder; to disorganize.
De.so.ri.en.tar *v* to bewilder; to disconcert.
Des.pa.char *v* to forward; to dispatch.
Des.pa.cho *s* dispatch; decision; expedition.
Des.pe.da.çar *v* to break; to crumble.
Des.pe.di.da *s* farewell; departure.
Des.pe.dir *v* to discharge; to dismiss.
Des.pe.nha.dei.ro *s* cliff; precipice; crag.
Des.pen.te.ar *v* to tousle.
Des.per.di.çar *v* to waste; to squander.
Des.per.dí.cio *s* waste; squandering.
Des.per.ta.dor *s* alarm-clock; awakening.
Des.per.tar *v* to awaken; to rouse; to awake; to wake up.
Des.pe.sa *s* cost; expense.
Des.pir *v* to disrobe; to strip; **Despir-se:** to undress.
Des.pis.tar *v* to mislead; to misguide.
Des.po.jo *s* booty; spoil.
Des.po.sar *v* to marry; to wed; to husband.
Dés.po.ta *s* despot; tyrant; oppressor.
Des.po.vo.a.do *adj* deserted; uninhabited.
Des.pra.zer *s* displeasure; disgust.
Des.pre.gar *v* to loosen; to unnail; to detach.
Des.pren.der *v* to loose; to unfasten; to untie.
Des.pren.di.men.to *s* detachment.
Des.pre.o.cu.pa.do *adj* carefree.
Des.pres.ti.gi.ar *v* to depreciate; to discredit.
Des.pre.ve.ni.do *adj* unready; unwary; unprepared.
Des.pre.zar *v* to despise; to scorn; to disdain.
Des.pre.zí.vel *adj* despicable; base; vile.
Des.pre.zo *s* scorn; neglect; disregard.
Des.qui.te *s* divorce.
Des.re.gra.do *adj* disorderly; immoderate; intemperate.
Des.res.pei.tar *v* to disrespect; to slight; to affront.
Des.se (de+esse) *prep+pron* from that; of that.
Des.ta (de+esta) *prep+pron* from this; of this.
Des.ta.car *v* to detach.
Des.tam.par *v* to uncover; to open.
Des.ta.que *s* prominence; eminence.
Des.te (de+este) *prep+pron* of this; from this.
Des.te.mi.do *adj* fearless; dauntless.
Des.ti.nar *v* to mean; to destine; to appoint; to allot.
Des.ti.na.tá.rio *s* addressee; receiver.
Des.ti.no *s* destiny; fate; fortune.
Des.ti.tu.ir *v* to dismiss; to deprive.
Des.to.ar *v* to discord; to diverge.
Des.tra *s* right-handed.
Des.tra.tar *v* to affront; to insult.
Des.tro *adj* right-handed; skilled.
Des.tro.çar *v* to break into pieces; to destroy.
Des.tro.ço *s* destruction; rout; havoc.
Des.tru.ir *v* to destroy.
Des.vai.ra.do *adj* delirious.
Des.va.lor *s* depreciation; discredit.
Des.va.lo.ri.zar *v* to depreciate; to undervalue.
Des.van.ta.gem *s* disadvantage; handicap.
Des.va.rio *s* delirium; madness; raving.

Des.ven.dar *v* to disclose; to resolve.
Des.ven.tu.ra *s* misadventure; mishap; misfortune.
Des.vi.ar *v* to divert; **Desviar-se:** to deviate.
Des.vir.tu.ar *v* to depreciate; to pervert.
De.ta.lhar *v* to detail; to specify.
De.ta.lhe *s* detail; particularity.
De.ter *v* to detain; to arrest; to stop.
De.te.ri.orar *v* to deteriorate; to degenerate.
De.ter.mi.nar *v* to determine; to settle.
De.tes.tar *v* to detest; to dislike; to abhor.
De.te.ti.ve *s* detective.
De.ti.do *adj* detained; arrested.
De.to.nar *v* to detonate; to blast; to explode.
De.trás *adv* after; behind; aback.
De.tri.to *s* detritus; dregs.
De.tur.par *v* to disfigure; to distort; to corrupt.
Deus *s* God; Lord.
De.va.gar *adj* slow; *adv* slowly.
De.va.ne.ar *v* to muse; to daydream.
De.va.nei.o *s* dream; day dream.
De.vas.tar *v* to devastate; to desolate; to destroy.
De.ver *s* obligation; duty; task; *v* to owe.
De.ve.ras *adv* indeed; in fact.
De.vi.da.men.te *adv* duly; justly.
De.vo.ção *s* devotion; dedication; affection.
De.vol.ver *v* to return; to give back; to restore.
De.vo.rar *v* to devour; to consume; to eat up.
De.vo.tar *v* to devote; to dedicate.
De.vo.to *s* devotee; churchgoer; votary; *adj* devoted; religious; devout.
Dez *num* ten.
De.zem.bro *s* December; the last month of the year.
De.ze.na *s* ten; a set of ten; a tenth.
Dia *s* day.
Di.a.bo *s* devil; demon; satan.
Di.a.de.ma *s* diadem; crown.
Di.ag.nos.ti.car *v* to diagnose.
Di.a.go.nal.men.te *adv* cornerwise.
Di.a.gra.ma *s* diagram; chart; scheme.
Di.a.lo.gar *v* to dialogue.
Di.á.lo.go *s* dialogue; talk; conversation; USA dialog.
Di.a.man.te *s* diamond.
Di.an.te *adv* before; in front.
Di.an.tei.ra *s* forepart; front; forefront.
Di.a.pa.são *s* MÚS diapason; pitch.
Di.á.ria *s* daily wages; daily income.
Di.á.rio *s* diary; journal; newspaper; *adj* daily; diurnal; quotidian.
Di.ca *s* POP tip.
Dic.ção *s* diction; accent.
Di.ci.o.ná.rio *s* dictionary.
Di.fa.mar *v* to detract; to defame; to blemish.
Di.fe.ren.ça *s* difference; divergence.
Di.fe.ren.ci.ar *v* to differentiate; to distinguish.
Di.fe.ren.te *adj* different; unequal; unlike.
Di.fí.cil *adj* difficult; uneasy.
Di.fi.cul.da.de *s* difficulty; hardness; trouble.
Di.fi.cul.tar *v* to hamper; to hinder.
Di.fun.dir *v* to diffuse; to outspread; to propagate.
Di.fu.são *s* diffusion; spread.
Di.ge.rir *v* to digest.
Di.gi.tal *adj* digital.
Dig.nar-se *v* to condescend; to deign.
Dig.ni.da.de *s* dignity; nobleness.
Dig.ni.fi.car *s* to dignify; to exalt.
Dig.no *adj* worthy; deserving; dignified.
Di.le.ma *s* dilemma; crux; doubt.
Di.lu.ir *v* to dilute; to dissolve.
Di.lú.vio *s* deluge; overflow; flood.
Di.men.são *s* dimension; measure; extent; size.
Di.mi.nu.ir *v* to decrease; to lower; to diminish.
Di.na.mar.quês *adj* Danish.
Di.nâ.mi.co *adj* dynamic.
Di.na.mi.te *s* dynamite.
Dí.na.mo *s* dynamo; generator.
Di.nas.ti.a *s* dynasty.
Di.nhe.i.ro *s* money; coin; cash.
Di.o.ni.sía.co *adj* MIT dionysiac, allusive to the greek god of wine, Dionysus or Bacchus.
Di.plo.ma.do *adj* graduate.
Di.plo.mar *v* to graduate; to confer.
Di.que *s* dike; dam.
Di.re.ção *s* direction; course.
Di.rei.ta *s* right side; right hand; right.
Di.rei.to *s* right; law; *adj* straight; direct; just; *adv* straight; directly.
Di.re.to *s* direct; straight; *adj* direct; plain; straight.
Di.re.tor *s* director; manager; *adj* directing.
Di.re.to.ri.a *s* directory; board of directors.
Di.ri.gir *v* to lead; to manage; to address; to drive.
Dis.cer.ni.men.to *s* discernment; judgment.
Dis.cer.nir *v* to discern; to distinguish.
Dis.cí.pu.lo *s* disciple; follower; pupil.
Dis.co *s* disk; dial; platter; record.
Dis.cor.dân.cia *s* disagreement; disharmony; discordance.
Dis.cor.dar *v* to differ; to diverge; to dissent from.
Dis.cór.dia *s* discord; disagreement; dissension.
Dis.cor.rer *v* to expatiate; to run over; to discourse.
Dis.co.te.ca *s* record collection; phonograph record collection.
Dis.cre.to *adj* discreet; circumspect; reserved.
Dis.cri.ção *s* discretion; reserve.
Dis.cri.ci.o.ná.rio *adj* discretionary; discretional.
Dis.cri.mi.nar *v* to discriminate.
Dis.cur.sar *v* to make a speech; to discourse.
Dis.cus.são *s* discussion; debate; quarrel; USA parley.
Dis.cu.tir *v* to argue; to discuss; to debate.
Dis.far.ça.do *adj* disguised; dissembled.
Dis.far.çar *v* to disguise; to conceal.
Dis.pa.ra.dor *s* trigger.
Dis.pa.rar *v* to shoot; to fire; to discharge.
Dis.pa.ra.te *s* nonsense; absurdity.
Dis.pa.ro *s* shot; discharge; detonation.

Dis.pen.der *v* to spend.
Dis.pên.dio *s* expense; loss; cost.
Dis.pen.sa *s* dispensation; permission.
Dis.pen.sar *v* to bestow; to dismiss.
Dis.pli.cên.cia *s* displeasure; negligence; unconcern.
Dis.por *v* to arrange; to sell; to dispose.
Dis.po.si.ção *s* arrangement; provision; disposition.
Dis.po.si.ti.vo *s* device; contrivance.
Dis.pos.to *adj* disposed; ready; willing.
Dis.pu.ta *s* contest; dispute.
Dis.pu.tar *v* to contend; to dispute; to contest.
Dis.sa.bor *s* displeasure; chagrin; annoyance.
Dis.se.car *v* to dissect; to anatomize.
Dis.se.mi.nar *v* to divulge; to spread.
Dis.sen.tir *v* to dissent; to differ; to disagree.
Dis.si.dên.cia *s* dissidence.
Dis.si.mu.la.ção *s* dissimulation; cunning.
Dis.si.mu.lar *v* to disguise; to dissimulate; to dissemble; to feign.
Dis.si.pa.do *adj* disreputable; dissolute; wasteful.
Dis.si.par *v* to dispel; to dissipate; to scatter.
Dis.so.ci.ar *v* to dissociate; to separate.
Dis.so.lu.ção *s* dissolution; dissoluteness.
Dis.sol.ver *v* to dilute; to melt; to dissolve.
Dis.tân.cia *s* distance; space.
Dis.tan.ci.ar *v* to distance.
Dis.tan.te *adj* far; distant; remote.
Dis.tin.guir *v* to discriminate; to discern; to distinguish.
Dis.tra.ção *s* absent-mindedness; distraction.
Dis.tra.í.do *adj* absent-minded.
Dis.tra.ir *v* to amuse; to divert; to entertain.
Dis.tri.bu.ir *v* to distribute; to share.
Dis.tri.to *s* district; region; section.
Dis.túr.bio *s* riot; disturbance.
Di.ta.do *s* dictation; saying.
Di.tar *v* to dictate; to indite.
Di.to *s* saying; dictum; gossip; *adj* aforesaid; above; said.
Di.ur.no *adj* diurnal; quotidian.
Di.vã *s* divan; couch; settee; davenport.
Di.va.ga.ção *s* wandering; ramble; digression.
Di.va.gar *v* to roam; to wander; to digress.
Di.ver.gên.cia *s* divergence; discord.
Di.ver.gir *v* to disagree; to diverge.
Di.ver.são *s* entertainment; amusement.
Di.ver.si.fi.car *v* to diversify; to vary.
Di.ver.so *adj* diverse; different.
Di.ver.ti.do *adj* amusing; funny.
Di.ver.ti.men.to *s* amusement; pastime; entertainment.
Di.ver.tir *v* to amuse; to entertain; to play.
Dí.vi.da *s* debt; due.
Di.vi.dir *v* to divide; to allot; to share; to split.
Di.vi.sa *s* badge; emblem; motto.
Di.vi.são *s* division; cleavage.
Di.vi.sor *s* divider; divisor.
Di.vi.só.ria *s* mark; landmark; dividing.
Di.vor.ci.ar *v* to divorce; to separate.
Di.vul.gar *v* to disseminate; to divulge.
Di.zer *v* to tell; to say; to speak.
Dí.zi.ma *s* tax; tenth; tithe.
Di.zi.mar *v* to decimate; to mow.
Dí.zi.mo *s* tithe.
Do (de+o) *prep+art* of that; from that.
Dó *s* pity; compassion; MÚS first note of the natural scale (C).
Do.a.ção *s* donation; grant; gift.
Do.ar *v* to give; to donate.
Do.bra.di.ça *s* hinge; joint.
Do.bra.do *adj* folded; doubled.
Do.brar *v* to double; to duplicate; to bend.
Do.ca *s* dock; wharf.
Do.ce *s* sweetmeat; candy; *adj* sweet.
Dó.cil *adj* docile; meek; tractable.
Do.cu.men.ta.ção *s* documentation; documents.
Do.cu.men.tar *v* to document.
Do.cu.men.to *s* document; paper.
Do.çu.ra *s* sweetness; meekness; gentleness.
Do.en.ça *s* sickness; illness; disease.
Do.en.te *s* sick person; patient; *adj* sick; ill.
Do.er *v* to pain; to ache; to hurt.
Dog.ma *s* dogma.
Dog.ma.tis.mo *s* dogmatism.
Doi.do *adj* insane; crazy; mad.
Do.í.do *adj* pained; sore; aching; painful.
Dó.lar *s* dollar.
Do.lo *s* fraud; deceit; guile.
Do.lo.ri.do *adj* aching; painful; sore.
Do.lo.ro.so *adj* painful; sorrowful.
Dom *s* talent; Don.
Do.ma.dor *s* animal trainer.
Do.mar *v* to tame; to domesticate.
Do.mes.ti.car *v* to tame; to domesticate.
Do.més.ti.co *s* servant; *adj* domestic.
Do.mi.nar *v* to govern; to dominate.
Do.min.go *s* Sunday.
Do.mí.nio *s* dominion; domination.
Do.mi.nó *s* domino; game of dominoes.
Do.na *s* lady.
Do.na.ti.vo *s* donation; gift; grant.
Don.de (de+onde) *prep+adv* from where; whence.
Do.no *s* owner.
Don.ze.la *s* maid; lass; damsel; maiden.
Dor *s* pain; ache.
Dor.mên.cia *s* dormancy.
Dor.men.te *s* sleeper; *adj* sleeping.
Dor.mi.nho.co *adj* sleepy.
Dor.mir *v* to sleep; to slumber.
Dor.so *s* back.
Do.sar *v* to dose.
Do.te *s* dowry.
Dou.ra.do *adj* gilt; golden.
Dou.rar *v* to gild.

Dou.tri.nar *v* to indoctrinate.
Dra.ga *s* dredge; dredger.
Dra.gar *v* to dredge; to drag.
Dra.ma *s* drama.
Dra.má.ti.co *adj* dramatic.
Drás.ti.co *adj* drastic.
Dre.nar *v* to drain.
Dro.ga *s* drug; rubbish; medicine.
Dro.ga.ri.a *s* drug-store; chemist-shop.
Dú.bio *adj* dubious; hesitant; doubtful.
Du.cha *s* shower bath.
Du.e.lo *s* duel; contest; fight of swords.
Du.en.de *s* dwarf.
Du.pli.ca.ção *s* duplication; doubling.
Du.pli.car *v* to duplicate; to ditto; to double.
Du.plo *adj* double; twofold.
Du.ra.bi.li.da.de *s* durability.
Du.ra.ção *s* duration.
Du.ra.dou.ro *adj* durable; long-lived.
Du.ran.te *prep* during.
Du.rar *v* to last.
Du.rá.vel *adj* durable; lasting.
Du.re.za *s* hardness; cruelty.
Du.ro *adj* hard; tough; FIG indelicate; unkind.
Dú.vi.da *s* doubt; uncertainty.
Du.vi.dar *v* to doubt.
Dú.zia *s* dozen.

eE

E *s* the fifth letter of the Portuguese alphabet and of the English alphabet; *conj* and.
É.brio *adj* drunk; boozy; intoxicated.
E.bu.li.ção *s* boiling; ebullition; effervescence; FIG agitation; excitement.
E.cle.tis.mo *s* eclecticism.
E.clo.são *s* eclosion; hatching.
E.clu.sa *s* dam; dike; lock.
E.co *s* echo.
E.co.ar *v* to echo.
E.cu.mê.ni.co *adj* ecumenical; ecumenic.
Edição *s* edition; issue.
E.di.fi.ca.ção *s* edification; building; construction.
E.di.fi.car *v* to build; to raise; to construct.
E.di.fí.cio *s* building; edifice; structure.
E.di.tal *s* placard; proclamation; edict.
E.di.tar *v* to publish; to edit; to print.
E.di.tor *s* publisher; editor.
E.di.to.ra *s* publishing house.
E.di.to.ri.al *s* leading article; editorial; headline.
E.dre.dão *s* quilt; coverlet.
E.du.ca.ção *s* education; instruction.
E.du.ca.da.men.te *adv* politely.
E.du.car *v* to educate; to bring up; to teach.
E.fei.to *s* effect; purpose; result.
E.fê.me.ro *adj* ephemeral.
E.fe.mi.nar *v* to effeminate.
E.fe.ti.var *v* to accomplish; to realize; to effect.
E.fe.ti.vo *s* MIL a exact number of military components; *adj* effective; real; permanent.
E.fe.tu.ar *v* to effect; to accomplish; to perform.
E.fi.caz *adj* efficacious; competent; capable.
E.fí.gie *s* effigy; a figure representing a person.
E.fu.si.vo *adj* effusive; pouring forth.
É.gi.de *s* aegis; shield; defence; protection.
E.go.cên.tri.co *adj* egocentric; selfish.
E.go.ís.mo *s* egoism; selfishness.
E.go.ís.ta *s* egoist; *adj* selfish; egoistic.
É.gua *s* mare; female horse.
Eis *adv* here is; here are.
Ei.var *v* to contaminate; to infect; to stain.
Ei.xo *s* axle; axis; arbor; spindle.
E.ja.cu.lar *v* to ejaculate; to throw out.
E.la *pron* she; it; her.
E.la.bo.rar *v* to elaborate; to produce with labor; to work out; to think up.
E.le *pron* he; it; him.
E.le.fan.te *s* elephant.
E.le.gân.cia *s* elegance; gracefulness; grace.
E.le.ger *v* to elect; to choose; to ballot.
E.lei.ção *s* election; choice; selection.
E.lei.tor *s* elector; constituent; voter.
E.le.men.tar *adj* elementary.
E.len.co *s* list; cast; BR group of artists.
E.le.tro.do.més.ti.co *s* electrical goods.
E.le.va.ção *s* elevation; height; raise.
E.le.va.dor *s* lift; USA elevator.
E.le.var *v* to elevate; to lift; to rear; to enhance; to rise; to exalt.
E.li.mi.nar *v* to eliminate; to kill; to expel; to exclude.
El.mo *s* helmet.
E.lo *s* link.
E.lo.gi.ar *v* to praise; to eulogize; to exalt; to extol.
E.lo.quên.cia *s* eloquence.
E.lu.ci.da.ção *s* elucidation; exposition; explanation.
E.lu.ci.dar *v* to elucidate; to clarify; to make clear.
Em *prep* in; at; into; upon; on; by; **Em vez de:** instead of; else.
E.ma.gre.cer *v* to lose weight.
E.ma.nar *v* to emanate; to issue; to arise.
E.man.ci.par *v* to emancipate; to liberate.
Em.ba.çar *v* to shade; to cheat; to dull.
Em.bai.xo *adv* below; under; down.
Em.ba.la.gem *s* packing; boxing; wrapping.
Em.ba.lar *v* to pack; to lull; to soothe.
Em.ba.ra.ça.do *adj* embarrassed; disturbed; perplexed.
Em.ba.ra.çar *v* to embarrass; to encumber; to entangle.
Em.ba.ra.ço *s* embarrassment; difficulty; trouble.
Em.bar.ca.ção *s* craft; ship; vessel; boat.
Em.bar.ca.dou.ro *s* harbour; harbor; wharf; dock; pier.
Em.bar.car *v* to embark; to ship; to board.
Em.bar.gar *v* to suspend; to restrain.
Em.bar.que *s* shipping; shipment.

Em.ba.ter *v* to dash; to shock; to collide; to clash.
Em.be.ber *v* to imbibe; to drink in; to soak in; to drench.
Em.be.le.za.men.to *s* embellishment; adornment.
Em.be.le.zar *v* to embellish; to beautify; to adorn.
Em.bir.rar *v* to stubborn; to be obstinate.
Em.ble.ma *s* emblem; symbol.
Em.bo.ca.du.ra *s* mouth of a river; embouchure.
Em.bo.car *v* to put into the mouth; to lip.
Em.bol.sar *v* to pocket; to pouch; to pay; to reimburse.

Em.bo.ra *conj* in spite of; even; although; though.
Em.bos.ca.da *s* ambush; ambuscade; snare; trap.
Em.bos.car *v* to ambush; to ambuscade.
Em.bo.tar *v* to blunt; do dull.
Em.bran.que.cer *v* to whiten; to bleach.
Em.bre.a.gem *s* AUT clutch.
Em.bre.nhar *v* to penetrate into woods.
Em.bri.a.ga.do *adj* drunk; intoxicated; inebriated.
Em.bri.a.gar *v* to intoxicate; to fuddle; to inebriate; to get drunk.
Em.bri.a.guez *s* drunkenness; intoxication; inebriation; FIG rapture.
Em.bru.lha.da *s* confusion; disorder; jumble; mess.
Em.bru.lhar *v* to pack up; to wrap up.
Em.bru.lho *s* packet; bundle; package; jumble; confusion.
Em.bru.te.cer *v* to brutify; to brutalize.
Em.bus.te *s* artifice; fraud; trick.
Em.bu.ti.do *s* inlaid work; mosaic; marquetry; *adj* built in; inlaid.
Em.bu.tir *v* to inlay; to insert; to enchase.
E.men.da *s* emendation; mend; correction.
E.men.dar *v* to amend; to emend; to correct.
E.mer.gên.cia *s* emergency; emergence.
E.mer.gir *v* to emerge; to appear; to erupt.
E.mi.gra.ção *s* emigration; migration.
E.mi.grar *v* to emigrate.
E.mi.nên.cia *s* eminence; elevation; height.
E.mis.são *s* emission; discharge; issue.
E.mis.sá.rio *s* emissary; messenger; envoy.
E.mi.tir *v* to emit; to announce; to issue.
E.mo.ção *s* emotion.
E.mo.ci.o.nan.te *adj* stirring; exciting; touching.
E.mol.du.rar *v* to frame; to surround.
E.mo.ti.vo *adj* emotive; emotional.
Em.pa.co.tar *v* to pack; to pack up; to bale; to bind.
Em.pa.da *s* small pie of meat or fish.
Em.pa.lhar *v* to stuff with straw.
Em.pa.li.de.cer *v* to pale; to make pale; to bleach.
Em.pa.nar *v* to tarnish; to dull; to dim; to obscure.
Em.pan.zi.nar *v* to glut; to cram.
Em.pa.par *v* to soak; to imbibe; to steep.
Em.pa.re.lhar *v* to match; to couple; to pair.
Em.pas.tar *v* to paste up; to make clammy; to impaste.
Em.pa.tar *v* to tie; to equal; to check.
Em.pa.te *s* tie; stalemate; indecision.
Em.pe.drar *v* to turn as stone; to petrify.
Em.pe.nar *v* to warp; to twist; to distort.
Em.pe.nhar *v* to pawn; to bind; to pledge.
Em.pe.nho *s* pawn; pledge; protection.
Em.per.ra.do *adj* hard; jammed; stiff; stuck.
Em.per.rar *v* to harden; to stick; to jam.
Em.pi.lhar *v* to pile; to stack; to heap up.
Em.pi.nar *v* to tip up; to empty; to raise.
Em.pi.ris.mo *s* FIL Empiricism.
Em.plas.tar *v* to plaster.
Em.plas.to *s* plaster; poultice; *also* **Emplastro**.
Em.po.bre.cer *v* to impoverish; to sap; to deplete.
Em.po.ei.rar *v* to dust; to cover with dust; to fill with dust.
Em.pol.gan.te *adj* breath-taking; overpowering; thrilling.
Em.pol.gar *v* to grasp; to seize; to thrill; to grip.
Em.por.ca.lhar *v* to dirty; to soil; to befoul.
Em.pó.rio *s* emporium; stores; mart.
Em.pos.sar *v* to put in possession; to empower.
Em.pre.en.der *v* to undertake; to enterprise; to attempt.
Em.pre.en.di.men.to *s* endeavor; enterprise; achievement.
Em.pre.ga.do *s* employee; servant; clerk; *adj* employed; busy.
Em.pre.gar *v* to employ; to hire; to make use of.
Em.pre.go *s* job; employ; employment; use.
Em.pre.sa *s* enterprise; firm; undertaking; company.
Em.pre.sá.rio *s* contractor; undertaker; USA producer.
Em.pres.ta.do *adj* lent; borrowed.
Em.pres.tar *v* to lend; to loan; to impart.
Em.prés.ti.mo *s* lending; loan; borrowing.
Em.pu.nhar *v* to grasp; to gripe; to grip.
Em.pur.rão *s* push; shove; jostle; thrust.
Em.pur.rar *v* to push; to jog; to jostle; to poke; to shove; to thrust.
E.mu.de.cer *v* to become dumb; to silent; to silence; to hush.
E.nal.te.cer *v* to exalt; to laud; to elevate; to extol; to praise.
E.na.mo.rar *v* to fall in love with someone; to charm; to captivate.
En.ca.be.çar *v* to lead; to conduct; to head.
En.ca.de.ar *v* to enchain; to link; to connect.
En.ca.der.nar *v* to bind.
En.cai.xar *v* to pack up; to encase; to insert.
En.cai.xe *s* socket; groove; notch.
En.cai.xo.tar *v* to box; to crate; to pack.
En.cal.ço *s* track; footprint; pursuit.
En.ca.lhar *v* to ground; to strand; to beach.
En.ca.na.men.to *s* conduit; canalization; piping.
En.ca.nar *v* to canalize; to pipe.
En.can.ta.do *adj* enchanted; magical; fairy.
En.can.ta.dor *s* enchanter; magician; charmer; *adj* charming; lovely.

En.can.ta.men.to *s* enchantment; charm; fascination.
En.can.tar *v* to enchant; to delight; to charm.
En.can.to *s* enchantment; charm; grace.
En.ca.par *v* to wrap up; to cloak.
En.ca.po.tar *v* to cloak; to disguise; to conceal.
En.ca.ra.co.lar *v* to curl; to twist; to spiral.
En.ca.rar *v* to face; to gaze at; to glare; to look.
En.car.ce.rar *v* to incarcerate; to imprison; to confine.
En.ca.re.cer *v* to raise the price of; to enhance.
En.ca.re.ci.men.to *s* the raising of prices; entreaty; enhancement.
En.car.go *s* charge; office; duty; commission.
En.car.nar *v* to redden; to incarnadine; to embody.
En.car.re.gar *v* to put in charge; to entrust with.
En.ce.nar *v* to stage; to display; to show.
En.ce.ra.do *s* oilcloth; oilskin; *adj* waxed.
En.ce.rar *v* to wax; to polish.
En.cer.rar *v* to enclose; to close; to confine.
En.char.car *v* to inundate; to soak; to flood.
En.chen.te *s* flood; inundation; overflow.
En.cher *v* to fill up; to make full; to complete.
En.ci.mar *v* to top; to surmount; to crown.
En.clau.su.rar *v* to cloister; to seclude; to immure.
En.co.ber.tar *v* to cover; to defend; to conceal; to disguise; to cloak.
En.co.ber.to *adj* hidden; disguised; cloaked; covered; shrouded.
En.co.brir *v* to hide; to conceal; to disguise.
En.co.lher *v* to shrink; to shorten; FIG to be timid; to be bashful.
En.co.men.da *s* order; commission; package.
En.co.men.dar *v* to commend; to order; to charge; to entrust.
En.cô.mio *s* encomium; praise; eulogy.
En.con.trão *s* shock; push; collision.
En.con.trar *v* to meet; to find; to come across.
En.con.tro *s* meeting; date; collision; clash.
En.cos.ta *s* slope; hill-side; declivity
En.cos.tar *v* to support; to prop; to pull over.
En.cos.to *s* stay; prop; support; backboard.
En.cra.var *v* to prick a horse; to spike; to nail.
En.cren.ca *s* trouble; snare; snag; row.
En.cru.zi.lha.da *s* crossroads; intersection.
En.cur.ra.lar *v* to corral; to confine.
En.cur.tar *v* to shorten; to curtail; to abridge.
En.cur.var *v* to incurvate; to bend; to incurve.
En.de.re.çar *v* to address; to guide; to direct.
En.de.re.ço *s* address.
En.di.rei.tar *v* to straighten; to correct; to set right; to right.
En.di.vi.dar *v* to run into debts; to contract debts; to obligate.
En.doi.de.cer *v* to madden; to crazy.
En.du.re.cer *v* to harden; toughen; to stiffen.
E.ne.gre.cer *v* to blacken; to become dark; to defame.
E.ner.gia *s* energy; strength; vigour; vigor.
E.ner.gi.zar *v* to energize; to animate.
E.ner.var *v* to enervate; to weaken; to aggravate.
En.fa.dar *v* to bore; to irk; to annoy.
En.fa.do *s* weariness; boredom; displeasure.
En.fa.do.nho *adj* tiresome; dull; troublesome; boring.
En.fai.xar *v* to swaddle; to bind; to band; to bandage.
Ên.fa.se *s* emphasis; accentuation.
En.fas.ti.ar *v* to cause loathing; to loathe; to tire.
En.fei.tar *v* to adorn; to flourish; to beautify; to ornament; to deck.
En.fei.ti.çar *v* to bewitch; to enchant; to charm.
En.fei.xar *v* to bundle up; to truss; to fagot.
En.fer.ma.ria *s* ward; infirmary.
En.fer.mei.ra *s* nurse.
En.fer.mi.da.de *s* sickness; illness; feebleness; weakness.
En.fer.ru.jar *v* to rust; to corrode.
En.fes.tar *v* to fold lengthwise.
En.fe.zar *v* to stunt; to dwarf; to be upset; to annoy.
En.fi.ar *v* to thread; to string; to put on.
En.fi.lei.rar *v* to place in a file; to range; to rank; to line up.
En.fim *adv* at last; after all; finally.
En.for.car *v* to hang.
En.fra.que.cer *v* to enfeeble; to droop; to faint; to weaken.
En.fren.tar *v* to face; to come to grips.
En.fu.re.cer *v* to madden; **Enfurecer-se:** to become furious.
En.ga.io.lar *v* to cage; to encage; to imprison.
En.ga.jar *v* to engage; to hire; MIL to enlist.
En.ga.nar *v* to deceive; to trick; to fool; to beguile; to delude; to cheat.
En.ga.no *s* deceit; mistake; error; cheat.
En.ga.no.so *adj* deceitful; false; catchy.
En.gar.ra.fa.men.to *s* bottling; bottleneck.
En.gar.ra.far *v* to bottle.
En.gas.gar *v* to stifle; to gag; to choke.
En.gas.go *s* choking; gagging; suffocation.
En.ga.te *s* clamp; link; hook.
En.ga.ti.lhar *v* to cock a gun; to prepare.
En.ga.ti.nhar *v* to crawl on all fours; to creep.
En.gen.drar *v* to engender; to create; to beget.
En.glo.bar *v* to join; to globe; to add.
En.go.dar *v* to angle; to grease; to lure.
En.go.do *s* lure; decoy; bait.
En.go.lir *v* to swallow; to gobble; to gulp.
En.go.mar *v* to starch; to clarify; to iron.
En.gor.dar *v* to fatten; to fat.
En.gor.du.rar *v* to grease; to smear.
En.gra.ça.do *adj* funny; pleasant; merry.
En.gran.de.cer *v* to enlarge; to augment.
En.gra.xar *v* to black; to grease; to clean a shoe; to shine boot.
En.gra.xa.te *s* shoe-shiner; shoeblack; boot black.
En.gre.na.gem *s* gear; cogwheel; gearing.
En.gre.nar *v* to gear; to mesh.
En.guia *s* eel.

En.gui.çar *v* to break down; to hex; to conk.
E.nig.ma *s* enigma; puzzle; riddle.
E.nig.má.ti.co *adj* enigmatic; enigmatical; obscure.
En.jau.lar *v* to cage; to jail; to arrest.
En.jo.a.do *adj* nauseated; seasick; tiresome.
En.jo.ar *v* to nauseate; to repel; to pall; to get seasick.
En.joo *s* seasickness; nausea.
En.la.ce *s* union; marriage.
En.la.me.ar *v* to muddy; to puddle; to daggle; to mire.
En.la.ta.do *adj* tinned; USA canned.
En.la.tar *v* to tin; USA to can.
En.le.var *v* to ravish; to charm; to exalt; to enrapture.
En.le.vo *s* rapture; dream; enchantment.
En.lou.que.cer *v* to madden; to craze; to run mad; to go mad.
En.lou.que.ci.men.to *s* madness; lunacy; insanity.
En.lu.tar *v* to mourn; to darken; to grieve.
E.nor.me *adj* enormous; vast; big; huge.
E.nor.mi.da.de *s* enormity; hugeness; huge size.
En.qua.drar *v* to frame; to discipline.
En.quan.to *adv* while; meanwhile.
En.rai.ve.cer *v* to enrage; to rage; to anger.
En.rai.zar *v* to root; to cling.
En.ras.car *v* to net; to frame; to cheat; to get into trouble.
En.re.do *s* intrigue; entanglement; plot.
En.ri.que.cer *v* to enrich; to exalt; to glorify.
En.ro.lar *v* to roll; to coil; to wrap up.
En.ros.car *v* to twine; to curl; to wind.
En.ru.ga.do *adj* wrinkled; creased; furrowing.
En.ru.gar *v* to wrinkle; to crease; to pucker.
En.sa.bo.ar *v* to soap; to lather.
En.sa.car *v* to bag; to sack; to pack.
En.sai.ar *v* to assay; to essay; to experiment; to try; to attempt; to rehearse.
En.sai.o *s* essay; rehearsal; assay; attempt.
En.san.de.cer *v* to mad; to crazy.
En.san.guen.ta.do *adj* bloody; gory; bloodstained.
En.se.a.da *s* inlet; bay; cove; entrance.
En.se.jar *v* to try; to attempt.
En.se.jo *s* opportunity; occasion; chance.
En.si.nar *v* to teach; to instruct; to educate.
En.si.no *s* teaching; instructions; education.
En.so.pa.do *adj* wet; sopping; soaked.
En.so.par *v* to soak; to drench; to stew.
En.sur.de.ce.dor *adj* earsplitting; deafening.
En.sur.de.cer *v* to deafen; to dull; to become deaf.
En.ta.lhe *s* carving; engraving; notch; carved work.
En.tan.to *adv* meanwhile; meantime.
En.tão *adv* then; so; at that time.
En.te *s* being; existence; person.
En.te.a.da *s* stepdaughter.
En.te.a.do *s* stepson; stepchild.
En.ten.der *v* to understand; to comprehend.
En.ten.di.do *adj* understood; skilled; agreed.
En.ten.di.men.to *s* understanding; intellect; mind.
En.ter.ne.cer *v* to touch; to move; to pity; to mellow.
En.ter.rar *v* to bury; to inter; to plunge.
En.ter.ro *s* funeral; burial; interment.
En.to.ar *v* to intone; to pitch; to tone.
En.ton.te.cer *v* to stun.
En.tor.nar *v* to pour; to spill; to upset.
En.tor.pe.cer *v* to benumb; to grow benumbed; to swoon.
En.tra.da *s* entry; entrance; orifice; access.
En.tra.nhas *s* entrails; bowels; insides.
En.trar *v* to enter; to come in; to come into.
En.tra.var *v* to encumber; to hamper; to block.
En.tra.ve *s* encumbrance; pullback; clog.
En.tre *prep* between; among; amidst.
En.tre.ga *s* delivery; surrender; cession.
En.tre.ga.dor *s* deliverer.
En.tre.gar *v* to deliver; to hand; to give.
En.tre.li.nha *s* interlineation; space between two lines.
En.tre.me.ar *v* to intermingle; to intermix.
En.tre.men.tes *adv* meanwhile; however.
En.tre.pos.to *s* storehouse; warehouse.
En.tre.tan.to *adv* meanwhile; *conj* however; nevertheless.
En.tre.te.ni.men.to *s* amusement; entertainment; distraction.
En.tre.ter *v* to amuse; to entertain.
En.tre.var *v* to paralyze; to become paralytic; to hamper; to hinder.
En.tre.vis.tar *v* to interview.
En.tris.te.cer *v* to sadden; to upset; to grieve.
En.tron.ca.men.to *s* junction; joining.
En.tron.car *v* to join; to make a junction; to stocky.
En.tu.lho *s* debris; rubbish; trash; rubble.
En.tu.pi.men.to *s* obstruction; stopping up; stoppage.
En.tu.pir *v* to stop up; to jam; to obstruct; to choke; to block up.
En.tu.si.as.mar *v* to enrapture; to enthuse.
En.tu.si.as.ta *s* enthusiast; fan; *adj* enthusiast.
E.nu.me.rar *v* to enumerate; to count over; to recite.
E.nun.ci.a.do *s* enunciation; proposition; wording; declaration.
E.nun.ci.ar *v* to enunciate; to express; to state; to announce.
En.vai.de.cer *v* to make vain; to become vain.
En.ve.lhe.cer *v* to make old; to hoar; to grow old; to age.
En.ve.lhe.ci.do *adj* aged.
En.ve.lo.pe *s* envelope.
En.ve.ne.na.men.to *s* poisoning; intoxication.
En.ve.ne.nar *v* to poison; to intoxicate; to envenom.
En.ver.go.nhar *v* to shame; to embarrass; to abash.
En.ver.ni.zar *v* to varnish; to japan; to gloss.
En.vi.a.do *s* envoy; messenger.
En.vi.ar *v* to send; to dispatch; to forward.
En.vi.dra.ça.do *adj* glazed; glassed.
En.vi.dra.çar *v* to glaze; to glass.
En.vi.e.sa.do *adj* sloping; slanting; aslant; askew.

En.vol.to *adj* wrapped up; involved; enveloped.
En.vol.tó.rio *s* wrapper; cover.
En.vol.ver *v* to wrap; to entangle; to involve; **Envolver-se** *v* to get involved.
En.xa.da *s* hoe.
En.xa.guar *v* to rinse.
En.xa.que.ca *s* megrim; headache.
En.xer.gar *v* to see; to distinguish.
En.xo.tar *v* to scare; to drive away; to throw away.
En.xo.val *s* outfit; trousseau.
En.xu.gar *v* to dry; to wipe.
En.xu.to *adj* dry; free from moisture; svelte.
É.pi.co *adj* epic; heroic; epical.
E.pi.cu.ris.mo *s* Epicureanism.
E.pi.der.me *s* epidermis (exterior skin).
E.pí.gra.fe *s* epigraph.
É.po.ca *s* epoch; era; cycle.
E.po.pei.a *s* epic; epopee; an epic poem; epic poetry.
E.qua.ni.mi.da.de *s* equanimity; calm temper; calmness.
E.qui.da.de *s* equity; justness; fairness.
E.qui.dis.tân.cia *s* equidistance.
E.qui.dis.tan.te *adj* equidistant; halfway.
E.qui.dis.tar *v* to be equidistant.
E.qui.li.brar *v* to equilibrate; to poise; to counterbalance; to balance.
E.qui.lí.brio *s* equilibrium; balance.
E.qui.no *adj* equine; concerning to a horse.
E.qui.nó.cio *s* equinox.
E.qui.pa.men.to *s* equipment; gear; supply.
E.qui.par *v* to equip; to appoint; to fit out.
E.qui.pa.rar *v* to mention; to match; to even.
E.qui.pe *adj* team; gang; staff.
E.qui.va.lên.cia *s* equivalence; equality of value; correspondence.
E.qui.va.ler *v* to be equivalent; to countervail; correspond.
E.qui.vo.ca.do *adj* wrong; mistaken.
E.qui.vo.car *v* to equivocate; to mistake.
E.quí.vo.co *s* mistake; pun; *adj* equivocal; dubious.
E.ra *s* era; epoch; age.
E.re.mi.ta *s* hermit; eremite; recluse.
Er.guer *v* to raise; to stand up; to rise up; to build.
E.ri.gir *v* to erect; to raise; to set up; to build.
Er.mi.da *s* hermitage; little church.
Er.mo *s* desert; solitary place; *adj* solitary; lonely.
Er.ra.di.car *v* to eradicate; to uproot.
Er.ra.do *adj* wrong; mistaken; erroneous.
Er.rar *v* to mistake; to err; to miss; to gad.
Er.ro *s* error; mistake; slip.
E.ru.di.ção *s* erudition; learning; culture.
E.rup.ção *s* eruption; rash.
Er.va *s* herb; grass; herbage.
Er.vi.lha *s* pea.
Es.ba.fo.ri.do *adj* out of breath; tired; hurried.
Es.ban.jar *v* to lavish; to waste; to squander.
Es.bar.rar *v* to knock against; to hurtle; to hurl; to throw.
Es.bel.to *adj* slender; elegant.
Es.bo.çar *v* to sketch; to draft; to outline.
Es.bo.ço *s* sketch; drawing.
Es.bo.fe.te.ar *v* to buffet; to slap.
Es.bu.ra.car *v* to bore; to hole.
Es.ca.da *s* staircase; stairs; ladder.
Es.ca.da.ri.a *s* staircase; stairway.
Es.ca.fan.dris.ta *s* diver.
Es.ca.la *s* scale; gauge.
Es.ca.lão *s* step; echelon.
Es.ca.lar *v* to escalade; to scale; to ravage; to climb.
Es.cal.dar *v* to scald; to burn.
Es.ca.ma *s* scale.
Es.ca.mo.so *adj* scaly.
Es.can.ca.rar *v* to face.
Es.cân.da.lo *s* scandal; disgrace.
Es.can.ga.lhar *v* to break up; to break into pieces; to ruin.
Es.can.tei.o *s* ESP corner kick.
Es.ca.pa.men.to *s* escapement; exhaust piping.
Es.ca.par *v* to escape; to run away; to get away; to evade.
Es.ca.ra.ve.lho *s* scarab; beetle; USA ladybug.
Es.car.céu *s* billow; big noise; surge.
Es.car.ne.ce.dor *s* mocker; scoffer; jeerer.
Es.car.ne.cer *v* to mock; to scoff; to jest; to make fun of.
Es.cár.nio *s* mockery; mock; jeer; scoff.
Es.car.pa *s* scarp.
Es.car.pa.do *adj* steep; abrupt.
Es.car.rar *v* to spit; to expectorate.
Es.car.ro *s* spittle; phlegm; spit.
Es.cas.so *s* scanty; stingy; limited; scarce.
Es.ca.va.ção *s* dig; digging; excavation.
Es.ca.var *v* to dig; to excavate; to wash out.
Es.cla.re.cer *v* to clear; to elucidate; to enlighten.
Es.cla.re.ci.do *adj* cleared; famous; enlightened.
Es.co.la *s* school; college.
Es.co.la.do *adj* BR experienced; wise; sharp.
Es.co.lar *s* student; pupil; scholar; *adj* school.
Es.co.lha *s* choice; selection.
Es.co.lher *v* to choose; to elect; to single; to select.
Es.col.ta *s* escort; convoy.
Es.col.tar *v* to escort; to accompany.
Es.com.bros *s* trash; refuse; remains; ruins.
Es.con.der *v* to hide; to lurk; to conceal.
Es.con.de.ri.jo *s* hiding place; cover.
Es.con.di.do *adj* hidden; masked.
Es.cor.bu.to *s* scurvy, human disease originated by the absence of C vitamin.
Es.có.ria *s* scoria; slag; dross.
Es.co.ri.a.ção *s* excoriation; chafing.
Es.co.ri.ar *v* to excoriate; to chafe.
Es.cor.ra.çar *v* to expel; to drive away.
Es.cor.re.gar *v* to slide; to slip.
Es.cor.rei.to *adj* perfect; with good aspect; immaculate.
Es.cor.rer *v* to run; to drain off a vessel; to droop.

Es.co.tei.ro *s* boy scout.
Es.co.va *s* brush.
Es.co.var *v* to brush; to scrub.
Es.cra.vi.dão *s* slavery; enslavement.
Es.cra.vi.zar *v* to enslave; to enthrall; enthral.
Es.cra.vo *s* slave; vassal; *adj* slave; vassal.
Es.cre.ver *v* to write; to scribe; to produce books.
Es.cri.ba *s* scribe; copyist.
Es.cri.ta *s* writing; handwriting.
Es.cri.to *s* bill; note; memo; *adj* written.
Es.cri.tor *s* writer; author.

Es.cri.tu.ra *s* scripture; deed; writ.
Es.cri.tu.ra.ção *s* bookkeeping; accounting.
Es.cri.tu.rar *v* COM to keep books; to register.
Es.cri.tu.rá.rio *s* clerk; amanuensis.
Es.cri.va.ni.nha *s* desk; bureau.
Es.crú.pu.lo *s* scruple; hesitation; hesitancy.
Es.cru.ti.nar *v* to scrutinize; to poll; to count votes.
Es.cru.tí.nio *s* scrutiny; ballot box.
Es.cu.do *s* shield; portuguese coin.
Es.cul.pir *v* to sculpture; to carve; to grave.
Es.cul.tor *s* sculptor; carver.
Es.cul.tu.ra *s* sculpture; carving.
Es.cu.ma.dei.ra *s* skimmer.
Es.cu.re.cer *v* to darken; to gloom; to get dark; to obscure.
Es.cu.ri.dão *s* darkness; obscurity; ignorance; blindness.
Es.cu.ro *s* obscurity; darkness; *adj* dark; gloomy; dim.
Es.cu.sar *v* to excuse; to justify; to apologize.
Es.cu.ta *s* listening; hearing.
Es.cu.tar *v* to listen to; to harken; to heed to.
Es.far.ra.pa.do *adj* ragged; torn.
Es.far.ra.par *v* to tear; to rend; to rag.
Es.fe.ra *s* sphere; globe.
Es.fin.ge *s* sphinx.
Es.fo.lar *v* to flay; to fret; to gall; to skin.
Es.fo.lhar *v* to husk; to strip; to shuck.
Es.for.ça.do *adj* brave; strong; hard-working.
Es.for.çar *v* to strengthen; to endeavor.
Es.fre.gão *s* rubbing-cloth; dishcloth; mop.
Es.fre.gar *v* to scour; to clean; to scrub.
Es.fri.a.men.to *s* cooling; chilling.
Es.fri.ar *v* to cool; to make cool; to cool down; to chill.
Es.ga.nar *v* to strangle; to throttle; to choke.
Es.ga.ni.çar *v* to yelp; to bark; to screech.
Es.gar.çar *v* to tear; to rend; to open.
Es.gri.mir *v* to fence.
Es.gui.char *v* to spirt; to flush; to gush.
Es.gui.o *adj* slender; slim; thin.
Es.ma.e.cer *v* to faint; to swoon; to lose color; to lade.
Es.ma.ga.men.to *s* crushing; crush.
Es.ma.gar *v* to crush; to smash; to overwhelm.
Es.mal.tar *v* to enamel; to glaze.
Es.mal.te *s* enamel; smalt; USA **Esmalte de unha:** nail polish.
Es.me.ral.da *s* emerald; precious gem.
Es.me.rar *v* to perfect; **Esmerar-se** *v* to do one's best.
Es.me.ro *s* care; accuracy.
Es.mi.ga.lhar *v* to crumble; to crush.
Es.mi.u.çar *v* to analyze; to search.
Es.mo.la *s* alms; beating.
Es.mo.lar *v* to give alms; to ask for alms.
Es.mo.re.cer *v* to lose heart; to discourage.
Es.mur.rar *v* to box; to buffet; to cuff.
Es.pa.çar *v* to space; to adjourn; to delay.
Es.pa.ço *s* space; room; interval.
Es.pa.ço.so *adj* spacious; ample; vast in extent.
Es.pa.da *s* sword; *pl* spades (card game suit).
Es.pai.re.cer *v* to amuse; to relax; to divert.
Es.pa.lha.fa.to.so *adj* noisy; exaggerated.
Es.pa.nar *v* to dust; to clean.
Es.pan.car *v* to beat; to strike; to thrash; to bang; to maul.
Es.pan.ta.lho *s* scarecrow.
Es.pan.tar *v* to frighten; to scare; to astonish; to amaze.
Es.pan.to *s* fright; scare; astonishment.
Es.pa.ra.dra.po *s* adhesive bandage; adhesive tape.
Es.par.so *adj* scattered; spilled.
Es.pas.mo *s* spasm; fit; rapture.
Es.pa.ti.far *v* to crash; to break into pieces.
Es.pá.tu.la *s* spatula; palette knife; spoonbill.
Es.pe.ci.al *adj* special; private; particular.
Es.pe.ci.a.li.zar *v* to specialize.
Es.pe.ci.al.men.te *adv* especially.
Es.pé.cie *s* species; kind; sort.
Es.pe.ci.fi.car *v* to specify; to name; to detail.
Es.pe.cí.fi.co *adj* specific; particular.
Es.pé.ci.me *s* specimen; sample; pattern.
Es.pec.ta.dor *s* spectator; onlooker; viewer.
Es.pe.cu.lar *v* to speculate; to explore.
Es.pe.lho *s* mirror; looking-glass.
Es.pe.lun.ca *s* cave; den; honky-tonk; joint.
Es.pe.ra *s* expectation; waiting.
Es.pe.ran.ça *s* hope; promise; expectation.
Es.pe.ran.çar *v* to give hope to; to animate.
Es.pe.ran.to *s* Esperanto.
Es.pe.rar *v* to wait; to expect; to await.
Es.per.ma *s* sperm; masculine semen.
Es.per.ma.to.zoi.de *s* spermatozoon; sperm.
Es.per.ne.ar *v* to kick; to revolt.
Es.per.ta.lhão *adj* wise guy.
Es.per.te.za *s* vivacity; smartness; sagacity.
Es.per.ti.nho *s* smart guy; *adj* wise guy.
Es.per.to *adj* smart; sharp; clever; artful.
Es.pes.so *adj* thick; gross; close; dense.
Es.pes.su.ra *s* thickness; density.
Es.pe.tá.cu.lo *s* spectacle; show.
Es.pe.tar *v* to spit; to skewer; to pierce.
Es.pe.to *s* spit; spike; broach.
Es.pe.zi.nhar *v* to tread on; to trample.
Es.pi.a *s* spy; lookout; sentinel.
Es.pi.ão *s* spy.
Es.pi.ar *v* to spy; to watch; to observe; to peek.

Es.pi.ga *s* spike; ear of corn; grain head.
Es.pi.na.fre *s* spinach.
Es.pin.gar.da *s* rifle; gun.
Es.pi.nha *s* spine; thorn.
Es.pi.nho *s* thorn; prickle.
Es.pi.nho.so *adj* thorny; FIG troublesome; difficult.
Es.pi.o.na.gem *s* spying; espionage.
Es.pi.o.nar *v* to spy; to snoop.
Es.pi.ra *s* spire; spiral; coil.
Es.pi.rar *v* to breathe out; to expire; to end; to exhale.
Es.pi.ri.tis.mo *s* Spiritism.
Es.pí.ri.to *s* spirit; soul; a specter; ghost; FIG any distilled alcoholic liquor.
Es.pi.ri.tu.a.lis.ta *s* spiritualist.
Es.pi.ri.tu.a.li.zar *v* to spiritualize; to distill.
Es.pi.ri.tu.o.so *adj* witty; spirituous.
Es.pir.rar *v* to sneeze.
Es.pir.ro *s* sneeze; sneezing.
Es.plên.di.do *adj* splendid; very fine; magnificent.
Es.po.le.ta *s* blasting cap; quick-match; cape; fuse.
Es.pon.ja *s* powder puff; souse; sponge.
Es.pon.jo.so *adj* porous; spongy.
Es.pon.ta.nei.da.de *s* spontaneity.
Es.pon.tâ.neo *adj* spontaneous; automatic.
Es.po.ra *s* spur; crampon.
Es.po.rá.di.co *adj* sporadic.
Es.por.te *s* sport; sportsmanship.
Es.po.sa *s* wife; spouse.
Es.po.sar *v* to marry; to wed.
Es.po.so *s* husband; spouse.
Es.prai.ar *v* to spread; to scatter.
Es.pre.gui.çar *s* to stretch oneself.
Es.prei.ta *s* peep; look.
Es.prei.tar *v* to spy; to peek.
Es.pre.me.dor *s* squeezer; presser.
Es.pre.mer *v* to crush; to squeeze.
Es.pu.ma *s* foam; froth.
Es.pu.ma.dei.ra *s* skimmer; skimming-spoon.
Es.pu.mar *v* to foam; to froth; to skim.
Es.pú.rio *adj* spurious; bogus; illegitimate.
Es.qua.dro *s* square; T-square.
Es.quá.li.do *adj* squalid; pale; weak.
Es.quar.te.jar *v* to quarter; to tear.
Es.que.cer *v* to forget; to neglect.
Es.que.ci.do *adj* forgotten; forgetful.
Es.que.ci.men.to *s* forgetfulness.
Es.que.le.to *s* skeleton.
Es.que.ma *s* scheme; sketch; outline; plan.
Es.quen.tar *v* to heat; to warm; to grow angry.
Es.quer.da *s* left side; the left.
Es.quer.do *adj* left.
Es.qui.fe *s* skiff; coffin.
Es.qui.lo *s* squirrel.
Es.qui.na *s* angle; corner.
Es.qui.si.to *adj* strange; odd; whimsical.
Es.qui.var *v* to avoid; to dodge; to slink; to duck; to shun.
Es.se *adj* that; that one; *pron* that; that one.
Es.sên.cia *s* essence; core.
Es.sen.ci.al *adj* essential; vital.
Es.ta *adj* this; this one; *pron* this; this one.
Es.ta.be.le.cer *v* to establish; to set up; to settle.
Es.ta.be.le.ci.men.to *s* establishment; settlement; shop.
Es.ta.bi.li.da.de *s* stability; tenure.
Es.ta.bi.li.zar *v* to stabilize.
Es.tá.bu.lo *s* stable; barn.
Es.ta.ca *s* stake; prop; pale.
Es.ta.ção *s* station; season.
Es.ta.car *v* to stake.
Es.ta.ci.o.na.men.to *s* parking; standing.
Es.ta.ci.o.nar *v* to park; to stop; to stand.
Es.ta.da *s* stay; permanence; sojourn.
Es.tá.dio *s* stadium; coliseum.
Es.ta.dis.ta *s* statesman.
Es.ta.do *s* state; condition; nation.
Es.ta.fa.do *adj* tired; jaded.
Es.ta.far *v* to tire; to weary.
Es.ta.fe.ta *s* estafet; courier.
Es.ta.gi.á.rio *s* trainer; apprentice.
Es.tá.gio *s* stage; phase.
Es.tag.na.ção *s* stagnation; inertia.
Es.ta.lar *v* to crack; to break; to crackle.
Es.ta.lei.ro *s* shipyard; dockyard; navy yard.
Es.ta.li.do *s* clap; crackling; snap click.
Es.ta.lo *s* noise; crack; clap.
Es.tam.pa *s* stamp; print; engraving.
Es.tam.pa.gem *s* stamping; printing; impression.
Es.tam.par *v* to print; to stamp; togoffer; to press.
Es.tam.pa.ri.a *s* printery; print shop.
Estampido *s* clap; noise; report.
Es.tan.car *v* to stanch; to stop; to check.
Es.tân.cia *s* sojourn; stay; station; farm; stanza.
Es.tan.dar.te *s* standard; guidon; emblem; banner.
Es.ta.nhar *v* to tin; to cover with tin; to tin-coat.
Es.ta.nho *s* tin.
Es.tan.te *s* bookshelf; rack; bookcase.
Es.tar *v* to be; to stand.
Es.tar.re.cer *v* to frighten; to be struck with terror.
Es.tá.tua *s* statue.
Es.ta.tu.ra *s* stature; height.
Es.ta.tu.to *s* statute; rule; law.
Es.tá.vel *adj* stable; firmly established; fixed; steady.
Es.te *s* east; sunrise; *adj* this; this one; *pron* this; this one.
Es.tei.o *s* support; prop; stay.
Es.tei.ra *s* mat; the wake of a ship.
Es.ten.der *v* to extend; to reach; to stretch out; to spread.
Es.ten.di.do *adj* outspread; stretched-out.
Es.ter.co *s* dung; manure; muck.
Es.té.ril *adj* sterile; barren.
Es.te.ri.li.za.ção *s* sterilization.
Es.te.ri.li.zar *v* to sterilize; act to destroy germs by process of disinfection.
Es.ti.a.gem *s* good weather after storm; dry weather.

Es.ti.ar *v* to stop raining.
Es.ti.car *v* to stretch; to make tense.
Es.ti.le.te *s* stiletto.
Es.ti.lha.çar *v* to splinter; to spall.
Es.ti.lha.ço *s* splinter; chip.
Es.ti.lo *s* style; diction.
Es.ti.ma *s* esteem; consideration; regard.
Es.ti.ma.ção *s* esteem; estimate; **animal de estimacao**: pet.
Es.ti.mar *v* to esteem; to estimate; to value; to respect.

Es.ti.mu.lar *v* to stimulate.
Es.ti.o *s* summer.
Es.ti.pu.lar *v* to stipulate; to settle.
Es.ti.rar *v* to stretch; to pull; to extend.
Es.tir.pe *s* origin; lineage; pedigree.
Es.ti.va *s* stowage; ballast.
Es.ti.va.dor *s* stevedore; docker; longshoreman.
Es.to.far *v* to upholster; to pad; to stuff.
Es.toi.co *adj* stoic; stoical.
Es.to.jo *s* case; set; box.
Es.to.la *s* stole.
Es.tô.ma.go *s* stomach; belly.
Es.ton.te.ar *v* to stun; to astound; to daze.
Es.to.pa *s* tow; cotton waste; flock.
Es.to.pim *s* fuse.
Es.to.que *s* rapier; supply; stock.
Es.tor.nar *v* to transfer; to offset; to rescind.
Es.tor.var *v* to embarrass; to hinder; to cumber; to hamper.
Es.tor.vo *s* hindrance; nuisance; obstacle.
Es.tou.rar *v* to burst; to explode; to blow up.
Es.tou.ro *s* detonation; burst; bursting.
Es.trá.bi.co *adj* squint-eyed; cross-eyed; strabismic.
Es.tra.bis.mo *s* strabismus; squint.
Es.tra.da *s* road; way.
Es.tra.gar *v* to damage; to waste; to spoil.
Es.tra.go *s* deterioration; degeneration; damage; waste.
Es.tram.bó.ti.co *adj* extravagant; odd.
Es.tran.gei.ro *s* foreigner; *adj* foreign.
Es.tran.gu.lar *v* to strangle; to choke; to throttle.
Es.tra.nhar *v* to find strange something; to wonder at.
Es.tra.nhe.za *s* strangeness; wonderment.
Es.tra.nho *adj* foreign; strange; odd.
Es.tra.ta.ge.ma *s* stratagem; device.
Es.tra.té.gia *s* strategy.
Es.tre.an.te *s* début; débutante.
Es.tre.ar *v* to inaugurate.
Es.tre.ba.ri.a *s* stable.
Es.trei.a *s* beginning; début; first appearance; first performance.
Es.trei.tar *v* to narrow; to contract; to tighten.
Es.trei.te.za *s* narrowness; tightness; want.
Es.trei.to *s* strait; *adj* narrow; tight.
Es.tre.la *s* star; FIG destiny.
Es.tre.la.do *adj* starry; starlit.
Es.tre.lar *v* to star; to shine.
Es.tre.li.nha *s* asterisk; starlet.
Es.tre.me.cer *v* to shake; to love deeply; to tremble.
Es.tre.me.ci.do *adj* well-beloved; jolted; shaken.
Es.tre.me.ci.men.to *s* shock; commotion.
Es.tré.pi.to *s* noise; clash.
Es.tri.a *s* stria; groove.
Es.tri.a.do *adj* striated; grooved.
Es.tri.ar *v* to striate; to flute; to channel; to groove.
Es.tri.bei.ra *s* step; stirrup.
Es.tri.bi.lho *s* refrain; chorus.
Es.tri.bo *s* stirrup; support; side-step of any vehicle.
Es.tri.den.te *adj* stridulous; harsh; shrill.
Es.tro.fe *s* strophe; stanza.
Es.tron.do.so *adj* tumultuous; noisy; clamorous.
Es.tro.pi.ar *v* to maim; to cripple; to gravel.
Es.tru.me *s* manure; dung.
Es.tru.tu.ra *s* framework; structure.
Es.tu.á.rio *s* estuary; inlet.
Es.tu.dan.te *s* schoolboy; scholar; student.
Es.tu.dar *v* to study; to examine; to observe.
Es.tú.dio *s* studio; atelier.
Es.tu.fa *s* stove; heater; greenhouse.
Es.tu.fa.do *s* stew; pan roast; *adj* hothouse; heater.
Es.tu.pe.fa.to *adj* stupefied; astonished.
Es.tu.pi.dez *s* stupidity; silliness.
Es.tú.pi.do *adj* stupid; dull; coarse.
Es.tu.por *s* stupor; amazement.
Es.tu.prar *v* to rape; to violate; to ravish; to deflower.
Es.tu.que *s* stucco; plaster.
Es.va.ir-se *v* to vanish; to disappear; to faint away.
Es.va.zi.ar *v* to empty; to pick; to deflate.
E.ta.pa *s* stage; halting place
E.té.reo *adj* ethereal; concerning to the ether; sublime; high.
E.ter.ni.da.de *s* eternity.
E.ter.ni.zar *v* to eternize; to immortalize; to perpetuate; to eternalize.
E.ter.no *s* eternal; everlasting.
E.ti.que.ta *s* etiquette; label.
E.ti.que.tar *v* to label; to ticket.
Eu *pron* I; me.
Eu.ca.ris.ti.a *s* RELIG Eucharist.
Eu.fo.ri.a *s* euphoria.
Eu.re.ca! *interj* eureka!
E.va.cu.a.ção *s* evacuation.
E.va.cu.ar *v* to evacuate; to defecate; to excrete.
E.va.dir *v* to evade; to escape; run away.
E.van.ge.lho *s* the Gospel.
E.van.ge.li.zar *v* to evangelize.
E.va.po.rar *v* to evaporate; to vanish; to disappear
E.va.são *s* evasion; subterfuge; escape.
E.ven.to *s* event; occurrence; circumstance.
E.ven.tu.al *adj* eventual; fortuitous.
E.ven.tu.a.li.da.de *s* eventuality; fortuity.
E.vi.dên.cia *s* evidence.
E.vi.den.ci.ar *v* to evidence; to prove.
E.vi.den.te *adj* evident; plain; obvious.

E.vi.tar *v* to avoid; to evade; to help; to shirk; to prevent; to shun.
E.vo.car *v* to evoke; to summon; to remind.
E.vo.lu.ir *v* to progress; to evolve; to develop.
E.xa.cer.bar *v* to exasperate; to exacerbate; to become irritated.
E.xa.ge.rar *v* to exaggerate; to overdo.
E.xa.la.ção *s* exhalation; a breathe emanation.
E.xa.lar *v* to exhale; to breathe out; to emit.
E.xal.ta.ção *s* exaltation; excitement; elevation.
E.xal.tar *v* to praise; to exalt; to extol.
E.xa.me *s* examination; exam; inquiry; research.
E.xa.mi.nar *v* to examine; to investigate; to scan.
E.xas.pe.rar *v* to exasperate; to exacerbate; to enrage.
E.xa.ta.men.te *adv* exactly; just; precisely.
E.xa.ti.dão *s* exactness; accuracy.
E.xa.to *adj* exact; precise; accurate.
E.xau.rir *v* to drain; to exhaust.
E.xaus.to *adj* exhausted; tired out; toil-worn.
Ex.ce.ção *s* exception.
Ex.ce.der *v* to excel; to surpass; to exceed.
Ex.ce.lên.cia *s* excellence; excellency; superiority.
Ex.cen.tri.ci.da.de *s* eccentricity; oddity.
Ex.cep.ci.o.nal *adj* exceptional; unusual.
Ex.ces.si.vo *adj* excessive; extreme.
Ex.ces.so *s* excess; great abundance; surplus.
Ex.ce.to *prep* except.
Ex.ce.tu.ar *v* to except; to omit; to exclude; to bar.
Ex.ci.ta.ção *s* excitement; excitation.
Ex.ci.tan.te *adj* exciting.
Ex.ci.tar *v* to excite; to edge; to ferment; to stimulate; to arouse.
Ex.cla.ma.ção *s* outcry; exclamation.
Ex.cla.mar *v* to exclaim.
Ex.clu.ir *v* to exclude.
Ex.cre.men.to *s* excrement; fecal matter.
Ex.cur.são *s* excursion; trip; tour.
E.xe.cra.ção *s* execration; curse; horror.
E.xe.crar *v* to execrate; to curse; to detest.
E.xe.crá.vel *adj* execrable; damnable.
E.xe.cu.ção *s* execution; capital punishment.
E.xe.cu.tar *v* to execute; to fulfil; to fulfill; to perform.
E.xem.plar *s* exemplar; copy; type.
E.xem.plar *adj* exemplary.
E.xem.pli.fi.car *v* to exemplify; to illustrate.
E.xem.plo *s* example.
E.xe.quí.vel *adj* executable; feasible; practicable.
E.xer.cer *v* to exercise; to exert; to perform; to practise; to carry out.
E.xer.cí.cio *s* exercise; practice.
E.xer.ci.tar *v* to exercise; to practise.
E.xi.bi.ção *s* exhibition; show; exhibit; display.
E.xi.bi.dor *s* exhibitor; exhibiter.
E.xi.bir *v* to exhibit; to produce; to release; to show; to display.
E.xi.gên.cia *s* exigency; requirement; demand; exigency.
E.xi.gir *v* to require; to exact; to claim.
E.xí.guo *adj* scant; scanty; meager.
E.xi.la.do *s* exile; *adj* exiled.
E.xi.lar *v* to exile.
E.xí.lio *s* exile; banishment.
E.xí.mio *adj* excellent; eminent; accomplished.
E.xi.mir *v* to exempt; to release; to exonerate.
E.xis.tên.cia *s* existence; being; life.
E.xis.tir *v* to exist; to be; to live.
Ê.xi.to *s* result; success.
Ê.xo.do *s* exodus; emigration; one of the Sacred Books of the Old Testament.
E.xo.ne.rar *v* to exonerate; to dismiss.
E.xor.bi.tar *v* to go beyond the limits; to overstep.
E.xór.dio *s* exordium; first part of the speech (in address, in public speaking).
E.xor.tar *v* to exhort.
E.xó.ti.co *adj* exotic; extravagant; foreign.
Ex.pan.dir *v* to expand; to spread out.
Ex.pa.tri.ar *v* to expatriate; to exile; to banish.
Ex.pec.ta.dor *s* expectant; assistant.
Ex.pec.ta.ti.va *s* expectation; expectancy; hope.
Ex.pec.to.rar *v* to expectorate; to cough out.
Ex.pe.di.ção *s* expedition; journey.
Ex.pe.di.en.te *s* expedient; shift; resource.
Ex.pe.dir *v* to expedite; to dispatch; to forward.
Ex.pe.lir *v* to expel; to throw out; to dispel; to eject.
Ex.pen.sas *s* expense; cost.
Ex.pe.ri.ên.cia *s* experience; experiment; trial; test.
Ex.pe.ri.men.ta.do *adj* experienced; expert.
Ex.pe.ri.men.tar *v* to experiment; to sample; to try; to test.
Ex.pe.ri.men.to *s* experiment; experience; test.
Ex.per.to *s* expert.
Ex.pi.ra.ção *s* expiration; emission of air from the lungs; end.
Ex.pi.rar *v* to expire; to end; to exhale; to die.
Ex.pla.nar *v* to explain; to expound.
Ex.pli.ca.ção *s* explication; apology.
Ex.pli.car *v* to explain; to expound; to illustrate.
Ex.pli.cá.vel *adj* explicable; explainable.
Ex.plí.ci.to *adj* clear; explicit.
Ex.plo.dir *v* to explode; to blow up; to blast; to fulminate.
Ex.plo.ra.ção *s* exploration; exploitation.
Ex.plo.rar *v* to explore; to exploit.
Ex.plo.rá.vel *adj* workable.
Ex.plo.são *s* explosion; bang.
Ex.por *v* to expose; to endanger; to display.
Ex.po.si.ção *s* exposition; exhibition; exhibit; exposure; report.
Ex.pos.to *s* foundling; *adj* exposed.
Ex.pres.são *s* expression; utterance.
Ex.pres.sar *v* to express; to represent in words; to utter.
Ex.pres.so *s* express.
Ex.pri.mir *v* to express; to enunciate.

Ex.pul.são *s* expulsion; driving out; expelling; ejection.
Ex.pul.sar *v* to expel; to banish; to eject; to oust.
Êx.ta.se *s* rapture; ecstasy.
Ex.ta.si.ar *v* to delight; to enrapture.
Ex.ten.são *s* extension; extending.
Ex.ten.so *adj* extensive; ample; wide; spacious.
Ex.te.nu.ar *v* to extenuate; to tire out.
Ex.te.ri.or *s* exterior; outside; *adj* exterior; external; foreign; *adv* abroad.

Ex.te.ri.o.ri.zar *v* to manifest.
Ex.ter.mi.nar *v* to exterminate; to annihilate.
Ex.tin.ção *s* suppression; extinction; abolition.
Ex.tin.guir *v* to extinguish; to quench; to slake.
Ex.tin.to *s* dead person; deceased; *adj* extinct; extinguished.
Ex.tin.tor *s* fire extinguisher.
Ex.tir.par *v* to extirpate; to eradicate; to extract.
Ex.tor.quir *v* to extort; to black-mail; to extract.
Ex.tra.ção *s* extraction; drawing of a lottery; lineage.
Ex.tra.di.tar *v* to deliver up; to extradite.
Ex.tra.ir *v* to extract; to remove.
Ex.tra.or.di.ná.rio *adj* extraordinary; remarkable; notable.
Ex.tra.va.gan.te *adj* extravagant; wasteful; freakish; whimsical.
Ex.tra.va.sar *v* to extravasate; to overflow.
Ex.tra.vi.ar *v* to lead astray; to go astray.
Ex.tra.vi.o *s* deviation; embezzlement.
Ex.tre.ma.do *adj* distinguished; extreme.
Ex.tre.mar *v* to extol; to exalt.
Ex.tre.mi.da.de *s* extremity; end; border; edge.
Ex.tre.mo *s* extreme; extremity; *adj* extreme; utmost.
Ex.tro.ver.ti.do *s* extrovert; *adj* extroverted.
E.xu.be.rân.cia *s* exuberance.
E.xul.tar *v* to exult; to rejoice; to delight.
E.xu.ma.ção *s* exhumation; disinterment.
E.xu.mar *v* to exhume; to disinter.

f F

F *s* the sixth letter of the Portuguese alphabet and of the English alphabet.
Fã *s* fan; admirer.
Fá.bri.ca *s* factory; mill; manufactory; plant; fabric.
Fa.bri.car *v* to fabricate; to built; to till; to manufacture.
Fá.bu.la *s* fable; legend; tale; story.
Fa.bu.lo.so *adj* fabulous; marvellous.
Fa.ca *s* knife.
Fa.ça.nha *s* exploit; achievement; feat.
Fac.ção *s* faction; party spirit.
Fa.ce *s* face; cheek; visage.
Fa.cei.ro *adj* elegant; coquettish; foppish.
Fa.ce.tar *v* to facet; to polish; to refine.
Fa.cha.da *s* cover; front; face; figure.
Fa.cho *s* torch; beam.
Fá.cil *adj* easy; simple; facile; light.
Fa.ci.li.da.de *s* facility; ease; readiness.
Fa.ci.li.tar *v* to facilitate; to make easier.
Fa.cil.men.te *adv* easily.
Fa.cí.no.ra *s* gangster; criminal; *adj* criminal; wicked.
Fa.cul.da.de *s* faculty; power; ability; college.
Fa.cul.tar *v* to permit; to facilitate.
Fa.da *s* fairy; pixy; pixie.
Fa.da.do *adj* fated; predestined; doomed; bound.
Fa.dar *v* to fate; to destine; to doom; to endow.
Fa.di.ga *s* fatigue; toil; weight.
Fa.do *s* fate; destiny; MÚS portuguese popular song.
Fa.gu.lha *s* spark; flake; flash.
Fai.na *s* toil; chore.
Fai.são *s* pheasant.
Fa.ís.ca *s* spark; flash; flake.
Fa.is.car *v* to spark; to sparkle; to flash.
Fai.xa *s* band; belt; bandage.
Fa.la *s* speech; language; talk; voice.
Fa.lá.cia *s* fallacy; hubbub; deceit.
Fa.lar *v* to speak; to talk; to tell; to say; to address; to discourse.
Fa.la.tó.rio *s* chit-chat; prattle.
Fal.cão *s* falcon; hawk.
Fal.ca.tru.a *s* cheat; knavery; trick.
Fa.le.cer *v* to die; to pass away; to fail.
Fa.le.ci.do *s* deceased; *adj* deceased; late; wanting.
Fa.le.ci.men.to *s* death; demise.
Fa.lên.cia *s* failure; bankruptcy; insolvency.
Fa.lha *s* mistake; error; fault; flaw; blemish; failure.
Fa.lhar *v* to fail; to break down; to lack.
Fa.li.do *adj* failed; bankrupt.
Fa.lir *v* to fail; to go bankrupt; to break.
Fal.sá.rio *s* falsifier; forger; perjurer.
Fal.se.ar *v* to misrepresent; to betray.
Fal.si.da.de *s* falseness; untruth; falsehood.
Fal.si.fi.ca.ção *s* falsification; forgery; sham.
Fal.si.fi.ca.dor *s* falsifier; forger.
Fal.si.fi.car *v* to falsify; to forge; to counterfeit; to simulate.
Fal.so *adj* false; untrue; sham; wrong.
Fal.ta *s* flaw; failing; mistake; foul; lack; fault; defect; misdeed.
Fal.tar *v* to be missing; to miss; to be absent; to lack; to fail.
Fa.ma *s* fame; reputation; renown.
Fa.mí.lia *s* family; parents; parentage; folks.
Fa.mi.li.ar *s* relatives; *adj* familiar; homelike.
Fa.mi.li.a.ri.da.de *s* familiarity; intimacy.
Fa.mi.li.a.ri.za.do *adj* acquainted; familiarized.
Fa.mi.li.a.ri.zar *v* to familiarize; to acquaint.
Fa.min.to *adj* hungry; famished; starving.
Fa.mo.so *adj* famous; well-known; renowned.
Fa.ná.ti.co *s* fanatic; zealot; *adj* rabid; fanatical.
Fa.na.ti.zar *v* to fanaticize; to become fanatical.
Fan.far.ra *s* fanfare; brass band.
Fa.nho.so *adj* snuffling; nasal; twangy.
Fan.ta.si.a *s* fantasy; freak; fancy; whim.
Fan.ta.si.ar *v* to fantasy; to fancy; to imagine.
Fan.tas.ma *s* phantom; ghost.
Fan.tas.ti.ca.men.te *adv* exhilaratingly.
Fan.tás.ti.co *adj* fantastic; fantastical; unreal.
Fan.to.che *s* puppet.
Fa.quei.ro *s* knife-case; silver chest; cutler.
Fa.ra.ó *s* pharaoh.
Far.da *s* uniform; livery.
Fa.re.jar *v* to scent; to smell.
Fa.re.lo *s* bran; chaff.
Fa.ri.nha *s* meal; flour.

Far.ma.cêu.ti.co *s* chemist; druggist; *adj* pharmaceutic; pharmaceutical.
Far.má.cia *s* pharmacy; chemist's store; drugstore.
Fa.ro *s* scent; flair; smell.
Fa.rol *s* lighthouse; street lamp; beacon; lantern; ship's light; FIG ostentation.
Far.pa *s* barb; splinter.
Far.ra.po *s* rag; frazzle.
Far.sa *s* farce; dodge; trickery.
Far.san.te *s* buffoon; fake; impostor; mime.
Far.to *adj* satiate; fed up; ample; irked.
Far.tu.ra *s* plenty; abundance.
Fas.ci.nar *v* to fascinate; to captivate; to charm; to enchant; to bewitch.
Fas.tí.gi.o *s* summit; top; pinnacle.
Fas.ti.o *s* weariness; want of appetite.
Fa.tal *adj* fatal, mortal; deadly.
Fa.ta.li.da.de *s* fatality; disaster; destiny; a fatal event.
Fa.ti.a *s* slice; piece; cut.
Fa.ti.ar *s* to slice; to wedges; to pieces.
Fa.ti.gar *v* to tire; to fatigue; to weary.
Fa.to *s* suit; fact; event.
Fa.tu.rar *v* to invoice; to bill.
Fau.no *s* faun.
Fa.va *s* broad bean; cocoon.
Fa.ve.la *s* shantytown; slum.
Fa.vo *s* honeycomb; favus.
Fa.vor *s* favor; favour; protection.
Fa.vo.rá.vel *adj* favorable; favoring.
Fa.vo.re.cer *v* to favor; to further; to befriend; to smile on; to support.
Fa.vo.ri.to *s* favorite; *adj* favorite; darling.
Fa.xi.na *s* fagot; cleanup.
Fa.xi.nar *v* to clean something.
Fa.xi.nei.ro *s* janitor; cleaner.
Fa.zen.da *s* farm; plantation.
Fa.zen.dei.ro *s* farmer; planter; rancher.
Fa.zer *v* to do; to make; to perform; to create; to carry out.
Fé *s* faith.
Fe.al.da.de *s* ugliness; outrage.
Fe.bre *s* fever.
Fe.cha.do *adj* closed; shut.
Fe.cha.du.ra *s* lock.
Fe.cha.men.to *s* closure; closing.
Fe.char *v* to shut; to fasten; to close; to lock.
Fe.cho *s* bolt; conclusion; close; latch.
Fe.cun.da.ção *s* fecundation; impregnation.
Fe.cun.dar *v* to fecundate; to fertilize.
Fe.der *v* to stink.
Fe.dor *s* stink; fetidness.
Fei.ção *s* feature.
Fei.jão *s* bean.
Fei.o *adj* ugly; improper.
Fei.ra *s* fair; market.
Fei.ran.te *s* trader at fairs; hawker.
Fei.ti.ça.ri.a *s* sorcery; witchcraft.
Fei.ti.cei.ra *s* witch; hag; sorceress.
Fei.ti.cei.ro *s* sorcerer; wizard; *adj* bewitching.
Fei.ti.ço *s* sorcery; witchcraft; charm; fetish.
Fei.ti.o *s* fashion; sort; shape; workmanship.
Fei.to *s* fact; deed; exploit; *adj* done; grown; made.
Fei.xe *s* bunch.
Fel *s* bile.
Fe.li.ci.da.de *s* felicity; happiness; bliss.
Fe.li.ci.ta.ção *s* felicitation; congratulation.
Fe.li.ci.tar *v* to felicitate; to congratulate.
Fe.liz *adj* happy; merry; glad.
Fe.liz.men.te *adv* fortunately.
Fel.pa *s* shag; nap of a cloth.
Fê.mea *s* female.
Fê.mur *s* femur; thighbone.
Fen.da *s* chap; chink; crack.
Fen.der *v* to slit; to cleave; to crack; to chap; to split.
Fe.ne.cer *v* to end; to fade; to wither; to die.
Fe.no *s* hay; vernal grass.
Fe.ra *s* wild beast, beast of prey.
Fé.re.tro *s* coffin; bier.
Fe.ri.a.do *s* holiday; legal holiday; *adj* holiday.
Fé.ri.as *s* vacation.
Fe.ri.da *s* wound.
Fe.ri.men.to *s* injury; wound.
Fe.rir *v* to wound; to hurt; to hit.
Fer.men.tar *v* to ferment; to leaven.
Fer.men.to *s* ferment; yeast.
Fe.ro.ci.da.de *s* ferocity; fierceness.
Fe.roz *adj* ferocious; fierce.
Fer.ra.gem *s* ironwork; ironware; hardware.
Fer.ra.men.ta *s* tool; utensil.
Fer.rão *s* stick; prick; spike.
Fer.rar *v* to iron; to shoe; to mark a cattle; to nail.
Fer.re.nho *adj* hard; inflexible; iron-like; hard as iron.
Fer.ro *s* iron; fetters.
Fer.ro.a.da *s* sting; prick.
Fer.ro.vi.a *s* rail; railway; railroad.
Fer.ru.gem *s* rust.
Fér.til *adj* fertile; fruitful.
Fer.ti.li.da.de *s* fertility; fecundity; fruitfulness.
Fer.ti.li.zar *v* to fertilize.
Fer.ver *v* to boil; to effervesce; to seethe.
Fér.vi.do *adj* fervid; ardent; hot.
Fer.vi.lhar *v* to boil; to swarm.
Fer.vor *s* fervor; zeal; fervour.
Fer.vu.ra *s* ebullition; effervescence; seething.
Fes.ta *s* feast; festival; festivity; party.
Fes.te.jar *v* to celebrate; to wassail; to make marry.
Fes.te.jo *s* festivity; celebration.
Fes.ti.val *s* festival; feast; *s* merry, festive
Fé.ti.do *adj* fetid; stinking.
Fe.ve.rei.ro *s* February, the second month of the year.
Fe.zes *s* shit; feces; dregs.
Fi.a.do *adj* spun; on trust; trustful.
Fi.ar *v* to sell on trust; to confide; to wiredraw.
Fi.as.co *s* fiasco; failure; flop.
Fi.bra *s* fibre; staple; fiber.

Fi.car *v* to remain; to hold out; to stay.
Fi.cha *s* file card; index card; chip.
Fic.tí.cio *adj* fictitious; imaginary.
Fi.de.dig.no *adj* credible; reliable; creditable.
Fi.de.li.da.de *s* fidelity; faithfulness; loyalty.
Fi.el *adj* faithful; loyal.
Fi.ga *s* amulet; mockery.
Fí.ga.do *s* liver; guts.
Fi.go *s* fig.
Fi.guei.ra *s* fig tree.
Fi.gu.ra *s* figure; looks; shape; appearance.
Fi.gu.ran.te *s* figurant; extra; super.
Fi.gu.rão *s* big shot; big boss; bigwig.
Fi.gu.rar *v* to imagine; to figure.
Fi.gu.ri.no *s* model; fashion magazine; pattern.
Fi.la *s* file; rank; row; tier; line.
Fi.la.men.to *s* thread; filament.
Fi.lão *s* lode; vein; loaf of bread.
Fi.lar *v* to catch; to mooch; to cheat.
Fi.lé *s* steak; fillet, a strip of lean meat.
Fi.lei.ra *s* file; row; rank.
Fi.lha *s* daughter.
Fi.lho *s* son.
Fi.lho.te *s* native; nestling; litter of any animal.
Fi.li.a.ção *s* filiation; relationship.
Fi.li.al *s* branch; *adj* filial.
Fi.li.gra.na *s* filigree; filigrain.
Fil.mar *v* to film; to make motion pictures.
Fil.me *s* film; USA movie.
Fil.trar *v* to filter; to strain; to percolate.
Fil.tro *s* sieve; philter.
Fim *s* end; close; downfall; aim; purpose.
Fi.na.do *adj* deceased.
Fi.nal *s* finale; conclusion; end; *adj* final; conclusive.
Fi.na.li.da.de *s* finality; end; aim.
Fi.na.li.za.ção *s* finish; conclusion; end.
Fi.na.li.zar *v* to finish; to end; to complete.
Fi.nal.men.te *adv* finally; at last; lastly.
Fi.nan.ças *s* finances; public funds; treasury.
Fi.nan.ci.ar *v* to finance.
Fin.car *v* to fix; to drive; to root.
Fin.dar *v* to finish; to end; to conclude.
Fi.ne.za *s* kindness; favor; goodness.
Fin.gi.do *adj* feigned; simulate; false.
Fin.gir *v* to feign; to pretend; to make believe.
Fi.no *adj* thin; fine; polite; courteous; sharp; shrewd; cunning.
Fi.o *s* thread; yarn; wire; edge.
Fir.ma *s* firm; signet; signature.
Fir.ma.men.to *s* firmament; sky.
Fir.mar *v* to firm; to fix; to establish.
Fir.me *adj* firm; steady; constant.
Fir.me.za *s* firmness; constancy; steadiness.
Fis.ga *s* harpoon; slit; gig.
Fis.gar *v* to harpoon; to hook; to fish with a harpoon.
Fi.ta *s* ribbon; band; lie; film; movie; picture.
Fi.tar *v* to look at; to gaze; to stare.
Fi.ve.la *s* buckle; clasp.
Fi.xa.ção *s* fixation; fixing.
Fi.xa.dor *s* fixer; fixing liquid to revelation.
Fi.xar *v* to fix; to assign; to state; to settle; to establish; to fasten.
Fi.xo *adj* fixed; firm; steady; settled.
Fla.ci.dez *s* laxity; flaccidity.
Fla.ge.lar *v* to flagellate; to beat.
Fla.ge.lo *s* flagellum; calamity; scourge.
Fla.grar *v* to burn; to inflame.
Flâ.mu.la *s* pennant; streamer.
Flan.co *s* flank; side.
Fla.ne.la *s* flannel.
Flau.ta *s* flute; scorn.
Flau.tim *s* small flute; piccolo.
Fle.cha *s* dart; arrow; bolt.
Fle.char *v* to arrow; to wound with an arrow.
Fler.tar *s* to flirt; to dally.
Fleu.ma *s* phlegm; impassibility.
Fleu.má.ti.co *adj* phlegmatic; impassible.
Fle.xão *s* flexion; flexure.
Fle.xi.bi.li.da.de *s* flexibility; pliancy.
Fle.xí.vel *adj* flexible; pliant.
Flo.co *s* flock; wool-dust; flake.
Flor *s* flower; blossom; bloom.
Flo.res.ta *s* forest; wood.
Flo.rim *s* florin, coin of several countries.
Flo.rir *v* to bloom; to blossom; to flower.
Flu.en.te *adj* fluent; flowing; fluency.
Flu.i.dez *s* fluidity; fluidness.
Flui.do *s* fluid (gas or liquid); *adj* fluid; loose.
Flu.ir *v* to flow; to ooze; to issue.
Flu.tu.ar *v* to float; to waver; to fluctuate.
Flu.vi.al *adj* fluvial.
Flu.xo *s* flux; tide; flow.
Fo.bi.a *s* phobia; fear; aversion.
Fo.ca *s* phoca; seal; sea dog; calf; POP reporter novice.
Fo.ca.li.zar *v* to focalize; to focus.
Fo.car *v* to focus; to focalize; to adjust the focus of.
Fo.ci.nho *s* muzzle; snout; nose.
Fo.co *s* focus; center; centre.
Fo.fo *adj* cute; soft; smooth; fluffy.
Fo.gão *s* stove; cooker.
Fo.ga.rei.ro *s* little stove; brazier.
Fo.go *s* fire; flame; hearth.
Fo.guei.ra *s* bonfire; stake.
Fo.gue.te *s* rocket; spacecraft; missile.
Fo.le *s* bellows; blower.
Fô.le.go *s* breath.
Fol.ga *s* rest; recreation; day off.
Fol.ga.do *adj* loose; easy; wide; not tight; free; ample; GÍR lazy; loafer.
Fol.gar *v* to rest; to laze; to dawdle.
Fo.lha *s* leaf; sheet; blade; newspaper.
Fo.lha.do *adj* leafy, having leaves; full of leaves; plated.
Fo.lha.gem *s* foliage; leafage.
Fo.lhe.ar *v* to turn over pages of; to foliate.
Fo.lhe.to *s* pamphlet; booklet.

Fo.lhi.nha *s* leaflet; calendar; small calendar.
Fo.li.a *s* merrymaking; gay time; riot; frolic.
Fo.li.ão *s* merrymaker; buffoon; jester.
Fo.me *s* hunger; famine.
Fo.men.ta.dor *s* fomenter; promoter.
Fo.men.tar *v* to foment; to encourage; to further.
Fo.men.to *s* fomentation; encouragement.
Fo.ne *s* phone; telephone.
Fon.te *s* fountain; spring; source.
Fo.ra *adv* outside; abroad; *prep* except; besides; **fora!** *interj* out! begone!
Fo.ra.gi.do *s* fugitive; outlaw; *adj* fugitive; expatriated; wanted.

Fo.ras.tei.ro *s* foreigner; stranger; alien.
For.ca *s* gallows; gibbet.
For.ça *s* strength; power; force.
For.çar *v* to force; to drive; to prize.
For.ja *s* forge; smithy.
For.jar *v* to forge; to coin; to invent; to concoct.
For.ma *s* form; way; shape; *s* mold; pattern.
For.ma.li.zar *v* to formalize.
For.mão *s* chisel; carpenter's chisel.
For.mar *v* to form; to fashion; to shape.
For.mi.dá.vel *adj* formidable; immense; huge.
For.mi.ga *s* ant; termite; pismire.
For.mi.gar *v* to itch; to tingle; to swarm.
For.mo.so *adj* beautiful; handsome.
For.mu.lar *v* to formulate; to express; to conceive.
For.na.lha *s* furnace; firebox.
For.ne.cer *v* to furnish; to accommodate; to provide.
For.ni.ca.ção *s* fornication; copulation.
For.ni.car *v* to fornicate.
For.no *s* oven; furnace.
Fo.ro *s* court of justice; jurisdiction; grant; right.
For.qui.lha *s* pitchfork; crotch.
For.ra.gem *s* forage, food suitable for horses or cattle; feed; fodder.
For.rar *v* to line; to cover; to pad.
For.ro *s* lining; ceiling; padding; *adj* free; liberated.
For.te *s* fort; fortress; *adj* strong; powerful; robust; vigorous.
For.ti.fi.ca.ção *s* fortification; fortress.
For.ti.fi.can.te *s* tonic; *adj* fortifying.
For.ti.fi.car *v* to fortify; to strengthen.
For.tui.to *adj* fortuitous; accidental.
For.tu.na *s* fortune; wealth; fate; chance.
Fos.car *v* to tarnish; to dim.
Fos.co *adj* dim; dull.
Fós.fo.ro *s* phosphorus; match.
Fos.sa *s* dimple; cesspool.
Fo.to *s* snap photo; photo.
Fo.to.gra.far *v* to photograph; to shoot.
Fo.to.gra.fi.a *s* photograph; picture; photo.
Foz *s* mouth of a river.
Fra.cas.sar *v* to fail; to break down; to go wrong; to ruin; to shatter.
Fra.cas.so *s* failure; misfortune; disaster.
Fra.ci.o.nar *v* to fraction.
Fra.co *adj* feeble; weak; poor.
Fra.de *s* friar; monk.
Frá.gil *adj* fragile; frail; brittle.
Fra.gi.li.da.de *s* fragility; brittleness.
Frag.men.tar *v* to break up; to fragmentize.
Frag.men.to *s* fragment; nip.
Fra.grân.cia *s* fragrance; odor; aroma.
Fra.gran.te *adj* fragrant; balmy.
Fral.da *s* skirt; diaper; swaddling-clothes; napkin.
Fram.bo.e.sa *s* raspberry.
Fran.co *s* Franc, coin of several countries; *adj* free.
Fran.ga *s* pullet.
Fran.ga.lho *s* rag; tatter.
Fran.go *s* chicken; cockerel.
Fran.que.ar *v* to free; to enfranchise; to exempt.
Fran.que.za *s* frankness; sincerity.
Fran.qui.a *s* franchise.
Fran.zi.do *s* plait; fold; *adj* gathered; ruffled.
Fran.zi.no *adj* thin; feeble; slender.
Fran.zir *v* to wrinkle; to quill.
Fra.que *s* morning coat.
Fra.que.jar *v* to flag; to become weak.
Fra.que.za *s* weakness; debility.
Fras.co *s* bottle; flask.
Fra.se *s* phrase; expression.
Fra.se.ar *v* to phrase, to express in words.
Fra.ter.nal *adj* fraternal; brotherly.
Fra.ter.ni.zar *v* to fraternize; to associate as brother.
Fra.tu.ra *s* fracture; rupture; breaking; break.
Fra.tu.rar *v* to fracture; to break; to crack.
Frau.dar *v* to defraud; to cozen.
Frau.de *s* fraud; deceit; trickery; cheat.
Fre.guês *s* customer; shopper; parishioner.
Fre.gue.si.a *s* clientele; customers; parish.
Frei *s* friar; fra.
Frei.o *s* bit; curb; brake; restraint; check; stop; obstacle.
Frei.ra *s* nun; sister.
Fre.ne.si *s* frenzy; madness; fury.
Fren.te *s* face; front; façade.
Fre.quên.cia *s* frequency.
Fre.quen.tar *v* to attend; to frequent.
Fre.quen.te.men.te *adv* frequently; often.
Fres.co *s* fresh air; *adj* fresh; cool; new.
Fres.ta *s* gap window; cleft.
Fre.tar *v* to freight; to charter; to load.
Fre.te *s* carriage; freight.
Fri.a.gem *s* cold; coldness.
Fric.ção *s* rubbing; friction; chafe.
Fri.ei.ra *s* chilblain.
Fri.e.za *s* coldness; frigidity.
Fri.gi.dei.ra *s* frying pan; skillet.
Fri.gi.dez *s* frigidity; neglect.
Fri.gir *v* to fry.
Fri.go.rí.fi.co *s* cooler; cold-storage room; coolant; *adj* frigorific.
Fri.o *s* cold; chill; freezing; *adj* cold; cool; dull; freezing.

Fri.o.ren.to *adj* chilly; cold-blooded.
Fri.sar *v* to frizzle; to curl; to frizz.
Fri.so *s* frieze; molding.
Fri.tar *v* to fry.
Fri.vo.li.da.de *s* frivolity; levity.
Frí.vo.lo *adj* trifling; frivolous.
Fro.nha *s* pillowcase.
Fron.tal *s* frontal; *adj* frontal; front.
Fron.te *s* forehead; front; brow.
Fron.tei.ra *s* frontier; boundary; border.
Fro.ta *s* fleet; air-force; armada.
Frou.xo *adj* slack; flabby; lax; loose.
Fru.gal *adj* thrift; frugal; thrifty.
Fru.ir *v* to enjoy; to derive.
Frus.tra.ção *s* frustration; defeat.
Frus.trar *v* to frustrate.
Fru.ta *s* fruit.
Fru.tei.ra *s* fruit bowl; fruit tree.
Fru.ti.fi.car *v* to fructify; FIG to give right; to grow.
Fru.to *s* fruit; product; effect.
Fu.ga *s* flight; elopement; escape.
Fu.gaz *adj* fugacious; fugitive; transitory.
Fu.gi.da *s* escape; flight.
Fu.gi.di.o *adj* fleeting; shy.
Fu.gir *v* to flee; to fly; to run away; to get away.
Fu.gi.ti.vo *s* fugitive; *adj* fugitive; runaway.
Fu.la.no *s* fellow.
Ful.gor *s* splendor; brilliancy; radiance.
Ful.gu.rar *v* to shine; to flash.
Fu.li.gem *s* soot; grime.
Ful.mi.nan.te *adj* fulminating; thundering.
Ful.mi.nar *v* to fulminate; to destroy.
Fu.ma.ça *s* smoke; puff.
Fu.mar *v* to smoke.
Fu.me.gan.te *adj* smoking; fuming.
Fu.mo *s* smoke; crape; tobacco.
Fun.ção *s* function; performance.
Fun.ci.o.nar *v* to work; to run; to function.
Fun.ci.o.ná.rio *s* functionary; employee; clerk.
Fun.da *s* sling; truss.
Fun.da.men.tal *adj* fundamental; essential.
Fun.da.men.tar *v* to found; to ground.
Fun.da.men.to *s* fundament; fundamental; basis; foundation; reason.
Fun.dar *v* to found; to establish; to base.
Fun.di.ção *s* foundry; melting; iron-works.
Fun.di.lho *s* seat of trousers; seat of pants.
Fun.dir *v* to melt; to cast; to smelt; to fuse.
Fun.do *s* bottom; fund; background; capital; stock; *adj* deep; hollow.
Fú.ne.bre *adj* funeral; mournful.
Fu.ne.ral *s* funeral; burial.
Fu.nes.to *adj* fatal; dismal; untoward; dire.
Fun.gar *v* to sniff; to whine.
Fun.go *s* fungus; mushroom.
Fu.nil *s* funnel.
Fu.ni.lei.ro *s* tinker.
Fu.ra.cão *s* hurricane; whirlwind.
Fu.rar *v* to bore; to puncture; to drill; to pierce.
Fur.gão *s* luggage-van; van; baggage car.
Fú.ria *s* fury; rage.
Fu.ri.o.so *adj* furious; frantic; enraged; strong.
Fu.ro *s* hole; bore; orifice.
Fu.ror *s* fury; furor; rage; madness.
Fur.ta-cor *adj* iridescent.
Fur.tar *v* to steal; to rob; to thieve.
Fur.to *s* robbery; booty.
Fu.rún.cu.lo *s* furuncle; boil.
Fu.são *s* fusion; melting.
Fu.sí.vel *adj* fusible.
Fu.so *s* spindle; spool.
Fus.ti.gar *v* to whip; to harass; to flog.
Fu.te.bol *s* football; USA soccer.
Fú.til *adj* futile; frivolous.
Fu.ti.li.da.de *s* futility; frivolity; trifle.
Fu.tu.ro *s* future; *adj* future.
Fu.zil *s* rifle; gun.
Fu.zi.lar *v* to shoot; to sparkle.
Fu.zi.lei.ro *s* fusileer; fusilier; mariner.

g G

G *s* the seventh letter of the Portuguese alphabet and of the English alphabet.
Ga.do *s* cattle; livestock.
Ga.fa.nho.to *s* grasshopper; locust.
Ga.go *s* stutterer; stammerer; *adj* stammering.
Ga.gue.jar *v* to stutter; to falter; to stammer.
Gai.o.la *s* cage.
Gai.ta *s* pipe; reed; harmonica; BR POP money.
Gai.vo.ta *s* sea-gull; mew.
Ga.jo *s* guy; fellow; ruffian.
Ga.la *s* gala; pomp; festivity; *adj* festive.
Ga.lã *s* gallant; lover.
Ga.lan.tei.o *s* gallantry; courtship.
Ga.lão *s* gallon.
Ga.le.ri.a *s* gallery; arcade.
Gal.gar *v* to jump over; leap.
Ga.lho *s* branch; horn; quarrel.
Ga.li.nha *s* hen; chicken.
Ga.li.nhei.ro *s* chicken yard; hen house.
Ga.lo *s* cock; rooster.
Ga.lo.cha *s* galoshes; rubbers.
Ga.lo.par *v* to ride hard; to gallop; to lope.
Ga.lo.pe *s* gallop; lope.
Ga.mão *s* backgammon.
Gam.bi.ar.ra *s* foot-lights; stage lights.
Gam.bi.to *s* trick; trip; toothpick; ESP gambit (chess).
Ga.mo *s* buck; stag; fallow deer.
Ga.nân.cia *s* greed; covetousness; rapacity.
Gan.cho *s* crook; hook; gaff.
Gan.dai.a *s* vagrancy; loafing.
Gan.gre.nar *v* to gangrene; to mortify; FIG to corrupt.
Ga.nhar *v* to win; to gain; to get.
Ga.nho *s* gain; profit.
Ga.ni.do *s* howl; yelp; yowl.
Gan.so *s* goose; gander.
Ga.ra.gem *s* garage.
Ga.ran.ti.a *s* guarantee; warrant; guaranty.
Gar.ça *s* heron.
Gar.çom *s* waiter.
Gar.ço.ne.te *s* waitress.
Gar.dê.nia *s* gardenia (flower).
Gar.fo *s* fork.
Gar.ga.lha.da *s* loud laughter; laughter.
Gar.ga.lo *s* bottle mouth.
Gar.gan.ta *s* throat; gorge.
Gar.gan.ti.lha *s* necklace; collar.
Gar.ga.re.jar *v* to gargle.
Gar.ga.re.jo *s* gargling; gargle.
Ga.rim.par *v* to prospect; to pan.
Ga.rim.po *s* mining claim.
Ga.ro.ta *s* girl.
Ga.ro.to *s* boy.
Gar.ra *s* claw; clutch; talon.
Gar.ra.fa *s* bottle.
Gar.ran.cho *s* scrawl; scribble.
Ga.ru.pa *s* croup of a horse; buttocks (of horses).
Gás *s* gas; **fogão a Gás:** stove gas.
Ga.so.li.na *s* gas; gasoline; petrol.
Ga.so.sa *s* soda; soda pop.
Gas.tar *v* to spend; to wear out; to expend.
Gas.to *s* expense; use; waste; *adj* worn; spent; cost.
Gas.trô.no.mo *s* gastronome; gourmet.
Ga.ti.lho *s* trigger.
Ga.to *s* cat.
Ga.tu.no *s* thief; pilferer.
Gá.vea *s* topsail; lookout.
Ga.ve.ta *s* drawer; stir.
Ga.vi.ão *s* hawk; sparrow; falcon.
Ga.ze *s* gauze; cheesecloth.
Ga.ze.tei.ro *s* truant.
Ge.a.da *s* hoar-frost; frost; rime.
Ge.ar *v* to frost; to freeze; to rime.
Gel *s* gelatin.
Ge.la.dei.ra *s* icebox; refrigerator.
Ge.lar *v* to freeze; to congeal; to ice.
Ge.la.ti.na *s* jelly; gelatine.
Ge.lei.a *s* jelly; jam.
Ge.lei.ra *s* glacier; freezer.
Ge.lo *s* ice; FIG coldness; indifference.
Ge.ma *s* yolk of an egg; gemma; bud; gem.
Ge.ma.da *s* egg-flip; egg-nog.
Gê.meo *s* twin; *adj* twin.
Ge.mer *v* to moan; to wail; to groan; to lament.
Ge.ne.ra.li.da.de *s* generality.

Ge.ne.ra.li.zar *v* to generalize.
Gê.ne.ro *s* kind; sort; class; genus; GRAM gender.
Ge.ne.ro.si.da.de *s* generosity; benevolence; bounty.
Gê.ne.se *s* genesis; origin; beginning; Genesis, book of Old Testament or Torah.
Gen.gi.bre *s* ginger (plant).
Gen.gi.va *s* gum.
Ge.ni.al *adj* genius-like; talented.
Gê.nio *s* genius.
Ge.ni.o.so *adj* ill-natured; temperamental.
Ge.ni.tor *s* procreator; father; begetter.
Gen.ro *s* son-in-law.
Gen.ta.lha *s* mob; the rabble; populace.
Gen.te *s* people; folks; humanity.
Gen.til *adj* nice; gentle; gentile.
Gen.ti.le.za *s* kindness; gentility; courtesy.
Ge.nu.i.ni.da.de *s* genuineness; authenticity.
Ge.nu.í.no *adj* genuine; authentic; very.
Ge.ra.ção *s* procreation; generation.
Ge.ral *s* generality; *adj* general; common.
Ge.rar *v* to beget; to breed; to give birth to.
Ge.rên.cia *s* management; administration.
Ge.ren.te *s* manager; chief; administrator.
Ger.ge.lim *s* sesame.
Ge.rin.gon.ça *s* gibberish; gadget.
Ge.rir *v* to manage; to govern; to conduct; to administer; to run.
Ger.me *s* germ; source.
Ger.mi.nar *v* to germinate; to bud.
Ges.so *s* gypsum; pipe clay; plaster.
Ges.ta.ção *s* gestation; pregnancy.
Ges.tan.te *s* pregnant.
Ges.ti.cu.la.dor *s* gesticulator; *adj* gesticulator.
Ges.to *s* gesture; countenance; deed; act.
Gi.gan.te *s* giant; *adj* giant; gigantic.
Gi.ná.sio *s* gymnasium.
Gi.ne.te *s* a small horse; genet; jennet.
Gin.ga *s* scull.
Gin.gar *v* to scull a boat; to waddle; to jiggle.
Gi.ra.fa *s* giraffe.
Gi.rar *v* to twirl; to go round; to turn.
Gi.ras.sol *s* sunflower.
Gi.ra.tó.rio *adj* gyratory; turning.
Gí.ria *s* slang; argot; jargon.
Gi.ro *s* rotation; turnover; turn.
Giz *s* chalk.
Glan.de *s* acorn; the head of penis or clitoris; glans.
Glo.bo *s* globe; sphere; ball.
Gló.bu.lo *s* globule; small globe.
Gló.ria *s* glory; fame; praise.
Glo.ri.fi.ca.ção *s* glorification; beatification.
Glo.ri.fi.car *v* to glorify; to worship.
Glo.ri.o.so *adj* glorious; famous.
Glo.sar *v* to gloss; to explain; to comment.
Glos.sá.rio *s* glossary; a small dictionary.
Glu.tão *s* glutton; *adj* gluttonous; greedy.
Go.e.la *s* throat; gullet; gorge.
Goi.a.ba *s* guava.
Gol *s* ESP goal.
Go.la *s* collar; neckband.
Go.le *s* gulp; swallow.
Go.lei.ro *s* ESP goal-keeper; goalkeeper.
Gol.fa.da *s* gush; vomit.
Gol.pe *s* hit; stroke; knock.
Gol.pe.ar *v* to slash; to beat; to hit.
Go.ma *s* gum; glue; starch.
Go.mo *s* bud; shoot; sprout; gore.
Go.rar *v* to frustrate; to miscarry; to fail.
Gor.do *adj* fat.
Gor.du.ra *s* fat; fatness; obesity; grease.
Gor.du.ro.so *adj* greasy; oily; fatty.
Gor.je.ar *v* to warble; to cheep; to chirp.
Gor.jei.o *s* warble; trilling.
Gor.je.ta *s* tip; gratuity.
Gor.ro *s* coif; beret; cap.
Gos.ma *s* mucus; phlegm; spittle.
Gos.tar *v* to enjoy; to like; to be fond of.
Gos.to *s* taste; flavor; savor.
Gos.to.so *adj* appetizing; savoury; savory.
Go.ta *s* drop; bead.
Go.te.jar *v* to drop; to ooze; to leak; to drip.
Gó.ti.co *adj* gothic.
Go.ver.nan.ta *s* governess; housekeeper.
Go.ver.nar *v* to govern; to rule; to head.
Go.zar *v* to enjoy; to amuse.
Go.zo *s* pleasure; enjoyment; POP orgasm.
Gra.al *s* grail; chalice.
Grã-Bre.ta.nha *s* Great Britain.
Gra.ça *s* grace; joke; favour; jest; charm.
Gra.ce.ja.dor *s* jester; joker; *adj* jesting; joking.
Gra.ce.jar *v* to jest; to joke.
Gra.ci.o.si.da.de *s* graciousness; gracefulness.
Gra.ci.o.so *adj* charming; gracious; cute.
Gra.dar *v* to harrow; to level; to grade.
Gra.de *s* rail.
Gra.de.ar *v* to rail; to grate.
Gra.du.al.men.te *adv* gradually.
Gra.du.ar *v* to graduate; to gauge.
Gra.far *v* to spell; to write down.
Gra.fi.a *s* spelling.
Grá.fi.co *s* printer; graph; *adj* graphic; graphical; spelling.
Gra.lha *s* crow.
Gra.ma *s* grass.
Gram.pe.a.dor *s* stapling machine.
Gram.pe.ar *s* to staple.
Gram.po *s* hairpin; staple.
Gra.na *s* GÍR BR money; corn.
Gra.na.da *s* grenade; garnet.
Gran.de *adj* big; grand; large; great.
Gran.de.za *s* greatness; magnitude.
Gran.di.o.so *adj* grand; magnificent.
Gra.nel *s* granary; bin; barn.
Gra.ni.to *s* granite; a sort of stone.
Gra.ni.zo *s* graupel; hail.
Gran.ja *s* grange; farm.

Grão *s* grain; seed; corn.
Gras.nar *v* to caw; to croak; to quack.
Gras.sar *v* to become widespread; to rage.
Gra.ti.dão *s* gratitude; thank fulness; gratefulness.
Gra.ti.fi.car *v* to reward; to tip.
Grá.tis *adv* gratis; free.
Gra.to *adj* pleasant; grateful; thankful.
Gra.tui.to *adj* free; gratuitous.
Grau *s* degree; grade.
Gra.ú.do *s* nob; big shot; *adj* big; great; important; large.
Gra.va.ção *s* engraving; record.
Gra.va.dor *s* engraver; recorder.
Gra.var *v* to engrave; to stamp; to record.
Gra.va.ta *s* necktie; tie.

Gra.ve *adj* heavy; weighty; serious.
Gra.ve.to *s* brushwood; stick.
Grá.vi.da *adj* pregnant.
Gra.vi.da.de *s* gravity; seriousness; MÚS lowness of sound.
Gra.vi.dez *s* pregnancy; gestation.
Gra.vi.tar *v* to gravitate.
Gra.vu.ra *s* picture; engraving; illustration.
Gra.xa *s* grease.
Gre.lha *s* grill; grate; gridiron.
Grê.mi.o *s* guild; association.
Gre.ta *s* cleft; rift; crack; crevice.
Gre.ve *s* strike.
Gre.vis.ta *s* striker.
Gri.fa.do *adj* underlined.
Gri.far *v* to underline; to italicize.
Gri.fo *s* griffin; griffon; underline.
Gri.lhão *s* chain; shackle.
Gri.lo *s* cricket; grig.
Gri.nal.da *s* wreath; garland; chaplet.
Gri.pe *s* MED influenza; grippe; cold; flu.
Gri.sa.lho *adj* grayish; hoary.
Gri.tar *v* to cry out; to shout; to call out; to scream; to screech.
Gri.ta.ri.a *s* shouting; outcry.
Gri.to *s* cry; shout; scream; shriek.
Gro.sa *s* gross.
Gro.se.lha *s* currant; gooseberry.
Gros.sei.ro *adj* coarse; rough; rude.
Gros.se.ri.a *s* rudeness; coarseness.
Gros.so *adj* thick; swollen; bulky; big.
Gros.su.ra *s* thickness; bulk.
Gro.tes.co *adj* grotesque; farcical.
Gru.dar *v* to glue; to gum; to stick; to cling.
Gru.de *s* glue; paste.
Gru.nhi.do *s* grunt; grumble.
Gru.nhir *v* to grunt; to growl.
Gru.po *s* group; gang; cluster.
Gru.ta *s* grotto; cavern; den.
Guar.da *s* guard; care; watch; care.
Guar.da.na.po *s* napkin.
Guar.dar *v* to keep; to watch; to protect.
Gua.ri.da *s* cave; den; shelter.
Gua.ri.ta *s* sentry box; lookout.
Guar.ne.cer *v* to furnish; to provide with.
Guer.ra *s* war.
Guer.re.ar *v* to fight; to war.
Guer.ri.lhei.ro *s* fighter; guerrilla.
Gui.a *s* guide; guide book.
Gui.ar *v* to guide; to drive; to head; to lead.
Gui.lho.ti.na *s* guillotine.
Gui.lho.ti.nar *v* to guillotine; to cut.
Guin.char *v* to screech; to yell; to squeak.
Guin.cho *s* screeching; crab; squealing.
Guin.das.te *s* crane; hoist.
Gui.sa *s* manner; way; fashion.
Gui.sa.do *s* stew; hash.
Gui.sar *v* to stew.
Gui.zo *s* rattle.
Gu.lo.so *adj* gluttonous; greedy.
Gu.me *s* edge.
Gu.ri *s* little boy; child.

hH

H *s* the eighth letter of the Portuguese alphabet and of the English alphabet.
Há.bil *adj* capable; skilled; clever; skilful.
Ha.bi.li.da.de *s* ability; skill; talent.
Ha.bi.li.do.so *adj* skilful; skilled; clever.
Ha.bi.li.tar *v* to qualify; to fit up; to enable.
Ha.bi.ta.ção *s* residence; dwelling; habitation.
Ha.bi.tan.te *s* inhabitant; citizen; dweller.
Ha.bi.tar *v* to inhabit; to bower; to abide; to live; to dwell in.
Ha.bi.tá.vel *adj* habitable; livable; fit to be inhabited.
Há.bi.to *s* habit; way; custom; dress.
Ha.bi.tu.ar *v* to habituate; to accustom.
Há.li.to *s* breath; respiration.
Ha.lo *s* halo; aureole; aureola.
Hal.te.re *s* dumb-bell; dumbbell.
Han.gar *s* hangar; shelter; shed.
Har.mo.ni.a *s* harmony; agreement; peace; order.
Har.mô.ni.co *s* harmonic; overtone; *adj* harmonic; harmonious.
Har.mo.ni.o.so *adj* harmonious.
Har.mo.ni.za.ção *s* harmonization; conciliation.
Har.mo.ni.zar *v* to harmonize; to reconcile.
Har.pa *s* MÚS harp.
Has.te.ar *v* to hoist; to raise.
Hau.rir *v* to exhaust; to drain; to suck.
Ha.ver *v* to have; to possess.
Ha.ve.res *s* wealth; richness; possessions.
Ha.xi.xe *s* hashish (narcotic).
He.brai.co *adj* hebraic.
He.breu *s* Hebrew.
He.ca.tom.be *s* hecatomb; slaughter; butchery; to take to the death a hundred oxen.
He.di.on.dez *s* hideousness; horror; abjection.
Hé.gi.ra *s* Hegira.
Hé.li.ce *s* helix; airs-crew; propeller.
He.li.cóp.te.ro *s* helicopter.
Hé.lio *s* helium (symbol He).
He.mor.ra.gi.a *s* hemorrhage.
He.pa.ti.te *s* hepatitis.
He.rál.di.ca *s* heraldry; blazonry.
He.ran.ça *s* inheritance; heritage.
Her.cú.leo *adj* herculean.
Her.da.de *s* inheritance.
Her.dar *v* to inherit.
Her.dei.ro *s* heir; inheritor.
He.re.di.tá.rio *adj* hereditary; heritable.
He.re.ge *adj* heretic.
He.re.si.a *s* heresy.
Hér.nia *s* hernia; rupture.
He.rói *s* hero.
He.roi.co *adj* heroic; heroical; epic.
He.ro.í.na *s* heroine (narcotic).
He.ro.ís.mo *s* heroism.
He.si.ta.ção *s* hesitation; indecision.
He.si.tan.te *adj* hesitant; hesitating.
He.si.tar *v* to hesitate; to vacillate.
He.te.ro.ge.nei.da.de *s* heterogeneity.
He.te.ro.gê.neo *adj* heterogeneous.
Hi.a.to *s* hiatus; gap.
Hi.ber.nal *adj* hibernal; wintry.
Hi.ber.nar *v* to hibernate; to winter.
Hí.bri.do *s* hybrid; *adj* hybrid.
Hi.dro.a.vi.ão *s* seaplane; hydroplane.
Hi.dro.gê.nio *s* hydrogen.
Hi.e.na *s* hyena.
Hi.e.rar.qui.a *s* hierarchy.
Hi.e.rár.qui.co *adj* hierarchic.
Hi.e.ró.gli.fo *s* hieroglyph.
Hí.fen *s* hyphen.
Hi.gi.e.ne *s* hygiene; cleanliness.
Hi.gi.ê.ni.co *adj* hygienic.
Hi.la.ri.an.te *adj* exhilarating; laughing; exhilarant.
Hi.la.ri.e.da.de *s* hilarity; cheerfulness.
Hi.no *s* hymn; anthem.
Hi.pér.bo.le *s* hyperbole; exaggeration.
Hi.pis.mo *s* riding; horse racing.
Hip.no.se *s* hypnosis.
Hip.no.ti.za.dor *s* person that knows the technique of hypnotism.
Hip.no.ti.zar *v* to hypnotize.
Hi.po.cri.si.a *s* hypocrisy; simulation.
Hi.pó.cri.ta *s* hypocrite; deceiver; *adj* hypocritical.
Hi.po.pó.ta.mo *s* hippopotamus.
Hi.po.te.ca *s* mortgage.
Hi.po.te.car *v* to mortgage.

Hi.pó.te.se *s* hypothesis; theory.
Hi.po.té.ti.co *adj* hypothetic; hypothetical.
His.te.ria *s* hysteria; hysterics.
His.te.ris.mo *s* hysteria.
His.tó.ria *s* history; story; tale.
His.to.ri.ar *v* to narrate; to record; to tell.
Ho.di.er.no *adj* up-to-date; modern.
Ho.je *adv* today.
Ho.lan.dês *s* dutch; *adj* dutch.
Ho.lo.caus.to *s* holocaust; genocide.
Ho.lo.fo.te *s* spotlight.
Hom.bri.da.de *s* manliness.
Ho.mem *s* man; human being.
Ho.me.na.ge.ar *v* to honor.
Ho.me.na.gem *s* homage; respect; reverence.
Ho.mi.ci.da *s* homicide; murderer; slayer; *adj* homicidal.

Ho.mi.cí.dio *s* homicide; assassination.
Ho.mi.zi.a.do *s* refugee; fugitive; *adj* absconder; concealed; hidden.
Ho.mi.zi.ar *v* to shelter; to hide oneself.
Ho.mo.ge.nei.da.de *s* homogeneity.
Ho.mo.ge.nei.zar *v* to homogenize.
Ho.mo.gê.ne.o *adj* homogeneous; uniform.
Ho.mo.lo.ga.ção *s* homologation; agreement.
Ho.mo.lo.gar *v* to ratify; to confirm; to approve.
Ho.mô.ni.mo *s* homonym; namesake; *adj* homonymous.
Ho.mún.cu.lo *s* midget; dwarf.
Ho.nes.ti.da.de *s* honesty.
Ho.nes.to *adj* honest; virtuous; decent.
Ho.no.ra.bi.li.da.de *s* honorableness.
Ho.no.rí.fi.co *adj* honorary; honorific; honorable.
Hon.ra *s* honor.
Hon.ra.dez *s* probity; integrity.
Hon.ra.do *adj* upright; honorable; honest.
Hon.rar *v* to honor.
Hon.ro.so *adj* honorable; creditable.
Hó.quei *s* hockey.
Ho.ra *s* time; o'clock; hour.
Ho.rá.rio *s* timetable; schedule; time.
Ho.ri.zon.te *s* horizon; sky line.
Ho.rós.co.po *s* horoscope.
Hor.ren.do *adj* horrible; fearful; dreadful.
Hor.ri.pi.lar *v* to horrify.
Hor.rí.vel *adj* horrible; terrible; hideous.
Hor.ro.ro.so *adj* horrible; frightful; dreadful.
Hor.ta *s* kitchen garden; vegetable garden.
Hor.te.lã *s* mint.
Hor.tên.sia *s* hydrangea.
Hor.ti.cul.tor *s* horticulturist.
Hor.ti.cul.tu.ra *s* horticulture.
Hor.to *s* garden; small vegetable garden.
Hos.pe.da.gem *s* lodging; hospitality.
Hos.pe.dar *v* to lodge; to shelter; to house.
Hós.pe.de *s* guest; boarder.
Hos.pi.tal *s* clinic; hospital.
Hos.pi.ta.li.da.de *s* entertainment; hospitality.
Hos.pi.ta.li.zar *v* to hospitalize.
Hos.te *s* host; crowd; arm; band; group.
Hós.tia *s* host; holy; bread; Eucharist.
Hos.til *adj* hostile; unfriendly.
Hos.ti.li.da.de *s* enmity; hostility.
Hos.ti.li.zar *v* to antagonize; to be hostile.
Ho.tel *s* hotel; inn.
Ho.te.lei.ro *s* hotel keeper; hotel owner.
Hu.lha *s* pit-coal; mineral coal; stone-coal.
Hu.ma.ni.da.de *s* humanity; mankind.
Hu.ma.ni.tá.rio *s* humanitarian; humane.
Hu.ma.ni.zar *v* to humanize; to refine.
Hu.ma.no *adj* human.
Hu.mil.da.de *s* humility; humbleness; modesty.
Hu.mil.de *adj* humble; modest; submissive.
Hu.mi.lha.ção *s* disgrace; humiliation.
Hu.mi.lhar *v* to humiliate; to humble; to abase.
Hu.mo *s* humus.
Hu.mor *s* humor; state of mind.
Hu.mo.ra.do *adj* humorous; humored.
Hur.ra! *interj* hurrah! (interjection of happiness or courage).

i I

I *s* the ninth letter of the Portuguese alphabet and of the English alphabet.
I.an.que *s* Yankee.
I.a.te *s* yacht.
I.bé.ri.co *s* Iberian.
I.çar *s* to lift up; to hoist; to heave.
I.da *s* departure; going.
I.da.de *s* age.
I.de.al *s* ideal; perfection; *adj* ideal.
I.de.a.lis.ta *s* idealist; *adj* idealistic; idealistical.
I.de.a.li.zar *v* to idealize, to form ideas.
I.dei.a *s* idea.
I.dên.ti.co *adj* identical.
I.den.ti.da.de *s* identity.
I.den.ti.fi.car *v* to identify; **Identificar-se** *v* to identify oneself with.
I.dí.lio *s* idyll (poem); love affair.
I.di.o.ma *s* idiom; language.
I.di.o.ta *s* idiot; fool; *adj* idiotic.
I.di.o.ti.ce *s* silliness.
Í.do.lo *s* idol; icon.
I.do.nei.da.de *s* aptness; fitness.
I.dô.neo *adj* competent; fit.
I.do.so *adj* aged; old.
Ig.nó.bil *adj* ignoble; dishonourable.
Ig.no.ra.do *adj* ignored; unknown; obscure.
Ig.no.rân.cia *s* ignorance; illiteracy.
Ig.no.rar *v* to ignore.
I.gre.ja *s* church; temple.
I.gual *s* equal; *adj* equal; even.
I.gua.lar *v* to equalize; to even.
I.gua.lá.vel *adj* matchable.
I.gual.da.de *s* equality; evenness.
I.gual.men.te *adv* even.
I.gua.ri.a *s* dish; delicacy.
I.la.ção *s* illation; deduction.
I.le.gal *adj* illegal; unlawful.
I.le.gí.ti.mo *adj* illegitimate; illegal.
I.le.gí.vel *adj* illegible; unreadable.
I.le.so *adj* unhurt; uninjured.
I.lha *s* island; isle.
I.lhó *s* eyelet.
I.lho.ta *s* islet; reef; cay.
I.li.mi.ta.do *adj* boundless; huge.
I.lu.dir *v* to illude; to deceive; to delude.
I.lu.mi.na.do *s* illuminate; *adj* illuminated; enlightened; highlighted.
I.lu.mi.nar *v* to illuminate; to illustrate.
I.lu.mi.nis.mo *s* Illuminism.
I.lu.são *s* illusion; delusion.
I.lus.tra.do *adj* illustrated; enlightened; erudite.
I.lus.trar *v* to illustrate; to dignify; to elucidate.
I.lus.tre *adj* illustrious; distinguished.
Í.mã *s* magnet; loadstone.
I.ma.gem *s* image; likeness; picture.
I.ma.gi.na.ção *s* imagination.
I.ma.gi.nar *v* to imagine; to fancy; to figure out; to realize.
Im.be.cil *s* imbecile; simpleton; *adj* idiotic; stupid; dumb.
Im.ber.be *adj* beardless.
Im.bu.ir *v* to imbue; to soak; to infuse.
I.me.di.a.ção *s* immediacy; proximity.
I.me.di.a.ta.men.te *adv* at once; immediately; right away.
I.me.di.a.to *adj* immediate; next.
I.me.mo.rá.vel *adj* immemorial; extending.
I.men.so *adj* immense; vast; huge.
I.mer.gir *v* to immerse; to plunge; to dip.
I.mi.gran.te *s* immigrant; *adj* immigrant.
I.mi.grar *v* to immigrate.
I.mi.ta.ção *s* imitation; copy; likeness.
I.mi.tar *v* to imitate; to copy; to follow.
I.mo *adj* inmost.
I.mo.lar *v* to immolate; to offer sacrifice.
I.mo.ral *adj* immoral; indecent.
I.mor.tal *adj* immortal; undying; eternal.
I.mor.ta.li.zar *v* to immortalize.
I.mó.vel *adj* immovable; fixed; motionless.
Im.pa.ci.ên.cia *s* impatience; eagerness.
Im.pa.ci.en.tar *v* to irritate.
Im.pa.ci.en.te *adj* impatient; anxious.
Im.pac.to *s* impact; smash.
Ím.par *adj* odd; unique.
Im.pe.cá.vel *adj* impeccable; faultless.
Im.pe.di.do *adj* hindered; impeded.

Im.pe.di.men.to *s* impediment; obstacle; ESP off-side (soccer).
Im.pe.dir *v* to delay; to prevent; to bar.
Im.pe.ne.trá.vel *adj* impenetrable.
Im.pe.rar *v* to rule; to reign.
Im.pe.ra.triz *s* empress.
Im.per.cep.tí.vel *adj* imperceptible.
Im.per.do.á.vel *adj* unpardonable; unforgivable.
Im.per.fei.to *s* GRAM imperfect (tense); *adj* imperfect; faulty; defective.
Im.pe.rí.cia *s* unskilfulness; inadequacy.
Im.per.me.a.bi.li.zar *v* to impermeabilize; to waterproof.
Im.per.me.á.vel *s* waterproof; USA raincoat; *adj* impermeable; impervious.
Im.per.mu.tá.vel *adj* unchangeable.
Im.per.ti.nên.cia *s* impertinence; peevishness.
Im.per.ti.nen.te *adj* impertinent; fretful.
Im.per.tur.bá.vel *adj* imperturbable; calm; unemotional.

Ím.pe.to *s* impetus; impulse.
Im.pe.trar *v* to impetrate; to request.
Im.pi.e.do.so *adj* pitiless; unmerciful.
Im.pin.gir *v* to force; to impose.
Ím.pio *adj* impious; wicked; godless.
Im.pla.cá.vel *adj* implacable; inexorable.
Im.plan.tar *v* to implant; to plant.
Im.pli.car *v* to implicate; to involve; to imply.
Im.plí.ci.to *adj* implicit; tacit.
Im.plo.rar *v* to implore; to entreat; to beseech.
Im.plu.me *adj* bald.
Im.pon.de.rá.vel *adj* imponderable.
Im.po.nên.cia *s* splendor; majesty; pomp.
Im.por *v* to impose; to demand; to entail.
Im.por.tân.cia *s* importance; significance.
Im.por.tar *v* to import; to care; to mind.
Im.por.tu.no *adj* importune; annoying; boring; pesky.
Im.po.si.ção *s* imposition; order; assessment.
Im.pos.si.bi.li.tar *v* to impossibilitate.
Im.pos.sí.vel *adj* impossible; impracticable; impractical.
Im.pos.to *s* tax; impost; duty.
Im.pos.tor *s* impostor; pretender; deceiver.
Im.pra.ti.cá.vel *adj* impracticable; out of the question.
Im.pre.ca.ção *s* imprecation; curse.
Im.pre.car *v* to imprecate; to swear; to curse.
Im.preg.nar *v* to imbue; to infuse; to impregnate.
Im.pren.sa *s* press; printing-press; printing.
Im.pren.sar *v* to press; to squeeze.
Im.pres.cin.dí.vel *adj* indispensable; essential.
Im.pres.são *s* impression; printing.
Im.pres.si.o.nar *v* to impress; to affect deeply.
Im.pres.so *s* printed work; print; *adj* printed.
Im.pres.tá.vel *adj* useless.
Im.pre.vis.to *adj* unforeseen; unexpected.
Im.pri.mir *v* to stamp; to print; to imprint.
Im.pro.du.ti.vo *adj* unfruitful; unproductive.
Im.pro.pé.rio *s* affront; outrage.
Im.pró.prio *adj* unsuitable; inappropriate; improper.
Im.pro.vi.sa.dor *s* ad-libber.
Im.pro.vi.sar *v* to improvise.
Im.pru.dên.cia *s* imprudence; rashness; indiscretion.
Im.pru.den.te *adj* imprudent; unwise.
Im.pú.be.re *adj* teen.
Im.pu.di.co *adj* lewd; obscene.
Im.pul.são *s* impulsion; impelling.
Im.pul.si.o.nar *v* to impel; to drive.
Im.pul.si.vo *adj* impulsive; impetuous.
Im.pul.so *s* impulse; impulsion; pep; zip.
Im.pu.re.za *s* unchastity; impurity.
Im.pu.ro *adj* impure; defiled; adulterated.
Im.pu.tar *v* to impute; to charge; to attribute.
I.mun.dí.cie *s* dirt; filth.
I.mun.do *adj* dirty; unclean; filthy.
I.mu.ni.da.de *s* immunity; exemption.
I.mu.ni.za.ção *s* immunization.
I.mu.ni.zar *v* to immunize.
I.mu.tá.vel *adj* immutable; unchangeable.
I.na.ba.lá.vel *adj* unshakable; steadfast.
I.ná.bil *adj* inapt; incompetent; unskillful.
I.na.bi.li.da.de *s* inability; unskilfulness.
I.na.bi.li.ta.ção *s* inability; disablement; incapacitation.
I.na.bi.tá.vel *adj* uninhabitable.
I.na.ces.sí.vel *adj* inaccessible.
I.na.de.qua.do *adj* inadequate; improper; unqualified.
I.na.di.á.vel *adj* urgent; pressing.
I.na.la.ção *s* inhalation.
I.na.la.dor *s* inhaler.
I.na.lar *v* to inhale; to inspire; to breathe in.
I.na.li.e.ná.vel *adj* inalienable; indefeasible.
I.na.ne *adj* inane; empty.
I.na.ni.ção *s* inanition; inanity; emptiness.
I.na.ni.ma.do *adj* inanimate; lifeless.
I.nap.to *adj* inapt; unfit; inept.
I.na.ti.vo *adj* inactive; idle.
I.na.to *adj* innate; inborn.
I.nau.di.to *adj* unheard of; untold; strange.
I.nau.dí.vel *adj* inaudible.
I.nau.gu.rar *v* to inaugurate; to open; to begin.
In.can.des.cên.cia *s* incandescence; incandescency.
In.can.des.cen.te *adj* incandescent; shining.
In.can.des.cer *v* to incandesce.
In.can.sá.vel *adj* indefatigable; untiring; tireless.
In.ca.pa.ci.da.de *s* incapacity; inability.
In.ca.pa.ci.tar *v* to incapacitate; to disable; to disqualify.
In.ca.paz *adj* incapable; incompetent.
In.cau.to *adj* incautious; heedless; rash.
In.cen.di.ar *v* to set on fire; to inflame; to set fire.
In.cên.dio *s* fire; conflagration.
In.cen.sar *v* to incense.
In.cen.so *s* incense.

In.cen.ti.var *v* to motivate; to encourage.
In.cen.ti.vo *s* incentive; stimulus.
In.cer.te.za *s* uncertainty; indecision.
In.cer.to *adj* uncertain; doubtful.
In.ces.san.te *adj* incessant; uninterrupted.
In.ces.to *s* incest; *adj* infamous.
In.ces.tu.o.so *adj* incestuous.
In.cha.ço *s* tumour; swelling.
In.cha.do *adj* swollen; puffed up.
In.char *v* to swell; to puffy up; to inflate.
In.ci.dên.cia *s* incidence; incidency.
In.ci.den.te *s* incident; occurence; episode; *adj* incidental.
In.ci.dir *v* to incise; to occur; to happen.
In.ci.ne.rar *v* to incinerate; to burn to ashes.
In.ci.pi.en.te *adj* incipient; initial; beginning.
In.ci.são *s* incision; cut; gash.
In.ci.si.vo *adj* incisive; cutting; sharp.
In.ci.ta.ção *s* incitation; incitement; *also* Incitamento.
In.ci.tar *v* to urge; to incite.
In.cli.nar *v* to tilt; to lean; to bent.
In.cli.ná.vel *adj* inclinable.
In.clu.ir *v* to include; to enclose; to inclose.
In.co.e.rên.cia *s* incoherence; incoherency.
In.co.e.ren.te *adj* incoherent; nonsensical.
In.cóg.ni.ta *s* unknown quantity.
In.co.lor *adj* colorless; blank.
In.có.lu.me *adj* safe and sound; unharmed.
In.co.men.su.rá.vel *adj* incommensurable; unmeasurable.
In.co.mo.dar *v* to incommode; to trouble.
In.cô.mo.do *s* inconvenience; trouble; *adj* troublesome.
In.com.pa.rá.vel *adj* incomparable; peerless.
In.com.pa.ti.bi.li.zar *v* to grow incompatible.
In.com.pa.tí.vel *adj* incompatible; contraditory.
In.com.pe.tên.cia *s* incompetency; inability.
In.com.pre.en.são *s* incomprehension; misunderstanding.
In.com.pre.en.sí.vel *adj* incomprehensible.
In.co.mu.ni.cá.vel *adj* incommunicable; noncommunicable.
In.con.ce.bí.vel *adj* unconceivable; unbelievable.
In.con.fun.dí.vel *adj* unmistakable.
In.con.gru.ên.cia *s* incongruence; incongruity; incompatibility.
In.cons.ci.ên.cia *s* unconsciousness.
In.con.se.quên.cia *s* inconsequence.
In.con.sis.tên.cia *s* inconsistency; inconsistence.
In.con.sis.ten.te *adj* inconsistent; incoherent.
In.cons.tan.te *adj* inconstant; fickle.
In.con.tes.tá.vel *adj* incontestable; unanswerable.
In.con.ve.ni.ên.cia *s* inconvenience; trouble.
In.cor.po.rar *v* to incorporate; **Incorporar-se:** to join.
In.cor.pó.reo *adj* incorporeal.
In.cor.rer *v* to incur; to bring upon oneself.
In.cor.re.to *adj* incorrect; improper.
In.cor.ri.gí.vel *adj* incorrigible; unruly.
In.cre.du.li.da.de *s* incredulity; distrust; ungodliness.
In.cré.du.lo *adj* incredulous; unbeliever; skeptic.
In.cre.men.tar *v* to increase; to add.
In.cri.mi.nar *v* to incriminate; to accuse.
In.crí.vel *adj* incredible; unbelievable.
In.crus.tar *v* to incrust; to inlay; to encase.
In.cu.bar *v* to incubate; to hatch; to brood.
In.cul.car *v* to inculcate; to impress; to instill.
In.cul.ti.vá.vel *adj* uncultivable; unproductive.
In.cul.to *adj* uncultivated; uncultured; wild.
In.cum.bên.cia *s* incumbency; obligation; assignment.
In.cum.bir *v* to charge; to confide; to concern.
In.cu.rá.vel *adj* past recovery; incurable.
In.cur.são *s* incursion; raid.
In.cu.tir *v* to suggest; to impress; to infuse.
In.da.ga.ção *s* investigation; question; inquiry.
In.da.gar *v* to investigate; to ask.
In.de.cên.cia *s* indecency; obscenity.
In.de.cen.te *adj* indecent; improper; foul.
In.de.ci.frá.vel *adj* undecipherable.
In.de.ci.são *s* indecision; vacillation.
In.de.co.ro.so *adj* indecorous; unbecoming.
In.de.fen.sá.vel *adj* indefensible; fenceless.
In.de.fe.rir *v* to deny; to refuse; to reject.
In.de.fe.so *adj* undefended; defenceless.
In.de.lé.vel *adj* indelible; ineffaceable.
In.de.li.ca.de.za *s* indelicacy; rudeness.
In.de.ne *adj* unhurt; safe.
In.de.ni.za.ção *s* indemnification; indemnity.
In.de.ni.zar *v* to indemnify; to compensate.
In.de.pen.dên.cia *s* independence; selfsupport.
In.de.pen.den.te *adj* independent; selfsupporting.
In.des.cri.tí.vel *adj* indescribable.
In.de.vi.do *adj* unjust; undue.
Ín.dex *s* index; forefinger.
In.di.ca.ção *s* indication; direction.
In.di.ca.dor *s* indicator; directory; *adj* indicating.
In.di.car *v* to indicate; to denote; to point out.
Ín.di.ce *s* index; rate.
In.di.ci.ar *v* to accuse; to denounce.
In.dí.cio *s* signal; mark; trace.
In.di.fe.ren.ça *s* unconcern; indifference.
In.di.fe.ren.te *adj* indifferent; neutral.
In.dí.ge.na *s* indigene; native; *adj* native; indigenous; indian.
In.di.gên.cia *s* indigence; poverty.
In.di.gen.te *adj* indigent; needy.
In.di.ges.tão *s* indigestion; dyspepsia.
In.dig.na.ção *s* indignation; repulsion.
In.dig.nar *v* to be indignant.
In.dig.no *adj* unworthy; despicable.
Ín.di.go *s* indigo; anil.
Ín.dio *adj* Indian.
In.dis.ci.pli.na *s* indiscipline; disorder.

In.dis.ci.pli.na.do *adj* undisciplined; disobedient.
In.dis.ci.pli.nar *v* to render undisciplined.
In.dis.cre.to *adj* indiscreet; rash.
In.dis.cri.ção *s* indiscretion; imprudence.
In.dis.cu.tí.vel *adj* incontestable; unquestionable.
In.dis.po.ní.vel *adj* inalienable; untransferable.
In.dis.por *v* to indispose; to make sick.
In.dis.po.si.ção *s* indisposition.
In.dis.pos.to *adj* indisposed.
In.dis.so.lu.bi.li.da.de *s* indissolubility.
In.dis.so.lú.vel *adj* indissoluble.
In.dis.tin.to *adj* indistinct; vague.
In.di.vi.du.al *adj* individual; single.
In.di.vi.du.a.li.da.de *s* individuality; personality.
In.di.ví.duo *s* individual; fellow; person.
In.di.vi.são *s* undivision.
In.dó.cil *adj* indocile; unruly.
Ín.do.le *s* character; temper; disposition.
In.do.lên.cia *s* indolence; habitual idleness.

In.do.lor *adj* painless; free from pain.

In.do.má.vel *adj* indomitable; unconquerable.
In.dô.mi.to *adj* untamable; indomitable.
In.du.bi.tá.vel *adj* indubitable; unquestionable.
In.dul.gên.cia *s* indulgence; forbearance.
In.dul.tar *v* to pardon.
In.dul.to *s* indult; pardon.
In.du.men.tá.ria *s* clothe; vestments.
In.du.ti.vo *adj* inductive; persuasive; produced by induction.
In.du.zir *v* to induce; to head; to prevail on.
I.ne.bri.an.te *adj* inebriating; inebriant.
I.ne.bri.ar *v* to inebriate; to fall into ecstasy.
I.né.di.to *adj* inedited; FIG unusual.
I.ne.fi.cá.cia *s* inefficacy; inefficiency.
I.ne.fi.caz *adj* ineffective.
I.ne.gá.vel *adj* incontestable; undeniable.
I.ne.le.gí.vel *adj* ineligible; unworthy.
I.nep.to *adj* inept; foolish; incompetent.
I.ne.quí.vo.co *adj* unmistakable; unequivocal.
I.nér.cia *s* inertia; inertness.
I.ne.ren.te *adj* inherent; intrinsical; ingrained.
I.ner.te *adj* inert; sluggish.
I.nes.cru.tá.vel *adj* unfathomable; inscrutable.
I.nes.go.tá.vel *adj* inexhaustible; unfailing.
I.nes.pe.ra.do *adj* unforeseen; unexpected.
I.nes.que.cí.vel *adj* unforgettable.
I.nes.ti.má.vel *adj* inestimable; inappreciable.
I.ne.vi.tá.vel *adj* unavoidable; inevitable.
I.ne.xa.ti.dão *s* inaccuracy.
I.ne.xe.quí.vel *adj* unworkable; unworkable.
I.ne.xis.tên.cia *s* inexistence.
I.ne.xo.rá.vel *adj* inexorable; relentless.
I.nex.pe.ri.ên.cia *s* inexperience.
I.nex.pe.ri.en.te *adj* inexperienced.
I.nex.pli.cá.vel *adj* inexplicable; obscure.
In.fa.li.bi.li.da.de *s* infallibility; infallibleness.
In.fa.lí.vel *adj* infallible.
In.fa.mar *v* to defame; to disgrace.
In.fa.me *adj* infamous.
In.fâ.mia *s* baseness; infamy.
In.fân.cia *s* infancy; babyhood; childhood.
In.fan.ta.ri.a *s* infantry.
In.fan.til *adj* infantile; childish; childlike.
In.fa.ti.gá.vel *adj* untiring; indefatigable.
In.fec.ção *s* infection; contagion.
In.fec.ci.o.nar *v* to infect; to taint.
In.fec.tar *v* to infect; to taint.
In.fe.cun.di.da.de *s* infecundity; sterility.
In.fe.li.ci.da.de *s* infelicity; unhappiness; misfortune.
In.fe.liz *adj* unhappy; unfortunate; unlucky.
In.fe.liz.men.te *adv* unfortunately.
In.fe.rên.cia *s* inference; inferring.
In.fe.rir *v* to infer; to deduce; to conclude.
In.fer.no *s* hell.
In.fi.de.li.da.de *s* infidelity; unfaithfulness.
In.fi.el *s* unbeliever; infidel; *adj* unfaithful; infidel.
In.fil.trar *v* to infiltrate; to penetrate.
Ín.fi.mo *adj* lowermost; meanest.
In.fi.ni.to *s* GRAM infinitive (mood); *adj* infinite; endless.
In.fla.ção *s* inflation; swelling.
In.fla.ma.ção *s* inflammation; enthusiasm.
In.fla.ma.do *adj* excited; inflamed.
In.fla.mar *v* to inflame.
In.fla.má.vel *adj* inflammable; combustible.
In.flar *v* to inflate; to swell; to elate.
In.flá.vel *adj* inflatable.
In.fle.xí.vel *adj* inflexible; unalterable.
In.fli.gir *v* to inflict on; to impose.
In.flu.en.ci.ar *v* to influence.
In.flu.en.za *s* grippe; influenza; flu.
In.flu.ir *v* to influence on; to affect.
In.for.ma.ção *s* information; data.
In.for.mar *v* to inform; to advice; to acquaint.
In.for.mi.da.de *s* shapelessness; deformity.
In.for.tú.nio *s* misfortune; bad luck.
In.fra.ção *s* infraction; transgression; violation.
In.frin.gir *v* to infringe; to contravene.
In.fun.dir *v* to infuse; to imbue.
In.fu.são *s* infusion; instilling; imbuing.
In.ge.nu.i.da.de *s* ingenuousness; ingenuity.
In.gê.nuo *adj* ingenuous; artless.
In.ge.rên.cia *s* interference; intermeddling.
In.ge.rir *v* to ingest; to put in.
In.ges.tão *s* ingestion; deglutition; swallowing.
In.glês *s* english; *adj* english.
In.gló.rio *adj* inglorious; modest.
In.gra.ti.dão *s* ingratitude.
In.gre.di.en.te *s* ingredient.
Ín.gre.me *adj* steep; sheer; acclivitous.
In.gres.sar *v* to enter.
In.gres.so *s* entrance; access; BR ticket.
I.ni.bi.ção *s* inhibition; inhibiting.
I.ni.bir *v* to inhibit; to forbid; to hinder.
I.ni.ci.a.ção *s* initiation; beginning; starting.

I.ni.ci.ar *v* to initiate; to start; to begin.
I.ni.ci.a.ti.va *s* initiative; enterprise; activity.
I.ní.cio *s* start; trigger; outset; beginning.
I.ni.gua.lá.vel *adj* matchless; incomparable.
I.ni.mi.go *s* enemy; *adj* inimical; hostile; adverse.
I.ni.mi.tá.vel *adj* inimitable; unmatchable.
I.ni.mi.za.de *s* enmity; hostility.
I.ni.mi.zar *v* to make enemies.
I.nin.te.li.gí.vel *adj* unintelligible.
I.ni.qui.da.de *s* iniquity; wickedness.
I.ní.quo *adj* unrighteous; iniquitous.
In.je.ção *s* injection; POP shot.
In.je.tar *v* to inject.
In.jú.ria *s* injury; offence; insult.
In.ju.ri.ar *v* to injure; to offend.
In.jus.ti.ça *s* injustice; wrong.
In.jus.ti.fi.cá.vel *adj* unjustifible.
In.jus.to *adj* unfair; unjust.
I.no.cên.cia *s* innocence; innocency; guiltlessness.
I.no.cen.tar *v* to free from guilt.
I.no.cen.te *adj* innocent; guiltless; harmless.
I.nó.cuo *adj* innocuous; harmless.
I.no.do.ro *adj* inodorous; odourless.
I.no.fen.si.vo *adj* harmless; inoffensive.
I.no.por.tu.no *adj* inopportune; untimely.
I.nor.gâ.ni.co *adj* inorganic.
I.nós.pi.to *adj* inhospitable; wild; barren.
I.no.var *v* to innovate; to change.
In.qua.li.fi.cá.vel *adj* unqualifiable; ambiguous.
In.que.bran.tá.vel *adj* inflexible; indefatigable.
In.que.brá.vel *adj* shatterproof; unbreakable.
In.qué.ri.to *s* inquest; inquiry.
In.ques.ti.o.ná.vel *adj* unquestionable; doubtless; indisputable.
In.qui.e.ta.ção *s* restlessness; uneasiness.
In.qui.e.tar *v* to worry; **Inquietar-se:** to become uneasy.
In.qui.e.to *adj* unquiet; apprehensive.
In.qui.li.no *s* lodger; roomer.
In.qui.ri.ção *s* inquiry; cross-examination.
In.qui.rir *v* to inquire; to investigate.
In.sa.ci.á.vel *adj* insatiable; greedy; insatiate.
In.sâ.nia *s* insanity; mental disorder; madness.
In.sa.no *adj* insane; mad.
In.sa.tis.fei.to *adj* unsatisfied; discontented; dissatisfied.
Ins.cre.ver *v* to register; to inscribe; to enter.
Ins.cri.ção *s* inscription; inscribing.
Ins.cul.pir *v* to engrave; to inscribe; to carve.
In.sen.sa.tez *s* insensateness; foolishness.
In.sen.sa.to *adj* insensate; foolish.
In.sen.si.bi.li.da.de *s* insensibility; consciousness.
In.sen.si.bi.li.zar *v* to render insensitive.
In.sen.sí.vel *adj* insensible; unconscious.
In.se.to *s* bug.
In.sí.dia *s* insidousness; snare; ambush.
In.sig.ne *adj* notable; remarkable; illustrious.
In.síg.nia *s* insignia; badge; emblem.
In.sig.ni.fi.cân.cia *s* trifle; triviality.
In.sig.ni.fi.can.te *adj* insignificant.
In.si.nu.a.ção *s* insinuation; hint.
In.si.nu.ar *v* to insinuate; to hint; to suggest.
In.si.pi.dez *s* insipidness; insipidity.
In.sí.pi.do *adj* insipid; unsavoury; tasteless.
In.sis.tên.cia *s* insistence; persistence.
In.sis.ten.te *adj* insistent; persistent.
In.sis.tir *v* to insist; to persist; to dwell.
In.so.ci.a.bi.li.da.de *s* unsociability.
In.so.la.ção *s* sunstroke; insolation.
In.so.lên.cia *s* insolence.
In.só.li.to *adj* uncommon; unusual.
In.so.lú.vel *adj* insoluble.
In.sô.nia *s* insomnia; sleeplessness.
In.sos.so *adj* insipid; unsalted.
Ins.pe.ção *s* survey; inspection.
Ins.pe.ci.o.nar *v* to inspect; to survey.
Ins.pi.ra.ção *s* inspiration; inhalation.
Ins.pi.ra.dor *s* inspirer; animator; stimulator.
Ins.pi.rar *v* to inspire; to instill; to influence.
Ins.ta.bi.li.da.de *s* instability.
Ins.ta.lar *v* to install; to establish; to lodge.
Ins.tân.cia *s* instance; request.
Ins.tan.tâ.neo *s* snapshot; *adj* instantaneous.
Ins.tan.te *s* instant; moment; *adj* instant.
Ins.tar *v* to insist on; to urge; to press.
Ins.tau.ra.ção *s* establishment; instauration.
Ins.tau.rar *v* to repair; to establish; to found.
Ins.tá.vel *adj* unstable; unsettled; changeable.
Ins.ti.gar *v* to instigate; to stimulate; to incite.
Ins.ti.lar *v* to instill; to infuse.
Ins.tin.ti.vo *adj* instinctive; spontaneous.
Ins.ti.tu.ir *v* to institute; to establish.
Ins.ti.tu.to *s* institute; school; established law.
Ins.tru.ção *s* instruction; education; learning.
Ins.tru.ir *v* to instruct; to educate; to bring up.
Ins.tru.men.to *s* instrument; tool; implement.
Ins.tru.tor *s* instructor; instructer.
In.sub.mis.são *s* insubmission; unruliness.
In.sub.mis.so *adj* unsubmissive; insubordinate.
In.su.bor.di.na.ção *s* insubordination.
In.su.bor.di.nar *v* to make insubordinate; to mutiny.
In.subs.ti.tu.í.vel *adj* irreplaceable.
In.su.ces.so *s* unsuccess ness; failure.
In.su.fi.ci.ên.cia *s* insufficiency; inadequacy; deficiency.
In.su.fi.ci.en.te *adj* insufficient; deficient.
In.su.flar *v* to insufflate; FIG to inspire.
In.su.lar *v* to insulate; to isolate.
In.su.lar *adj* insular.
In.sul.tar *v* to insult; to abuse; to outrage.
In.sul.to *s* insult; affront.
In.su.pe.rá.vel *adj* insuperable; insurmountable.
In.su.por.tá.vel *adj* insupportable; intolerable.
In.sur.gir *v* to revolt; to rebel.
In.sur.rei.ção *s* insurrection; rebellion.
In.ta.to *adj* untouched; intact.

Ín.te.gra *s* complete text; totality.
In.te.gra.ção *s* integration.
In.te.gral *adj* integral; whole; complete.
In.te.grar *v* to integrate; to make entire.
In.te.gri.da.de *s* integrity; uprightness.
Ín.te.gro *adj* entire; complete; upright.
In.tei.rar *v* to complete; to inform.
In.tei.re.za *s* integrity; honesty; wholeness.
In.tei.ro *adj* entire; whole; complete.
In.te.lec.to *s* intellect; understanding.
In.te.lec.tu.al *adj* intellectual.
In.te.li.gên.cia *s* intelligence; mind; intellect.
In.te.li.gen.te *adj* intelligent; smart; clever.
In.te.li.gí.vel *adj* intelligible; comprehensible.
In.te.me.ra.to *adj* intemerate; undefiled.
In.tem.pé.rie *s* inclemency.
In.tem.pes.ti.vo *adj* untimely; unseasonable.
In.ten.ção *s* intention; purpose.
In.ten.ci.o.nal *adj* intentional.

In.ten.si.da.de *s* intensity; intenseness.
In.ten.si.fi.car *v* to intensify; to accelerate.
In.ten.si.vo *adj* intensive.
In.ten.so *adj* intense; vehement; ardent.
In.ten.tar *v* to intend; to endeavour; to attempt.
In.ten.to *s* intent; purpose.
In.ter.ca.la.ção *s* insertion; intercalation.
In.ter.ce.der *v* to intercede; to plead.
In.ter.cor.rên.cia *s* incident; modification.
In.ter.di.tar *v* to interdict; to prohibit.
In.te.res.sa.do *adj* interested; attentive.
In.te.res.san.te *adj* interesting; savoury.
In.te.res.sar *v* to interest; to concern.
In.te.res.se *s* interest; concern.
In.ter.fe.rên.cia *s* interference; interfering.
In.ter.fe.rir *v* to interfere.
Ín.te.rim *s* interim; meanwhile.
In.te.ri.or *s* interior; inside; indoor; *adj* interior; inside; inner.
In.ter.jei.ção *s* interjection; exclamation.
In.ter.lo.cu.tor *s* interlocutor; speaker.
In.ter.me.di.ar *v* to intermediate; to mediate; to intervene.
In.ter.me.di.á.rio *s* intermediary; mediator; *adj* intermediary; intermediate.
In.ter.mi.ná.vel *adj* interminable; endless.
In.ter.mis.são *s* intermittence; interposition; *also* Intermitência.
In.ter.mi.ten.te *adj* remittent; intermittent.
In.ter.na.ção *s* internment.
In.ter.na.ci.o.nal *adj* international.
In.ter.na.ci.o.na.li.zar *v* to internationalize.
In.ter.na.do *s* intern; interne.
In.ter.nar *v* to intern; to inclose; to confine.
In.ter.na.to *s* boarding-school.
In.ter.pe.la.ção *s* interpellation.
In.ter.pe.lar *v* to interpellate.
In.ter.por *v* to interpose; to place between; to intervene.
In.ter.po.si.ção *s* mediation; interposition.
In.ter.pos.to *s* emporium; store.
In.ter.pre.ta.ção *s* construction; interpretation.
In.ter.pre.tar *v* to interpret; to play; to represent; to perform.
In.tér.pre.te *s* interpreter.
In.ter.ro.ga.ção *s* interrogation; question; inquiry.
In.ter.ro.gar *v* interrogate; to question; to examine.
In.ter.ro.ga.tó.rio *s* interrogatory; inquiry.
In.ter.rom.per *v* to interrupt; to cut off; to stop.
In.ter.rup.ção *s* interruption; cessation; discontinuance.
In.ter.rup.tor *s* interrupter; switch.
In.ters.tí.cio *s* interstice; crevice; interval.
In.te.rur.ba.no *adj* long-distance call.
In.ter.va.lo *s* interval; ESP half-time; intermission.
In.ter.ven.ção *s* intervention; interference; intermediation.
In.ter.vir *v* to intervene; to interfere with.
In.ti.ma.ção *s* intimation; notification; summons.
In.ti.mar *v* to notify; to summon; to enjoin.
In.ti.mi.da.ção *s* intimidation; threat.
In.ti.mi.da.de *s* intimacy; privacy.
In.ti.mi.dar *v* to intimidate; to daunt; to bulldoze.
Ín.ti.mo *s* intimate; a crony.
In.ti.tu.lar *v* to entitle; to head; to call.
In.to.le.rân.cia *s* intolerance.
In.to.le.rá.vel *adj* intolerable; unbearable.
In.to.na.ção *s* intonation; modulation.
In.to.xi.ca.ção *s* intoxication; poisoning.
In.to.xi.ca.do *adj* intoxicated.
In.to.xi.car *v* to intoxicate; to poison.
In.tra.du.zí.vel *adj* untranslatable.
In.tran.qui.li.da.de *s* agitation; disturbance.
In.tran.qui.lo *adj* agitated; disturbed.
In.trans.fe.rí.vel *adj* untransferable.
In.tran.si.gên.cia *s* intransigence.
In.tran.si.gen.te *adj* intransigent; irreconcilable.
In.tran.si.tá.vel *adj* impassable.
In.tra.tá.vel *adj* intractable; rude.
In.tre.pi.dez *s* intrepidity; fearlessness.
In.tré.pi.do *adj* intrepid; fearless; dauntless.
In.tri.ga *s* intrigue; plot.
In.tri.gan.te *adj* intriguing.
In.tri.gar *v* to intrigue; to puzzle; to plot.
In.trin.ca.do *adj* intricate; knotty.
In.trín.se.co *adj* intrinsic; inherent.
In.tro.du.ção *s* introduction; preface.
In.tro.du.zir *v* to introduce; to put in; to insert.
In.troi.to *s* preface; introit.
In.tro.me.ter *v* to meddle; to trespass.
In.tro.me.ti.do *s* meddler; *adj* meddlesome; intrusive.
In.tro.mis.são *s* intromission.
In.tros.pec.ção *s* introspection.
In.tros.pec.ti.vo *adj* introspective.

In.tru.são *s* intrusion; encroachment.
In.tui.ção *s* intuition; insight.
In.tu.mes.cên.cia *s* intumescence; swelling.
In.tu.mes.cer *v* to become tumid; to swell.
I.nu.ma.ção *s* interment; inhumation.
I.nu.ma.ni.da.de *s* inhumanity; barbarity; cruelty.
I.nu.ma.no *adj* inhuman; brutal; cruel.
I.nu.mar *v* to inhume; to inter; to bury.
I.nú.me.ro *adj* numberless; countless.
I.nun.da.ção *s* inundation; flood.
I.nun.dar *v* to inundate; to flood; to overflow.
I.nu.si.ta.do *adj* unusual.
I.nú.til *adj* inutile; vain; useless; needless.
I.nu.ti.li.da.de *s* inutility; uselessness; needlessness.
I.nu.ti.li.zar *v* to make useless; to frustrate.
In.va.dir *v* to invade; to trespass.
In.va.li.da.ção *s* invalidation; annulment; cancellation.
In.va.li.dar *v* to invalidate; to annul; to nullify.
In.va.li.dez *s* invalidity; disability.
In.vá.li.do *s* invalid; *adj* invalid; null; void.
In.va.ri.a.bi.li.da.de *s* invariableness; invariability.
In.va.ri.á.vel *adj* unchangeable; invariable.
In.va.são *s* invasion; raid; incursion; inroad.
In.va.sor *s* forayer; invader; *adj* invading.
In.vec.ti.va *s* invective.
In.vec.ti.var *v* to rail; to inveigh against; .
In.ve.ja *s* envy; jealousy; enviousness; rivalry.
In.ve.jar *v* to envy; to grudge; to long for.
In.ve.já.vel *adj* enviable; covetable; desirable.
In.ve.jo.so *adj* envious; feeling envy.
In.ven.ção *s* invention; contrivance.
In.ven.ci.bi.li.da.de *s* invincibility; invincibleness.
In.ven.ci.o.ni.ce *s* lie; falsehood; story.
In.ven.cí.vel *adj* invincible; unconquerable.
In.ven.tar *v* to invent; to create; to make up.
In.ven.ta.ri.ar *v* to inventory; to schedule; to list; stocktaking.
In.ven.ti.va *s* inventiveness.
In.ven.ti.vo *adj* inventive; imaginative; ingenious; creative.
In.ven.to *s* invention; contrivance.
In.ven.tor *s* inventor; author.
In.ver.nar *v* to hibernate; to winter.
In.ver.no *s* winter.
In.ve.ros.si.mi.lhan.ça *s* inveracity; unlikelihood.
In.ver.sa.men.te *adv* inversely, inverted condition.
In.ver.são *s* inversion; inverting.
In.ver.so *s* e *adj* inverse; contrary; reverse.
In.ver.ter *v* to invert; to reverse.
In.ver.ti.do *adj* inverted; reverse; inverse.
In.ves.ti.da *s* investing; assault; charge.
In.ves.ti.du.ra *s* investiture; vesture.
In.ves.ti.ga.ção *s* investigation; inquiry; research.
In.ves.ti.gar *v* to investigate; to look.
In.ves.ti.gá.vel *adj* investigable.
In.ves.tir *v* to invest; to attack; to assault.
In.ve.te.ra.do *adj* inveterate; deep-roted; habitual.
In.vi.a.bi.li.da.de *s* impracticableness; impracticability.
In.vi.á.vel *adj* impracticable; impractical.
In.vic.to *adj* invincible; undefeated.
In.vi.o.la.bi.li.da.de *s* inviolability; inviolableness.
In.vi.o.la.do *adj* inviolate; unhurt.
In.vi.o.lá.vel *adj* inviolable.
In.vi.si.bi.li.da.de *s* invisibility; invisibliness.
In.vi.sí.vel *adj* invisible.
In.vo.ca.ção *s* invocation; invoking.
In.vo.car *v* to invoke; to appeal; to implore.
In.vol.tó.rio *s* wrapper.
In.vó.lu.cro *s* involucre; wrapper; packing.
In.vo.lun.tá.rio *adj* involuntary; unintentional.
In.vul.gar *adj* exceptional; uncommon.
In.vul.ne.ra.bi.li.da.de *s* invulnerability.
In.vul.ne.rá.vel *adj* invulnerable.
Ir *v* to go; to move; to walk; to go away.
I.ra *s* ire; rage; anger.
I.ra.do *adj* irate; angry; enraged.
I.rar *v* to make angry; to anger; to enrage.
I.ras.cí.vel *adj* irascible; irritable.
Ir.mã *s* sister.
Ir.ma.nar *v* to match; to pair; to mate.
Ir.man.da.de *s* brotherhood; sisterhood; fraternity.
Ir.mão *s* brother.
I.ro.nia *s* irony; sarcasm; mordacity.
I.rô.ni.co *adj* ironical; ironic; sarcastic; sarcastical.
Ir.ra.ci.o.nal *adj* irrational; unreasonable; absurd.
Ir.ra.ci.o.na.li.da.de *s* irrationality; unreasonableness.
Ir.ra.di.a.ção *s* irradiation; broadcasting.
Ir.ra.di.a.dor *s* irradiator; *adj* irradiative.
Ir.ra.di.ar *v* to irradiate; to shine; to broadcast.
Ir.re.al *adj* unreal; illusive; chimeric.
Ir.re.a.li.zá.vel *adj* impracticable.
Ir.re.con.ci.li.á.vel *adj* irreconcilable; incompatible.
Ir.re.cu.pe.rá.vel *adj* irrecoverable; irretrievable; irreclaimable.
Ir.re.cu.sá.vel *adj* irrecusable.
Ir.re.fle.ti.do *adj* thoughtless; unthinking.
Ir.re.fle.xão *s* rashness.
Ir.re.fu.tá.vel *adj* irrefutable; indisputable; unanswerable.
Ir.re.gu.lar *adj* irregular; unnatural.
Ir.re.gu.la.ri.da.de *s* irregularity; laxity; unevenness.
Ir.re.me.di.á.vel *adj* irremediable; incurable.
Ir.re.pa.rá.vel *adj* irreparable; irretrievable.
Ir.re.pre.en.sí.vel *adj* irreproachable; blameless.
Ir.re.qui.e.to *adj* restless; turbulent; fidgety.
Ir.re.sis.tí.vel *adj* irresistible; resistless; charming.
Ir.res.pon.sa.bi.li.da.de *s* irresponsibility.
Ir.res.pon.sá.vel *adj* irresponsible.
Ir.res.tri.to *adj* unrestricted.
Ir.re.ve.rên.cia *s* irreverence; insolence; disrespect.
Ir.re.ve.ren.te *adj* irreverent; insolent; disrespectful.
Ir.re.vo.gá.vel *adj* irrevocable; indefeasible.
Ir.ri.gar *v* to irrigate; to water.

Ir.ri.só.rio *adj* derisive; derisory.
Ir.ri.ta.bi.li.da.de *s* irritability.
Ir.ri.ta.ção *s* irritation; annoyance.
Ir.ri.ta.do *adj* excited; angry.
Ir.ri.tar *v* to irritate; to chafe; to gall.
Ir.rom.per *v* to burst; to erupt.
Ir.rup.ção *s* irruption; outburst.
Is.ca *s* bait.
I.sen.ção *s* exemption; impartiality.
I.sen.tar *v* to exempt from; to free.
Is.lão *s* Islam.
I.so.la.do *adj* isolated.
I.so.la.men.to *s* isolation.
I.so.lar *v* to isolate; to insulate; to detach.
Is.quei.ro *s* lighter; tinder-lighter; match.
Is.ra.e.li.ta *s* Israelite.
Is.so *pron* that; it.
Is.to *pron* this.
I.tem *s* item.
I.te.ra.ti.vo *adj* iterative.
I.ti.ne.rá.rio *s* itinerary; route.

j J

J *s* the tenth letter of the Portuguese alphabet and of the English alphabet.
Já *adv* already; now; at once.
Ja.ca.ré *s* alligator; cayman.
Jac.tar-se *v* to boast; to brag.
Ja.de *s* jade (stone).
Ja.le.co *s* jacket.
Ja.mais *adv* never.
Ja.nei.ro *s* January, first month of the year.
Ja.ne.la *s* window.
Jan.ga.da *s* raft; boat.
Jan.ga.dei.ro *s* man that fishes in high sea in a raft.
Jan.ta *s* dinner; supper.
Jan.tar *s* dinner; *v* to dine.
Ja.que.ta *s* jacket, short coat.
Ja.que.tão *s* coat (of leather).
Jar.da *s* yard (yd).
Jar.dim *s* garden.
Jar.di.nei.ra *s* flower box; BR GÍR little bus.
Jar.di.nei.ro *s* gardener.
Jar.ra *s* jar; vase; flowerpot.
Jar.ro *s* jug; jar.
Jas.mim *s* jasmine (flower).
Jas.pe *s* jasper, a quartz stone.
Ja.to *s* jet; stream.
Jau.la *s* cage; jail.
Ja.va.li *s* boar or wild pig.
Ja.zer *v* to lie; to rest; FIG to be dead.
Ja.zi.da *s* mine; bed.
Ja.zi.go *s* grave; tomb.
Je.ans *s* canvas pants; jeans.
Jei.to *s* mode; manner.
Je.ju.ar *v* to fast.
Je.sus *s* Jesus.
Je.sus! *interj* Jeez! Gee!
Ji.boi.a *s* boa constrictor.
Ji.pe *s* jeep (war car and also rural).
Jo.a.lhe.ri.a *s* jewellery or jewelry shop.
Jo.a.ne.te *s* bunion.
Jo.co.so *adj* jocose; waggish.
Jo.e.lho *s* knee.
Jo.ga.dor *s* gambler; player.
Jo.gar *v* to play; to throw; to gamble.
Jo.go *s* play; game, gamble.
Joi.a *s* jewel; jewelry.
Jor.na.da *s* journey; tour; trip.
Jor.nal *s* journal; newspaper; papers.
Jor.na.lei.ro *s* news boy; news agent; USA newsdealer.
Jor.na.lis.ta *s* journalist.
Jor.rar *v* to spurt; to gush.
Jo.vem *s* adolescent; *adj* young; youthful.
Ju.ba *s* mane.
Ju.bi.leu *s* jubilee.
Jú.bi.lo *s* jubilation; exultation; joy.
Ju.da.ís.mo *s* Judaism.
Ju.deu *s* Jew; *adj* Jewish.
Ju.di.ar *v* to mock; to afflict; to torture.
Ju.go *s* yoke; submission; oppression.
Ju.iz *s* judge; umpire; ESP referee.
Ju.í.zo *s* judgment; wisdom.
Jul.ga.do *s* judicature; judgeship; *adj* judged; sentenced.
Jul.ga.men.to *s* judgement; judgment; trial.
Jul.gar *v* to judge; to deem; USA to grade.
Ju.lho *s* July, the seventh month of the year.
Ju.men.to *s* a kind of jackass, ass, donkey.
Ju.nho *s* June, the sixth month of the year.
Jú.nior *adj* junior; younger.
Jun.tar *v* to adjoin; to join; to connect.
Jun.to *adj* near; joined; *adv* together; near; jointly.
Ju.ra *s* oath; vow; swearing.
Ju.ra.do *s* jury man; juror; *adj* sworn.
Ju.ra.men.to *s* oath.
Ju.rar *v* to swear; to promise; to take oath.
Ju.ris.pru.dên.cia *s* jurisprudence.
Ju.ro *s* interest.
Jus.ta.por *v* to juxtapose; to put side by side.
Jus.ti.ça *s* justice; fairness.
Jus.ti.cei.ro *adj* impartial; fair.
Jus.ti.fi.ca.ção *s* justification.
Jus.ti.fi.car *v* to justify.
Jus.ti.fi.ca.ti.vo *adj* justificative.
Jus.to *adj* fair.
Ju.ve.nil *adj* juvenile; young; youthful.
Ju.ven.tu.de *s* youth; youthfulness; teenage.

k K

K *s* the eleventh letter of the Portuguese alphabet and of English alphabet.
K *s* QUÍM Potassium symbol.
Kai.ser *s* Kaiser.
Kan.tis.ta *adj* pertaining of Immanuel Kant.
Ka.rt *s* AUT ESP kart, a little car of races.
Ke.ple.ri.a.no *adj* ASTR of or pertaining to Johannes Kepler (1571/1630).
Ki.butz *s* popular collective house in Israel.
Kryp.ton *s* gaseous element, symbol Kr.

L

L *s* the twelfth letter of the Portuguese alphabet and of the English alphabet.
Lá *s* MÚS la, the sixth tone of the scale (symbol A); *adv* there; in that place.
Lã *s* wool; fleece.
La.ba.re.da *s* flame; blaze.
Lá.bia *s* astuteness; guile.
Lá.bio *s* lip.
La.bi.rin.to *s* labyrinth; maze.
La.bor *s* labor; labour.
La.bu.tar *v* to work hard; to toil.
La.çar *v* to lace; to bind.
La.ço *s* knot; noose; lasso; FIG snare; trap.
La.crar *v* to seal.
La.cri.me.jar *v* to shed tears.
Lac.ti.cí.nio *s* dairy product.
La.cu.na *s* lacuna; gap; omission.
La.da.i.nha *s* litany; rigmarole.
La.de.ar *v* to flank.
La.dei.ra *s* slope; acclivity; hill.
La.di.no *s* Ladin (derived language of Latin); *adj* smart; astute.
La.do *s* side; flank; **por outro Lado:** on the other hand.
La.drão *s* thief; burglar; robber.
La.drar *v* to bark; to bay.
La.dri.lhar *v* to pave with tile; to tile.
La.dri.lho *s* tile; brick.
La.dro.ei.ra *s* theft; extortion; robbery.
La.gar.ta *s* caterpillar.
La.gar.to *s* lizard.
La.go *s* lake; pond; pool.
La.go.a *s* pond.
La.gos.ta *s* lobster.
Lá.gri.ma *s* tear.
La.je *s* flagstone; slab.
La.ma *s* mud; mire; RELIG Lama (a priest).
La.ma.çal *s* muddy place; puddle; *also* **Lamaceiro**.
Lam.ba.da *s* lash; stroke; blow; BR rhythm and dance.
Lam.bão *adj* gluttonous; POP silly billy.
Lam.ber *v* to lick.
Lam.bi.da *s* licking.
Lam.bis.car *v* to nibble; to eat a small snack.
Lam.bu.zar *v* to dirty; to soil.
La.men.tar *v* to lament; to weep; to mourn.
La.men.tá.vel *adj* lamentable; sorrowful.
Lâ.mi.na *s* lamina; blade.
Lâm.pa.da *s* lamp.
Lam.pe.jo *s* spark; sparkle; flash; glimmer.
Lam.pi.ão *s* lampion; a street lamp.
La.mú.ria *s* lamentation; lament; complaint.
La.mu.ri.ar *v* to lament; to moan; to complain.
Lan.ça *s* lance; spear.
Lan.çar *v* to throw; to cast.
Lan.cha *s* motor boat.
Lan.char *v* to snack; to lunch.
Lan.che *s* snack; sandwich.
Lan.gui.dez *s* languidness; languor.
Lan.ter.na *s* lantern; spotlight; flashlight.
Lan.ter.nei.ro *s* manufacturer of flashlights.
La.pe.la *s* lapel.
La.pi.dar *v* to polish stones; to lapidate.
Lá.pi.de *s* gravestone; tombstone.
Lá.pis *s* pencil.
La.pi.sei.ra *s* pencil box; pencil holder.
Lar *s* home; household; house.
La.ran.ja *s* orange.
La.ran.ja.da *s* orange juice.
La.rá.pio *s* filcher; thief; pilferer.
La.rei.ra *s* fireplace; fireside.
Lar.gar *v* to let go; to loosen; to leave.
Lar.go *adj* wide; ample; spacious; extensive.
Lar.gu.ra *s* width; breadth.
La.rin.ge *s* ANAT larynx.
Lar.va *s* larva; worm.
Las.ca *s* splinter; fragment.
Las.cí.via *s* lasciviousness; lewdness.
Las.ci.vo *adj* lascivious; lewd.
Las.si.dão *s* languor; weariness.
Las.so *adj* weary; exhausted; tired.
Lás.ti.ma *s* pity; lament; compassion.
Las.ti.mar *v* to regret; to express sorrow; to be sorry.
Las.ti.má.vel *adj* deplorable; pitiable.

Las.tro *s* ballast.
La.ta *s* tin; USA can; POP face.
La.tão *s* brass.
La.te.jar *v* to beat; to throb.
La.te.ral *adj* sidelong; lateral..
Lá.tex *s* latex (fluid from the rubber tree).
La.ti.do *s* barking; yelping; bark; yelp.
La.tir *v* to bark; to bay; to yelp.
La.tri.na *s* water closet; privy; latrine.
Lau.re.ar *v* to laureate; to honor; to distinguish.
Lau.to *adj* sumptuous; opulent; abundant.
La.va.bo *s* washbasin.
La.va.dei.ra *s* washerwoman; laundress.
La.va.gem *s* washing; wash.
La.van.da.ri.a *s* laundromat.
La.var *v* to wash; to launder.
La.va.tó.rio *s* lavatory.
La.vou.ra *s* farming; tillage.
La.vra.dor *s* tiller; farmer; countryman.
La.vrar *v* to plough; to till; to carve; to rage.
La.xan.te *s* laxative; *adj* laxative; purgative.
La.zer *s* leisure.
Le.al *adj* loyal; leal; faithful; frank.
Le.ão *s* lion; ASTR Leo.
Le.bre *s* hare.
Le.ci.o.nar *v* to teach; to lecture.
Le.dor *s* reader.
Le.gal *adj* legal; lawful.
Le.ga.li.zar *v* to legalize; to authenticate.
Le.gar *v* to bequeath; to leave.
Le.gen.da *s* legend; inscription; caption.
Le.gi.ão *s* legion.
Le.gis.lar *v* to legislate; to make laws.
Le.gis.ta *s* legist; coroner.
Le.gi.ti.mar *v* to legalize; to authenticate; to legitimize; to legitimate.
Lé.gua *s* league.
Le.gu.me *s* legume; vegetable.
Lei *s* law; rule; norm.
Lei.go *s* layman; *adj* lay; secular; laic.
Lei.lão *s* auction.
Lei.lo.ar *v* to auction.
Lei.lo.ei.ro *s* auctioneer.
Lei.tão *s* pig.
Lei.te *s* milk.
Lei.to *s* bed; berth.
Lei.tor *s* reader.
Le.ma *s* proposition; motto; slogan.
Lem.bran.ça *s* remembrance; memory; souvenir.
Lem.brar *v* to remind; to recollect; to recall; to remember.
Lem.bre.te *s* note; reminder; memorandum; memo.
Le.me *s* helm; rudder.
Len.ço *s* handkerchief.
Len.çol *s* bed sheet.
Len.da *s* legend; fable.
Lên.dea *s* nit (egg of louse).
Len.ga.len.ga *s* chit-chat; rigmarole.
Le.nha *s* wood; firewood; lumber.
Le.nha.dor *s* woodcutter; woodman.
Le.ni.ti.vo *s* lenitive; emollient; *adj* lenitive; assuaging.
Len.te *s* lens; professor; teacher.
Len.ti.dão *s* slowness; sluggishness.
Len.ti.lha *s* lentil.
Len.to *adj* slow; lazy; sluggish.
Le.pi.dez *s* cheer; jollity; joviality.
Le.que *s* fan.
Ler *v* to read.
Ler.do *adj* heavy; lazy; dull.
Le.são *s* lesion; damage; injury.
Le.sar *v* to damage; to injure.
Les.ma *s* snail.
Les.te *s* east; orient.
Le.tal *adj* lethal; deadly; mortal.
Le.tra *s* letter; character of the alphabet.
Le.van.ta.do *adj* lifted; raised.
Le.van.tar *v* to lift; to raise; to build; to rise.
Le.van.te *s* levant; orient; east; riot.
Le.var *v* to carry; to convey; to bring.
Le.ve *adj* slight; light; quick.
Le.ve.za *s* lightness.
Le.vi.an.da.de *s* frivolousness; levity.
Le.vi.a.no *adj* frivolous; unstable.
Lha.ma *s* llama.
Lhe *pron* him; her; it; to him; to her; to you.
Li.a.me *s* bond; link; tie.
Li.bé.lu.la *s* dragonfly; libellula.
Li.be.ra.ção *s* liberation; release; discharge; quittance.
Li.be.ra.li.da.de *s* liberality; broadmindedness; generosity.
Li.be.rar *v* to liberate; to free; to release; to discharge.
Li.ber.da.de *s* liberty; freedom.
Li.ber.tar *v* to free; to set free; to liberate.
Li.ber.ti.na.gem *s* libertinism; debauchery.
Li.ber.ti.no *adj* libertine; lascivious.
Li.bi.di.na.gem *s* lewdness.
Li.bi.do *s* libido (sex instinct).
Li.bra *s* pound; ASTR Libra.
Li.brar *v* to poise; to balance.
Li.ção *s* lesson; lecture; reading.
Li.cen.ça *s* license; licence.
Li.cen.ci.ar *v* to license; to authorize; to allow.
Li.ci.tar *v* to bid; to auction.
Lí.ci.to *adj* licit; lawful.
Li.cor *s* liqueur; liquor.
Li.co.ro.so *adj* like liquor; sweet.
Li.da *s* work; toil; drudgery.
Li.dar *v* to cope; to work; to deal; to labor.
Lí.der *s* leader; chief; conductor.
Li.de.rar *v* to lead.
Lí.di.mo *adj* legitimate; genuine; authentic.
Li.ga *s* league; union; junction.

Li.ga.ção *s* binding; connection; junction; union.
Li.gar *v* to bind; to tap; to append; to attach.
Li.gei.re.za *s* lightness; agility; quickness.
Li.lás *s* lilac (flower).
Li.ma *s* sweet lime.
Li.mão *s* lemon.
Li.mar *v* to file; to rasp; to polish.
Li.mei.ra *s* lime-tree.
Li.mi.ar *s* threshold; doorstep; doorsill.
Li.mi.ta.ção *s* limitation; restriction.
Li.mi.tar *v* to limit; to confine.
Li.mí.tro.fe *adj* frontier; borderline.
Li.mo *s* mud; slime.
Li.mo.ei.ro *s* lemon tree.
Li.mo.na.da *s* lemonade.
Lim.pa.dor *s* cleaner.
Lim.par *v* to clean; to cleanse; to sweep.
Lim.pe.za *s* cleanliness; neatness; cleaning.
Lim.po *adj* clean; neat; cleanly.
Lin.ce *s* lynx.
Lin.char *v* to lynch.
Lin.de.za *s* beauty; gorgeousness; prettiness.
Lin.do *adj* fine; nice; good-looking; beautiful.
Li.ne.ar *adj* linear; liny.
Lín.gua *s* tongue; language; speech.
Lin.gua.gem *s* language; speech.
Lin.gua.ru.do *s* telltale; *adj* loquacious; talkative
Lin.gui.ça *s* sausage.
Li.nha *s* line; thread; string; boundary.
Li.nho *s* linen; flax.
Li.que.fa.zer *v* to liquefy; to melt.
Li.qui.di.fi.car *v* to liquefy; to melt; to dissolve.
Lí.qui.do *s* liquid; fluid; *adj* liquid; fluid; COM net.
Li.ra *s* lira (Italian coin); MÚS lyre (instrument).
Li.so *adj* smooth; even; plain.
Li.son.ja *s* soft soap; flattery.
Li.son.je.a.dor *s* flatterer.
Li.son.je.ar *v* to flatter; to praise.
Lis.ta *s* list; roll; catalogue; stripe; schedule.
Lis.tra *s* stripe; band; streak.
Lis.trar *v* to stripe.
Li.su.ra *s* smoothness; sincerity; honesty.
Li.te.ra.to *s* literate; writer; man of letters.
Li.ti.gar *v* to litigate; to contest in law.
Li.to.ral *s* seashore; coast line; littoral.
Li.tur.gi.a *s* liturgy; ritual; ceremony.
Lí.vi.do *adj* livid; discolored; wan; pale.
Li.vrar *v* to rescue; to release.
Li.vra.ri.a *s* library; bookshop.
Li.vre *adj* free; loose.
Li.vro *s* book.
Li.xa *s* sandpaper.
Li.xar *v* to sandpaper.
Li.xei.ro *s* rubbish collector.
Li.xo *s* rubbish; garbage; waste; trash.
Lo.bi.nho *s* wolf cub.
Lo.bi.so.men *s* werewolf.
Lo.bo *s* wolf.
Lô.bre.go *adj* gloomy; murky; lugubrious.
Lo.ca.ção *s* location; rental; lease.
Lo.ca.dor *s* lessor.
Lo.cal *s* place; site; *adj* local.
Lo.ca.li.za.ção *s* localization.
Lo.ca.li.zar *v* to localize; to situate.
Lo.ção *s* lotion.
Lo.car *v* to hire; to lease.
Lo.ca.tá.rio *s* lodger; renter; tenant.
Lo.co.mo.ti.va *s* locomotive; engine.
Lo.co.mo.ver-se *v* to move.
Lo.cu.ção *s* locution; phrase; speech.
Lo.do *s* mud; mire; ooze.
Ló.gi.co *s*, logician; *adj* logical; logic; sound.
Lo.go *adv* pretty soon; immediately; without delay; soon; *conj* therefore; then.
Lo.grar *v* to obtain; to get; to cheat.
Lo.gro *s* gain; cheat; trick.
Lo.ja *s* shop; store; lodge.
Lom.ba.da *s* ramp.
Lom.bo *s* loin; loins; back.
Lom.bri.ga *s* worm.
Lo.na *s* canvas; sailcloth.
Lon.ge *adv* far; far away; far off.
Lon.gín.quo *adj* distant; remote.
Lon.tra *s* otter.
Lo.quaz *adj* loquacious; garrulous; talkative.
Lo.ta.do *adj* crowded; full.
Lo.te *s* lot; portion; share; parcel.
Lo.te.ar *v* to lot; to allot; to share; to parcel.
Lo.te.ri.a *s* lottery.
Lou.ça *s* tableware; china; plate; dish.
Lou.co *s* madman; lunatic; fool; *adj* mad; crazy; insane.
Lou.cu.ra *s* madness; folly; insanity.
Lou.ra *s* blonde.
Lou.ra.bur.ra *s* GÍR bimbo.
Lou.ro *adj* blond; golden.
Lou.sa *s* blackboard; slate; paving stone; flagstone.
Lou.var *v* to praise; to laud; to eulogize; to appraise.
Lou.vor *s* praise; eulogy; honor.
Lu.a *s* moon; mood.
Lu.ar *s* moonshine; moonlight.
Lu.bri.fi.can.te *s* lubricant; *adj* lubricant.
Lu.bri.fi.car *v* to grease; to oil; to lubricate.
Lu.ci.dez *s* lucidity; clearness; brilliance.
Lú.ci.do *adj* lucid; clear; bright.
Lu.crar *v* to gain; to profit; to acquire.
Lu.cra.ti.vo *adj* lucrative; profitable.
Lu.cro *s* profit; gain; advantage.
Lu.di.bri.ar *v* to deceive; to delude; to mock.
Lu.dí.bri.o *s* deceit; mockery; scorn.
Lu.far *v* to puff.
Lu.gar *s* place; space; room; site.
Lu.ga.re.jo *s* hamlet; village.
Lú.gu.bre *adj* lugubrious; mournful; gloomy.

Lu.la *s* squid.
Lum.ba.go *s* MED lumbago; backache.
Lu.me *s* fire; flame; light.
Lu.mi.no.so *adj* luminous; shining; bright.
Lu.nar *adj* lunar; moony.
Lu.ná.ti.co *adj* lunatic; insane; crazy; madman.
Lu.ne.ta *s* spectacles lens; eyeglass; lens.
Lu.pa *s* magnifying glass.
Lú.pu.lo *s* hop.
Lu.si.ta.no *s* Portuguese.
Lu.si.ta.no *adj* Lusitanian; Portuguese; *also* **Lusitânico** *and* **Luso** (*s* and *adj*).
Lus.trar *v* to gloss; to glaze; to polish.
Lus.tre *s* luster; gloss; chandelier.
Lu.ta *s* struggle; combat; contest; fight.
Lu.tar *v* to fight; to struggle; to wrestle.
Lu.to *s* mourning; grief.
Lu.va *s* glove.
Lu.xa.ção *s* wrench; luxation; dislocating.
Lu.xar *v* to luxate; to dress showily.
Lu.xo *s* luxe; luxury.
Lu.xú.ria *s* lewdness; lust; lasciviousness.
Luz *s* light; FIG enlightenment.
Lu.zir *v* to shine; to glow; to flash.

mM

M *s* the thirteenth letter of the Portuguese alphabet and of the English alphabet.
Má *adj* bad; evil.
Ma.ca *s* stretcher.
Ma.çã *s* apple.
Ma.ca.bro *adj* macabre; ghastly.
Ma.ca.co *s* monkey; ape.
Ma.ça.ne.ta *s* knob; door handle; pommel.
Ma.çan.te *adj* boring.
Ma.çar *v* to beat; to flail; to tire; to annoy.
Ma.ça.ri.co *s* blow torch; soldering pipe.
Ma.car.rão *s* macaroni.
Ma.cha.do *s* ax; axe.
Ma.cho *s* male; *adj* male.
Ma.chu.car *v* to crush; to bruise; to pound.
Ma.ci.ço *adj* massive; solid.
Ma.ci.ei.ra *s* apple tree.
Ma.ci.ez *s* softness; smoothness.
Ma.ci.o *adj* smooth; soft; pleasant.
Ma.ço *s* mallet; package; packet.
Ma.çom *s* mason, freemason.
Ma.ço.na.ri.a *s* freemansory.
Má.cu.la *s* spot; stain; blemish.
Ma.cu.lar *v* to stain, to tarnish, to maculate.
Ma.dei.ra *s* wood; timber; lumber.
Ma.dei.rar *v* to timber; to furnish with timber.
Ma.do.na *s* madonna; the Virgin Mary.
Ma.dras.ta *s* stepmother.
Ma.dre *s* num; superior mother.
Ma.dre.pé.ro.la *s* mother-of-pearl.
Ma.dri.nha *s* godmother.
Ma.dru.ga.da *s* dawn; dawning; daybreak.
Ma.dru.gar *v* to dawn; to rise early.
Ma.du.rar *v* to mature; to ripen.
Mãe *s* mother; mom.
Ma.es.tro *s* maestro; master in music; master.
Má.fi.a *s* maffia; POP mob.
Ma.gi.a *s* fascination; enchantment; magic.
Má.gi.co *s* magician; sorcerer; *adj* magic; magical.
Ma.gis.ter *s* teacher; master.
Ma.gis.té.rio *s* magistery, mastership.
Ma.gis.tral *adj* masterly; excellent.
Mag.na.ta *s* magnate; big-shot; USA tycoon.
Mag.ni.fi.cên.cia *s* magnificence; stateliness.
Mag.ní.fi.co *adj* magnificent; splendid.
Mag.ni.tu.de *s* magnitude; greatness.
Ma.go *s* magnus; magician; sorcerer.
Má.goa *s* grief; sadness; sorrow; envy.
Ma.go.ar *v* to offend; to disfavor; to displease.
Ma.gre.za *s* meagerness; thinness; leaness.
Ma.gri.ce.la *s* skinny person; BR GÍR bike; *adj* skinny.
Ma.gro *adj* lean; thin; meager.
Mai.o *s* May, the fifth month of the year.
Mai.ô *s* bathing suit.
Mai.or *adj* greater; larger.
Mai.o.ri.a *s* majority.
Mais *adj* more; most; further; *adv* more; most; over.
Mai.ús.cu.lo *adj* upper-case; capital letter.
Mal *s* evil; ill; injury; *adv* ill; badly; hardly.
Ma.la *s* suitcase; bag; handbag.
Ma.la.ba.ris.mo *s* jugglery.
Ma.la.gue.ta *s* indian pepper (condiment).
Ma.lan.dra.gem *s* vagrancy.
Ma.lan.dro *s* loafer; vagabond.
Mal.cri.a.do *adj* rude; ill-bred; unmannerly; impolite.
Mal.da.de *s* iniquity; mischief; wickedness.
Mal.di.ção *s* malediction; a curse.
Mal.di.zen.te *s* slanderer; gossiper; *adj* slanderous.
Mal.di.zer *v* to slander; to curse; to damn.
Mal.do.so *adj* bad; malicious; wicked.
Ma.le.di.cên.cia *s* ill-report; slander; backbiting.
Ma.le.di.cen.te *s* slanderer; *adj* slanderous.
Ma.le.ta *s* hand-bag; suit-case; valise.
Ma.lé.vo.lo *adj* malevolent; malicious; malignant.
Mal.fa.dar *v* to curse; to make unhappy.
Mal.fei.to *adj* ill-done; ill-shaped.
Mal.gra.do *prep* in spite of.
Ma.lha *s* mail of a colt; mesh of a net; spot.
Ma.lha.do *adj* spotted; speckled; piebald.
Ma.lhar *v* to thresh; to beat; to hammer.
Ma.lhe.te *s* dovetail; mallet.
Ma.lho *s* mallet; sledge hammer; flail.
Ma.lí.cia *s* maliciousness; smartness.
Ma.li.ci.o.so *adj* malicious; sly; mischievous.
Ma.lo.grar *v* to frustrate; to fail; to disappoint.

Ma.lo.gro *s* frustration; failure.
Mal.quis.to *adj* hated; disliked.
Mal.te *s* malt, barley to make beer.
Mal.tra.pi.lho *s* beggar; *adj* ragged.
Mal.tra.tar *v* to maltreat; to treat ill; to abuse.
Mal.tu.si.a.no *s* ECON malthusian, relative to economist Thomas Robert Malthus.
Ma.lu.co *s* insane; madman; *adj* mad; insane; crazy.
Ma.lu.qui.ce *s* madness; foolishness.
Mal.va *s* mallow (plant).
Mal.va.de.za *s* perversity; cruelty.
Ma.ma *s* teat; breast; mamma.
Ma.ma.dei.ra *s* nursing-bottle; baby's bottle.
Ma.mão *s* papaya; sucker.
Ma.mar *v* to suck; to nurse.
Ma.ma.ta *s* theft; GÍR double-dealing.
Ma.mi.lo *s* mammilla; nipple.
Ma.mo.ei.ro *s* papaya-tree; papaw tree.
Ma.mo.na *s* castor oil; castor-bean.
Ma.na *s* sister.
Ma.ná *s* manna.
Ma.na.da *s* herd of cattle; drove; herd.
Ma.nan.ci.al *s* spring; fountain; origin.
Man.car *v* to limp; to hobble; to walk lamely; to stump.
Man.cha *s* spot; stain; blemish.
Man.char *v* to stain; to spot; to blemish.
Man.co *s* cripple; a lame person; *adj* crippled; lame.
MAL **Mandachuva** *s* big shot; magnate; boss.
MAS **Man.da.do** *s* command; order; writ.
Man.da.men.to *s* commandment.
Man.dar *v* to command; to order; to direct.
Man.da.to *s* tenure of office; mandate.
Man.dí.bu.la *s* mandible; jaw; jawbone.
Man.din.ga *s* witchcraft; sorcery.
Man.di.o.ca *s* manioc (plant).
Man.do *s* command; authority; power; rule.
Man.drá.go.ra *s* mandragora; mandrake.
Ma.nei.ra *s* manner; fashion; mode.
Ma.ne.jar *v* to handle; to deal with.
Ma.ne.quim *s* manikin; tailor's dummy.
Ma.ne.ta *s* one-handed person.
Man.ga *s* sleeve; mango (fruit).
Man.gar *v* to mock; to ridicule.
Man.gue *s* marshy ground; mangrove.
Man.guei.ra *s* hose; mango (tree).
Ma.nha *s* skill; astuteness; whimper.
Ma.nhã *s* morning; forenoon.
Ma.nho.so *adj* crafty; skilful; cunning.
Ma.ni.a *s* mania; excentricity; obsession.
Ma.ni.cu.re *s* manicure.
Ma.ni.fes.ta.ção *s* manifestation.
Ma.ni.fes.tar *v* to manifest; to show plainly; to evince.
Ma.ni.lha *s* bracelet; shackle; a card game.
Ma.ni.ve.la *s* crank; lever; handle.
Man.jar *s* food; delicacy; BR GIR to spy; to know.
Man.je.dou.ra *s* manger; crib.
Man.je.ri.cão *s* basil.
Ma.no *s* brother; BR friend; *adj* very friendly.
Ma.no.bra *s* MIL manoeuvre; maneuver; stratagem.
Ma.no.brar *v* to handle; to manage; to direct; to drive.
Man.são *s* mansion; stately home.
Man.so *adj* mild; gentle.
Man.ta *s* blanket; coverlet; cloak.
Man.tei.ga *s* butter.
Mar.ca *s* mark; sign; brand.
Mar.ca.ção *s* demarcation; marking.
Mar.car *v* to mark; to stigmatize; to brand.
Mar.ce.na.ri.a *s* joinery.
Mar.cha *s* march; advance; progress.
Mar.char *v* to march; to advance; to stalk.
Mar.co *s* landmark; mark (ancient german coin).
Mar.ço *s* March, the third month of the year.
Ma.ré *s* tide.
Ma.re.mo.to *s* seaquake.
Ma.re.si.a *s* sea air.
Mar.fim *s* ivory.
Mar.ga.ri.da *s* daisy; marguerite (flor).
Mar.ge.ar *v* to border.
Mar.gem *s* margin; border; bank.
Mar.gi.nal *s* marginal; *adj* marginal; criminal.
Mar.gi.nar *v* to make marginal notes on.
Ma.ri.cas *s* milksop; sissy.
Ma.ri.do *s* husband.
Ma.ri.nha *s* navy; marine.
Ma.ri.nhei.ro *s* sailor; seaman.
Ma.ri.po.sa *s* moth; butterfly.
Ma.ris.car *v* to gather shellfish; to fish.
Ma.ris.co *s* shellfish (mollusc).
Mar.man.jo *s* grown man.
Mar.me.la.da *s* marmalade (jam).
Mar.me.lo *s* quince (fruit).
Mar.mi.ta *s* lunch pail.
Már.mo.re *s* marble.
Ma.ro.to *adj* malicious; lewd.
Mar.re.co *s* duck.
Mar.re.ta *s* stone-hammer.
Mar.re.ta.da *s* a blow with a stone-hammer.
Mar.rom *s* maroon; brown; *adj* maroon.
Mar.ta *s* ZOO marten.
Mar.te *s* ASTR Mars.
Mar.te.la.da *s* hammer-blow.
Mar.te.lar *v* to hammer.
Mar.te.lo *s* hammer; mallet.
Ma.ru.jo *s* sailor; seaman.
Mar.xis.mo *s* ECON marxism.
Mas *conj* but; however; yet.
Mas.car *v* to chew; to masticate; to munch.
Más.ca.ra *s* mask; false face.
Mas.ca.rar *v* to mask; to disguise.
Mas.ca.te *s* pedlar; hawker; cheap-jack.
Mas.ca.te.ar *v* to peddle; to hawk.
Mas.cu.li.ni.zar *v* to render masculine.
Mas.cu.li.no *adj* masculine; male.

Más.cu.lo *adj* mannish; virile; masculine.
Mas.mor.ra *s* dungeon; prison; jail.
Ma.so.quis.mo *s* masochism.
Mas.sa *s* dough; bulk; mass.
Mas.sa.crar *v* to massacre; to slaughter.
Mas.ti.gar *v* to masticate; to chew.
Mas.tre.ar *v* to mast.
Mas.tro *s* mast; flag pole.
Mas.tur.ba.ção *s* masturbation.
Ma.ta *s* wood; forest.
Ma.ta.dou.ro *s* slaughterhouse; abattoir.
Ma.ta.gal *s* thicket; jungle.
Ma.tar *v* to kill; to slay; to bump out; to murder.
Ma.te *s* tea; ESP checkmate.
Ma.te.má.ti.ca *s* mathematic; math.
Ma.té.ria *s* matter; material; subject matter.
Ma.te.ri.al *s* material; equipment.
Ma.ter.nal *adj* maternal; motherly.
Ma.ter.ni.da.de *s* maternity; motherhood.
Ma.ter.no *adj* maternal; motherly.
Ma.ti.lha *s* pack of hounds or dogs.
Ma.ti.nal *adj* morning; early.
Ma.tiz *s* shade; tint; hue.
Ma.ti.zar *v* to shade; to variegate; to adorn.
Ma.to *s* brushwood; bush; wood.
Ma.tra.ca *s* wooden rattle.
Ma.trei.ro *adj* sagacious; crafty.
Ma.trí.cu.la *s* matriculation; registration; enrollment; list.
Ma.tri.cu.lar *v* to matriculate.
Ma.tri.mô.nio *s* matrimony; marriage.
Ma.triz *s* matrix; womb; mother church.
Ma.tu.rar *v* to mature; to ripen.
Ma.tu.ri.da.de *s* maturity; ripeness; full age.
Ma.tu.ti.no *adj* matutinal; morning; early.
Mau *adj* bad; ill; evil.
Ma.vi.o.so *adj* tender; gentle; harmonious.
Ma.xi.la *s* maxilla; jawbone; jaw.
Ma.xi.lar *s* ANAT maxillary.
Má.xi.ma *s* maxim; axiom; precept.
Má.xi.mo *adj* maximum; greatest.
Ma.ze.la *s* wound; sore spot.
Ma.zur.ca *s* MÚS mazurka.
Me *pron* me; to me; myself.
Me.ca *s* RELIG Mecca.
Me.câ.ni.ca *s* mechanics.
Me.câ.ni.co *s* mechanician; mechanic; *adj* mechanical.
Me.ca.ni.zar *v* to mechanize.
Me.cha *s* lamp-wick; linstock.
Me.da.lha *s* medal; locket.
Me.da.lhei.ro *s* medal maker.
Mé.dia *s* mean; average; mean rate.
Me.di.a.ção *s* mediation; intervention.
Me.di.an.te *s* meantime; *prep* by means of.
Me.di.ar *v* to mediate; to intervene; to meddle with.
Me.di.ca.men.to *s* medicament; medicine; drug.
Me.di.ção *s* measurement; measuring.
Me.di.car *v* to medicate; to prescribe; to treat with medicine.
Mé.di.co *s* physician; practitioner; doctor.
Me.di.da *s* measure; measurement; length.
Me.di.e.val *adj* medieval.
Mé.dio *adj* medium; middle; average.
Me.dí.o.cre *s* mediocre; *adj* mediocre; average.
Me.dir *v* to measure; to gauge.
Me.di.ta.ção *s* meditation; thoughtful.
Me.di.tar *v* to meditate; to cogitate; to muse.
Me.di.ter.râ.neo *s adj* mediterranean.
Me.do *s* fear; fright; dread.
Me.do.nho *s* a bird known as mandrião; *adj* awful; horrible; fearful.
Me.drar *v* to thrive; to prosper; to increase.
Me.dro.so *adj* fearful; timorous.
Me.ge.ra *s* shrew; cruel woman.
Mei.a *s* stocking; sock.
Mei.go *adj* mild; gentle; kind.
Mei.gui.ce *s* mildness; gentleness; tenderness.
Mei.o *s* middle; midst; way; means.
Mel *s* honey.
Me.la.do *s* sugar-cane syrup.
Me.lan.ci.a *s* watermelon.
Me.lan.co.li.a *s* depression of spirit; melancholy.
Me.lão *s* melon.
Me.lar *v* to put a lot of sugar in some mixture type.
Me.lhor *adj* better; best; *adv* better; best; *s* improvement; upswing.
Me.lho.ra.do *adj* improved; ameliorated; amender.
Me.lho.rar *v* to ameliorate; to improve.
Me.lho.ri.a *s* improvement; betterment.
Me.lin.dre *s* susceptibility; prudery.
Me.lin.dro.so *adj* delicate; touchy; fastidious.
Me.lo.di.a *s* melody; tune; air.
Me.lo.di.o.so *adj* melodious; gentle; tuneful.
Me.lo.so *adj* syrupy.
Mel.ro *s* blackbird.
Me.mo.ran.do *s* memorandum; memo; *adj* memorable.
Me.mo.rá.vel *adj* memorable; remarkable.
Me.mó.ria *s* memory; remembrance.
Men.ção *s* mention; citation.
Men.ci.o.nar *v* to mention; to cite; to name.
Men.di.can.te *s* beggar; *adj* mendicant.
Men.di.gar *v* to beg.
Men.di.go *s* beggar; mendicant.
Me.nei.o *s* wriggling; shake; wagging.
Me.ni.na *s* girl.
Me.ni.no *s* boy; lad; infant.
Me.nor *s* minor; *adj* younger; smallest; less.
Me.nos *adj* less; least; fewer; *adv* less; least; fewer; *prep* except; but; save.
Me.nos.ca.bo *s* disdain; scorn; depreciation.
Me.nos.pre.zar *v* to undervalue; to scorn.
Me.nos.pre.zo *s* scorn; disdain; contempt.
Men.sa.gem *s* message.
Men.sal *adj* monthly; every month.

Men.sa.li.da.de *s* monthly pay; monthly instalment.
Mens.tru.a.ção *s* MED period; the menstrual flux or flow.
Mêns.tru.o *s* menses; flow.
Men.su.rá.vel *adj* mensurable; measurable.
Men.tal *adj* mental; intellectual.
Men.tal.men.te *adv* mentally.
Men.te *s* the mind; understanding.
Men.tir *v* to lie; to falsify; to deceive; to delude.
Men.ti.ra *s* lie; falsehood.
Men.ti.ro.so *s* liar; *adj* deceitful; false.
Men.tor *s* mentor; guide; counsellor.
Me.nu *s* menu; list; a bill of fare.
Me.que.tre.fe *s* busybody; rascal.
Mer.ca.do *s* market; outlet.
Mer.ca.do.ri.a *s* commodities; goods.
Mer.cê *s* grace; mercy; reward.
Mer.ce.a.ri.a *s* grocery.
Mer.ce.ná.rio *adj* mercenary.
Mer.cú.rio *s* mercury, quicksilver; ASTR Mercury (planet).
Mer.da *s* excrement; fecal matter.
Me.re.cer *v* to deserve; to merit.
Me.re.ci.men.to *s* worth; merit; valor.
Me.ren.da *s* lunch; light meal; snack.
Me.ren.dar *v* to eat a light lunch.
Me.re.trí.cio *s* prostitution.
Me.re.triz *s* prostitute; harlot; strumpet.
Mer.gu.lha.dor *s* diver; plunger.
Mer.gu.lhão *s* diver (bird).
Mer.gu.lhar *v* to cast into water; to plunge; to dive.
Mer.gu.lho *s* dive; plunge.
Mé.ri.to *s* merit; worth; deserving.
Me.ri.tó.rio *adj* meritorious; deserving.
Me.ro *adj* plain; mere; simple.
Mês *s* month.
Me.sa *s* table; board.
Me.sa.da *s* allowance; monthly.
Mes.cla *s* mixture; variety of colors.
Mes.clar *v* to mix; to join; to add.
Mes.mo *adj* same; like; *adv* even.
Mes.qui.nha.ri.a *s* meanness; paltriness.
Mes.qui.nho *adj* mean.
Mes.qui.ta *s* mosque (temple).
Mes.si.as *s* Messiah; Christ.
Mes.ti.ço *s* hybrid; mestizo; half-breed; *adj* hybrid; mestizo; half-breed.
Mes.tra.do *s* mastership.
Mes.tre *s* master; school-master; teacher.
Me.su.ra *s* courtesy; a bow; reverence.
Me.ta *s* goal; limit.
Me.ta.de *s* half; halves.
Me.tal *s* metal; FIG money.
Me.ta.li.zar *v* to metalize.
Me.ta.mor.fo.se *s* metamorphosis; transformation.
Me.ta.mor.fo.se.ar *v* to metamorphose.
Me.ter *v* to introduce; to place; to put.
Me.ti.cu.lo.si.da.de *s* meticulosity.
Me.ti.do *adj* meddling; acquainted; bold; dare.
Me.tó.di.co *adj* methodical; methodic.
Me.to.di.zar *v* to methodize; to systematize; to regularize.
Me.tra.gem *s* length in meters.
Me.tra.lhar *v* to shoot with a machine-gun.
Mé.tri.co *adj* metrical; metric.
Me.tro *s* meter; metre.
Me.tró.po.le *s* metropolis.
Meu *adj* my; *pron* mine.
Me.xer *v* to mix; to agitate; to budge.
Me.xe.ri.car *v* to gossip; to chatter; to blab.
Me.xe.ri.co *s* intrigue; chit-chat.
Me.xi.lhão *s* busybody; mussel; clam.
Mi.a.do *s* mew; mewing.
Mi.ar *v* to mew.
Mi.çan.ga *s* bead glass pearl; trifles.
Mic.ção *s* urination; piss.
Mi.co *s* a small monkey.
Mi.ga.lha *s* crumb; a little bit; nip.
Mi.jar *v* to piss; to make water; to urinate.
Mil *adj* one thousand.
Mi.la.gre *s* miracle; wonder.
Mi.lha *s* mile.
Mi.lhão *s* million.
Mi.lhar *s* thousand.
Mi.lho *s* maize; corn.
Mi.lí.cia *s* militia; military; warfare.
Mi.li.o.ná.rio *s* millionaire; *adj* very rich.
Mi.mar *v* to fondle; to pet; to mimie.
Mí.mi.ca *s* mimicry; pantomime; imitation.
Mi.mo *s* gift; caress; delicacy.
Mi.mo.so *adj* delicate; tender; soft.
Mi.na *s* mine; spring; source.
Mi.nar *v* to mine; to demolish; to excavate.
Min.di.nho *s* the little finger.
Mi.nei.ro *adj* miner.
Mi.ne.ral *s* mineral, inorganic body; *adj* mineral, inorganic body.
Min.gau *s* gruel; pap.
Min.guan.te *adj* decreasing; diminishing.
Min.gu.ar *v* to decrease; to diminish.
Mi.nha *pron* my; mine.
Mi.nho.ca *s* earthworm; angleworm.
Mi.nis.té.rio *s* ministry; department.
Mi.nis.trar *v* to provide; to dispense.
Mi.nú.cia *s* minute; detail; trifle.
Mi.nús.cu.lo *adj* minute; very small; tiny.
Mi.nu.to *s* minute.
Mi.o.lo *s* brain; crumb; pith; marrow.
Mi.o.pi.a *s* myopia.
Mi.ra *s* aim; intention.
Mi.ra.gem *s* mirage; FIG illusion; deception.
Mi.rar *v* to aim at; to stare at; to look at.
Mir.rar *v* to wither; to dry; to grow lean.
Mis.ce.lâ.nea *s* miscellany; mixture; medley.
Mi.se.rá.vel *s* miser; skinflint; *adj* miserable; wretched; stingy.

Mi.sé.ria *s* misery; destitution; trifle.
Mi.se.ri.cór.dia *s* compassion; mercy; pity.
Mí.se.ro *adj* miserable; wretched; FIG mean.
Mis.sa *s* mass.
Mis.são *s* mission.
Mis.si.va *s* missive; letter; message.
Mis.ter *s* employment; need; want.
Mis.té.rio *s* mystery.
Mis.te.ri.o.so *adj* mysterious.
Mis.ti.fi.car *v* to mystify; to hoodwink; to hoax.
Mis.to *adj* mixed; confused.
Mis.tu.ra *s* mixture; blend.
Mis.tu.rar *v* to mix; to blend; to jumble.
Mi.u.de.za *s* minuteness; smallness.
Mi.ú.do *adj* little; small; minute.
Mi.xór.dia *s* mess; confusion; medley.
Mo.a.gem *s* grinding; grist; milling.
Mo.bí.lia *s* furniture.
Mo.bi.li.ar *v* to furnish.
Mo.bi.li.zar *v* mobilize.
Mo.ça *s* girl; young woman; *adj* young.
Mo.ção *s* motion; proposition.
Mo.chi.la *s* knapsack; haversack.
Mo.ci.da.de *s* youth; younthfulness.
Mo.ço *s* boy; young man; *adj* young.
Mo.da *s* mode; fashion; manner.
Mo.de.lo *s* model; pattern; standard.
Mo.de.ra.ção *s* moderation; restriction.
Mo.de.rar *v* to moderate; to temperate; to restrain.
Mo.der.ni.da.de *s* modernity; modernness.
Mo.der.ni.za.ção *s* modernization.
Mo.der.ni.zar *v* to modernize; to fashion.
Mo.der.no *adj* modern; up-to-date; update.
Mo.dés.tia *s* modesty; shyness; chastity.
Mó.di.co *adj* small; moderate; reasonable.
Mo.di.fi.car *v* to modify; to vary.
Mo.dis.ta *s* dressmaker; modiste.
Mo.do *s* mode; manner; way; GRAM mood.
Mo.du.lar *v* to modulate; to inflect; to slur.
Mó.du.lo *s* module, unit of any measure.
Mo.e.da *s* coin; hard cash.
Mo.e.dor *s* grinder; miller; pounder.
Mo.e.la *s* gizzard; second stomach of birds.
Mo.er *v* to grind; to mill; to pound.
Mo.far *v* to mock; to hoar; to mould.
Mo.fo *s* mold; mustiness.
Mo.í.do *adj* ground; tainted; tired.
Mo.i.nho *s* mill.
Moi.ta *s* thicket; coppice.
Mo.la *s* spring.
Mol.da.gem *s* moulding; casting.
Mol.dar *v* to cast; to mould; to model.
Mol.de *s* mould; pattern.
Mol.du.ra *s* moulding; picture-frame.
Mo.le *adj* soft; weak; indolent.
Mo.len.ga *adj* sluggish; indolent.
Mo.le.que *s* street-urchin; gamin; little boy.
Mo.les.tar *v* to molest; to bother; to annoy.
Mo.lés.tia *s* disease; illness.
Mo.le.za *s* softness; laziness; idleness.
Mo.lha.do *adj* wet; damp.
Mo.lhar *v* to wet; to soak; to drench.
Mo.lho *s* a bundle; faggot; sheaf; handful.
Mo.li.ne.te *s* windlass; turnpike; crab.
Mo.lus.co *s* zoo mollusc; shellfish.
Mo.men.tâ.neo *adj* momentary; instantaneous.
Mo.men.to *s* moment; an instant.
Mo.ne.tá.rio *adj* monetary; financial.
Mon.ge *s* monk; friar.
Mo.ni.tor *s* monitor; adviser.
Mo.no.po.li.zar *v* to monopolize; to embrace; to forestall.
Mo.nó.to.no *adj* monotone; wearisomeness.
Mons.tru.o.so *adj* monstrous; abnormal; huge; enormous.
Mon.ta *s* amount; total; cost.
Mon.ta.gem *s* setting up; mounting; assembly.
Mon.ta.nha *s* mountain.
Mon.ta.nhês *s* mountaineer; highlander; *adj* of the mountain.
Mon.tan.te *s* amount; sum.
Mon.tar *v* to ride; to climb; to mount.
Mon.ta.ri.a *s* hunting; saddle horse.
Mon.te *s* mount; heap; pile.
Mo.nu.men.to *s* monument; majestic building.
Mor *adj* chief; principal.
Mo.ra.da *s* dwelling; habitation; house.
Mo.ra.di.a *s* residence; housing; house.
Mo.ra.dor *s* dweller; resident.
Mo.ral *s* morality; *adj* moral.
Mo.ra.li.zar *v* to moralize.
Mo.ran.go *s* strawberry.
Mo.rar *v* to reside; to live; to dwell.
Mor.bi.dez *s* morbidity; morbidness.
Mor.ce.go *s* bat; flittermouse.
Mor.da.ça *s* gag; muzzle.
Mor.da.ci.da.de *s* sarcastic language; mordacity.
Mor.daz *adj* mordacious; bitting; mordant.
Mor.de.dor *s* biter; *adj* bitting.
Mor.der *v* to bite; to sting; to nibble.
Mor.dis.car *v* to munch; to nibble.
Mor.do.mo *s* steward.
Mo.re.no *adj* brown.
Mor.fi.na *s* morphia.
Mo.ri.bun.do *adj* moribund; dying; near death.
Mo.rin.ga *s* water-pot; monkey-jar.
Mor.ma.ço *s* warm; dull weather; haze.
Mor.no *adj* lukewarm; tepid; warm.
Mo.ro.si.da.de *s* slowness; tardiness; moroseness.
Mor.rer *v* to die; to depart; to pass away.
Mor.ro *s* hill; low mountain.
Mor.ta.lha *s* shroud; winding sheet.
Mor.ta.li.da.de *s* mortality; death rate.
Mor.te *s* death.
Mor.ti.fi.car *v* to mortify; to humble; to torment.

Mor.to *s* a dead man; corpse; *adj* dead; lifeless; insensible.
Mo.sai.co *s* mosaic, miscellany; *adj* mosaic.
Mos.ca *s* fly; house fly.
Mos.tei.ro *s* cloister; monastic house.
Mos.tra *s* exhibition; act of showing.
Mos.trar *v* to show; to exhibit; to display.
Mo.tim *s* mutiny; revolt; riot; insurrection.
Mo.ti.va.ção *s* motivation; inducement.
Mo.ti.var *v* to motivate.
Mo.ti.vo *s* motive; reason; cause; purpose.
Mo.to *s* motto; motion.
Mo.to.ci.cle.ta *s* motorcycle.
Mo.tor *s* engine; motor.
Mo.to.ris.ta *s* motorist; chauffeur; driver.
Mo.triz *adj* motive; moving.
Mo.ve.di.ço *adj* movable; moving.
Mó.vel *adj* movable; mobile.
Mo.ver *v* to move; to budge.
Mo.vi.men.tar *v* to move; to set in motion.
Mo.vi.men.to *s* motion; movement; moving.
Mu.co *s* mucus; slime.
Mu.co.sa *s* mucous membrane.
Mu.çul.ma.no *adj* moslem.
Mu.da *s* change; alteration; molt.
Mu.dan.ça *s* change; moving; removal.
Mu.dar *v* to change; to exchange; to trade.
Mu.dez *s* dumbness; muteness.

Mu.do *s* deaf person; *adj* dumb; mute.
Mu.gi.do *s* mooing; lowing.
Mu.gir *v* to bellow; to low.
Mui.to *adv* very; much; too; plus; a lot.
Mu.la *s* mule.
Mu.la.to *s* mulatto, dark-coloured.
Mu.le.ta *s* crutch; support; prop.
Mu.lher *s* woman; wife; female.
Mu.lhe.ren.go *adj* womanish; fond of women.
Mul.ta *s* mulct; fine; penalty.
Mul.tar *v* to mulct; to fine.
Mul.ti.dão *s* multitude; crowd; mob.
Mul.ti.na.ci.o.nal *s* ECON multiples.
Mul.ti.pli.ca.ção *s* multiplication; increasing.
Mul.ti.pli.ca.dor *s* multiplier; *adj* multiplying.
Mul.ti.pli.car *v* to multiply; to increase.
Mú.mia *s* mummy.
Mun.da.no *adj* mundane; worldly.
Mun.di.al *adj* world-wide.
Mun.do *s* world.
Mu.nhe.ca *s* wrist.
Mu.nhe.quei.ra *s* ESP wristlet.
Mu.ni.ção *s* ammunition; munition.
Mu.ní.ci.pe *s* citizen.
Mu.ni.cí.pio *s* municipality; a county.
Mu.ni.fi.cen.te *adj* munificent; liberal.
Mu.nir *v* to provide; to furnish; to supply.
Mu.ra.lha *s* wall; rampart.
Mu.ra.lhar *v* to wall; to mure; to immure.
Mu.rar *v* to inwall; to immure; to block up.
Mur.char *v* to wither; to blight; to fade.
Mur.cho *adj* withered; faded; FIG sad.
Mur.mu.rar *v* to murmur; to whisper.
Mur.mú.rio *s* murmur; humming; muttering.
Mu.ro *s* wall; defense.
Mur.ro *s* punch.
Mu.sa *s* muse.
Mús.cu.lo *s* muscle.
Mu.seu *s* museum.
Mus.go *s* moss.
Mú.si.ca *s* music.
Mu.si.car *v* to make music.
Mú.si.co *s* musician; *adj* musical; music.
Mus.se.li.na *s* muslin.
Mu.ta.ção *s* mutation; change.
Mu.ti.lar *v* to mutilate; to mangle; to haggle.

nN

N *s* the fourteenth letter of the Portuguese alphabet and of the English alphabet.
Na (em+a) *prep+art* in; on; at.
Na.bo *s* turnip.
Na.ção *s* nation; country.
Na.ci.o.nal *adj* national.
Na.ci.o.na.li.da.de *s* nationality; citizenship.
Na.ci.o.na.li.zar *v* to nationalize; to make national.
Na.co *s* slice; piece; bit.
Na.da *s* nothing; non-existence; trifle; *adv* not; nothing; not at all.
Na.da.dor *s* swimmer; *adj* swimming.
Na.dar *v* to swim.
Ná.de.ga *s* buttock; rump.
Na.do *s* ESP swimming.
Nai.pe *s* suit of cards; MÚS groups of instruments.
Na.mo.ra.da *s* sweetheart; girlfriend.
Na.mo.ra.do *s* lover; boyfriend.
Na.mo.rar *v* to date; to flirt.
Na.mo.ro *s* courtship; lover.
Na.nar *v* to sleep.
Não *adv* no; not.
Na.que.le **(em+aquele)** (*prep+pron*) in that; on that.
Na.qui.lo **(em+aquilo)** (*prep+pron*) in that; on that.
Nar.ci.so *s* narcissus.
Nar.có.ti.co *s* narcotic; drug; GÍR dope; *adj* narcotic.
Na.ri.na *s* nostril.
Na.riz *s* nose.
Nar.ra.ção *s* narrative; narration.
Nar.rar *v* to narrate; to tell; to relate.
Nas.cen.ça *s* birth; nascency; origin.
Nas.cen.te *s* east; orient; *adj* nascent; rising.
Nas.cer *v* to be born; to rise.
Nas.ci.do *adj* born; native; natural.
Nas.ci.men.to *s* birth; origin.
Nas.ci.tu.ro *adj* begotten.
Na.ta *s* cream.
Na.ta.ção *s* swimming; natation.
Na.tal *s* Christmas (Xmas); Christmas Day; *adj* native; natal.
Na.ti.vo *s* home-born; native; *adj* indigenous; national; native.
Na.tu.ral *s* native; nature; disposition; *adj* natural.
Na.tu.ra.li.zar *v* to naturalize.
Na.tu.re.za *s* nature; kind; sort.
Nau *s* vessel; ship.
Nau.fra.gar *v* to shipwreck; to founder; to sink .
Nau.frá.gio *s* shipwreck; sinking.
Náu.se.a *s* nausea; seasickness.
Na.val *adj* naval; maritime; marine.
Na.va.lha *s* razor.
Na.ve *s* nave; vessel; ship.
Na.ve.ga.bi.li.da.de *s* navigability; navigableness.
Na.ve.gar *v* to navigate; to sail; to voyage.
Na.ve.gá.vel *adj* navigable; floatable; voyageable.
Na.vi.o *s* vessel; ship.
Ne.bli.na *s* mist; fog.
Ne.bu.lo.si.da.de *s* nebulosity; nebulousness.
Ne.ces.sá.rio *adj* necessary; needful; indispensable.
Ne.ces.si.da.de *s* necessity; need; want.
Ne.ces.si.tar *v* to need; to require; to demand.
Ne.cro.té.rio *s* morgue; dead-house.
Néc.tar *s* nectar.
Ne.fan.do *adj* infamous.
Ne.fas.to *adj* inauspicious; funest; doleful.
Ne.ga.ção *s* negation; negativity; denial.
Ne.gar *v* to deny; to negate.
Ne.ga.ti.va *s* negative; refusal.
Ne.gli.gên.cia *s* negligence; neglect; inattention; inadvertence.
Ne.gli.gen.te *adj* negligent; carelessness.
Ne.go.ci.a.ção *s* negotiation; trading.
Ne.go.ci.ar *v* to negotiate; to trade in; to deal.
Ne.go.ci.á.vel *adj* negotiable; sellable; marketable.
Ne.gó.cio *s* business; trade; commerce; affair; transaction.
Ne.gro *s* negro; *adj* black.
Nem *conj* nor; neither.
Ne.nê *s* baby; little child.
Ne.nhum *adj* no; any; *pron* none; any.
Ne.ó.fi.to *s* neophyte; beginner; novice.
Ner.vo *s* nerve; sinew.

Ner.vo.so *adj* nervous; excitable.
Nés.ci.o *adj* silly; foolish.
Ne.ta *s* granddaughter; grandchild.
Ne.to *s* grandson; grandchild.
Ne.tu.no *s* Neptune.
Neu.tra.li.zar *v* to neutralize; to render neutral.
Neu.tro *adj* neutral; neuter.
Ne.va.da *s* downfall; snowfall.
Ne.var *v* to snow.
Ne.vas.ca *s* snow storm; blizzard.
Ne.ve *s* snow.
Né.voa *s* fog; mist.
Ne.vo.ei.ro *s* a thick fog.
Ne.vral.gi.a *s* MED neuralgia.
New.to.ni.a.no *adj* newtonian.
Ne.xo *s* nexus; coherence; link.
Ni.cho *s* niche; small home; alcove.
Ni.co.ti.na *s* nicotine; nicotin.
Nin.guém *pron* no-one; nobody; anyone; anybody.
Ni.nha.da *s* brood.
Ni.nha.ri.a *s* bagatelle; trifle; insignificance.
Ni.nho *s* nest; lair; hole.
Ní.quel *s* nickel; nickel coin.
Ni.que.lar *v* to nickel-plate.
Nis.so (em+isso) (*prep+pron*) in that; on that; at that.
Ni.ti.dez *s* clearness; brightness.
Ní.ti.do *adj* nitid; neat; clear; bright.
Ní.vel *s* level; plummet; rate.
Ni.ve.lar *v* to level; to grade.

No (em+o) (*prep+art*) in the.
Nó *s* knot; tie; joint; node; snag; POP hitch.
No.bre *s* nobleman; *adj* noble; honorable.
No.bre.za *s* nobleness; nobility; noblesse.
No.ção *s* notion; idea; conception.
No.ci.vo *adj* noxious; pernicious.
Nó.doa *s* spot; stain.
Nó.du.lo *s* nodule.
No.guei.ra *s* walnut-tree.
Noi.te *s* night; evening.
Noi.ti.nha *s* nightfall; twilight.
Noi.va *s* bride; fiancée.
Noi.va.do *s* betrothal; engagement.
Noi.var *v* to court.
Noi.vo *s* bridegroom; groom; fiancée; *adj* engaged.
No.jen.to *adj* nauseous; disgusting; loathsome.
No.jo *s* nausea; aversion; repugnance.
Nô.ma.de *s* nomad; wanderer; *adj* nomadic; wandering.
No.me *s* name; fame.
No.me.a.ção *s* appointment; designation.
No.me.ar *v* to appoint; to ordain.
No.mi.nal *adj* nominal.
No.na.ge.ná.rio *adj* nonagenarian.
No.na.gé.si.mo *adj* ninetieth.
No.no *adj* ninth.
No.ra *s* daughter-in-law.
Nor.des.te *s* north-east.
Nór.di.co *adj* nordic.
Nor.ma *s* norm; model; pattern; standard.
Nor.mal *s* normal; *adj* normal; ordinary; regular; usual.
Nor.ma.li.da.de *s* normality; normalcy.
Nor.ma.li.zar *v* to normalize; to make normal.
No.ro.es.te *s* northwest.
Nor.te *s* north; guide; direction.
Nor.te.ar *v* to guide; to lead.
No.ru.e.guês *s* Norwegian; *adj* norwegian.
Nós *pron* we; us; ourselves; *pron* us.
Nos.sa *adj* our; *pron* our, ours; of us.
Nos.tal.gi.a *s* nostalgia; homesickness.
Nos.tál.gi.co *adj* nostalgic; homesick.
No.ta *s* note; communication; a money paper.
No.ta.bi.li.da.de *s* notability.
No.ta.bi.li.zar *v* to become notable.
No.ta.ção *s* notation.
No.tar *v* to note; to observe; to notice.
No.tá.rio *s* notary.
No.tá.vel *adj* notable; remarkable.
No.tí.cia *s* news; information; knowledge.
No.ti.ci.ar *v* to notice; to inform.
No.ti.ci.á.rio *s* news section; news bulletin.
No.ti.fi.car *v* to notify; to report; to announce.
No.tó.rio *adj* notorious; well-known.
No.va.men.te *adv* again.
No.va.to *s* novice; beginner; freshman.
No.ve *adj* nine.
No.ve.la *s* tale; story; soap-opera.
No.ve.lo *s* ball of thread.
No.vem.bro *s* November, the eleventh month of the year.
No.ve.na *s* RELIG nine days of prayer and adoration.
No.vi.ci.a.do *s* novitiate; novice.
No.vi.ço *s* novice; beginner; apprentice.
No.vi.da.de *s* novelty; newness; news.
No.vi.lha *s* young cow.
No.vi.lho *s* steer; bullock.
No.vo *adj* new; modern; young.
Noz *s* nut; walnut (a dried fruit).
Nu *s* nude; *adj* naked; nude; bare.
Nu.ben.te *s* betrothed; *adj* betrothed.
Nu.bla.do *adj* cloudy; overcast.
Nu.blar *v* to cloud; become cloudy.
Nu.ca *s* nape; back of the neck.
Nú.cleo *s* nucleus; kernel; centre; core.
Nu.dez *s* nudity; nakedness; bareness.
Nu.dis.mo *s* nudism.
Nu.dis.ta *s* nudist.
Nu.li.da.de *s* nullity; a nobody.
Nu.lo *adj* null; void; invalid; of no account.
Nu.me.ra.ção *s* numeration; numbering.
Nu.me.ra.dor *s* numerator; numberer.
Nu.me.ral *s* numeral; *adj* numeral.

Nu.me.rar *v* to number; to amount to; to count; to mark.
Nu.me.rá.rio *s* money; cash; coin; *adj* numerary.
Nu.mé.ri.co *adj* numeric; numerical.
Nú.me.ro *s* number; a sum; figure.
Nu.me.ro.so *adj* numerous; abundant; multitudinous.
Nun.ca *adv* never.
Nún.cio *s* nuncio; messenger; legate.
Nup.ci.al *adj* nuptial; matrimonial.
Núp.ci.as *s* nuptial; marriage; wedding.
Nu.tri.ção *s* nutrition; nourishment; nutriment.
Nu.tri.do *adj* nourished; well-fed.
Nu.tri.en.te *adj* alimentative; nutrient.
Nu.tri.men.to *s* nutriment; food; aliment.
Nu.trir *v* to nourish; to feed.
Nu.tri.ti.vo *adj* nutritive; nourishing.
Nu.vem *s* cloud.

oO

O *s* the fifteenth letter of the Portuguese alphabet and of the English alphabet.
O *art* the; *pron* he; him; that; the one; it.
Ob.ce.ca.ção *s* obduracy; obstinacy.
Ob.ce.car *v* to blind; to obsess.
O.be.de.cer *v* to obey; to yield; to conform.
O.be.di.ên.cia *s* obedience.
O.be.si.da.de *s* obesity; fatness; corpulence.
O.be.so *adj* obese; fat.
Ó.bi.ce *s* hindrance; impediment; obstacle.
Ob.je.ção *s* objection; protest; complaint.
Ob.je.tar *v* to object; to oppose.
Ob.je.ti.var *v* to objectify; to aim at.
Ob.je.ti.vo *s* objective; end; goal; purpose; *adj* objective.
Ob.je.to *s* object; aim; purpose.
O.bo.é *s* MÚS oboe; hautboy.
Ó.bo.lo *s* alms.
O.bra *s* work; labor; production; task; book; **obra de arte**: masterpiece.
O.brar *v* to work; to act; to perform.
O.brei.ro *s* worker; workman.
O.bri.ga.ção *s* obligation; duty; bound.
O.bri.ga.do *adj* obliged; grateful; **Obrigado!** *interj* thank you.
O.bri.gar *v* to oblige; to obligate; to compel.
Obs.ce.ni.da.de *s* obscenity.
Obs.ce.no *adj* obscene; indecent.
Obs.cu.re.cer *v* to obscure; to darken.
Obs.cu.re.ci.men.to *s* obscuration; darkness.
Obs.cu.ro *adj* obscure; dark; dim; intricate.
Ob.se.qui.ar *v* to favor; to entertain; to please; to oblige.
Ob.sé.quio *s* kindness; favour.
Ob.ser.va.ção *s* observation; remark.
Ob.ser.var *v* to observe; to look; to watch.
Ob.ser.vá.vel *adj* observable.
Obs.tá.cu.lo *s* obstacle; hindrance.
Obs.tar *v* to impede; to avoid; to obviate.
Obs.ti.na.ção *s* obstinacy; self-will; stubbornness.
Obs.ti.na.do *adj* obstinate; stubborn.
Obs.ti.nar *v* to obstinate; to make obstinate.
Obs.tru.ir *v* to obstruct; to block; to retard.
Ob.ten.ção *s* obtainment.
Ob.ter *v* to obtain; to get; to secure.
Ob.tu.ra.ção *s* obturation.
Ob.tu.rar *v* MED to obturate; to fill.
Ob.tu.so *adj* obtuse; blunt.
Ób.vio *adj* obvious; evident.
O.ca.si.ão *s* occasion; opportunity; chance.
O.ca.si.o.nal *adj* occasional; casual; incidental.
O.ca.si.o.nar *v* to cause; to bring about; to give rise.
O.ca.so *s* sunset; end; death.
O.ce.â.ni.co *adj* oceanic; marine.
O.ce.a.no *s* ocean; the sea.
O.ci.den.tal *adj* occidental; western.
O.ci.den.te *s* occident; west.
Ó.cio *s* leisure; idleness; laziness.
O.ci.o.so *s* a lazy person; lazybones; *adj* idle; lazy; useless.
O.co *adj* hollow; empty; vain; futile.
O.cor.rên.cia *s* occurrence; incident; happening.
O.cor.rer *v* to occur; to come round; to take place.
Oc.to.ge.ná.rio *s* octogenarian; octogenary; *adj* octogenarian; octogenary.
O.cu.lis.ta *s* oculist; eye doctor; ophthalmologist.
Ó.cu.lo *s* eye-glass.
O.cul.tar *v* to occult; to hide; to cover.
O.cul.to *adj* occult; hidden; concealed.
O.cu.pa.ção *s* occupation; job; task.
O.cu.pa.do *adj* busy; occupied.
O.cu.par *v* to occupy; to hold; to employ; to engage; to keep.
O.di.ar *v* to hate; to detest; to abhor.
O.di.á.vel *adj* odious; hateful.
Ó.dio *s* hate; hatred; odium.
O.dor *s* odour; scent; smell.
O.es.te *s* west; *adj* western.
O.fe.gan.te *adj* out of breath; panting; gasping.
O.fe.gar *v* to pant; to breathe convulsively; to gasp.
O.fen.der *v* to offend; to hurt.
O.fen.sa *s* offense; grievance; insult.
O.fen.si.va *s* offensive; attack.
O.fe.re.cer *v* to offer.
O.fe.re.ci.men.to *s* offering; offer.
O.fe.ren.da *s* offering; gift; offer.

O.fer.ta *s* offering; offer.
O.fer.tar *v* to offer; to make an offering.
O.fi.ci.al *s* officer; craftsman; clerk; *adj* official.
O.fi.ci.ar *v* to officiate.
O.fi.ci.na *s* workshop; works.
O.fí.cio *s* occupation; official letter; trade.
O.fus.ca.ção *s* dazzling; obfuscation.
O.fus.car *v* to obfuscate; to dim; to dazzle.
Oi.ta.va.do *adj* eight-sided; octagonal.
O.je.ri.za *s* antipathy; aversion.
O.la.ri.a *s* pottery; brick-field.
O.le.ar *v* to oil.
Ó.leo *s* oil.
O.le.o.so *adj* oily; greasy.
Ol.fa.ção *s* olfaction.
Ol.fa.ti.vo *adj* olfactory.
Ol.fa.to *s* smell.
O.lhar *s* look; glance; *v* to look; to observe; to behold.
O.lho *s* eye; sight; view.
O.li.va *s* olive.
O.lor *s* odor; perfume; fragrance.
Ol.vi.dar *v* to forget, to lose the remembrance.
Om.brei.ra *s* shoulder-strap; jamb; door.
Om.bro *s* shoulder.
O.me.le.te *s* omelet.
O.mis.são *s* omission; oversight.
O.mi.tir *v* to omit; to miss; to skip.
O.mo.pla.ta *s* shoulder blade.
On.ça *s* ounce (28.349 gramas); zoo ounce.
On.da *s* wave; ripple; billow.
On.de *adv* where; in which.
On.du.la.ção *s* undulation; waving.
On.du.lar *v* to undulate; to wave.
O.ne.rar *v* to burden with; to encumber; to charge.
O.ne.ro.so *adj* onerous; burdensome.
Ô.ni.bus *s* omnibus; bus.
O.ni.po.ten.te *adj* omnipotent; almighty.
On.tem *adv* yesterday.
Ô.nus *s* onus; burden; load; obligation.
O.pa.co *adj* opaque; dull; obscure.
Op.ção *s* option; choice; selection.
Ó.pe.ra *s* MÚS opera.
O.pe.ra.ção *s* operation; working; action.
O.pe.ra.dor *s* operator; surgeon.
O.pe.rar *v* to operate; to perform; to act.
O.pe.rá.rio *s* workman; labourer; worker.
O.pe.re.ta *s* MÚS operetta.
O.pe.ro.so *adj* laborious; diligent; productive.
O.pi.nar *v* to opine; to suppose; to judge.
O.pi.ni.ão *s* opinion; hint.
Ó.pio *s* opium (narcotic).
O.po.nen.te *s* opponent; antagonist; adversary.
O.por *v* to oppose.
O.por.tu.ni.da.de *s* opportunity; chance.
O.por.tu.nis.ta *s* opportunist; timeserver; temporizer.
O.por.tu.no *adj* opportune.
O.po.si.ção *s* opposition; resistance.
O.pos.to *s* opposite; *adj* opposite; contrary; contradictory.
O.pres.são *s* oppression; tyranny.
O.pres.sor *s* opressor; *adj* oppressive.
O.pri.mir *v* to oppress; to depress; to subdue.
Op.tar *v* to choose; to select.
Óp.ti.ca *s* MED optics.
Óp.ti.co *adj* optic; optical.
O.pu.lên.cia *s* opulence; wealth.
O.pu.len.to *adj* opulent; wealthy; rich.
O.pús.cu.lo *s* opuscule; small work.
O.ra *conj* but; now.
O.ra.ção *s* oration; pray; speech; sentence.
O.ra.dor *s* orator; public-speaker.
O.ral *adj* oral; verbal.
O.rar *v* to pray; to implore; to beseech.
O.ra.tó.ria *s* oratory; eloquence.
Or.be *s* orb; globe; sphere.
Ór.bi.ta *s* orbit.
Or.ça.men.to *s* budget; estimate.
Or.çar *v* to budget; to estimate.
Or.dem *s* order; class.
Or.de.na.ção *s* ordinance; arrangement.
Or.de.na.do *s* salary; wages.
Or.de.nar *v* to order; to command; to bid.
Or.de.nha *s* milking.
Or.de.nhar *v* to milk.
Or.di.nal *adj* ordinal.
Or.di.ná.rio *adj* ordinary; commonplace.
O.re.lha *s* ear.
Or.fa.na.to *s* orphanage; asylum.
Ór.fão *s* orphan; *adj* orphan.
Or.gan.di *s* organdy.
Or.gâ.ni.co *adj* organic.
Or.ga.nis.mo *s* organism; body.
Or.ga.ni.za.ção *s* organization.
Or.ga.ni.zar *v* to organize; to arrange.
Ór.gão *s* organ; instrument; MÚS pipe-organ.
Or.gi.a *s* orgy; revel.
Or.gu.lhar *v* to flush; to exalt; to elate.
Or.gu.lho *s* pride; haughtiness.
Or.gu.lho.so *adj* proud; stuck up; haughty.
O.ri.en.tal *s* oriental; eastern; *adj* oriental; eastern.
O.ri.en.tar *v* to orient; to direct; to guide.
O.ri.en.te *s* orient; east.
O.ri.fí.cio *s* orifice; opening; hole.
O.ri.gem *s* origin; beginning; source.
O.ri.gi.nal *s* original; *adj* original.
O.ri.gi.nar *v* to originate; to create.
O.ri.gi.ná.rio *adj* native; proceeding; originating; *also* **Oriundo.**
Or.la *s* border; fringe; edge.
Or.lar *v* to border; to edge.
Or.na.men.tar *v* to ornament; to decorate; to adorn.
Or.na.men.to *s* ornament; decoration.
Or.nar *v* to adorn; to deck.
Or.na.to *s* ornament; decoration.
Or.ques.tra *s* orchestra.

Or.ques.trar *v* to orchestrate.
Or.quí.dea *s* orchid.
Or.va.lhar *v* to bedew; to drizzle; to wet.
Or.va.lho *s* dew; mist; drizzle.
Os.ci.la.ção *s* oscillation; variation.
Os.ci.lar *v* to oscillate; to hesitate.
Os.cu.la.ção *s* osculation; kiss.
Os.cu.lar *v* to osculate; to kiss.
Ós.cu.lo *s* kiss.
Os.sa.da *s* skeleton; carcass.
Ós.seo *adj* osseous; bony.
Os.si.fi.car *v* to ossify.
Os.so *s* bone.
Os.ten.ta.ção *s* ostentation; splurge; show.
Os.ten.ta.dor *s* boaster; ostentatious person; *adj* ostentatious.
Os.ten.tar *v* to flaunt; to display; to boast.
Os.tra *s* oyster.
Os.tra.cis.mo *s* ostracism; relegation.
O.tá.rio *s* fool; POP gull; ninny; sucker.
O.ti.mis.mo *s* optimism.
Ó.ti.mo *s* very good; excellent; fine.
Ou *conj* either; or.
Ou.ri.ço *s* bur of chestnuts.
Ou.ri.ves *s* goldsmith.
Ou.ro *s* gold (symbol Au).
Ou.sa.di.a *s* boldness; audacity; insolence.
Ou.sa.do *adj* bold; daring.
Ou.sar *v* to dare; to venture.
Ou.to.no *s* autumn; USA fall.
Ou.trem *pron* somebody else.
Ou.tro *adj* other; *pron* other; another.
Ou.tro.ra *adv* formerly; once; of yore.
Ou.tu.bro *s* October, the tenth month of the year.
Ou.vin.te *s* hearer; listener.
Ou.vir *v* to hear; to listen to.
O.va *s* roe.
O.va.ção *s* ovation; applause.
O.va.ci.o.nar *v* to acclaim.
O.val *adj* oval; egg-shaped.
O.va.lar *v* to make oval.
O.vá.rio *s* ANAT ovary.
O.ve.lha *s* ewe; sheep.
O.vo *s* egg.
Ó.vu.lo *s* ovule; egg-cell.
O.xa.lá! *interj* let's hope!
O.xi.gê.nio *s* oxygen.
O.xí.to.no *s* oxytone; *adj* oxytone.

pP

P *s* the sixteenth letter of the Portuguese alphabet and of the English alphabet.
Pá *s* spade; shovel.
Pa.ca.to *adj* peaceful; pacific; quiet; tranquil.
Pa.ci.ên.cia *s* patience; resignation.
Pa.ci.fi.car *v* to pacify; to calm; to quiet.
Pa.cí.fi.co *adj* pacific; peaceful; peaceable.
Pa.co.te *s* pack; packet; package; bundle.
Pac.to *s* pact; agreement; deal.
Pa.da.ri.a *s* bakery; bakehouse.
Pa.de.cer *v* to suffer; to bear.
Pa.dei.ro *s* baker.
Pa.di.o.la *s* handbarrow; stretcher.
Pa.drão *s* pattern; model.
Pa.dras.to *s* step-father.
Pa.dre *s* priest; clergyman; father.
Pa.dri.nho *s* godfather.
Pa.dro.ei.ro *s* patron; patron saint.
Pa.ga *s* pay; remuneration; wages; salary.
Pa.ga.men.to *s* pay; payment; wages; salary.
Pa.gar *v* to remunerate; to acquit; to reward.
Pá.gi.na *s* page; writing.
Pa.go *s* reward; recompense; *adj* paid; rewarded.
Pa.go.de *s* pagoda.
Pai *s* father.
Pai.ol *s* storeroom.
Pai.rar *v* to hover.
Pa.ís *s* country; nation; land.
Pai.sa.gem *s* landscape; scenery.
Pai.xão *s* passion; anger.
Pa.je.ar *v* to nurse.
Pa.jem *s* dry-nurse.
Pa.la.dar *s* palate; taste.
Pa.lan.que *s* platform; stand.
Pa.la.to *s* palate; taste.
Pa.la.vra *s* word; term; speech.
Pa.la.vrão *s* obscenity; coarse word.
Pal.co *s* stage.
Pa.ler.ma *s* stupid; fool; simpleton; *adj* silly; foolish.
Pa.les.trar *v* to talk; to chat.
Pa.le.tó *s* paletot; jacket; coat.
Pa.lha *s* straw.
Pa.lha.ço *s* clown; buffoon.
Pa.lhi.nha *s* a kind of straw.
Pa.lho.ça *s* hut.
Pa.li.dez *s* paleness; faintness.
Pa.li.tar *v* to cleanse teeth.
Pa.li.te.i.ro *s* toothpick holder.
Pa.li.to *s* toothpick.
Pal.ma.da *s* slap.
Pal.mei.ra *s* palm-tree.
Pal.mi.lha *s* inner sole of a shoe.
Pal.mi.to *s* palm heart.
Pal.mo *s* palm, a linear measure.
Pal.par *v* to touch.
Pál.pe.bra *s* eye-lid.
Pal.pi.ta.ção *s* palpitation; tremble.
Pal.pi.tar *v* to palpitate; to throb.
Pal.rar *v* to prattle; to chatter.
Pam.pa *s* pampa; extensive plain.
Pa.na.ca *s* silly billy; stupid.
Pan.ça *s* belly; paunch; potbelly.
Pan.ca.da *s* stroke; knock; GÍR crazy.
Pân.de.ga *s* merry-making; spree; junketing.
Pan.dei.ro *s* tambourine; timbrel.
Pa.ne.la *s* pot; pan.
Pan.fle.to *s* pamphlet; booklet.
Pâ.ni.co *s* panic; fright; *adj* panic; fright.
Pa.no *s* cloth; fabric; sails; curtain.
Pa.no.ra.ma *s* panorama; landscape; view.
Pan.que.ca *s* pancake.
Pan.ta.lo.nas *s* pantaloons.
Pân.ta.no *s* swamp; marsh; bog; fen.
Pão *s* bread.
Pa.pa *s* pope; pap (food).
Pa.pa.da *s* agglutination of fatty meat in the neck.
Pa.pa.gai.o *s* parrot (bird); BR kite.
Pa.pai *s* papa; daddy.
Pa.par *v* to eat; FIG to extort.
Pa.pe.ar *v* to prate; to chatter.
Pa.pel *s* paper; sheet.
Pa.pe.la.da *s* heap of papers (documents).
Pa.pe.lão *s* pasteboard; cardboard; BR gaffe.
Pa.po *s* double chin; **bate Papo:** chat.

Pa.pu.do *adj* doubled chin, agglutination of fatty meat in the neck; BR talkative.
Par *s* pair; couple; partner; *adj* even; equal; like.
Pa.ra *prep* for; to; towards; in order to.
Pa.ra.béns *s* congratulations.
Pa.ra-bri.sas *s* windshield.
Pa.ra-cho.que *s* buffer; bumper.
Pa.ra.da *s* stop; halt.
Pa.ra.fu.sar *v* to screw.
Pa.ra.fu.so *s* screw.
Pa.ra.í.so *s* paradise; heaven.
Pa.ra-la.ma *s* fender; mudguard.
Pa.ra.li.sar *v* to paralyse; to stop; to palsy.
Pa.ra.men.to *s* ornament.
Pa.ra.nin.fo *s* paranymph; godfather.
Pa.ra.que.das *s* parachute.
Pa.rar *v* to cease; to stop; to halt; to block.
Pa.ra-rai.os *s* lightning-rod.
Par.cei.ro *s* partner; participant.
Par.ce.lar *v* to parcel out; to divide.
Par.ce.ri.a *s* partnership.
Par.ci.al *adj* partial; unfair.
Par.dal *s* sparrow.
Par.do *s* mulatto; *adj* gray; dark; brown.
Pa.re.cer *s* appearance; opinion; judgement; *v* to seem; to appear; to look like.
Pa.re.ci.do *adj* like; alike; resembling.
Pa.re.de *s* wall.
Pa.ren.tes *s* relatives.
Pa.rên.te.se *s* parenthesis.
Pa.rir *v* to give birth.
Par.la.men.tar *s* parliamentarian; *v* to parley; *adj* parliamentary.
Par.la.men.to *s* parliament; parliament-house.
Par.lar *v* to prattle; to chatter; to chat.
Par.me.são *s* parmesan cheese; *adj* parmesan.
Pá.ro.co *s* parish priest; parson.
Pa.ro.di.ar *v* to parody; to burlesque.
Pa.ró.quia *s* parish.
Par.que *s* park.
Par.rei.ra *s* vine; spreading vine.
Par.te *s* part; piece; section.
Par.tei.ra *s* midwife.
Par.ti.ci.par *v* to participate; to partake.
Par.ti.cu.lar *adj* particular; individual; curious.
Par.ti.cu.la.ri.zar *v* to particularize; to detail.
Par.ti.cu.lar.men.te *adv* especially.
Par.ti.da *s* departure; match; game.
Par.ti.do *s* party; advantage; profit; match; *adj* parted; divided; broken; split.
Par.ti.lhar *v* to partition; to share.
Par.tir *v* to part; to depart; to take off; to start.
Par.ti.tu.ra *s* MÚS partitur.
Par.to *s* parturition; delivery; childbirth.
Par.tu.ri.en.te *adj* parturient.
Pás.coa *s* Easter; Passover.
Pas.mar *v* to be astonished; to be amazed.
Pas.sa *s* raisin.
Pas.sa.do *s* past; past time; former time; *adj* past.
Pas.sa.gei.ro *s* passenger; traveller; *adj* temporary; transitory.
Pas.sa.gem *s* passage; road.
Pas.sar *v* to pass; to move; to get through.
Pas.sa.ri.nho *s* bird; *also* **Pássaro.**
Pas.sa.tem.po *s* recreation; amusement; hobby.
Pas.se *s* pass; free-pass.
Pas.se.ar *v* to walk; to stroll.
Pas.se.a.ta *s* protest march.
Pas.sei.o *s* walk; sidewalk; pavement; stroll.
Pas.so *s* pace; step; gait.
Pas.ta *s* portfolio; paste; folder; POP pasta.
Pas.ta.gem *s* pasture.
Pas.tar *v* to pasture; to graze.
Pas.tel *s* pastel; meat pie.
Pas.to *s* pasture; food; aliment; nourishment.
Pa.ta *s* duck; paw; foot.
Pa.ten.te *s* patent; license; licence; *adj* patent; evident; manifest.
Pa.ten.te.ar *v* to manifest; to charter; to franchise; to patent.
Pa.ter.no *adj* paternal; fatherly.
Pa.te.ta *s* simpleton; block-head.
Pa.ti.fa.ri.a *s* roguishness; cowardeiness.
Pa.ti.fe *s* rascal; scoundrel; *adj* rascally
Pa.tim *s* skate; landing; roller-skate.
Pa.ti.nar *v* to skate.
Pa.ti.nhar *v* to paddle; to dabble.
Pá.tio *s* yard; court-yard.
Pa.to *s* duck; drake; POP a fool person.
Pa.trão *s* boss; patron; employer.
Pá.tria *s* country; fatherland.
Pa.trí.cio *s* patrician; fellow countryman; *adj* patrician; fellow countryman.
Pa.tri.mô.nio *s* patrimony; inheritance.
Pa.tro.a *s* patroness; housewife.
Pa.tro.ci.nar *v* to patronize; to support.
Pa.tro.no *s* patron; defender.
Pa.tru.lha *s* patrol; a guard.
Pa.tru.lhar *v* to patrol.
Pau *s* wood; piece of wood; stick.
Pau.la.da *s* blow with a club or wood piece.
Pau.pér.ri.mo *s* pauper; miserable person; *adj* very poor.
Pau.sa *s* pause; MÚS pause.
Pau.sar *v* to pause; to stop.
Pau.ta *s* rule paper; list; staff; line.
Pau.tar *v* to rule.
Pa.vão *s* peacock (bird).
Pa.vi.lhão *s* pavilion; a large tent; flag.
Pa.vi.men.tar *v* to pave.
Pa.vi.men.to *s* pavement; floor.
Pa.vi.o *s* wick of a candle; taper.
Pa.vo.a *s* peahen.
Pa.vor *s* dread; terror; fright.
Paz *s* peace; calmness; tranquillity; quiet.
Pé *s* foot; base; support; stand; paw.

Peão *s* peasant.
Pe.ça *s* piece.
Pe.ca.do *s* sin.
Pe.car *v* to sin.
Pe.cha *s* blemish; fault; spot.
Pe.chin.cha *s* bargain.
Pe.chin.char *v* to bargain.
Pe.cu.li.ar *adj* peculiar; singular; special.
Pe.da.ço *s* piece; a fragment; bit; morsel.
Pe.dal *s* pedal; foot-lever; treadle.
Pe.da.lar *v* to pedal.
Pe.dan.te *s* pedant; *adj* pedant; pedantic; pretentious.
Pe.des.tal *s* pedestal; stand; support.
Pe.des.tre *s* pedestrian; a walker; *adj* pedestrian.
Pe.di.cu.ro *s* pedicure; chiropodist.
Pe.di.do *s* request; petition; demand.
Pe.din.te *s* beggar.
Pe.dir *v* to request; to ask; to call for.
Pe.dra *s* stone.
Pe.dre.gu.lho *s* gravel; boulder.
Pe.drei.ro *s* mason.
Pe.ga.da *s* footprint; footstep; trace; track.
Pe.gar *v* to seize; to hold; to pick up; to take.
Pei.dar *v* to fart.
Pei.do *s* fart.
Pei.to *s* breast; brisket.
Pei.to.ral *s* breastplate; *adj* breastplate, relative to the chest.
Pei.xe *s* fish.
Pe.jo.ra.ti.vo *adj* pejorative; depreciatory.
Pe.la (per+a) (*prep+art*) by.
Pe.la.da *s* loss of hair; BR ESP GÍR soccer; *adj* skinned; nude woman.
Pe.la.do *adj* without hair; bald; nude.
Pe.lan.ca *s* wrinkled skin.
Pe.le *s* skin; pelt; hide.
Pe.le.ja *s* fight; battle; struggle; combat.
Pe.li.ca *s* kid.
Pe.li.ca.no *s* pelican (bird).
Pe.lo (per+o) (*prep+art*) by.
Pe.lo *s* hair.
Pe.lo.ta *s* pellet; small ball.
Pe.lú.cia *s* plush.
Pe.lu.gem *s* fine hair.
Pe.na *s* feather; plume; shame; pity.
Pe.na.li.zar *v* to pain; to afflict.
Pê.nal.ti *s* FUT penalty; foul (soccer).
Pe.nar *v* to suffer; to grieve; to mourn.
Pen.dên.cia *s* dispute; quarrel; fight; strife.
Pen.der *v* to hang; to pend; to incline.
Pen.du.rar *v* to hang; to suspend; to droop.
Pe.nei.ra *s* sieve.
Pe.nei.rar *v* to sift; to drizzle.
Pe.ne.tra *s* intruder.
Pe.ne.trar *v* to penetrate.
Pe.nhas.co *s* high cliff or rock.
Pe.nhor *s* pledge; pawn; guaranty.
Pe.nho.rar *v* to seize; to pledge; to confiscate; to pawn; to oblige.
Pê.nis *s* penis.
Pe.ni.ten.ci.ar *v* to repent.
Pe.ni.ten.ci.á.ria *s* penitentiary; prison.
Pe.no.so *adj* painful; difficult; hard.
Pen.sa.men.to *s* thought; reflection.
Pen.são *s* pension; annuity; boarding house.
Pen.sar *s* thought; reflection; *v* to think; to reflect.
Pen.si.o.nis.ta *s* boarder.
Pen.te *s* comb.
Pen.te.a.dei.ra *s* hairdresser; dressing table.
Pen.te.a.do *s* coiffure; *adj* combed.
Pen.te.ar *v* to comb.
Pe.nu.gem *s* fluff.
Pe.núl.ti.mo *s* penultimate; *adj* penultimate.
Pe.num.bra *s* penumbra; dim-light.
Pe.pi.no *s* cucumber.
Pe.pi.ta *s* nugget.
Pe.que.nez *s* smallness; childhood.
Pe.que.no *adj* little; small; short; bit.
Pe.ra *s* pear.
Pe.ral.ti.ce *s* dandyism.
Pe.ran.te *prep* before.
Per.ce.ber *v* to perceive; to notice; to feel.
Per.ce.ve.jo *s* bug; USA bedbug.
Per.cor.rer *v* to travel.
Per.da *s* a loss; damage; ruin; waste.
Per.dão *s* pardon; forgiveness.
Per.der *v* to lose.
Per.di.ção *s* loss; losing; ruin; destruction.
Per.di.guei.ro *s* setter; pointer; retriever.
Per.diz *s* partridge.
Per.do.ar *v* to pardon; to forgive.
Per.du.lá.rio *s* spendthrift; *adj* prodigal; wasteful.
Per.du.rar *v* to last a long.
Pe.re.cer *v* to perish; to die.
Pe.re.gri.no *s* pilgrim.
Pe.re.ne *adj* perennial; perpetual.
Per.fa.zer *v* accomplish; to complete.
Per.fí.dia *s* perfidy; treachery.
Per.fil *s* profile; outline.
Per.fi.lar *v* to profile.
Per.fu.mar *v* to perfume.
Per.fu.me *s* perfume; scent; smell.
Per.fu.rar *v* to perforate; to drill.
Per.ga.mi.nho *s* parchment.
Per.gun.ta *s* question; query; doubt.
Per.gun.tar *v* to ask; to question; to inquire.
Pe.rí.cia *s* skill; skillfulness; expertness.
Pe.ri.go *s* danger; peril; risk.
Pe.ri.go.so *adj* dangerous; risky; hazardous.
Pe.ri.ó.di.co *s* periodical, newspaper; *adj* periodic; periodical; regular.
Pe.rí.o.do *s* period; cycle.
Pe.ri.pé.cia *s* event that alters the order of the things; POP incident.
Pe.ri.qui.to *s* lovebird.

Pe.ri.to *adj* skilled; skillful; clever; able.
Per.ju.rar *v* to perjure.
Per.ma.ne.cer *v* to remain; to persist.
Per.ma.nen.te *s* permanent wave; *adj* permanent; lasting; enduring.
Per.me.ar *v* to permeate; to bore; to pierce.
Per.me.i.o *adv* in the middle.
Per.mi.tir *v* to permit; to grant; to consent.
Per.mu.tar *v* to permute; to exchange.
Per.ni.ci.o.so *adj* pernicious; ruinous; malign.
Per.nil *s* ham.
Per.noi.tar *v* to stay overnight.
Pé.ro.la *s* pearl.
Per.pas.sar *v* to pass by; to move.
Per.pe.trar *v* to perpetrate; to commit.
Per.pe.tu.ar *v* to perpetuate; to last for ever.
Per.pé.tuo *adj* perpetual; endless; eternal; constant; everlasting.
Per.ple.xo *adj* perplexed; confused.
Per.qui.rir *v* to search; to inquire.
Pers.cru.tar *v* to scrutinize; to inquire.
Per.se.guir *v* to pursue; to chase.
Per.se.ve.ran.ça *s* perseverance; persistence.
Per.se.ve.rar *v* to persevere; to persist.
Per.sis.tên.cia *s* persistence; constancy.
Per.sis.tir *v* to persist; to persevere.
Per.so.na.li.da.de *s* personality; person; individuality.
Per.so.na.li.zar *v* to personalize; to personify.
Per.so.ni.fi.car *v* to personify; to embody; to personalize.
Pers.pec.ti.va *s* perspective; view.
Pers.pi.cá.cia *s* perspicacity; sagacity.
Per.su.a.dir *v* to persuade; to convince.
Per.ten.cer *v* to pertain; to belong.

Per.ti.nen.te *adj* pertinent; appropriated; concerning.
Per.to *adj* near; close.
Per.tur.bar *v* to perturb; to disturb; to agitate.
Pe.ru *s* turkey.
Pe.ru.ca *s* wig; peruke; periwig.
Per.ver.si.da.de *s* perversity; cruelty.
Per.ver.ter *v* to pervert; to debase.
Per.ver.ti.do *adj* perverted; corrupt; vicious.
Pe.sa.de.lo *s* nightmare.
Pe.sa.do *adj* weight; weighty; heavy; BR unlucky.
Pê.sa.me *s* condolences.
Pe.sar *v* to weigh; to ponder; to sorrow.
Pes.ca *s* fishing; fishery.
Pes.ca.da *s* withing (fish).
Pes.car *v* to fish; to find out; to angle.
Pes.co.ço *s* neck.
Pe.se.ta *s* peseta (coin).
Pe.so *s* weight; importance; authority; load; heaviness.
Pes.qui.sar *v* to research; to search; to investigate.
Pês.se.go *s* peach.
Pes.si.mis.ta *s* pessimist; *adj* pessimistic.
Pés.si.mo *adj* very bad.
Pes.so.a *s* person.
Pes.so.al *s* personnel; *adj* personal.
Pes.ta.na *s* lash.
Pes.ta.ne.jar *v* to blink; to wink.
Pé.ta.la *s* petal.
Pe.te.ca *s* shuttlecock.
Pe.ti.ção *s* petition; request; supplication.
Pe.tis.car *v* to nibble at food; to taste.
Pe.tis.co *s* titbit; dainty bit; daintiness.
Pé.treo *adj* stony; rocky.
Pe.tri.fi.car *v* to petrify.
Pe.tro.lei.ro *s* oil-tanker; *adj* petrolic.
Pe.tró.leo *s* petrol; petroleum; oil.
Pe.tu.lân.cia *s* petulance; petulancy; insolence; immodesty.
Pi.a *s* sink; basin; lavatory.
Pi.a.da *s* biting; jeer; joke; taunt.
Pi.a.dis.ta *s* taunter; jeerer; joker.
Pi.a.no *s* piano.
Pi.ar *v* to chirp; to pule; to peep.
Pi.ca.da *s* pricking; sting; peak; puncture.
Pi.can.te *adj* piquant.
Pica-pau *s* woodpecker.
Pi.car *v* to prick; to sting; to peck; to mince.
Pi.ca.re.ta *s* pick; mattock.
Pi.char *v* to pitch.
Pi.che *s* pitch.
Pi.co *s* peak; summit; top.
Pi.e.da.de *s* pity.
Pi.gar.ro *s* hoarseness; hawk; hem.
Pig.men.to *s* pigment.
Pig.meu *s* pigmy; dwarf; *adj* dwarfish.
Pi.ja.ma *s* pyjamas; pajamas.
Pi.lão *s* pestle.
Pi.lar *s* pillar; pier; *v* to bray; to peel; to pound.
Pi.las.tra *s* pilaster; square column.
Pi.le.que *s* drunkenness.
Pi.lha *s* pile; battery; cell.
Pi.lhar *v* to pillage; to plunder; to rob.
Pi.lhé.ria *s* fun; jesting; joke.
Pi.lo.tar *v* to pilot; to serve as a pilot.
Pi.lo.to *s* pilot; guide; leader.
Pi.men.ta *s* pepper.
Pi.men.tão *s* pimiento; guinea pepper.
Pim.po.lho *s* young shoot; FIG baby.
Pi.ná.cu.lo *s* pinnacle; peak; apex.
Pin.ça *s* pincers; tweezers.
Pín.ca.ro *s* pinnacle; summit; top.
Pin.cel *s* brush; paint brush.
Pin.ce.lar *v* to paint.
Pin.ga *s* brandy; drop; FAM brandy.
Pin.gar *v* to drop; to drip; BR to start raining.
Pin.gen.te *s* pendant.
Pin.go *s* drop; dripping.
Pi.nha *s* pine-cone; fruit of pine; heap.
Pi.nhão *s* seed of the pine-tree; MEC pinion.
Pi.nhei.ro *s* pine-tree; pine.

Pi.nho *s* pine-wood; pine timber.
Pi.no *s* summit; nail species.
Pi.no.te *s* jump; leap; bound.
Pin.ta *s* spot; mark; GÍR aspect.
Pin.tar *v* to paint; to portray; to describe.
Pin.tas.sil.go *s* goldfinch; yellow bird.
Pin.to *s* chick.
Pin.tor *s* painter.
Pio *s* peep (the cry of a chicken).
Pi.o.lho *s* louse; lice.
Pi.o.nei.ro *s* pioneer; explorer.
Pi.or *adv* worse.
Pi.o.rar *v* to make worse; to become worse.
Pi.pa *s* pipe; barrel.
Pi.pi *s* BR piss; urination.
Pi.po.ca *s* POP-corn; popped corn.
Pi.que *s* ESP rush.
Pi.que.ni.que *s* picnic.
Pi.ra *s* pyre; FIG crucible.
Pi.ra.nha *s* carnivorous fish.
Pi.ra.ta *s* pirate; corsair; robber.
Pi.res *s* saucer.
Pi.ri.lam.po *s* glow-worm; fire-fly.
Pir.ra.ça *s* teasing; insult; provocation.
Pi.ru.e.ta *s* pirouette.
Pi.sa.da *s* footstep; footprint.
Pi.são *s* footstep; treading.
Pi.sar *v* to step.
Pis.car *v* to twinkle; to blink; to wink.
Pis.ci.na *s* swimming pool; pool.
Pi.so *s* floor; pavement; ground; level; tread.
Pis.ta *s* trail; track; trace; footprint; clue.
Pis.to.la *s* pistol; gun.
Pi.ta.da *s* pinch of snuff; pinch.
Pi.téu *s* dainty; delicacy.
Pla.ca *s* plate; plaque; door-plate.
Pla.ci.dez *s* placidity; calmness; serenity.
Plá.ci.do *adj* placid; undisturbed; quiet.
Pla.ga *s* region; zone; country.
Pla.gi.a.dor *s* plagiarist; plagiary; *adj* plagiary.
Pla.gi.ar *v* to plagiarize; to crib.
Plai.na *s* plane; shaver.
Plai.no *s* plane; level; plan.
Pla.na *s* class; category; rank; order.
Pla.nal.to *s* plateau; upland; table-land.
Pla.nar *v* to fly.
Pla.ne.jar *v* to plan; to schedule.
Pla.ní.cie *s* plan; level land; plain.
Pla.no *s* plan; prospects; *adj* level; even; flat; plane.
Plan.tar *v* to plant; to set.
Plas.mar *v* to mold; to mould; to shape.
Plás.ti.co *s* plastic; *adj* plastic.
Pla.te.ia *s* audience.
Plau.sí.vel *adj* plausible.
Ple.be *s* plebe; mob; *s* plebeian.
Ple.beu *adj* plebeian.
Plei.te.ar *v* to plead; to apology.
Ple.ná.rio *s* congress; *adj* plenary; full; complete.
Ple.ni.tu.de *s* plenitude; fullness; completeness.
Ple.no *adj* full; complete; entire.
Ple.o.nas.mo *s* pleonasm; super-abundance.
Ple.xo *s* plexus; network.
Plu.ma *s* plume; feather; pen.
Pó *s* powder; dust.
Po.bre *s* poor; beggar; *adj* poor; needy; indigent.
Po.ça *s* pool; a puddle.
Po.ção *s* potion; a dose; draft; draught.
Po.cil.ga *s* pig-sty; sty; piggery.
Po.ço *s* well; pit; shaft of a mine.
Po.dar *v* to prune; to lop; to cut down.
Po.der *s* power; authority; *v* to can.
Po.dre *s* rottenness; *adj* rotten; decomposed; putrid.
Po.ei.ra *s* dust; fine; dry.
Po.en.te *s* west; occident.
Po.e.si.a *s* poetry; poem; poetic works.
Po.é.ti.co *adj* poetical; poetic.
Po.is *conj* because; then; since; therefore.
Po.lai.nas *s* gaiters; spats.
Po.le.ga.da *s* inch.
Po.le.gar *s* roost; perch; thumb.
Po.lê.mi.co *adj* polemic; polemical; controversial.
Po.le.mi.zar *v* to polemize.
Po.lí.cia *s* police; policeman.
Po.li.ci.al *s* policeman; police officer; USA patrolman; cop.
Po.li.ci.ar *v* to police.
Po.li.dez *s* politeness.
Po.li.do *adj* polished; polite; courteous; *s* polisher; shining brush.
Po.lir *v* to polish; to burnish.
Po.li.ti.ca.gem *s* politicking.
Po.li.ti.car *v* to politicize; to discuss.
Pol.pa *s* pulp.
Po.lu.ir *v* to pollute; to stain; to spot.
Pol.vi.lho *s* flour.
Pol.vo *s* ZOO octopus.
Pól.vo.ra *s* gunpowder; powder.
Po.ma.da *s* pomade (perfume).
Po.mar *s* orchard.
Pom.ba *s* dove (female); pigeon.
Pom.bo *s* pigeon.
Pom.pa *s* pomp; magnificence; ostentation.
Pom.po.so *adj* pompous; splendid.
Pon.che *s* punch (beverage).
Pon.chei.ra *s* punch-bowl.
Pon.de.rar *v* to weigh; to ponder; to consider.
Pô.nei *s* pony, a little horse.
Pon.ta *s* extremity; point; end; top.
Pon.ta.da *s* smart; stitch; sharp pain.
Pon.ta.pé *s* kick.
Pon.ta.ri.a *s* aim; aiming.
Pon.te *s* bridge; NÁUT deck.
Pon.ti.a.gu.do *adj* sharp-pointed.
Pon.tí.fi.ce *s* pontiff.
Pon.to *s* point; dot; spot.
Pon.tu.a.ção *s* punctuation; pointing.

Pon.tu.al *adj* punctual; precise.
Pon.tu.ar *v* to punctuate; to point; to dot.
Pon.tu.do *adj* pointed; piercing; stinging.
Pop *adj* popular.
Po.pa *s* poop; stern (ship).
Po.pu.lar *s* proletarian; the common people; *adj* popular; common.
Por *prep* for; by; through; for; across; about; *v* to put; to place; to set.
Po.rão *s* basement; cellar.
Por.ca *s* sow.
Por.ca.lhão *s* dirty fellow; *adj* dirty.
Por.ção *s* portion; share; part; lot.
Por.ca.ri.a *s* dirt; filth; obscenity; lewdness.
Por.ce.la.na *s* porcelain; china; chinaware.
Por.co *s* pig; hog; swine.
Po.rém *conj* but; yet; however.
Por.me.nor *s* detail; particular.
Por.me.no.ri.zar *v* to detail.
Por.no.gra.fi.a *s* pornographic; whacking material.
Po.ro *s* pore; spiracle; interstice.
Po.ro.so *adj* porous.
Por.quan.to *conj* since; because.
Por.que *conj* because; as; since; *s* reason; cause; motive.
Por.qui.nho *s* young pig.
Por.re *s* BR drunkenness.
Por.re.te *s* stick; cudgel; club.
Por.ta *s* door; doorway; gateway; entrance.
Por.tal *s* portal; doorway.
Por.tan.to *adv* therefore; consequently; thus.
Por.tão *s* gate; gateway.
Por.tar *v* to carry.
Por.ta.ri.a *s* main gate; entrance; hall.
Por.tá.til *adj* portable; easily transported.
Por.tei.ro *s* door-keeper; doorman.
Por.ti.nho.la *s* porthole.
Por.to *s* port; harbor.
Por.tu.guês *s* portuguese; *adj* portuguese.
Por.ven.tu.ra *adv* by chance; perhaps.
Po.sar *v* to sit for a portrait; to pose.
Po.se *s* attitude; posture; pose.
Pós-es.cri.to *s* postscript.
Po.si.ção *s* position; posture; stance.
Pos.por *v* to postpone.
Pos.san.te *adj* powerful; mighty; vigorous.
Pos.se *s* possession; property; wealth.
Pos.ses.so *adj* possessed; mad; crazed.
Pos.si.bi.li.da.de *s* possibility.
Pos.si.bi.li.tar *v* to make possible.
Pos.sí.vel *s* possible; the attainable; best; *adj* possible; practicable; feasible.
Pos.su.ir *v* to possess; to have; to own; to get.
Pos.tal *adj* postal; postcard.
Pos.tar *v* to post; to mail.
Pos.te *s* post; pillar; stake.
Pos.ter.gar *v* to put off; to postpone.
Pos.te.ri.or *adj* posterior; later; back; POP buttocks.
Pos.ti.ço *adj* artificial; false; dummy.
Pos.to *s* place; employment.
Pos.tu.lar *v* to postulate; to demand; to request.
Pos.tu.ra *s* posture; position; situation.
Po.tá.vel *adj* potable; drinkable.
Po.te *s* pot; water-pot; jar.
Po.tên.cia *s* potency; power; force; strength.
Po.ten.ci.al *adj* potential; latent; virtual.
Po.ten.ci.ar *v* to raise to power.
Po.tro *s* colt; foal; young horse.
Pou.co *s* few; *adj* little; bit; *adv* little; few.
Pou.par *v* to save; to spare.
Pou.sa.da *s* inn; lodging; dwelling-house.
Pou.sar *v* to land; to alight.
Po.vo *s* people; tribe; nation; mob.
Po.vo.a.do *s* village; hamlet.
Pra.ça *s* square; BR soldier.
Pra.da.ri.a *s* prairie.
Pra.do *s* meadow; lawn.
Pra.ga *s* curse; imprecation; plague.
Pra.gue.jar *v* to swear; to curse.
Pra.ia *s* shore; seaside cost; beach.
Pran.cha *s* plank; board.
Pran.che.ta *s* little plank.
Pran.te.ar *v* to mourn; to feel sorrow.
Pran.to *s* weeping; mourning; tears.
Pra.ta *s* silver.
Pra.te.ar *v* to silver; to cover with silver.
Prá.ti.ca *s* practice; background; exercise.
Pra.ti.ca.bi.li.da.de *s* practicability.
Pra.ti.car *v* to practice; to do; to perform.
Pra.to *s* plate; dish.
Pra.xe *s* praxis; practise; use; habit; custom.
Pra.zer *s* pleasure; enjoyment; *v* to please.
Pra.zo *s* term; time; delay.
Pre.a.mar *s* high tide; high flood.
Pre.âm.bu.lo *s* preamble; preface.
Pre.cau.ção *s* precaution; care.
Pre.ca.ver *v* to prevent from; to precaution.
Pre.ce *s* prayer; supplication.
Pre.ce.dên.cia *s* precedence; precedency; priority.
Pre.ce.der *v* to precede.
Pre.cei.to *s* precept; order; rule.
Pre.cei.tu.ar *v* to precept; to establish.
Pre.ci.o.so *adj* precious; valuable; costly.
Pre.ci.pí.cio *s* precipice; cliff; chasm; abysm.
Pre.ci.pi.tar *v* to precipitate; to urge; to plunge.
Pre.ci.são *s* precision; exactness; accuracy.
Pre.ci.sar *v* to want; to need.
Pre.ci.so *adj* precise; exact; accurate.
Pre.ço *s* price.
Pre.co.ce *adj* precocious.
Pre.con.ce.ber *v* to preconceive.
Pre.con.ce.i.to *s* preconception; prejudice.
Pre.cur.sor *s* precursor; harbinger; *adj* precursory.
Pre.des.ti.nar *v* to predestine.
Pre.de.ter.mi.nar *v* to predetermine.
Pre.di.ca.do *s* predicate; ability; virtue.

Pre.di.le.ção *s* predilection; sympathy.
Pré.dio *s* house; edifice; building.
Pre.dis.por *v* to predispose; to prejudice.
Pre.di.zer *v* to foretell; to predict.
Pre.do.mi.nar *v* to predominate; to prevail.
Pre.do.mí.nio *s* predominance.
Pre.en.cher *v* to perform; to fill.
Pre.en.chi.men.to *s* performance.
Pre.es.ta.be.le.cer *v* to pre-establish.
Pre.e.xis.tir *v* to pre-exist; to exist before.
Pre.fa.ci.ar *v* to preface.
Pre.fá.cio *s* introduction; prologue.
Pre.fei.to *s* mayor.
Pre.fei.tu.ra *s* city hall.
Pre.fe.rên.cia *s* preference; choice.
Pre.fe.rir *v* to prefer; to like better.
Pre.fi.gu.rar *v* to prefigure; to figure to oneself.
Pre.fi.xar *v* to prefix; to predetermine.
Pre.ga *s* fold; plait; wrinkle; gather.
Pre.ga.ção *s* preaching; sermon; chiding.
Pre.gão *s* ban; outcry; proclamation; cry.
Pre.gar *v* to nail; to fix; to preach.
Pre.go *s* nail.
Pre.gui.ça *s* laziness; indolence.
Pre.gui.ço.so *adj* lazy; indolent; slothful.
Pre.ju.di.car *v* to prejudice; to damage; to impair.
Pre.ju.í.zo *s* prejudice; damage; loss; injury.
Pre.le.ci.o.nar *v* to prelect; to lecture.
Pre.li.mi.nar *s* preliminary; *adj* preliminary.
Pre.lo *s* press.
Pre.ma.tu.ra.men.te *adv* early.
Pre.ma.tu.ro *adj* premature; happening.
Pre.me.di.tar *v* to premeditate.
Pre.mên.cia *s* urgency; pressure.
Pre.mi.ar *v* to reward; to recompense.
Prê.mio *s* reward; recompense; prize.
Pren.da *s* gift; present; endowments; talents.
Pren.dar *v* to make a gift to; to reward.
Pren.de.dor *s* fastener.
Pren.der *v* to detain; to jail.
Pre.nhe *adj* pregnant.
Pre.nhez *s* pregnancy.
Pre.no.me *s* pre-name.
Pren.sa *s* press; printing-press; MEC press.
Pren.sa.gem *s* pressing.
Pren.sar *v* to press; to compress; to squeeze.
Pre.nun.ci.ar *v* to predict; to foretell.
Pre.o.cu.pa.ção *s* preoccupation; worry; concern; care.
Pre.o.cu.par *v* to preoccupy; to worry.
Pre.pa.rar *v* to prepare; to provide.
Pre.pon.de.rân.cia *s* preponderance; preponderancy; supremacy.
Pre.pon.de.rar *v* to preponderate.
Pre.por *v* to put before.
Pre.po.si.ção *s* preposition.
Pre.po.ten.te *adj* prepotent; despotic; tyrannical.
Pre.pú.cio *s* foreskin.
Prer.ro.ga.ti.va *s* prerogative; privilege.
Pre.sa *s* prey; booty; spoils; capture; claw.
Pres.cin.dir *v* to renounce; to abstract.
Pres.cre.ver *v* to prescribe.
Pre.sen.ça *s* presence.
Pre.sen.ci.ar *v* to assist; to see; to witness.
Pre.sen.te *s* present; a gift; GRAM the present tense; *adj* present.
Pre.sen.te.ar *v* to present; to give.
Pre.sé.pio *s* stable; manger; the sculpture of the nativity.
Pre.ser.var *v* to preserve; to protect; to defend; to guard.
Pre.ser.va.ti.vo *s* preservative; preserver; condom; *adj* preservative.
Pre.si.den.te *s* chairman; president.
Pre.si.di.á.rio *s* convict; *adj* presidial; presidiary.
Pre.sí.dio *s* prison; jail.
Pre.si.dir *v* to preside; to direct; to rule.
Pre.si.lha *s* loop; strap.
Pre.so *s* prisoner; convict; inmate; *adj* arrested.
Pres.sa *s* haste; hurry; speed.
Pres.sa.gi.ar *v* to presage; to forebode; to foretell.
Pres.sá.gio *s* presentiment.
Pres.su.por *v* to presuppose.
Pres.ta.ção *s* lending; instalment.
Pres.tar *v* to render.
Pres.tes *adj* ready.
Pres.te.za *s* agility; quickness.
Pres.tí.gio *s* prestige; influence; renown.
Prés.ti.mo *s* aid; assistance; service.
Pre.su.mir *v* to presume; to suppose; to conjecture.
Pre.su.mí.vel *adj* presumable.
Pre.sun.ção *s* presumption; conjecture.
Pre.sun.to *s* ham.
Pre.ten.der *v* to claim; to aspire; to long for.
Pre.ten.são *s* pretension; claim; design.
Pre.te.rir *v* to omit; to slight; to ignore.
Pre.té.ri.to *s* preterit; past tense; *adj* preterit; past.
Pre.tex.to *s* pretext; excuse; pretence.
Pre.to *s* black color; *adj* black; negro.
Pre.va.le.cer *v* to prevail; to predominate.
Pre.va.ri.car *v* to prevaricate; to corrupt.
Pre.ven.ção *s* prevention; caution; foresight.
Pre.ve.nir *v* to prevent; to caution; to advise; to warn.
Pre.ver *v* to foresee; to presuppose.
Pre.vi.dên.cia *s* foresight; providence; precaution.
Pré.vio *s* previous; preliminary; foregoing.
Pre.vi.são *s* foresight; prevision; forecasts.
Pre.za.do *adj* dear; esteemed; beloved.
Pre.zar *v* to esteem; to value.
Pri.ma.ci.al *adj* primatial; chief; essential.
Pri.mar *v* to excel; to surpass.
Pri.má.rio *adj* primary; original; basic.
Pri.ma.ve.ra *s* spring; springtime.
Pri.maz *s* primate.
Pri.ma.zi.a *s* primacy.

Pri.me.i.ro *s* former; first; *adj* former; first; *adv* first; sooner; rather.
Pri.me.vo *adj* primeval; primal; primitive.
Pri.mí.ci.as *s* firstling; first fruits.
Pri.mo *s* cousin; *adj* prime; first.
Pri.mor *s* beauty; delicacy; accuracy.
Pri.mór.dio *s* primordial; origin.
Prin.ci.pal *s* principal; leader; chief; head; *adj* principal; main; capital.
Prin.ci.par *v* to begin; to start; to set about.
Prin.ci.pi.an.te *s* beginner; apprentice.
Prin.cí.pio *s* beginning; principle; origin.
Pri.o.ri.da.de *s* priority; precedence.
Pri.são *s* prison; jail; seizing; arrest.
Pri.si.o.nei.ro *s* prisoner.
Pri.va.ção *s* privation; destitution.
Pri.va.da *s* water-closet; latrine; toilet.
Pri.va.do *s* favourite; *adj* private; privy; deprived.
Pri.var *v* to deprive; to strip.
Pri.vi.le.gi.ar *s* to privilege; to charter.
Pri.vi.lé.gio *s* privilege; prerogative.
Pro.a *s* prow; the bow of a vessel.
Pro.ba.bi.li.da.de *s* probability; likelihood; possibility.
Pro.bi.da.de *s* probity; integrity; honesty.
Pro.ble.ma *s* problem; question; trouble.
Pro.bo *adj* virtuous; honest.
Pro.ce.den.te *adj* coming; resulting.
Pro.ce.der *v* to proceed; to originate; to deal.
Pro.ce.di.men.to *s* proceeding; procedure.
Pro.ces.sa.men.to *s* proceedings.
Pro.ces.sar *v* to process; to prosecute; to sue.
Pro.ces.so *s* process; legal proceedings.
Pro.cla.mar *v* to proclaim; to promulgate.
Pro.cu.ra *s* search; to look for; pursuit.
Pro.cu.rar *v* to search; to look for.
Pro.dí.gio *s* prodigy; wonder; marvel.
Pró.di.go *s* prodigal; spendthrift; *adj* prodigal; lavish; wasteful.
Pro.du.ção *s* production; performance.
Pro.du.to *s* product; produce.
Pro.du.zir *v* to produce; to bring forth.
Pro.e.za *s* feat.
Pro.fa.nar *v* to profane; to desecrate.
Pro.fe.rir *v* to proffer; to express.
Pro.fes.sar *v* to profess; to follow.
Pro.fes.sor *s* professor; teacher; master.
Pro.fe.ti.zar *v* to prophesy; to foretell; to predict.
Pro.fi.ci.en.te *adj* proficient; versed; skilled.
Pro.fí.cuo *adj* profitable; useful; lucrative.
Pro.fis.são *s* profession; occupation; work.
Pro.fun.da.men.te *adv* profoundly; deeply.
Pro.fun.de.za *s* profundity; depth.
Pro.fun.do *adj* profound; *adv* deep.
Pro.ge.ni.tor *s* progenitor; forefather.
Prog.nos.ti.car *v* to prognosticate; to predict; to prophesy.
Prog.nós.ti.co *s* prognostic; omen.
Pro.gra.ma *s* scheme; schedule; program.
Pro.gre.dir *v* to progress; to advance.
Pro.gres.so *s* progress; advance.
Pro.i.bi.ção *s* prohibition; forbidding.
Pro.i.bir *v* to prohibit.
Pro.je.tar *v* to project; to plan; to design.
Pro.jé.til *s* projectile.
Pro.je.to *s* project; scheme; design.
Prol *s* profit; advantage.
Pro.le *s* issue; offspring; progeny.
Pro.li.fe.rar *v* to proliferate; to breed.
Pro.li.xo *adj* prolix; profuse.
Pro.lo.gar *v* to prologue; to preface.
Pró.lo.go *s* prologue; preface.
Pro.lon.ga.ção *s* prolongation; retard; delay.
Pro.lon.gar *v* to prolong; to lengthen; to extend.
Pro.mes.sa *s* promise; engage; pledge; vow.
Pro.me.te.dor *s* promiser.
Pro.me.te.dor *adj* promising.
Pro.me.ter *v* to promise.
Pro.mís.cua *adj* promiscuous GÍR slut.
Pro.mis.cui.da.de *s* promiscuity.
Pro.mís.cuo *adj* promiscuous; confused.
Pro.mis.só.ria *s* promissory note.
Pro.mis.só.rio *adj* promissory.
Pro.mo.ção *s* promotion; raise (in rank).
Pro.mon.tó.rio *s* promontory; headland.
Pro.mo.tor *s* promoter.
Pro.mo.ver *v* to promote; to advance.
Pro.mul.ga.ção *s* promulgation.
Pro.mul.ga.dor *s* promulgator.
Pro.mul.gar *v* to promulgate; to publish.
Pro.no.me *s* pronoun.
Pron.ti.dão *s* promptness.
Pron.to *adj* prompt; quick; ready.
Pron.to *adv* promptly; quickly.
Pron.tu.á.rio *s* handbook.
Pro.nún.cia *s* pronunciation.
Pro.nun.ci.a.men.to *s* pronouncement.
Pro.nun.ci.ar *v* to pronounce.
Pro.pa.ga.ção *s* propagation.
Pro.pa.gan.da *s* propaganda; ad; advertising; publicity.
Pro.pa.gan.dis.ta *s* propagandist; canvasser.
Pro.pa.gar *s* to propagate; to diffuse.
Pro.pa.lar *s* to divulge.
Pro.pe.lir *v* to propel; to push ahead.
Pro.pen.são *s* tendency.
Pro.pen.so *adj* inclined; disposed; prone.
Pro.pi.ci.a.ção *s* propitiation; opportunity.
Pro.pi.ci.ar *v* to propitiate; to pacify.
Pro.pi.na *s* fee; tip.
Pro.po.nen.te *s* proposer; proponent.
Pro.po.nen.te *adj* proponent.
Pro.por *v* to propose; to propound; to suggest.
Pro.por.ção *s* proportion.
Pro.por.ci.o.na.do *adj* proportioned; regular; conformable.

Pro.por.ci.o.nal *s* proportional; *adj* proportional.
Pro.por.ci.o.nar *v* to proportion; to adjust.
Pro.po.si.ta.do *adj* on purpose; intentional.
Pro.pó.si.to *s* purpose; aim; intention.
Pro.pos.ta *s* proposal; proposition; offer.
Pro.pri.e.da.de *s* ownership.
Pro.pri.e.tá.rio *s* proprietary; owner.
Pro.pri.e.tá.rio *adj* proprietary.
Pró.prio *adj* proper; own; appropriate.
Pro.pul.são *s* propulsion.
Pror.ro.ga.ção *s* prorogation; prolongation.
Pror.ro.gar *v* to prorogue; to defer.
Pro.sa *s* prose; BR talking.
Pro.sar *v* to prose; to write; to talk.
Pros.cre.ver *v* to proscribe.
Pros.cri.ção *s* proscription; banishment.
Pros.cri.to *s* outlaw.
Pros.cri.to *adj* proscribed.
Pro.se.ar *v* to talk; to boast; to brag; to chat.
Pros.pe.rar *v* to prosper; to succeed.
Pros.pe.ri.da.de *s* prosperity; success.
Prós.pe.ro *adj* prosperous; successful.
Pros.se.cu.ção *s* prosecution; pursuit.
Pros.se.gui.men.to *s* prosecution; pursuit.
Pros.se.guir *v* to continue.
Pros.ter.nar *v* to prostrate.
Pros.tí.bu.lo *s* brothel; bawdy house.
Pros.ti.tu.i.ção *s* prostitution.
Pros.ti.tu.ir *v* to prostitute.
Pros.ti.tu.ta *s* prostitute; harlot.
Pros.trar *v* to prostrate; to bend; to humble.
Pro.ta.go.nis.ta *s* protagonist.
Pro.te.ção *s* protection; patronage; cover.
Pro.te.ger *v* to protect; to defend; to guard.
Pro.te.gi.do *adj* protected; shielded.
Pro.te.lar *v* to postpone; to delay.
Pró.te.se *s* prothesis.
Pro.tes.tan.te *s* protestant.
Pro.tes.tan.tis.mo *s* protestantism.
Pro.tes.tar *v* to protest; to assert.
Pro.tes.to *s* protest.
Pro.te.tor *s* protector; supporter.
Pro.te.to.ra.do *s* protectorate.
Pro.to.co.lo *s* protocol; registry.
Pro.tó.ti.po *s* prototype; pattern; model.
Pro.tu.be.rân.cia *s* protuberance.
Pro.tu.be.ran.te *adj* protuberant; swelling.
Pro.va *s* proof; trial; experiment.
Pro.va.ção *s* probation; trial.
Pro.va.dor *s* taster; trier.
Pro.var *v* to test; to prove.
Pro.vá.vel *adj* probable; likely; chance.
Pro.va.vel.men.te *adv* probably.
Pro.ve.dor *s* provider; furnished; supplier.
Pro.vei.to *s* profit; advantage; benefit.
Pro.vei.to.so *adj* profitable; useful.
Pro.ve.ni.ên.cia *s* origin; provenience.
Pro.ven.to *s* profit; gain; revenue.
Pro.ver *v* to provide; to supply.
Pro.ver.bi.al *adj* proverbial.
Pro.vér.bio *s* proverb; saying; saw; adage.
Pro.ve.ta *s* test-tub; gauge.
Pro.vi.dên.cia *s* providence; prudence; foresight.
Pro.vi.den.ci.al *adj* providential; opportune.
Pro.vi.den.ci.ar *v* to make arrangements.
Pro.vi.den.te *adj* providential; furnishing.
Pro.vi.do *adj* furnished; provided.
Pro.vi.men.to *s* supply; stock.
Pro.vín.cia *s* province; country.
Pro.vin.ci.al *s* provincial.
Pro.vin.ci.al *adj* provincial.
Pro.vin.do *adj* proceeding; coming forth.
Pro.vir *v* to proceed; to issue; to come from.
Pro.vi.são *s* stock; provision; supplying.
Pro.vi.si.o.nar *v* to provision; to supply; to furnish.
Pro.vi.só.rio *adj* provisional; temporary.
Pro.vo.ca.ção *s* provocation; challenge.
Pro.vo.ca.dor *s* challenger; *adj* provoking.
Pro.vo.car *v* to provoke; to challenge.
Pro.vo.ca.ti.vo *adj* provocative.
Pro.xi.mi.da.de *s* proximity; nearness.
Pró.xi.mo *s* neighbor or neighbour; *adj* near; close; next.
Pru.dên.cia *s* prudence; foresight; wisdom.
Pru.den.te *adj* prudent; cautions; wary; wise.
Pru.mo *s* plumb-line.
Pru.ri.do *s* pruritus; prurience; itch; itching.
Pseu.dô.ni.mo *s* pseudonym; pen name.
Pseu.dô.ni.mo *adj* pseudonymous.
Psi.ca.ná.li.se *s* psychoanalysis.
Psi.ca.na.lis.ta *s* psychoanalyst.
Psi.co.lo.gi.a *s* psychology.
Psi.có.lo.go *s* psychologist; shrink.
Psi.co.pa.ta *s* psychopath.
Psi.co.pa.ti.a *s* psychopathy.
Psi.co.pá.ti.co *adj* psychopathic.
Psi.co.se *s* psychosis; mental disorder.
Psi.co.te.ra.pi.a *s* psychotherapy.
Psi.que *s* psyche; mental life; the mind.
Psi.qui.a.tra *s* psychiatrist.
Psi.qui.a.tri.a *s* psychiatry.
Psí.qui.co *adj* psychic; psychical.
Pu.a *s* sharp point; prong; prick; prong.
Pu.ber.da.de *s* puberty.
Pú.bis *s* pubis.
Pu.bli.ca.ção *s* publication.
Pu.bli.ca.dor *s* publisher.
Pu.bli.car *v* to publish; to print.
Pu.bli.ci.da.de *s* publicity; advertising; ad.
Pu.bli.cis.ta *s* publicist.
Pú.bli.co *s* public.
Pú.bli.co *adj* common; general.
Pu.di.co *adj* chaste; shameful; bashful.
Pu.dim *s* pudding.
Pu.dor *s* decency; shame; modesty.
Pu.e.ril *adj* puerile; childish; boy-blind.

Pu.gi.la.to *s* pugilism; boxing.
Pu.gi.lis.mo *s* pugilism; boxing.
Pu.gi.lis.ta *s* pugilist; boxer.
Pug.na *s* battle; combat; fight; struggle.
Pug.na.dor *s* quarrelsome; combative; belligerent.
Pug.nar *v* to combat; to fight.
Pu.la.dor *adj* jumping; hopping; leaping.
Pu.lar *v* to jump; to leap.
Pul.ga *s* flea.
Pul.mão *s* lung; lungs.
Pul.mo.nar *adj* pulmonary.
Pu.lo *s* leap; jump; spring; bound.
Púl.pi.to *s* pulpit; preaching place.
Pul.sa.ção *s* pulsation; pulse; throbbing.
Pul.sar *v* to strike; to pulsate; to pulse.
Pul.sei.ra *s* bracelet.
Pul.so *s* pulse; wrist; beat; energy.
Pul.ve.ri.za.ção *s* pulverization.
Pul.ve.ri.zar *v* to pulverize; to smash.
Pu.ma *s* puma.
Pun.ção *s* puncture; pricking; brad-awl.
Pun.do.nor *s* self respect; nobility of character; pride; mettle.
Pun.gen.te *adj* pungent; poignant; sharp.
Pun.gir *v* to pinch; to prick; to puncture.
Pu.nha.do *s* handful; few.
Pu.nhal *s* dagger; poniard.
Pu.nho *s* first; wrist; cuff.
Pu.ni.bi.li.da.de *s* punishability.
Pu.ni.ção *s* punishment; punishing.
Pu.ni.dor *s* punisher.
Pu.ni.dor *adj* punitory.
Pu.nir *v* to punish; to correct; to discipline.
Pu.ni.ti.vo *adj* punitive.
Pu.ní.vel *adj* punishable.
Pu.pi.la *s* pupil.
Pu.rê *s* puree.
Pu.re.za *s* purity; chastity; innocence.
Pur.ga.ção *s* purgation; purification.
Pur.gan.te *s* purgative medicine; laxative.
Pur.gan.te *adj* laxative.
Pur.gar *v* to purge; to purify.
Pur.ga.tó.rio *s* purgatory.
Pu.ri.da.de *s* purity.
Pu.ri.fi.ca.ção *s* purification; cleansing.
Pu.ri.fi.ca.dor *s* purifier.
Pu.ri.fi.ca.dor *adj* purifying.
Pu.ri.fi.car *v* to cleanse.
Pu.ro *adj* pure; clear.
Púr.pu.ra *s* purple.
Pur.pú.reo *adj* purple; red.
Pu.si.lâ.ni.me *adj* pusillanimous.
Pu.tre.fa.ção *s* putrefaction.
Pu.tre.fa.to *adj* putrefied; rotten; putrid.
Pu.tre.fa.zer *v* to putrefy.
Pu.xa.do *adj* pulled.
Pu.xar *v* to pull; to draw.

qQ

Q *s* the seventeenth letter of the Portuguese alphabet and of the English alphabet.
Qua.cre *s* RELIG Quaker.
Qua.dra *s* square room; four (cards); square.
Qua.dra *s* block.
Qua.dra.do *s* square; *adj* square.
Qua.dril *s* hip; rump.
Qua.dri.lá.te.ro *s* quadrilateral; *adj* foursquare.
Qua.dri.lha *s* gang; party; group; band.
Qua.dro *s* map; picture; board.
Qua.drú.pe.de *adj* four footed; quadruped.
Qual *adj* which; what; *pron* which; whom; *conj* like; as.
Qua.li.da.de *s* quality; degree of excellence.
Qua.li.fi.car *v* to qualify.
Qual.quer *adj* any; *pron* any one; anybody; whoever; whichever.
Quan.do *adv* when; *conj* though; although.
Quan.ti.da.de *s* quantity.
Quan.to *adj* all that; what; how much; whatever; how many; how far.
Quantum *s* quantum.
Qua.res.ma *s* Lent.
Quar.ta *s* quarter; fourth; **Quarta-feira**: Wednesday.
Quar.tei.rão *s* quarter; block.
Quar.tel *s* quarter; fourth part; barracks.
Quar.to *s* quarter; fourth; room; bedroom.
Qua.se *adv* almost; about; nearly.
Que *adj* what; which; *pron* what; which; that; who; why; **parece Que:** it sounds like; *adv* how.
Que.bra *s* breaking; bankruptcy.
Que.bra.do *s* fraction; bankrupt; *adj* broken; tired out; bankrupt.
Que.bran.to *s* POP evil eye; weakness.
Que.brar *v* to break; to weaken.
Que.da *s* downfall; fall; inclination.
Quei.jo *s* cheese.
Quei.ma *s* burning; combustion.
Quei.ma.du.ra *s* burn; sunburn.
Quei.mar *v* to burn; to scald.
Quei.xa *s* protest; complaint.
Quei.xa.da *s* jawbone; chap; mandible.
Quei.xar-se *v* to complain.
Quei.xo *s* chin; jawbone.
Quei.xo.so *adj* complaining.
Quei.xu.do *adj* big-chinned.
Quei.xu.me *s* moan; lamentation.
Quem *pron* who; that; whom.
Quen.te *adj* warm; warmth; hot.
Quer *conj* either; or; whether.
Que.re.lar *v* to prosecute.
Que.rer *v* to wish; to desire; to want; to will.
Que.ri.do *s* dear; darling; *adj* beloved; dear.
Ques.tão *s* question; query; subject.
Ques.ti.o.nar *v* to question; to argue; to quarrel.
Ques.ti.o.ná.vel *adj* questionable; doubtful.
Qui.çá *adv* maybe; perhaps.
Qui.e.to *adj* quiet; peaceful; still; peaceable.
Qui.e.tu.de *s* quietude; peacefulness.
Qui.la.te *s* carat.
Qui.lo *s* kilogram.
Qui.lo.li.tro *s* kilolitre.
Qui.lo.me.trar *v* to measure in kilometers.
Qui.lô.me.tro *s* kilometer.
Qui.lo.watt *s* kilowatt.
Qui.me.ra *s* chimera; fancy.
Quí.mi.ca *s* chemistry.
Quí.mi.co *s* chemist; *adj* chemical.
Qui.mo.no *s* kimono (dress of sporting fight).
Qui.na *s* corner; fifth.
Qui.nhão *s* share; lot; portion.
Quin.qui.lha.ri.as *s* toys; trifles.
Quin.ta *s* farm; **Quinta-Feira**: Thursday.
Quin.tal *s* back-yard.
Quin.ze.na *s* fortnight.
Qui.os.que *s* kiosk.
Qui.ro.man.ci.a *s* palmistry.
Qui.ro.man.te *s* fortune teller.
Quis.to *s* MED cyst; *adj* beloved (it is said of a person).
Qui.ta.ção *s* acquittance; payment receipt.
Qui.tan.da *s* grocery; market.
Qui.tar *v* to acquit; to discharge.
Quo.ta *s* quota; part; share; portion.
Quo.ti.di.a.no *adj* daily.
Quo.ti.za.ção *s* quota.
Quo.ti.zar *v* to rate.

rR

R *s* the eighteenth letter of the Portuguese alphabet and of the English alphabet.
Rã *s* frog.
Ra.ba.ne.te *s* small radish.
Ra.be.ca *s* MÚS fiddle.
Ra.be.cão *s* MÚS contrabass; double-bass.
Ra.bi *s* rabbi; master; *also* **Rabino**.
Ra.bi.cho *s* pigtail; tail; BR lover.
Ra.bis.car *v* to scrawl; to doodle; to scribble.
Ra.bo *s* tail; backside.
Ra.bu.do *s* long tailed.
Ra.bu.gen.to *adj* peevish; morose; fretful.
Rá.bu.la *s* a person that acts as lawyer.
Ra.ça *s* race; breed.
Ra.ção *s* ration; allowance.
Ra.cha *s* clink; crack; cleft.
Ra.char *v* to rift; to chap; to split; to crack.
Ra.ci.o.ci.nar *v* to reason; to ratiocinate.
Ra.ci.o.cí.nio *s* ratiocination.
Ra.ci.o.nal *s* rational being; *adj* rational; reasonable.
Ra.i.nha *s* queen.
Rai.o *s* ray; beam; thunderbolt.
Rai.va *s* rage; fury; anger.
Ra.iz *s* root; basis; radix.
Ra.já *s* rajah.
Ra.ja.da *s* gust; sudden motion.
Ra.lar *v* to grate; to scrape; to vex; to afflict; to trouble.
Ra.lé *s* mob; rabble; riff raff.
Ra.lhar *v* to scold; to chide; to rebuke.
Ra.lo *s* drain; *adj* thin; rare; weak; sparse.
Ra.ma *s* foliage.
Ra.ma.lhe.te *s* nosegay; bouquet.
Ra.mei.ra *s* prostitute.
Ra.mo *s* branch; bough.
Ram.pa *s* ramp; slope; stage.
Ran.cho *s* troop; shanty.
Ran.ço *s* rancidity; *adj* rancid
Ran.cor *s* rancor; rancour; enmity.
Ran.co.ro.so *adj* rancorous; hateful.
Ran.ger *v* to creak; to grind.
Ran.gi.do *s* creak; creaking.
Ra.nhe.ta *adj* peevish; crabby.
Ra.nho *s* snot.
Ra.par *v* to scrape; to shave; to rasp.
Ra.pa.ri.ga *s* girl; lass; miss.
Ra.paz *s* boy; young man; lad; youth.
Ra.pa.zo.la *s* boy; teen boy.
Ra.pé *s* snuff.
Ra.pi.da.men.te *adv* swiftly.
Ra.pi.dez *s* rapidity; swiftness; quickness.
Rá.pi.do *adj* fast; quick; swift.
Ra.pi.na *s* rapine; pillage; robbery.
Ra.pi.nar *v* to plunder; to rob; to pilfer.
Ra.po.sa *s* fox; sly; cunning; crafty person.
Rap.tar *v* to ravish; to kidnap.
Rap.to *s* ravishing; kidnapping; abduction; *adj* rapt.
Ra.que.ta *s* racket.
Ra.ra.men.te *adj* seldom; rarely.
Ra.re.ar *v* to make thin; to become rare.
Ra.re.fa.zer *v* to rarely; to rarefy.
Ra.ri.da.de *s* rarity; rareness; freak.
Ra.ro *adj* rare; scarce; strange; unusual.
Ras.cu.nhar *v* to sketch; to outline.
Ras.cu.nho *s* sketch; outline; copy.
Ras.ga.do *adj* torn.
Ras.gar *v* to tear; to rip.
Ras.go *s* tear; rip.
Ra.so *adj* shallow; flat; low.
Ras.pa *s* scraping; shaving.
Ras.par *v* to scrape; to rasp; to erase.
Ras.tei.ra *s* trip.
Ras.te.jar *v* to trace; to track; to creep.
Ras.tre.ar *v* to trace; to creep; to crawl.
Ras.tro *s* trace; track; footprint; trail.
Ra.su.ra *s* deletion.
Ra.ta.za.na *s* rat; a large rat.
Ra.te.ar *v* to share.
Ra.te.io *s* apportionment.
Ra.ti.fi.car *v* to ratify; to confirm.
Ra.to *s* mouse; rat.
Ra.to.ei.ra *s* a mouse trap; snare.
Ra.vi.na *s* ravine; gluch; gully.
Ra.zão *s* reason; purpose.
Ra.zo.ar *v* to reason.
Ra.zo.á.vel *adj* reasonable.

Ré *s* defendant (woman); NÁUT stern; MÚS note (symbol D).
Re.a.bi.li.tar *s* to rehabilitate; to restore.
Re.a.ção *s* reaction; revolution.
Re.a.gir *v* to react; to oppose; to resist.
Re.al *s* real; BR real (coin); *adj* royal; real; kingly.
Re.al.çar *v* to extol; to emphasize.
Re.a.le.jo *s* barrel organ.
Re.a.li.da.de *s* reality; royalty; truth.
Re.a.lis.ta *s* realist; *adj* realistic; royalistic.
Re.a.li.za.ção *s* accomplishment; realization; achievement.
Re.a.li.zar *v* to perform; to accomplish.
Re.al.men.te *adv* really; actually.
Re.a.ni.mar *v* to reanimate; to revive.
Re.a.ver *v* to recover; to get back; to regain.
Re.a.vi.var *v* to revive; to reawaken; to renew.
Re.bai.xa.men.to *s* lowering; debasement; degradation.
Re.bai.xar *v* to debase; to lessen; to lower.
Re.ba.nho *s* herd of oxen; flock of sheep.
Re.bar.ba *s* seam; fin; burr.
Re.ba.ter *v* to refute; to repress; to rebut.
Re.be.lar *v* to rebel; to revolt.
Re.bel.de *s* rebellions; rebel; obstinate; stubborn; unruly; *adj* rebel; obstinate.
Re.be.li.ão *s* rebellion; insurrection; revolt.
Re.ben.tar *v* to burst; to sprout; to bud.
Re.ben.to *s* sprout; shoot.
Re.bi.tar *v* to rivet; to turn up; to clinch.
Re.bi.te *s* rivet; bolt.
Re.bo.car *v* to plaster; to tow.
Re.bo.la.do *s* wadding; swinging.
Re.bo.lar *v* to roll; to swing.
Re.bo.que *s* tow; towing; trailer.
Re.bu.li.ço *s* noise; tumult; uproar; turmoil.
Re.bus.car *v* to ransack.
Re.ca.ir *v* to relapse.
Re.ca.pi.tu.lar *v* to recapitulate; to summarize.
Re.ca.ta.do *adj* shy; bashful; modest.
Re.ca.tar *v* to conceal; to shield.
Re.ca.to *s* modesty; prudence; protection.
Re.ce.ar *v* to fear; to be afraid; to dread.
Re.ce.ber *v* to receive; to accept; to earn.
Re.cei.o *s* fear; dread; apprehension.
Re.cei.ta *s* receipt; recipe; revenue; budget.
Re.cei.tar *v* to prescribe.
Re.cém *adv* recently; newly.
Re.cen.te *adj* recent; new; late; fresh.
Re.cen.te.men.te *adv* lately.
Re.cep.ção *s* reception; welcome.
Re.ces.são *s* depression.
Re.ces.so *s* recess; retirement.
Re.cha.çar *v* to repel; to refute; to beat.
Re.che.ar *v* to stuff; to cram; to fill up.
Re.chei.o *s* filling; stuffing.
Re.ci.bo *s* receipt; acquittance.
Re.ci.fe *s* reef; ridge; rocks.
Re.cin.to *s* enclosure; place; precinct.
Re.ci.pi.en.dá.rio *s* new member.
Re.ci.pi.en.te *s* recipient; container; *adj* recipient; receiving.
Re.ci.tar *v* to recite; to declaim.
Re.cla.mar *v* to complain.
Re.co.brar *v* to regain; to recuperate.
Re.co.brir *v* to recover.
Re.co.lher *v* to gather; to reap; to collect.
Re.co.men.dar *v* to recommend.
Re.com.pen.sa *s* recompense; reward.
Re.com.pen.sar *v* to recompense; to reward.
Re.con.ci.li.ar *v* to reconcile; to conciliate; to accord.
Re.con.ci.li.á.vel *adj* reconcilable.
Re.côn.di.to *adj* hidden; unknown.
Re.con.for.tar *v* to cheer up; to console; to comfort; to enliven.
Re.co.nhe.cer *v* to recognize; to own.
Re.co.nhe.ci.men.to *s* recognition; acknowledgement.
Re.con.quis.tar *v* to reconquer; to recover; to regain.
Re.cor.da.ção *s* remembrance; keepsake; souvenir.
Re.cor.dar *v* to remember; to remind.
Re.cor.de *s* record.
Re.cor.rer *v* to resort; to appeal.
Re.cor.tar *v* to cut; to cut away; to clip.
Re.cor.te *s* cutting; clipping; outline.
Re.cos.tar *v* to lean; to recline; to lean back.
Re.co.zer *adj* to cook again.
Re.cre.ar *v* to recreate; to amuse; to gladden.
Re.crei.o *s* recreation; pastime; playground.
Re.cri.ar *v* to recreate.
Re.cri.mi.na.ção *s* recrimination; retort.
Re.cri.mi.nar *v* to recriminate; to retort; to blame.
Re.cru.ta *s* recruit; trainee; galoot.
Re.cu.ar *v* to shrink; to recoil; to recede.
Re.cu.o *s* recoil; shrink.
Re.cu.pe.rar *v* to recuperate; to recover.
Re.cur.so *s* recourse; resort.
Re.cu.sa *s* refusal; refusing; rejection.
Re.cu.sar *v* to refuse; to reject; to deny.
Re.da.ção *s* composition; editorship.
Re.dar.gui.ção *s* retort; reply.
Re.dar.guir *v* to retort; to refute; to reply.
Re.de *s* a net; network; trap.
Ré.dea *s* rein; bridle.
Re.de.mo.i.nho *s* whirl.
Re.den.ção *s* redemption.
Re.den.tor *s* redeemer.
Re.di.gir *v* to draw up; to write.
Re.di.mir *v* to redeem; to ransom.
Re.do.brar *v* to redouble; to double; to increase.
Re.do.ma *s* glass case; glass bell; bell jar.
Re.don.de.za *s* environs; surroundings.
Re.don.do *adj* round; circular.
Re.dor *s* circuit; contour.
Re.du.ção *s* reduction; cutback; decrease.
Re.dun.dar *v* to redound; to ensue.

Re.du.to *s* redoubt.
Re.du.zir *v* to reduce; to diminish; to lessen; to lower.
Re.em.bol.sar *v* to reimburse; to repay; to refund.
Re.fa.zer *v* to remake; to restore; to repair; to mend.
Re.fei.ção *s* meal; repast.
Re.fei.to *adj* refreshed; restored; recovered; remade.
Re.fei.tó.rio *s* refectory; dining hall.
Re.fém *s* hostage.
Re.fe.rên.cia *s* reference; relation; allusion; regard.
Re.fe.ren.te *adj* relating; referring; concerning.
Re.fe.rir *v* to refer; to apply; to relate; to tell; to concern.
Re.fi.nar *v* to refine; to polish; to purify.
Re.fle.tir *v* to reflect; to mirror; to ponder; to muse.
Re.fle.tor *s* reflector; *adj* reflective; searchlight.
Re.fle.xão *s* reflection; meditation.
Re.fle.xi.o.nar *v* to reflect; to think.
Re.flo.res.tar *v* to reforest; to afforest.
Re.flo.rir *v* to reflower; to reflourish; to blossom again.
Re.flu.ir *v* to flow back; to reflow; to ebb.
Re.flu.xo *s* reflux; a flowing back; ebb; refluence.
Re.fo.ga.do *s* stew.
Re.for.çar *v* to reinforce; to strengthen; to fortify.
Re.for.mar *v* to reform; to retire; to mend.
Re.frão *s* refrain; burden; saw; saying.
Re.fre.ar *v* to bridle; to restrain.
Re.fre.ga *s* fray; affray; fight; combat.
Re.fres.car *v* to refresh; to freshen.
Re.fres.co *s* refreshment.
Re.fri.ge.ra.dor *s* refrigerator; freezer; *adj* refrigerative.
Re.fri.ge.ran.te *s* refrigerant; refreshment; *adj* refrigerant.
Re.fri.ge.rar *v* to refrigerate; to cool; to refresh; to comfort; to relieve.
Re.fu.gar *v* to reject; to refuse.
Re.fu.gi.ar-se *v* to take refuge; to shelter.
Re.fú.gio *s* refuge; shelter; asylum.
Re.fu.go *s* refuse; rubbish; trash; garbage.
Re.ful.gir *v* to shine; to glitter.
Re.fu.tar *v* to refuse; to oppose; to reject; toconfute; to rebut.
Re.ga.dor *s* watering-can, watering-pot; sprinkling.
Re.ga.lar *v* to regale; to entertain; to delight.
Re.ga.li.a *s* regale; prerogative; privilege.
Re.ga.lo *s* delight; pleasure; present; gift.
Re.gar *v* to irrigate; to spray.
Re.ga.ta *v* regatta.
Re.ga.te.ar *v* to cheapen; to bargain.
Re.ga.to *s* brook; rill; creek; rivulet.
Re.ge.ne.rar *v* to regenerate; to reform.
Re.gen.te *s* MÚS regent; *adj* governing.
Re.ger *v* to govern; to conduct; to direct.
Re.gi.ão *s* region; province; district.
Re.gi.me *s* regime; regimen; rule.
Re.gis.trar *v* to register; to enroll; to record.
Re.gis.tro *s* register; entry; registry.
Re.go *s* trench; drain, ditch; groove.
Re.go.zi.jar *v* to rejoice; to gladden; to be glad.
Re.go.zi.jo *s* rejoicing.
Re.gra *s* rule; regulation.
Re.gra.do *adj* regular; orderly.
Re.grar *v* to rule; to moderate; to regulate.
Re.gre.dir *v* to regress; to retrograde.
Re.gres.sar *v* to return; to come back.
Ré.gua *s* ruler; straight.
Re.gu.la.dor *s* regulator; *adj* ruling; regulating; governing.
Re.gu.la.men.ta.ção *s* regularization; regulation.
Re.gu.la.men.to *s* regulation; rule; order.
Re.gu.lar *v* to regulate; to rule; to dispose; *adj* regular; ordinary; moderate.
Re.gur.gi.tar *v* to regurgitate; to overflow.
Rei *s* king.
Re.in.ci.dên.cia *s* reiteration.
Re.in.ci.dir *v* to relapse; to fall back.
Rei.no *s* reign; kingdom.
Re.in.te.grar *v* to reintegrate; to restore.
Rei.te.ra.ção *s* reiteration; repetition; renewal.
Rei.te.rar *v* to renew; to repeat; to reiterate.
Rei.tor *s* rector.
Rei.vin.di.ca.ção *s* revindication; claim; vindication.
Rei.vin.di.car *v* to revindicate; to claim; to vindicate.
Re.jei.tar *v* to reject; to repel; to refuse.
Re.la.ção *s* relation; respect; affairs; account; relationship.
Re.la.ci.o.nar *v* to relate; to connect; to report.
Re.lâm.pa.go *s* lightning; flash.
Re.lam.pe.jar *v* to lighten; to glitter; to shine brightly.
Re.lan.ce *s* glance.
Re.lan.ce.ar *v* to glance.
Re.la.tar *v* to relate; to narrate; to report.
Re.la.ti.vo *adj* relative.
Re.la.to *s* report.
Re.la.xa.do *adj* relaxed; loose; careless.
Re.la.xar *v* to relax; to slacken; to loosen.
Re.le.gar *v* to relegate.
Re.lem.brar *v* to remind; to remember.
Re.les *adj* vile; base; mean; shabby.
Re.le.var *v* to pardon; to relieve.
Re.le.vo *s* relief.
Re.li.cá.rio *s* reliquary; shrine.
Re.li.gar *v* to bind again.
Re.li.gi.ão *s* religion.
Re.lin.char *v* to neigh; to whinny.
Re.lí.quia *s* relic; ruins; memento.
Re.ló.gio *s* watch; clock; timepiece.
Re.lo.jo.a.ri.a *s* clock and watch making.
Re.lo.jo.ei.ro *s* watchmaker.
Re.lu.tân.cia *s* reluctance; obstinacy; opposition.
Re.lu.zen.te *adj* relucent; shining; bright.
Re.lu.zir *v* to glisten; to shine; to glitter.
Rel.va *s* grass; turf; sod; sward.

Re.ma.nes.cen.te *s* remainder; remnant; *adj* remaining; lasting.
Re.mar *v* to row; to paddle.
Re.ma.tar *v* to end; to consummate; to finish; to complete; to accomplish.
Re.ma.te *s* end; finishing; conclusion; top.
Re.me.dar *v* to mimic; to ape.
Re.me.di.ar *v* to remedy; to cure; to repair.
Re.mé.dio *s* remedy; medicine.
Re.me.do *s* imitation; mimicry; mimicking.
Re.me.la *s* rheum of the eye.
Re.me.mo.rar *v* to remembrance; to remind.
Re.men.da.do *adj* patched; mended; spotted.
Re.men.dar *v* to patch; to mend.
Re.men.do *s* patch; mend; repair.
Re.mes.sa *s* remittance; payment.
Re.me.ten.te *s* sender; shipper.
Re.me.ter *v* to send; to remit.
Re.me.xer *v* to stir up; to rummage.
Re.mi.nis.cên.cia *s* reminiscence; remembrance; recollection.
Re.mir *v* to redeem; to ransom.
Re.mis.são *s* remission; pardon; forgiveness.
Re.mo *s* oar; boat-oar; paddle; rowing.
Re.mo.ção *s* removal; remove.
Re.mo.çar *v* to rejuvenate.
Re.mor.so *s* remorse; compunction.
Re.mo.to *adj* remote; distant; far-off.
Re.mo.ver *v* to remove; to move; to get rid.
Re.mu.ne.ra.ção *s* remuneration; payment; salary; pay.
Re.mu.ne.rar *v* to remunerate; to reward; to pay.
Re.na *s* zoo reindeer.
Re.nas.ci.men.to *s* renaissance.
Ren.da *s* income; lacework.
Ren.da.do *adj* laced; lacy; lacework.
Ren.der *v* to subject; to subdue; to yield; to render; to produce.
Ren.di.ção *s* surrender; giving up; delivery.
Ren.di.do *adj* overcome; conquered; ruptured.
Ren.di.lhar *v* to adorn with laces.
Ren.di.men.to *s* income; revenue.
Ren.do.so *adj* lucrative; profitable; gainful.
Re.ne.ga.do *s* renegade; renegade; apostate.
Re.ne.gar *v* to deny; to renounce.
Re.no.me *s* renown; fame; celebrity.
Re.no.var *v* to renew; to renovate.
Ren.te *adj* close; nearby; *adv* close; very short.
Re.nún.cia *s* renunciation; resignation.
Re.nun.ci.ar *v* to renounce; to give up.
Re.pa.rar *v* to repair; to mend; to remark.
Re.pa.ro *s* repair; defence; remark; notice.
Re.par.tir *v* to share; to portion.
Re.pas.sar *v* to pass; to soak.
Re.pas.to *s* food; meal.
Re.pe.lên.cia *s* repulsion.
Re.pe.len.te *adj* repellent; repulsive.
Re.pe.lir *v* to repel; to repulse; to reject.
Re.pen.te *s* outburst; sudden fit.
Re.pen.ti.no *adj* sudden; impetuous; abrupt.
Re.pen.tis.ta *s* extemporizer.
Re.per.cus.são *s* repercussion; rebound; reverberation.
Re.per.cu.tir *v* to resound; to reflect; to echo.
Re.per.tó.rio *s* repertory; collection.
Re.pe.tir *v* to repeat; to reiterate; to reproduce; to recur.
Re.pi.car *v* to ring (bells); to chime.
Re.pi.que *s* chime; peal; ringing.
Re.pi.sar *v* to insist; to retread.
Re.ple.to *adj* replete; crammed; stuffed; full.
Ré.pli.ca *s* reply; answer; reproduction.
Re.pli.car *v* to reply; to retort; to rebut.
Re.po.lho *s* cabbage.
Re.por *v* to replace; to restore; to reinstate.
Re.por.ta.gem *s* reportage; feature.
Re.por.tar *v* to attribute; to report; to refer.
Re.po.si.ção *s* restitution; reinstatement.
Re.pou.sar *v* to repose; to rest; to lie down.
Re.pou.so *s* rest; repose; tranquillity.
Re.po.vo.ar *v* to repeople; to people anew.
Re.pre.en.der *v* to reprehend; to reprimand; to censure; to scold.
Re.pre.en.são *s* reprehension; rebuke; reproach; reprimand; scold.
Re.pre.sa *s* dam; sluice; recapture.
Re.pre.sá.lia *s* reprisal, retaliation.
Re.pre.sar *v* to dam; to embank; to stop.
Re.pre.sen.ta.ção *s* representation; figure; image.
Re.pre.sen.ta.dor *s* representer; actor; player.
Re.pre.sen.tan.te *s* representative; *adj* representing.
Re.pre.sen.tar *v* to represent.
Re.pri.men.da *s* reprimand; rebuke; scold.
Re.pri.mir *v* to repress.
Re.pro.du.ção *s* reproduction; act or process of reproducing.
Re.pro.du.tor *s* reproducer; breeder; *adj* reproducing; breeding.
Re.pro.du.zir *v* to reproduce.
Re.pro.var *v* to reprove; to rebuke; to reject.
Re.pro.vá.vel *adj* reprovable; blameworthy.
Rép.til *s* reptile; *adj* reptile.
Rep.to *s* challenge.
Re.pú.bli.ca *s* republic.
Re.pu.di.ar *v* to repudiate; to discard.
Re.pú.dio *s* repudiation; disavowal.
Re.pug.nân.cia *s* repugnance; repugnancy.
Re.pug.nar *v* to repugn; to oppose.
Re.pul.sa *s* refusal; repulse; rejection.
Re.pul.são *s* repulsion.
Re.pul.sar *v* to repulse; to repel; to reject.
Re.pul.si.vo *adj* repulsive; loathsome.
Re.pu.ta.ção *s* reputation; fame; renown.
Re.pu.tar *v* to repute; to reckon.
Re.pu.xar *v* to pull back.
Re.que.brar *v* to waddle; to wiggle.

Re.que.bro *s* movement; to move the hips in the rhythm.
Re.quei.jão *s* curd; curd-cheese; pot-cheese.
Re.que.rer *v* to require; to claim; to demand.
Re.que.ri.men.to *s* request; petition.
Re.quin.tar *v* to refine; to perfect.
Re.quin.te *s* refinement; elegance; affectation.
Re.qui.si.ção *s* requisition; request.
Re.qui.si.tar *v* to requisition; to order; to request; to demand.
Re.qui.si.to *s* requisite; requirement.
Rés *adj* even; level; close; plain.
Res.cin.dir *v* to rescind; to cancel; to abolish.
Res.ci.são *s* rescission; annulment; cancellation.
Re.se.nha *s* report; description; list.
Re.ser.va *s* reserve; stock; store; restriction; ESP reserve (substitute).
Re.ser.va.do *adj* reserved; stand-offish; circumspect.
Re.ser.var *v* to reserve; to retain; to conceal.
Res.fri.a.do *s* cold; cooling.
Res.fri.ar *v* to catch a cold.
Res.ga.tar *v* to ransom; to rescue; to redeem.
Res.ga.te *s* ransom; redemption.
Res.guar.dar *v* to shelter; to defend; to protect.
Res.guar.do *s* care; prudence; caution.
Re.si.dên.cia *s* residence; home.
Re.si.den.te *s* abider; dweller; *adj* resident; residing; dwelling.
Re.si.dir *v* to reside; to live; to dwell.
Re.sí.duo *s* residue; remnant; remainder; rest.
Re.sig.na.ção *s* resignation; renunciation.
Re.sig.nar *v* to resign; to abdicate.
Re.si.nar *v* to resin; to apply resin to.
Re.sis.ten.te *s* resistant; strong; *adj* resistant.
Re.sis.tir *v* to resist; to oppose; to stand.
Res.ma *s* ream; twenty quires.
Res.mun.ga.ção *s* grumbler; *adj* grumbling.
Res.mun.gar *v* to mumble.
REQ
Re.so.lu.ção *s* resolution; resoluteness; firmness; courage.
RET
Re.sol.ver *v* to resolve; to decide; to solve.
Res.pec.ti.vo *adj* respective.
Res.pei.tar *v* to respect; to regard.
Res.pei.to *s* respect; esteem; regard.
Res.pin.go *s* sprinkling.
Res.pi.ra.ção *s* respiration; breath.
Res.pi.ra.dou.ro *s* air hole; vent.
Res.pi.rar *v* to respire; to breathe; to exhale.
Res.pi.rá.vel *adj* respirable.
Res.pi.ro *s* breath; breathing; respite.
Res.plan.de.cên.cia *s* resplendency.
Res.plan.de.cer *v* to be resplendent; to glisten.
Res.plen.dor *s* splendor; resplendence; aureola; halo; radiance.
Res.pon.der *v* to answer; to respond; to reply.
Res.pon.sa.bi.li.da.de *s* responsibility; responsibleness; duty.
Res.pon.sa.bi.li.zar *v* to hold responsible; to be responsible for.
Res.pon.sá.vel *adj* responsible; answerable; accountable.
Res.pos.ta *s* answer; reply; response.
Res.quí.cio *s* vestige; reminder.
Res.sa.bi.a.do *adj* skittish; nervous; suspicious; disgusted.
Res.sa.ca *s* ebb; reflux of tide; hang-over.
Res.sal.tar *v* to jut out; to be in evidence; to stand out.
Res.sal.va *s* safeguard; provision; correction; exception.
Res.sal.var *v* to safeguard; to correct; to caution; to except.
Res.sen.ti.men.to *s* rancor; spite; grudge.
Res.sen.tir *v* to resent.
Res.sur.gi.men.to *s* resurrection; renaissance; renewal; revival.
Res.sur.gir *v* to resurrect.
Res.sur.rei.ção *s* resurrection.
Res.sus.ci.ta.ção *s* resuscitation.
Res.sus.ci.tar *v* to resuscitate.
Res.ta.be.le.cer *v* to re-establish; to recover.
Res.ta.be.le.ci.men.to *s* recovery; reestablishment.
Res.tan.te *s* remainder; rest; *adj* remaining; resting.
Res.tar *v* to remain.
Res.tau.ran.te *s* restorative; restorer; restaurant; *adj* restoring; restorative.
Res.tau.rar *v* to restore; to give back; to return; to repair.
Rés.tia *s* rope of onions (etc.); string.
Res.ti.tu.ir *v* to restitute; to restore.
Res.to *s* rest; remainder.
Res.trin.gir *v* to restrict; to restrain.
Re.sul.ta.do *s* result; effect; consequence; FUT outcome.
Re.sul.tar *v* to result; to follow; to proceed.
Re.su.mir *v* to summarize; to epitomize; to sum up.
Re.su.mo *s* resume; abridgement; summary.
Res.va.lar *v* to slip; to slide.
Re.ta *s* straight line; straight.
Re.ta.guar.da *s* rear-guard; rear.
Re.ta.lhar *v* to cut up; to slash; to shred.
Re.ta.lho *s* shred; strip; rag; retail.
Re.ta.li.a.ção *s* retaliation; reprisal.
Re.ta.li.ar *v* to retaliate.
Re.ter *v* to retain; to restrain; to withhold.
Re.ti.cên.cia *s* reticence.
Re.ti.cu.lar *adj* reticular.
Re.ti.dão *s* rectitude; integrity.
Re.ti.fi.ca.ção *s* rectification.
Re.ti.fi.car *v* to rectify; to correct; to adjust.
Re.ti.nir *v* to tinkle; to echo; to resound.
Re.ti.ra.do *adj* retired; solitary; remote.
Re.ti.rar *v* to retreat; to withdraw; take out.
Re.ti.ro *s* reclusion; retreat.
Re.to *s* rectum.

Re.to.car *v* to retouch; to improve.
Re.to.mar *v* to retake.
Re.to.que *s* retouch.
Re.tor.cer *v* to twist; to twine.
Re.tor.nar *v* to return; to get back.
Re.tor.no *s* return.
Re.tor.quir *v* to retort; to answer.
Re.tra.çar *v* to retrace; to trace again.
Re.tra.í.do *adj* reserved; shy; timid.
Re.tra.i.men.to *s* retraction; shyness.
Re.tra.ir *v* to retract; to withdraw; to shrink.
Re.tra.ta.ção *s* retractation; recantation.
Re.tra.ta.do *adj* portrayed; painted; photographed.
Re.tra.tar *v* to retract; to portray; to paint.
Re.tra.to *s* portrait; photograph; image.
Re.tri.bu.ir *v* to return; to reward; to recompense.
Re.tro.a.gir *v* to be retroactive.
Re.tro.a.ti.vo *adj* retroactive; reactive.
Re.tro.ce.der *v* to retrocede; to go back; to recede; to fall back; to go backward.
Re.tro.ces.so *s* retrocession; retrogression.
Re.tro.gra.dar *v* to retrograde; to retrogress.
Re.tró.gra.do *s* retrograde; retrogressive; *adj* retrograde; retrogressive.
Re.trós *s* twist; twisted; silk; sewing silk.
Re.tros.pec.ti.vo *adj* retrospective.
Re.tros.pec.to *s* retrospect; flashback.
Re.tru.car *v* to reply; to retort, to talk back.
Re.tum.bân.cia *s* resounding; resonance.
Re.tum.bar *v* to resound.
Réu *s* JUR defendant.
Re.u.ni.ão *s* meeting; reunion; gathering.
Re.u.nir *v* to reunite; to rejoin; to put together.
Re.ve.la.ção *s* revelation; disclosure.
Re.ve.la.dor *s* disclose; developer; *adj* revealing.
Re.ve.lar *v* to revel; to disclose; to divulge; to discover; **Revelar-se** *v* to unfold.
Re.ve.li.a *s* default; contumacy.
Re.ven.da *s* reselling; resale.
Re.ven.der *v* to resell; to sell again.
Re.ver *v* to review; to meet again.
Re.ve.rên.cia *s* reverence; bow; respect; deference; courtesy.
Re.ve.ren.ci.ar *v* to revere; to honor; to reverence; to venerate.
Re.ver.so *s* the reverse; lower side of a surface; *adj* reverse; contrary; inverted.
Re.ver.ter *v* to revert; to return.
Re.vés *s* reverse; misfortune.
Re.ves.ti.men.to *s* revetment; coating; facing.
Re.ves.tir *v* to attire; to cover.
Re.ve.zar *v* to take turns.
Re.vi.go.rar *v* to invigorate.
Re.vi.rar *v* to turn.
Re.vi.são *s* revision; review.
Re.vi.sar *v* to revise; to review.
Re.vis.ta *s* review; revue; magazine.
Re.vis.tar *s* to review troops; to inspect.
Re.vi.ver *v* to revive; to reawaken.
Re.vi.ves.cer *v* to revive.
Re.vi.vi.fi.car *v* to revivify; to revive.
Re.vo.a.da *s* flight (birds).
Re.vo.ar *v* to fly again; to flutter.
Re.vo.ga.ção *s* revocation; repeal.
Re.vo.gar *v* to rescind; to repeal.
Re.vol.ta *s* revolt; uprising; rioting.
Re.vol.tar *v* to revolt; to rebel; to rise up.
Re.vol.to *adj* turbulent; troubled; furious.
Re.vol.to.so *s* rebel; *adj* turbulent; rebel.
Re.vo.lu.ção *s* revolution; rebellion; ASTR revolution.
Re.vo.lu.ci.o.nar *v* to revolutionize; to revolution; to change.
Re.vol.ver *v* to revolve; to rotate; to welter; to agitate; to stir.
Re.vól.ver *s* revolver; gun.
Re.za *s* prayer; praying.
Re.zar *v* to pray; to say a prayer.
Ri.a.cho *s* brook; rill; streamlet; creek.
Ri.ban.cei.ra *s* ravine; chasm.
Ri.ca.ço *s* a very rich man; *adj* very rich.
Ri.co *adj* rich; wealthy; moneyed.
Ri.di.cu.la.ri.zar *v* to ridicule; to mock.
Ri.dí.cu.lo *s* ridicule; mockery; sarcasm; *adj* ridiculous.
Ri.fa *s* raffle; saying.
Ri.far *v* to raffle; to dispose by a raffle.
Ri.gi.dez *s* rigidity; rigidness; severity; rigor.
Ri.gor *s* rigor; rigidity; severity; harshness.
Ri.go.ro.so *adj* rigorous; inflexible; harsh.
Rim *s* kidney.
Ri.ma *s* rhyme; heap; chink.
Ri.mar *v* to rhyme; to versify.
Rin.cho *s* neigh of horses.
Ri.o *s* river; stream.
Ri.pa *s* lath work; slat; batten.
Ri.que.za *s* wealth; richness; abundance.
Rir *v* to laugh; to smile; to jeer; to titter.
Ri.sa.da *s* laughter; laughing.
Ris.ca *s* line; mark; stripe; stroke.
Ris.car *v* to scratch; to streak; to cancel.
Ris.co *s* stripe; danger; risk.
Ri.so *s* laughter; laugh.
Ri.so.nho *adj* smiling.
Ris.pi.dez *s* hardness; rudeness; roughness.
Rit.mo *s* cadence; rime; rhythm.
Ri.to *s* rite; ceremony.
Ri.tu.al *s* ritual; ceremonial.
Ri.val *s* rival; emulator.
Ri.va.li.da.de *s* rivalry; rivalship; jealousy.
Ri.va.li.zar *v* to rival; to vie; to emulate; to compete.
Ri.xa *s* quarrel; dispute.
Ro.ba.lo *s* robalo (fish).
Ro.bus.te.cer *v* to strengthen.
Ro.bus.tez *s* robustness; vigor.
Ro.bus.to *adj* robust; strong; tough.
Ro.çar *v* to graze; to grub; to skim.

Ro.cha *s* rock.
Ro.che.do *s* large rock; cliff.
Ro.da *s* wheel; circle; circuit.
Ro.da.pé *s* baseboard; skirting board; foot.
Ro.dar *v* to roll; to move on rollers; to move wheels; to turn around.
Ro.de.ar *v* to enclose; to surround.
Ro.dei.o *s* circumlocution.
Ro.dí.zio *s* rota; turn; round.
Ro.do *s* rake; wooden rake.
Ro.do.pi.ar *v* to whirl; to turn; to spin.
Ro.do.pi.o *s* whirl; whirling.
Ro.e.dor *s* rodent; *adj* gnawing; rodent; corroding.
Ro.er *v* to gnaw.
Ro.gar *v* to beg; to implore; to ask.
Ro.go *s* request; supplication; prayer.
Ro.í.do *adj* gnawed; corroded.
Rol *s* roll; register; record; list; catalogue.
Ro.la.men.to *s* rolling.
Ro.lar *v* to roll; to tumble; to drive forward.
Ro.lha *s* cork; stopper.
Ro.lo *s* roll; bundle; roll of paper.
Ro.mã *s* pomegranate.
Ro.man.ce *s* romance; novel; fantasy.
Ro.mân.ti.co *s* romantic; *adj* romantic; sentimental.
Ro.ma.ri.a *s* pilgrimage.
Rom.bo *s* hole; leak.
Rom.per *v* to break up; to split; to destroy.
Rom.pi.men.to *s* breaking; breach; rupture.
Ron.ca.dor *s* snorer; boaster.
Ron.car *v* to snore; to roar; to brag.
Ron.co *s* snoring; roaring.
Ron.da *s* rounds; patrol.
Ron.dar *v* to patrol.
Ron.qui.dão *s* hoarseness.
Ron.ro.nar *v* to purr.
Ro.sa *s* rose.
Rosa-Cruz *s* rosicrucian.
Rosa-Cruz *adj* rosicrucian.

Ro.sá.rio *s* rosary; a string of beads; chaplet.
Ros.bi.fe *s* roast-beef.
Ros.ca *s* screw; coil of a serpent thread; BR rusk, sweet biscuit.
Ro.sei.ra *s* rose-bush; rambler.
Ros.nar *v* to drumble; to snarl; to growl.
Ros.to *s* face; visage.
Ro.ta *s* route; course; way; path.
Ro.ta.ção *s* rotation; turn; revolution.
Ro.tei.ro *s* guideline; directions.
Ro.ti.nei.ro *adj* routine.
Ro.to *adj* in rags; broken; torn; shattered.
Ró.tu.la *s* patella; kneecap; kneepan.
Ro.tu.lar *v* to ticket; to label; to inscribe.
Ró.tu.lo *s* inscription; label; mark.
Rou.ba.lhei.ra *s* robbery; thievery.
Rou.bar *v* to rob; to steal; to thieve.
Rou.bo *s* robbery; theft; plunder.
Rou.co *adj* hoarse; raucous.
Rou.pa *s* cloth; clothing.
Rou.pão *s* robe.
Rou.pei.ro *s* wardrobe; BR ESP special employee that organizes the players' clothes.
Rou.qui.dão *s* hoarseness.
Rou.xi.nol *s* nightingale.
Ro.xe.ar *v* to turn purple.
Ro.xo *s* purple; violet; *adj* purple; violet.
Ru.a *s* street; thoroughfare; way.
Ru.bi *s* ruby.
Ru.blo *s* rouble.
Ru.bri.ca *s* rubric; rubrication; initials.
Ru.bri.car *v* to rubricate; to mark.
Ru.bro *adj* red; ruddy; red-hot.
Ru.de *adj* rude; coarse; vulgar; rugged.
Ru.di.men.tar *adj* rudimentary.
Ru.di.men.to *s* rudiment.
Ru.e.la *s* lane; alley; narrow street.
Ru.far *v* to plait; to roll; to ruffle.
Ru.fo *s* the beat of a drum with intense rhythm.
Ru.ga *s* wrinkle; furrow.
Ru.gi.do *s* roar.
Ru.gir *v* to roar; to rustle; to bellow.
Ru.go.so *adj* rugous; wrinkled; wrinkly.
Ru.í.do *s* noise; uproar; rumor; bustle.
Ru.im *adj* bad; vile; mean.
Ru.in.da.de *s* meanness; badness.
Ru.ir *v* to tumble; to fall down.
Rui.vo *adj* red; red-haired.
Rum *s* rum.
Ru.mi.nar *v* to ruminate; to ponder; to muse.
Ru.mo *s* route; direction.
Ru.mor *s* rumor; noise.
Ru.pes.tre *adj* engraved in crags or that it grows on crags.
Rú.pia *s* rupee (coin of the east India).
Rus.ga *s* uproar; spat; quarrel.
Rus.so *s* russian; *adj* russian.
Rús.ti.co *s* rustic; *adj* rustic; coarse; rural.

S s

S *s* the nineteenth letter of the Portuguese alphabet and of the English alphabet.
Sã *adj* healthy.
Sá.ba.do *s* Saturday.
Sa.bão *s* soap.
Sa.be.do.ri.a *s* wisdom; knowledge.
Sa.ber *s* knowledge; *v* to know; to have knowledge.
Sa.bi.á *s* BR bird.
Sá.bio *s* wise man; *adj* wise; learned.
Sa.bo.ne.te *s* toilet soap; soap.
Sa.bo.ne.tei.ra *s* soap dish.
Sa.bor *s* savor; taste; flavor.
Sa.bo.re.ar *v* to savor; to taste.
Sa.bo.ro.so *adj* tasty; appetizing.
Sa.bo.tar *v* to sabotage.
Sa.bre *s* sabre.
Sa.bu.go *s* corn-cob without the grains.
Sa.bu.guei.ro *s* bush of medicinal properties.
Sa.bu.jo *s* bloodhound.
Sa.ca *s* bag; Saca-rolha: corkscrew.
Sa.ca.da *s* balcony; drawing.
Sa.car *v* to draw; to pull out.
Sa.ca.ria *s* bags; sacks.
Sa.cer.do.te *s* priest; clergyman.
Sa.ci *s* MIT BR black boy with a single leg that scares the people.
Sa.ci.ar *v* to cloy; to satiate.
Sa.co *s* sack; bag.
Sa.co.la *s* wallet; knapsack; bag.
Sa.co.le.jar *adj* to shake; to rock; to swing.
Sa.cris.tão *s* sexton.
Sa.cris.ti.a *s* sacristy; vestry.
Sa.cu.di.do *adj* shaken.
Sa.cu.dir *v* to shake; to jolt.
Sá.di.co *adj* sadistic.
Sa.di.o *adj* healthy; wholesome.
Sa.fa.do *adj* POP shameless; BR licentious; immoral.
Sa.fa.não *s* jerk; shove; push; GÍR slap.
Sa.fra *s* harvest; crop.
Sa.ga *s* saga.
Sa.gaz *adj* sagacious; shrewd; perspicacious.
Sa.gra.do *adj* sacred; divine; holy; sacrosanct.
Sa.grar *v* to consecrate; to bless; to hallow.
Sa.gu *s* sago.
Sa.guão *s* inner yard; passage; entrance; hall.
Sai.a *s* skirt.
Sai.bro *s* gravel; gross sand.
Sa.í.da *s* exit; outlet.
Sai.o.te *s* short petticoat; short skirt.
Sa.ir *v* to go; to go away; to exit; to leave.
Sal *s* salt.
Sa.la *s* room.
Sa.la.da *s* salad.
Sa.la.me *s* salami.
Sa.lão *s* salon; saloon.
Sa.lá.rio *s* wages; hire; pay given for labor.
Sal.dar *v* to balance; to settle; to pay off.
Sal.do *s* COM balance of an account; remainder.
Sa.lei.ro *s* salt-cellar; salt-shaker.
Sal.ga.do *adj* salted; salty; FIG witty.
Sal.gar *v* to salt; to flavor.
Sal.guei.ro *s* willow.
Sa.li.ên.cia *s* salience; projection; protuberance.
Sa.li.en.tar *v* to point out.
Sa.li.va *s* spittle; saliva.
Sa.li.var *v* to spit; to produce salivation.
Sal.mão *s* salmon (fish).
Sal.mo *s* psalm.
Sal.mou.ra *s* brine.
Sa.lo.bre *adj* brackish; briny; saltish.
Sal.pi.ca.do *adj* sprinkled.
Sal.pi.car *v* to sprinkle.
Sal.sa *s* parsley.
Sal.si.cha *s* sausage.
Sal.tar *v* to jump; to leap; to spring.
Sal.to *s* leap; jump; bound.
Sa.lu.bre *adj* salubrious; wholesome.
Sa.lu.tar *adj* salutary; healthy.
Sal.va *s* burst of gunfire; salver; sage; salute.
Sal.va.dor *s* savior; rescuer; *adj* saving.
Sal.va.guar.dar *v* to safeguard; to defend.
Sal.var *v* to save; to rescue.
Sal.ve *interj* hail!
Sal.vo *adj* safe; secure; saved; *prep* except for.
Sam.ba *s* BR music; dance.
Sa.nar *v* to heal; to restore; to health.

Sa.ná.vel *adj* curable; removable.
San.ci.o.nar *v* to sanction; to ratify.
San.dá.lia *s* sandal (shoe).
San.du.í.che *s* sandwich.
Sa.ne.ar *v* to drain; to clean up.
San.fo.na *s* MÚS hurdy-gurdy; accordion.
San.grar *v* to bleed.
San.gue *s* blood; life; race.
San.gues.su.ga *s* ZOO leech.
Sa.nha *s* fury; anger; rage.
Sa.ni.da.de *s* healthy; sanity; lucidity.
São *adj* wholesome; healthy.
Sa.pa.te.ar *v* a dance type which consists in feet's beat in the ground, provoking a sound and a movement.
Sa.pa.tei.ra *s* shoe closet.
Sa.pa.to *s* shoe.
Sa.pi.ên.cia *s* sapience; wisdom; sageness.
Sa.pi.nhos *s* GIR little toad MED wounds in the mouth.
Sa.po *s* toad; BR GÍR curious; meddlesome.
Sa.que *s* sack; plunder; pillage.
Sa.que.ar *v* to loot; to plunder; to rob.
Sa.rai.va.da *s* the shower of hail.
Sa.ram.po *s* MED measles.
Sa.rar *s* to heal; to cure.
Sar.cas.mo *s* sarcasm; irony.
Sar.da *s* freckle.
Sar.je.ta *s* gutter.
Sar.na *s* scabies.
Sar.ro *s* tartar.
Sá.ti.ra *s* satire; irony.
Sa.ti.ri.zar *v* to satirize; to lampoon.
Sa.tis.fa.ção *s* satisfaction; pleasure.
Sa.tis.fa.zer *v* to satisfy; to fulfill.
Sa.tu.rar *v* to saturate; to soak.
Sau.da.ção *s* salutation; salute.
Sau.da.de *s* regret; sorrow; longing.
Sau.dar *v* to salute; to greet; to welcome.
Sa.ú.de *s* health.
Sau.do.so *adj* longing; regretted.
Se *conj* if; whether.
Se.bo *s* tallow; BR reseller of used books; second hand book shop.
Se.ca *s* drying; dryness; drouth; drought.
Se.ca.dor *s* dryer.
Se.car *v* to dry; to dry up.
Se.co *adj* dry; FIG lank; rude.
Se.cre.ta.ri.a *s* secretariat; secretary; general office.
Se.cre.tá.ria or Se.cre.tá.rio *s* secretary; POP domestic office; maid.
Se.cre.to *s* secret; mysterious; *adj* secret.
Se.cu.lar *s* layman; *adj* secular.
Se.cu.la.ri.zar *v* to secularize.
Sé.cu.lo *s* century (100 years); age.
Se.cun.dar *v* to second; to follow or attend.
Se.da *s* silk.
Se.da.ção *s* mitigation.
Se.dar *v* to allay; to alleviate; to hackle.
Se.da.ti.vo *s* sedative; *adj* sedative.
Se.de (Séde) *s* see; headquarters; seat.
Se.de (Sêde) *s* thirst; desire; eagerness.
Se.den.to *s* thirsty; eager; avid; anxious.
Se.di.ar *v* to host.
Se.di.men.to *s* sediment; dregs.
Se.do.so *adj* silky; silken.
Se.du.ção *s* seduction; charm.
Se.du.tor *s* seducer; allurer; *adj* seductive; alluring.
Se.du.zir *v* to seduce; to lead; to allure.
Se.gre.dar *v* to whisper.
Se.gre.do *s* secret; mystery.
Se.gre.gar *v* to segregate; to separate.
Se.gui.do *adj* followed; continuous.
Se.gui.dor *s* disciple; partisan.
Se.guin.te *adj* next; immediate; following.
Se.guir *v* to follow; to proceed.
Se.gun.da *s* second; MEC second gear; Segunda-feira: Monday.
Se.gun.dar *v* to second; to follow; to assist.
Se.gun.do *s* second; assistant; *adj* second; secondary; inferior; *prep* according to.
Se.gu.ran.ça *s* safety; security; guarantee.
Se.gu.rar *v* to hold; to grab; to insure.
Se.gu.ro *s* insure; insuring; *adj* secure; safe.
Sei.o *s* breast; bosom; heart.
Sei.ta *s* sect; party; faction.
Sei.va *s* sap.
Se.la *s* saddle.
Se.la.do *adj* stamped.
Se.lar *v* to saddle; to seal; to stamp.
Se.le.ci.o.nar *v* to select; to choose; to pick up.
Se.lei.ro *s* saddler.
Se.lo *s* seal; stamp; postmark.
Sel.va *s* jungle.
Sem *prep* without; lacking.
Se.ma.na *s* week.
Se.ma.nal *adj* weekly.
Sem.blan.te *s* semblative; face; air; figure.
Se.me.ar *v* to sow; to scatter; to spread.
Se.me.lhan.ça *s* resemblance; analogy; semblance.
Se.men.te *s* seed; semen.
Se.mes.tre *s* semester; *adj* semestral.
Sem.pre *adj* always; ever.
Se.não *s* fault; defect; *conj* otherwise; else; *prep* but.
Sen.da *s* pathway; footpath; path; way.
Se.nha *s* watchword; password; BÍBL Shibboleth.
Se.nhor *s* master; lord; sir.
Se.nho.ra *s* lady; wife; mistress.
Se.nho.ri.ta *s* miss.
Sê.ni.or *adj* senior; elder.
Sen.sa.tez *s* prudence; wisdom.
Sen.si.bi.li.da.de *s* sensibility; sensitiveness.
Sen.si.bi.li.zar *v* to render sensitive.
Sen.si.ti.vo *adj* sensitive; susceptible.
Sen.sí.vel *adj* sensitive; tender; touchy.
Sen.so *s* sense; reason; intelligence.
Sen.su.al *adj* sensual; sensuous; lewd.

Sen.tar *v* to sit; to sit down.
Sen.ten.ça *s* sentence; maxim; axiom.
Sen.ten.ci.ar *v* to sentence; to adjudge.
Sen.ti.do *s* sense; meaning; *adj* grievous; sorrowful.
Sen.ti.do! *interj* alert!
Sen.ti.men.to *s* sentiment; sensibility; feeling.
Sen.ti.ne.la *s* sentry; watchtower.
Sen.tir *v* to feel.
Se.pa.rar *v* to separate; to disconnect.
Se.pul.cro *s* sepulchre; grave; tomb.
Se.pul.tar *v* to sepulcher; to bury.
Se.pul.tu.ra *s* sepulcher; grave; burial; tomb.
Se.quaz *s* follower; partisan; supporter.
Se.quên.cia *s* sequence; succession.
Se.quer *adj* at least; however; even.
Se.ques.tra.dor *s* sequestrator; kidnapper; *adj* sequestrating.
Se.ques.trar *v* to sequestrate; to confiscate; to kidnap.
Se.ques.tro *s* sequestration, kidnapping.
Ser *s* being; *v* to be; to exist; to live.
Se.rei.a *s* mermaid.
Se.re.nar *v* to calm; to soothe; to quiet.
Se.re.no *s* dew; evening damp; *adj* serene; calm; tranquil; quiet.
Se.ria.men.te *adj* seriously; earnestly.
Se.ri.ar *v* to classify; to order.
Sé.rie *s* a series; succession.
Se.ri.e.da.de *s* seriousness; integrity; gravity.
Sé.rio *adj* serious; earnest; thoughtful; solemn; grave.
Ser.pen.te *s* serpent (snake).
Ser.pen.ti.na *s* serpentine; carnival ribbon; streamer.
Ser.ra *s* saw; chain of mountains.
Ser.ra.ção *s* sawing; sawdust.
Ser.ra.gem *s* sawing; sawdust.
Ser.rar *v* to saw.
Ser.ta.ne.jo *adj* country; rude; inland.
Ser.tão *s* back-country.
Ser.va *s* a maid; a woman slave.
Ser.ven.te *s* servant; a domestic servant.
Ser.vi.çal *adj* serviceable; useful; servant.
Ser.vil *adj* servile; obsequious; subservient.
Ser.vir *v* to serve.
Ser.vo *s* servant; slave; serf.
Sé.sa.mo *s* sesame (herb).
Ses.são *s* session; meeting.
Se.ta *s* arrow.
Se.tem.bro *s* September, the ninth month of the year.
Seu *adj* his; its; your; their; yours; theirs.
Se.ve.ro *adj* severe; grave; austere; rigorous.
Se.vi.ci.ar *v* to treat with cruelty.
Se.xo *s* sex.
Sexta-Feira *s* Friday.
Si *s* MÚS si note (symbol B); *pron* himself; herself; itself; oneself; yourself.
Si.gi.lo *s* a secret; reserve.
Si.gla *s* monoguam; acronym.
Sig.na.tá.rio *s* signatory; signer; subscriber.
Sig.ni.fi.ca.do *s* signification; meaning.
Sig.ni.fi.car *v* to signify; to mean; to denote; to express.
Sig.no *s* ASTR sign.
Si.la.bar *v* to syllabicate; to syllabize.
Si.len.ci.ar *v* to silence; to quiet; to stop the noise of.
Si.lên.cio *s* silence; stillness.
Si.len.te *adj* silent.
Sil.ves.tre *adj* wild; woody; sylvestral.
Sil.vi.cul.tor *s* silviculturist; forester.
Sil.vo *s* whistle; whistling; hissing; swish.
Sim *s* yes; indeed; **acho que Sim:** I guess so.
Sim.bo.li.zar *v* to symbolize; to use symbols; to typify.
Sím.bo.lo *s* symbol; emblem; figure; type; sign.
Sí.mi.le *s* simile; comparison; similarity; *adj* simile; similar.
Sí.mio *s* ape-monkey; *adj* simian.
Sim.pa.ti.a *s* approval; fellow-feeling.
Sim.pa.ti.zar *v* to sympathize.
Sim.ples *adj* simple; single; plain.
Sim.ples.men.te *adv* just.
Sim.pli.fi.ca.ção *s* simplification; the act of simplifying.
Sim.pli.fi.car *v* to simplify; to make simple; to make clear.
Sim.pló.rio *s* simpleton; a fool; a silly person; *adj* simple; silly; dunce.
Si.mu.la.ção *s* simulation; disguise; camouflage.
Si.mu.la.do *adj* feigned; pretended; simulate; false.
Si.mu.lar *v* to simulate; to act; to feign; to imitate; to pretend; to sham.
Si.mul.tâ.neo *adj* simultaneous.
Si.na *s* fate; destiny; lot.
Si.na.go.ga *s* synagogue.
Si.nal *s* sign; indication; proof.
Si.na.lar *v* to sign; to signalize.
Si.na.li.za.ção *s* road-signs; signalling.
Sin.ce.ri.da.de *s* sincerity; honesty; sincereness.
Sin.ce.ro *adj* sincere; unfeigned; frank upright.
Sin.cro.ni.zar *v* to synchronize.
Sin.di.ca.li.zar *v* to syndicate.
Sin.di.cân.cia *s* inquiry; investigation.
Sin.di.car *v* to inquire; to investigate.
Sin.di.ca.to *s* syndicate; trade-union.
Sín.di.co *s* syndic; trustee.
Si.ne.ta *s* small bell.
Si.ne.te *s* a signet; seal; small seal.
Sin.ge.le.za *s* simplicity; plainness; sincerity; innocense.
Sin.ge.lo *adj* simple; sincere; true; honest.
Sin.grar *v* to sail; to steer.
Sin.gu.lar *s* GRAM singular; *adj* singular; eccentric.
Sin.gu.la.ri.da.de *s* singularity.
Sin.gu.la.ri.zar *v* to singularize; to distinguish; to particularize.
Si.nis.tro *s* disaster; damage; accident; *adj* sinister; perverse.

Si.no *s* bell.
Sí.no.do *s* synod.
Sin.te.ti.zar *v* to synthesize.
Sin.to.ma *s* symptom.
Sin.to.ni.a *s* syntony; radio check.
Sin.to.ni.zar *v* to syntonize.
Si.nu.o.si.da.de *s* sinuosity; tortuosity.
Si.nu.o.so *adj* sinuous; intricate; wavy.
Si.nu.si.te *s* MED sinusitis.
Si.ri.gai.ta *s* POP floozy.
Si.so *s* sense; judgement; wisdom.
Sis.te.ma *s* system; method.
Sis.te.ma.ti.zar *v* to systematize; to organize.
Si.su.dez *s* circumspection.
Si.ti.an.te *s* BR small farmer; *adj* besieging.
Sí.tio *s* siege; place; site.
Si.to *adj* situated; placed.
Si.tu.ar *v* to situate; to locate; to place.
Só *adj* alone; only; sole; *adv* only; lonely.
So.a.lho *s* floor.
So.ar *v* to sound; to ring; to produce a sound.
Sob *prep* under; beneath; below.
So.be.jar *v* to exceed; to abound.
So.be.jo *v* remains; leavings; *adj* excessive.
So.be.ra.ni.a *s* sovereignty.
So.be.ra.no *s*, sovereign; supreme; *adj* sovereign; supreme.
So.ber.ba *s* pride; arrogance; presumption.
So.bra *s* rest; remains; excess.
So.bra.do *s* second floor.
So.bra.do *adj* left; excessive; plentiful.
So.bran.ce.lha *s* eyebrow.
So.brar *v* to remain.
So.bre *prep* on; upon; over; about.
So.bre.car.re.gar *v* to overload; to overburden.
So.bre.lo.ja *s* mezzanine.
So.bre.ma.nei.ra *adv* excessively.
So.bre.me.sa *s* dessert.
So.bre.mo.do *adv* exceedingly.
So.bre.no.me *s* surname.
So.bre.por *v* to overlap; to put upon.
So.bre.pos.to *adj* superposed; trimming.
So.bre.pu.jar *v* to surpass; to excel.
So.bres.cri.to *s* address.
So.bres.sa.ir *v* to surpass; to excel; to exceed.
So.bre.tu.do *s* overcoat; *adv* above all.
So.bre.vir *v* to happen; to occur.
So.bre.vi.vên.cia *s* survival.
So.bre.vi.ven.te *s* survivor; *adj* surviving.
So.bre.vi.ver *v* to survive; to outlive; to outlast.
So.bre.vo.ar *v* to fly over.
So.bri.e.da.de *s* sobriety; frugality.
So.bri.nha *s* niece.
So.bri.nho *s* nephew.
Só.brio *adj* sober; not drunk; frugal.
So.car *v* to box; to strike; to pound.
So.ci.al *adj* social; sociable; convivial.
So.ci.e.da.de *s* society; relationship; alliance.
Só.cio *s* partner; associate.
So.ci.ó.lo.go *s* sociologist.
So.co *s* punch.
So.cor.rer *v* to help; to aid; to assist.
So.cor.ro *s* help; aid; assistance.
So.fá *s* sofa; couch; settee.
So.fis.mar *v* to sophisticate; to quibble; to equivocate.
So.fis.ti.car *v* to sophisticate.
So.fre.dor *s* sufferer; *adj* suffering.
So.fre.gui.dão *s* eagerness; greediness; greed.
So.frer *v* to suffer; to undergo.
So.fri.men.to *s* suffering; pain.
So.gra *s* mother-in-law.
So.gro *s* father-in-law.
Sol *s* the sun.
So.la *s* leather; sole of a foot.
So.la.par *v* to undermine; to hide; to sap.
So.lar *s* manor; *adj* solar.
So.la.van.co *s* jerk.
Sol.da *s* solder.
Sol.da.do *s* soldier.
Sol.da.dor *s* solderer.
Sol.dar *v* to solder; to weld.
So.lei.ra *s* threshold.
So.le.ne *adj* solemn; stately; formal.
So.le.ni.zar *v* to solemnize; to celebrate.
So.le.trar *v* to spell.
So.li.ci.ta.ção *s* solicitation; request.
So.li.ci.tar *v* to solicit; to beg; to entreat.
So.lí.ci.to *adj* solicitous; careful; diligent.
So.li.ci.tu.de *s* solicitude; diligence; carefulness.
So.li.dão *s* solitude; loneliness; seclusion; wilderness.
So.li.da.ri.e.da.de *s* solidarity.
So.li.dez *s* solidity; solidness; firmness.
So.li.di.fi.car *v* to solidify.
Só.li.do *s* solid; *adj* solid; compact; firm; sound.
So.li.ló.quio *s* soliloquy.
So.lis.ta *s* soloist.
So.li.tá.ria *s* tapeworm; a solitary cell.
So.li.tá.rio *adj* solitary; alone; lonely; lonesome.
So.lo *s* soil; ground; earth; MÚS solo.
Sol.tar *v* to untie; to loosen; to let go; to set free.
Sol.tei.ro *adj* unmarried; bachelor.
Sol.tei.ro.na *s* spinster.
Sol.to *adj* loose; free.
So.lu.çar *v* to hiccup; to sop.
So.lu.ci.o.nar *v* to solve; to answer.
So.lu.ço *s* sob; hiccup.
Sol.ver *v* to solve; to explain; to resolve.
Som *s* sound.
So.ma *s* sum; amount.
So.mar *v* to sum; to add.
So.ma.tó.rio *s* total; sum; amount.
Som.bra *s* shade; shadow.
Som.bre.a.do *s* shady; shading.
Som.bre.ar *v* to shade; to shadow.
Som.bri.nha *s* parasol; sunshade.
Som.bri.o *adj* shady; dark; gloomy; sad; harsh.

So.me.nos *adj* of little worth; cheaper; inferior.
So.men.te *adv* only; merely; solely.
So.nâm.bu.lo *s* somnambulist; *adj* somnambulistic.
Son.da *s* MED probe.
So.ne.ca *s* a nap; a short slumber.
So.ne.gar *v* to conceal; to hide.
So.nha.dor *s* dreamer; *adj* dreaming; dreamy.
So.nhar *v* to dream.
So.nho *s* dream; vision; reverie.
So.no *s* sleep.
So.no.ri.zar *v* to render sonorous; to sound.
So.no.ro *adj* sonorous; resonant.
Son.sa *s* slyness; sham.
Son.so *adj* whiny; knavish; dissembling.
So.pa *s* soup.
So.pa.po *s* slap; blow; punch.
So.pé *s* base; foot (hill).
So.pei.ra *s* soup tureen.
So.prar *v* to blow; to prompt; to incite.
Sor.di.dez *s* sordidness; stinginess.
Sór.di.do *adj* sordid; mean; dirty.
Sor.ra.tei.ro *adj* cunning; sly; crafty.
Sor.rir *v* to smile; to look or appear gay.
Sor.ri.so *s* smile; sickly smile.
Sor.te *s* luck; fortune; chance; lottery.
Sor.te.ar *v* to lot; to raffle; to cast lots.
Sor.tei.o *s* lottery; raffle.
Sor.tir *v* to furnish; to supply.
Sor.ver *v* to suck; to absorb; to swallow.
Sor.ve.te *s* ice cream.
Só.sia *s* double.
Sos.lai.o *s* slant; obliquity.
Sos.se.ga.do *adj* tranquil; quiet; still.
Sos.se.gar *v* to calm; to quiet; to tranquilize.
Sos.se.go *s* calmness; quietness; stillness.
Só.tão *s* garret; an attic; penthouse.
So.ta.que *s* accent.
So.ter.ra.men.to *s* burying; interment.
So.ter.rar *v* to bury; to put under ground.
So.va *s* beating.
So.va.co *s* armpit.
So.vi.nar *v* to sting; to prick.
So.zi.nho *adj* alone; lonely; on my own.
Su.a *adj* your; its; her; *pron* yours; hers; its.
Su.a.dor *s* sweater; *adj* sweating.
Su.ar *v* to sweat; to work hard; to labor.
Su.ás.ti.ca *s* swastika.
Su.a.ve *adj* smooth; soft; gentle; pleasant.
Su.a.vi.da.de *s* suavity; softness; gentleness.
Su.a.vi.zar *v* to soften; to appease; to mitigate; to ease.
Sub.di.vi.dir *v* to subdivide; to divide again.
Sub.di.vi.são *s* subdivision.
Su.ben.ten.der *v* to understand; to assume.
Su.bi.da *s* ascension; going up; rise; ascent.
Su.bir *v* to go up; to climb; to ascend; to mount; to rise.
Sú.bi.to *s* some sudden event; *adj* sudden; unexpected; *adv* suddenly.
Sub.ju.gar *v* to subjugate; to conquer by force; to subdue.
Sub.jun.ti.vo *s* subjunctive mood; *adj* GRAM subjunctive.
Su.ble.var *v* to rebel; to revolt.
Su.bli.mar *v* to sublimate; to sublime; to exalt.
Su.bli.me *s* sublime; the supreme degree; the acme; *adj* sublime; noble; majestic.
Sub.li.nhar *v* to underline; to underscore.
Sub.lo.car *v* to sublet.
Sub.ma.ri.no *s* submarine (ship).
Sub.mer.gir *v* to submerge; to sink.
Sub.me.ter *v* to subject; to submit; to subdue; to yield.
Su.bor.di.nar *v* to subordinate; to make subject.
Su.bor.nar *v* to suborn; to buy off; to bribe.
Su.bor.no *s* subornation; bribe; graft; bribery.
Subs.cre.ver *v* to subscribe; to sign.
Subs.cri.to *adj* subscript; signed.
Sub.se.quen.te *adj* subsequent; ensuing; succeeding.
Sub.ser.vi.en.te *adj* subservient; servile.
Sub.si.di.ar *v* to subsidize.
Sub.sí.dio *s* subsidy; aid; subvention.
Sub.sis.tên.cia *s* subsistence; livelihood.
Sub.sis.tir *v* to subsist; to remain; to live.
Sub.so.lo *s* subsoil.
Subs.ta.be.le.cer *v* to substitute; to replace.
Subs.tân.cia *s* substance; value; gist; matter.
Subs.tan.ti.vo *s* substantive; noun.
Subs.ti.tu.i.ção *s* substitution; replacement.
Subs.ti.tu.ir *v* to substitute.
Sub.ten.der *v* to subtend; to extend under.
Sub.ter.fú.gio *s* subterfuge; evasion; shift.
Sub.ter.râ.neo *s* subterrane; *adj* subterranean.
Sub.tra.ir *v* to pilfer; to shun; to steal; to deduct.
Su.bur.ba.no *adj* suburban.
Su.búr.bio *s* suburb; faubourg; outskirts.
Sub.ven.ção *s* subvention; subsidy; grant.
Sub.ven.ci.o.nar *v* to subsidize.
Sub.ver.são *s* subversion; overthrow.
Sub.ver.si.vo *adj* subversive.
Sub.ver.ter *v* to subvert; to overthrow.
Su.ca.ta *s* scrap iron; junk iron.
Suc.ção or Su.ção *s* suction; sucking.
Su.ce.dâ.neo *s* succedaneum; substitute; *adj* succedaneous.
Su.ce.der *v* to take place; to follow; to happen; to come about.
Su.ce.di.do *s* happened; occurrence.
Su.ces.são *s* succession; sequence.
Su.ces.si.vo *adj* successive; consecutive.
Su.ces.so *s* success; prosperity; luck.
Su.cin.to *adj* succinot; concise; brief; short.
Su.co *s* juice; sap.
Su.cu.lên.cia *s* succulency; succulence; juiciness.

Su.cu.len.to *adj* succulent; juicy.
Su.cu.ri *s* BR a type of snake.
Su.dá.rio *s* shroud.
Su.des.te *s* southeast; *adj* southeast.
Su.do.es.te *s* southwest; *adj* southwest.
Su.do.rí.fe.ro *s* sudorific; *adj* sudorific.
Su.fi.ci.ên.cia *adj* sufficient; enough; sufficiency.
Su.fo.car *v* to suffocate; to smother; to stifle.
Su.fra.gar *v* to elect by vote; to suffrage; to approve; to support.
Su.frá.gio *s* suffrage; vote.
Su.fra.gis.ta *s* suffragist; suffragette.
Su.ga.dor *s* sucker; *adj* sucking.
Su.gar *v* to suck.
Su.ge.rir *v* to suggest; to hint; to insinuate.
Su.ges.tão *s* suggestion.
Su.ges.ti.o.nar *v* to suggest; to hint; to insinuate.
Su.ges.ti.o.ná.vel *adj* suggestible.
Su.ges.ti.vo *adj* suggestive.
Su.í.ças *s* whisker.
Sui.ci.da *s* suicide; **Suicidar-se** *v* to commit suicide; to kill oneself; to commit self-murder.
Sui.cí.dio *s* suicide; self-murder.
Su.í.ço *s* swiss; *adj* swiss.
Su.í.no *s* swine; pig.
Su.jar *v* to dirty; to soil; to foul; to sully.
Su.jei.ção *s* subjection; subjugation.
Su.jei.ra *s* dirt; filth; nastiness.
Su.jei.tar *v* to subject; to subdue; to submit.
Su.jei.to *s* guy; *adj* subject; liable; exposed.
Su.jo *adj* dirty; filthy; nasty; dishonest.
Sul *s* south; *adj* south.
Sul.car *v* to furrow; to plough; to line.
Sul.co *s* furrow; track; channel.
Su.lis.ta *s* southerner; *adj* southern.
Sul.tão *s* sultan.
Su.ma *s* summary; abridgment.
Su.ma.ri.ar *v* to summarize; to sum up.
Su.má.rio *s* summary.
Su.mi.ço *s* disappearance.
Su.mi.da.de *s* summit; pinnacle; peak; FIG prominent person.
Su.mi.do *adj* low; sunken; overwhelmed; disappeared.
Su.mir *v* to banish; to disappear; to hide.
Su.mo *s* juice; sap; *adj* great; supreme.
Sú.mu.la *s* abridgment; summary.
Sun.tu.o.si.da.de *s* sumptuosity; sumptuousness.
Sun.tu.o.so *adj* sumptuous; costly; splendid.
Su.or *s* sweat; perspiration; toil.
Su.pe.ra.bun.dân.cia *s* superabundance; great abundance; excess.
Su.pe.ra.bun.dan.te *adj* superabundant; excessive; exuberant.
Su.pe.ra.bun.dar *v* to superabound.
Su.pe.ra.li.men.ta.ção *s* overfeed.
Su.pe.ra.li.men.tar *v* to overfeed.
Su.pe.ra.que.cer *v* to overheat.
Su.pe.rar *v* to surmount; to surpass; to exceed; to overcome.
Su.pe.rá.vel *adj* superable; surmountable.
Su.pe.ra.vit *s* superavit; surplus.
Su.per.cí.lio *s* brow; eyebrow.
Su.pe.res.ti.mar *v* to overestimate.
Su.per.fi.ci.al *adj* superficial; shallow.
Su.per.fi.ci.a.li.da.de *s* superficiality.
Su.per.fí.cie *s* surface; area.
Su.pér.fluo *s* surplus; excess; *adj* superfluous; nonessential; needless.
Su.pe.rin.ten.dên.cia *s* superintendence.
Su.pe.rin.ten.der *v* to superintend; to supervise; to oversee.
Su.pe.ri.or *s* superior; head of a religious house; *adj* superior; higher; upper.
Su.pe.ri.o.ri.da.de *s* superiority; preeminence; excellence; predominancy.
Su.per.lo.ta.do *adj* overcrowded; jamming up.
Su.per.lo.tar *v* to overcrowd; to overload.
Su.per.po.pu.la.ção *s* over population.
Su.per.por *v* to superpose; to lay above.
Su.per.po.si.ção *s* superposition.
Su.per.pro.du.ção *s* overproduction.
Su.per.sen.sí.vel *adj* supersensible.
Su.pers.ti.ção *s* superstition.
Su.pers.ti.ci.o.so *adj* superstitious.
Su.per.ve.ni.en.te *adj* supervenient.
Su.plan.ta.ção *s* supplanting.
Su.plan.tar *v* to supplant; to supersede.
Su.ple.men.tar *adj* supplementary.
Su.ple.men.tar *v* to supplement.
Su.ple.men.to *s* supplement.
Su.plen.te *s* substitute; *adj* substitutive.
Su.ple.ti.vo *adj* supplementary; suppletory.
Sú.pli.ca *s* supplication; entreaty; solicitation.
Su.pli.can.te *s* supplicant; petitioner.
Su.pli.car *v* to supplicate; to beseech; to entreat; to petition.
Sú.pli.ce *adj* supplicant; supplicating.
Su.pli.ci.a.do *s* JUR accused; *adj* supplicated.
Su.pli.ci.ar *v* to punish; to execute; to torture; to distress.
Su.plí.cio *s* torture; torment; affliction.
Su.por *v* to suppose.
Su.por.tar *v* to support; to bear; to endure.
Su.por.tá.vel *adj* supportable; endurable; bearable.
Su.por.te *s* prop; stay; support.
Su.po.si.ção *s* supposition; conjecture; hypothesis; surmise.
Su.po.si.tó.rio *s* suppository.
Su.pos.ta.men.te *adv* allegedly.
Su.pos.to *adj* supposed; assumed; would-be.
Su.pre.ma.ci.a *s* supremacy; supreme power.
Su.pre.mo *adj* supreme; highest; paramount.
Su.pres.são *s* suppression; stoppage.
Su.pres.si.vo *adj* suppressive.
Su.pri.dor *s* supplier; substitute.

Su.pri.men.to *s* supply; reinforcement.
Su.pri.mir *v* to suppress; to conceal; to omit.
Su.prir *v* to supply; to make up for; to fill up.
Su.pu.ra.ção *s* suppuration.
Su.pu.rar *v* to suppurate; to cause to generate pus.
Su.pu.ra.ti.vo *adj* suppurative.
Sur.dez *s* deafness.
Sur.di.na *s* MÚS mute; damper.
Sur.dir *v* to appear; to come forth; to emerge.
Sur.do *adj* deaf; surd.
Sur.gir *v* to appear; to arise.
Sur.pre.en.den.te *adj* surprising; astonishing; amazing.
Sur.pre.en.der *v* to surprise; to astonish; to astound.
Sur.pre.sa *s* surprise; amazement; trick.
Sur.ra *s* thrashing; whipping; flogging.
Sur.rar *v* to beat; top thrash; to wear.
Sur.ri.pi.a.dor *s* pilferer.
Sur.ri.pi.ar *v* to pilfer; to filch; to thieve.
Sur.tir *v* to produce; to succeed; to thrive.
Sur.to *s* start; *adj* anchored; moored.
Sus.ce.tí.vel *adj* susceptible.
Sus.ce.ti.bi.li.da.de *s* susceptibility; sensibility.
Sus.ce.ti.bi.li.zar *v* to offend; to hurt; to resent.
Sus.ci.ta.dor *s* instigator; exciter.
Sus.ci.tar *v* to raise; to excite; to stir up.
Suspeição *s* suspicion; doubt; mistrust.
Sus.pei.tar *v* to suspect; to mistrust; to be suspicious.
Sus.pei.to *adj* suspicious; suspected; doubtful.
Sus.pei.to.so *adj* suspicious.
Sus.pen.der *v* to suspend; to heave; to hold over.
Sus.pen.são *s* suspension; interruption; cessation.
Sus.pen.so *adj* hung; suspended.
Sus.pen.só.rio *s* braces; suspenders; *adj* suspensory.
Sus.pi.rar *v* to sigh; to take a long deep; to long for; to crave.
Sus.pi.ro *s* sigh; breath; icing.
Sus.sur.ra.dor *adj* murmuring; whispering.
Sus.sur.rar *v* to hum; to buzz; to murmur; to whisper.
Sus.sur.ro *s* whispering.
Sus.tar *v* to stop; to hold up.
Sus.te.ni.do *s* MÚS diesis; sharp.
Sus.ten.ta.ção *s* sustenance; maintenance; sustentation.
Sus.ten.tá.cu.lo *s* prop; support; stay.
Sus.ten.tar *v* to sustain; to support; to maintain.
Sus.ten.tá.vel *adj* sustainable; defensible.
Sus.ten.to *s* sustenance; nourishment.
Sus.to *s* sudden terror; fright; dread; fear.
Su.til *adj* subtile; subtle; shrewdness.
Su.ti.le.za *s* subtility; subtileness; subtlety.
Su.ti.li.zar *v* to subtilize.
Su.tu.ra *s* suture; seam; stitch.

t T

T *s* the twentieth letter of the Portuguese alphabet and of the English alphabet.
Tá! *interj* o.k.!
Ta.ba *s* indian village.
Ta.ba.ca.ri.a *s* tobacco shop.
Ta.ba.co *s* tobacco (plant).
Ta.be.fe *s* slap; blow.
Ta.be.la *s* table; chart.
Ta.be.lar *v* to price; to control prices.
Ta.be.li.ão *s* notary.
Ta.ber.na *s* tavern; pub.
Ta.ber.ná.cu.lo *s* BÍBL Tabernacle.
Ta.bla.do *s* scaffold; bridge floor.
Ta.bu *s* taboo; tabu; prohibition ban.
Tá.bua *s* index; table of contents; list.
Ta.bu.a.da *s* multiplication table.
Tá.bu.la *s* round table.
Ta.bu.lei.ro *s* board; tray.
Ta.bu.le.ta *s* sign.
Ta.ca.da *s* continuous play (in the snooker, billiard etc.).
Ta.ca.nho *adj* stingy; short; mean.
Ta.cha *s* tack; stud.
Ta.chi.nha *s* small tack.
Ta.cho *s* wide pan; pot; pail; shallow.
Tá.ci.to *adj* tacit; silent; unspoken; implied.
Ta.ci.tur.no *adj* taciturn; reserved; silent; quiet.
Ta.co *s* cue; parquet; block; billiard cue; stick.

Ta.fe.tá *s* taffeta.

Ta.ga.re.la *s* talkative; talker; chatterer; *adj* chatty; talkative.
Ta.ga.re.lar *v* to chatter; to prattle; to jabber; to gossip.
Ta.ga.re.li.ce *s* chatter; prattle; gossip; jabber.
Ta.i.nha *s* mullet (fish).
Tal *adj* such; like; so; so much; *pron* that; a certain; *adv* so; in such manner.
Ta.lão *s* counterfoil; counterpart; ticket.
Tal.co *s* talc.
Ta.len.to *s* talent.
Ta.lha.dei.ra *s* chisel.
Ta.lha.do *adj* carved; able; cut.
Ta.lhar *v* to cut; to carve; to engrave.
Ta.lhe *s* shape; fashion; make; style.
Ta.lher *s* cover; table fittings; cutlery.
Ta.lho *s* carving; fashion; cut; incision.
Ta.lis.mã *s* talisman; luck charm; amulet.
Ta.lo *s* stalk; stump.
Tal.vez *adv* perhaps; maybe.
Ta.man.co *s* clog; wooden-shoe.
Ta.man.du.á *s* ant-eater.
Ta.ma.nho *s* bulk; size; *adj* so great.
Tâ.ma.ra *s* date.
Ta.ma.rei.ra *s* date tree; date palm.
Tam.bém *conj* also; too; as well; *adv* also; too; as well.
Tam.bor *s* drum; barrel.
Tam.bo.ri.lar *v* to drum.
Tam.pa *s* cover; lid; case; cap.
Tam.par *v* to cover; to stop up.
Tam.po *s* cover; cap; soundboard.
Tam.pou.co *adv* either; neither.
Tan.ga *s* loin-cloth; sarong.
Tan.ge.ri.na *s* mandarin; tangerine.
Tan.gí.vel *adj* tangible; palpable; atual.
Tan.go *s* tango (dance and music).
Tan.que *s* vat; tank; MIL tank (engine).
Tan.tã *s* silly; stupid.
Tan.to *s* so much; *adj* so much; *adv* as much; so much; so.
Tão *adv* so; such; as much.
Ta.pa *s* rap; slap; blow.
Ta.pa.do *adj* closed; shut; covered; FIG stupid; fool.
Ta.par *v* to cover; to fence; to close.
Ta.pe.ça.ri.a *s* tapestry; hangings.
Ta.pe.cei.ro *s* tapestry maker.
Ta.pe.tar *v* to carpet.
Ta.pe.te *s* carpet; rug.
Ta.pu.me *s* fence; paling; hedge.
Ta.ra *s* tare.
Ta.ra.do *adj* perverted; horny.
Tar.dar *v* to delay; to linger.
Tar.de *s* afternoon; *adv* late.
Tar.di.nha *s* evening.

Tar.di.o *adj* late; tardy; lazy.
Ta.re.fa *s* task; toil; job.
Ta.ri.fa *s* tariff; fare; rate.
Ta.ri.far *v* to tariff; to list the tariff of.
Tar.jar *v* to border.
Tar.ra.xar *v* to screw; to rivet.
Tar.ta.ru.ga *s* tortoise; turtle.
Ta.te.ar *v* to grope; to feel; to touch.
Tá.ti.ca *s* tactics; clever devices for accomplishing.
Ta.to *s* touch; tact; skill.
Ta.tu *s* armadillo.
Ta.tu.a.gem *s* tattoo; tattooing.
Ta.tu.ar *v* to tattoo.
Ta.ver.na *s* tavern; inn; pub; saloon.
Ta.xa *s* tax; rate; royalties.
Ta.xar *v* to tax; to rate; to charge.
Ta.xa.ti.vo *adj* taxing; limitative; restricted.
Tá.xi *s* taxicab.
Te *pron* you; yourself; thee; to thee.
Te.ar *s* loom; weaving machine.
Te.a.tral *adj* theatrical; FIG ostentatious.
Te.a.tro *s* theatre; theater.
Te.ce.la.gem *s* weaving.
Te.ce.lão *s* weaver; fuller.
Te.cer *v* to weave; to contrive; to knit.
Te.ci.do *s* woven; fabric; tissue; *adj* woven.
Te.cla *s* key.
Te.cla.do *s* keyboard.
Téc.ni.ca *s* technique; technic.
Téc.ni.co *s* technician; *adj* technical.
Té.dio *s* tedium; ennui; boredom.
Te.di.o.so *adj* tedious; boring; tiresome.
Tei.a *s* web; weft; plot.
Tei.ma *s* obstinacy; stubbornness; wilfullness.
Tei.mar *v* to be obstinate; to insist.
Tei.mo.si.a *s* obstinacy; stubbornness.
Tei.mo.so *adj* obstinate; stubborn.
Te.la *s* web; canvas; painting; screen.
Te.le.fo.nar *v* to telephone; to call up; to ring up.
Te.le.fo.ne *s* telephone.
Te.le.fo.ne.ma *s* calling; phone call.
Te.le.gra.ma *s* telegram; cable; wire.
Te.le.pa.ti.a *s* telepathy.
Te.les.pec.ta.dor *s* tele-viewer.
Te.le.vi.são *s* television; television receiver.
Te.le.vi.sor *s* televisor set; television receiving (TV).
Te.lha *s* tile; whim.
Te.lha.do *s* roof; house top.
Te.mer *v* to fear; to be afraid.
Te.me.rá.rio *adj* imprudent; risky; audacious; daring.
Te.me.ro.so *adj* fearful.
Te.mí.vel *adj* dreadful; terrible; fearsome.
Te.mor *s* dread; fear; awe.
Têm.pe.ra *s* temper; composure; self-control.
Tem.pe.ra.men.to *s* temperament; temper; disposition.
Tem.pe.rar *v* to temper; to season; to flavor; MÚS to tune.
Tem.pe.ro *s* seasoning; flavoring; condiment.
Tem.pes.ta.de *s* tempest; thunderstorm.
Tem.plá.rio *s* templar.
Tem.plo *s* temple.
Tem.po *s* time.
Tem.po.ra.da *s* season.
Tem.po.ral *s* tempest; storm; gale; *adj* temporal; secular.
Tem.po.rão *adj* premature.
Tem.po.rá.rio *adj* temporary; transitory.
Te.na.ci.da.de *s* tenacity; contumacy.
Te.naz *adj* tenacious; pertinacious; obstinate.
Ten.ção *s* intension; plan; purpose.
Ten.ci.o.nar *v* to intent; to purpose; to plan.
Ten.da *s* tent; stall; booth.
Ten.dão *s* tendon; sinew.
Ten.dên.cia *s* tendency; bent; drift; trend.
Ten.der *v* to tend; to bias; to have tendency.
Te.ne.bro.so *adj* tenebrous; dark; dusky.
Te.nen.te *s* lieutenant.
Tê.nis *s* lawn tennis; tennis shoe; sneaker.
Te.nor *s* MÚS tenor.
Ten.ro *adj* tender; soft; fragile; delicate.
Ten.são *s* tension; stretching; tensing.
Ten.so *adj* tense; stretched; tight; rigid.
Ten.tá.cu.lo *s* tentacle.
Ten.tar *v* to attempt; to try; to incite.
Ten.ta.ti.va *s* tentative; attempt.
Ten.to *s* goal; mark; point (in games).
Tê.nue *adj* tenuous; subtile; rare; thin; faint.
Te.nu.i.da.de *s* rarity; faintness.
Te.or *s* purport; substance; tenor.
Te.o.ri.a *s* theory; hypothesis; guess.
Te.o.ri.zar *s* to theorize; to speculate.
Te.o.so.fi.a *s* theosophy, mystic order that has as fulcrum the human being's development, seeking the true connection with God.
Te.pi.dez *s* tepidity FIG indolence.
Té.pi.do *adj* tepid; warm; moderately warm.
Ter *v* to have; to possess; to own; to obtain
Te.ra.pi.a *s* therapy; therapeutics.
Ter.ça-fei.ra *s* Tuesday.
Ter.çol *s* stye.
Ter.mas *s* hot baths; hot springs.
Tér.mi.co *adj* thermic; thermal.
Ter.mi.nar *v* to terminate; to complete; to finish.
Tér.mi.no *s* term; limit; end.
Ter.mo *s* term; limit; condition.
Ter.mô.me.tro *s* thermometer.
Ter.no *s* ternary; three (at card); male suit; *adj* tender; delicate; loving.
Ter.nu.ra *s* tenderness; kindness.
Ter.ra *s* earth; land; soil; ground; The World.
Ter.rei.ro *s* yard; backyard.
Ter.re.mo.to *s* earthquake.

Ter.re.no *s* ground; soil; *adj* terrene.
Tér.reo *adj* low ground.
Ter.rí.vel *adj* terrible; dreadful; ghastly.
Ter.ror *s* terror; awe.
Ter.ro.ris.mo *s* terrorism.
Te.so *adj* stiff; rigid; firm.
Te.sou.ra *s* scissors; shears.
Tes.ta *s* forehead; front.
Tes.ta.men.to *s* testament; a will.
Tes.tar *v* to test.
Tes.te *s* test; proof; experiment.
Tes.te.mu.nha *s* witness; testify.
Tes.te.mu.nhar *v* to witness; to testify.
Tes.te.mu.nho *s* testimony; declaration; affirmation.
Te.ta *s* teat; nipple.
Te.to *s* shelter; protection.
Teu *adj* your; thy; *pron* yours; thine.
Têx.til *adj* textile.
Tex.to *s* text; theme; topic; letterpress.
Tex.tu.ra *s* texture; construction.
Tez *s* skin.
Ti *pron* thee; you.
Ti.a *s* aunt; FAM spinster.
Ti.ção *s* firebrand; brand; negro.
Ti.ge.la *s* bowl; porringer.
Ti.gre *s* tiger.
Ti.jo.lo *s* brick.
Til *s* tilde mark.
Ti.lin.tar *v* to clink; to chink.
Ti.mão *s* beam of a plow; pole of a couch; NÁUT helm; rudder.
Tim.brar *v* to stamp; to take pride in.
Ti.me *s* ESP team.
Ti.mi.dez *s* timidity; shyness; bashfulness.
Tí.mi.do *s* shy person; timid person; *adj* timid; fearful; shy.
Ti.mo.nei.ro *s* steersman; helmsman.
Ti.mo.ra.to *adj* timorous; fearful.
Tím.pa.no *s* tympanum; eardrum.
Ti.na *s* tub; pail; vat.
Tin.gir *v* to tinge; to color; to stain.
Ti.nir *v* to tinkle.
Ti.no *s* sense; judgement.

Tin.ta *s* ink; hue; color; tint; paint.
Tin.tei.ro *s* inkstand; inkwell.
Tin.to *adj* dyed; tinted.
Tin.tu.ra *s* tint; tincture; color; tinge.
Ti.o *s* uncle.
Tí.pi.co *adj* typical; characteristic.
Ti.po *s* type; pattern; figure; sort.
Ti.poi.a *s* sling; splint.
Ti.que *s* MED tic; twitching.
Ti.ra *s* strip; band; wisp; policeman.
Ti.ra.co.lo *s* shoulder-belt.
Ti.ra.da *s* stretch; long speech.
Ti.ran.te *s* brace; *adj* pulling; *prep* save; except.
Ti.rar *v* to remove; to draw out; to abolish.
Ti.ro *s* shot; shooting; firing.
Ti.ro.tei.o *s* firing; fusillade.
Tí.si.ca *s* tuberculosis.
Ti.tâ.ni.co *adj* titanic; gigantic.
Tí.te.re *s* marionette; puppet; clown.
Ti.tu.be.ar *v* to stagger; to totter; to sway.
Ti.tu.lar *adj* titular.
Tí.tu.lo *s* title; headline; caption.
To.a.da *s* tune.
To.a.lha *s* towel.
To.a.lhei.ro *s* towel rack; device for towel.
To.ca *s* burrow; hole.
To.car *v* to touch; to ring; MÚS to play an instrument.
To.cha *s* torch.
To.co *s* stub.
To.da.vi.a *conj* yet; however; nevertheless.
To.do *s* whole; entire; *adj* all; every; whole.
To.ga *s* gown; judicial robe.
Tol.do *s* awning; tilt; canopy.
To.le.rân.cia *s* tolerance; toleration.
To.le.rar *v* to tolerate; to suffer.
To.lher *v* to hinder; to impede.
To.li.ce *s* folly; silliness; foolishness.
To.lo *s* a fool; *adj* foolish; silly.
Tom *s* tone; character; quality.
To.ma.da *s* taking; seizure; capture.
To.ma.do *adj* taken; seized; captured.
To.mar *v* to take; to require; to drink; to look out.
To.ma.te *s* tomato.
Tom.ba.di.lho *s* NÁUT the quarter-deck.
Tom.bar *v* to throw down; to tumble; to fall down.
Tom.bo *s* tumble; fall; waterfall.
Tôm.bo.la *s* tombola.
To.na.li.da.de *s* tonality; hue.
To.nel *s* vat; tank.
To.ne.la.da *s* ton.
Tô.ni.ca *s* MÚS tonic; key-note; key-tone.
Tô.ni.co *s* tonic; *adj* tonic; GRAM accented.
To.ni.fi.car *v* to invigorate.
Ton.su.ra *s* tonsure.
Ton.tei.ra or Ton.ti.ce *s* dizziness; foolery.
Ton.to *s* fool; *adj* silly; foolish; stupid.
Ton.tu.ra *s* dizziness; vertigo; giddiness.
To.par *v* to find; to stumble; to come across.
To.pá.zio *s* topaz.
To.pe *s* top; cockade; clashing.
To.pe.te *s* foretop; toupee; a mass of hair.
To.po *s* summit; top; extremity.
To.que *s* touch; assay; touch; test of metal.
Tor.ção *s* torsion; twisting.
Tor.ce.dor *s* fan; *adj* twisting.
Tor.ce.du.ra *s* twisting; torsion; sprain.
Tor.cer *v* to twist; to distort; to twine.
Tor.ci.co.lo *s* stiff neck.
Tor.ci.da *s* fans.
Tor.ci.do *adj* twisted; oblique; bent.
Tor.men.ta *s* storm; tempest.

Tor.men.to *s* torment; misfortune; bad luck.
Tor.nar *v* to return; to retort; to turn.
Tor.ne.ar *v* to turn; to surround.
Tor.nei.o *s* tourney; contest; turning.
Tor.nei.ra *s* tap.
Tor.ni.que.te *s* turnstile; tourniquet.
Tor.no *s* lathe.
Tor.no.ze.lo *s* ankle.
Tor.pe *adj* obscene; unchaste.
Tor.pe.za *s* obscenity; infamy; baseness.
Tor.por *s* torpor; apathy; lethargy.
Tor.quês *s* pincers.
Tor.ra.da *s* toast.
Tor.ra.do *adj* toasted.
Tor.re *s* tower; ESP castle in the chess game.
Tor.ren.ci.al *adj* torrential; intense.
Tor.ren.te *s* torrent; flood.
Tor.res.mo *s* cracklings.
Tor.ta *s* tart; pie; apple-pie; griddle-cake.
Tor.to *adj* crooked; tortuous; deformed; oblique; squint-eyed.
Tor.tu.o.si.da.de *s* tortuosity; sinuosity.
Tor.tu.o.so *adj* tortuous; sinuous; wavy.
Tor.tu.ra *s* torture; torment; affliction.
Tor.tu.ran.te *adj* torturing; tormenting.
Tor.tu.rar *v* to torture; to torment.
Tor.ve.li.nho *s* whirlwind; whirlpool.
To.sa *s* sheep shearing.
To.sa.dor *s* shearer.
To.sa.du.ra *s* shearing; sheep shearing.
To.sar *v* to shear; to pasture; to grass.
Tos.co *adj* coarse; unpolished; rude; rough.
Tos.qui.a *s* sheep shearing.
Tos.qui.ar *v* to shear; to cut; to clip.
Tos.se *s* cough; coughing.
Tos.sir *v* to cough.
Tos.ta.do *adj* parched; toasted.
Tos.ta.du.ra *s* toasting; parching.
Tos.tão *s* BR coin.
Tos.tar *v* to toast; to parch; to roast.
To.tal *s* whole; total; totality; *adj* total; entire.
To.ta.li.da.de *s* totality; whole.
Tou.ca *s* coif; cap; mob-cap; bonnet.
Tou.ca.dor *s* dressing table; dressing room.
Tou.ci.nho *s* lard.
Tou.pei.ra *s* idiot; a dumb.
Tou.ra.da *s* bull-fight.
Tou.re.ar *v* to fight bulls.
Tou.rei.ro *s* bullfighter.
Tou.ro *s* bull.
Tra.ba.lhar *v* to work; to operate.
Tra.ba.lho *s* labor; work; job.
Tra.ça *s* moth.
Tra.ça.do *s* outline; sketch; *adj* outlined.
Tra.çar *v* to trace; to outline.
Tra.ço *s* trace; vestige; sign; track.
Tra.du.ção *s* translation.
Tra.du.zir *v* to translate.
Trá.fe.go *s* traffic; traffic jam.
Tra.fi.can.te *s* trader; rogue; crook.
Tra.fi.car *v* to traffic; to trade.
Trá.fi.co *s* traffic; trade.
Tra.gar *v* to swallow; to devour; inhale.
Tra.gé.dia *s* tragedy.
Tra.go *s* gulp.
Trai.ção *s* treason; treachery; betrayal.
Trai.ço.ei.ro *adj* treacherous; perfidious.
Trai.dor *s* traitor; betrayer; *adj* treacherous.
Tra.ir *v* to betray.
Tra.jar *v* to dress; to clothe; to wear.
Tra.je *s* dress; suit; garb; garment; costume.
Tra.je.to *s* traject; course; way; stretch.
Tra.je.tó.ria *s* trajectory; way; course.
Tra.ma *s* woof; FIG a plot; intrigue.
Tra.mar *v* to conspire; to scheme.
Trâ.mi.te *s* path; means; course.
Tra.moi.a *s* trick; cheat; intrigue.
Tran.ça *s* braid; curl.
Tran.ca *s* transverse bar; cross bar.
Tran.ca.fi.ar *v* to imprison; to put in jail.
Tran.car *v* to bar; to shut up.
Tran.çar *v* to weave.
Tran.co *s* jerk; jolt; shock; BR dash.
Tran.qui.li.za.dor *s* tranquilizer; pacifier.
Tran.qui.li.zar *v* to calm; to pacify; to quiet.
Tran.sa.ção *s* transaction; negotiation.
Trans.bor.dar *v* to overflow; to transship.
Trans.cen.dên.cia *s* transcendency.
Trans.cen.der *v* to transcend; to surpass; to excel.
Trans.cor.rer *v* to elapse; to go by; to pass.
Trans.cre.ver *v* to transcribe.
Trans.cri.ção *s* transcription; transcript.
Tran.se *s* anguish; distress.
Tran.se.un.te *s* passer by; passer; *adj* passing; transitory.
Trans.fe.rir *v* to transfer.
Trans.fe.rí.vel *adj* transferable; transportable.
Trans.for.ma.ção *s* transformation.
Trans.for.mar *v* to transform; to change.
Trans.gre.dir *v* to transgress; to violate.
Tran.si.ção *s* transition.
Tran.si.gên.cia *s* consent; compliance.
Tran.si.gen.te *adj* compliant; tolerance.
Tran.si.gir *v* to compound; to condescend; to give in.
Tran.si.tar *v* to transit; to pass.
Trân.si.to *s* transit; passage.
Trans.la.ção *s* removal; change of place.
Trans.lú.ci.do *adj* translucent; semitransparent.
Trans.mi.tir *v* to transmit; to broadcast; to devolve.
Trans.pa.re.cer *v* to reveal itself; to appear.
Trans.pa.rên.cia *s* transparency; transparence.
Trans.pa.ren.te *s* transparent slate; *adj* transparent.
Trans.pi.ra.ção *s* transpiration; perspiration.
Trans.pi.rar *v* to perspire.

Trans.por *v* to transpose; to surmount.
Trans.por.tar *v* to transport; to convey.
Trans.por.te *s* transport; transfer; conveyance.
Trans.po.si.ção *s* transposition.
Trans.tor.nar *v* to overthrow; to upset; to trouble.
Trans.tor.no *s* overthrow; trouble; upsetting.
Trans.ver.sal *s* transversal; cross; transverse.
Trans.ver.sal *adj* transversal; cross; transverse.
Trans.ver.so *adj* transverse.
Trans.vi.ar *v* to mislead; to lead astray.
Tra.pa.ça *s* cheat; trickery; fraud.
Tra.pa.ce.ar *v* to cheat; to trick; to defraud.
Tra.pa.cei.ro *s* cheater; trickster; crook; *adj* cheating.
Tra.pa.lha.da *s* disorder; mess.
Tra.po *s* rag; tatter.
Trás *adv* behind; after; *prep* behind; after.
Tras.bor.da.men.to or Trans.bor.da.men.to *s* overflowing; overflow.
Tras.bor.dar or Trans.bor.dar *v* to overflow; to transship; to spread.
Tra.sei.ra *s* rear; tail.
Tra.sei.ro *s* hinder part; buttock; *adj* back.
Tras.la.ção *s* translation; removal.
Tras.la.da.ção *s* translation; transfer.
Tras.la.dar *v* to translate; to remove.
Tra.ta.do *s* treaty; treatise; essay.
Tra.tar *v* to treat; to deal with; to care for.
Tra.to *s* treatment; trade; deal.
Trau.ma.ti.zar *v* to traumatize.
Tra.va *s* clog; trammel; beam.
Tra.var *v* to pull up; to stop; to fetter.
Tra.ve *s* a beam; rafter; girder.
Tra.ves.sa *s* plate.
Tra.ves.são *s* beam of a balance; large dish.
Tra.ves.sei.ro *s* pillow; bolster.
Tra.ves.si.a *s* crossing; passage.
Tra.ves.so *adj* naughty; restless.
Tra.ves.su.ra *s* trick; prank; caper.
Tra.zer *v* to bring.
Tre.cho *s* space; stretch; MÚS passage.
Trei.no *s* training; practice; drill.
Tre.mer *v* to tremble; to shake; to shiver; to quiver; to quake; to feel fear.
Tre.mor *s* trembling; tremor; vibration.
Tre.mu.lar *v* to wave; to swing.
Trê.mu.lo *adj* tremulous; quivering; vibratory.
Tre.nó *s* sledge; sleigh; sled.
Tre.par *v* to climb; to rise; GÍR to screw (to do sex).
Tre.pi.da.ção *s* trepidation; agitation; bustle.
Tre.pi.dar *v* to tremble; to oscillate; to vibrate.
Tres.lou.ca.do *adj* crazy; mad; insane.
Tre.vas *s* darkness; obscurity; ignorance.
Tre.vo *s* BOT clover.
Tri.bu.nal *s* tribunal; court of justice.
Tri.bu.no *s* tribune; orator.
Tri.bu.tar *v* to tax; to tribute; to devote.
Tri.bu.to *s* tribute; tax; levy; duty.
Tri.co.lor *adj* tricolor.
Tri.co.tar *v* to knit.
Tri.go *s* wheat; corn.
Tri.lha *s* track; trace; trail.
Tri.lhar *v* to thrash; to beat; to tread out; to track.
Tri.lho *s* track; rail.
Tri.nar *v* to trill; to twitter.
Trin.ca *s* BR scratch; cleft.
Trin.ca.do *adj* bitten; crunched.
Trin.co *s* latch.
Tri.pa *s* tripe; bowel; gut.
Tri.pu.di.ar *v* to dance.
Tri.pu.la.ção *s* crew.
Tri.pu.lan.te *s* seaman; sailor.
Tri.pu.lar *v* NÁUT to supply with men.
Tris.te *adj* sad; sorrowful; mournful; blue.
Tris.te.za *s* sorrow; sadness; melancholy.
Tris.to.nho *adj* dejected; dreary; gloomy.
Tri.tu.ra.dor *s* crusher; *adj* triturating; grinding.
Tri.tu.rar *v* to triturate; to grind; to crush.
Tri.un.far *v* to triumph.
Tri.vi.al *adj* trivial; vulgar; ordinary.
Tro.ca *s* exchange; swap; interchange.
Tro.ça *s* mockery; scoff.
Tro.ca.di.lho *s* pun.
Tro.ca.dor *s* exchanger; *adj* exchanging.
Tro.car *v* to exchange; to swap; to switch.
Tro.çar *v* to mock; to scoff; to scorn.
Tro.co *s* change; small change.
Tro.féu *s* trophy.
Trom.ba *s* trunk; snout; sucker.
Trom.ba.da *s* collision; clash.
Trom.be.ta *s* trumpet; trumpeter.
Trom.bo.ne *s* trombone.
Trom.pa *s* trumpet.
Tron.co *s* branch; torso; trunk.
Tro.pa *s* troop.
Tro.pe.ção *s* stumbling; stumble.
Tro.pe.çar *v* to stumble; to trip.
Tro.pe.ço *s* stumble; obstacle.
Trô.pe.go *s* hobbler; *adj* hobbling; limping.
Tro.ta.dor *s* trotter; trotting horse; *adj* trotting horse.
Tro.tar *v* to trot; to bully.
Tro.te *s* trot; hazing.
Trou.xa *s* pack; bundle; a fool; *adj* foolish; unskilled.
Tro.vão *s* thunder.
Tro.ve.jar *v* to thunder; to produce thunder.
Tro.vo.a.da *s* thunderstorm.
Tru.ci.dar *v* to kill; to slaughter; to murder.
Tru.cu.lên.cia *s* truculence; ferocity.
Tru.que *s* trick; bluff; stratagem.
Tru.ta *s* trout (fish).
Tu *pron* thou; you.
Tu.a *adj* thy; thine; your; yours; *pron* thy; thine; your; yours.
Tu.ba *s* trumpet.
Tu.ba.rão *s* shark.

Tu.bo *s* tube; pipe.
Tu.ca.no *s* toucan.
Tu.do *pron* all; everything; anything.
Tu.fão *s* hurricane.
Tu.fo *s* tuft; puff; flock of cotton.
Tum.ba *s* grave; tomb; bier.
Tu.mi.dez *s* tumidity.
Tú.mi.do *adj* swollen; bloated.
Tú.mu.lo *s* tomb; grave.
Tu.mul.to *s* tumult; riot; rioting.
Tu.mul.tu.ar *v* to tumult; to cause tumult.
Tun.da *s* drubbing; thrashing.
Tú.nel *s* tunnel; underground passage.
Tun.gar *v* BR to fool; to trick; to cheat.
Tú.ni.ca *s* tunic; tunica.
Tur.ba *s* crowd; rabble; mod.
Tur.bi.na.do *adj* turbinated; spiral.
Tur.bu.lên.cia *s* turbulence; agitation; disturbance.
Tu.rí.bu.lo *s* censer.
Tu.ris.mo *s* tourism.
Tu.ris.ta *s* tourist.
Tur.ma *s* group; gang.
Tur.no *s* turn; shift.
Tur.rão *s* an obstinate person; *adj* obstinate; headstrong; stubborn.
Tur.va.men.to *s* perturbation.
Tur.vo *adj* muddy.
Tu.ta.no *s* marrow.
Tu.te.la *s* tutelage; guardianship.
Tu.te.lar *v* to tutor; to protect; to defend.
Tu.tor *s* tutor; guardian; protector; defender.

uU

U *s* the twenty-first letter of the Portuguese alphabet and of the English alphabet.
U.fa.nar *v* to become proud; to boast.
Ui.vo *s* howl; FIG yelp; yelling.
Úl.ce.ra *s* MED ulcer; ulceration.
Ul.te.ri.or *adj* ulterior; further; posterior.
Ul.ti.ma.men.te *adv* of late; lately.
Ul.ti.mar *v* to ultimate; to end; to finish.
Ul.ti.ma.to *s* ultimatum; ultimate.
Úl.ti.mo *adj* last; final.
Ul.tra.ja.dor *s* slanderer; *adj* insulting.
Ul.tra.jar *v* to outrage; to subject.
Ul.tra.je *s* outrage.
Ul.tra.mar *s* beyond the sea.
Ul.tra.pas.sar *v* to go beyond; to exceed.
U.lu.lar *v* to ululate; to howl; to wail.
U.ma *pron* an; some; *art* a; an; some.
Um.bi.go *s* umbilicus; navel.
Um.bral *s* doorjamb; threshold; lintel.
U.me.de.cer *v* to moisten; to become moist.
Ú.mi.do *adj* humid; moist; damp.
U.nâ.ni.me *adj* unanimous.
Un.gir *v* to anoint; to consecrate.
Un.guen.to *s* unguent; ointment.
U.nha *s* nail; talon; claw.
U.nha.da *s* a scratch with the nail.
U.nhar *v* to scratch.
U.ni.ão *s* union; junction; alliance.
U.ni.ca.men.te *adv* only; uniquely; all.
Ú.ni.co *adj* unique; only; alone; single.
U.ni.do *adj* united; joined; joint; confederate.
U.ni.fi.car *v* to unify; to unite; to unify.
U.ni.for.me *s* uniform; *adj* uniform; regular.
U.ni.for.mi.da.de *s* uniformity.
U.ni.for.mi.zar *v* to uniformize.
U.nir *v* to join; to fasten; to unite.
U.ni.tá.rio *adj* unitary.
U.ni.ver.sal *s* universal; world-wide.
U.ni.ver.si.da.de *s* BR university.
U.ni.ver.si.tá.rio *s* student of a university.
U.ni.ver.so *s* universe; world.
U.no *adj* sole; singular.
Un.tar *v* to anoint; to besmear; to grease.
Ur.ba.ni.zar *v* to urbanize.
Ur.ba.no *adj* urban.
Ur.di.du.ra *s* warp; FIG conspiracy.
Ur.dir *v* to weave; FIG to contrive.
Ur.gên.cia *s* urgency; pressure.
Ur.gen.te *adj* urgent; urging.
Ur.gir *v* to be urgent; to urge; to press.
U.ri.na *s* urine.
U.ri.nar *v* to urinate; to make water.
Ur.na *s* urn; ballot box.
Ur.rar *v* to roar; to bellow.
Ur.so *s* zoo bear.
Ur.ti.cá.ria *s* urticaria; hives.
Ur.ti.ga *s* nettle.
U.ru.bu *s* vulture.
U.sa.do *adj* worn; used.
U.sar *v* to use; to wear.
U.sá.vel *adj* usable.
U.so *s* use; usage; custom.
U.su.al *adj* usual; customary.
U.su.al.men.te *adv* usually; habitually.
U.su.fru.ir *v* to usufruct.
U.su.ra *s* usury.
U.su.rá.rio *adj* avaricious.
U.ten.sí.lio *s* utensil.
Ú.te.ro *s* ANAT uterus; womb.
Ú.til *s* utility; usefulness; *adj* useful; profitable.
U.ti.li.da.de *s* utility; profit; usefulness.
U.ti.li.tá.rio *s* utilitarian; useful; practical.
U.ti.li.zar *v* to utilize; to make use of.
U.to.pi.a *s* utopia; dream.
U.tó.pi.co *adj* utopian.
U.to.pis.ta *s* utopian, visionary.
U.va *s* grape.

V

V *s* the twenty-second letter of the Portuguese alphabet and of the English alphabet.
Va.ca *s* cow.
Va.ci.lar *v* to vacillate; to hesitate; to totter.
Va.ci.na *s* vaccine.
Va.ci.nar *v* to vaccinate.
Vá.cuo *s* vacuous; vacuum.
Va.de.ar *v* to wade.
Va.di.a.ção *s* vagrancy; *also* **Vadiagem**.
Va.di.ar *v* to wander; to loaf.
Va.di.o *s* vagrant; vagabond; loafer; *adj* vagrant; vagabond; loafer.
Va.ga *s* wave; vacancy.
Va.ga.bun.de.ar *v* to rove; to loaf.
Va.ga.bun.do *s* vagrant; loafer; bum; lazy bum; *adj* vagabond; lazy.
Va.gão *s* railroad coach; railway carriage.
Va.gar *s* leisure; slowness; spare time.
Va.gar *v* to rove; to stroll; to wander.
Va.gem *s* string beans.
Va.go *adj* vague; unoccupied.
Va.guear *v* to stroll; to wander.
Vai.a *s* hoot; shout; boo; jeer.
Vai.ar *v* to shout; to boo; to jeer.
Vai.da.de *s* vanity.
Va.la *s* ditch; gutter; drain.
Va.le *s* valley; advance of money; dale.
Va.len.tão *s* braggart; hooligan; roughneck; *adj* bragging; valiant.
Va.len.te *adj* brave; valiant.
Va.len.ti.a *s* valiancy; bravery; courage.
Va.ler *v* to be worth.
Va.li.dar *v* to validate; to confirm.
Va.lor *s* value; valor; worth.
Va.lo.ri.zar *v* to valorize; to value.
Val.sa *s* MÚS waltz.
Val.sar *v* to waltz; to dance the waltz.
Van.da.lis.mo *s* vandalism; barbarism.
Vân.da.lo *s* vandal; barbarian.
Van.gló.ria *s* vainglory; boast; **Vangloriar-se** *v* to flatter.
Van.ta.gem *s* advantage; gain.
Vão *s* open space; vain; *adj* frivolous; vague.
Va.por *s* vapour; steam.
Va.po.ri.zar *v* to vaporize.
Va.quei.ro *s* cowboy.
Va.ra *s* twig; rod; stick.
Va.ral *s* clothes line.
Va.ran.da *s* veranda; porch; balcony.
Va.rar *v* to pierce.
Va.re.jis.ta *s* person that makes retail trade.
Va.re.ta *s* small rod.
Va.ri.ar *v* to vary; to alter; to change.
Va.ri.e.da.de *s* variety; variation; diversity.
Vá.rio *adj* various; fickle; unstable; divers.
Va.ro.nil *adj* manly; courageous.
Var.re.dor *s* sweeper; *adj* sweeping.
Var.rer *v* to sweep; to brush; to clean.
Vár.zea *s* plain; field.
Vas.cu.lhar *v* to sweep the dust; to search.
Va.si.lha *s* vessel.
Va.si.lha.me *s* jug.
Va.so *s* vessel; vase; jug; vat.
Vas.sou.ra *s* broom.
Vas.ti.dão *s* vastness; immensity.
Vas.to *adj* vast; immense; huge.
Va.ti.ci.nar *v* to vaticinate; to foretell.
Vau *s* ford.
Va.zar *v* to empty; to hollow; to ebb.
Va.zi.o *s* void; empty; blank; *adj* empty; blank.
Ve.a.do *s* deer; stag; GÍR homosexual; gay.
Ve.dar *v* to forbid; to hinder; to ban.
Ve.de.te *s* star.
Ve.e.mên.cia *s* vehemence; fervor.
Ve.ge.tal *s* vegetable; vegetal; *adj* vegetable; vegetal.
Ve.ge.tar *v* to vegetate; grow as plant.
Vei.a *s* vein.
Vei.cu.lar *s* to propagate, to transmit; *adj* vehicular.
Ve.í.cu.lo *s* vehicle; carriage; car.
Vei.o *s* vein.
Ve.la *s* sail; candle.
Ve.la.do *adj* enigmatic; veiled.
Ve.lar *v* to veil; to conceal; to watch.
Ve.lei.da.de *s* velleity; whim; fancy; levity.
Ve.lei.ro *s* sailing boat; *adj* sailing.
Ve.le.jar *v* to sail; to navigate.

Ve.lha.ca.ri.a *s* roguery.
Ve.lha.co *s* knave; rascal; rogue; *adj* knavish; roguish; crafty.
Ve.lho *s* old man; *adj* old; former; ancient.
Ve.lo.ci.da.de *s* velocity; speed; celerity.
Ve.loz *adj* swift; speedy; fast.
Ve.lozmente *adv* fast.
Ve.lu.do *s* velvet.
Ven.ce.dor *s* victor; winner; *adj* victorious; conquering.
Ven.cer *v* to win; to overcome.
Ven.da *s* sale; BR market; grocery.
Ven.dar *v* to bandage.
Ven.da.val *s* storm wind; tempest.
Ven.de.dor *s* seller; salesman; trader.
Ven.der *v* to sell.
Ve.ne.no *s* poison; venom; rancor; spite.
Ve.ne.no.so *adj* venomous; poisonous.
Ve.ne.ra.ção *s* veneration; respect; worship.
Ve.ne.rar *v* to venerate; to revere; to respect.
Ve.ne.rá.vel *adj* venerable; respectful.
Ve.ne.ta *s* whim; bad humor.
Ve.ne.zi.a.na *s* Venetian; venetian window.
Vê.nia *s* permission; excuse.
Ven.ta.ni.a *s* high wind.
Ven.tar *v* to blow; to wind; to breath.
Ven.ta.ro.la *s* a kind of fan.
Ven.ti.la.dor *s* ventilator; aerator.
Ven.ti.lar *v* to ventilate; to discuss freely.
Ven.to *s* wind; a breeze; flatulence.
Ven.to.i.nha *s* weathercock; vare; fan.
Ven.tre *s* belly; abdomen; womb.
Ven.tri.lo.qui.a *s* ventriloquism.
Ven.trí.lo.quo *s* ventriloquist; *adj* ventriloquist.
Ven.tu.ra *s* venture; chance; luck.
Ven.tu.ro.so *adj* fortunate; lucky; risky.
Ver *v* to see; to look; to examine.
Ve.ra.ci.da.de *s* veracity; truthfulness; truth.
Ve.ra.ne.ar *v* to summer.
Ve.ra.nei.o *s* summer holidays; summering.
Ve.rão *s* summer.
Ver.bal *adj* verbal; oral.
Ver.ba.li.zar *v* to verbalize; to make verbal.
Ver.bal.men.te *adv* verbally; orally.
Ver.be.rar *v* to strike; to whip.
Ver.be.te *s* note; annotation.
Ver.bo *s* GRAM verb; a word; a vocable.
Ver.da.de *s* truth; verity; veracity.

Ver.da.dei.ra.men.te *adv* indeed; truly.

Ver.da.dei.ro *adj* true; veracious.
Ver.de *adj* green; fresh.
Ver.du.go *s* hangman; executioner.
Ver.du.ra *s* verdure; vegetables.
Ve.re.a.dor *s* alderman.
Ver.ga.lhar *v* to whip; to scourge; to beat.
Ver.gar *v* to curve; to bend.
Ver.go.nha *s* shame; bashfulness.
Ve.ri.fi.car *v* to verify; to check.
Ver.me *s* worm; tapeworm.
Ver.me.lho *s* red; the red color; socialist.
Ver.niz *s* varnish.
Ve.ros.sí.mil *adj* probable.
Ve.ros.si.mi.lhan.ça *s* verisimilitude.
Ver.são *s* version; translation.
Ver.sar *v* to version; to make a version.
Ver.sá.til *adj* versatile; variable; changeable.
Ver.se.jar *v* to versify; to compose verses.
Ver.sí.cu.lo *s* verse of the Bible.
Ver.si.fi.car *v* to versify; to compose verses.
Ver.so *s* verse; poetry; back; reverse of a coin.
Ver.ter *v* to spill; to shed; to translate.
Ver.ti.gem *s* MED vertigo; dizziness.
Ver.ti.gi.no.so *adj* vertiginous; dizzy; giddy.
Ver.ve *s* verve; enthusiasm.
Ves.go *adj* cross-eyed.
Ves.pa *s* wasp.
Vés.per *s* vesper; FIG the west.
Vés.pe.ra *s* eve.
Ves.per.ti.no *s* evening paper; *adj* vespertine.
Ves.te *s* clothes; vest; dress.
Ves.ti.á.rio *s* dressing-room.
Ves.ti.do *s* dress; clothes; garment; gown.
Ves.tí.gio *s* vestige; footprint; trace; sign.
Ves.ti.men.ta *s* vestment; dress; vestments.
Ves.tir *v* to dress; to clothe; to wear.
Ves.tu.á.rio *s* clothes; apparel.
Ve.tar *v* to veto; to prohibit; to refuse.
Ve.te.ra.no *s* veteran; expert; *adj* veteran; expert.
Ve.te.ri.ná.rio *s* veterinary; *adj* veterinary.
Ve.to *s* veto.
Ve.tus.to *adj* ancient; old.
Véu *s* veil; FIG cover; disguise.
Ve.xa.me *s* vexation; trouble.
Ve.xar *v* to harass; to humiliate; to disturb.
Vez *s* turn; opportunity.
Vi.a *s* way; road; street; copy.
Vi.a.bi.li.da.de *s* viability; feasibility.
Vi.a.ção *s* network of roads.
Vi.a.du.to *s* viaduct; bridge.
Vi.a.gem *s* voyage; trip; travel.
Vi.a.jan.te *s* traveller.
Vi.a.jar *v* to travel; to journey.
Vi.a.tu.ra *s* vehicle.
Vi.á.vel *adj* viable; practicable; feasible.
Ví.bo.ra *s* viper; a kind of snake.
Vi.bra.ção *s* vibration; oscillation.
Vi.brar *v* to vibrate; to oscillate; to vibrate.
Vi.ce-ver.sa *adv* vice versa; conversely.
Vi.ci.a.do *adj* vicious; vitiated; defective.
Vi.ci.ar *v* to vitiate; to deprave; to pervert.
Ví.cio *s* vice; addiction.
Vi.cis.si.tu.de *s* vicissitude.
Vi.da *s* life; livelihood; lifetime; living.
Vi.dei.ra *s* vine.
Vi.dra.ça *s* pane.
Vi.drar *v* to glaze; to dim; to grow dim.

Vi.dro *s* glass.
Vi.e.la *s* lane; narrow street.
Vi.ga *s* beam; girder.
Vi.ga.men.to *s* beams; framework.
Vi.gá.rio *s* vicar; curate.
Vi.ga.ris.ta *s* swindler; confidence man.
Vi.gen.te *adj* in vigor; standing.
Vi.gi.a *s* watching; watch; vigilance; sentinel.
Vi.gi.ar *v* to watch; to spy; to vigil.
Vi.gi.lân.cia *s* vigilance; watchfulness; surveillance.
Vi.gí.lia *s* vigil; watching; wakefulness.
Vi.gor *s* vigour; strength; potency.
Vi.go.rar *v* to be in force.
Vil *adj* vile; mean; villainous.
Vi.lão *s* villain; rascal.
Vi.le.za *s* meanness; baseness.
Vi.li.pen.di.ar *v* to vilify; to debase; to revile.
Vi.me *s* wicker.
Vi.na.gre *s* vinegar.
Vin.car *v* to fold; to plait.
Vin.co *s* crease; fold.
Vin.cu.lar *v* to bind; to tie; to link.
Vin.da *s* arrival.
Vin.dou.ro *adj* future; coming.
Vin.ga.dor *s* avenger; revenger; *adj* avenging.
Vin.gan.ça *s* vengeance; revenge.
Vin.gar *v* to avenge; to revenge.
Vi.nha *s* vine; vineyard.
Vi.nho *s* wine.
Vi.o.la *s* viol; viola (small guitar).
Vi.o.la.ção *s* violation; transgression.
Vi.o.lão *s* viol; guitar.
Vi.o.lar *v* to violate; to break.
Vi.o.lá.vel *adj* violable.
Vi.o.lei.ro *s* guitar maker.
Vi.o.lên.cia *s* violence; intensity; rape.
Vi.o.len.tar *v* to force.
Vi.o.le.ta *s* BOT violet; purple.
Vi.o.li.no *s* MÚS violin.
Vi.o.lon.ce.lo *s* violoncello.
Vir *v* to come; to arrive; to appear; to occur.
Vi.rar *v* to turn; to reverse; to empty.
Vi.ra.vol.ta *s* circular motion; somersault.
Vir.gem *s* virgin; maid.
Vir.gin.da.de *s* virginity; maidenhood.
Vír.gu.la *s* comma.
Vi.ril *adj* virile; manly.
Vi.ri.li.da.de *s* virility; masculinity.
Vir.tu.de *s* virtue.
Vi.ru.len.to *adj* virulent.
Ví.rus *s* virus; GÍR bug.
Vi.são *s* sight; view; vision.
Vi.sar *v* to aspire; to seek.
Vis.co.si.da.de *s* viscosity; stickiness.
Vi.si.bi.li.da.de *s* visibility.
Vi.si.ta *s* visit; visitor; guest.
Vi.si.tar *v* to visit.
Vi.sí.vel *adj* visible; obvious; manifest.
Vis.lum.brar *v* to glimpse.
Vis.lum.bre *s* glimpse.
Vis.ta *s* sight; look; glance; view.
Vis.to *s* visa; *adj* seen; examined; known.
Vis.to.ri.a *s* inspection; assessment; survey.
Vis.to.ri.ar *v* to survey; to inspect.
Vis.to.so *adj* showy; ostentatious.
Vi.te.la *s* veal.
Vi.ti.mar *v* to victimize.
Vi.tó.ria *s* victory; success; triumph.
Vi.ú.va *s* widow.
Vi.ú.va *adj* widowed.
Vi.u.vez *s* widowhood.
Vi.ú.vo *s* widower; *adj* widowed; FIG desolate; helpless.
Vi.va.ci.da.de *s* vivacity; animation.
Vi.vaz *adj* vivacious; lively; brisk.
Vi.vei.ro *s* coop; a small enclosure.
Vi.ven.da *s* dwelling; cottage; country house.
Vi.ver *v* to live; to subsist.
Ví.ve.res *s* victuals; food.
Vi.vi.fi.car *v* to vivify; to animate.
Vi.vo *adj* live; alive; sound; **ao Vivo:** living.
Vi.zi.nhan.ça *s* neighbourhood.
Vi.zi.nho *s* neighbour; neighbor; *adj* neighboring; neighbouring; near.
Vo.a.dor *s* flier.
Vo.ar *v* to fly; to disappear.
Vo.ca.bu.lá.rio *s* vocabulary; lexicon.
Vo.cá.bu.lo *s* vocable; word; term.
Vo.ca.ção *s* vocation; inclination; calling.
Vo.ca.li.zar *v* to vocalize.
Vo.cê *pron* you.
Vo.ci.fe.ra.ção *s* vociferation; clamor.
Vo.ci.fe.rar *v* to vociferate; to shout out.
Vo.ga *s* vogue; fashion; usage.
Vo.gal *s* vowel; voter; member of a jury; *adj* vocal; vocalic.
Vo.lan.te *s* steering wheel; *adj* volant.
Vo.lá.til *adj* volatile; gaseous; vaporous.
Vo.li.ção *s* volition; will; determination.
Vol.ta *s* turn; circuit; rotation.
Vol.tar *v* to turn; to return; to come back.
Vo.lu.bi.li.da.de *s* volubility; inconstancy; versatility.
Vo.lu.me *s* volume; bulk; a mass.
Vo.lu.mo.so *adj* voluminous; bulky; swelling.
Vo.lun.tá.rio *s* volunteer.
Vo.lun.tá.rio *adj* voluntary.
Vo.lú.pia *s* pleasure.
Vo.lup.tu.o.so *adj* voluptuous; sensuous; luxurious.
Vo.lu.ta *s* ARQ volute.
Vo.lú.vel *adj* voluble; changeable; fickle.
Vol.ver *v* to turn; to roll; to turn around.
Vo.mi.tar *v* to vomit; to belch forth.
Vô.mi.to *s* vomit; vomiting.
Von.ta.de *s* rational choice; mind; desire.
Vo.o *s* flight; FIG ecstasy; rapture.
Vo.ra.ci.da.de *s* voracity; voraciousness; greediness.

Vo.raz *adj* voracious; ravenous; insatiable.
Vór.ti.ce *s* vortex; whirlwind.
Vos *pron* you.
Vos.so *adj* your; *pron* yours.
Vo.ta.ção *s* voting; balloting.
Vo.tan.te *adj* voting.
Vo.tar *v* to vote for.
Vo.to *s* vote; suffrage; vow.
Vo.vô *s* grandpa; granddad.
Vo.vó *s* grandma; granny.
Voz *s* voice; speech.
Vo.zei.rão *s* loud voice.
Vul.ca.ni.zar *v* to vulcanize.
Vul.cão *s* volcano.
Vul.gar *s* vulgar; *adj* vulgar; common; ordinary.
Vul.ga.ri.da.de *s* vulgarity.
Vul.ga.ri.za.ção *s* vulgarization.
Vul.ga.ri.zar *v* to vulgarize; to make vulgar.
Vul.go *s* common people.
Vul.ne.ra.bi.li.da.de *s* vulnerability.
Vul.ne.rá.vel *adj* vulnerable.
Vul.to *s* face; countenance; visage; figure.
Vul.to.so *adj* bulky; voluminous.

w W

W *s* the twenty-third letter of the Portuguese alphabet and of the English alphabet.
Wag.ne.ri.a.nis.mo *s* Wagnerism.
Wag.ne.ri.a.no *adj* Wagnerian.
Wa.tí.me.tro *s* wattmeter.
Watt *s* FÍS watt (symbol W).
Win.de-Sur.fe *s* ESP wind surf.

x X

X *s* the twenty-fourth letter of the Portuguese alphabet and of the English alphabet.
Xá *s* shah.
Xa.drez *s* ESP chess (game); BR jail; prison.
Xa.dre.zis.ta *s* chess player.
Xa.le *s* shawl.
Xam.pu *s* shampoo.
Xan.gô *s* BR name of an african God (Orixá).
Xa.rá *s* homonym; namesake.
Xa.ro.pe *s* syrup; sirup.
Xa.ve.co *s* NÁUT xebec (ship).
Xe.lim *s* shilling (British coin).
Xe.nô.nio *s*, xenon.
Xe.que *s* sheik; ESP check; **Xeque-mate:** checkmate.
Xe.re.ta *s* BR POP meddler; busybody.
Xe.rez *s* sherry wine; black grape.
Xe.ri.fe *s* sheriff, a high official of a shire or country.
Xe.rox *s* Xerox (registered mark).
Xi! *interj* BR gee!
Xí.ca.ra *s* cup; cupful; demitasse.
Xi.lin.dró *s* BR POP jail.
Xin.ga.men.to *s* insulting speech; curse.
Xin.gar *v* to call bad names; to swear.
Xin.to.ís.mo *s* Shintoism.
Xin.to.ís.ta *s adj* RELIG Shintoist, person that practices the Shintoism.
Xi.xi *s* GÍR piss; urine; **fazer Xixi:** to pee; to urinate.
Xô! *interj* BR POP shoo!
Xo.dó *s* BR POP passion; preferential love.
Xu.cro *adj* BR POP untamed animal; silly person; silly billy.

yY

Y *s* the twenty-fifth letter of the Portuguese alphabet and of the English alphabet.

Y *s* QUÍM symbol of **Yttrium**, a metallic element.

Yd *s* **yard** (914.4 mm).

z Z

Z *s* the twenty-sixth letter of the Portuguese alphabet and of the English alphabet.
Zagueiro *s* fullback.
Zan.ga *s* anger; aversion; quarrel.
Zan.ga.do *adj* angry; ill-tempered.
Zan.gão *s* drone.
Zan.gar *v* to anger; to annoy; to get angry.
Zan.zar *v* to roam; to rove; to wander.
Za.ra.ba.ta.na *s* blow pipe, an indigenous weapon, in tube form.
Za.ro.lho *adj* cross-eyed.
Zar.par *v* to set sail; to go off fast.
Ze.bra *s* ZOO zebra.
Ze.bu *s* zebu (ox).
Ze.la.dor *s* guardian; keeper; *adj* caring.
Ze.lar *v* to take care; to watch; to care for.
Ze.lo.so *adj* careful; zealous.
Zen.da *s* RELIG zend.
Zen.da-A.ves.ta *s* RELIG Zenda-Avesta.
Ze.ro *s* zero; origin.
Zi.gue.za.gue *s* zigzag; crisscross.
Zim.bó.rio *s* ARQT cupola.
Zi.na.bre *s* verdigris, deposit forming on brass.
Zin.car *v* to galvanize.
Zo.ar *v* to buzz; to hum; to sound.
Zom.ba.dor *s* jester; mocker; *adj* mocking.
Zom.bar *v* to deride; to mock; to gibe.
Zom.ba.ri.a *s* mockery; mocking; gibing; mocker.
Zo.na *s* area; region; zone; POP mess.
Zo.o.ló.gi.co *adj* zoological.
Zo.ro.as.tris.mo *s* RELIG zoroastrianism.
Zum.bi.do *s* buzzing; humming.
Zun.zum *s* intrigue; rumour; rumor.